Arnold Angenendt
Heilige und Reliquien

Arnold Angenendt

Heilige und Reliquien

Die Geschichte ihres Kultes
vom frühen Christentum
bis zur Gegenwart

Verlag C. H. Beck München

Mit 8 Abbildungen im Text
und 21 Abbildungen auf Tafeln

Die Deutsche Bibliothek – CIP-Einheitsaufnahme

Angenendt, Arnold:
Heilige und Reliquien : die Geschichte ihres Kultes vom frühen Christentum bis zur Gegenwart / Arnold Angenendt.
München : Beck, 1994
ISBN 3 406 38096 4

ISBN 3 406 38096 4

Gesamtherstellung: Kösel, Kempten
Gedruckt auf alterungsbeständigem (säurefreiem), aus chlorfrei gebleichtem Zellstoff hergestelltem Papier
Printed in Germany

Inhalt

I. Zur Einführung 9

1. Vorweg: Was ist ‚heilig'? 9 – 2. Ein religionsgeschichtlicher Aufriß 11

II. Im Umfeld: Griechen, Israeliten, Lateiner, Germanen 15

1. Was jeweils ‚heilig' bedeutet 15 – 2. Heros, Gottesmensch und Grab 21

III. Das Neue Testament 24

1. ‚Vollkommen', ‚selig' und ‚heilig' 24 – 2. Gestalt und Überlieferung Jesu 28

IV. Die Entfaltung der Grundgestalten 33

1. Gemeinschaft der Heiligen 33 – 2. Martys und Martyrium 35 – 3. Apostel und apostolisches Leben 38 – 4. Gebet und Mystik 40 – 5. Nächsten- und Feindesliebe 48

V. Askese und Entsagung 55

1. Bekenner und Asket 55 – 2. Sühne durch Blut 62 – 3. Leib als Ort der Askese 66

VI. Der Gottesmensch 69

1. ‚vir Dei' – ‚famula Dei' 69 – 2. Verdienst und Wunder 74 – 3. Mittlerschaft und Fürbitte 80 – 4. Gegen Teufel und Dämonen 85

VII. Die „Guten" und die „Besseren" 89

1. Die gute Ehe und die bessere Jungfräulichkeit 89 – 2. Das schwache Geschlecht und die starke Gnade 93 – 3. Die erste und die zweite Taufe 97 – 4. Die adelige Geburt und die edlere Heiligkeit 99

VIII. Die Doppelexistenz: im Himmel und auf Erden 102

1. Die Seele im Himmel 102 – 2. Verdienst und Fürsprache bei Gott 106 – 3. Der Leib auf Erden 108 – 4. Bleibender Verbund 111 – 5. Licht, Feuer, Heiligenschein 115 – 6. Blumen und Duft 119

IX. Ort und Zeit 123

1. Heiliger Anfang 123 – 2. Heiliger Ort 125 – 3. Heiliger Tag 129 – 4. Die Wallfahrt 132

X. Die Hagiographie 138

1. Vita und Mirakel 138 – 2. Typik und Exempel 143

XI. Die Reliquien 149

1. Der ganze und unverweste Leib 149 – 2. Der geteilte Leib 152 – 3. Die einwohnende ‚virtus' 155 – 4. Heiltum und Schau 158 – 5. Betrug, Diebstahl, Irrtum und Kritik 162

XII. Erhoben zur Ehre der Altäre 167

1. Grab und Altar 167 – 2. Elevation und Translation 172 – 3. Im Schrein über dem Altar 176 – 4. Die Kanonisation 179

XIII. Statue und Bild 183

1. Figur und Bildnis 183 – 2. Bild und Gemälde 186 – 3. Das wundertätige Bild 188

XIV. Der Patronat 190

1. Der Patron 190 – 2. Die ‚familia' des Heiligen 193 – 3. Bruderschaften 197 – 4. Hüter des Rechts 198 – 5. Kirchen- und Altarpatrozinium 203

XV. Dank und Dornen 207

1. Lobpreis und Anrufung 207 – 2. Gelübde und ‚ex-voto'-Gaben 209 – 3. Enttäuschung und Strafe 212

XVI. Die Sonderfälle 214

1. Jesus-Reliquien 214 – 2. Muttergottes Maria 217 – 3. Petrus, Apostelfürst und Himmelspförtner 225

XVII. Kulmination und Umschlag 230

1. Beim Volk: „das große Laufen“ 230 – 2. Die Humanisten: „ein Meer des Aberglaubens“ 233

XVIII. Der reformatorische Einspruch 236

1. Martin Luther 236 – 2. Bildersturm 239

XIX. Die katholische Erneuerung 242

1. Verteidigung und Rettung 242 – 2. Die Marienverehrung 244 – 3. Die Himmelsglorie 246 – 4. Prozession und Wallfahrt 248 – 5. Die Katakomben-Heiligen 250 – 6. Entstehung der Hagiographie 251 – 7. „Volksfrömmigkeit“ und „Sozialdisziplinierung“ 253

XX. Evangelische Heiligenverehrung? 257

1. Im Luthertum 257 – 2. Im Pietismus 259

XXI. Aufklärung und Kritik 261

1. Gebein ist „tot“ 261 – 2. Entzauberung der Welt 265 – 3. Revolution und Säkularisation 271

XXII. Von der Romantik zum Ultramontanismus 274

1. Die Heiligen kehren zurück 274 – 2. Medium des Jenseits 277 – 3. Demonstration des Katholischen 282 – 4. Die Jungfrau Maria 286

XXIII. Historismus und Säkularismus 293

1. Historischer Rückzug 293 – 2. Religionsgeschichte und Ethnologie 295 – 3. Psychologie, Kunst und Literatur 299 – 4. Verwischte Spuren – verfremdete Heilige 303

XXIV. Heutige Positionen der Kirchen 307

1. Die Dogmatik 307 – 2. Katholische Praxis 309 – 3. Evangelische Praxis 312

XXV. Die „Ersatz"-Heiligen 316

1. Die Postulate der Religionssoziologie 316 – 2. National- und Sozialheilige 321 – 3. Die totalitären Ideologien 327

XXVI. Ein Exempel historischer Hermeneutik? 331

1. Der „Volksglauben" 331 – 2. Nach der Aufklärung 335 – 3. „Aufklärung über die Aufklärung" 342

XXVII. Zuletzt: Der christliche Heilige 348

Nachwort 354

Anhang

Anmerkungen 357

Quellen- und Literaturverzeichnis 395

Quellenverzeichnis Mittelalter 395 – Quellenverzeichnis Neuzeit 402 – Literaturverzeichnis 404

Abbildungsnachweis 444

Personenregister 445

Sachregister 457

I. Zur Einführung

1. Vorweg: Was ist ‚heilig'?

„Alle bisher gegebenen Definitionen des Phänomens *Religion* weisen ein Gemeinsames auf: jede von ihnen setzt in irgendeiner Weise das *Heilige* und das religiöse Leben dem *Profanen* und dem weltlichen Leben entgegen"[1] – so der bekannte Religionswissenschaftler Mircea Eliade († 1986). Aber eine genauere Abgrenzung scheitert ihm zufolge an der ungeheuren Masse der Zeugnisse und ihrer Gestaltenfülle, weil „wahrscheinlich kein Objekt, kein Wesen, keine Pflanze usw. existiert, das nicht in einem bestimmten Moment der Geschichte, an einem bestimmten Ort im Raum, die Würde des *Sakralen* angenommen hätte"[2]. Obendrein ist das *Sakrale* in sich „ambivalent": erhaben und verflucht, rein und befleckt, beseligend und unheimlich, belebend und zerstörend. Für das Verbotene, ja das Vernichtende des Sakralen und die daraus folgende Meidung hat sich in der Religionsforschung das polynesische Wort „Tabu" durchgesetzt.[3] Ein anderes, ebenfalls durch die Ethnologie eingebürgertes Grundwort, das Mana, stellt das eher Positive heraus: „alles, was dem Menschen wirkungsvoll, dynamisch, schöpferisch, vollkommen erscheint"[4]. Carsten Colpe, der Eliade den „bedeutendsten Vertreter ... der ganzen Epoche der wissenschaftlichen Beschäftigung mit dem Heiligen überhaupt"[5] genannt hat und in der deutschsprachigen Forschung am strengsten auf eine erkenntnistheoretische Fundierung der Religionswissenschaft drängt[6], sieht das Heilige gleichfalls als eine „zusammengesetzte Kategorie"[7] an, möchte aber weiter differenzieren. Zurückgreifend auf Emile Durkheim († 1917) und seine soziogenetisch begründete Scheidung von ‚sacré' und ‚profane', zurückgreifend auch auf Rudolf Otto († 1937) und seinen „numinosen Sinn" mit dem Erleben des Heiligen als eines ‚fascinosum' und eines ‚tremendum', fordert Colpe eine umfänglichere und eindringlichere Definition: „Als großes Desiderat bleibt bestehen, genauer zu bestimmen, was innerhalb dieses Systems Gegensätze und was Unterschiede sind; sodann, ob der dialektische Gegensatz (wenn es nicht nur ein Unterschied ist) zwischen heilig und profan auf einen realen Gegensatz hinweist; welcher kontradiktorische Gegensatz, wie er zwischen rein und unrein besteht, innerhalb des Heiligen wie des Profanen sonst noch konstatiert werden kann; ob die Ambivalenz in der Phänomenologie des Sich-Zeigens auch bloß konträre Gegensätze wie zwischen unrein und profan, unrein und heilig, rein und profan, rein und heilig umfaßt; und ob das Verhältnis zwischen beseligend und schauervoll, anziehend und abschreckend, eigentlich ursprünglich nur ein wesentlicher Unterschied war, der sich zu einem Gegensatz gleich welcher Art entwickelt hat ...“[8]

Bündiger scheint sich das Bild des *heiligen Menschen* zeichnen zu lassen: der Mensch, den die *Heiligkeit* in Besitz genommen hat. Wolfgang Speyer definiert: Als Typus des religiösen Ausnahmemenschen gehöre *der Heilige*, sei er christlich oder außerchristlich, zum Kernbestand der religiösen Vorstellungswelt; ja, er stelle „die eigentlich tragende Erscheinung der *Religion* dar“[9]. Die Charismata, die den Heiligen auszeichnen, sind „die Kraft, zu segnen und zu fluchen, sowie Heil- und Strafwunder zu vollbringen, die Macht über die belebte und unbelebte Natur, die Ekstase mit den Folgen der Unempfindlichkeit vor allem gegen Feuer und Gift ..., die Zeit- und Raumüberlegenheit (Levitation und Bilokation), die Gabe ... des Vorauswissens, der Herzenserkenntnis und der Prophetie, die Nahrungslosigkeit, der wunderbare Lichtglanz, der wundersame Wohlgeruch und die Unverweslichkeit.“[10] Menschen, die solche Charismata aufwiesen, wurden von ihrer Umwelt bewundert und zugleich gefürchtet.[11] Die nachdrückliche Betonung, daß das Christentum gleichfalls die Gestalt des Heiligen hervorgebracht hat, soll zugleich der Beweis dafür sein, „daß das Christentum wesensmäßig eine Religion ist und nicht nur ein Bekenntnis oder nur eine Ethik“[12]. Abgewehrt wird damit ein „religionsloses Christentum“, wie es zeitweilig die Dialektische Theologie proklamierte. Vielmehr wird einer Einbettung in den großen Strom der Religionsgeschichte das Wort geredet. Für das Christentum ist dabei zu fragen, welchen Heiligen-Typ es hervorgebracht hat und wo derselbe in der Religionsgeschichte anzusiedeln ist.

2. Ein *religionsgeschichtlicher* Aufriß

Um die Problembreite einer vornehmlich religionshistorischen Betrachtung zu skizzieren, seien vorab drei Beispielfelder vorgestellt. Das erste betrifft die religiöse *Ethik*. Diese bildet in der Geschichte der Religion regelmäßig die spätere Stufe. Die englische Religionssoziologin Mary Douglas beispielsweise resümiert allgemein, daß *Sünde* zuerst immer als ein spezifizierbares und formal gekennzeichnetes Fehlverhalten angesehen worden sei und sich erst danach „die Idee der Sünde weniger mit bestimmten äußerlichen Handlungen und mehr mit bestimmten Seelenzuständen“[13] verbunden habe. In der Antike ist nach Heinrich Dörrie derjenige *„fromm“* gewesen, der „alles, was im Gesetz vorgeschrieben ist, redlich und pünktlich ausführt“; schlichtweg habe das archaische Relikt gegolten: „Das Richtige ist das Vermeiden von [kultischen] Fehlern.“[14] Nur langsam sei, zum Beispiel in Griechenland, eine Ethisierung vorgedrungen: „Aus der Praxis des [Reinigungs-]Rituals, im Bilde der ‚Unreinheit‘ entwickelt sich ein Begriff der Schuld, Reinigung wird zur Sühne“[15]. Eine Vertiefung der äußeren Formen habe zur Verinnerlichung geführt, bis dann Platon formulieren konnte: „Verunreinigt in seiner Seele ist der Schlechte, rein der Entgegengesetzte“[16]. Alles in allem, so das Fazit, zähle „die Geistesgeschichte der griechischen Ethik zum wichtigsten Beweis [für] ... die Sublimierung griechischer Gottesvorstellung“[17]. In der römischen Religion, so Kurt Latte, dürfe man nicht eine Gesinnung, die die ganze Persönlichkeit prägte, suchen[18]; nur erste Ansätze einer ethischen Wandlung seien zu erkennen[19]. In Israel endlich hat erst der Prophetismus einen konsequent ethischen Gottesdienst gepredigt.[20] Der Blick auf das Christentum zeigt: „Der Gedanke, daß ein Gottesdienst ... nicht nur dem Gott, sondern besonders der ‚Erbauung‘ der Gemeinde zugute kommen müsse, hat außerhalb des Christentums in keinem antiken Kult Beachtung gefunden.“[21] Denn seine spezifischen Qualitäten hat das Christentum – so Max Weber – als „ethische Erlösungsreligion“[22]. Jesu Predigt akzentuiert, „daß nur die in Gesinnung und Handeln vollzogene Heiligung vor Gott gilt“[23]. So mußte sich der christliche Heilige durch ein herausragendes Ethos ausweisen. Das Mittelalter allerdings hatte lange mit der älteren Auffassung zu kämpfen, und erst seit der „Renaissance des 12. Jahrhunderts“ überwiegt, jedenfalls theoretisch, wieder die ethische Heiligkeitsauffassung, der zufolge nicht eigentlich das Mana der Wundergnade zählt, sondern die Kraft des ethischen Handelns. Die Versittlichung erlernte das Mittelalter gerade auch im Anblick des Heiligenbildes: Bilder, Wunder und Viten stellten Vorbilder vor Augen, ja forderten in „spiegelnder Entsprechung"[24] zu verinnerlichten Devotions- und Sozialpraktiken auf. Die Entwicklung führte in der Neuzeit dahin, daß Religion überhaupt nur noch als Sittlichkeit aufgefaßt wurde, so daß etwa Kant sagen konnte: „Religion ist ... die Erkenntnis aller unserer Pflichten als göttlicher Gebote", und „alles, was außer dem guten Lebenswandel der Mensch noch zu tun können vermeint, um Gott wohlgefällig zu werden, ist bloßer Religionswahn und Afterdienst Gottes."[25]

Ein weiteres Problem des Heiligenkultes, zumal des mittelalterlichen, liegt darin begründet, daß das Christentum von Hause aus nicht genügend „Religion" anbot. Dies mochte in der Frühzeit, als sich der neue Glaube nahezu ausschließlich in Städten ausbreitete und als Buchreligion mit hoher Ethik auftrat, nicht sonderlich ins Gewicht fallen[26]. Aber in der fast gänzlich agrarischen Gesellschaft, wie sie mindestens in der ersten Hälfte des Mittelalters bestand, fehlten zentrale Riten zur Bewältigung all jener kosmischen Kräfte, denen man sich tagtäglich ausgesetzt wußte. Offiziell negierte freilich die christliche Doktrin alle in der Natur wirkenden Eigenkräfte, sah vielmehr alles direkt von Gott abhängig, von ihm geschaffen und weiterhin gesteuert, oder aber als dämonisch besetzt und besessen. Christlich gesehen, gab es immer nur die Bitte an Gott um Verlebendigung und Reinigung, nicht aber eine Beschwörung der Naturkräfte. Hier nun blieb eine tiefklaffende Differenz. Die naturgebundene Agrargesellschaft verlangte nach einer direkten Einwirkung auf all jene Mächte, denen sie ihr Leben verhaftet sah: Wetter und Gewitter, Fruchtbarkeit und Ernte, Krankheiten und Seuchen, Leben und Tod. Die offizielle Kirche suchte mit einer Fülle von Segnungen und Exorzismen abzuhelfen. Noch wichtiger waren die Heiligen: ihre spezifizierten Zuständigkeiten für Wetter und Vieh, für Früchte und Felder, ihre Schutzwehr gegen Feuer und Blitz, ihre Heilkraft in Schmerz und Leid, nicht zuletzt ihre Bezwingung von Teufel und Dämonen. Über jeder Natur- und Unheilsmacht stand jeweils ein Heiliger, der anrufbar war und mit seinem Segen zu Hilfe eilte. Ja, der Segen des Heiligen entmächtigte die kosmischen Kräfte. Denn so heftig sich der christliche Kampf gegen den Aberglauben der heiligen Quellen,

Steine und Bäume, gegen Tagwahl und Loswerfen richtete[27] – alles war gerechtfertigt, sobald ein Heiliger seinen Segen gegeben hatte; daher die zahllosen nach Heiligen benannten Orte, Berge, Quellen, Bäume, Steine, Gebete, Tage und Riten. Die Heiligen füllten mit ihrem Segen wie mit ihrem Fluch jene Lücke, für die das Christentum zunächst kein Angebot hatte machen können. Erst mit der in der Neuzeit von den Naturwissenschaften vorangetriebenen Desakralisierung verlor der Heiligenkult diese Funktion; die Nachwirkungen davon, so wird sich zeigen, reichen bis in unsere Tage.

Und noch in anderer Hinsicht konnte sich das Problem der religiösen Einschränkung zeigen. Die Gestalt Jesu Christi ist im Neuen Testament teilweise nach dem Bild des Heiligen, ja des Gottesmenschen gekennzeichnet, weswegen man von einer „Gottmensch-Christologie"[28] hat sprechen können. Die Gestalt des Gottesmenschen ist eine Urgestalt der Religion, findet sich auch im Alten Testament, besonders ausgeprägt etwa bei Elija, und spiegelt sich dann ebenfalls in Jesus, dessen Sonderstellung freilich in langen konziliaren Bemühungen geklärt werden mußte. In Anbetracht dieses Befundes und der Forderung der Nachfolge an seine Jünger war es nur konsequent, daß ein jeder, der nach Vollendung strebte, irgendwie ein Gottesmensch wurde. Dabei aber entstanden Kollisionen. Denn die Gottesmensch-Gestalt Jesu ist nach dem Neuen Testament einzigartig: Ausschließlich er ist der „Gerechte", der „Fürsprecher", der „Vermittler" und „Anwalt" beim Vater. Sobald nun Heilige als Gottesmenschen verstanden wurden, bedurfte es einer besonderen theologischen Trennschärfe, um die Einzigartigkeit Jesu nicht zu beeinträchtigen und doch eine gelungene Imitatio darzustellen. In der Reformation trat diese Problematik so scharf ins Bewußtsein, daß es nicht zuletzt darüber zum Bruch kam. Ein regelrechter Abbruch geschah im 19. Jahrhundert, als man den religionsgeschichtlichen Hintergrund der Jesus-Gestalt zu eruieren begann und dadurch die Offenbarungsgläubigkeit infrage gestellt sah.

Aufbau und Gliederung des Buches sind damit vorgegeben: die biblischen Grundlagen der christlichen Heiligkeit und ihre Situierung in der Religionsgeschichte, sodann die „Fortentwicklung" in der christlichen Geschichte. Dabei zeigt sich insgesamt, daß eigentlich bis zum Ende des Mittelalters eine Ausfaltung erfolgte. Die Annahme allerdings, daß in der Alten Kirche bereits alle Typen des Heiligenkultes ausgebildet und die mittelalterlichen Gattungen mit dem einen oder anderen der frühen Beispiele identisch oder von ihnen abgeleitet seien[29], dürfte zu kurz greifen. Die vorantreibenden Elemente bestimmten sich nur zu oft von einer allgemeinen Religionslogik her, wobei sich christliche Elemente durchhalten wie vermengen konnten. Diese Symbiose darzustellen, das Wechselspiel von Christlichem und Religiösem zu verfolgen und dabei die einzelnen Elemente zu analysieren, nimmt den ersten größeren Teil des Buches ein; dieser ist daher eher als „struktural" zu kennzeichnen. Eine wirkliche Zäsur bringt die Neuzeit. Als im Spätmittelalter die Humanisten eine historische Kritik einleiteten und die Theologen einen schärferen Blick für die neutestamentliche Heiligkeit zurückgewannen, erfolgte in der Reformation ein theologischer Bruch, der sich dann in der Aufklärung zum „garstigen Graben" vertiefte. So ist der zweite Teil eher ereignisgeschichtlich geprägt: Kritik, Ablehnung, ja Zerstörung, aber auch Selbstbehauptung. In diesem größeren Entwicklungsbogen steht die Geschichte der christlichen Heiligkeit.

Ein Thema in der historischen Langzeitentwicklung abzuhandeln birgt die spezifische Gefahr, daß die jeweilige horizontale Verflochtenheit nicht sichtbar wird. Tatsächlich muß man sich vergegenwärtigen, daß die Geschichte der Heiligkeit mit vielen anderen Faktoren zusammenhängt, mit organisiertem Asketentum, mit Bildung und Schulen, mit gesellschaftlichen Voraussetzungen wie umgekehrt gesellschaftlichen Auswirkungen. Ein gesamtgeschichtlicher Aufriß kann hier nicht gegeben werden, doch soll die Einbindung in den jeweiligen Geschichtshorizont wenigstens angedeutet werden.

II. Im Umfeld: Griechen, Israeliten, Lateiner, Germanen

1. Was jeweils ‚heilig' bedeutet

Angesichts der Vielfältigkeit dessen, was als heilig verstanden worden ist, hat Carsten Colpe gefordert, „grundsätzlich nicht die philologische Methode der Übersetzung oder die sprachwissenschaftliche Methode der Etymologie, sondern die phänomenologische Methode ... anzuwenden"[1]; doch will er deswegen nicht auf die Analyse der in den Quellen benutzten Sprache verzichten. Schauen wir uns die Deutungsvarianten der für unser Thema wichtigsten Kulturkreise näher an.

Das Griechische hat für das Heilige hauptsächlich vier Wörter: ‚hierós', ‚hósios', ‚hágios' und ‚theíos'.[2] Dabei ist ‚hierós' seit mykenischer Zeit der entscheidende Begriff; das Wort hat grenzziehende, definierende Funktion und ist fast ausschließlich ein Prädikat von Sachen[3]. Die etymologische Grundbedeutung dürfte „stark" im Sinne von Überlegenheit, Herausgehobenheit, Nichtverfügbarkeit sein. Unter den griechischen Sakralwörtern kann ‚hierós' „am ehesten dem in der Religionswissenschaft viel verwendeten Begriffspaar Mana und Tabu zugeordnet werden"[4]. Der Anwendungsbereich ist primär kultisch bezogen:

„‚Das Heilige' schlechthin ist das Opfer, vor allem das Opfertier, und das Heiligtum mit Tempel und Altar. ‚Heilig' sind auch die Weihgaben im Heiligtum; das Geld, das dem Gott gestiftet ist; das Land, das nicht bebaut werden darf; ferner alles, was mit dem Heiligtum zu tun hat ...; ‚heilig' ist der Tag, an dem die Götter wirken, aber auch die Krankheit, in der sich Götter manifestieren. Ein Mensch ist ‚hierós', wenn er dem Gott geweiht ist, als Myste im Mysterienkult oder auch als Angehöriger eines Heiligtums, ja, als Tempelsklave" ...[5]

Neben ‚hierós' steht ‚hósios', womit alles gekennzeichnet wird, „was nicht im Widerspruch zu den Regeln und Forderungen steht, denen sich Menschen im Umgang mit den Göttern zu fügen haben"[6]. Es ist die Anerkennung des Abgegrenzten, das Handeln im Bereich des Erlaubten, obendrein das nach der Sakralisation Freigegebene. Ferner gilt als geläufiges und gewichtiges Wort ‚hagnós': das Heilig-Reine. Es bezeichnet den Gegenstand religiöser Scheu wie auch dessen Verehrung und ist von daher ein Beiwort aller Gegenstände und Örtlichkeiten, die einer Gottheit gehören und von Menschen verehrt werden. Neben der Macht meint es vor allem auch die Reinheit und Unbeflecktheit, weswegen sich der Mensch in Begegnung mit der göttlichen ‚hagneía' reinigen muß. Es ist zunächst eine kultische Reinheit, das Freisein von jeder Befleckung durch Zeugung, Geburt und Tod. In dem Maß aber, wie sich die Religion spiritualisiert, wandelt sich die ‚hagneía' zu innerer Reinheit. Seltener und jünger ist ‚hágios', das sich mehr auf die Haltung des Menschen und speziell auf seine seelische Bewegung bezieht, auf seinen Aufblick und seine Faszination, aber auch auf seine Scheu. Erst spät und außerhalb des Griechischen erfährt ‚hágios' seine reichste Anwendung, nämlich in der jüdischen und christlichen Tradition, die ‚hierós' fast ganz meidet.[7] Zuletzt ist noch ‚theíos' zu nennen, das überraschenderweise hauptsächlich dem Menschen beigelegt wird; ‚theíos' ist jener Mensch, der göttliche Qualitäten und Inspirationen erhalten hat oder auch durch große Leistungen zu göttlichem Rang aufgestiegen ist: der „göttliche Mensch"[8].

Grundsätzlich hat auch im griechischen Sprachgebrauch das Heilige eine Ambiguität: Anfangs wird nicht unterschieden zwischen der heilenden, lebenspendenden und der gefährlichen, zerstörerischen Macht des Heiligen, und auf beides reagiert der Mensch, der sich als ihnen ausgesetzt erlebt, in entsprechender Weise mit Scheu und Vorsicht[9]. Als frühes Beispiel einer menschenentsprechenden Begegnung wird der Apollo-Kult zu Delphi angeführt: Dort „muß eine Affinität ... des Fragenden mit dem helfenden Gott bestehen; ... der Adorant muß an der apollinischen Reinheit ... Anteil haben"; diese war aber zunächst noch rein kultisch: „das Nicht-Beschmutzt-Sein durch Zeugung, Geburt und Tod"[10], also ein archaisches Erfordernis, das schon durch Waschungen erfüllt werden konnte. Seit dem 6. Jahrhundert v. Chr. zeigte sich immer deutlicher die ethische Komponente: „Nicht nur Reinheit im konkret-körperlichen Sinne ist erforderlich; sondern in erster Linie muß die Seele des Menschen, der sich Apollon naht, des Gottes würdig sein."[11] Die Philosophie postulierte dann eine widerspruchsfreie Vernünftigkeit bzw. Göttlichkeit wenigstens für das immaterielle Sein, und hierbei „verliert das Heilige die Qualität des tremendum"[12]. Neu gedeutet wird nun auch die kultische Heiligkeit, die sich zur ethischen wandelt, und dabei wird unter platonischem Einfluß „die Reinheit als erfolgreiche Befreiung von den Bindungen an die sinnlich faßbare Welt durch Betätigung des Intellektes ... erstrebt"[13]; nur ein „noetischer Gottesdienst"[14] ist Gott angemessen. Endlich auch formulierten die griechischen Philosophen ein neues Opferverständnis. Schon Heraklit († 480 v. Chr.) forderte: „Bei den Opfern sind zwei Arten zu unterscheiden. Die einen werden dargebracht von innerlich vollständig gereinigten Menschen ..., die anderen aber sind materiell ..."[15] Die Neuplatoniker gaben dem „immateriellen", dem „geistigen" Opfer die letzte Konsequenz: Der höchste Gott ist allein durch heiliges Schweigen und reine Gedanken zu ehren; würdig ist allein die ‚thysia logike', das geistige Opfer[16].

Im Hebräischen geht das Wort ‚heilig' auf die Wurzel qds (kadosch) zurück und bezeichnet „einen numinosen Wertbegriff sui generis", der von „große[r] Geschlossenheit im Bedeutungsspektrum"[17] ist. Inhaltlich meint das Wort schon immer den Zustand oder die Eigenschaft der Heiligkeit, die selber als ausstrahlende Kraft vorgestellt wird.[18] Wie jedes Ding seine eigene Heiligkeitsmacht hat, zum Beispiel Edelsteine oder Gold oder auch der Krieg, so besitzt Jahwe seine ganz besondere; er ist, wegen des strengen israelitischen Monotheismus, der „Herr des Heiligen" und der „Hort der Heiligkeit"[19], ja die Heiligkeit selbst. Wirksam wird Gottes Heiligkeit für den Menschen zunächst in unabsehbarer, geradezu willkürlicher und in jedem Fall überlegener Weise: als erschreckende Unnahbarkeit und blendender Lichtglanz. In ihrer Auswirkung erweist sich diese Macht wiederum als ambivalent: als Lebensstiftung oder Lebensvernichtung, als Segen oder Fluch, als Gnade oder Zorn; kurz: als „heilig und furchtbar zugleich" (Ex 15,11; Ps 111,9). Der Beter kann nur ausrufen: „Wer kann vor diesem heiligen Gott bestehen?" (1 Sam 6,20) – so die vermutlich älteste Stelle, wo Gott im Alten Testament als heilig bezeichnet wird.[20] Aber trotz dieser heiligen Furchtbarkeit muß sich der Mensch Gott nähern, weil derselbe auch die Quelle allen Heils ist (Ps 76,8). Die Grundregel heißt: Der Mensch muß zu dem heiligen Gott „in Entsprechung"[21] treten und sich seiner Art anpassen; so nur wird er heilig. Regeln, Verfahren und Mechanismen besonderer Art stellen diese heiligende Entsprechung her, sichern einerseits den gefährlichen Verkehr mit der Gottesmacht und möchten andererseits dieselbe heilbringend lenken. Zuletzt spricht noch das sogenannte Heiligkeitsgesetz von aussondernder Heiligkeit: „Seid mir geheiligt; denn ich, der Herr, bin heilig, und ich habe euch von allen diesen Völkern abgesondert, damit ihr mir gehört“ (Lev 20,26). Die hier mit der Heiligung erwähnte Absonderung[22] ist ein in der Religionsgeschichte recht häufig anzutreffendes Moment[23], das für Israel die Auserwählung durch den personhaften Gott bedeutet[24].

Für das Verständnis von menschlicher Heiligkeit ist auch in Israel der religionsgeschichtliche Entwicklungsschritt zum Ethos von allergrößter Bedeutung. Er geschieht in der Weise, daß Jahwe sich an Recht und Gerechtigkeit bindet und dabei ein Herz zeigt, das größer ist als jedes menschliche Herz, so daß er sich herzlicher verhält, als ein Mensch selbst es vermag. Wie Gottes Heiligkeit ‚ethisch‘ wird, so hat auch die vom Menschen geforderte Entsprechung fortan ethisch zu sein. Diese ethische Heiligkeit behält den Doppelaspekt des Heils wie des Unheils: auf seiten Gottes die Steigerung der Heiligkeit zur absoluten ethischen Reinheit und infolgedessen die Verstoßung alles Unethischen; auf seiten des Menschen die ethische Erfüllung der Gottesgebote oder die Vernichtung durch den Gotteszorn. So bestätigt sich, daß der Begriff der ethischen Heiligkeit hier wie wohl überall sekundär ist.[25] In Israel ist die Transformierung von der kultischen Heiligkeit zur ethischen Reinheit hauptsächlich die Leistung der Propheten. In der Berufungsvision des Jesaja erscheint das angesichts der Gotteserfahrung immer aufbrechende Vernichtungsgefühl zum ersten Mal ins Ethische gewendet: „Weh mir, ich bin verloren; denn ich bin ein Mann mit unreinen Lippen“ (Jes 6,5). Die unreinen Lippen bezeichnen angesichts des reinen Gotteswortes die menschliche Doppelzüngigkeit und Lüge, eben das ethische Versagen.[26] Nunmehr gilt: Gott gibt die ethische Forderung vor und wacht über ihre Einhaltung; das macht ihn zum Richter des sittlichen Verhaltens der Menschen. Jahwe geht dabei aber noch einen Schritt weiter: Er ist bereit, dem Menschen zu Hilfe zu kommen; während noch vorexilische Texte Jahwes Erbarmen verneinen, erweist er sich nun als barmherzig.[27] Sogar ein „neues Herz“ gibt Jahwe den Menschen: „Ich lege mein Gesetz in sie hinein und schreibe es auf ihr Herz. Ich werde ihr Gott sein und sie werden mein Volk sein“ (Jer 31,33). So steht Jahwe nicht mehr nur herrscherlich über den Menschen, schon gar nicht in Willkür; er steht auch nicht als Richter einfach den Menschen gegenüber, sondern er stellt sich auf die Seite des Menschen selbst: Sein „Herz schlägt für sein Volk“ (Jer 31,20c); er befreit, rettet, stärkt, tröstet und wischt zuletzt alle Tränen ab. In Gnaden macht er heilig und gerecht.

Der Wandlungsprozeß läßt sich auch vom Opferverständnis her beschreiben, das sich – ganz wie in Griechenland – im Alten Testament gleichfalls ethisierte. Für die Propheten gilt: Jahwe bedarf, weil transzendent, keiner Opfergaben. Was er fordert, ist das ‚reine Herz‘, das seine Botschaft zu hören und ihn anzubeten bereit ist. Der Kult, sofern nur rituell vollzogen, verfällt der Kritik, weil eben Gott das Herz des Menschen und nicht ‚äußere‘ Werke will. Dabei wird gerade das Opfer neu definiert, und zwar in zweifacher Ausrichtung: als Gottesdienst und als Nächstendienst.[28] „Wahrhaftig, Gehorsam gegen Gottes Willen ist besser als Opfer, Hinhören besser als Fett von Widdern“ (1 Sam 15,22). „An Schlacht- und Speiseopfern hast du kein Gefallen ... Ja, ich komme ..., deinen Willen zu tun“ (Ps 40,7–9). Kann man dies als ‚vertikale‘, als die auf Gott gerichtete Dimension des neuen Opferverständnisses ansehen, so findet sich daneben ebenso eine ‚horizontale‘ Ausrichtung, die sich in der Hingabe an den Nächsten vollzieht. Anstelle der Tieropfer, die Gott zuwider sind, fordert Jesaja: „Lernt Gutes tun, sorgt für das Recht! Helft den Unterdrückten, tretet für die Witwen ein!“ (Jes 1,17). Für diese neue, sowohl vertikal wie horizontal ausgerichtete Hingabe ist besonders prägnant eine Formulierung Hoseas: “[Nächsten-]Liebe will ich, nicht Schlachtopfer; Gotteserkenntnis statt Brandopfer“ (Hos 6,6). Der Akzent rückt ganz auf die Gesinnung: „Das Opfer, das Gott gefällt, ist ein zerknirschter Geist; ein zerbrochenes und zerschlagenes Herz wirst du, Gott, nicht verschmähen“ (Ps 51,19). So tritt an die Stelle der Sach-, Speise-, Blut- und Schlachtopfer das ‚Selbstopfer‘, was bedeutet, sich selbst ‚hinzuopfern‘ für das Wort Gottes, für dessen Wahrheit und Ethos, aber ebenso auch für die Not der Menschen, für die Armen, Witwen und Waisen.

Der römische Begriff der Heiligkeit „enthält in seiner primitiven Form die Vorstellung einer unberechenbaren, unheimlichen Macht, der zu nahen nur unter gewissen Vorsichtsmaßregeln möglich ist; sie ist ... tabu“[29]. Nicht eigentlich Götter verehrte man, sondern die unverfügbaren Mächte, die ‚numina‘. Zu ihnen als den in Ort und Zeit wirksamen Mächten mußte man sich im rechten Augenblick rituell richtig verhalten.[30] So bedeutet „Religiosität für den Römer nicht eine Gesinnung, die die ganze Persönlichkeit prägt, sondern die ständige Bereitschaft, auf jedes Anzeichen einer Störung des gewohnten Verhältnisses zu den Göttern mit einer begütigenden Handlung zu antworten und einmal übernommenen Verpflichtungen nachzukommen"[31]. Bezeichnend ist dafür das Wort ‚pius', das zwar gewöhnlich mit „fromm" übersetzt wird, aber ein wechselseitiges Verhalten meint: „die Erwartung, daß die Götter dem ‚pius' durch die gleiche Rücksicht lohnen werden, die er ihnen entgegenbringt."[32] Subjektives Mitvollziehen hatte dabei keinen konstitutiven Wert, und so ist „die Zahl der unverstanden fortgeführten Riten in Rom besonders groß"[33]. Im wesentlichen regelte man die religiösen Verhaltensweisen durch Recht, wobei die korrekte Ausführung über Gültigkeit und Wirksamkeit entschied.

Wichtig ist ferner, schon im Hinblick auf die lateinische Sprache in der westlichen Christenheit, ein Blick auf das Wortfeld. Das Wort ‚sacer', das in der römischen Religion die zentrale Stelle einnimmt, umfaßt „alles, was einem ‚numen' zugehört, mit ihm in Verbindung steht, von seiner Macht in besonderer Weise betroffen ist"[34]. So ist das ‚sacrum' das von sich aus Heilige. Komplementär dazu steht der Begriff des ‚fas'; dieses bezeichnet rein negativ die Sphäre, in der sich menschliches Handeln bewegen darf, in der „man etwas tun kann, ohne religiöse Bedenken zu haben"[35]. Die wichtigste Ableitung von ‚sacer' ist ‚sancire': „etwas als heilig abgrenzen", wobei das Abgegrenzte zum ‚sanctum', zum Heiliggemachten, wird[36], das sich „eigentums- und bodenrechtlich"[37] konkretisiert. Von daher erklärt sich dann das ‚profanum', das „vor dem Tempelbezirk"[38] liegt und eben nicht heilig ist. Noch für Cicero zum Beispiel machte es Schwierigkeiten, ein für ‚sacer' erklärtes Grundstück profaner Nutzung wieder zuzuführen; denn es war ‚sanctum', „eingehegt", was zunächst von Örtlichkeiten gesagt wurde, dann aber auch von Menschen, die in irgendeiner Weise am sakralen Schutz teilhatten.[39] Bemerkenswert ist, daß das Wort ‚sanctus' „erst im Spätlatein die Bedeutung ‚sittliche Reinheit' annimmt"[40], und in dieser Version übernahmen es die Christen.

Ein Hinweis endlich auch auf das deutsche Wort ‚heilig': Es hat mitsamt seinen Entsprechungen in den anderen germanischen Sprachen (englisch: holy, altnordisch: haligar, gotisch: hailags) die Grundbedeutung „eigen". Im Bereich des Religiösen bezeichnet es das, was der Gottheit eignet. Das Wort steht damit in Entsprechung zum lateinischen ‚sanctus'. Ein weiteres germanisches Wort ist ‚wih'. Als ursprüngliche Bedeutung von ‚wih' ist „Heiligtum" anzunehmen. Das Wort hängt etymologisch mit dem lateinischen Wort ‚victima' zusammen[41] und entspricht in dieser Bedeutung dem lateinischen ‚sacer', also dem, was von sich aus heilig ist. Beide Wörter sind in den christlichen Sprachgebrauch eingegangen, doch ist „heilig" dominant geworden. Von der angelsächsisch geprägten Abtei Fulda aus hat sich die Wortverbindung ‚helag gast' ausgebreitet und dabei das zuvor im Oberdeutschen gebräuchliche ‚wih atum' verdrängt.[42] Als heilig wurde dann auch der heilige Mensch bezeichnet. Zu berücksichtigen ist insgesamt, daß die Religionswelt der Germanen außerhalb der großen religionsgeschichtlichen Veränderungen geblieben ist und damit nicht oder nur wenig ethisiert war.

2. Heros, Gottesmensch und Grab

Als eine Besonderheit der griechischen Religion sieht Walter Burkert die Heroen an[43], während Wolfgang Speyer die Figur des Helden und Heros zu den in allen Kulturen anzutreffenden „elementaren Vorstellungsinhalten"[44] zählt, die in Griechenland nur in spezifischer Ausformung begegne. Die Heroen übertreffen ihre Mitmenschen, erreichen aber nicht die Götter: „Kein Gott ist Heros, kein Heros wird zum Gott."[45] Dennoch: „‚Götter und Heroen' gemeinsam konstituieren die Sphäre des Sakralen."[46] Zutreffend wurden und werden sie Halbgötter genannt. Dies ist schon von ihrer Geburt her physisch zu verstehen: Ein Elternteil ist Gott. Aber den wahren Heros erweisen erst sein außerordentliches Handeln, seine Krafttaten, die er für Volk, Stadt und Vaterland vollbringt. Als Wohltäter handelt er an den Seinen, als Schlachtenhelfer gegen die Feinde. Sein Tod ist außergewöhnlich und seine Macht unsterblich. Nach dem Tod wirkt er weiter, und seine Dynamis bleibt vornehmlich an sein Grab gebunden.[47] Dasselbe wird für die einen zum Unterpfand des Segens und des Fluches für die anderen. Sofern der Heros zugleich der Gründer einer Stadt ist, befindet sich das Grab im Zentrum, nicht selten auf dem Marktplatz. Die damit verbundenen Gründungssagen bilden das immer gültige „Urgesetz": Sie vergegenwärtigen den Gründer-Heros, seine Tat wie sein Gesetz, und garantieren bei Befolgung die Zukunft.[48] Wo ein Heroen-Grab fehlte, wurde es „entdeckt" oder der unrechtens anderswo Beerdigte an seinen richtigen Ort transferiert.[49]

Schon in der Antike sind die Ähnlichkeiten mit dem christlichen Heiligenkult aufgefallen. Auch die heutige Forschung spricht von „struktureller Verwandtschaft“[50], ja von „Parallelen und Analogien“[51]. Beide sind Wohltäter, Retter und Wundertäter. Evident sind die Analogien im Kult: „Das Grab und die Reliquien eines Heiligen sicherten eine Stadt in gleicher Weise wie die Überreste eines Heros.“[52] Doch gibt es auch Unterschiede. Die heroische Tat, der Sieg etwa über Drachen und Ungeheuer, erscheint christlicherseits mehr spiritualisiert als Kampf gegen dämonische Mächte und Laster. Sodann ist die heroische Kraft immer Eigenmacht, die des Heiligen aber von Gott verliehen.[53]

Neben dem Heros ist noch der Gottesmensch, der ‚theíos anér‘, anzuführen.[54] Er steht ganz auf Seiten der Menschen, ist allerdings zum Göttlichen hin herausgehoben. Er hat zwar keine halbgöttliche Abkunft, aber doch eine wunderbare Geburt. Im Auftreten erscheint er als erhabene Gestalt von würdigem und zugleich schönem Aussehen und mit leuchtenden Augen. Er führt ein streng ethisches und asketisches Leben, übt sich in Bedürfnislosigkeit mit nur einem Gewand, spärlicher Nahrung, wenig Schlaf und im Verzicht auf Sexualität. Dafür sind in ihm Gottes Kraft und Wahrheit „wie in einem Gefäße aufgespeichert“[55]. Dank seiner Macht hilft er den Menschen und führt das Gute zum Sieg, wo nötig auch wunderbarerweise. Er vermag seinen Körper zu verlassen und das Jenseits zu erkunden, weswegen er alles Geheime kennt, Lug und Trug durchschaut, Träume deutet und die Zukunft vorhersagt. Seinen Tod, den er auf Tag und Stunde voraussagt, nimmt er gelassen und gelöst an; sein Leib wie sein Grab strahlen Wundermacht aus. Im Laufe der Jahrhunderte hat das Bild des Gottesmenschen historische Wandlungen erfahren, besonders auffällig im Hellenismus.[56] Der Gottesmann tritt nun als Philosoph auf, verkündet dank seines übernatürlichen Erkennens ethische Weisheit und wirkt als Thaumaturg. Nach diesem Ideal verherrlichen viele Lebensbeschreibungen sowohl Philosophen wie Dichter und umgeben sie mit zahlreichen Wundergeschichten, mit Aretalogien.[57] Ludwig Bieler, der über den göttlichen Menschen 1936 eine grundlegende Untersuchung vorlegte, sah für „die spätere [Antike] und das frühe Christentum das gleiche Bild des göttlichen Menschen“[58]. Zu bedenken ist allerdings, daß die griechische Tradition das Göttliche nicht eigentlich als persönlichen Gott kannte und folglich auch der Gottesmensch mehr Träger einer impersonalen Gottesmacht denn Bote des sich offenbarenden Gottes war.

Das Alte Testament spricht 76 mal vom „Gottesmann", am häufigsten bei den Propheten, allein bei Elischa 29 mal. Eine theologisierende Interpretation machte ihn vornehmlich zum Empfangenden: Immer erscheint Gott als Geber und Spender seiner Kraft und Wunder. Zu ihm muß der Gottesmann für seine Inspiration und Kraft beten. Insofern ist der prophetische Gottesmann ein Diener, ja ein Organ Jahwes. Im einzelnen sind die Taten und Wunder religionsgeschichtlich konventionell: Heilungen, Speisevermehrungen, Strafen, aber auch Totenerweckungen.[59]

Erhellend ist sodann ein Blick auf das Frühjudentum, zeigt sich doch hier an den Gräbern der Stammväter und der Propheten ein „Heiligenkult", in dem die Angerufenen als Interzessoren bei Gott auftreten und als Wundertäter bei den Menschen. Joachim Jeremias hat darüber eine Untersuchung vorgelegt und mehrere wichtige Feststellungen gemacht. Zuerst: „Der Heilige [ist] im Grabe anwesend"[60]. Vom Grab gehen Licht und Wohlgeruch aus, und gelegentlich sind die Leiber sogar unverwest geblieben. Daraus resultierte der Glaube, die Heiligen „lebten in ihren Gräbern"[61], und dieses ihr Leben erwies sich an ihrem wunderbaren Wirken. Die Folge war eine lebhafte „Grabwallfahrt" und sogar ein „Reliquienkult". Zumal die Propheten hatten ihre besondere Bedeutsamkeit noch darin, daß man ihnen einen gewaltsamen Tod zuschrieb; damit hatten sie eine Sühneleistung erbracht, die angesichts ihrer eigenen Gerechtigkeit sozusagen überschüssig war und nun bei Gott interzessorisch für das Volk eingesetzt werden konnte.[62]

Endlich ist noch ein Blick auf den römischen Totenkult zu werfen, bietet er doch ein reiches Anschauungsmaterial für das Totengedächtnis, die Grabehrung und die Totenmähler. Wiederum ist selbstverständliche Voraussetzung, daß der Tote irgendwie in seinem Grab anwesend ist. Deswegen versammeln sich dort die Angehörigen und halten mit dem Verstorbenen ein Mahl, an dem der Tote selbst teilnimmt, zum Beispiel dadurch, daß man ihm durch Spenderöhrchen Wein ins Grab hineingießt oder für ihn einen Sitz, eine „Cathedra"[63], freihält. Petri „Stuhlfeier" dürfte ursprünglich ein von den Christen nach römischer Art abgehaltenes Totengedächtnis gewesen sein.[64]

III. Das Neue Testament

1. ‚Vollkommen', ‚selig' und ‚heilig'

Die Heiligkeit des Neuen Testamentes gehört religionsphänomenologisch eindeutig auf die Seite der ethischen Heiligkeit, der gegenüber die rituelle Reinheit nur eine geringe Bedeutung einnimmt.[1] „Das ist es, was Gott will: eure Heiligung. Das bedeutet, daß ihr die Unzucht meidet, daß jeder von euch lernt, mit seiner Frau in heiliger und achtungsvoller Weise zu verkehren..., und daß keiner seine Rechte überschreitet und seinen Bruder bei Geschäften betrügt ... Denn Gott hat uns nicht dazu berufen, unrein zu leben, sondern heilig zu sein" (1 Thess 4,3–7). Allerdings betrifft die Konnotation ‚ethisch' nur die Ausführungsweise, daß nämlich „mit ganzem Herzen und ganzer Seele, mit all deinen Gedanken und all deiner Kraft" (Mk 12,30) gehandelt werden soll und auf diese Weise „die Bewährung einer gewandelten Gesinnung"[2] zu erzeigen ist. In ihrem Inhalt und letztgültigen Ziel ist diese Heiligkeit ‚theologisch': Gott ist mit ganzem Herzen zu lieben. Ja, Gott selbst bildet den Maßstab für das menschliche Leben und Tun: „Wie er, der euch berufen hat, heilig ist, so soll auch euer ganzes Leben heilig werden. Denn es heißt in der Schrift: Seid heilig, denn ich bin heilig" (1 Petr 1,16f). Die an Gott zu bemessende und vom Menschen mit aller Kraft des Herzens zu erfüllende Heiligkeit steht inhaltlich in nächster Nähe zu Forderungen wie Gerechtigkeit, Lauterkeit, Reinheit und Vollkommenheit.

Am profiliertesten für das neutestamentliche Verständnis sind die Positionen des Matthäus und des Paulus. In der Forderung: „Ihr sollt vollkommen sein, wie es auch euer himmlischer Vater ist" (Mt 5,48) läßt Matthäus die Bergpredigt kulminieren, die man auch die „Rede von der wahren Gerechtigkeit" genannt hat, soll doch die Gerechtigkeit der Jesus-Jünger „weit größer" sein als die der Schriftgelehrten und Pharisäer (Mt 5,20). Konkret heißt das: Versöhnung, Feindesliebe, Gewaltverzicht und Besitzvergabe.[3] Wie stark dabei die soziale Verpflichtung in den Vordergrund gestellt werden kann, zeigt die matthäische Gerichtsrede (Mt 25,31–46), in der keinerlei religiöse

Pflichten wie etwa Kulterfüllung oder Gebetsableistung gefordert werden, sondern allein – zur Überraschung der Betroffenen wie überhaupt aller „religiös" Denkenden – die Werke der Barmherzigkeit zählen: die Hungrigen speisen, die Durstigen tränken, die Obdachlosen aufnehmen, die Nackten bekleiden, die Kranken und Gefangenen besuchen. Als Summe der Ethik vereinigt Jesus das Gebot der Gottes- und Nächstenliebe: „Welches Gebot ist das erste von allen? Jesus antwortete: Das erste ist: Höre, Israel, der Herr, unser Gott, ist der einzige Herr. Darum sollst du den Herrn, deinen Gott, lieben mit ganzem Herzen und ganzer Seele, mit all deinen Gedanken und all deiner Kraft [vgl. Dtn 6,4f]. Als zweites kommt hinzu: Du sollst deinen Nächsten lieben wie dich selbst [vgl. Lev 19,18]. Kein anderes Gebot ist größer als diese beiden" (Mk 12,28c–31). Paulus setzt den Akzent stärker auf die Gottgeschenktheit der neuen Gerechtigkeit. Aufgrund von Jesu Sühne macht Gott die Menschen gerecht, freilich nicht in einem magisch-rituellen Akt der Heilsvermittlung.[4] Vielmehr wird Gottes Heiligkeitsgabe zur menschlichen Aufgabe: Die auf den Tod Jesu Getauften sind geheiligt, müssen aber diese ihnen geschenkte Heiligkeit im sittlichen Tun verwirklichen.[5] Die „indikativische Heiligkeit" wird zur „imperativischen Heiligung"[6].

Die bei Matthäus und Paulus unterschiedliche Akzentuierung spiegelt sich auch in der Sprache. Während sich das Prädikat ,heilig' im Neuen Testament nur sehr selten auf Gott angewandt findet, wendet Paulus „das Prädikat ,heilig' oder ,Heiligkeit' [gar] nicht auf Gott an"[7]. Auch werden „einzelne Personen ... im Neuen Testament sehr selten als heilig bezeichnet"[8]. Vielmehr sind ,Heilige' für Paulus die Angehörigen der Christengemeinde; ihre Heiligkeit ist von Gott verliehene Gabe und erfordert, sich um ein untadeliges Leben zu bemühen.[9] Matthäus hinwiederum preist als ,selig' alle, die Jesu Ethik befolgen (Mt 5,3–11). Erst später werden sowohl ,beatus' wie ,sanctus' den in besonderer Weise sich Auszeichnenden vorbehalten.[10]

Endlich läßt sich die Ethik Jesu treffend auch vom Opferverständnis und dessen Wandlungen her beschreiben. Näherhin ist es das ,geistige Opfer', wie es die Propheten Israels und gleichzeitig die Philosophen Griechenlands verkündet hatten[11], nämlich als geistigen Gottesdienst und sozialen Menschendienst, und so findet es sich auch im Neuen Testament. Betont nimmt Jesus das prophetische Opferverständnis auf und wiederholt wörtlich Hoseas Formel: „Barmherzigkeit will ich, nicht Opfer" (Mt 9,13). Als seine (Opfer-)Speise bezeichnet er es, „den Willen dessen zu tun, der mich gesandt hat" (Joh 4,34), wie er sich ebenso dazu versteht, „sein Leben hinzugeben für die vielen" (Mk 10,45). Paulus übernimmt ausdrücklich die ‚thysia logike', wenn er dazu mahnt, sich „leibhaftig darzubringen als lebendiges, heiliges, Gott wohlgefälliges Opfer – das ist euer Gottesdienst im Geist (logike latreia)" (Röm 12,1).[12]

Die von Jesus bis in den Tod bezeugte Selbsthingabe[13] schuf die Norm des christlichen Lebens und die Grundlage der dem Christentum zentralen Kultfeier, der Eucharistie. Die alte Forderung, derzufolge menschliche Heiligkeit nur in der Entsprechung zu Gottes Heiligkeit bestehen kann, verwirklicht sich im Christentum in der Nachfolge des sich hingebenden Jesus und verlangt, sich im Gehorsam gegen Gott und in Sozialität gegenüber den Mitmenschen zu bewähren – das ist das ‚geistige Opfer', dargebracht in und mit Jesus Christus. Paulus sieht sein eigenes Leben im seelsorglichen Dienst wie ein Trankopfer ausgegossen: „Wenn ich auch als Trankopfer ausgegossen werde, freue ich mich mit euch allen über den Opfer- und Gottesdienst eures Glaubens" (Phil 2,17).[14] Sein Misssionsdienst bedeutet ihm letztlich Hinopferung seiner selbst, weswegen er sogar von „Stigmata an seinem Leibe" spricht (Gal 6,17); es sind die „Verwundungen", die ihm im Dienst Christi zuteil wurden und die den Kreuzeswunden gleichzuachten sind.[15] Diese Nachahmung Gottes führt weiter zur Nächstenliebe: „Ahmt Gott nach als seine geliebten Kinder, und liebt einander, weil auch Christus uns geliebt und sich für uns hingegeben hat als Gabe und als Opfer, das Gott gefällt" (Eph 5,1 f). Pointiert findet sich der soziale Aspekt des geistigen Opfers im Jakobusbrief: „Ein reiner und makelloser Dienst vor Gott, dem Vater, besteht darin: für Waisen und Witwen zu sorgen, wenn sie in Not sind" (Jak 1,27).[16]

Die alte Christenheit hat diese ihre Auffassung vom ‚geistigen Opfer' vielfach wiederholt und nicht selten polemisch gegen eine andersdenkende Umwelt herausgestellt.[17] Durch die Übernahme der Idee des geistigen Opfers wurde das Christentum zu einer Religion des Zeugnisses und zugleich der Sozialverpflichtung. Für das Bild des heiligen Menschen, bemessen nach den Maßstäben des Neuen Testamentes, ist daraus ein Doppeltes abzuleiten: Im Blick auf die Erfüllung des im Wort Jesu geoffenbarten Gotteswillens wird der heilige

Mensch zum ,martys', zum Zeugen, und im Blick auf den Liebesdienst am Mitmenschen zum Sozialdiener. Als heilig gilt darum, wer sich wie Jesus willig in der Bezeugung Gottes einsetzt und wer in der Nächstenliebe bis zur Hingabe aller Subsistenz an die Armen bereit ist. Von hierher erklärt sich, daß einmal das Martyrium – freilich nicht unbedingt als einmalige Bluthingabe, sondern als tägliches Bezeugen und Handeln – die höchste Wertschätzung erhielt und daß zum anderen wahres Christsein nicht ohne Sozialtätigkeit vorstellbar war. Der Heilige ist Freund und Zeuge Gottes wie ebenso Freund und Diener der Armen.

Das Ethos des Neuen Testamentes und damit den Maßstab aller christlichen Heiligkeit hat der Heidelberger Althistoriker Albrecht Dihle in drei Punkten zusammengefaßt. Erstens: „Die neutestamentliche Ethik, sofern man von einer solchen als explizierter Theorie überhaupt sprechen darf, war einmal extrem personalistisch und zum anderen primär Sozial-Ethik. Sie kennt als letzte Normen menschlichen Verhaltens nur den absoluten Gehorsam gegenüber Gott und die ebenso absolute Unterordnung oder Dienstwilligkeit gegenüber dem Nächsten."[18] Zweitens: „Der ständige Appell an die Entschlossenheit und den sittlichen Eifer des Einzelnen, die bedeutsame Rolle, die dem Bemühen des Menschen neben der im Kult vermittelten göttlichen Gnade für die Erreichung des Lebenszieles der ewigen Seligkeit zugemessen wird, verleihen dieser Ethik ihren aktiven Charakter. Weniger die Hingabe an Gott und die Unterordnung unter den Nächsten als die aktive Gestaltung des Lebens im Vertrauen auf die göttliche Gnade ... und zum Nutzen des Nächsten stehen hier im Vordergrund."[19] Drittens: „Gerade die Züge der christlichen Lehre und der aus ihr gestalteten Lebensführung, nämlich die Bereitschaft zur Selbstaufopferung, die Kompromißfeindschaft und die Entschlossenheit zum Durchhalten um jeden Preis, die den Gebildeten im 1. und 2. Jahrhundert unverständlich und ablehnenswert erschienen, weil sie ohne rationale Begründung waren, erwiesen ihre Macht in den wirren Zeiten des 3. und der folgenden Jahrhunderte."[20] Mit diesen seinen Charakterzügen, dem Glaubenszeugnis und dem Sozialengagement, wirkte das Christentum als „Prinzip der ungeheuersten geistigen", aber auch einer „materiellen, rechtlichen und institutionellen Revolution"[21], denn „es fehlt der antiken Ethik ... die Würdigung der vorbehaltlosen Hingabe und der Selbstentäußerung zugunsten des Nächsten ... Die hingebende Liebe, die nicht nach der eigenen ‚prokopé' [dem eigenen ‚Vorankommen'] fragt, sondern allein durch das Verlangen des Nächsten provoziert wird, ist dieser Ethik fremd."[22]

2. Gestalt und Überlieferung Jesu

Person und Gestalt Jesu Christi hat die Forschung in den letzten hundert Jahren allzusehr danach bemessen, was „historischer Jesus" oder „kerygmatischer Christus" sei. Näherhin war es die Frage: Was ist von Jesus überliefert worden, und welche „Formgeschichte" hat diese Überlieferung durchlaufen? Den ‚Sitz im Leben' sah man in der nachösterlichen Gemeinde, in deren Predigt, Katechese und Mission, aber auch in deren Not und Trostbedürftigkeit. Dabei habe die Überlieferung verschiedene Stadien durchlaufen und bestimmte Formen angenommen.[23] Man unterscheidet zwischen Rede- und Erzählstoff. Der Redestoff umfaßt Weisheits- und Prophetenworte, Gesetzesformeln und Gemeinderegeln, sodann die Gleichnisse sowie Streit- und Schulgespräche. Beim Erzählstoff bietet die Passionsgeschichte den größten konsistenten Erzählzusammenhang, während die anderen Stoffe eher kleinteilig sind: Legenden sowie Wunder- und Epiphaniegeschichten.[24] Die Evangelien sind dadurch entstanden, daß schon das älteste des Markus der Passionsgeschichte Erzählstoff belehrender wie aretalogischer Art hinzugefügt hat, daß weiter Matthäus und Lukas eine Kindheitsgeschichte vorangestellt haben, womit sich insgesamt ein biographischer Rahmen ergibt, der aber nicht im Sinne einer historischen Biographie aufgefaßt werden darf.

Historisch ist gesichert, daß „Jesus als der eschatologische Beauftragte und Repräsentant Gottes auftrat"[25]. Er verstand sich als vom göttlichen Geist inspiriert und zum Handeln an Gottes Statt befähigt. Dies zeigte sich – wie immer das vom modernen Bewußtsein aus beurteilt wird – auch in Wundern: „Zweifellos hat Jesus Wunder getan, Kranke geheilt und Dämonen ausgetrieben."[26] Für Paulus, dessen Schriften die frühesten des Neuen Testaments sind, ist „Christus der präexistente Gottmensch-Erlöser, das heißt ein Gottwesen, das Mensch wird, den Kreuzestod erleidet, aufersteht und von Gott zum Kosmokrator eingesetzt wird, um bei der Parusie das Weltende herbeizuführen"[27]. Die hermeneutisch zentrale Frage lag für die frühe Christenheit darin, daß diesem Jesus nach hellenistischem Verständnis die Gestalt des theíos anér entsprach. Folglich konnte sich „die Darstellung Jesu als theíos anér, wie sie in einem Teil der neutestamentlichen Schriften vorliegt, auf das Erscheinungsbild des historischen Jesus berufen“[28]. Das Problem freilich war dabei nicht, daß die Vorstellung des ‚theíos anér‘ „nicht geeignet war, sondern daß sie allzu sehr geeignet schien ..., dann aber die einzigartige Stellung des Erlösers beseitigte“[29]. Schon daß Jesus selbst sich offensichtlich geweigert hat, die vorhandenen Erwartungen und Rollen zu erfüllen, sollte seine Einzigkeit verdeutlichen[30] und verlangte eine Sonderdeutung. Das Ringen und die Streitigkeiten sowohl in der patristischen Theologie wie auf den altkirchlichen Konzilien rührten großenteils aus dem Problem, Jesus vor diesem Hintergrund angemessen zu beschreiben, bis das Konzil von Chalcedon die Zwei-Naturen-Lehre definierte: wahrer Gott und wahrer Mensch. Der Weg frühkirchlicher Christologie vom göttlichen Mann zum Gott-Menschen wurde beschritten „offenkundig in der Absicht, die Unvergleichbarkeit des menschgewordenen Gottessohnes sicherzustellen“[31].

Eine besonders für die Frömmigkeitspraxis wichtige Weise, das Jesus-Bild vom Bild des Gottesmenschen abzuheben, war die heilsgeschichtliche Konzentration auf seine Person. Auf ihn allein ist die Interzessor-Aufgabe konzentriert: Jesus Christus ist der „Gerechte für die Ungerechten“ (1 Petr 3,18). Als solcher leistet er Sühne; denn Gott hat ihn, „der keine Sünde kannte, für uns zur Sünde gemacht, damit wir in ihm Gerechtigkeit Gottes würden“ (2 Kor 5,21). Dafür auch legt er Fürbitte ein: Er „sitzt zur Rechten Gottes und tritt für uns ein“ (Röm 8,34).[32] Dieselbe Konzentration ist bei den Wundergeschichten festzustellen: „Als apokalyptischer Wundercharismatiker steht Jesus singulär in der Religionsgeschichte. Er verbindet zwei geistige Welten, die vorher nie in dieser Weise verbunden worden sind: die apokalyptische Erwartung universaler Heilszukunft und die episodale Verwirklichung gegenwärtigen Wunderheils.“[33] Im weiteren Traditionsfortgang verliert sich jedoch der eschatologische Bezug, während sich die Wunder zum Außerordentlichen und Paradoxen steigern, so daß beispielsweise schon bei Markus die Zeugen bei der Heilung des Gelähmten ausrufen: „So etwas haben wir noch nie gesehen“ (Mk 2,12c). Die Steigerung soll wiederum die Einzigartigkeit und zugleich die Andersartigkeit gegenüber der Umwelt dartun, im letzten aber ein Aufbrechen des natürlichen und historischen Weltzusammenhangs zugunsten des Gottesreiches proklamieren.[34]

Wo immer das Reich Gottes verkündet wird, da geschehen auch Zeichen und Wunder: „Blinde sehen wieder, und Lahme gehen; Aussätzige werden rein, und Taube hören; Tote stehen auf, und den Armen wird das Evangelium verkündet" (Mt 11,5). Einen Sonderfall bilden die Exorzismen, die bei Paulus fehlen, aber bei den Synoptikern eine zentrale Bedeutung einnehmen; bei Markus sind „Heilung und Exorzismus ... initiale Befreiungstat durch Jesus Christus, nicht aber die Taufe."[35] Gerade hierin zeigt sich das Willkommensein des Reiches Gottes: Die Austreibung demonstriert die stärkere Macht, Gottes Herrschaft über die Welt.

Für das spätere Bild des christlichen Heiligen ist wichtig, daß Jesus seine thaumaturgische Vollmacht auch übertragen hat: „Geht und verkündet: Das Himmelreich ist nahe. Heilt Kranke, weckt Tote auf, macht Aussätzige rein, treibt Dämonen aus!" (Mt 10,7f) Wo aber der Exorzismus der Jünger versagt, mahnt Jesus zu gesteigertem Bemühen: „Diese Art kann nur durch Gebet ausgetrieben werden" (Mk 9,29). Ein Versagen kommentiert Matthäus mit zu geringem Glauben: „Weil euer Glaube so klein ist. Amen, das sage ich euch, wenn euer Glaube auch nur so groß ist wie ein Senfkorn, dann werdet ihr zu diesem Berg sagen: Rück von hier nach dort!, und er wird wegrükken. Nichts wird euch unmöglich sein!" (Mt 17,20)

Speziell aus der Formgeschichte der Jesus-Überlieferung ergibt sich für unsere Thematik noch ein bedeutsamer Akzent. Als überlieferungswürdig galten zuerst Jesu Worte, Weisungen und Taten. In der schriftlichen Überlieferung steht bezeichnenderweise die sogenannte Logien-Sammlung vornean, wie sie aus den synoptischen Evangelien rekonstruiert werden kann.[36] Das aber heißt: Schon sehr bald sind Jesu Worte gesammelt worden, nicht jedoch irgendwelche Reliquien. Außerdem wollen seine Worte nicht einfach nur als allgemeine Weisheit verstanden werden, sondern erweisen sich als „an die Einzigartigkeit ihres Sprechers und seines Wirkens gebunden"[37]. Kultisch ist sodann bezeichnend, daß sich um ihn keine Grab- und Märtyrerverehrung entfaltet hat; die Auferstehung machte eine solche unmöglich.[38] Gleichwohl war Jesus gegenwärtig, wie er auch einen lebendigen Leib hatte: Überall dort glaubte man ihn anwesend, wo „sich zwei oder drei in meinem Namen versammeln" (Mt 18,20), das heißt: in der in Liebe versammelten Gemeinde; diese bildete einen Leib, in dem er, Christus, das Haupt war (1 Kor 12,12–27).

Weiter ist im Blick auf das spätere Bild des Heiligen herauszustellen, daß Jesus mit charismatischer Autorität in seine Nachfolge berief. Er selbst ist „in seiner Person das ‚Zeichen der Zeit'"[39], das Gott gesetzt hat. Die Nachfolge bindet an die Person Jesu selbst.[40] Er beruft in seine Jüngerschaft, ohne allerdings deren Beherrscher zu sein, vielmehr ist er selber „wie ein Dienender" (Lk 22,27). Der Anschluß verlangt die radikale Loslösung aus allen anderen Beziehungen und Gewohnheiten, mögen diese noch so geheiligt erscheinen. Verlangt werden der Bruch mit der Familie, sogar den liebsten Angehörigen, der Verzicht auf den Besitz, im äußersten Fall das Erleiden des Martyriums.[41] Die entsprechenden Forderungen wollen als „Berufungsworte" gehört werden: „Wenn einer zu mir kommt und seinen Vater und die Mutter nicht haßt [das heißt: nachordnet], kann er nicht mein Jünger sein" (vgl. Mt 10,37; Lk 14,26). Auch die pietätvollsten Forderungen müssen dabei zurückstehen: „Folge mir nach und laß die Toten ihre Toten begraben" (Mt 8,22). Um ganz frei zu sein für die Nachfolge, gilt: „Verkaufe, was du hast..., dann komm und folge mir nach!" (Mk 10,21) Weiter kann der Verzicht auf die Ehe geboten sein; aber Jesus lebte seine Ehelosigkeit „nicht um eines asketischen Ideals willen, auch nicht um die Gottesherrschaft zu erlangen, sondern um ungeteilt und mit allen Kräften für die Basileia [Gottesherrschaft] wirken zu können"[42]. Sogar die Bereitschaft zur Kreuzesnachfolge ist gefordert: „Wer nicht sein Kreuz aufnimmt und mir nachfolgt, kann mein Jünger nicht sein" (vgl. Mt 10,38; Lk 14,27). Das heißt: Jüngerschaft schließt Anfeindung, Verachtung, Einschränkung, Leid, ja möglicherweise den Lebensverlust ein.[43] Am Ende ist für den Lebensverlust der Lebensgewinn verheißen: „Wer sein Leben retten will, wird es verlieren; wer es verliert, wird es retten" (vgl. Mt 10,39; Lk 17,33; Mk 8,35; Joh 12,25). In dieser Bereitschaft sollen die Jünger Jesus nachfolgen, sich aussenden lassen und das Reich Gottes verkünden.

Ein eigenes Augenmerk verlangen dabei die Frauen. Angesichts der Tatsache, „daß Jesus sich in einer für das zeitgenössische offizielle Judentum skandalösen Weise Frauen zuwendete"[44], ist auch nach deren Möglichkeit zu fragen, in die Nachfolge einzutreten. Wenn es schon Verwunderung hervorrief, „daß er mit einer Frau sprach" (Joh 4,27), muß eine Berufung in die Nachfolge noch verwunderlicher erschienen sein. Aber das Lukas-Evangelium berichtet, daß ihn nicht nur die Zwölf, sondern auch eine Reihe von Frauen begleiteten (Lk 8,1).[45] Für Jesus galt: Entscheidend ist der

Glaube, denn er führt zum Heil, und dies ist von geschlechtlicher Differenz unabhängig.[46]

Die Gestalt Jesu, wie sie im Neuen Testament gezeichnet wird, ist in mehr als nur dogmatischer Hinsicht die Grundgestalt des Heiligen: In ihm zeigt sich der Gottesmensch in gesteigerter Form. Dieser Gottesmensch aber ist die tragende Gestalt der Religion, und als solche hat sie zutiefst das religiöse Leben der voraufklärerischen Welt bestimmt. Daß die Gottesmenschen der griechischen und der alttestamentlichen Überlieferung, dann auch Jesus und die späteren christlichen Heiligen nach diesem Muster verstanden worden sind, läßt schon auf ein gemeinsames Ursprungsklima schließen, daß nämlich „in der [römischen] Kaiserzeit, zugleich bei Heiden, Juden und Christen, ein teilweise gemeinsamer hagiographischer Diskurs hervortrat", der sozusagen „in der Luft lag"[47]. Darum auch handelt es sich bei den verschiedenen Überlieferungen nicht um ein wie immer geartetes Plagiat, sondern um den Ausdruck einer auf den ersten Blick zwar unterschiedlichen, aber im letzten doch gemeinsamen Religionslogik, die sich ins Mittelalter hinein fortsetzte und erst in der Aufklärung verloren ging. Nur wenn man sich diese Gemeinsamkeit bewußt macht, kann man die besondere Wucht verstehen, die Jesu Berufungsworte zur Nachfolge wie auch seine Beauftragungsworte zur Heilung und Dämonenaustreibung ausüben mußten: Sie waren letzte Zuspitzung einer allgemeinen Welt- und Gottesauffassung.

IV. Die Entfaltung der Grundgestalten

1. Gemeinschaft der Heiligen

„Wir haben Gemeinschaft mit dem Vater und mit seinem Sohn Jesus Christus", und dies führt zur „Gemeinschaft miteinander" (1 Joh 1,3.7). Paulus zufolge sind die Christen „durch den einen Geist in der Taufe alle in einen einzigen Leib aufgenommen, Juden und Griechen, Sklaven und Freie" (1 Kor 12,13). Denn Christus hat „in seiner Person die Feindschaft getötet, er kam und verkündete den Frieden: euch, den Fernen und uns, den Nahen. Durch ihn haben wir beide in dem einen Geist Zugang zum Vater" (Eph 2,16b–18). In der Eucharistie sind der Kelch des Segens „Teilhabe am Blut Christi" und das Brot „Teilhabe am Leib Christi" (1 Kor 10,16), letztlich Teilhabe an seiner Person. Wie mit Christus so sollen die Christen auch untereinander „kommunizieren". Was Gott an Trost und Gnade gewährt, ist mitmenschlich weiterzugeben: „Der Vater des Erbarmens und der Gott allen Trostes ... tröstet uns in aller Not, damit auch wir die Kraft haben, alle zu trösten" (2 Kor 1,3b.4). Daraus entsteht eine umfassende Solidarität: „Wenn ein Glied leidet, leiden alle Glieder mit; wenn ein Glied geehrt wird, freuen sich alle mit" (1 Kor 12,26). Stets sind die Christen untereinander „Schuldner": Wer an den geistlichen Gütern anderer Anteil hat, ist verpflichtet, auch mit irdischen Gütern zu dienen (Röm 15,27); die materiellen Gaben erhalten damit geistliche Qualität.[1] Gemeinschaft ist darum als Schlüsselbegriff im Verständnis der alten Kirche anzusehen.[2]

Ihre knappste Formulierung fand diese Gemeinschaft in der ‚communio sanctorum'[3], und die Geschichte dieser Idee vermittelt bereits einen ersten Eindruck von Konstanz und Veränderung des christlichen Heiligenbildes. Historisch ist nicht mehr eindeutig zu klären, ob sich diese Communio zunächst auf die ‚sancta' oder die ‚sancti' bezogen hat, ob also die Gemeinschaft an den von Gott in Christus geschenkten heiligen Gaben gemeint war oder die Gemeinschaft der Mitchristen. Faktisch ist eine Verschmelzung festzustellen: „die Gemeinschaft von Personen durch Teilhabe an derselben [heiligen] Sache"[4]. Sprachlich finden sich die beiden Aspekte ausgedrückt einmal in der ‚participatio', der Anteilhabe am Heiligen, und dann in der ‚congregatio', der Vereinigung aller Heiligen.[5] Nachdrücklich wurde dabei betont, daß diese Gemeinschaft die Irdischen wie die Himmlischen umfasse.

Niketas von Remisiana († nach 414) kommentierte erstmals einen Credo-Text, der auch die ‚communio sanctorum' enthielt: „Was ist die Kirche anders als die Versammlung (congregatio) aller Heiligen! Von Beginn der Welt an, ob nun die Patriarchen Abraham, Isaak und Jakob oder die Propheten oder die Apostel oder die übrigen Gerechten, die gewesen sind, die sind und die sein werden: eine Kirche sind sie, in einem Glauben und Lebenswandel geheiligt, von einem Geist besiegelt, zu einem Leib vereinigt. Als Haupt dieses Leibes ist Christus bezeugt und in der Schrift bekundet. Und noch mehr sage ich: auch die Engel, die Mächte und Gewalten in der Höhe sind mit dieser einen Kirche verbunden. Also in dieser einen Kirche, so sollst du glauben, wirst du die Gemeinschaft der Heiligen erlangen."[6]

Die Grundlegung der Communio geschah in der Taufe, wo auch das Glaubensbekenntnis seinen ‚Sitz im Leben' hatte. In der Eucharistie vollzog sich die fortwährende Erneuerung: die Einheit mit Christus und untereinander, das Lob der Irdischen zusammen mit den Himmlischen, der einstimmige Gesang von Engeln und Heiligen.[7] Die Konsequenzen für das Christenleben waren vielfältig und sollten sich zum Mittelalter hin immer konkreter entfalten: Aus dem gemeinsamen Gebet wurde das Gebet füreinander, aus der Anteilnahme am gegenseitigen Geschick eine Stellvertretung in Sühne und Buße, aus der materiellen Unterstützung ein Austausch von Güterschenkungen gegen geistlichen Beistand.

Die Einheit allerdings zwischen Irdischen und Himmlischen, in der alle gleicherweise als Heilige galten, sollte sich bald aufteilen: Als heilig galt seit dem 6. Jahrhundert nur noch, wer sich mittels Askese und durch Wunder ausgezeichnet hatte. Aus den von Gott Geheiligten, ob noch auf Erden oder schon im Himmel, verblieben folglich als Heilige nurmehr die ethisch bzw. asketisch Vollkommenen, die bereits auch im Himmel waren. Diese Einschränkung war eine „der folgenschwersten Verschiebungen in der Auffassung des Christentums"[8]. Den Grund für diese Entwicklung kann man sich leicht vergegenwärtigen: Je weniger sich die Irdischen als vollkommen erlebten, desto höher richtete sich der Blick auf die Vollendeten im

Himmel, auf deren Fürsprache bei Gott. Wohl konnte sich in der Theologie das volle Konzept der Communio noch fortsetzen. Thomas von Aquin († 1274) etwa wußte, daß auch den Kirchenchristen der Titel ‚heilig' zustand.[9] Aber im Allgemeinbewußtsein waren allein die Vollendeten im Himmel die Heiligen, zumal kirchenrechtlich nur als heilig verehrt werden durfte, wer sich durch heroische Tugend und Wunder ausgezeichnet hatte und im päpstlichen Kanonisationsverfahren heiliggesprochen worden war.[10] Luther († 1546) hingegen, diese Verengung erkennend, reagierte radikal: „Wollen wyr nu der schrifft nach leben, so mussen wyr uns von den verstorbenen heyligen ym hymel wenden und zu den heyligen auff erden keren, die selbigen erheben und ehren."[11]

2. Martys und Martyrium

Gleich Jesus in der Bezeugung des Wortes Gottes und im Dienst am Nächsten ‚sein Leben hinzugeben' ging als bestimmender Grundzug in das Bild des Heiligen ein. Blicken wir zunächst auf den Zeugen, auf den ‚martys'. Zeuge ist zuerst Jesus selbst, dann aber auch jeder, der ihn bezeugt. „Überschaut man ... den gesamten religiösen Zeugen- und Zeugnisbegriff des Neuen Testamentes in seinen unterschiedlichen Entfaltungen, so findet man in der Tatsache, daß sowohl die Verkündigung Jesu wie die Predigt der an ihn Glaubenden Zeugnis genannt wird, ein charakteristisches Merkmal der christlichen Botschaft überhaupt."[12] Angesichts der Tatsache, daß Jesus sein Zeugnis bis in den Tod hinein durchgehalten hat, möchte man wie selbstverständlich erwarten, daß das Neue Testament gerade denjenigen als Zeugen herausheben würde, der ebenso für sein Zeugnisgeben in den Tod gegangen ist. Doch gehört zum neutestamentlichen Begriff des Zeugen nicht notwendig das Martyrium. Vielmehr ist ‚martys', trotz der für das Zeugnis vorausgesagten Verfolgungen und Leiden, zunächst immer der Wort-Zeuge. Erst im Martyrium des Polykarp († 156 bzw. 167) erscheint der uns geläufige Sprachgebrauch des Martyriums als einer Lebenshingabe; hier ist "‚mártys' ... einfachhin der für den Glauben Gestorbene; ‚martyreín' heißt den Märtyrertod erleiden, und ‚martyría' bzw. ‚martyrion' ist das Martyrium, das heißt der Vorgang des Leidens und Sterbens, das um des Festhaltens am Glauben willen ertragen wird."[13] Dieses Zeugnis mit Lebenshingabe ist es von nun an, das die Höchstform der Christusnachfolge darstellt und im Moment des Todes sogleich in die ewige Gegenwart Gottes führt.[14]

Polykarp spricht im Martyriumsbericht ein Gebet, das die Lebenshingabe als Schicksalsgemeinschaft mit Jesus Christus – als Anteilhabe an seinem Kelch (vgl. Mt 20,22f) – deutet und für diese Anteilhabe Gott den Dank ausspricht: „Herr, allmächtiger Gott, du Vater deines geliebten und gelobten Sohnes Jesus Christus, durch den wir zur Kenntnis über dich gelangt sind, Gott der Engel, Kräfte, der ganzen Schöpfung und der ganzen Schar der Gerechten, die in deiner Gegenwart leben: Ich lobe dich, daß du mich dieses Tages und dieser Stunde für würdig hieltest, in der Zahl der Märtyrer Anteil zu bekommen an dem Kelch deines Christus zur Auferstehung des ewigen Lebens von Seele und Leib in der Unvergänglichkeit des heiligen Geistes; unter diesen möchte ich vor deinen Augen heute aufgenommen werden als ein fettes und wohlgefälliges Opfer, wie du es vorbereitet, vorher angekündigt und auch jetzt erfüllt hast, du untrüglicher und wahrhaftiger Gott. Deswegen und für alles lobe ich dich, preise ich dich und verherrliche ich dich durch den ewigen und himmlischen Hohenpriester Jesus Christus, deinen geliebten Sohn, durch den dir mit ihm und dem heiligen Geist Ehre sei jetzt und in alle Ewigkeit. Amen."[15]

Die Verehrung der Märtyrer entband in der Alten Kirche einen wahren Strom von neuer Religiosität.[16] Denn gerade der Märtyrer, der aufgrund seiner Lebenshingabe mit einem überreichen Lohn bereits bei Gott weilte, vermochte die so wichtige Aufgabe eines himmlischen Fürsprechers wahrzunehmen, und deshalb suchte man seine Nähe. Origenes († 253/54) lieferte dafür die theologische Bestätigung: Nicht daß einfach die göttliche Allmacht für die Lebensnot der Menschen angerufen werden sollte – das wäre nur „fleischlich" gedacht. Vielmehr heißt beten, in die Gesinnung Jesu Christi eingehen, um so in den Willen Gottes einzugehen, der allein zu unserem Heil führt. Die Heiligen haben diese Willensangleichung vollzogen und bieten damit den anderen Christen Vorbild und Hilfe. Immer wieder spricht Origenes von der Ähnlichkeit zwischen dem Opfer Christi und dem Opfer der Märtyrer; diese stehen am himmlischen Altar und verrichten dort priesterlichen Dienst, indem sie für die Sünden des Volkes Vergebung erflehen.[17] Fortan gibt es für die Irdischen einen Austausch mit den Heiligen des Himmels und ihren Verdiensten.

Wie die Antike hat auch das Mittelalter seine Märtyrer gefeiert. Die Ermordung des über achtzigjährigen Bonifatius am Pfingstmittwoch des Jahres 754 gehört zu den großen Daten des frühen Mittelalters. „Der Eindruck auf die Zeitgenossen war gewaltig."[18] Nur zehn Tage später, offenbar sofort nach Eintreffen der ersten Kunde von der Bluttat, setzten in Fulda Schenkungen an das Kloster ein. Einen Märtyrer, den man selbst noch erlebt und dessen blutigen Leichnam man vor Augen gehabt hatte, begriff man als unfehlbaren Fürsprecher. Martyrien konnten geradezu Weltgeschichte machen. Als Kaiser Otto III. im Jahre 1000 das Grab seines von den Preußen erschlagenen Freundes Adalbert in Gnesen besuchte, kam es dabei zu bedeutsamen Abmachungen: „Angesichts der ersehnten Burg pilgerte er demütig barfuß, wurde vom dortigen Bischof Unger ehrfurchtsvoll empfangen und in die Kirche geleitet; hier bat er unter Tränen den Märtyrer Christi um seine Fürbitte zur Erlangung der Gnade Christi. Dann errichtete er unverzüglich dort ein Erzbistum."[19] Die anschließenden Verhandlungen mit Boleslaw zählen zu den konstitutiven Akten der polnischen „Staatsgeschichte"[20]. Ein zeiterschütterndes Ereignis war auch das Martyrium des Erzbischofs Thomas Becket († 29.12.1170), der Mord in der Kathedrale von Canterbury. Zu seinem Grab setzte eine Wallfahrt ein, die zu den bedeutendsten des Mittelalters zählte und dank der ›Canterbury Tales‹[21] bis heute im Bewußtsein fortlebt. Der englische König Heinrich II., auf den sich die Mörder beriefen, mußte sich vor dem 1173 Heiliggesprochenen verbeugen; ebenso kam der französische König Ludwig VII., ferner mit einer Gruppe Pariser Studenten Lothar von Segni, der spätere Papst Innozenz III. „Der Märtyrer-Erzbischof erfuhr eine geradezu beispiellose Ehrung."[22]

Das Mittelalter hat die eigenen Märtyrer gefeiert und zugleich das Martyrium der Alten noch weiter gesteigert. Die Zahl der Märtyrer erhöhte sich wie die Grausamkeit ihrer Leiden. Ein besonders eindrückliches Beispiel bietet die heilige Ursula mit ihren elftausend Jungfrauen in Köln, deren bis in die Spätantike zurückreichende Kirche dort auf dem nördlichen Gräberfeld steht. Der historische Ausgangspunkt ist eine dreizehnzeilige steinerne Inschrift, deren Datierung allerdings, ob nun spätantik oder frühmittelalterlich, bis heute umstritten ist: Ein dem Senatorenstand zugehöriger Clematius habe am Ort des Martyriums heiliger Jungfrauen eine Basilika wiederhergestellt.[23] Hieraus entstand die Ursulalegende.[24] Der Name Ursula allerdings erscheint erst im 10. Jahrhundert, möglicherweise abgelesen von einem alten Grabstein, wie ein solcher für eine achtjährig als „unschuldige Jungfrau" verstorbene Ursula noch heute erhalten ist.[25] Die Steigerung der Zahl auf elftausend geschah möglicherweise nur aufgrund eines Lesefehlers in den Kalendern des 9. und 10. Jahrhunderts, erhielt aber durch die zahllosen Gebeinfunde auf dem antiken Gräberfeld ihre offenkundige Bestätigung. Den hochmittelalterlichen Legendarien zufolge ist Ursula eine britannische Königstochter, die auf der Rückkehr von einer Rom-Wallfahrt in Köln mitsamt ihren Begleiterinnen und noch vielen anderen ehrenwerten Christen von Hunnen erschlagen wird, als diese gerade die Stadt belagern.[26] Der ‚ager Ursulanus' (Friedhof von Sankt Ursula) wurde der ergiebigste Reliquienfundort nördlich der Alpen: In der Ursula-Kirche bewahrte man 1800 Kopfreliquien auf, im benachbarten Altenberg 1000[27]; an die 4000 Übertragungen sind gezählt worden.[28]

3. Apostel und apostolisches Leben

Angesichts der Wandlung des Märtyrers zum Blutzeugen stellt sich die Frage, wie es denn um das Wortzeugnis bestellt blieb. Dieses ging keineswegs verloren. Zu betont haftete im Neuen Testament die Verkündigungsaufgabe an den von Jesus selbst beauftragten Aposteln. Vorrangig war ihnen das Zeugnis aufgetragen, denn sie waren „mit Jesus zusammengewesen, angefangen von der Taufe durch Johannes bis zu dem Tag, an dem er von uns ging"; vor allem galten sie als „Zeugen seiner Auferstehung" (Apg 1,21 f), und darum sollten sie „Zeugen sein ... bis zu den Grenzen der Erde" (Apg 1,8). In der Berufung und Sendung durch den Auferstandenen lag ein erstrangiges Kriterium für die Zugehörigkeit zum Apostelkreis. Des weiteren gab es ein pneumatisch-charismatisch begründetes Apostolatsverständnis mit klarer Ausrichtung auf die Mission. Endlich galten die Apostel als Garanten der die Kirche begründenden Tradition und als Prototypen kirchlicher Amtsträger.[29]

Eine Anreicherung des Apostelbildes brachten im 2. und 3. Jahrhundert die sogenannten ›Acta apostolorum‹, die Apostelakten.[30] Jeder der Zwölf hatte eine eigene Geschichte[31], wie ihm auch eine je eigene Region in der Weltmission zugeteilt worden war[32]. Alle lebten streng asketisch und sexuell enthaltsam; alle wurden seit dem 3. Jahrhundert auch als Märtyrer verehrt.[33] Sie hatten mustergültig erfüllt, was sich an Einzelelementen mit dem Ideal der Heiligkeit verbunden hatte. Folglich galten die Apostel als Heilige schlechthin. Von weitreichender Nachwirkung war das Apostelbild des Origenes.[34] Die Apostelnachfolge ist für ihn Wirkung des Geistes und wird besonders vollkommen von den Pneumatikern, den Geisterfüllten, verwirklicht, denen gegenüber die Amtsträger nur eine scheinbare Vorrangstellung haben; denn eigentlich sind nur die Pneumatiker apostelgleich und fähig, das apostolische Leben weiterzugeben. Für die christliche Idee der Heiligkeit wurde dadurch bleibend bestätigt, daß für das Heil das persönlich engagierte Leben ausschlaggebend sei, nicht das Innehaben eines Amtes.

Im Mittelalter zeigte sich das Apostelideal in mehrfacher Version. Apostelnachfolge ist und bleibt weiterhin Glaubensverkündigung. Ein ausdrucksvolles Zeugnis dafür bietet das Schlußkapitel der Vita des Nordlandmissionars Ansgar († 865):

„Er folgte Christus nach, dem Armen ein Armer...; wie die Apostel verließ er alles; wie der Heilige Täufer Johannes suchte er schon in der Jugend die dem Lärm der Welt entrückte Einsamkeit des Klosters. Dort wuchs er, ein auserwähltes Gefäß, von Tag zu Tag in den Tugenden, dazu bestimmt, wie der heilige Apostel Paulus Christi Namen zu den Heidenvölkern zu tragen; dann übernahm er wie der Apostelfürst Petrus die Aufgabe, Christi Lämmer zu weiden... Und rein blieb er ständig an Seele und Leib wie der heilige Apostel und Evangelist Johannes. In seiner stetigen großen Liebe zu allen Menschen betete er ferner wie der erste heilige Märtyrer Stephanus auch für seine Feinde. Oh, was für ein wahrhaft seliger und überaus preiswürdiger Mann! ... Am Tage der Auferstehung [wird er] mit den Aposteln auf jenem erhabenen Richterstuhle sitzen, die von ihm verachtete Welt richten und mit den Märtyrern die ihm von Gott verheißene Krone der Gerechtigkeit und Palme des Martyriums empfangen... Märtyrer war er, wie der Apostel sagt: Die Welt war ihm und er der Welt gekreuzigt. Märtyrer war er, weil er in den teuflischen Versuchungen, fleischlichen Verlockungen, heidnischen Verfolgungen, christlichem Widerspruch bis an sein Lebensende immer unerschrocken, immer fest und immer unüberwindlich bei seinem Bekenntnis zu Christus blieb. ‚Märtyrer' bedeutet ‚Zeuge'; er war ein Märtyrer, denn er war stets Zeuge des göttlichen Wortes und des heilbringenden Namens Christi."[35]

Aber noch andere Deutungen konnten sich mit dem „apostolischen Leben" verbinden. Christlich-heiliges Leben mußte immer eine ‚vita apostolica' sein, wie es die Apostelgeschichte als Ideal der Urgemeinde dargestellt hatte: Die Gläubigen sind ein Herz und eine Seele;

sie haben alles gemeinsam, niemand leidet bei ihnen Not; einträchtig versammeln sie sich zum Gebet und legen Zeugnis ab von der Auferstehung des Herrn (Apg 4,32ff).[36] Die Bedeutung des von der Apostelgeschichte entworfenen Idealbildes der Urgemeinde kann für die kirchlichen Erneuerungsbewegungen des christlichen Altertums und des Mittelalters „überhaupt kaum überschätzt werden“[37]. Das klösterliche Zusammenleben zum Beispiel beruhte gutteils auf diesem „Ein-Herz-und-eine-Seele-sein“ wollen. Endlich ist noch auf die apostolische Wanderpredigt zu verweisen. Das 12. Jahrhundert mit seinem Verlangen nach Wissenwollen trieb viele dazu an, apostelgleich zu leben: in Armut und für die Verkündigung.[38] Beides bedingte sich: Predigt der Armut und der Buße wie zugleich Vorleben dieser Armut und Bußübung zur Bestätigung der Predigt. Die Wanderprediger wie Norbert von Xanten[39], Robert von Arbrissel[40], aber auch die Waldenser[41], Franziskaner[42] und Dominikaner[43] – sie alle, die keineswegs immer Kleriker waren, bewegte das Ideal der apostolischen Predigt und zugleich des apostolischen Lebens. Und wie schon in der Nachfolgeschaft Jesu ergriffen auch Frauen die apostolische Lebensform. Wo immer die Wanderprediger auftauchten oder neue Gemeinschaften entstanden, waren Frauen mit dabei.[44] Norbert von Xanten fiel als erster dadurch auf, daß er auch Frauen in seine Nachfolgeschaft aufnahm und in Prémontré ein Doppelkloster gründete.[45]

4. Gebet und Mystik

„Wachet und betet allezeit!“ (Lk 12,36). Von dieser Aufforderung wußten sich gerade die Heiligen angesprochen. Wenn aber Beten „Umgang mit Gott“ bedeutet, stellt sich zuerst die Frage, wer denn der Gott ist, den man im Gebet angeht. Im Alten Testament erscheint Jahwe als „der Höchste“; er ist „ein großer König über die ganze Erde“ und ebenso „ein König über alle Völker“ (Ps 47,3.9). Wegen seiner Einzigkeit und Absolutheit fordert er Ausschließlichkeit in der Verehrung: „Er ist der Erste und Letzte, außer ihm ist kein Gott“ (Jes 44,6). Ja, er ist ein eifersüchtiger Gott: „Du sollst neben mir keine anderen Götter haben“ (Ex 20,3). Bei aller Absolutheit will aber Jahwe nicht den erzwungenen Sklavendienst, sondern die Liebe der Menschen: „Du sollst den Herrn, deinen Gott, lieben mit ganzem Herzen, mit ganzer Seele und mit ganzer Kraft“ (Dtn

6,5). Die angemessene Antwort des Menschen ist das Lob: „Lobe den Herrn, meine Seele, und vergiß nicht, was er dir Gutes getan hat“ (Ps 103,2). Wenn aber der Mensch sich Gott verweigert und falsche Wege geht, dann muß Gott selbst daran leiden, denn „daß Gott am Fehlverhalten seiner Geschöpfe ... und an ihrem Leiden selber leidet, ist eine der tiefsten Einsichten der alttestamentlichen Gotteserkenntnis“[46].

Zum Gottesbild Jesu gehört die Ehrfurcht vor Gott als dem unumschränkten Herrn. Doch „im Zentrum steht etwas anderes: für Jesu Jünger ist Gott der Vater.“[47] Die Vorstellung von Gott dem Vater bringt eine „neue Qualität“[48], fordert aber auch vom Menschen ein neues Verhalten. Er schuldet Gott eine ausschließliche Anerkennung, denn „einer ist euer Vater“ (Mt 23,9), des weiteren auch ein absolutes Vertrauen, „denn euer Vater weiß, daß ihr dies alles [Nahrung und Kleidung] nötig habt“ (Mt 6,32). Manche Aussagen können dabei noch besonders pointiert werden: „Alles, worum ihr betet und bittet, glaubt nur, daß ihr es schon erhalten habt, dann wird es euch zuteil werden“ (Mk 11,24). Im letzten bedeutet Gebet die Öffnung des Herzens: „Darum sollst du den Herrn, deinen Gott, lieben mit ganzem Herzen und ganzer Seele, mit all deinen Gedanken und all deiner Kraft“ (Mk 12,30). Die Liebe zu Gott aber erzwingt demütige Anerkenntnis des Sünderseins: „Gott, sei mir Sünder gnädig! Ich sage euch: Dieser kehrte als Gerechter nach Hause zurück“ (Lk 18,13f). Weil aber, wie insbesondere das Gleichnis vom verlorenen Sohn zeigt, Gott den Sünder in Gnaden wieder aufnimmt (Lk 15,11–32), gilt für die Menschen: „Seid barmherzig, wie es auch euer Vater ist!“ (Lk 6,36). Zusammengefaßt hat Jesus seine „Gebetslehre“ im ›Vater unser‹ (Mt 5,9–13):

Unser Vater im Himmel, / dein Name werde geheiligt, / dein Reich komme, / dein Wille geschehe / wie im Himmel, so auf der Erde. / Gib uns heute das Brot, das wir brauchen. / Und erlaß uns unsere Schulden, / wie auch wir sie unseren Schuldnern erlassen haben. / Und führe uns nicht in Versuchung, / sondern rette uns vor dem Bösen.

Das Gebet richtete sich an Gott, mußte aber notwendig auch Jesus Christus betreffen, da er in seiner Erdenzeit als der an Gottes Stelle Verkündigende und Handelnde aufgetreten und als Auferstandener zur Rechten Gottes erhöht war. Die Deutung, wie sie in den Evangelien vorliegt, läßt keinen Zweifel: Sie macht die Stellung zur Person Jesu heilsentscheidend. Denn letztlich sind Vater und Sohn „eins", wie es ausdrücklich im Johannes-Evangelium heißt (Joh 17,20–26). Seine Jünger hatte Jesus in charismatischer Vollmacht berufen[49], und die Berufenen sollten ihm nachfolgen. Zu ihm selbst wie zu Gott, dem Vater, sollte es ein „persönliches", ja „herzliches" Verhältnis sein. Das war auch die Grundlage des Betens: Die durch Christus bei der Taufe geschehene Eingliederung in dessen Leib und die damit gegebene Berufung der Getauften in die Nähe Gottes machte die Christen zu Freunden Christi und dadurch auch zu Freunden Gottes, die nun unmittelbar Zutritt hatten und darum die volle Zuversicht auf Erhörung haben durften[50]; als Freunde waren sie befugt, ja beauftragt zu beten, nicht nur die asketisch Gereinigten, selbst auch die Ermüdeten und sogar die Sünder. Denn es entscheidet das Herz der Menschen, und Gott weiß um das Innerste. Im Inhalt sollte das Gebet immer zuerst Dank aussprechen, dazu die Hoffnung auf die Hilfe Gottes, auf den bleibenden Geist Christi und dessen Wiederkunft als Kyrios am Ende der Tage.[51]

An diese Grundkonstellation lagerten sich bald weitere Elemente an, auch solche, die man oft als mit dem Geist des Neuen Testamentes unvereinbar angesehen hat und für spätere „Fehlentwicklungen" verantwortlich machte. Klaus Berger hat sie aus dem Neuen Testament und dessen nächstem Umkreis zusammengestellt: Gebet vor wie nach Wundern und Visionen, Gebet als Vorbereitung für den Empfang himmlischer Gaben, etwa der Erkenntnis, Weisheit oder Wunderkraft, weiter auch Gebet als mächtiges Wort gegen die Dämonen und als aufdringliches Flehen bei Gott. Die eigentlich einzige Voraussetzung für erhörliches Beten, nämlich das Verzeihen gegenüber dem Schuldner[52], wird um christliche Werke erweitert; besonders die bereits alttestamentliche Trias von Gebet, Fasten und Almosen gilt als verstärkend. Von größter Nachwirkung war das Jakobuswort: „Viel vermag das inständige Gebet des Gerechten" (Jak 5,16). Diese verschiedenen Aufforderungen und Verheißungen mußten die Nachdrücklichkeit steigerbar erscheinen lassen, zumal man sie zusammensah mit der Aufforderung, beständig zu beten (Lk 21,36; Apg 10,2; 1 Thess 1,3) und nur fest an die Gewährung zu glauben (Mk 11,24; Mt 17,20). So zeigen sich bereits in den Anfängen jene Momente, die, weil religionsgeschichtlich überaus wachstumsträchtig, der essentielle Stoff auch der Heiligenleben werden sollten. Andere Elemente kamen hinzu: die spiritualisierte Opferdeutung, die das Gebet in ein „Opfer des Lobes" wandelt, das „dargebracht" wird und wie Weihrauchduft zu Gott „aufsteigt" und von ihm am himmlischen Altar „angenommen" wird (Offb 8,3 f), überhaupt die Verbindung mit dem himmlischen Kult sowie die Beteiligung der Engel (Mt 18,10). Außerdem kann das Gebet stellvertretend eingesetzt werden, indem die Gerechten ihre Gerechtigkeit vor Gott für andere verwenden.[53] Endlich besteht noch „eine besondere Verbindung ... zwischen Gebet und Blut"[54], so daß aus dem fürbittenden Eintreten, sobald es mit der Hingabe des Blutes verbunden wurde, die Märtyrerfürbitte hervorgehen konnte.

Eine Theologie des Gebetes hat erstmals Origenes entwickelt. Rechtes Beten müsse sich durch Christus im heiligen Geist zuerst an den Vater richten und dann auch an Christus, immer in Fürbitte und Dank. Ohne Unterlaß zu beten erfordere, mit dem Gebet die notwendigen Werke und diese hinwiederum mit dem Gebet zu verbinden. In der Praxis freilich waren vielgeübte Gebetsformen weniger theologisch geprägt. Zu nennen ist vor allem das thaumaturgische Gebet. Die apokryphen Apostelgeschichten „bieten das Bild eines hymnischen, mit ausgeprägtem Wunderglauben und asketischer Tendenz verbundenen Gebets"[55]. Das Mönchtum praktizierte das „Gebet ohne Unterlaß", vollzogen im fortwährenden Rezitieren von Psalmen. Der Psalter wurde dadurch das Gebetbuch schlechthin; Psalmen betete man im persönlichen wie im gemeinsamen Stundengebet.[56] Erste Aufgabe geistlicher Bildung war es darum, den Psalter auswendig zu lernen; wer dazu nicht in der Lage war, betete – so seit dem frühen Mittelalter – eine entsprechende Anzahl von Pater noster oder später auch von Ave Maria.[57]

Wie das unausgesetzte Psalmenbeten eines frommen Mönches aussah, schildert uns die Vita des heiligen Ansgar († 865):

„Schließlich stellte sich unser Vater aus Bußsprüchen der heiligen Schrift für jeden Psalm des Psalters eigene kurze Gebete zusammen. Er nannte sie gern seine ‚Würze' zur Erhöhung des Psalmengenusses. Der Stil dieser ‚Würze' kümmerte ihn nicht, es kam ihm nur auf herzliche Reue an. Bald preist er darin Gottes Allmacht und gerechtes Gericht, bald tadelt und schilt er sich selber. Bald rühmt er die Heiligen, die Gott dienen, bald beklagt er die armen Sünder. Sich selbst achtete er noch geringer als sie alle. Diese Sprüche pflegte er während des Psalmensingens mit den anderen nach jedem Psalm leise vor sich hinzumurmeln... Gewöhnlich verrichtete er beim Psaltersingen Handarbeit. Damals fertigte er ein Netz. Welche Psalmen er in der Nacht oder am Tage singen wollte, welche während der Zurüstung zur Messe, welche beim Entkleiden und Schlafengehen, war genau festgelegt. Während des Schuhanziehens und Waschens in der Frühe sang er eine Litanei; so ging er zur Kirche, ließ drei oder vier Messen feiern, wohnte ihnen bei und versah den Dienst. Bei Gesundheit sang er regelmäßig zur gehörigen Tageszeit selbst die öffentliche Messe."[58]

Was das Gebet vermag, wenn es nur in zweifelsfreiem Glauben vorgebracht wird, beweist in immer neuen Wundern die Vita des Iren Columban († 615)[59].

So läßt der Heilige in der Einsamkeit, wo nur mühsam Wasser zu beschaffen ist, einen seiner Jünger auf einen Felsen schlagen, währenddessen er selbst „den Herrn inständig [bat], er möge gewähren, was für sie so notwendig sei. Schließlich ließ sich die Macht Gottes, die jede gläubige Bitte im Überfluß erfüllt, durch sein Flehen erweichen. Wasser quoll hervor und wurde zu einer ständig fließenden Quelle, die bis auf den heutigen Tag fließt."[60]

Hieraus formuliert die Vita als „Lehre": „So erfüllt der barmherzige Gott die Bitten seiner Heiligen, denen diese Gnade deshalb zuteil wird, weil sie in treuer Erfüllung seiner Gebote ihre eigenen Wünsche ans Kreuz geschlagen haben und voll des Glaubens keinen Augenblick an der Erfüllung dessen zweifeln, worum sie den Herrn gebeten haben. Er selbst hat es ihnen ja mit folgenden Worten versprochen: ‚Wenn euer Glaube nur so klein ist wie ein Senfkorn, sagt zu dem Berg: ‚Hebe dich hinweg!' Und er wird verschwinden, und ‚nichts wird euch unmöglich sein.' Und an einer anderen Stelle sagt der Herr: ‚Glaubt fest daran, daß alle eure Gebete erfüllt werden, und sie werden in Erfüllung gehen.'"[61]

Wie sehr das Jesus-Wort, hartnäckige Dämonen könnten nur durch Gebet und Fasten ausgetrieben werden, maßgeblich wirkte, zeigt die Vita des Norbert von Xanten († 1134). Eine zwölfjährige Bürgerstochter wurde zum Heiligen geführt, die das ›Hohe Lied der Liebe‹ von Anfang bis zum Schluß Wort für Wort sowohl auf französisch als auch auf deutsch hersagen konnte, aber doch von einem Dämon besessen war. Die notwendigen Prozeduren füllen ein langes Kapitel in der Vita.

Einen ganzen Tag mußte Norbert Exorzismen sprechen und die Messe bei dem Mädchen feiern; auch ließ er sie in exorzisiertes Wasser legen, aber alles ohne Erfolg. Am folgenden Tag begann Norbert von neuem: Er befahl zwei Brüdern, das Mädchen nahe am Altar festzuhalten. Die Messe begann, und man kam zum Evangelium; dasselbe wurde über dem Kopf des Mädchens gelesen, aber da lachte der Teufel auf und sagte, dieses Geleier habe er schon oft gehört. „Als dann der Priester während der heiligen Wandlung die Hostie in die Höhe hob, rief der Teufel: ‚Schaut, schaut, da hält er sein Göttchen in der Hand!‘ Teufel nämlich bekennen, was Häretiker leugnen. Den Priester aber schauderte es, und er begann, da er gerade bei diesem Gebet den Geist der Wahrheit empfangen hatte, noch ausdrücklicher gegen den Teufel vorzugehen. Der aber schrie in seiner Bedrängnis: ‚Au, ich brenne, au, ich brenne, au, ich sterbe, au, ich sterbe!‘ sowie: ‚Ich will ausfahren, ich will ausfahren, laß mich frei!‘ Und während die Brüder das Mädchen mit aller Gewalt festhielten, entfloh der unreine Geist, hinterließ widerliche Spuren übelriechenden Harns und verließ so das Gefäß, das er besessen hatte.“[62]

Anzuführen ist endlich noch das mystische Gebet. Alle Mystik geht davon aus, daß Gebet Vereinigung mit Gott sei, dies freilich nicht primär in einer Ergriffenheitserfahrung, sondern im ontischen Sinn: Wie alles Erkennen, so ist gerade die Mystik „in der Einheit mit ihrem Gegenstand begründet“[63]. Mystik ist dann jene Erfahrungsebene, „in der sich eine stringente Einheit zwischen Subjekt und Objekt dieser Erfahrung in irgendeinem noch näher zu bezeichnenden Sinn abzeichnet“[64]. Oder theologisch gewendet: Der menschliche Geist ist göttlicher Natur; er strebt darum beständig zu Gott und wird nur durch sein Eingeschlossensein in Leib bzw. Materie oder auch in Ichbefangenheit behindert. Das mystische Gebet ist darum immer ein Aufstieg, der mit dem „Weg der Reinigung“ beginnt (via purgativa), auf dem Weg der Erleuchtung voranschreitet (via illuminativa) und in der Vereinigung mit Gott endet (via unitiva). Christlicherseits mußten hier schon deswegen Vorbehalte bleiben, weil das Neue Testament eine solche Mystik nicht kennt. Zudem schien der Abstand zwischen dem unerschaffenen Gott und dem geschaffenen Menschen durch die mystische Geist-Einheit aufgehoben: Gott könne mit seinem Geist nicht ungeschieden auch im Menschen sein, weil damit das geschöpfliche Eigensein aufgehoben sei. Erst mit der Rezeption platonisch-plotinischer Theoria-Vorstellungen drang die Mystik ins Christentum ein und erhielt in Dionysius Pseudo-Areopagita (5. Jahrhundert) ihren wichtigsten Fürsprecher: das Geeintwerden mit dem über allem Sein und Erkennen

Liegenden, die Ekstase als über sich Hinausgerissensein zur unerkenntnismäßigen Einigung, in christlicher Wendung dann als gnadenhafte Einheit mit Gott, ohne alle menschliche Errechenbarkeit und Verdienstlichkeit, ja bei gleichzeitiger Erfahrung der menschlichen Inkommensurabilität. Aller Streit im Mittelalter um die Mystik, etwa auch um Meister Eckhart, betraf diesen Punkt, nämlich die Frage der „monistischen" oder „theistischen" Einigung.

Meister Eckhart († 1328), der in der abendländischen Mystik den eher seltenen Typ der „Seinsmystik" verkörpert[65], kann Gebet wie folgt definieren:

„Unsere Meister sagen: Was lobt Gott? – Das tut die Gleichheit. So denn lobt alles Gott, was in der Seele Gott gleich ist; was irgend Gott ungleich ist, das lobt Gott nicht; so wie ein Bild seinen Meister lobt, der ihm eingeprägt hat die ganze Kunst, die er in seinem Herzen birgt, und der es (= das Bild) sich so ganz gleich gemacht hat. Diese Gleichheit des Bildes lobt seinen Meister wortlos. Was man mit Worten zu loben vermag oder mit dem Munde betet, das ist etwas Geringwertiges. Denn unser Herr sprach einstmals: ‚Ihr betet, wißt aber nicht, was ihr betet. Es werden (jedoch) noch wahre Beter kommen, die meinen Vater im Geiste und in der Wahrheit anbeten' (Joh 4, 22/23). Was ist (das) Gebet? Dionysius sagt: Ein Aufklimmen zu Gott in der Vernunft, das ist (das) Gebet. Ein Heide sagt: Wo Geist ist und Einheit und Ewigkeit, da will Gott wirken. Wo Fleisch ist wider Geist, wo Zerstreuung ist wider Einheit, wo Zeit ist wider Ewigkeit, da wirkt Gott nicht; er verträgt sich nicht damit. Vielmehr muß alle Lust und alles Genügen und Freude und Wohlbehagen, die man hier (auf Erden) haben kann, – das alles muß weg. Wer Gott loben will, der muß heilig und gesammelt sein und ein Geist sein und nirgends draußen sein; vielmehr muß er ganz ‚gleich' emporgetragen sein in die Ewigkeit hinauf über alle Dinge. Ich meine nicht (nur) alle Kreaturen, die geschaffen sind, sondern (zudem) alles, was er vermöchte, wenn er wollte; darüber muß die Seele hinauskommen. Solange (noch) irgend etwas über der Seele ist und solange (noch) irgend etwas vor Gott ist, was nicht Gott ist, so lange kommt sie nicht in den Grund ‚in der Länge der Tage'."[66]

Eckhart, der auch Seelsorger bei Dominikanerinnen war, mußte von seinem Verständnis her das dort so gern geübte Abzählen von Gebeten kritisieren: „Ja, ein Ave Maria, gesprochen in dieser Gesinnung, wobei der Mensch sich seiner selbst entäußert, das ist nützer als tausend Psalter gelesen ohne sie; ja, ein Schritt darin wäre besser, als ohne sie über's Meer gefahren."[67] Tatsächlich zieht sich diese

Kritik, weiter ausformuliert in den sog. ›Alberti Sprüchen‹[68], bis zu Luther[69]. Bezeichnend ist auch, daß kein mittelalterlicher Mystiker heiliggesprochen worden ist, wohl dann in der Neuzeit Teresa von Avila († 1582) und Johannes vom Kreuz († 1591).

Die Mystik des Spätmittelalters ist in der Regel „Erlebnismystik", Vereinigung mit dem leidenden Jesus, ein Prozeß also, „in dem die liebende Seele mit ihrem Bräutigam Christus bis zur überschwenglich gefeierten Vereinigung gelangen konnte"[70]. Zumal in den Dominikanerinnenklöstern des deutschen Südwestens sowie der Rhein- und der Niederlande verläuft diese Ekstase oft traumhaft oder visionär und ist verbunden mit leiblichen Erregungszuständen. Aber sie „erhebt sich nicht zu mystischer Einigung"[71]. In der praktischen Durchführung kann dabei immer noch das alte Psalmenbeten den Hintergrund bilden, jetzt freilich zumeist als Reihung von Vaterunsern und Gegrüßet-seist-du-Maria; eingeflochten wurden Meditationsworte aus dem Leiden Jesu, die dieses Reihenbeten rhythmisieren. Was hier indes neu ist: das Gebet wirkt freier und persönlicher, zielt stärker auf Verinnerlichung ab und ist „andächtiger". Hören wir Heinrich Seuse († 1366) selbst:

„Wer begehrt in kurzer, eigentlicher und heilsbegieriger Weise betrachten zu können nach dem minniglichen Leiden unseres Herrn Jesu Christi, in dem all unser Heil liegt, und wer seinem mannigfaltigen Leiden dankbar zu sein begehrt, der soll die hundert Betrachtungen, die hiernach vornehmlich stehen, sonderlich nach den Gedanken, die in den kurzen Worten begriffen sind, auswendig lernen und andächtiglich mit hundert Venien [Niederwerfungen] oder, wie es sich am allerbesten fügt, alle Tage überdenken und zu jeder Venie ein ‚Pater noster' sprechen oder ein ‚Salve Regina' oder aber ein ‚Ave Maria'..."[72] Die dazugehörigen Gebetsanweisungen lauten: „I. Minniglicher Herr, wie an dem hohen Aste des Kreuzes deine klaren Augen erloschen und verdreht wurden,/ II. Deine göttlichen Ohren mit Spott und Lästerung erfüllt,/ III. Dein edler Geruchsinn mit bösem Geruch verwandelt wurde,/IV. Dein süßer Mund mit bittrem Trank,/ V. Dein zartes Gefühl mit harten Schlägen:/ also begehre ich, daß du heute meine Augen behütest vor ausgelassenem Sehen, meine Ohren vor eitlem Hören. Herr, benimm mir den Geschmack an leiblichen Dingen, mache mir unlustig alle zeitlichen Dinge und benimm mir die Verzärtelung meines eigenen Leibes."[73]

5. Nächsten- und Feindesliebe

Das Selbstverständnis Jesu, „sein Leben hinzugeben als Lösegeld für viele" (Mk 10,45b), ferner seine Aufforderung: „wenn du vollkommen sein willst, geh, verkaufe deinen Besitz und gib das Geld den Armen" (Mt 19,21), sowie die Mahnung, „ein Herz für die Armen zu haben" (Joh 12,6), ja überhaupt die Seligpreisung der Armen (Lk 6,20b) und die Warnung vor Reichtum (vgl. Mt 19,23) waren unmißverständlich und richteten sich an jeden, der Jesusjünger werden wollte. Armenfürsorge war, wie es der Jakobusbrief sagt, „Gottesdienst" (Jak 1,26) und bildete in der Gestalt der Gabendarbringung immer auch ein Element der Eucharistiefeier.[74] Nach altkirchlicher Auffassung sollten die Katechumenen vor der Taufe nicht nur unterwiesen werden, sondern sich obendrein sozial betätigen: „Man prüfe zuerst ihren Lebenswandel: ob sie während des Katechumenats ehrbar gelebt, die Witwen unterstützt, Kranke besucht, ob sie alle Arten von guten Werken getan haben."[75] Das heißt: Christ werden bedeutete zugleich Einübung in Sozialtätigkeit. Jede Christengemeinde hatte ihren „Sozialdienst", und der Bischof mußte sich gerade auch als Vater der Armen bewähren.[76] Als im Übergang zum Mittelalter Stadtkultur und Bildungssystem weitgehend zusammenbrachen und damit auch eine hohe Theologie unmöglich wurde, blieb bezeichnenderweise die Armenfürsorge.[77] Darin hatte kein Staat zuvor eine Verpflichtung erblickt[78], und so erscheinen beispielsweise Karls des Großen Sozialverordnungen bei den Hungersnöten von 792/93 und 806 als „Ansätze königlicher Sozialpolitik"[79]. Die Sorge um die Armen durchzieht das ganze Mittelalter.[80]

Im Vergleich zur Antike war das alles neu. Aus der gesamten griechischen und römischen Welt ist – trotz Geld- bzw. Getreideverteilung oder auch Waisenversorgung in Rom – kein spezieller Gesetzesakt zugunsten der Armen zu verzeichnen. Denn „keine dieser Verteilungen ist nach dem Kriterium der Bedürftigkeit vorgenommen worden, nie wurden die Armen als Zielgruppe der Verteilungen bezeichnet"[81], und die kaiserliche Kinderversorgung, die sich auch der mittellosen Waisen annahm, galt nur den frei geborenen Kindern.[82] Weder Armut noch Reichtum wurden eigentlich problematisiert. Das Urteil der Antike über Reichtum war einfach und eindeutig: Reichtum war notwendig und gut, die unerläßliche

Voraussetzung für ein angenehmes Leben – und das war eigentlich alles.[83] Die christlichen Vorstellungen mußten für die Antike ganz fremdartig sein. „Grundsätzlich gehörte jedenfalls das ‚Selig sind die Armen' nicht in die griechisch-römische Vorstellungswelt."[84] Erst die christliche Predigt hat hier bewußtseinsverändernd gewirkt, denn aus der Verurteilung des Reichtums ergab sich die Pflicht zur Armenfürsorge, „die es in dieser Form in der griechischen und römischen Antike überhaupt nicht gegeben hatte"[85]. Aber es war ein langer Weg der Umerziehung: Das Wissen um die Armut und das Bewußtsein, zu ihrer Linderung verpflichtet zu sein, haben sich nur langsam, sehr langsam herausgebildet, durch Predigten, Heiligenviten, Wundererzählungen, Gleichnisse und durch die karitativen Einrichtungen, die für die Armen geschaffen und den Reichen zur Unterstützung empfohlen wurden.[86] Ja, es kam die Sentenz auf, die Vernachlässigung der Armen sei Mord, und der Anspruch der Armen auf die Einkünfte der Reichen galt bald als so selbstverständlich, daß man die Hartherzigen, wie es im Rückgriff auf den heiligen Ambrosius hieß, als Mörder der Armen (necator pauperum) bezeichnete, etwa in den Kanones der Konzilien oder in Predigten des Caesarius von Arles.[87] Vor allem aber sollte den Kirchenleuten das Schicksal der Sklaven, der Kriegsgefangenen und Eingekerkerten angelegen sein; gerade auf sie erstreckte sich die Fürsorge des idealen Priesters und Bischofs.[88]

Unter den Pflichten des Heiligen mußte die Armenfürsorge notwendig ein essentielles Element darstellen: „Das zentrale Motiv ... der kirchlichen Literatur im allgemeinen und der Hagiographie im besonderen ist die charitative Tätigkeit der Reichen und der Kirche. Almosen tilgen Sünden, durch sie kann auch der Reiche das Himmelreich erwerben; der Bischof und besonders der Heilige hat für Arme zu sorgen, und er tut dies, indem er an sie Almosen verteilt. Tatsächlich hat die Kirche eine Armenfürsorge organisiert, und es wäre höchst ungerecht, dieses Werk schmälern zu wollen; denn eigentlich war in dieser Zeit die Kirche die einzige, die sich überhaupt um die Armen kümmerte."[89] Der oftmals vorgebrachte Einwand, die mittelalterliche Armenfürsorge habe im letzten das Wohl des Spenders, nämlich die Tilgung seiner Sünden und die Erlangung des ewigen Heils, im Auge gehabt, besteht durchaus zurecht, weckt aber auch die Gegenfrage, ob es nicht doch einen gewissen Fortschritt darstellte, daß die – wenn auch egozentrische – Freigebigkeit die unnachsichtige Härte zumindest milderte.[90] Von allem Anfang an bezeugen die Heiligenviten neben der „dimension verticale“ der Gottesliebe deutlich auch die „dimension horizontale“ der Nächstenliebe.[91] Für den Heiligen galt unabdinglich, sich der Armen anzunehmen. Daß der heilige Martin einer der volkstümlichsten Heiligen des ganzen Mittelalters wurde, verdankte er nicht zuletzt jener sozialen Tat, mit der er allgemein auch dargestellt wurde und vorbildlich wirkte: seiner Mantelteilung zugunsten eines Bettlers.[92]

Im Hochmittelalter reifte das „Mitleid“ zum „Mitleiden“[93], und mit der scholastischen Theologie entstand auch eine „Theologie der Armut“[94]. Unter den Heiligen ist als herausragendstes Beispiel jener zu nennen, der sich der Armut sogar als seiner Herrin anverlobte: Franziskus von Assisi († 1226). Seine „entscheidende Wende“[95], sein „religiöses Schlüsselerlebnis“[96], erfuhr er in der Begegnung mit einem Aussätzigen.

Franziskus schildert seine Bekehrung im ersten Abschnitt seines Testaments[97], und zwar anhand eines altvertrauten Schemas. Die Ausgangssituation lautet: „als ich noch in Sünden war“; dann folgt der Eingriff Gottes: „der Herr selbst hat mich ... geführt“, und schließlich die Wende zu einem neuen Leben: „was mir bitter vorkam, [wurde] in Süßigkeit ... verwandelt“. Nach traditionell monastischem Verständnis müßte man dieses Schema: zuerst ‚in Sünden‘, dann ‚Erkenntnis‘, daraufhin ‚verwandeltes Leben‘, mit der Konsequenz des Eintritts in ein Kloster zu Ende führen. Tatsächlich aber schreibt Franziskus: „Denn als ich in Sünden war, kam es mir sehr bitter vor, Aussätzige zu sehen. Und der Herr selbst hat mich unter sie geführt, und ich habe ihnen Barmherzigkeit erwiesen. Und da ich fortging von ihnen, wurde mir das, was mir bitter vorkam, in Süßigkeit der Seele und des Leibes verwandelt. Und danach hielt ich eine Weile inne und verließ die Welt.“[98] Wir haben hier eindeutig eine ‚soziale Bekehrung‘: Gott führt zum Verlassen aus der Welt, aber nicht ins Kloster, sondern ins Leprosorium – das ist nun das ‚Leben in Buße‘. Es ist nicht zu übersehen: die traditionelle Sprache der Askese wird hier umgelenkt und neu aufgefüllt.

Die Bekehrung geschieht – und das ist gut neutestamentlich – in der Hinwendung zu den Armen. Franziskus‘ Jünger und Jüngerinnen folgten ihm darin. Angela von Foligno († 1309), Adelstochter und franziskanisch gesonnen, erzählt, wie sie im Jahre 1292 mit einer Gefährtin den Gründonnerstag beging: „Wir wollen Christus finden!“, und: „Gehen wir ins Spital, vielleicht werden wir dort unter jenen Armen und Geplagten Christus finden.“ Sie verkauften Kleidungsstücke, um vom Erlös den Spitalinsassen Nahrung beschaffen zu können. Auch wuschen sie ihnen, gemäß der Gründonnerstagsliturgie, die Füße und Hände. Zum Schluß aber tranken sie vom Waschwasser und bekannten dabei, eine solche Süße erfahren zu haben, als ob sie kommuniziert hätten.[99] Sozialdienst gilt hier wie die eucharistische Kommunion.

Die Liebe soll, neutestamentlich gesehen, sich auch auf die Feinde erstrecken. Gewöhnlich bezieht sich Nächstenliebe auf die Nächststehenden, auf die Menschen des eigenen Lebenskreises. So offenbar entspricht es auch dem angeborenen Gesetz des „biogenetischen Eigennutzes": höchster Einsatz für die eigene (Bluts-)Verwandtschaft, dann aber nur noch geminderte Verpflichtungsgrade, die zuletzt mit „Unmenschlichkeit" bei Fremden und mit Haß bei Feinden enden. Die enge Bindung und Begünstigung naher Verwandter, so scheint erbgenetisch zu gelten, „wird konterkariert und zugleich bestärkt durch ein Abgrenzen von Außenstehenden, denen gegenüber man sich oft moralisch weniger oder gar nicht verpflichtet fühlt. Hier liegt ein hierarchisch abgestuftes Differenzierungsgefälle von der eigenen Familie über den eigenen Stamm, das eigene Volk, die eigene Rasse usw. vor."[100] Für die ‚Primitivvölker' stellt die Ethnologin Ruth Benedict fest, daß auf die Anderen „nicht nur die Bestimmungen des Sittenkodex der eigenen Gruppe nicht zutreffen", sondern daß man dieselben „ganz summarisch nicht mehr als Menschen ansieht"[101]. Demgegenüber forderte Jesus, wie übrigens auch andere Religionsstifter[102]: „Liebt eure Feinde, tut denen Gutes, die euch hassen, segnet die, die euch verfluchen; betet für die, die euch mißhandeln ... Seid barmherzig, wie es auch euer Vater ist" (Lk 6,27f.36). Oder paulinisch: Frieden nicht nur den „Nahen", sondern auch den „Fernen" (Eph 2,17). Eine Konsequenz daraus war der altchristliche Pazifismus[103], der in der Waffenlosigkeit der Kleriker (von denen aber die mittelalterlichen Bischöfe als Reichsfürsten abwichen) und vor allem der Mönche weiterlebte[104]. Der „wahre Streiter Christi" übte sich im geistlichen Kriegsdienst, wie es im 6. Kapitel des Epheser-Briefes beschrieben steht: „Werdet stark durch die Kraft und Macht des Herrn, zieht die Rüstung Gottes an, damit ihr den listigen Anschlägen des Teufels widerstehen könnt ... Gürtet euch mit Wahrheit, zieht als Panzer die Gerechtigkeit an und als Schuhe die Bereitschaft, für das Evangelium vom Frieden zu kämpfen. Vor allem greift zum Schild des Glaubens! ... Nehmt den Helm des Heiles und das Schwert des Geistes, das ist das Wort Gottes“ (Eph 6,10–17). Das Tragen weltlicher Waffen, selbst zur persönlichen Verteidigung, war dem Gottesstreiter untersagt, und so riskierte er in einer Gesellschaft ohne hinreichenden öffentlichen Schutz in hohem Maße sein Leben.

Welche Ängste ein waffenloser Gottesmann gelegentlich auszustehen hatte, beschreibt Heinrich Seuse († 1366), als er, allein in einem Wald, einem mit Lanze und Messer bewaffneten Mörder begegnete: „Der Wald war groß, und besorgniserregend, weil viele Menschen darin ermordet wurden. Er [Seuse, der Diener Gottes] stand stille vor dem Wald und wartete auf jemanden. Da kamen dort zwei Menschen heran, und die gingen gar rasch; von ihnen war eines eine junge, saubere Frau, das andere war ein gar greulicher, langer Mann mit einem Spieß und einem langen Messer, und er hatte ein schwarzes Wams an. Er erschrak ob des fürchterlichen Mannes Ungestalt und blickte um sich, ob er jemanden nachgehen sähe. Da sah er niemanden. Er gedachte: ‚O weh, Herr Gott, was für Leute sind das! Wie soll ich den ganzen Tag durch diesen langen Wald gehen oder wie soll es mir heute ergehen?‘ Und er machte ein Kreuz über sein Herz und wagte es ...“ Zuerst näherte sich die Frau und – überraschend genug – legte eine Beichte ab und bewog anschließend ihren Gefährten, das gleiche zu tun. Seuse allerdings stürzte das in tiefste Todesängste. „Als der arme Mann sah, daß der Mörder mit dem Spieß zu ihm herantrat, da erzitterte und erschrak all seine Natur vor ihm und er gedachte: ‚Eia, nun bist du verloren!‘ denn er wußte nicht, was sie geredet hatten. Nun war es da also beschaffen, daß der Rhein neben dem Walde hinabrann, und es ging der schmale Weg auf dem Uferrande und der Mörder fügte es also, daß der Bruder auf der Wasserseite gehen mußte, er aber auf der Waldseite ging. Wie er also mit zitterndem Herze ging, da hob der Mörder an zu beichten und bekannte ihm all die Totschläge und Morde, die er je begangen hatte. Sonderlich sagte er ihm einen greulichen Mord, darob sein [Seuses] Herz erstarb, indem er also sprach: ‚Ich kam einst her in diesen Wald, um des Mordens willen, wie ich auch nun getan habe. Da kam zu mir ein ehrbarer Priester, dem beichtete ich. Der ging neben mir her wie Ihr jetzt tut, und als die Beichte aus war,‘ sprach er, ‚da zog ich dieses Messer heraus, das ich bei mir trage, und stach es durch ihn hindurch und stieß ihn vor mir über den Rand hinab in den Rhein.‘ Ob dieser Rede und den Gebärden des Mörders erbleichte und erschrak er so gar tödlich, daß ihm der kalte Todesschweiß über das Antlitz und durch den Busen herabrann; ... er blickte je und je neben sich, wann er dasselbe Messer in ihn stäche und ihn auch hinabstieße.“ Als dann die beiden weggegangen waren, „zitterte sein Herz und sein ganzer Leib, wie wenn einen das Fieber schüttelt, und er lag also still ziemlich lang.“[105]

Gleichwohl hatte ein rechter Heiliger die Pflicht, sich unter die Streitenden zu begeben und Frieden zu stiften. Die Vita des Norbert von Xanten († 1134) beschreibt über Seiten hin dessen Friedensbemühungen. Eine Fehde zu Fosses (bei Namur), die bereits 60 Menschenleben gefordert hatte, vermochte der Heilige durch Ermahnung, Gebet, öffentliche Predigt, Meßfeiern und Reliquien-Beschwörung beizulegen: „Die beiden Parteien gingen getrennt hinaus in die Vorhalle [der Kirche], man stellte in ihrer Mitte Reliquien auf, und bald danach wurde die Fehde abgeschworen, Einheit hergestellt und der Friede durch heiligen Eid bekräftigt.“[106]

Der Heilige hat sodann das kirchliche „Interzessionsrecht“ geltend zu machen: die Übung der ‚clementia‘ (Milde). Den Kirchenleuten war es Pflicht, dem Sünder – und das waren nicht zuletzt die Straffälligen – Gnade zu erwirken. Rechtshistorisch hat das bedeutsame Folgen gehabt: „Die Heimat der Gnade, und damit zugleich die Zerstörerin des alten gnadenlosen Rechts, ist die Kirche und ihr am Heil des einzelnen Sünders interessiertes Denken.“[107]

Hans Hattenhauer hat das Vordringen der Begnadigung an dem uns pittoresk erscheinenden, aber in archaischen Verhältnissen geläufigen Rechtsphänomen des „gerissenen Galgenstricks“ dargestellt, näherhin an dessen christlicher Überformung, woran die Heiligen wesentlich beteiligt waren. Nach weitverbreiteter, vorchristlicher Rechtsauffassung galt die Strafe als Sühnopfer an die Götter, so auch das Gehängtwerden. Wenn nun beim Hängen der Strick riß, hatte die Gottheit, aus welchen Gründen immer, das Opfer abgelehnt, und der zu Boden Gestürzte war frei. Diese Regel galt durch das ganze Mittelalter weiter, und zahlreiche Begnadigungslegenden erzählen davon.[108] Die Kirchenleute verwandten sich gemäß der ihnen obliegenden Interzessionspflicht für die Verurteilten: zuerst beim Richter, dann aber im Gebet bei einem Heiligen; dieser ließ den Strick reißen, meist sogar auch den Balken des Galgens brechen. Der Heilige hatte Milde geübt, und der Gerettete gehörte zu seiner Klientel. Auf diese Weise ist das Begnadigungsrecht entstanden: „Die Gnade und ihre juristische Ausprägung als Begnadigung finden ihren Weg aus dem kirchlichen Denken in die weltliche Rechtspraxis ..., bis es zu jener Subjektivierung und Ethisierung der Strafe kommt, die im ‚Richten nach Gnade‘ ... und nach der Angemessenheit einer einzelnen Strafe für einen bestimmten individuellen Täter ihren sichtbaren Ausdruck findet.“[109]

Endlich auch hört der Heilige das Seufzen der Natur (vgl. Röm 8,22), und er wird zum Künder jenes eschatologischen Friedens, „in dem

Wolf und Lamm beisammen wohnen", „Kalb und Löwe zusammen weiden", „Kuh und Bärin sich anfreunden", und „ein Kind seine Hand in die Höhle der Schlange zu stecken" vermag (Jes 11,6–9). Heilige haben vertraulichen Umgang mit Tieren, so daß auch Löwen oder Bären ihnen nicht nur nichts antun, sondern ihnen sogar dienen.[110] Keiner Fliege können und dürfen sie etwas zuleide tun.

Die ›Historia Lausiaca‹ aus dem Beginn des 5. Jahrhunderts erzählt von einem Wüstenmönch: „Während er einmal frühmorgens in seiner Zelle saß, setzte sich eine Mücke auf seinen Fuß und stach ihn. Er spürte den Schmerz, und nachdem sich die Mücke bereits an seinem Blut gesättigt hatte, erschlug er sie in seiner Hand. Da klagte er sich aber an, Rache genommen zu haben, und verurteilte sich dazu, sechs Monate nackt im Sumpf zu verweilen, ... wo wespenartige Stechmücken sogar die Haut von Wildschweinen durchstechen können."[111]

Um nochmals Franziskus anzuführen: Hierher gehören seine „Vogelpredigt" und die Geschichte mit dem „Wolf von Gubbio".[112]

„Und er [Franziskus] trat in das Gefilde und begann den Vögeln zu predigen, die sich ringsum aufhielten. Und sofort flogen sie von den Bäumen hernieder, sammelten sich um ihn und saßen unbeweglich, bis Sankt Franziskus seine Predigt beendet hatte. Auch dann flogen sie nicht von dannen, sondern warteten, bis er ihnen seinen Segen gegeben hatte."[113] Einen wilden Wolf, der die Bewohner von Gubbio in Schrecken versetzte, vermochte Franz zu besänftigen: „Doch als er sich ihm näherte, machte Sankt Franziskus über ihm das Zeichen des heiligen Kreuzes, rief ihn zu sich und sprach zu ihm also: ‚Komm her, Bruder Wolf, ich gebiete dir im Namen Christi, nimmer Böses zu tun, weder mir noch irgendeinem anderen!' Oh Wunder! Sowie Sankt Franziskus das Zeichen des Kreuzes gemacht hatte, schloß der fürchterliche Wolf den Rachen und hemmte seinen Lauf. Und als er den Befehl vernommen hatte, kam er sanftmütig wie ein Lamm heran und legte sich dem Sankt Franziskus zu Füßen nieder. Da sprach Sankt Franziskus also zu ihm: ‚Bruder Wolf ...'"[114]

V. Askese und Entsagung

1. Bekenner und Asket

Eine dem Märtyrer gleiche Wertschätzung erfuhr der Confessor, denn auch er hatte seinen Glauben unter Todesdrohung bekannt, ohne aber hingerichtet worden zu sein. Er galt nun als ,martys ex voto', als „Märtyrer dem Willen nach"[1], und besaß dadurch das volle Verdienst. Daß aber ein Lebender ein Märtyrer sein konnte, sah man bald noch in anderer Weise realisierbar: durch die asketische Abtötung. Nachdem schon Athanasius den Mönchsvater Antonius als unblutigen Märtyrer dargestellt hatte[2], folgte im Westen Sulpicius Severus[3], der in seinem zweiten, auf die Nachricht vom Tode Martins († 397) verfaßten Brief dessen Leben als ,unblutiges Martyrium' feierte: Folter und Feuer hätte der Heilige, wenn ihn die Henker des Nero oder Decius gefaßt hätten, siegreich ertragen. Stattdessen vollbrachte er ein Martyrium ohne Blut (martyrium sine cruore)[4]:

„Denn welche Bitterkeit menschlicher Schmerzen hat er nicht in der Hoffnung auf das ewige Leben ertragen, Hunger, Nachtwachen, Blöße, Fasten, neidisches Übelwollen, böswillige Verfolgung, Pflege von Kranken, bange Sorge um Gefährdete? Wer hätte Leid empfunden, ohne daß er mitgelitten? Wer gab Ärgernis, ohne daß es ihm auf der Seele brannte? Wer ging verloren, ohne daß er darüber seufzte? Dazu kommen seine mannigfachen täglichen Kämpfe gegen die gewalttätige Bosheit der Menschen und Teufel. Seine sieghafte Kraft, seine beharrliche Geduld und sein ausdauernder Gleichmut errang immer die Oberhand, mochte er auch noch so viele Angriffe zu bestehen haben."[5]

An die Stelle des Martyriums, dessen Verdienst nun in den Zeiten ohne Verfolgung kaum noch zu erlangen war, trat die „Abtötung", die ,mortificatio'. Schon Paulus hatte verkündigt, die Taten des Fleisches seien zu töten (Röm 8,13: facta carnis mortificare) und der Leib sei zu züchtigen (1 Kor 9,27: castigo corpus meum); ja unser alter Mensch werde mitgekreuzigt, um die Sünde zu zerstören (Röm 6,6: vetus homo noster simul crucifixus est, ut destruatur corpus peccati);

auf diese Weise trügen wir „immer das Todesleiden Christi an unserem Leib" (2 Kor 4,10: semper mortificationem Jesu in corpore nostro). Zudem hatte Jesus selbst – so das Lukas-Evangelium – dazu aufgefordert, „täglich sein Kreuz zu nehmen und ihm nachzufolgen" (Lk 9,23: tollat crucem suam cotidie). Zur Abtötung kam noch die „Weltverachtung". Zu meiden waren die von Gott als Torheit entlarvte „Weisheit der Welt" (1 Kor 1,20), der dem Gottesgeist entgegenstehende „Geist der Welt" (1 Kor 2,12), die zum Tode führende „weltliche Traurigkeit" (2 Kor 7,10), endlich auch die in der Welt herrschende „verderbliche Begierde" (2 Petr 1,4) und überhaupt der „Schmutz der Welt" (2 Petr 2,20). Christus aber ist gekommen, „um uns aus der gegenwärtigen bösen Welt zu befreien" (Gal 1,4). Christenaufgabe bleibt es, zu kämpfen „gegen Fürsten und Gewalten, gegen die Beherrscher dieser finsteren Welt, gegen die bösen Geister des himmlischen Bereichs" und „sich vor jeder Befleckung durch die Welt zu bewahren" (Jak 1,27). Besonders auch Johannes setzte deutliche Akzente: „Liebt nicht die Welt und was in der Welt ist" (1 Joh 2,15), denn „die ganze Welt steht unter der Macht des Bösen" (1 Joh 5,19).[6]

Neben den negativen stehen aber auch positive Aussagen über die Welt, denn „Gott hat die Welt so sehr geliebt, daß er seinen einziggeborenen Sohn für sie dahingab" (Joh 3,16). Zudem hat Jesus selbst nicht als Asket gelebt, konnte ihm doch der Vorwurf gemacht werden, „ein Fresser und Säufer" zu sein (Mt 11,19). Der Jüngerkreis Jesu „ist keine monastische Gruppe gewesen"[7]. Die Ehelosigkeit, deretwegen Jesus als Eunuch beschimpft wurde (Mt 19,12), lebte er, wie Joachim Gnilka betont, „nicht um eines asketischen Ideals willen"[8]; nach Peter Brown „stand die prophetische Rolle Jesu im Mittelpunkt der Aufmerksamkeit, nicht seine Enthaltsamkeit. Sein Zölibat war eine belanglose Zugabe zu seiner Berufung als Prophet."[9]

Für Paulus „ist die Vernichtung des Sündenleibes wohl zu verstehen als Kappen der Totalität der Beziehungen des Menschen ... Sterben und Erneuerung des Leibes bedeutet daher: Umgestaltung aller externen Beziehungen ... Entscheidend für das Neuwerden ist nicht die Beseitigung von Leiblichkeit, sondern neue Leiblichkeit (‚als aus Toten auferweckte'), verbunden mit neuer Freiheit."[10] Die Polarisierung von Welt und Geist, von Leib und Seele will die Spannung zwischen derzeitiger Gebrochenheit und dereinstiger Vollendung beschreiben, wobei am Ende sowohl Welt wie Leib verwandelt und in Herrlichkeit erstrahlen werden. Anders die bald sich ausbreitende Gnosis; sie verfocht eine dualistische Ontologie: Die böse Materie steht gegen den guten Geist, wobei am Ende Welt und Leib, weil grundsätzlich minderwertig, vernichtet werden.

Askese praktizierte man in der ganzen antiken Welt, nicht zuletzt bei den Philosophen. Nach Meinung aller Philosophenschulen bildeten die Leidenschaften, vor allem die Begierden und Ängste, die Hauptursache für Leid, Ausschweifung und Unbewußtheit; Leidenschaft, Unruhe und Sorge hinderten daran, wirklich zu leben. Die Philosophie, so Pierre Hadot, "[er]scheint also in erster Linie als Therapie der Leidenschaften"[11]. Alle Schulen intendierten mit dieser Therapie eine tiefgreifende Umwandlung der Denk- und Seinsweise des Individuums, und die geistigen Übungen hatten die Verwirklichung eben dieser Umwandlung zum Ziel. Zumal die Stoiker propagierten das Freiwerden von aller Leidenschaft. Seneca († 65) rühmte: „Manche haben es geschafft, niemals zu lächeln; manche haben sich den Wein, andere den Liebesgenuß, manche jedes Getränk versagt; ein anderer, zufrieden mit kurzem Schlaf, hat das Wachen unermüdlich ausgedehnt."[12] Die Philosophie, verstanden als Übung gegen die Leidenschaften, richtete sich gegen alle Lauheit, nicht minder gegen die sexuelle Leidenschaft. Mark Aurel († 180) formulierte als Maxime: „Wie wichtig ist es doch, sich bei Delikatessen und ähnlichen Speisen vorzustellen, daß dies die Leiche eines Fisches, dies die Leiche eines Vogels oder Schweines ist, und wiederum, daß der Falerner der Saft einer Traube ist und das Purpurgewand die Wolle eines Schafes mit Blut einer Muschel benetzt. Und bei den geschlechtlichen Dingen das Reiben an der Scheide und die mit Krampf verbundene Ausscheidung von Schleim."[13] Zusammenfassend sagt Peter Brown: „Es war ganz einfach ‚ein Zeichen eines unedlen Charakters', wenn man zu lange damit verbrachte, zu essen, zu trinken, den Körper zu entleeren und Geschlechtsverkehr auszuüben."[14]

Mit der Askese verband sich die Meditation. Sie machte den Blick frei für die Wahrheit und befähigte dazu, in dem Augenblick bereit zu sein, da eine unerwartete Erprobung oder dramatische Situation einträte. Man stellte sich schon im voraus die Schwierigkeiten vor, die im Leben auftreten können: Armut, Leiden, Tod. Hatte man seinem Gedächtnis die schlagendsten Maximen eingeprägt, halfen sie, wenn der Augenblick gekommen war, die Ereignisse zu meistern.[15] Geübt werden sollten Denken wie Be-denken, ja Leben wie Sterben.

Philosophisches Leben war in der Umwelt des Christentums weithin auch asketisches Leben[16], und bald finden sich die Übungen der Philosophenschulen auch im Christentum, des weiteren natürlich die Forderungen des Neuen Testaments. Unter dem Eindruck sowohl gnostischer Leibabwertung wie plotinischer Philosophie entfaltete sich ein christliches Programm von Askese, das Marc van Uytfanghe[17] mit den Stichworten „ascétisation" und „diabolisation"[18] gekennzeichnet hat und als mindestens „semidualistisch"[19] bewertet: Aus dem ethischen und eschatologischen Dualismus des Neuen Testamentes sei vielfach ein ontischer geworden[20]; daher die Verdikte über „Fleisch" und „Welt", über Zivilisation und Hygiene, über Nahrung und Kleidung, über Ehe und Sexualität. Notwendig habe das zu rigiden Formen von Abtötung und Selbstkasteiung wie zu Dämonen- und Teufelskampf führen müssen. Denn der Welt mußte man entfliehen und dem „Fürsten dieser Welt" widerstehen. Wie selbstverständlich gehörte zur Abtötung des Leibes, die Sexualität zu meiden; außer den zahlreichen Warnungen vor Unzucht (Mk 7,21; Röm 13,13; 1 Kor 5,1. 6,9. 6,13. 6,18; u.ä.) beeindruckte vor allem des Paulus' „Sorge um die Sache des Herrn", wie er sie bei den Unverheirateten garantiert sah (1 Kor 7,32f). Zur asketisch-heiligen Lebensführung gehörte darum bald die Ablehnung der Ehe oder die Forderung nach einer jungfräulichen Ehe.[21] Letztlich fühlten sich die wirklichen Heiligen in dieser Welt fremd; mit Paulus wollten sie „nicht mehr Irdisches im Sinn haben" und nur noch dartun: „Unsere Heimat ist im Himmel" (Phil 3,19f). Ja, ihr Leben wollten sie „engelgleich"[22] gestalten. Nur geistliche, nicht weltliche Weisheit sah man zu diesem Ziel führen.[23]

Das asketische Ideal, wie es seit der Spätantike bestand und dann für das Mittelalter bestimmend wurde, umfaßt nach Jean Leclercq zwei eng miteinander verbundene Aspekte: „zum einen Verzicht auf eheliche Bindung und auf die ‚Welt' schlechthin mit freier Entscheidung für die ‚Nachfolge Christi'; zum anderen Versenkung in das Gebet, die zur Vereinigung mit Gott und zum spirituellen Frieden führen soll."[24] Verbreitet wurde dieser Asketismus vor allem durch die ›Worte‹ (apophtegmata) und ›Viten der Väter‹ (vitae patrum), die gesammelt bereits im 6. Jahrhundert vorlagen[25], von Benedikt († 550) in seiner Regel empfohlen wurden[26] und durch die ganze christliche Geschichte eifrige Leser fanden. Eine der frühen Sammlungen, die des galatischen Mönchs und Bischofs Palladius († vor 431), will noch betont antignostisch sein: „Tadle oder lobe mir also nicht länger die Materie, sondern preise oder beklage die Gesinnung derer, die von der Materie guten oder schlechten Gebrauch machen." Auch sieht Palladius keinen Selbstzweck im Fasten: „Denn weder Essen noch Enthaltsamkeit bedeuten in Wahrheit irgend etwas, sondern der Glaube, der sich durch die Liebe in den Werken zeigt."[27] Aber schon an der ersten Gestalt unter den beispielhaften Altvätern rühmt Palladius: „Bis zu seinem Tod hat Isidorus – abgesehen von einem Kopftuch – kein Linnen getragen; nie hat er ein Bad berührt und nie Fleisch gegessen."[28] Oder an späterer Stelle: „Elpidius brachte es zu einer solchen Leidenschaftslosigkeit und war am Leib derart abgezehrt, daß ihm die Sonne durch die Knochen schien."[29]

Jede Vita, wie sie das Mittelalter seinen zahlreichen Heiligen widmete, wiederholte auf ihre Weise den Geist und die Muster dieser Askese. Allzu oft wurden dabei die Leib- und Weltfeindlichkeit betont, und so durchzieht die Heiligengeschichte eine rigoristische, nicht selten auch rohe und zuweilen sogar zerstörerische Askese.[30] Ein härenes Bußgewand am Körper zu tragen und auf Essen und Schlafen so weit wie möglich zu verzichten[31], war das mindeste. Selbst in den mystischen Frauenklöstern des deutschen Südwestens wollten manche die Lebensmittel, beispielsweise Fleisch, absichtlich verderben lassen.

„Nun diente ihnen Schwester Berchte in der Küche. Die wollte ihnen so sehr zu Diensten sein, daß sie, wo sie Fleisch bekam, dieses unter Dachschindeln aufbewahrte und wo sonst sie konnte zur Seite schaffte. Und so wurde das Fleisch dann voller Maden. Was man davon kochte, war von Maden übersät. Das schafften sie dann weg und wollten es nicht und aßen nichts anderes als trockenes Brot."[32]

Wie die weltverachtende Askese Schule machte, so reizte sie doch auch zu Auseinandersetzungen und Einsprüchen.[33] Noch Ignatius von Loyola († 1556) ist durch die in der ›Legenda aurea‹ geschilderte Askese zur Bekehrung angeregt worden, hat sich aber zuletzt wieder davon gelöst.

Denn – so berichtet er in seinem autobiographischen ›Bericht des Pilgers‹ – bei dem Gedanken, „barfuß nach Jerusalem zu gehen und nur noch wilde Kräuter zu essen und alle anderen Kasteiungen auf sich zu nehmen, die, wie er las, die Heiligen auf sich genommen hatten, da erfüllte ihn ... Trost."[34] Er ließ sich aus grobem Stoff ein langes Gewand machen, „und da er früher entsprechend der Gepflogenheit jener Zeit sehr auf die Pflege seines Haares bedacht war, und er noch immer eine schöne Frisur hatte, beschloß er nun, es einfach wachsen zu lassen, wie es wolle, ohne es zu kämmen oder zu schneiden oder irgendwie während der Nacht oder bei Tag zu bedecken. Aus dem gleichen Grund ließ er auch die Zehen- und Fingernägel wachsen, da er ebenfalls dafür früher besondere Sorgfalt aufgewendet hatte." Als aber der junge Asket zu Manresa „über sich selbst erhoben wurde" und „eine große Klarheit in seinem Verstand empfing", da „gab er jene früher geübten Strengheiten auf ...; er schnitt sich wieder die Nägel und die Haare."

Einen anderen Weg der Abtötung hat Benedikt von Nursia († 550) gewiesen. Seine Regel bleibt in der Askese maßvoll, gibt sich aber in der Forderung nach Gehorsam bewußt maßlos, weil darin die Passion Christi nachvollzogen und das Reich Gottes erlangt werde. Wie der Mönch sich allen Besitzes entledigen müsse, so auch des eigenen Willens; wenn er auf seine Oberen höre, dann gleiche er Christus, der nicht gekommen sei, den eigenen Willen zu tun, sondern den Willen des Vaters (Joh 6,38), und der zuletzt „gehorsam wurde bis zum Tod" (Phil 2,8). Die wenig ältere ›Magister-Regel‹, von der die Regula Benedicti hier abhängig ist, bezeichnet den im Kloster zu vollziehenden Gehorsam als „martyrium"[35], und Benedikt möchte denselben, damit er wirklich zur Passion wird, bis zu „unmöglichen Dingen"[36] steigern. Der Gehorsam bildet, so der maßgebliche Interpret Adalbert de Vogüé, „das Herzstück der monastischen Institution"[37]: „Der Gehorsam des Mönchs, der Christus im ‚Gehorsam bis zum Tode' nachahmt, erhält eine mystische Bedeutung."[38] Mit der Ausbreitung und zuletzt ausschließlichen Geltung der Benediktsregel mußte im Abendland auch das Ideal des im Gehorsam gemarterten Mönchs allgemeine Geltung erlangen. Vor diesem Hintergrund wird erst ermeßbar, welche grundstürzenden Veränderungen die Bettelorden herbeiführten: Franziskus, indem er keinen Oberen mehr wollte, sondern nur „Wächter"[39], und Dominikus, indem er zur Bestellung der Oberen ein Wahlsystem schuf, das etwa Albert Hauck († 1918) als das Vollkommenste bezeichnete, was das Mittelalter in dieser Hinsicht hervorgebracht habe.[40] Nicht daß die neuen Orden ohne Gehorsam ausgekommen wären, nur beseitigten sie den benediktinischen Oberen als Verkörperung göttlicher Gehorsamsforderung und asketischer Selbstertötung.

Die leib- und weltverachtende Askese war jedoch nur die eine Seite. Man hat, zumal bei den Mönchen, welche die neutestamentliche Vollkommenheit ganz kompromißlos anstreben wollten, von einer „Heteronomie der Zwecke" gesprochen, daß sie gleichsam im Nebenschluß noch ganz andere, eben auch positiv weltgestaltende Wirkungen hervorgebracht hätten. „Der Weg des Mönchtums aus einer christlich-radikalen Protesthaltung gegen die spätantike Welt- und Stadtzivilisation ..., dieser lange Weg bis in den geistig-politischen Mittelpunkt der fränkisch-merovingischen, später der karolingischen Gesellschaft, in der das Königs- und Adelskloster eine tragende Säule der gesamten politisch-sozialen Herrschaftsordnung geworden ist, war zugleich ein weltgeschichtlich bedeutsamer Integrationsprozeß."[41] Eine gleichfalls „welthistorische Leistung" ist im Blick auf die Bewertung der Arbeit zu beobachten, die im Altertum nur als ‚negotium', als „Ruhestörung", aufgefaßt wurde, nun aber einen hohen asketischen und spirituellen Wert zugesprochen erhielt. In den frühmittelalterlichen Missions- und Rodungsgebieten, zumal „in den Gebieten östlich des Rheins, wurde der Mönch bei der Bodenmelioration, als Gärtner, Arzt und Schriftkundiger selbst der erste und oft einzige Träger kulturellen Fortschritts"[42]. Anzuführen ist auch das Ideal der asketischen Heimatlosigkeit, das sich auf die neutestamentliche Weisung, sowohl die Anverwandten wie den Besitz zu verlassen, gründete und als ‚peregrinatio pro Christo' bezeichnet wurde.[43] Im Frühmittelalter verstanden die Mönche Irlands diese Forderung als freiwilliges Verlassen ihrer Heimatinsel und kamen auf den Kontinent, wo sie die iro-fränkische Mönchsbewegung begründeten.[44] Desgleichen ließen sich die im 7. Jahrhundert bekehrten Angelsachsen von diesem Ideal anstecken, gingen gleichfalls auf den Kontinent und wurden hier Missionare und Kirchenreformer, so etwa Willibrord und Bonifatius.[45] Die Bildungsreform Karls des Großen ist ohne die asketischen Peregrini nicht denkbar.[46]

Als Fazit ist immer wieder eine Doppelwirkung festzustellen: „Weltflucht und doch ein starkes Verlangen nach nützender Tätigkeit – Armut und doch das Anfhäufen der Schätze in Kirche und Kloster – Wegwerfung der Persönlichkeit und des Lebens und doch das Verlangen der Behauptung des Ich."[47] Max Weber hat diesen Sachverhalt auf die Formel gebracht: „Aus der weltabgewandten Klosterzelle heraus tritt ... der Asket als Prophet der Welt gegenüber. Immer aber wird es eine ethisch rationale Ordnung und Disziplinierung der Welt sein, die er dabei, entsprechend seiner methodisch rationalen Selbstdisziplin, verlangt."[48]

2. Sühne durch Blut

Sobald die Umdeutung der neutestamentlichen ‚martyría' zur Lebenshingabe das Martyrium zur höchsten und letztgültigen Tat von Christlichkeit steigerte, zeigte sich sofort die Tendenz, die uralte Religionsvorstellung von der Sühne durch Blut zu aktivieren, wie sie beispielsweise auch die Griechen[49] und Israeliten[50] gekannt haben: Jedes Vergehen bewirkt eine Schädigung des menschlichen oder kosmischen Lebens, und deren notwenige Wiedergutmachung kann nur mit Blut als dem Träger des Lebens bewirkt werden. Im Alten Testament fordert das Buch Leviticus: „Dieses Blut habe ich [Jahwe] euch gegeben, damit ihr auf dem Altar für euer Leben die Sühne vollzieht; denn das Blut ist es, das für ein Leben sühnt" (Lev 17,11). Im Neuen Testament hat Gott „Jesus dazu bestimmt, Sühne zu leisten mit seinem Blut" (Röm 3,25), so daß „wir jetzt durch sein Blut gerecht gemacht sind" (Röm 5,9). Die Forderung nach zusätzlicher eigenmenschlicher Sühne ergab sich aus dem Hebräer-Brief, der den Opfertod Jesu nicht nur als „ein für allemal" ansieht, sondern auch als nur strikt einmalige Zuwendung kennt: „Denn wenn wir vorsätzlich sündigen, nachdem wir die Erkenntnis der Wahrheit empfangen haben, gibt es für diese Sünden kein Opfer mehr" (Hebr 10,26). Ja, so wird verschärfend gesagt, die von der Erkenntnis und Teilhabe am Heiligen Geist abgefallen sind, „schlagen den Sohn Gottes noch einmal ans Kreuz" (Hebr 6,6). Jesu Lebensopfer als das einmalige Sündopfer „sühnt ... nach Auffassung des Hebräerbriefes zwar die Seinsverfallenheit der Menschen im Unglauben, aber nicht mehr die bewußte Absage der Apostaten an die Christusoffenbarung. Für diese willentliche Absage an den christlichen Glauben gibt es kein Christusopfer mehr, sie ist vielmehr mit der unvergebbaren Sünde wider den Heiligen Geist identisch."[51] Der frühen Kirche erwuchs daraus das Problem der „postbaptismalen Sündenvergebung"[52] mit dem Ergebnis, der Mensch habe, nachdem die in der Taufe mitgeteilte Sühne Jesu Christi vertan sei, für die nachher begangenen Vergehen selbst aufzukommen. Neben die einzigartige Sühne Jesu Christi trat nunmehr die Sühne der Märtyrer, allerdings nur sukkursiv, denn das Martyrium „knüpft an den Beginn des Christwerdens in Taufe und Bekehrung an und löscht aus, was an Sünde und Unvollkommenheit in der Zwischenzeit die Reinheit des Anfangs getrübt hat"[53]. Das heißt: Die Erstsühne leistet Jesus Christus, und diese wird in der Taufe mitgeteilt. Für die nach der Taufe begangenen Sünden müssen dann die Menschen selber die Sühne erbringen. Dies wird nun zum „Grundsatz" aller christlichen Askese und Buße, letztlich auch der Heiligkeit. Anderthalb Jahrtausend später wird Luther genau dagegen protestieren.

Die Forderung einer eigenen Sühne für die nach der Taufe begangenen Sünden galt rasch allgemein. Schon Tertullian († nach 220) hält dafür: Wer nach der Taufe, also nach der ersten Wiedergeburt, in eine Kapitalsünde fällt und nun Verlangen nach einer zweiten Wiedergeburt trägt, für den verlangt Gott das Blut des Menschen, nämlich sein Martyrium.[54] Das Blut bezeichnet Tertullian überhaupt als Schlüssel zum Paradies.[55] Cyprian von Karthago († 258) stellt die Bluttaufe bereits über die Wassertaufe, denn die Bluttaufe sei „eine Taufe größer in der Gnade, erhabener in der Macht, preiswürdiger in der Ehre, eine Taufe, in der die Engel taufen, eine Taufe, in der Gott und sein Christus jubeln, eine Taufe, nach der niemand mehr sündigt, eine Taufe, die das Wachstum unseres Glaubens vollendet, eine Taufe, die uns bei unserem Abscheiden von der Welt zugleich mit Gott vereinigt. In der Wassertaufe empfängt man Sündenerlaß, in der Bluttaufe die Krone der Tugend."[56] Für Origenes, der das Martyrium in den größeren Rahmen einer in Analogie zu alttestamentlichen und heidnischen Opfern entwickelten Sühnetheologie stellt, ist der Tod Jesu „nur der höchste Sonderfall eines allgemeinen und auch in der Gegenwart gültigen religiösen Gesetzes"[57]: Immer wieder bedarf es des Opfers der Märtyrer, „denn solange es Sünden gibt, müssen auch Opfer für die Sünden gesucht werden"[58].

Galt die Sühne des Martyriums zunächst nur dem Märtyrer selbst, so wurde bald die Ausweitung vollzogen, daß die im Martyrium erworbene Sühne auch anderen, zumal den Sündern, mitgeteilt werden konnte.[59] Wiewohl alle Menschen durch das kostbare Blut Christi losgekauft seien, so Origenes, würden einige auch losgekauft durch das Blut der Märtyrer, die wegen ihres Todesleidens mehr erhört würden, als wenn sie zwar Gerechtigkeit geübt, ihr Leben aber nicht geopfert hätten.[60] Eine solche Auffassung steht nicht mehr einfach in der Fortsetzung des Neuen Testamentes; denn „sühnende Kraft eignet nach dem Zeugnis des ganzen Neuen Testamentes ausschließlich dem Tode Jesu Christi, nicht aber dem Leiden und Sterben der Christen"[61]. Fortan schafft auch das Blutmartyrium Sühne, und dieses zählt mehr als ein gerechtes Leben, so viel mehr sogar, daß es auch andere zu erlösen vermag, natürlich nicht grundsätzlich, wohl aber in der Sühnung der postbaptismalen Sünden.

Das Mittelalter steigerte in seiner Verehrung der Märtyrer die Grausamkeit, bewunderte die Tapferkeit und suchte im letzten doch nur das eine: das Märtyrerblut. Noch Goethe wußte um diesen „ganz besonderer Saft“[62]. Das Blut stellte, weil es religionsgeschichtlich gesehen der Lebensträger war, die heiligste Verdichtung dar und stand darum im Mittelpunkt der Anteilhabe.[63] Wie schuldiges Blut um Rache schreit, so schafft das unschuldig vergossene Sühne und damit Heil.[64] Die Vita des von den heidnischen Preußen getöteten Adalbert verheißt: „Wenn du für Gott dein Blut vergießt, dann hast du nach der Vergießung sicheres Geleit und freien Weg zum Himmel.“[65] Im Blut des Martyriums gewann man den Zugang zum Paradies. Es war heiliger Stoff, heilsam zuerst für den Getöteten selbst, aber nicht minder auch für andere, überhaupt kostbarer als alle sonstigen Reliquien. Alkuin konnte dem Ort des Bonifatiusmartyriums, dem friesischen Dokkum, die Verse widmen: „Hier hat der ruhmvolle und hochverdiente Vater Bonifatius mit seinen Gefährten Ströme des Blutes vergossen ... Glückseliges Land, so reich am Blut der Heiligen ... Darum bitte ich kniefällig flehend den Leser: Bedecke mit Küssen die Erde ... Hier verbleibt ihr Blut, kostbarer als alles Gold.“[66] Wo immer Märtyrergebeine erhoben wurden, zeigte sich auch das begehrte Blut. Als Norbert von Xanten 1121 nach Köln kam und dort nach einem ‚venerabile patrocinium‘ Ausschau hielt, vermochte er den heiligen Gereon aufzufinden und unter ihm noch Klumpen von Erde, die von Blut getränkt waren.[67] Caesarius von Heisterbach († 1240) benennt beim ermordeten Erzbischof Engelbert von Köln († 1225) genau alle Wunden an Haupt und Gliedern und rechnet es dem herausgeflossenen Blut zu, daß es in einer Bluttaufe die jeweils mit diesen Gliedern und Organen begangenen Sünden gesühnt habe:

„Denn was für Sünden er nach der ersten Taufe auf sich lud, die schaffte er durch die zweite, wie wir hoffen, ganz weg. Er wurde nämlich an all den Gliedern gestraft, mit denen er gesündigt hatte. Am Kopf wurde er vielfältig gestraft, wie es sich an seiner Kappe zeigte, und zwar am Scheitel, an der Stirn und am Hinterkopf, an den Schläfen, Lippen und Zähnen, und so schwer, daß die überquellenden und herabfließenden Blutbäche in die Höhlen der Augen, Ohren, der Nase und des Mundes drangen und sie füllten.

Gestraft wurde er auch an der Kehle und am Hals, an den Schultern und am Rücken, an der Brust und dem Herzen, am Bauch und an den Hüften, an den Beinen und Füßen, auf daß du, Leser, erkennest, mit was für einer Taufe Christus in seinem Märtyrer das alles tilgen ließ, was er verschuldet hatte durch Übermut, durch Sehen, Hören, Riechen, Schmecken, Denken, Ausschweifen, Wirken, Berühren, Schreiten und in all den anderen Leichtfertigkeiten, Unterlassungen und Nachlässigkeiten gegen die Zucht."[68]

Mit Blutvergießen konnte man sündhaft beschädigtes Leben wieder herstellen und überhaupt alles Leben bestärken. Genau danach strebte das Mittelalter: „Vergießung des Blutes" und „schreiendes Unrecht", wo das zusammenkam, „da entstand eine Erregung, die sich sofort auf die Register des Religiösen übertrug und in Verehrung aufblühte"[69]. Schon für die merowingische Zeit ist der Glaube festzustellen, daß „der schuldlos Hingerichtete ... besondere Kräfte habe"[70]. Wer immer zu Unrecht sein Blut vergossen zu haben schien – auch wenn der Tod nicht aus religiösen, sondern etwa politischen Gründen über ihn gekommen war –, erlangte die Ehre des Märtyrers, was den Himmel bedeutete.[71] Wir haben aus dem Hochmittelalter sogar den Fall, daß ein irrtümlich – also „unschuldig" – erschlagener Windhund unter dem Namen des heiligen Guinefort zur Verehrung aufstieg; weil er ein Kind gerettet hatte, wallfahrte man bei Kindsnöten zu seinem Grab.[72]

Daß die hochmittelalterlichen Päpste ein eigenes Heiligsprechungsverfahren inaugurierten, resultierte nicht zuletzt aus der tiefen Abneigung vor den volkstümlichen Kulten um unschuldig vergossenes Blut, zumal solches von Kindern. In diesen Vorstellungen gründete auch die unausrottbare „Schauermär" von den Ritualmorden der Juden, die angeblich christliche Kinder schlachteten, um mit deren Blut Hostien zu bereiten. Die vorgeblichen Opfer, wofür in Deutschland zum Beispiel Werner von Oberwesel († 1287) zu nennen wäre[73], fanden sofort Verehrung, obwohl „Gelehrte gegen diese Fabel protestiert haben, Päpste mehrmals entschieden gegen die Ritualmordbeschuldigungen aufgetreten sind"[74]. Und tatsächlich hat die mittelalterliche Kirche nie ein Kind, auch keinen jungen Mann heilig gesprochen.[75] Ja, es scheint päpstlicherseits der Widerwillen gegen die Blutkulte so tief gewesen zu sein, daß kein ermordeter Inquisitor, nicht einmal die hochmittelalterlichen franziskanischen Märtyrermissionare zur Ehre der Altäre aufgestiegen sind.[76] Der Volksglauben aber konnte sogar rechtens Hingerichtete verehren; sofern nur der Delinquent sich schuldig bekannt hatte, galt sein Blut als überschüssige Sühne.[77]

3. Leib als Ort der Askese

Die mittelalterlichen Asketen haben immer eine Unzulänglichkeit darin gesehen, daß ihre Abtötung eigentlich nur ein Ersatz war und das Martyrium letztlich nicht erreichte. Ein deutliches Beispiel bietet die Vita des Nordlandmissionars Ansgar († 865), dem in der Jugendzeit bei einer Vision das Martyrium verheißen worden war, der sich dann aber auf dem Sterbebett dieser Würde verlustig gehen sah. „Trotzdem war er sehr bekümmert, denn nach den geschilderten früheren Visionen hatte er geglaubt, durch das Martyrium, nicht aber durch eine solche Krankheit hingerafft zu werden.“[78] Am tiefsten beunruhigte ihn dabei der Verlust an Sühne, denn all seine Askese schien ihm unterhalb dessen zu bleiben, was er für seine Sünden abzubüßen hatte; nur Blutvergießen konnte ihn rein waschen. Erst eine neue visionäre Stimme vermochte ihn zu beruhigen.[79] Sein Schüler Rimbert, der uns diese Sterbenot beschrieben hat, holt wie beschwörend aus: „Es gibt bekanntlich zwei Arten des Martyriums: das verborgene in friedlichen Zeiten für die Kirche und das offenkundige in Verfolgungen; trotz seiner Bereitschaft zu beiden wurde ihm nur das erste zuteil. Täglich opferte er sich am Altare seines Herzens Gott auf mit Tränen, Nachtwachen, Fasten, Abtötung des Fleisches und fleischlicher Begierden; so erlangte er das Martyrium der Friedenszeit. Zum offenkundigen Martyrium des Leibes fehlte ihm ein Verfolger, nicht die Bereitschaft.“[80]

Die übermächtige, in so vielen Religionen anzutreffende Vorstellung, Sühne sei nur durch reales Blutvergießen zu erlangen[81], drang sogar in die allgemeine Askese ein und machte dieselbe zu einer blutigen Wirklichkeit. Das deutlichste Beispiel bietet die Geißelung.[82] Zur Sühnung der Sünden übte man sie ‚usque ad effussionem sanguinis‘[83]; das Blut mußte fließen, aber dann war, damit man sich nicht selbst tötete, Einhalt geboten. Gerade die Eremiten pflegten solche Askese. Petrus Damiani († 1072) berichtet von einem Dominicus Loricatus, der beim Psalmodieren in jeder Hand eine Geißel hielt und sich zu je zehn Psalmen tausend Schläge versetzte, beim ganzen Psalter also 15.000.[84] Und für uns vielleicht am erstaunlichsten: „Diese eremitische Heiligkeit ist wohl diejenige, die im Mittelalter das Maximum an spontaner Zustimmung von seiten des Volkes erhalten hat.“[85]

Auch Frauen übten sich in abtötender Askese. In den ›Sankt Galler Klostergeschichten‹ wird eine Adelsfrau namens Wendilgart angeführt, die einer anderen Rekluse, Rachild, nacheiferte:

„Und da wir gerade auf Rachild, auch sie eine wahre Märtyrerin, gekommen sind, so wäre es ihr ein leichteres gewesen, wie die Meisterin ein einziges Mal den Schädel zum Einschlagen hinzuhalten, als einundzwanzig Jahre nach ihr eingeschlossen zu sein und gleich dem heiligen Hiob den Eiter mit der Scherbe zu kratzen; währenddessen sie freilich nicht müde wurde, zu fasten und zu beten – das Wachen nämlich bewirkten die Schmerzen – sowie Almosen zu geben.“[86]

Die Nonnen aus den alemannischen Mystikklöstern praktizierten sogar eine Blutaskese. Die Zürcher Dominikanerin Elsbeth von Oye († gegen 1350) lebte aus dem Gedanken, daß Gott nichts wohlgefälliger sei als die blutenden Wunden seines Sohnes, derentwegen er auf die Rache an der sündigen Menschheit verzichte. An diesem leidenden Gottessohn wollte Elsbeth Anteil nehmen, ja tauschte sich im Leiden mit ihm aus, indem sie sich „Passionen“ zufügte und dabei so blutig geißelte, daß ihre Nachbarinnen in der Kapelle bespritzt wurden. Ihr Blut wollte sie mit dem des Heilandes verfließen lassen, damit Gottvater auf sie, die sich auf diese Weise als Miterlöserin wußte, mit demselben Wohlgefallen herabschaue wie auf den eigenen Sohn.[87]

Selbst ein so spiritueller Mann wie Heinrich Seuse trieb eine Askese, die ihn bis an den Rand der Existenz brachte. Er trug auf seinem Leib eine eiserne Kette und ein nie gewaschenes Bußgewand voller Ungeziefer; acht Jahre lang hatte er ein mit Nägeln beschlagenes Kreuz auf dem Rücken, und immer wieder geißelte er sich blutig, so daß er zuletzt fürchtete, sich zu Tode gerichtet zu haben.[88] „Als der Diener ein solch übendes Leben nach dem äußeren Menschen, wie hiervor ein Teil geschrieben steht, von seinem achtzehnten Jahre bis auf sein vierzigstes Jahr geführt hatte und alle seine Natur verwüstet war, so daß nichts mehr übrig war als Sterben oder aber von dererlei Übungen lassen, da ließ er davon, und es ward ihm von Gott gezeigt, daß die Strengheit und die Weisen allesamt nichts anderes gewesen wären als ein guter Anfang und ein Durchbrechen seines ungebrochenen Menschen.“[89] Für Seuse begann deswegen keineswegs ein quietistischer Lebensabend. Als seine Passion sah er jetzt all jene Widrigkeiten an, die ihm in seiner Seelsorgs- und Ordenstätigkeit zustießen: das Ertragen von Mißachtung, Verschmähung, Verfolgung, von falscher Anschuldigung und Lebensbedrohung. Was immer das tägliche Leben an Mühsal mit sich bringe, müsse man wie Christus geduldig auf sich nehmen und durchtragen; wer auf diese Weise dem Herrn in seiner Passion nachfolge, der werde jenem Christus gleichgestaltet, welcher am Kreuz in der Gottverlassenheit gestorben sei und sich gerade dadurch dem Willen des Vaters konform erwiesen habe. Die Askese – so sehen wir hier – formt sich um in Bewältigung von seelsorglichen Alltagsaufgaben, und was zuvor selbstzerstörerisch gewesen war, wird nun fruchtbare Sozialtat.

VI. Der Gottesmensch

1. ‚vir Dei' – ‚famula Dei'

„Das Thema vom Gottesmenschen durchzieht die gesamte griechische und römische Religions- und Philosophiegeschichte", und „der Ausdruck ‚theíos anér' wird speziell auf solche Personen bezogen, die kraft besonderer charismatischer Begabung über das allgemeinmenschliche Maß hinausragen"[1]. Peter Brown zufolge rechnete die Spätantike mit einer „begrenzte[n] Zahl von außergewöhnlichen Menschen, die die ‚göttliche Macht' auf Erden repräsentierten und mächtig waren, ihr unter den Mitmenschen Geltung zu verschaffen... Manche Menschen, so weiß man, sind dem Übernatürlichen stets näher als andere: Ihre Taten und Weisungen sind dem Zweideutig-Zwiespältigen der normalen Gesellschaft enthoben"; kurz: sie sind „Exponenten ‚göttlicher Macht'"[2].

Der Begriff „Gottmensch"[3] bzw. sein griechisches Äquivalent begegnen im Neuen Testament nicht, wohl aber „Variationen" dieser Vorstellung, nämlich in den verschiedenen Jesus-Deutungen, die in patristischer Zeit zu Christologien weiter entfaltet wurden; vereinzelt erscheint sodann die Bezeichnung der Apostel bzw. ihrer Schüler als „Mann Gottes" (1 Tim 6,11; 2 Tim 3,17).[4] Zudem hat Jesus seine Jünger zu Heilungen und Exorzismen aufgefordert (Mt 10,8; 17,19f; Lk 9,28f); am deutlichsten werden im später ergänzten Markus-Schluß den Gläubiggewordenen die dem Gottesmann typischen Wundergaben verheißen: „In meinem Namen werden sie Dämonen austreiben; sie werden in neuen Sprachen reden; wenn sie Schlangen anfassen oder tödliches Gift trinken, wird es ihnen nicht schaden; und die Kranken, denen die sie Hände auflegen, werden gesund werden" (Mk 16,17b–18).[5]

Biblischerseits waren damit hinreichende Ansatzpunkte geboten, die Gestalt des Gottmenschen auch ins christliche Heiligenbild aufzunehmen. Das geschah in dem Moment, als an die Stelle des zuhöchst gefeierten Märtyrers der Asket trat. Naturgemäß mußte an dieser Übernahme das Mönchtum wesentlichen Anteil haben. Als Athanasius das Leben des ägyptischen Einsiedlers Antonius († 356) und damit die erste Mönchs- und Heiligen-Vita schrieb, legte er seiner Darstellung das Bild vom Gottesmann (vir Dei) zugrunde[6], freilich in christlicher Überformung: Antonius vereinigt in sich die Vollkommenheit der alttestamentlichen Propheten, der Apostel und der Märtyrer; ja, sogar den Engeln steht er nahe[7]. Er lebt weltflüchtig und asketisch, vertraut unerschütterlich auf Gott und hat sich dadurch bei Gott verdient gemacht. Weil er dank seiner Askese die vollkommene Herzensreinheit besitzt, steht er Gott ganz nahe und darf sich von ihm Großes erbitten: Er „betete und wurde so sehr gestärkt, daß er merkte, jetzt mehr ‚virtus' in seinem Leib zu haben als er vorher gehabt hatte"[8]. Er besitzt nun die Gotteskraft (deifica virtus)[9]. Damit vermag der Heilige alle Anfechtungen des Teufels und der Dämonen zu bestehen; ja mehr noch, er vermag Wunder zu wirken. Natürlich wird betont, daß diese Macht ihm nur von oben verliehen sei, also kein Eigenvermögen darstelle: „Zeichen zu tun, ist nicht unsere Sache, sondern das Werk des Erlösers", und „Dämonen auszutreiben, ist eine Gabe des Erlösers, der sie verliehen hat"[10]. Insofern bleibt die besondere Macht des Gottesmannes als Gabe Gottes anerkannt, und der Heilige bekennt demütig: „Auch ich bin nur ein Mensch"[11], wohingegen der antike ‚theíos anér' sich als vergöttlicht verstanden hatte[12]. Zur Voraussetzung aber hat die Virtus die persönliche Askese und Heiligkeit; nur den Reinen und Heiligen wird sie verliehen, nicht den Sündern.[13] Von dem Maß der Askese kann auf die Wundermacht geschlossen werden, wie auch umgekehrt alles Wunderbare Gradmesser zuvor geleisteter Askese ist. Die Menschen können zu dem Gottesmann nur bewundernd aufschauen und ihn bitten, daß er ihnen von seinen besonderen Gaben mitteilen möge. Athanasius versäumt denn auch nicht, die von seinem Heiligen mildtätig aller Welt bewiesene Wunderkraft darzutun. Wegen seiner asketischen Lebensführung ist der Gottesmann sogar fähig, gleich Jesus Wunder zu wirken.

„Die ganze Stadt [Alexandrien] lief zusammen, den Antonius zu sehen. Die Heiden und ihre sogenannten Priester kamen zur Kirche und begehrten: ‚Wir wollen den Mann Gottes sehen'. Denn alle nannten ihn so. Durch ihn reinigte der Herr in dieser Stadt viele, die von den Dämonen an der Seele gequält wurden. Sogar zahlreiche Heiden baten, ihn berühren zu dürfen, da sie glaubten, Nutzen davon zu haben. Und so viele wurden in den wenigen Tagen Christen, wie man es sonst kaum für ein ganzes Jahr annehmen möchte ... Als er wieder wegging, da geleiteten wir ihn bis an das Tor; dort rief eine Frau hinter ihm her: ,Warte doch, Mann Gottes! Meine Tochter wird von einem Dämonen schrecklich gequält' [cf. Mt 15,21...]. Antonius betete und nannte den Namen Christus, und das Kind stand gesund auf, nachdem der unreine Geist ausgefahren war."[14]

Wie im Osten erscheint das Bild des Gottesmenschen sehr bald auch im Westen. Schon Sulcipius Severus († ca. 420) erklärt gleich eingangs in seinem dem ganzen Mittelalter vorbildlichen Leben des heiligen Martin, die ,virtutes' dieses Gottesmannes dürften nicht vergessen werden.[15] Aber diese von Gott verliehenen Gnadenkräfte, welche die stupenden Wunder ermöglichen, werden dem Heiligen nicht ohne dessen vorgängiges Zutun gegeben: Vor seiner ersten Totenerwekkung „betete der Heilige eine Zeitlang und spürte dann, wie sich ihm durch den Geist eine besondere Kraft des Herrn mitteilte"; darauf „erwartete er voller Zuversicht die Frucht seines Gebetes und der göttlichen Barmherzigkeit"[16]. Und tatsächlich regte sich alsbald in dem Toten wieder Leben. Diese kurze Schilderung enthält die ganze Essenz der hier propagierten Theologie. Die mitgeteilte Gotteskraft wird wiederum als Gottesgabe anerkannt; das Wunder ist „nicht aus eigener Kraft"[17]. Und doch ist es Frucht des heiligen Gebetes und des festen Vertrauens auf Gottes Hilfe, hat also Voraussetzungen beim Menschen. Weiter gehörte zu den Auszeichnungen, daß Martin auch mit den Engeln Umgang hatte; er konnte sie sehen, wie er ebenso den Teufel genau auszumachen und zu vertreiben vermochte.[18]

Neben dem ,vir Dei' steht in gleicher Weise die ,famula dei', die Gottesdienerin. Wenn es den Gottesmenschen ausmacht, asketisch zu leben und die Gotteskraft erbitten zu können, diese angesammelt in sich zu verspüren und wunderbar anzuwenden, so trifft das genauso auf asketische Frauen zu. Die heilige Genovefa († 502) zum Beispiel, die im Umbruch zwischen spätrömischer und fränkischer Herrschaft die Geschicke ihrer Stadt Paris in beträchtlichem Maße mitbestimmte, regte die Errichtung einer Basilika über dem Grab des ersten Pariser Bischofs Dionysius an; als eines Tages die Bauarbeiter nichts mehr zu trinken hatten, „kniete sie sich auf die Erde und vergoß Tränen; sobald sie spürte, erlangt zu haben, um was sie betete, erhob sie sich, beschloß das Gebet und machte das Kreuzzeichen über das Trinkgefäß. Wunderbar zu sagen! Zugleich war das Gefäß bis oben hin gefüllt."[19] Bei Genovefa geschieht es wie beim heiligen Martin: Ihr Gebet erwirkt ihr spürbar die Wundergnade. Aber die Gnadenkraft teilt sich nicht geschlechtsspezifisch mit. Für Mann wie Frau erbringen Gebet und Askese in gleicher Weise Gottesmacht. Allein das ist entscheidend: „Charisma war die sichtbare Manifestation einer ebenso sichtbaren asketischen ‚Plage'."[20] Wenn Peter Brown das Emporkommen des heiligen Mannes in der Spätantike als einen „Sieg von Männern über Frauen"[21] bezeichnet, so ist das angesichts der Gottesfrau zu korrigieren; möglicherweise ist diese eine christliche Sondererscheinung[22].

Wie geläufig das Bestreben gewesen ist, die Heiligen nach dem Bild des ‚virtus'-begabten Gottesmenschen zu zeichnen, vermögen auch Zahlen darzutun. Severin von Noricum zum Beispiel erscheint in seiner Vita 37mal als ‚vir Dei', je 19mal als ‚servus/famulus Dei', 15mal als ‚sanctus vir', elfmal als ‚homo Dei', je achtmal als ‚beatus/sanctus vir' und sechsmal als ‚famulus Christi'.[23] Den heiligen Benedikt bezeichnet Gregor der Große an ungefähr 80 Stellen als ‚vir Dei'; es ist jener „Terminus, der wie kaum ein anderer in der biographischen und hagiographischen Tradition der Antike und des frühen Christentums von Bedeutung ist"[24]. Die entsprechende Bezeichnung für Frauen ist allerdings nicht, wie zu vermuten wäre, ‚femina Dei', sondern vor allem ‚famula Dei'.[25]

Das Bild des Gottesmannes ist Leitbild auch der mittelalterlichen Frömmigkeit geworden.[26] Wir treffen es sogar bei Heiligen an, von denen man es zunächst nicht vermuten möchte. So ist beispielsweise Bernhard von Clairvaux († 1153) nach diesem Bild stilisiert worden. Arnold von Bonneval beschreibt in dem von ihm bearbeiteten zweiten Buch der Bernhard-Vita das Wirken des Heiligen in der Stadt Mailand während des Sommers 1135:

„Sobald die Mailänder hörten, der ersehnte Abt ... nähere sich ihrem Gebiete, zog ihm die ganze Bevölkerung bis sieben Meilen vor der Stadt entgegen ... Adelige und Gemeine, Reiter und Fußgänger, kleine Leute und Bettler verließen Haus und Stadt, als gelte es eine Auswanderung, und empfingen den Gottesmann in getrennten Gruppen unter unglaublichen Zeichen der Verehrung. Alle erfreuten sich in gleicher Weise an seinem Anblick, und glücklich schätzte sich, wer ihn auch mit dem Ohre genießen durfte. Alle küßten ihm die Füße; und wie unangenehm ihm dies war, keine vernünftige Vorstellung vermochte die Leute zu zügeln, kein Verbot sie zurückzudrängen: sie warfen sich huldigend vor ihm zur Erde. Sie rupften ihm sogar, wo es ging, Fasern aus den Kleidern, rissen ihm Fetzen vom Zeug, um damit

Kranke zu heilen. Was er berührte, hielten sie für heilig, und von der Berührung oder vom Gebrauche solcher Gegenstände versprachen sie sich eine heiligende Wirkung." Durch erste Wunder sieht sich das Volk auch vollauf bestätigt. „Der Abt schrieb die Ehre der Wunderzeichen der Gläubigkeit des Volkes zu, die Leute aber der Heiligkeit des Abtes; denn dies war ihnen über jeden Zweifel klar, daß er von Gott alles erreichen würde, worum er ihn bitte." So wird Bernhard bestürmt, eine besessene Frau zu heilen; nach einigem Zögern nimmt er das „Wagnis" auf sich. „Sich ins Gebet versenkend ..., kommt vom Himmel her die Kraft über ihn, und er beschwört den Satan und treibt ihn im Geiste des Starkmutes aus ... Überall spricht man vom Manne Gottes, und die Leute sagen es offen heraus: ,Ihm ist nichts unmöglich, er mag von Gott was immer verlangen.' Sie sagen, glauben, behaupten und verkünden: ,Gott hat für seine Bitten stets offene Ohren.'" Und so geht es nun weiter: „Menschen jeden Alters jubeln zu Gott, ... die Begeisterung übersteigt jedes Maß. Die Stadt zerfließt in Liebe und verehrt den Diener Gottes, wenn man so sagen darf, mehr als einen bloßen Menschen." Die Folgen lassen sich leicht ausmalen: „Der Zustrom der Leute, die von Morgen bis Abend vor seinen Türen saßen, war bereits so gewaltig, daß der Abt vor körperlicher Schwäche dem Andrang des Volkes nicht mehr gewachsen war und nur noch, an die Fenster seiner Wohnung tretend, sich der Menge zeigte und mit erhobener Hand segnete. Die Leute brachten Brot und Wasser mit, ließen es segnen und nahmen es als wohltätige Heiltümer mit nach Hause. Aus benachbarten Flecken, Dörfern und Städten waren viele herbeigeströmt, und Fremde wie Bürger hatten in Mailand nur eines im Sinn: sich an den Heiligen heranzumachen, sich eine Wohltat zu erbitten." Sogar Bernhards Gebrauchsgegenstände wurden dabei zu Reliquien. Der Bischof bewahrte eine Schüssel, aus welcher der Heilige gegessen hatte, sorgsam auf, nahm selber daraus Nahrung zu sich und wurde dabei von einer Krankheit geheilt: Er „faßte ... Vertrauen auf den Herrn, empfahl sich dem Gebete des Abtes, aß und trank und – war unverzüglich gesund." Noch auf der Heimreise in den Alpen „stiegen die Hirten und Sennen und das Landvolk von den höchsten Felsen zu Tal ..., riefen ihm schon von ferne zu und baten um seinen Segen. Dann krochen sie wieder ... zu ihren Alphütten und erzählten sich voll Freude, sie hätten den Heiligen des Herrn gesehen; sie hätten das Glück gehabt, aus seiner erhobenen Hand den ersehnten Segen zu empfangen."[27]

In der Bernhard-Vita sind noch all jene Momente beieinander, welche seit Antonius und Martinus zum Bild des Gottesmannes gehören: Derselbe betet, die göttliche Kraft kommt über ihn, das Wunder geschieht, und der Satan muß vor ihm weichen. In Scharen strömt das Volk herbei, um den Segen des Gottesmannes zu erlangen oder irgendeinen Gegenstand von ihm zu erhaschen. Denn unfehlbar vermittelt er Heil. Begeistert feiert man das Glück, einen solchen Heilbringer unter sich zu haben. Bis ins späte Mittelalter lebte das alte Schema vom Gottesmenschen weiter. In der typisch mittelalterlichen Verflechtung von Realistik und Spiritualität praktizierte man dabei ein handfestes ‚sacrum commercium': wirtschaftliche Unterstützung der Gottesmenschen gegen die Teilhabe an deren Verdiensten und Gottesgaben. Jan Huizinga schildert noch in seinem ›Herbst des Mittelalters‹ die kuriosesten Exemplare von „Hochleistungsasketen"; gerade solche aber wurden herangezogen, um sich ihres Rates und Gebetes zu bedienen.

Genannt sei nur der Karthäuser Dionysius von Rykel († 1471), der die Ekstasen der großen Mystiker erfährt und eine unverwüstliche Arbeitskraft an den Tag legt; seine Schriften füllen 45 Quartbände. In der Askese verfährt er geradezu ruinös: „Ruhe kennt er nicht. Täglich sagt er fast den ganzen Psalter auf; mindestens die Hälfte ist notwendig, erklärt er. Bei jeder Beschäftigung, selbst beim An- und Auskleiden, betet er. Nach der Mette, wenn die anderen wieder zur Ruhe gehen, bleibt er wach. Er ist stark und groß und kann seinem Körper alles zumuten. ‚Ich habe einen eisernen Kopf und einen kupfernen Magen', meint er. Ohne Übelkeit, ja mit Vorliebe, genießt er verdorbene Speisen: Butter mit Würmern, von Maden aufgefressene Kirschen; diese Art von Ungeziefer hat kein tödliches Gift, sagt er, man kann sie ruhig essen. Zu salzige Heringe hängt er auf, bis sie faulen; ‚ich esse lieber stinkende als salzige Dinge'."[28] Genau als Asket aber spielte er seine bedeutende Rolle im öffentlichen Leben: als Ratgeber der burgundischen Herzöge Philipps des Guten und Karls des Kühnen oder auch als Begleiter des Nikolaus von Kues auf dessen großer Reise durch das Deutsche Reich.

Das Bild vom Gottesmenschen hat, daran kann kein Zweifel sein, das mittelalterliche Heiligen-Ideal zutiefst beeinflußt.

2. Verdienst und Wunder

In theologischer Hinsicht muß auffallen, mit welchem Nachdruck vom Verdienst des Gottesmenschen gesprochen wurde. Hatte noch das Neue Testament darauf bestanden, daß, „wenn ihr alles getan habt, ihr sagen sollt, wir sind nur unnütze Sklaven" (vgl. Lk 17,10), daß also Askese weder zu einem Anspruch auf Lohn berechtige noch gar dessen Errechenbarkeit ermögliche, gilt für den Gottesmenschen ein anderes Gesetz: „Der ‚Gottesfreund‘ hat wegen seines vertrauten Umganges und wegen seiner Freundschaft mit Gott geradezu das Recht und die Macht, von Gott ... alles, gar alles zu erbitten und zu erreichen.“[29] Damit war die das ganze Mittelalter durchziehende Leistungsaskese mit ihrer errechenbaren Verdienstlichkeit grundgelegt, zugleich aber auch die Hoffnung auf Wunder, die jeder verdiente Gottesmensch für die Seinen zu erwirken verpflichtet war. Zahlreiche asketische Schriftsteller schildern die Gnadenbegabungen als die nachträgliche göttliche Belohnung für zuvor geleistete Askese. Der im abendländischen Mönchtum immer gelesene und von der Benediktsregel empfohlene Cassian († 430/435) erklärt bündig: „Unterschiedlich sind die Gaben, und nicht allen wird dieselbe Gnade des Heiligen Geistes zuteil, sondern wie ein jeder sich in Eifer und Beharrlichkeit würdig und geeignet erweist.“[30] Der heilige Martin zum Beispiel muß, wenn ihm die himmlische ‚virtus‘ verfügbar bleiben soll, in beständigem Gebet zu Gott flehen und unerschütterlich auf ihn vertrauen.[31] In den ›Dialogen‹ berichtet Sulpicius Severus, daß der Heilige einmal sieben Tage und sieben Nächte ununterbrochen im Beten und Fasten habe ausharren müssen, bis das Erbetene eingetroffen sei.[32] Weil die Gottesbegnadung im Maß der Askese erfolgt, muß allerdings der Heilige um seine Virtus immer dann fürchten, wenn er „unwürdig ist, daß Gott durch ihn Zeichen seiner Wundermacht setzt“[33]. Der Gnadenstand ist auf der notwendigen Höhe zu halten. Daß Martin als Bischof nur noch über eine verminderte Wundermacht verfügt habe, wie es Sulpicius Severus beklagen muß[34], lag augenscheinlich daran, daß die Amtsgeschäfte ihm nicht mehr genügend Zeit für Askese und Gebet ließen. Heilige Frauen halten es ebenso. Zur Regeneration ihrer Virtus läßt sich Genovefa von Epiphanie bis Gründonnerstag in ihrer Zelle einschließen.[35] Radegundis († 587) begeht die gesamte Fastenzeit mit ständigem Gebet, ist ebenfalls in ihrer Zelle eingeschlossen, um anschließend umso größere Heilungen vollbringen zu können.[36] Der in Gallien auch nach dem augustinisch-pelagianischen Gnadenstreit noch weiterwirkende „Semipelagianismus“ wurde zwar auf der zweiten Synode von Orange 529 verurteilt[37], doch hielten die mittelalterlichen Vitenschreiber gemeinhin dafür, daß Gott seine ‚virtus‘ nicht ‚immerito‘ (unverdient) verleihe[38]; fast hymnisch feierten sie die Verdienste ihrer Heiligen. In der um die Wende des 8./9. Jahrhunderts verfaßten Vita des heiligen Ansbert († 693) werden zum Beispiel die dem Heiligen nachgerühmten Wunder ausdrücklich auf dessen ‚merita' zurückgeführt, insgesamt zehnmal[39], und so nehmen es die Viten als Regel. Darum überrascht es wenig, daß im allgemeinen religiösen Bewußtsein des Mittelalters eine rigorose Askese der zuverlässigste Indikator dafür war, bei welchen Gottesmenschen man am ehesten Erhörungsgewißheit erwarten durfte.

Die göttliche Virtus, die der ‚vir Dei' oder die ‚famula Dei' sich verdienten, war Gottes Macht, die nun aber in die Hände von Menschen gegeben war, und diese konnten nach eigenem Gutdünken darüber verfügen. Das verlieh den Gottesmenschen eine übernatürliche Machtstellung. Der Versuchung zur Überheblichkeit mußten sie mit verstärkter Demut entgegenwirken, die darum zur wichtigsten Tugend wurde.[40] Die Virtus selbst wirkte wie alle göttliche Macht, heilig und furchtbar zugleich. Der Gottesmensch konnte damit Wunder wirken und sogar Tote erwecken, er konnte damit aber ebenso fluchen und vernichten; Heilwunder bewirkte er und Strafwunder. Zudem übertrug sich die Virtus auf alles, was der Gottesmensch tat und besaß, ja auch nur anrührte: auf sein Wort und seinen Gestus, auf sein Gewand und seine Bettstatt, auf die von ihm bewohnte Zelle und die von ihm benutzten Utensilien, auf alles auch, was seine Hände und Füße berührten, was sein Wort besprach und worauf sein Blick fiel. Was immer vom Gottesmenschen mit göttlicher Virtus berührt und aufgeladen worden war, wirkte ‚göttlich': belebend oder vernichtend, heilend oder strafend, stets entsprechend der Art, wie man sich näherte, ob würdig und willig oder vermessen und böse.[41] Auf der von Gott verliehenen und zugleich vom Asketen verdienten Virtus beruhte es letztlich, daß die Heiligen im Mittelalter eine solch überragende und allgegenwärtige Bedeutung erlangen konnten: Denn wo sonst oder bei wem vermochte man Gottes eigene und alles ermöglichende Virtus in solcher Potenz anzutreffen?

Das eigentliche Schema, nach dem man sich den asketisch verdienten Gnadenüberfluß und seine Austeilung an die Bedürftigen vorstellte, hat eine einprägsame Formulierung noch bei Bernhard von Clairvaux gefunden:

„Was lehrt uns der Heilige Geist in uns Sicheres...? ... Wir erfahren hier sicherlich von einer zweifachen Wirksamkeit dieses Geistes: einmal legt er in unserm Innern einen festen Tugendboden für unser [eigenes] Heil; dann rüstet er uns auch mit Gaben aus zum Nutzen des Nächsten. Glaube,

Hoffnung und Liebe zum Beispiel werden uns um unseretwillen verliehen; denn ohne sie gibt es für uns keine Rettung. Weisheitsvolle Rede dagegen, Gabe der Heilung, Weissagung und dergleichen Gnaden, die wir unbeschadet unseres Heiles missen können, werden uns zweifellos zur Verwendung für das Heil der Mitmenschen zuteil. Dieses doppelte Wirken des Heiligen Geistes, das wir in uns oder an andern beobachten, wollen wir, so es euch gefällt, Eingießung und Ausgießung nennen ... Doch müssen wir uns hierbei ebenso davor hüten, andern zu geben, was wir für uns empfangen, wie davor, für uns zurückzubehalten, was wir zum Austeilen erhalten haben. Du behältst fremdes Eigentum für dich zurück, wenn du zum Beispiel, obwohl reich an Tugenden und mit den äußern Gaben der Wissenschaft und Beredsamkeit ausgestattet, etwa aus Furcht oder Bequemlichkeit oder schlecht angebrachter Demut das gute Wort, das vielen nützen könnte, durch unfruchtbares, sträfliches Schweigen bindest ... Andererseits vergeudest und verlierst du, was dein ist, wenn du vorschnell, ehe du selber vollgegossen bist, aus halber Fülle mitteilen willst ... Darum, wenn du klug bist, mache dich zum Behälter, nicht zum Kanal. Denn ein Kanal nimmt auf und gibt fast zu gleicher Zeit wieder ab; ein Behälter aber wartet, bis er voll ist, und teilt dann ohne eigenen Verlust von der Überfülle mit ... Achten wir wohl, wieviel wir erst in uns eingießen müssen, um wagen zu können, etwas auszugießen, wenn wir aus der Fülle, nicht aus dem Mangel spenden wollen: erst Zerknirschung, dann Danksagung, drittens Bußarbeit, viertens gute Werke, fünftens Gebetseifer, sechstens die Ruhe der Beschauung, endlich siebtens die Fülle der Liebe. Dies alles bewirkt ein und derselbe Geist ...; und dieses sein Wirken nennen wir Eingießung. Nun erst mag die andere Tätigkeit des heiligen Geistes, die Ausgießung, einsetzen, lauter und rein und somit ohne Nachteil für die eigene Seele."[42]

Bernhard nimmt die „urmenschliche" Selbstbezeichnung vom „Gefäß" auf, derzufolge Geisteskräfte „eingegossen werden", wie ja auch christliche Gebete vom „Eingießen der Gnade in die Herzen" sprechen.[43] Der Heilige muß erst selbst zum gefüllten Gefäß werden, ehe er an andere austeilen kann. In einem allerdings ist Bernhard vorsichtiger als die Früheren: Auch die Eingießung, wiewohl für sie die alten verdienstlichen Werke aufgezählt werden, gilt ihm als Wirkung des Heiligen Geistes, nicht als Lohn eigener asketischer Werke. Eine regelrechte Kritik an der Theologie des traditionellen Bildes vom Gottesmann enthält überraschenderweise die Bernhard-Vita; obwohl sie doch ihren Helden als so erfolgreichen Wundermann hinstellt, wird ein Zusammenhang zwischen Askese und persönlicher Wundermacht strikt negiert.

„Ich weiß", so soll der Heilige einmal gesagt haben, „Wunder haben nichts mit der Heiligkeit eines bestimmten Menschen zu tun, sondern zielen auf das Heil vieler ab. Und Gott berücksichtigt dabei am Menschen nicht so sehr seine Vollkommenheit als vielmehr die hohe Meinung, die man von seiner Tugend hat, um dieselbe durch ihn ... zu empfehlen. Denn die Wunder geschehen nicht zugunsten derer, die sie wirken, sondern ... zugunsten derer, die sie erleben oder davon erfahren. Auch wirkt der Herr dergleichen nicht durch sie, um zu beweisen, daß sie heiliger als andere seien, sondern eher, um die anderen zu Eiferern und Liebhabern der Heiligkeit zu machen. Meine Person hat also mit diesen Wundern nichts zu schaffen ..."[44]

Hier wird mit dem alten, seit der Antonius-Vita gängigen Schema gebrochen, wonach das Wunder als Antwort Gottes auf die menschliche Askese gedeutet wurde: Gott beantwortet mit seinen Wundern nicht ein Übermaß an Askese, er gewährt vielmehr seine Virtus als Ansporn zur sittlichen Tugend und zur Verherrlichung der ethischen Heiligkeit. Die für das 12. Jahrhundert insgesamt typische Ethisierung sehen wir nun auch auf die Virtus und Heiligkeit übergreifen. Gemäß dem älteren Schema zielte die Askese nicht zuerst auf das Antrainieren von sittlichen Grundhaltungen und auf deren Befestigung im eigenen Tun und Lassen, sondern richtete sich an Gott, vor dem man verdienstliche Werke aufhäufte, die dieser dann mit seinen Gnadengaben und mit seiner Virtus entlohnte.

Zur Erläuterung sei die wunderbare Errettung Martins aus dem Feuer zitiert. Beim Schlaf in einer Sakristei fing das Stroh am Ofen Feuer. In seiner Bestürzung ließ sich der Heilige vom Teufel überlisten, und, statt zum Gebet Zuflucht zu nehmen, stürzte er zur Tür und zerrte am Riegel. Als das Feuer schon sein Gewand zu versengen drohte, „kehrte ihm die ruhige Überlegung wieder; er erkannte, daß er sein Heil nicht in der Flucht, sondern nur bei Gott finden könne; er ergriff den Schild des gläubigen Gebets, überließ sich ganz dem Herrn und warf sich inmitten der Flammen zu Boden. Wunderbarerweise wichen die Flammen zurück."[45] Menschliches Sinnen und Tun sind nichtig. Man muß sich, ohne auch nur einen Moment zu zweifeln und zu zögern, verdienstlich an Gott wenden; er rettet und verleiht seine Virtus.

Nach dem neuen, stärker ethisierten Verständnis aber mußte der Mensch selbst die Tugenden in sich ausbilden und sie durch ein spezielles, der jeweiligen Tugend genau angemessenes Training erwerben.[46] Wie auch auf anderen Gebieten, beispielsweise in der Ersetzung des Gottesurteils durch ein vom Menschen selbst zu fällendes Urteil, wird eine menschliche Aktivität gefordert, die Gott gegenüber einschränkend wirkte: Nicht mehr er gab die Tugend, sondern der Mensch mußte sie durch Übung in sich hervorbringen. Diese Umorientierung geschah in einem längeren Prozeß, denn zunächst betonte man noch, „daß die Tugenden einzig und allein ein Geschenk Gottes seien“[47]. In der Früh- und beginnenden Hochscholastik wird Virtus bereits als sittliche Qualität des Menschen und seiner Lebensführung definiert, gilt allerdings weiterhin als gottgegeben: ‚virtus est ... bona qualitas mentis, qua recte vivitur et qua nullus male utitur, quam Deus solus in homine operatur‘ – Virtus ist ... die gute Eigenschaft des Geistes, nach der man recht lebt und die niemand böse gebraucht, die Gott allein im Menschen bewirkt.[48] Thomas von Aquin schuf dann das scholastische Tugendsystem und befestigte endgültig die Unterscheidung von gnadenhaften und natürlichen Tugenden, indem er die drei göttlichen Tugenden des Glaubens, der Hoffnung und der Liebe und die vier Kardinaltugenden voneinander abhob; während erstere von Gott eingegossen sind, müssen letztere durch Übung erworben werden. Mit dieser Subjektivierung der Ethik „beginnt ein Prozeß der Gewissenserforschung und Selbstkontrolle, der überaus folgenreich sein sollte“[49]. Max Weber sah in der Einübung des Guten die entscheidende Veränderung zugunsten eines „persönlichen Gesamthabitus“ und konstatierte dabei: „Auf die religiöse Arbeit an der eigenen Person kommt ... alles an.“[50]

Für die theologische Diskussion um die Heiligkeit war die Neudefinition der Virtus von allergrößtem Belang. Die Betonung der ethischen Heiligkeit führte zu einem veränderten Verständnis nicht zuletzt auch der Wunder. Seit der alten Kirche hatte es immer auch wunderkritische Stimmen gegeben. Augustinus zum Beispiel hatte Wunder der zu fordernden sittlichen Tugend eindeutig nachgeordnet, und Bischof Honoratus von Arles († 429/30) hatte Mirakel ausdrücklich verschmäht.[51] Auch Gregor der Große wollte, trotz seiner zahlreichen Wundergeschichten, die Heiligkeit in der „Tugend der Taten“ und nicht im „Erweis von Wundern“ begründet sehen: ‚in virtute operum, non in ostensione signorum.‘[52] Demgegenüber überwog in merowingischen Viten die „Wundermacht“ und überlagerte die „Tugendhaftigkeit“[53]. Im hohen Mittelalter erneuerte sich die ethische Bedeutung. Der päpstliche Anspruch auf Kanonisation zielte gerade auf Sicherstellung der sittlichen Heiligkeit: „Verdienste ohne Wunder oder Wunder ohne Verdienste sind unzureichend, um das Zeugnis der Heiligkeit auszusprechen“, erklärte Innozenz III.,

„denn auch der Satan kann sich in einen Engel des Lichtes verwandeln, und einige Menschen auch tun ihre Werke, um von den Menschen gesehen zu werden."[54] Eine pure Wunderkraft, so wiederholt man nun immer von neuem, besäßen nach dem Neuen Testament auch Zauberer und selbst der Teufel.[55] Der Heilige dagegen muß sich fortan, wie im Kanonisationsprozeß gefordert wird, durch „heroische Tugend"[56] auszeichnen, wofür Wunder allenfalls die nachträgliche Bestätigung sind; ja, es gebe große Heilige, die gar keine Wunder vollbracht hätten. An die Heiligkeit des ermordeten Thomas von Canterbury mochten gerade moderne Zeitgenossen nicht so recht glauben, weil sie in dessen Leben – trotz der Wunder am Grab – keine heroische Heiligkeit zu entdecken vermochten.[57] Noch schärfer war die Kritik im Falle des ermordeten Erzbischofs Engelbert I. von Köln († 1225); daß ein so hochmütiger, besitzgieriger und der Welt ergebener Mann Wunder zu wirken vermöge, sei schlechterdings nicht zu glauben.[58] Für den Verfasser der Vita, Caesarius von Heisterbach († 1240), aber galt: „Wenn er [Engelbert] im Lebenswandel nicht so vollkommen war, so wurde er durch sein Martyrium doch heilig."[59] Selbst die Kunst zog Konsequenzen aus der neuen ethischen Auffassung: Die Gebrüder van Eyck malten ihren Heiligen keinen Heiligenschein mehr, sondern gaben ihnen ein würdevolles, ethisch-edles Aussehen[60]; daran sollte man ihre Heiligkeit erkennen.

3. Mittlerschaft und Fürbitte

Die Virtus, die sich der Gottesmensch asketisch erworben hat, verleiht ihm nicht nur überirdische Macht, sondern versetzt ihn in die Stellung eines Heilsmittlers. Schon das Alte Testament liefert für solche mittlerischen Gestalten eindrückliche Beispiele: Moses, der als berufener Sprecher zwischen Gott und Menschen vermittelt, dabei einerseits als Verkündiger des göttlichen Gesetzes auftritt und andererseits mit seinem Gebet für das Volk neue Gnade zu erflehen weiß; desgleichen die Gestalt des Elija, der nach langen Dürrejahren Regen erwirkt und einen Toten erweckt. Darüber hinaus kennt das Alte Testament auch die Rolle des Fürbitters, wenn etwa den Priestern und Propheten die Aufgabe zukommt, als ‚Gerechte' für das sündige Volk in die Bresche zu treten und eine Mauer gegen den Zorn Gottes zu bilden (vgl. Ez 13,5). Religionsgeschichtlich ist dies die Rolle des Interzessors, die in des Wortes eigenem Sinn genommen werden muß: Der Gottesmensch wird ein ‚Dazwischentretender'. Er tritt zwischen Gott und Mensch, und das in doppelter Weise: Einmal stellt er sich vor den Sünder, so daß der Zorn Gottes, den der Sünder verdient hat, auf ihn, den Dazwischentretenden, trifft und sich an seinem Sühneüberschuß verzehrt; zum anderen vermag der Interzessor, aufgrund des Übergewichts seiner guten Werke, Gott zu besonderen Gnadenerweisen für denjenigen zu veranlassen, für den er fürbittend eintritt. Auf diese Weise wird er für jeden, den er vertritt, zum Vermittler bei Gott, sowohl in der Abwehr der Strafe wie in der Bitte um Heil. Nur muß der Interzessor selbst ein ‚Gerechter' sein; das heißt, er muß außerhalb des Bösen stehen und sogar ein Mehr an Verdienstlichkeit aufweisen; sonst läuft er Gefahr, sein Gebet zur Wirkungslosigkeit zu entleeren, ja selber von Gottes Zorn vernichtet zu werden.[61]

Das Neue Testament allerdings kennt nur den einen Mittler Jesus Christus und bringt das in kompromißloser Knappheit auch zum Ausdruck: ‚unus et mediator Dei et hominum homo Christus Iesus' (1 Tim 2,5). Der frühen Kirche mußte alles daran gelegen sein, die Mittlerschaft des „erhabenen Hohenpriesters" und „Mittlers eines besseren Bundes" (Hebr 4,14; 8,6) Jesus Christus von allen anderen Mittlergestalten abzuheben und als allein wirkmächtig herauszustellen. Die christologischen Streitigkeiten hatten als Ergebnis: Jesus Christus ist Gott und Mensch, gehört als solcher dem Menschengeschlecht an, wie er zugleich auch zur Rechten Gottes sitzt. In seiner Person ist die Kluft zwischen Gott und Menschheit überwunden; niemand kann darum zu intensiverer Mittlerschaft befähigt und berufen sein. „Nach christlich-kirchlicher Lehre gibt es nur den einen Jesus Christus, der Gott und Mensch in untrennbarer, aber auch unvermischter Verbindung ist."[62]

Die nachfolgenden Perioden jedoch entwickelten ein verstärktes Interesse an zusätzlichen Mittlerfiguren. Inspirierend wirkten gerade die alttestamentlichen Vorbilder. Zahllose Heilige wurden im Mittelalter als ‚novus Abraham', ‚novus Moses' oder ‚novus Elias' bezeichnet[63], wobei die Beschwörung dieser Vorbilder sowohl der eigenen Legitimation als auch der Aneiferung diente. Wie die alten vermochten ebenso die mittelalterlichen ‚Gerechten' stellvertretend Sühne leisten; die Bußkommutation wie der Ablaß, also die Bußableistung jeweils für andere, gehen auf diese Stellvertretung zurück.[64] Vor allem erhoffte man sich einen Heiligen als Fürsprecher im Jüngsten Gericht. So beschließt Gregor von Tours seine ›Virtutes sancti Martini‹ mit folgender Erwartung: Er hoffe besonders im Gericht auf den heiligen Martin, seinen Patron; der solle ihn ergreifen, wenn er, Gregor, auf die linke Seite gerate, und ihn hinter seinem Rücken verbergen, wenn der Gerichtsspruch ergehe; und sollte er, Gregor, zur Verdammnis verurteilt werden, vertraue er darauf, daß sein Heiliger ihn mit dem Gewand der Glorie bedecke und entschuldige vor Gott: „Hier ist der, für den Martin bittet."[65] Der Heilige fungiert wirklich als „Dazwischentretender".

Der theologische und frömmigkeitsgeschichtliche Hintergrund ist darin zu suchen, daß sich im Christusbild, nicht zuletzt aus antiarianischen Gründen, eine zunehmende Deifizierung vollzogen hatte. Der Gottmensch Jesus Christus erschien immer ausschließlicher als Gott, rückte als solcher von den Menschen weg und wurde so in seiner Mittlerfunktion beeinträchtigt.[66] Die gegen 520 verfaßten Viten der Juraväter berichten bereits, daß hochgestellte Persönlichkeiten um den Segen des Abtes Eugendus gebeten hätten, weil „sie glaubten, die göttliche Güte nicht gnädig stimmen zu können, wenn sie sich nicht zuvor im Gespräch oder durch Briefe der ganz besonderen Gunst und Fürsprache des Freundes Christi [eben des Abtes] versichert hatten"[67]. Die Gottesmänner sind die Vermittler zu Christus, der selber nun so weit entrückt ist, daß man ihn nicht mehr unmittelbar anzusprechen wagt.

Die Hagiographen scheint die neutestamentliche Einzigartigkeit von Jesus Christus als dem ‚unus mediator Dei et hominum' (1 Tim 2,5) wenig bekümmert zu haben. Nicht selten wird den Heiligen ein religionsgeschichtlich grundlegendes Entsprechungsschema von Mittlertum nachgesagt: ‚auf Erden – im Himmel'[68]. So heißt es in der Vita des Germanus von Auxerre († 445/448), daß die wirklichen Heiligen schon während der Erdenzeit „ihrem Leibe nach der Erde, ihren Verdiensten nach aber dem Himmel gehörten"[69]. Ja, bald galten die Heiligen allgemein als Vermittler zwischen Himmel und Erde, zwischen Mensch und Gott. Auch heilige Frauen können Fürbitte leisten. Genovefa († 502) verwahrte sich dagegen, daß ein Mann sie als Fürbitterin (me supplicantem) verachtete.[70] Auch Balthildis von Chelles († 680) und Gertrud von Nivelles († 653/59) wurden interzessorisch tätig.[71] Der heilige Ansgar hat sich den Worten seines Schülers und Hagiographen Rimbert zufolge in seiner Amtsführung so hervorgetan, daß er „mitten zwischen Himmel und Erde" gestanden habe, als „Vermittler zwischen Gott und Menschen"[72] (vgl. Dtn 5,5); zum einen sei er göttlicher Schauungen und himmlischer Offenbarungen gewürdigt worden, zum anderen habe er sein Leben und Tun ganz den ihm auf Erden Anvertrauten gewidmet.

Der scholastischen Theologie konnte das hier anstehende Problem nicht verborgen bleiben. Tatsächlich stellte sie die Einzigkeit des Mittlers Jesus Christus wieder deutlich heraus.[73] Thomas von Aquin zum Beispiel schreibt: „Das eigentliche Amt eines Mittlers ist es, die zu verbinden und zu vereinigen, zwischen denen er Mittler ist; denn die äußersten Enden vereinigen sich in der Mitte. Die Menschen aber mit Gott vollkommen zu vereinigen, kommt Christus zu, durch den die Menschen mit Gott versöhnt werden ... Und deshalb ist Christus allein vollkommener Mittler zwischen Gott und den Menschen."[74] Dieser Klarstellung aber folgt der Nachsatz: „Doch hindert dies keineswegs, daß auch andere in etwa Mittler genannt werden können, sofern sie nämlich wegbereitend oder dienend mitbeitragen zur Vereinigung der Menschen mit Gott."[75]

Natürlich wird man den älteren Vorstellungen zugute halten müssen, daß sie Christus in seinen Heiligen gegenwärtig zeigen wollten. Leben und Taten der Heiligen sollten eine „Reaktualisation"[76] Christi sein. Nur hatte das zur Folge, daß sie in dessen Mittlerrolle eingerückt erschienen.[77] Ein zweifellos erstaunliches Beispiel liefert die Geschichte und Gestalt des heiligen Franziskus, auch er ein christusgleicher Mittler:

In dem Brief, den der erste Ordensgeneral Elias von Cortona seinen Brüdern beim Tod des Heiligen schrieb[78], erscheint dieser als Verkörperung der großen heilsgeschichtlichen Gestalten, und diese Stilisierung setzt sich bis zur „Gleichheit" mit Jesus Christus fort: Dem Patriarchen Jakob gleicht Franziskus, da er als Erblindeter im Sterben seine Söhne segnete (Gen 49,1–32); wegen seiner Leiden und Entstellungen war er „ein Mann der Schmerzen" (Jes 53,2–5); im Tode wurde sein Leib so verjüngt, daß er dem jungen David glich (1 Sam 16,12; 17,42); wie Salomos Name drang der des Franziskus „bis zu den fernsten Inseln" (Sir 47,16); wie Moses war er „von Gott und den Menschen geliebt" (Sir 45,5.15) und gab „das Gesetz des Lebens und der Erkenntnis" wie auch den „Ewigen Bund" (Sir 45,6). Dann folgt der Übergang zum Neuen Bund: Wie Johannes der Täufer kam Franziskus aus dem „wahren Licht" (Joh 1,9); er brachte – wie Zacharias über den soeben geborenen Johannes weissagte – das Licht zu jenen, „die in Finsternis und Todesschatten sitzen" (Lk 1,79), um dadurch – so der Engel an Zacharias – „das Herz der Väter wieder den Kindern zuzuwenden" und „ein williges Volk für den Herrn zu bereiten" (Lk 1,17). Franziskus war „für uns, die wir in seiner Nähe waren", wie auch denen, „die von uns fern waren" (Eph 2,17), „ein Licht": ‚Erat enim lux' (Joh 1,9) – eine direkte Gleichsetzung mit dem Logos aus dem Johannes-Prolog. Er „predigte das Reich Gottes" (Mk 1,14), ganz so wie Markus Jesu öffentliches Auftreten beginnen läßt. Seine höchste Angleichung aber erfuhr Franziskus, seit er „die Wundmale Christi an seinem Leibe" trug (Gal 6,17); noch nie hat die Welt „ein solches Zeichen" (Mt 12,39) gesehen außer im „Sohne Gottes" (Mt 16,16; 26,63), „welcher ist Christus der Herr" (Lk 2,11).[79] Und vor allem das ist erstaunlich: Franziskus, der ja kein Priester war, soll bei seinem Sterben zum Abschied das „Abendmahl" gefeiert haben. Thomas von Celano berichtet darüber in seiner zweiten Vita: Als bei seinem Sterben „die Brüder bitterlichst weinten und untröstlich klagten, ließ sich der heilige Vater Brot bringen. Er segnete es, brach es und reichte jedem ein Stücklein zum Essen. Er ließ auch das Evangelienbuch bringen und bat, man möge ihm das Evangelium nach Johannes vorlesen von der Stelle an, wo es heißt: ‚Vor dem Osterfeste [da Jesus wußte, daß seine Stunde gekommen war, um aus dieser Welt zum Vater hinüberzugehen. Da er die Seinen, die in der Welt waren, liebte, erwies er ihnen seine Liebe bis zur Vollendung. (Joh 13,1)]'." Celano deutet den Vorgang recht behutsam: „Er erinnerte sich jenes allerheiligsten Abendmahles, das der Herr mit seinen Jüngern zuletzt feierte. Denn zum ehrenden Andenken daran und zum Erweis, welch innige Liebe er zu seinen Brüdern hatte, tat er dies alles."[80]

Franziskus gleicht Christus und setzt dessen Werk fort, ja vollendet es: Er „tat in seinem Ursprung, seinem Leben und Sterben und in seiner Rückkehr zum Vater das, was Christus vor ihm selbst getan hatte"[81]. Später dann, in der Reformationszeit, haben solche Gleichsetzungen von Heiligen mit Christus den Zündstoff für die konfessionelle Auseinandersetzung geliefert. Um bei Franziskus zu bleiben: Eine gegen Ende des 15. Jahrhunderts entstandene Schrift über die Konformität des Franziskuslebens mit dem Leben Jesu, die gleich vierzig solcher Gleichungen aufzuzählen wußte und dabei Jesus sogar zu einer Art Präfiguration des heiligen Franz degradierte, wurde in der reformatorischen Kritik ein vielzitiertes Muster von falscher katholischer Heiligenverehrung; die neugläubige Gegenschrift erlebte zahlreiche Auflagen: sechs deutsche, zwei lateinische, vier französische, zwei englische und fünf holländische.[82]

4. Gegen Teufel und Dämonen

Zur religiösen Koine der Antike gehörte das Wissen um gute und böse Geister. Dies war nicht nur allgemeiner Volksglaube.[83] Auch für die hellenistische und kaiserzeitliche Philosophie stehen zwischen Göttern und Menschen die Dämonen, welche die Gebete und Opfer emporheben und von oben her die Weisungen und Huldbezeugungen herabreichen. Sie sind vernunftbegabte Geistwesen, haben dabei aber einen luftartigen, affizierbaren Körper. Sie bewirken Gutes wie Schlechtes, und die bösen unter ihnen können die Menschen auch zur Bosheit verführen. Diese negative Bedeutung ist zuletzt für das Verständnis der Dämonen ausschlaggebend geworden.[84] Demgegenüber verhielt sich die „israelitische Religion ... ausgesprochen dämonenfeindlich"[85]; denn „der Gedanke an ... ein Reich Satans, das dem Reich Gottes entgegenstünde, ist im Alten Testament nirgends zu finden"[86]. Erst in nachexilischen Schriften erscheint der Satan. Im Neuen Testament wird er als „Herrscher dieser Welt" (Joh 12,31 u.ö.) bezeichnet. Zudem stellen die Synoptiker Jesus als Exorzisten dar, aber nur sie, nicht Johannes.[87] Jesu ärztlich-exorzistische Tätigkeit wird als siegreicher Kampf mit dem Satan und allen satanischen Mächten gedeutet.[88] Dabei macht das Neue Testament Aussagen, „welche die dämonistische Kausalität grundsätzlich bestreiten, indem sie sich ... gegen den Sinn antidämonischer Riten wenden"[89]. Mit der Auferstehung Jesu sind die Dämonen entmächtigt; dem erhöhten Kyrios sind alle Geistmächte im Himmel und auf Erden unterworfen. Paulus hält es für gewiß, daß „weder Engel noch Mächte ... weder Gewalten der Höhe oder Tiefe ... uns scheiden können von der Liebe Christi" (Röm 8,38f). Aus dem Kampf gegen die Dämonen wird ein Kampf gegen Unglauben und Sünde.

Dennoch wirkte der Dämonenglauben der Antike stärkstens auf das Christentum ein. Vom Neuen Testament her ergaben sich zwei Ansatzpunkte. Einmal, der Satan war zwar grundsätzlich besiegt, vermochte aber noch mit Versuchungen zu locken, wie er ja auch Jesus versucht hatte (Mt 4,1–11; Lk 4,1–12). Christliches Leben hatte sich im Teufelskampf zu bewähren, weswegen der Epheserbrief dazu aufforderte, die Rüstung Gottes anzulegen, um den listigen Anschlägen des Teufels zu widerstehen und mit den Fürsten und Gewalten, den finsteren Beherrschern der irdischen und der überidischen Welt, zu kämpfen; dazu dienten der Schild des Glaubens, der Helm des Heiles, das Schwert des Geistes, obendrein das unaufhörliche Gebet (Eph 6,10–20). Einen weiteren Ansatz ergab der Auftrag Jesu zur Dämonenaustreibung. Weil die exorzistische Wirkung vom Glauben (Mt 17,19f) wie auch von Gebet und Fasten (Mk 9,28f) abhängig gesehen wurde, mußten sich gerade die großen Asketen herausgefordert fühlen, den Kampf zu wagen. Diese beiden Postulate, der Teufelskampf und der Exorzismus, sind dann wesentliche Charakteristika auch im Bild des Heiligen geworden.[90] Athanasius schildert bereits Antonius in langen Kapiteln als Kämpfer gegen die Anschläge und Listen des Teufels und der Dämonen.

„Der Teufel gab ihm schmutzige Gedanken ein, Antonius vertrieb sie durch Gebete; er kitzelte ihn mit Wollust, Antonius aber, gleichsam errötend, schützte seinen Leib durch Glauben, Gebete und Fasten wie mit einer Mauer. Der unglückliche Teufel ging sogar soweit, nachts die Gestalt einer Frau anzunehmen und sie auf jede Art nachzuahmen, nur um Antonius zu verführen. Der aber dachte an Christus, die edle Gesinnung durch ihn und die geistige Ausrichtung seiner Seele. So löschte er die glühende Kohle des teuflischen Betruges." Aber für den Versucher bedeutete dies eine Niederlage, die ihn selbst in Frage stellte. „Denn er, der geglaubt hatte, Gott gleich zu werden, wurde jetzt von einem jungen Mann dem Spott preisgegeben, und obwohl er hochmütig Fleisch und Blut verachtete, wurde er von einem Menschen, der im Fleisch lebte, völlig aus der Fassung gebracht."[91] Antonius forderte den Teufel bewußt dadurch heraus, daß er an die Aufenthaltsorte der Dämonen ging, zum Beispiel zu Gräbern. „Der böse Feind aber ertrug das nicht, ja er fürchtete, Antonius erfülle binnen kurzem auch die Wüste mit seiner Askese; da suchte er ihn eines Nachts mit einer Menge Dämonen heim und versetzte ihm solche Schläge, daß er stumm vor Qualen am Boden lag. Antonius versicherte später, die Schmerzen seien so heftig gewesen, daß man sagen müsse, die Schläge von Menschen könnten niemals solche Qualen hervorrufen."[92] In dem Grabbau, in dem Antonius sich aufhielt, mußte er regelrechte Schlachten über sich ergehen lassen. „Damals tobten nun die Dämonen in der Nacht dermaßen, daß jene ganze Stätte zu beben schien; es sah aus, als wollten sie die vier Mauern des Grabbaus sprengen und gewaltsam durch sie eindringen; dabei verwandelten sie sich in wilde Tiere und Reptilien; die Stätte war sogleich erfüllt mit schrecklichen Erscheinungen von Löwen, Bären, Leoparden, Stieren, auch von Schlangen, Aspisschlangen, Skorpionen und Wölfen."[93] In der langen „Rede des Antonius an die Mönche", die sich über viele Kapitel der Vita hinzieht, geht es im wesentlichen um den Teufel und die Dämonen. „Gott hat nichts Schlechtes geschaffen, vielmehr sind auch sie [die Dämonen] ursprünglich gut gewesen, haben aber ihr himmlisches Wesen verloren und sind herabgestürzt, trieben sich fortan auf der Erde herum und täuschten die Heiden durch ihre Erscheinungen, gegen uns Christen aber sind sie voll Neid und setzen alles in Bewegung in dem Wunsch, uns auf unserem Weg zum Himmel zu behindern ...“[94]

Handfeste Teufels- und Dämonenkämpfe kennt das ganze Mittelalter. Noch Grünewald stellte die Versuchungen des Antonius auf seinem Isenheimer Altar dar. Aber die Heiligen waren wie niemand sonst für den Dämonenkampf gerüstet. Gebet und Askese waren ihre Waffen; die irischen Mönche nannten bestimmte Gebete ihren „Schutzschild“ (lorica), der den Beter für die bösen Geister unangreifbar machte.[95] Wegen ihrer direkten Gottverbundenheit vermochten die Heiligen auch am wirksamsten zu exorzisieren; nicht das Amt, sondern das Verdienst wirkte gegen den Teufel und seine Anhänger. So vermochte zum Beispiel der heilige Gallus eine Tochter des Alemannenherzogs von der Besessenheit zu befreien, was zuvor zwei Bischöfen wegen ihrer Sündigkeit mißlungen war.

„Als es Morgen wurde, betrat der Herzog mit ihnen [Gallus und seinem Begleiter] das Gemach, wo die Mutter ihre Tochter hielt, die mit geschlossenen Augen wie tot dalag. Aus ihrem Munde drang ein Geruch wie Schwefel hervor. Auch eine Schar von Dienstboten war in Erwartung des kommenden Geschehens zugegen. Der Heilige aber warf sich zum Gebete nieder und sprach unter Tränen: ‚Herr Jesus Christus, der du dich gewürdigt hast, in diese Welt zu kommen und aus der Jungfrau geboren zu werden, der du den Winden und dem Meer geboten und dem Satan zurückzuweichen befohlen hast, der du aber auch durch dein Leiden das Menschengeschlecht erlöst hast, befiehl diesem unreinen Geist, aus diesem Mädchen auszufahren!‘ Nachdem er sich dann vom Gebet erhoben hatte, ergriff er es bei der rechten Hand und richtete es auf; doch der üble Geist riß es herunter. Er aber legte die Hand auf ihr Haupt und sagte: ‚Ich befehle dir, unreiner Geist, im Namen Jesu Christi: fahre aus und weiche von diesem Geschöpf Gottes!‘ Als er das gesagt hatte, schaute sie ihn mit offenen Augen an, und der unreine Geist sprach zu ihm: ‚Du da, bist du nicht Gallus, der du mich schon früher vertrieben hast? ... Wenn du mich nun austreibst, wohin soll ich dann gehen?‘ Der Gottesmann antwortete: ‚Wohin der Herr dich geschickt hat: in die Hölle!‘ Sogleich entwich er vor aller Augen aus ihrem Munde wie ein häßlicher, schrecklicher schwarzer Vogel. Unverzüglich stand das Mädchen gerettet auf, und der Gottesmann gab es der Mutter zurück.“[96]

Schilderungen solcher Art finden sich auch in den Viten etwa eines Norbert von Xanten oder des Bernhard von Clairvaux; sogar ein exorzistisches Baden in Weihwasser haben diese Gottesmänner wie selbstverständlich verordnet.

Auch geistliche Frauen wirkten im Dämonenkampf mit. So wird etwa in einem spätmittelalterlichen Gebetbuch aus dem Dominikanerinnenkloster Unterlinden in Colmar folgende Vision von der Kraft des Gebetes gegen die Teufel erzählt: Eine Nonne hatte von Christus selbst die Zahl seiner Blutstropfen und eine dazugehörige Gebetsübung geoffenbart bekommen; die Wirkkraft erfährt ein Einsiedler vom bösen Geist selbst.

„Als er [der Einsiedler] das Gebet lange Zeit gesprochen hatte, da kam der böse Geist in den Wald, in dem der Einsiedler war und schrie und rief, daß der Einsiedler erschrak und ihn beschwor und fragte, was mit ihm sei. Da sprach der böse Geist: Da ist in dem Kloster eine Schwätzerin, die hat ein neues Gebet erfunden. Davon widerfährt uns so viel, daß uns fast keine einzige Seele mehr im Fegefeuer verbleibt. Seit Gott die Vorhölle zerbrach, geschah uns kein größerer Raub mehr an den Seelen als durch dieses Gebet. So hatten wir einen großen Sünder wohl 30 Jahre lang. Als der verschied, kamen wir dazu und wollten die Seele nehmen mit Leib und Seele. Doch von diesem Gebet ist er errettet worden.“[97]

Dabei hatten in den Nonnenklöstern gerade auch die großen Mystiker gepredigt. In Eckharts deutschsprachigen ›Reden der Unterweisung‹ zum Beispiel kommt aber der Teufel nicht vor: „Die Vorstellung von Hölle, Teufel und Strafen fehlt gänzlich, das Leiden trägt Gott mit, die Sünde braucht den Menschen nicht zu zerstören, die Kräfte des Guten sind so stark wie die des Bösen, Gott ist immer nahe“[98].

VII. Die „Guten" und die „Besseren"

1. Die gute Ehe und die bessere Jungfräulichkeit

„Der volle Begriff des Menschen ist ... nicht im Mann allein, sondern in Mann und Weib enthalten"[1] – so das exegetische Fazit aus dem Schöpfungsbericht, demzufolge der „Mensch als Mann und Frau geschaffen" worden ist (Gen 1,27). Das Alte Testament kennt keine dualistische Abwertung der Frau oder des Geschlechtlichen. Ebenso wenig findet sich bei Jesus im Neuen Testament ein das Geschlecht oder die Sexualiltät grundsätzlich abwertendes Wort. Der Ausspruch, daß manche sich selbst unfähig zur Ehe gemacht hätten um des Himmelsreiches willen (Mt 19,12), ist wahrscheinlich daraus zu erklären, daß Jesus als Eunuch beschimpft wurde und tatsächlich ehelos lebte, aber nur „um ungeteilt und mit allen Kräften für die Basileia [Gottesherrschaft] wirken zu können"[2]; er wollte „die Hingabe nicht mehr an Volk und Familie, sondern uneingeschränkt an das Reich Gottes selbst"[3]. Paulus gibt für die Ehelosigkeit „kein Gebot", sondern „nur einen Rat": „Der Unverheiratete sorgt sich um die Sache des Herrn ... Der Verheiratete sorgt sich um die Dinge der Welt" (1 Kor 7,32f). Indes bleibt: Keineswegs waren „die rabiaten Forderungen eines Jesus oder Paulus etwa einem Ekel vor der Geschlechtlichkeit entsprungen, sondern vielmehr Ausdruck einer eschatologischen Erwartung, die ... den Handelnden frei machte für ‚die Zeit, die da kommen wird'."[4]

Mit diesen Postulaten trat das Christentum in eine Welt ein, in welcher Ehelosigkeit geschätzt und propagiert wurde. So empfahl es auch die zeitgenössische Medizin; denn „letzten Endes lag die Sympathie der Ärzte doch auf seiten derjenigen, die enthaltsam lebten"[5]. Nach Peter Brown gingen die spätklassischen Einstellungen zum männlichen Körper auf „die mächtige Phantasievorstellung von dem Verlust des Lebensgeistes" zurück: „Der virilste Mann war derjenige, der am meisten von seinem Lebensgeist bewahrt hatte"[6], und „dem Körper durfte es nicht gestattet werden, der gelassenen Seele seine Bedürfnisse aufzuzwingen"[7]. Das aber geschah in der Hitze der Sexualität. Auf diese Auffassungen mußten die Christen eine Antwort finden: Ihr Ideal war, so Peter Brown, „daß man überhaupt nicht begehrte"[8], weder in der Ehe noch außerhalb ihrer. Auf diese Weise entstand die Vorstellung von der „lustlosen" Ehe, wie sie besonders Augustinus dem Mittelalter vermittelt hat: Die Ehe ist ein „Gut" (so ein augustinischer Buchtitel), dient aber in erster Hinsicht der Zeugung von Nachkommen und wird sündig bei Begehren von Lust.[9] Das Ergebnis war „ein dauerhaftes zweistufiges Wertsystem, in dem die Ehe hoch oben rangiert, neben dem Zölibat freilich immer nur die Qualität der zweiten Wahl besitzt"[10]. Denn das Bessere hatte erwählt (vgl. Lk 10,42), wer ehelos blieb und enthaltsam lebte.

Die Forderung nach sexueller Enthaltsamkeit, nach dem Zölibat, und die Proklamierung des Ideals der Jungfräulichkeit auch für Männer hat in der Neuzeit allzu oft Befremden und bis in die Gegenwart polemische Verurteilung hervorgerufen. Neuerdings haben Peter Brown und Elaine Pagels dieses Postulat von der antiken Lebenssituation her zu erklären versucht. Ohne „die brutalen Kosten des Engagements"[11] im Christentum wegerklären zu wollen, müsse man sich doch lösen von der „weitverbreiteten romantischen Auffassung, daß die vorchristliche römische Welt ein sonniges ‚Paradies der Repressionsfreien' gewesen sei"[12]. Das an sich höchst bemerkenswerte theoretische Potential, das die römische Welt mit ihrer Definition von der Ehe als einer freien Übereinstimmung von Mann und Frau erbracht habe, dürfe nicht verkennen lassen, daß dieses „Ideal ehelicher Eintracht eine kristallene Härte angenommen" habe: „Das Ehepaar wurde nicht so sehr als ein Paar von gleichen Liebenden dargestellt, sondern vielmehr als beruhigender Mikrokosmos der gesellschaftlichen Ordnung."[13] Auf die „eklatanten Inkonsequenzen" hätten die christlichen Polemiker und Prediger die Aufmerksamkeit gelenkt.[14] „Einen radikalen Einstellungs- und Verhaltenswandel" sieht auch Elaine Pagels: „Zu den kulturellen Selbstverständlichkeiten der römisch-hellenistischen Welt gehörte es, die Ehe als ein Arrangement hauptsächlich in der sozialen und ökonomischen Dimension, homosexuelle Beziehungen unter Männern als reguläres Element der höheren Bildung und die Prostitution, gleichviel ob männlich oder weiblich, als etwas vollkommen Legales und Normales zu betrachten; Abtreibung, Empfängnisverhütung und Kindesaussetzung waren in dieser Sicht einfach nur die praktischsten Methoden, um bestimmte Probleme aus der Welt zu schaffen, und sonst nichts. Derlei Praktiken und Bewußtseinshaltungen trat das Christentum auf das entschiedenste entgegen ...; die Konversion ... war verbunden mit individuellen Veränderungen des Lebenswandels in Bereichen, die mit Sexualität, Geschäften, Magie, Geld, Steuermoral und Rassenhaß zu tun hatten."[15]

Das Mittelalter hat das Zwei-Stufen-System übernommen: Anerkennung der Ehe, aber Höherschätzung der Jungfräulichkeit, die man in gleicher Weise vom Mann verlangte. Alle Heiligentypen erscheinen infolgedessen als „ehefeindlich".[16] Wenn dennoch heiligmäßige Partner zusammenlebten, führten sie eine „jungfräuliche" Ehe.[17] Das bekannteste Beispiel stellt das deutsche Kaiserpaar Heinrich († 1024) und Kunigunde († 1033) dar, die nicht zuletzt wegen ihrer „Josefsehe" heiliggesprochen wurden. Ihre Jungfräulichkeit soll Kunigunde sogar durch das Gottesurteil der Pflugschar-Probe bestätigt haben[18]; in Wirklichkeit war das Paar kinderlos gelieben. Richtigen Eheleuten war es nahezu unmöglich, zur Ehre der Altäre zu gelangen. Unter den im Mittelalter offiziell Heiliggesprochenen (deren Gesamtzahl aber nur gut 70 beträgt) findet sich, sieht man von Angehörigen königlicher oder fürstlicher Familien einmal ab, nur ein einziger Familienvater: der 1197 verstorbene und zwei Jahre später von Innozenz III. heiliggesprochene Kaufmann Homobonus aus Cremona; gerühmt werden seine Verdienste um die Armen und den Frieden in der Stadt, übergangen aber sind seine Ehe, seine Frau und seine Kinder.[19]

Welche Schwierigkeiten es bereitete, einer Ehefrau, die Kinder geboren hatte und folglich nicht enthaltsam gelebt hatte, Heiligkeit zu attestieren, zeigt die Vita der heiligen Hedwig († 1243): „Man sagte, daß sie bei der Eingehung der Ehe mehr den Willen ihrer Eltern als ihren eigenen erfüllt habe. Dies zeigte sich in der Folge besonders deutlich darin, daß sie sich selbst zur Enthaltsamkeit verpflichtete ... Wohl hoffte sie durch Kindergebären ihr ewiges Heil sicherzustellen; trotzdem wünschte sie sehr, durch die Keuschheit Gottes Wohlgefallen zu erringen, und verpflichtete sich deshalb mit Zustimmung ihres Gemahls zur Enthaltsamkeit, soweit der Ehestand es erlaubte. Fühlte sie, daß Gott sie gesegnet habe, so blieb sie voll Ehrfurcht der Wohnung ihres Gatten und dem ehelichen Umgang fern und hielt daran fest bis nach der Geburt des Kindes. Die Beobachtung dieses heiligen Gesetzes begann sie von ihrer ersten Mutterschaft an, die eintrat, als sie 13 Jahre und 13 Wochen alt war; davon ließ sie nicht ab, bis zu der Zeit, wo der Kindersegen aufhörte."[20]

Was zudem bei der Abwertung der Sexualität durch das ganze Mittelalter mitschwang, war die ‚pollutio' – die Befleckung. Es ist die offenbar in allen archaischen Religionen wirksame Vorstellung, daß die Berührung von Unreinem, und dazu zählte auch die Sexualität, unheilig und damit kultunfähig macht. Griechenland und Rom kannten solche Reinheitsgebote, ebenso Altisrael.

Im Buch Leviticus heißt es: „Wenn ein Mann einen Ausfluß aus seinem Körper hat, so ist dieser Ausfluß unrein ... Hat ein Mann Samenerguß, soll er seinen ganzen Körper in Wasser baden und ist unrein bis zum Abend" (Lev 15,16). Hat eine Frau Blutfluß und ist solches Blut an ihrem Körper, soll sie sieben Tage lang in der Unreinheit ihrer Regel verbleiben" (Lev 15,19). Diese Unreinheit gilt auch für den Geschlechtsverkehr: „Schläft ein Mann, der Samenerguß hat, mit einer Frau, müssen sie sich beide im Wasser baden und sind unrein bis zum Abend" (Lev 15,18). Die Reinigung geschieht in einem kultischen Akt; Mann und Frau müssen vor dem Eingang des Offenbarungszeltes erscheinen mit einer Taube in jeder Hand; der Priester bringt diese als Sünd- und Brandopfer dar und soll damit Mann und Frau „vor dem Herrn wegen des verunreinigenden Ausflusses entsühnen" (Lev 15,15.30).

Daß Sexualstoffe und Sexualvorgänge, auch wo sie ganz natürlich sind, dennoch einer Reinigung bedürfen, ist eindeutig ein Phänomen vorethischer Religionspraxis. Dem entgegen mußte das Neue Testament aufgrund seines ethischen Ansatzes diese naturgegebenen Sexualvorgänge und Sexualstoffe als religiös wertneutral ansehen: „Was aber aus dem Mund herauskommt, das kommt aus dem Herzen, und das macht den Menschen unrein. Denn aus dem Herzen kommen böse Gedanken, Mord, Ehebruch, Unzucht, Diebstahl, falsche Zeugenaussagen und Verleumdungen. Das ist es, was den Menschen unrein macht; aber mit ungewaschenen Händen essen macht ihn nicht unrein" (Mt 15,17–20). So ist denn auch festgestellt worden, „daß die kultisch-rituelle Begründung zölibatärer Enthaltsamkeit nicht genuin christlich ist und ihre Wurzeln nicht vornehmlich im Neuen Testament hat"[21]. Erst in der späteren Antike begannen die alttestamentlichen Befleckungs- und Sühnevorschriften in der Christenheit Resonanz zu finden.[22] Angesichts der Unverträglichkeit mit dem ethischen Geist des Neuen Testamentes entstanden schillernde Kompromisse. Die Magister-Regel (die ein Vorbild für Benedikts Regel war) forderte als erste einen Bußakt auch für die unwillentliche Befleckung im Schlaf: Der Betroffene muß dem Abt vor Beginn des Psalmengebetes Mitteilung machen und hat sich, ohne aber beschämt zu werden, zwei Tage der Kommunion zu enthalten.[23] Diese Art von „Doppelmoral" setzte sich, wie auch am Ehevollzug und an der Aussegnung junger Mütter ersichtlich ist, durch das ganze Mittelalter fort.[24] Das Heiligen-Ideal war gleichfalls betroffen: Ein wirklich heiliger Mensch lebte und starb ‚mente sanctus et corpore castus' – heilig im Geist und keusch am Körper[25]; das heißt: er hatte sich sexuell nie polluiert. Wie leibhaftig diese körperliche Reinheit genommen wurde, schildern die Viten mit Konsequenzen, die bis in den Tod reichen. So wird von dem Zisterzienser-Abt Aelred von Rievaulx († 1167) berichtet:

„Als aber sein Leib zum Waschen fortgetragen und vor uns entblößt wurde, sahen wir andeutungsweise die künftige, an [unserem] Vater offenbar werdende Herrlichkeit; denn sein Fleisch war klarer als Glas, weißer als Schnee und hatte sozusagen die Gliedmaßen eines fünfjährigen Kindes angezogen, die nicht ein Flecken von Makel trübte, sondern sie waren alle voll von Zierde, Süße und Liebreiz. Kein Ausfall der Haare hatte ihn kahl gemacht, die lange Krankheit ihn nicht gebeugt und das Fasten ihn nicht blaß werden lassen, und hatten die Tränen die Augen nicht entzündet; vielmehr zeigten sich alle Glieder seines Körpers gänzlich erhalten. Es leuchtete der verstorbene Vater wie ein glänzender Stein, so wie er auch duftete; er erschien in der Weiße des Fleisches wie ein unschuldiges und unbeflecktes Kind."[26] Von Franziskus weiß Celano: „Sein Leib, von Natur aus dunkel, erstrahlte in blendendem Glanze und verhieß den Lohn der seligen Auferstehung. Seine Glieder endlich waren geschmeidig und zart geworden, nicht starr ..., sondern glichen Gliedern im zarten Kindesalter."[27]

Solche Texte enthalten Vorstellungen und Anspielungen auf weit älteres Material, etwa auf Sulpicius Severus[28] und auf antike Vorstellungen[29]. Gezeigt werden soll, was am Heiligen und insbesondere an seinem Leib verehrungswürdig ist: Licht und Glanz wie bei Edelsteinen, dazu Wohlgeruch, nicht zuletzt das reine, kindlich-unschuldige Fleisch. Wir werden denn auch sehen, daß solch unbefleckt bewahrtes Fleisch im Grab nicht verweste, und, selbst wo es verweste, immer noch Licht und Wohlgeruch verströmte.

2. Das schwache Geschlecht und die starke Gnade

„Als Mann und Frau erschuf er sie" (Gen 1,27) – so der Schöpfungsbericht, der damit seinen „Höhepunkt und das Ziel erreicht"[30]. Daß allerdings im zweiten Schöpfungsbericht die Frau aus der Rippe des Mannes gebildet wird (Gen 2,22), konnte im Sinne eines männlichen Erstgeburtsrechts aufgefaßt werden. Im Neuen Testament ist festzustellen, daß Jesus Jüngerinnen zuließ, womit er „etwas für die Zeitgenossen sehr Provozierendes" tat: „Wenn Jesus Jüngerinnen zuläßt, will er die Stellung der in der Gesellschaft unterdrückten Frau erleichtern und die Wiederherstellung ihrer menschlichen Würde fördern."[31] Für Paulus gilt einerseits, daß es in Christus „nicht Mann und Frau" gibt (Gal 3,28), wie andererseits aber die „Frau Abglanz des Mannes" ist (1 Kor 11,7b).

Diese Aussagen, die sowohl Gleichheit wie auch Ungleichheit signalisieren, veranlassen zunächst einmal die grundsätzliche Feststellung, „daß die Frau wie der Mann ‚capax Dei' sei"[32], also in den religiösen Grundrechten Gleichberechtigung besitzt. Andererseits blieb der Frau das Amt vorenthalten, denn es sollen „die Frauen in der Versammlung schweigen" (1 Kor 14,34), wobei aber dieses Wort offenbar gar nicht original paulinisch, sondern ein nachträglicher Einschub ist[33]. Hinzu kamen Vorstellungen der antiken Philosophie und Medizin vom „schwächeren Geschlecht", was christlich so rezipiert wurde, daß die an sich für beide Geschlechter gleiche Seele im schwächeren Körper der Frau sich auch nur schwächer zum Ausdruck bringe.[34] Dieser Inferiorität wirkte der wiederum paulinische Gedanke entgegen, daß Gott das Schwache erwähle und das Starke zuschanden mache (1 Kor 1,27f). Daraus ergab sich, daß die Frau, was die Gnade anging, die Männer durchaus zu übertreffen vermochte[35], und hierin gründete ihre Möglichkeit zu besonderer Heiligkeit. So kennt ja auch die Hagiographie neben dem Gottesmann ebenso die ‚famula Dei', die Gottesdienerin, die ihrem männlichen Gegenstück in nichts nachsteht. Schon Palladius empfiehlt seinen Lesern: „Strebe nach Begegnungen mit heiligen Männern und Frauen"; in einem eigenen Kapitel stellt er heilige Frauen vor, „denen Gott die Gnade geschenkt hat, gleiche Mühsale bestehen zu können wie Männer, damit nicht etwa geltend gemacht werde, Frauen seien zu einer vollkommenen Ausübung der Tugend zu schwach"[36]. Wenn es angesichts der Tatsache, daß nicht wenige Frauen-Viten von Männern verfaßt sind, erstaunt, „wie wenig man von theologisch begründetem Antifeminismus in dieser Quellengattung findet"[37], so beruht das auf der für beide Geschlechter in gleicher Weise erreichbaren Heiligkeit. Diese Gleichheit aber mußte offenbar immer wieder in Erinnerung gerufen werden.

Nehmen wir als Beispiel die heilige Monegundis[38], die Gregor von Tours als Demonstrationsperson dafür nimmt, daß der Erlöser „nicht nur Männer, sondern auch das niedere Geschlecht, sofern es nicht träge, sondern mannhaft kämpft, zum Vorbild macht". Monegunde hat ihre Heimat verlassen und lebt asketisch bei der Martinsbasilika, „um aus dem priesterlichen Brunnen zu schöpfen und so den Zugang zum Paradiesesgarten aufzutun"[39]. Bei ihren

Wundern muß sie nun die Konkurrenz des heiligen Martin bestehen. Einer Blinden antwortet sie: „,Wohnt hier nicht der heilige Martin, der täglich in der Vollbringung von Wundern glänzt?' ... Aber jene blieb bei ihrer Bitte und sagte: ,Gott vollzieht täglich durch alle Gottesfürchtigen [und eben auch durch Frauen!] sein erhabenes Wirken; darum werfe ich mich vor dir nieder, denn dir ist Gottes Heilkraft gewährt'."[40] Hier und noch in anderen Fällen beweist die Heilige vollwertig ihre Virtus und vermag es sogar dem Heiligen Martin gleichzutun. Nach ihrem Tod läßt sie an ihrem Grab einem Blinden die Vision zuteil werden, daß sie sich eigentlich für unwürdig erachte, den heiligen Männern gleichgestellt zu werden. Das erbetene Wunder müsse sie deswegen aufteilen; nur eines der beiden blinden Augen vermöge sie zu heilen, das andere werde der heilige Martin öffnen – und so geschah es dann auch.[41]

Mittels Askese zur ,famula Dei' aufgestiegen, braucht die Frau hinter dem Mann nicht zurückzustehen.[42] Ihre Virtus wirkte nicht minder heilkräftig als die der Männer. Dies konnte selbst für Handlungen gelten, die ansonsten männlichen Amtsträgern oblagen, etwa für den Exorzismus. Jesus hatte damit seine Jünger beauftragt und die Wirkung an Gebet und Fasten gebunden. Tatsächlich konnten auch Asketinnen Exorzismen vornehmen.

Genovefa zum Beispiel „reinigte viele von Dämonen Besessene durch Gebet und Bezeichnung mit dem Kreuz"[43], andere durch „Salbung mit [vom Bischof] geweihtem Öl"[44], und wo solches ausging, da füllte sich das Gefäß wunderbarerweise von neuem[45]. Als in Paris zwölf Besessene zu ihr geführt wurden, begann Genovefa zu beten „und sogleich hingen die Besessenen in der Luft, so daß ihre Hände nicht die Decke noch ihre Füße die Erde berührten"; Genovefa schickte sie zur Dionysius-Basilika, folgte ihnen zwei Stunden später und begann, auf dem Boden hingestreckt, zu beten. „Endlich war er, der Herr, der allein den ihn in Wahrheit Anrufenden nahe ist, anwesend; er erfüllt denen, die ihn fürchten, ihren Willen, erhört das Gebet der Gerechten, auf daß sie von ihm gerettet werden. Genovefa erhob sich vom Gebet, bekreuzigte einen jeden einzelnen, und sogleich waren die von unreinen Geistern Besessenen geheilt. Sofort drang den Anwesenden Geruch und Gestank in die Nase, auf daß alle auch glaubten, daß die Seelen der von den Dämonen Gequälten gereinigt seien, und die ganze Versammlung lobte den Herrn ob eines solchen Wunderzeichens."[46]

Im ganzen Mittelalter haben weibliche Heilige eine überragende Stellung eingenommen; man denke nur an Gertrud von Nivelles[47], Walburga von Eichstätt[48], Hildegard von Bingen[49] oder Katharina von

Siena[50]. Die heilige Liutgardis von Tongern († 1246) vermochte sich sogar gegenüber Männern zu rühmen, eine größere Fürbittgewalt für die Armen Seelen zu besitzen.[51] Des näheren ist freilich noch zu untersuchen, in welchen Angelegenheiten Frauen gegenüber männlichen Heiligen mehr oder auch weniger zu leisten vermochten und was ihnen, neben dem Amt, gänzlich versagt blieb.

Was die Frau in eklatanter Weise zurücksetzte, war die archaische Vorstellung von Befleckung (pollutio). Dieses in so vielen urtümlichen Religionen anzutreffende Regulativ, demzufolge alle mit Tod und Sexualität verknüpften Vorgänge unrein machen und jede Kulthandlung verbieten, traf die Frauen besonders empfindlich, wirkte doch das Menstruationsblut am stärksten verunreinigend. Wiewohl der Glaube an die numinose, ambivalente Macht des unreinen Menstruationsblutes weder originär christlich noch überhaupt ausschließlich mittelalterlich, sondern eher archaisch ist[52], bewirkten diese Vorstellungen für die Frauen ein nahezu absolutes Verbot in Kultdingen, so daß selbst Nonnen kaum mehr bei der Messe ministrieren oder den Altar bereiten konnten, ja nicht einmal Hostien backen oder nur den Altarraum betreten durften.[53]

Andererseits führte Enthaltsamkeit zur höchsten Auszeichnung; aber nur Jungfräulichkeit oder baldiges Verlassen der Ehe führten zu einer solchen Stellung. Schon früh wählten Christinnen die Möglichkeit der Jungfräulichkeit, selbst bei Androhung des Martyriums. Es war eine „Unabhängigkeitserklärung“[54], die gerade Frauen vollzogen: „Diese jugendlichen Anhänger [brachen] ungestüm aus ihrem Familienverband aus, indem sie es ablehnten, eine Ehe einzugehen, und sich statt dessen zu Mitgliedern der ‚göttlichen Familie‘ erklärten. Für das Gros dieser Neubekehrten kam das Keuschheitsgelübde einer Unabhängigkeitserklärung gleich: Es bedeutete die Emanzipation von einer erdrückenden Familientradition, kraft deren sie im Regelfall vom Pubertätsalter an von ihren Eltern in eine Ehe versprochen und damit, ob sie wollten oder nicht, auf einen bestimmten Lebensweg festgelegt waren.“[55] Die Paulusschülerin Thekla tat diesen Schritt und wurde darum mehrfach zum Martyrium verurteilt; nur Wunder vereitelten die Durchführung.[56] Verweigerung und Ausbruch aus der Ehe blieben ein Thema der christlichen Frauenaskese. Angela von Foligno († 1309) bat Gott um Befreiung von ihren Angehörigen, und sie empfand es als gnädige Fügung, als dann ihre Mutter, ihr Mann und alle ihre Söhne in kurzer Zeit nacheinander starben.[57] Bei den offiziell heiliggesprochenen Frauen, die verheiratet gewesen waren, erscheint diese Phase ihres Lebens nur nebensächlich; wesentlich waren sie davon nicht berührt.[58] Erst die Drittorden der Mendikanten, in deren Nähe etwa auch Elisabeth von Thüringen († 1231) gestanden hat, eröffneten den Frauen einen größeren Raum an religiöser Aktivität und schufen auch einen neuen Heiligentyp: weibliche Heilige aus der städtischen Gesellschaft, zumeist von bescheidener Herkunft, nicht selten in der Kinderzeit bereits zur Handarbeit genötigt und oft früh schon um ihr Lebensglück betrogen; sie entfliehen der Welt und dem Heiratszwang, verteidigen ihre Keuschheit und übersiedeln für ihr weiteres Leben in eine Tertiaren-Kommunität.[59] Diese „Mendikanten-Heiligkeit"[60], wie André Vauchez sie nennt, vermochte aber nur wenig am offiziellen Bild zu verändern. Für ganze zehn Frauen wurde im Mittelalter ein Kanonisationsprozeß eingeleitet und nur für sechs mit Heiligsprechung beendigt, von denen zudem vier hochadelig waren: Kaiserin Kunigunde (1200), Elisabeth von Thüringen (1231), Margarete von Schottland (1249), Hedwig von Schlesien (1267), Brigitta von Schweden (1391) und Katharina von Siena (1460).[61] Unter dem Viertel, das die Laien insgesamt unter den Heiliggesprochenen stellen, machen diese sechs Frauen immerhin die Hälfte aus.[62] In der weit größeren Zahl der nicht kanonisierten Heiligen stellen die Frauen wiederum ein Viertel.[63]

3. Die erste und die zweite Taufe

Jener Magister, der im ersten Drittel des 6. Jahrhunderts eine Mönchsregel schrieb und in vielem das Vorbild für Benedikt bot, entfaltete eine konsequente Mönchstheologie: Die Menschen befinden sich auf einem Todesmarsch, niedergedrückt von Sünden und in der Wüste vor Durst umkommend; da aber entdecken sie frisches Quellwasser, werfen ihre (sündige) Last ab, trinken ausgiebig und sind nun entschlossen, Welt und Sünde aufzugeben. Das soll heißen: Grundlage des neuen Lebens bildet die Taufe, das Verbleiben in der Taufgnade aber ist stets gefährdet – also wieder das Problem der ‚Sünden nach der Taufe'. Nach Adalbert de Vogüé, dem Erforscher dieser Gedankenwelt, besteht für den Magister das monastische Leben darin, „nach der Wiedergeburt in der Taufe nicht mehr ‚zur Sündenlast', die man einmal abgelegt hat, ‚zurückzukehren'"[64], wobei es das Kloster ermöglicht, „nach der Taufe das Reich Gottes zu erreichen“[65]. Ohne es auszusprechen, sieht der Magister das Leben der Großkirche, wo die Getauften in der Welt bleiben und vielfach zur Sünde zurückkehren, als den Weg des Verderbens an; im Grunde „scheint er den Eintritt ins Kloster sofort nach der Taufe zu verlangen und damit die Kirche in der Welt – wenn auch nur implizit – zu umgehen“[66].

Wenn auch Benedikt dieses Konzept so nicht übernommen hat, galt doch für ihn wie für alle Monastiker der klösterliche Lebensweg als der bessere, als der evangelische „enge Weg“, der zum Himmel führt (vgl. Mt 7,14). Die besondere monastische Heiligkeit sah man darin begründet, daß die Mönchsprofeß einer zweiten Taufe gleiche. Diese Redeweise erklärt sich aus der altkirchlichen Martyriumstheologie, die besagte, daß der Bluttod eine noch nicht empfangene Taufe ersetzen könne und alle Sünden abwasche; später wurde der Askese dieselbe Wirkung zugesprochen.[67] Weil obendrein Taufe und Klostereintritt gleichartige Elemente enthielten, hauptsächlich die Absage an Welt und Teufel sowie die Zusage an Gott, ferner Taufkleid und Mönchsgewand wie zuletzt auch Taufname und Ordensname, entstand eine Parallelisierung, an deren Ende der Profeß auch die Nachlassung aller Sünden zugeschrieben wurde.[68] So bildete sich eine Zwei-Wege-Lehre heraus: der „sichere“ des Klosterlebens, der „gefährliche“ des Weltlebens. Gestützt wurde diese Auffassung durch die Erwartung eines höheren Lohnes. Bereits Ambrosius († 397) trug eine Auslegungstradition der unterschiedlichen Erträge aus dem Gleichnis vom Sämann (Mt 13,18–23) vor, der zufolge es drei Lebensformen mit jeweils gestuftem Lohn gebe: Den hundertfältigen Lohn (centuplum) erhalten die Märtyrer und Asketen, den sechzigfältigen die Jungfrauen und alle Enthaltsamen, den dreißigfältigen die Eheleute.[69] Im Hintergrund blieb die Idee des Martyriums gegenwärtig; die irische Tradition stufte ab in ein Spektrum von „rotem“, „weißem“ und „blauem“ Martyrium: vom Blutzeugnis bis zu den verschiedenen Graden von asketischer Abtötung.[70]

Die Mönchsprofeß als zweite Taufe wurde ein Grundgedanke des monastischen Mittelalters. Bernhard von Clairvaux zum Beispiel hat darüber gepredigt[71] und geschrieben: „Und so werden wir denn gewissermaßen ein zweites Mal getauft, indem wir dadurch, daß wir unsere irdischen Glieder abtöten, Christus wieder anziehen, der uns aufs neue der Ähnlichkeit seines Todes einpflanzt. Und wie wir in der [ersten] Taufe aus der Gewalt der Finsternis entrissen und in das Reich ewiger Klarheit versetzt werden, so entrinnen wir, gewissermaßen durch die zweite Wiedergeburt dieser heiligen Profeß (propositum) herausgestellt, aus der Finsternis nicht nur der einen Erbsünde, sondern auch der vielen gegenwärtigen Sünden in das Licht der Tugenden."[72] Selbst die hohe Theologie wurde mit der zweiten Taufe befaßt; Thomas von Aquin etwa erachtete es durchaus für sinnvoll, „daß man auch durch den Eintritt in einen Orden die Verzeihung aller seiner Sünden erhält"[73]. Johannes Gerson († 1429) allerdings, der für das ganze 15. Jahrhundert grundlegende „Frömmigkeitstheologe", lehnte einen monastischen Sonderweg ab.[74] Auch die Reformatoren mußten sich vom Ansatz ihrer Theologie her der Idee einer Mönchstaufe entgegenstellen. In der ›Confessio Augustana‹ heißt es: „Es wurde nämlich behauptet, daß die Klostergelübde der Taufe gleichzustellen sind und daß man mit dem Klosterleben Vergebung der Sünde und Rechtfertigung vor Gott verdient."[75]

4. Die adelige Geburt und die edlere Heiligkeit

„Adel mit seinen Vorrechten erschien wie alles Recht von Gott gewollt und gegeben – obgleich doch in der ganzen Bibel kein Adelsstand zu finden ist, sogar das Wort ‚nobilitas' in der Vulgata nur einmal vorkommt, im zweiten Makkabäerbuch (6,23), und da nicht als Standesbezeichnung."[76] Und obwohl Paulus im ersten Korinther-Brief geschrieben hatte, daß Gott „nicht Mächtige, nicht viele Vornehme (nobiles) erwählt" habe (1 Kor 1,26), erweckte die mittelalterliche Kirche ganz den Eindruck einer „Adelskirche", wie es auch „Adelsklöster" und sogar „Adelsheilige" gab. Demgegenüber hatte die alte Kirche nachdrücklich die Gleichheit aller vor Gott hervorgekehrt und als herausstechende Qualifikation nur die durch Ethos ausgewiesene Heiligkeit anerkannt. Sobald sich aber seit dem 5. Jahrhundert auch der Adel dem Christentum zuwandte und Hochgeborene in größerer Zahl die kirchlichen Ämter zu besetzen begannen, wandelte sich die Einstellung. Statt der altkirchlichen Devise: „Nicht Adel der Geburt, sondern der Tugend" setzte sich jetzt eine Steigerungsformel durch: „Adelig von Geschlecht und mehr noch von Heiligkeit" – eine Formel, die offenbar Hieronymus zuerst gebraucht hat.[77] Die merowingische Hagiographie „aristokratisierte" geradezu das Heiligenideal[78] und schuf das Bild des „Adelsheiligen“[79]: Vornehme Geburt ist eine nahezu unerläßliche Voraussetzung für Heiligkeit. Sogar von einer „Hagiokratie“[80] hat man sprechen können. Auch die Klöster, eigentlich Stätten der Heiligkeit schlechthin, öffneten sich dem Adelsgedanken. Während noch Benedikt jeden Standesunterschied ablehnte[81] und seine Anweisungen auch durchs ganze Mittelalter gehört wurden[82], setzte sich gerade im Hochmittelalter weithin eine andere Auffassung durch, wie sie exemplarisch ein Ausspruch Hildegards von Bingen widerspiegelt. Befragt, warum sie Nichtadeligen und Minderbemittelten die Aufnahme verweigere, gab sie zur Antwort:

„Die Untersuchung [über die Standesunterschiede] steht bei Gott. Er hat acht, daß der geringere Stand sich nicht über den höheren erhebe, wie Satan und der erste Mensch getan, da sie höher fliegen wollten, als sie gestellt waren. Welcher Mensch sammelt seine ganze Herde in einen einzigen Stall, Ochsen, Esel, Schafe, Böcke, ohne daß sie auseinander laufen? Darum soll man auch hier den Unterschied wahren, damit nicht die, die aus verschiedenen Volksschichten kommen, wenn sie zu ‚einer‘ Herde zusammengeschlossen würden, in stolzer Überheblichkeit, beschämt über die Standesunterschiede, auseinandergesprengt werden. Vor allem aber damit, wenn sie sich in gegenseitigem Haß zerfleischen – indem der höhere Stand über den geringeren herfällt und der niedere sich über den höheren stellt –, die Standesehre nicht verletzt werde.“[83]

In Cluny[84], dem größten Kloster des Mittelalters, stand die Mönchsgemeinschaft noch zu Beginn des 12. Jahrhunderts auch den sozial Niedriggestellten offen. Die ständische Trennung erfolgte erst gemäß einem Statut aus dem Jahre 1200; zwar durften weiter mit Adligen auch Bauern und Handwerker eintreten, aber allein die ersteren als Mönche, die anderen nur noch als Laienbrüder. Das volle Mönchtum wurde zum Vorrecht des Adels. Wohl entstanden in den Kreisen der Mystiker neue Konzepte: Adeligkeit sei „Edelheit“, nämlich edle Gesinnung und Gotteskindschaft. „Wie edel der Mensch geschaffen ist in seiner Natur“, so kann Meister Eckhart ausrufen; „und wie göttlich das ist, wozu er aus Gnade zu gelangen vermag“[85]. Faktisch blieb die Verbindung zwischen Adel und Heiligkeit im Mittelalter überwältigend, denn „sozusagen die Gesamtheit der Heiligen rekrutierte sich aus den Reihen der Adeligen“[86]. Zudem legitimierten die Adelsheiligen ihr eigenes Geschlecht. Schon die Karolinger stellten den Heiligen Arnulf von Metz († 640) und die Heilige Gertrud von Nivelles († 653/659) als ihre heiligen Vorfahren heraus.[87] Das Geschlecht der Grafen von Andechs zählte zuletzt 27 Heilige, darunter als berühmteste die Heilige Hedwig († 1243)[88]. Eine gewisse Veränderung zugunsten der Stadtbevölkerung brachte die Bewegung der Mendikanten, aus deren Reihen allerdings gleichfalls nicht wenige adelige Heilige hervorgingen.[89]

Außerdem gab es eine spezielle Königsheiligkeit.[90] Zunächst einmal wirkte die alte Idee des ‚rex et sacerdos', des „Priesters und Königs" nach, derzufolge ein Herrscher auch eine religiöse Verantwortung für sein Volk wahrzunehmen hatte.[91] Solange Weltliches und Geistliches nicht geschieden waren, ja das Geistliche überhaupt in größerem Maße über das Wohlergehen entschied, berührte herrscherliches Handeln immer auch die Religion – daher die Vorstellung des ‚rex et sacerdos'. Wenn also in der Spätantike und im Mittelalter Herrscher eine religiöse Leitungsfunktion beanspruchten, sich ausdrücklich als Priester bezeichneten, auch Bischöfe ernannten und Synoden beriefen, war das nur eine Konsequenz dieser ihrer Sakralfunktion.[92] Die mittelalterlichen Könige wußten sich, biblisch gesprochen, als ‚Gesalbte des Herrn', bis dann der Investiturstreit eine Desakralisierung herbeiführte und die Päpste sie nur noch als Laien gelten ließen.[93] Daß gerade Könige als Heilige angesehen wurden, hatte noch besondere Gründe. Viele von ihnen entstammten der Bekehrungsphase. Der König, der als erster die Taufe empfangen oder auch eine christliche Reform durchgeführt hatte, war die Verkörperung eines neuen Anfangs, des christlichen. Ihm galt Dank, und deshalb stand er von vorneherein in einer Aura der Heiligkeit: der burgundische König Sigismund († 523), die fränkischen Könige Guntram († 593) und Dagobert II. († 679), die nordhumbrischen Könige Oswald († 641) und Edwin († 632), Karl der Große († 814), Knut von Norwegen († 1035) und Stefan von Ungarn († 1038).[94] Manche von ihnen galten schon zu Lebzeiten als mit wunderbaren Heilungsfähigkeiten ausgestattet.[95] Die im Hochmittelalter kanonisierten Königsheiligen wie die heilige Margareta von Schottland († 1093) oder Ludwig von Frankreich († 1270) hatten allerdings den regulären Prozeß zu bestehen und wurden heiliggesprochen ob ihrer Tugend.[96]

VIII. Die Doppelexistenz: im Himmel und auf Erden

1. Die Seele im Himmel

Wie jeder Mensch verstarb auch der Heilige. Wie aber konnte man einen Toten anrufen und um Hilfe bitten? Auf diese Frage hatte die christliche Lehre von den Eschata, den „letzten Dingen"[1], zu antworten. Im wesentlichen waren es drei Momente: Auferstehung der Toten, Gericht über alle wie über jeden einzelnen, daraufhin Beseligung oder Verwerfung. Diese Punkte waren klar. Unklarheit herrschte darüber, was in der Zwischenzeit sei, während des Interims zwischen Tod und Auferstehung. Zwei unumstößlich verankerte Glaubensaussagen galt es miteinander zu verbinden: zum einen, daß der Mensch ganzheitlich als Leib und Seele aufzufassen sei, daß folglich im Tod der Mensch sterbe und nicht etwa seine sterbliche Hülle nur abstreife; zum anderen, daß jeder einzelne in Person-Identität gerichtet werde und deswegen ein Kontinuum zwischen Tod und Auferstehung bleiben müsse. Um dieses Kontinuum zu beschreiben, übernahm man das griechische Wort ‚psyché'. Aber diese Seele mußte, weil ohne Leib, inaktiv bleiben, wie schlafend. Nur eine Ausnahme gab es: die Märtyrer. Sie wähnte man im Himmel, dort freilich, zufolge dem Wort der Apokalypse (Offb 6,9), am Fuße des himmlischen Altares weilend; das sollte heißen: zwar im Himmel, aber doch noch nicht in der vollen Anschauung Gottes. Diese am himmlischen Altar weilenden Seelen der Märtyrer stellte man sich auch nicht mehr schlafend vor. Zu ihrer Aktivität hatten sie bereits einen Leib; das war ihre „erste Auferstehung" (Offb 20,4) mit der „Erstbekleidung" (Offb 6,11; 7,13 f).[2]

Nach diesem ersten Entwicklungsschritt konnte die Idee des „Schlaf-Interim", wie es für alle Nichtmärtyrer angenommen wurde, keinen langen Bestand mehr haben. Denn hatte nicht Jesus am Kreuz dem reuigen Schächer gesagt: Heute noch wirst du bei mir sein im Paradies (Lk 23,43)? Also war das Interim eine Art Paradies, aber nur für die Guten. Weiter wußte die Parabel von Lazarus und dem reichen Prasser (Lk 16,19–31) vom Schoß Abrahams, aber auch von Feuerqualen. Diese Stellen veranlaßten dazu, das Interim zu strukturieren. Bei Tertullian ist der Zwischenzustand aufgeteilt in ein ‚interim refrigerium' für die Guten, das als „Schoß Abrahams" und „Paradies" beschrieben wird, und ein ‚interim tormentum' für die Bösen, das als Ort der Qualen vorgestellt wird.[3]

Für das Verständnis der frühchristlichen Eschatologie ist es überaus wichtig, nicht schon einen Leib/Seele-Dualismus zu unterstellen. Tertullian zufolge ist es für die Seele wesentlich, daß sie während des Interims irgendwie „leibhaftig" (corporalis) und das „Gesichtsbild wiedergebend" (effigiata)[4] ist; nur als solche besitzt sie die Fähigkeit zu äußeren und inneren Wahrnehmungen[5]. Damit sollte aber keineswegs die Auferstehung vorweggenommen werden. Vielmehr vollzieht sich das postmortale Geschick sozusagen in zwei Schüben, und zwar so, daß nach dem Tod zunächst nur die irgendwie verleiblichte Seele übrigbleibt und am Ende der Tage die Fülle der verherrlichten Vollmenschlichkeit verliehen wird. Den Gnostikern wirft Tertullian vor, die Auferstehung in zwei Hälften zu zerlegen und nur die eine davon gelten zu lassen: die Auferstehung der Seele ohne die des Leibes. Während also Tertullian gesamtmenschlich und phasengeschichtlich denkt, wobei im Tod zunächst eine Zerstörung des Menschen und am Ende bei der Auferstehung dessen Vollendung erfolgt, denkt die Gnosis dichotomisch an eine Vollendung nur der Seele bei Abstreifung des Leibes.

Obwohl das gnostische Modell von der Großkirche abgelehnt wurde, gewann es in gewisser Weise doch bestimmende Bedeutung. Augustinus, „der den größten Einfluß auf die Weiterentwicklung der lateinischen Eschatologie ausgeübt hat"[6], kennt keine ‚leibliche Seele' mehr wie noch Tertullian. Ihm ist die Seele geistig und unvergänglich, aber eben auch leiblos. Der christlich gleichwohl gebotenen Ganzheitsauffassung will er dadurch Genüge tun, daß die Seele nach dem Tod eine Art ‚Abbild des Leibes' an sich trage und vor allem eine Hinneigung zum eigenen Leib behalte. Genau das wird für die folgenden Jahrhunderte die Grundvorstellung: Seele und Leib sind eigentlich zwei Wesenheiten, und im Tod wird der bessere Teil, die Seele, zunächst freigesetzt; für die Zwischenzeit erhält die Seele bereits eine erste Körperlichkeit und wahrt ihren Bezug zum irdischen Leib, bis sie in der Auferstehung den früheren, nun aber verklärten Leib wiedererhält. Der Auferstehungsleib wird dabei in

„geradezu physizistischer Identität“[7] gesehen: als Wiederherstellung und Überhöhung genau des irdischen Leibes. Währenddessen bildet das Interim zwischen Tod und Auferstehung eine Zeit des Wartens. Dabei sind die Seelen, weil sie das ‚Abbild ihres Leibes‘ an sich tragen, bereits befähigt, zu ihrem Trost wenigstens einen kleinen Teil der Verheißungen zu erfahren oder aber zur Strafe auch Qualen zu erleiden. Endlich wurde für das Mittelalter eine Klassifizierung prägend, die Augustinus beim Totengedenken angewandt hatte: Opfer des Altares wie auch Almosen bedeuteten für die sehr Guten (valde boni) eine Danksagung und für die nicht sehr Schlechten (non valde mali) eine Sühne, während für die ganz Bösen (valde mali) keine Hilfe mehr möglich sei.[8]

Das patristische Schema vom Wartezustand der Gerechten bis zum Endgericht ist trotz zahlreicher Ausschmückungen und Variationen bis zur Scholastik grundsätzlich in Geltung geblieben. So hat beispielsweise noch Bernhard von Clairvaux († 1153) wie selbstverständlich daran festgehalten.

In seinem dritten Sermo zum Allerheiligenfest gibt der große Prediger seine Auffassung über die verschiedenen Zustände der Seelen wieder, mit der er im Grunde nur die alten Väter wiederholt: „Erstens im verweslichen Leibe, zweitens ohne Leib und drittens im bereits verklärten Leib; erst im Kampfe, dann in der Ruhe und zuletzt in der vollendeten Glückseligkeit; zuerst in den Zelten, später in den Vorhöfen und endlich im Hause Gottes.“[9] Oder an anderer Stelle: „In den Zelten hört man die Seufzer der Buße, in den Vorhöfen verspürt man die Freude, in dir [himmlischem Jerusalem] herrscht die Überfülle der Glorie. Das untere Haus gehört dem Gebet, das mittlere der Erwartung, du [himmlisches Jerusalem] bist Haus für Lob und Dank ... Hier [in den Zelten] gibt es die Erstlingsgabe des Geistes, dort [in den Vorhöfen] die Fülle, in dir [himmlischem Jerusalem] den Überfluß, bei dem uns jenes gute, vollgedrückte, gerüttelte und überfließende Maß in den Schoß gelegt wird. Hier sind wir heilig, dort sicher, in dir glückselig.“[10] Über die „in den Torhallen“ (in portis) gibt es noch zusätzliche Äußerungen: „Während der Zwischenzeit wenden sich die Seelen zur Ruhe, bis der Tag kommt, da sie in die Ruhe des Herrn eingehen dürfen; vorerst verkünden ihre Werke in den Torhallen ihren Ruhm, bis die Zeit kommt, wo jedem sein Lob von Gott zuteil wird.“[11]

Es ist noch die alte Väterlehre, daß es nämlich einen Wartezustand bis zur Auferstehung gebe und erst dann das Gericht und die volle Verherrlichung stattfinden sollen. Zur Begründung dient das wiederum altchristliche Argument, „daß die Seligkeit nicht vollständig verliehen werde, bevor nicht auch der Mensch vollständig sei“[12].

Die zu Lebzeiten Bernhards aufblühende Theologie der Frühscholastik stützt sich zunächst noch auf Augustins Klassifizierung: die ‚valde boni‘ und ‚non valde boni‘, sodann die ‚non valde mali‘ und ‚valde mali‘. Die ganz Guten und die ganz Bösen gelten bereits als gerichtet und sind nach ihrem Tod entweder in den Himmel oder aber in die Hölle eingegangen; die mäßig Guten befinden sich an den Warteorten, und für die mäßig Bösen hegt man die Hoffnung, daß sie in der Läuterungspein ihre Reinigung erfahren.[13] Erst die Hochscholastik verläßt endgültig das patristische Grundschema. Nunmehr gilt: Nach dem Tod und einem sofortigen individuellen Gericht treten die Seelen in den Himmel oder in die Hölle ein. Der Gedanke an einen allgemeinen zwischenzeitlichen Wartezustand, wie ihn noch der heilige Bernhard so beredt dargelegt hatte, wird abgelehnt. Als Zwischenzustand bleibt allein für die weniger Vollkommenen noch eine Phase der Läuterung im Purgatorium.

Wichtigster Zeuge dieser neuen Auffassung ist Thomas von Aquin: „Die Seelen [erlangen] sofort nach Lösung der Fessel des Fleisches, durch die sie im Stande dieses Lebens zurückgehalten werden, Lohn oder Strafe, sofern kein Hindernis vorliegt ... Weil den Seelen ihr Ort zugewiesen wird je nach der Angemessenheit von Lohn oder Strafe ..., wird die Seele sofort nach Loslösung vom Leibe entweder in die Hölle hinabgestoßen, oder sie steigt zum Himmel auf, wenn sie nicht durch irgendeine Schuldverstrickung zurückgehalten wird, so daß das Aufsteigen (in den Himmel) bis nach der Läuterung der Seele aufgeschoben werden muß.“[14]

Damit war die patristische Auffassung von einem allgemeinen zwischenzeitlichen Wartezustand beendet. Wohl vertrat Papst Johannes XXII. († 1334) noch einmal die ältere Auffassung, sogar in teilweise wörtlicher Anlehnung an Bernhard. Aber der allseitige Protest zwang ihn zum Widerruf.[15] Der Nachfolger Benedikt XII. dekretierte 1336, daß die Seelen aller Heiligen „sogleich nach ihrem Tod und besagter Reinigung bei jenen, die einer solchen Reinigung bedurften, auch vor der Wiederaufnahme ihrer Leiber und dem allgemeinen Gericht ... im Himmel ... und himmlischen Paradies mit Christus in der Gemeinschaft der heiligen Engel versammelt waren, sind und sein werden, und ... das göttliche Wesen in einer unmittelbaren Schau und auch von Angesicht zu Angesicht geschaut haben und schauen“[16]. In der Geschichte der Eschatologie ist dies zweifellos eine bedeutsame Umakzentuierung, aber doch keine völlige Neuerung. Denn die Märtyrer wie bald danach die Heiligen hatte man schon immer im Himmel geglaubt. Sie standen vor Gottes Angesicht und wirkten dort als Fürsprecher für die Menschen. Die Heiligen fürbittend im Himmel zu wissen, war ein zentrales Verlangen der mittelalterlichen Frömmigkeit, und so obsiegte es.

2. Verdienst und Fürsprache bei Gott

Was die Fürbitte der Gerechten angeht, zeigt sich schon im frühen Christentum, „daß nicht allein Gott neu erfahren wird, sondern daß dazu bleibend eine Gemeinde der Gerechten gehört, die als solche Vollmacht und Pflichten für die anderen vor Gott hat. So dürfen Christen Fürbitter sein."[17] Eine Anrufung der Heiligen im Himmel, wie sie für das Mittelalter ein so starkes Frömmigkeitsmotiv gewesen ist, scheint allerdings nicht sofort in Übung gewesen zu sein. „In den ersten Jahrzehnten der Kirche findet sich ... kein ... Zeugnis für eine Anrufung der Heiligen."[18] Da aber die „Gemeinschaft der Heiligen", wie von Anfang an bewußt war, die himmlischen Glieder mit einschloß, mußte sich auch die Fürbitte ausweiten: Bei Gott vermochten die bereits in den Himmel Aufgenommenen für die Irdischen einzutreten. Sowohl Vätertexte wie Graffiti und Inschriften an den Gräbern künden von dem Glauben an die Fürbittgewalt der Verklärten, zunächst der Märtyrer, dann auch der großen Asketen.[19]

Im römischen Gräberbereich ‚ad catacumbas', wo ein besonderes Andenken an Petrus und Paulus lokalisiert war, sind Graffiti seit der zweiten Hälfte des 3. Jahrhunderts erhalten. Sie können lauten: ‚Petre et Paule in mente [h]abete in orationibus vestris ... / Petrus und Paulus, im Geist habt in euren Gebeten...', oder einfacher: ‚Petre et Paule petite pro ... / Petrus und Paulus, bittet für ...' Der Bittsteller hat seinen Namen eingeritzt, bittet oft noch für „die Seinen", für „Verwandte" oder „Freunde"; inhaltlich geht es um Heil und Schutz für Lebende und Verstorbene, oder auch darum, „daß wir zu euch kommen".[20]

Der tragende und im ganzen Mittelalter durchgehaltene Grundgedanke war das Einstehen des Fürbitters mit seinen Verdiensten bei Gott; dies erst machte ihn zum wahren Schutzpatron mit wirksamer

Hilfe für Zeit und Ewigkeit. In Liturgie und Frömmigkeit wurden darum die Heiligen angerufen, „mit ihren Verdiensten dazwischen zu treten“[21]. Auf diese Weise setzten sie als Patrone im Himmel jene interzessorische Rolle fort, die ihnen als Gottesmenschen zuvor schon auf Erden zugekommen war. Hatten es bereits die Bekenner der alten Kirche[22] wie ebenso die Asketen des frühen Mittelalters[23] als Pflicht christlicher Barmherzigkeit angesehen, ihre Verdienste nicht allein für sich zu behalten, sondern den „Überschuß“ zur Verfügung zu stellen, um den Sündern einen Nachlaß ihrer Buße zu gewähren, so mußten sich erst recht die Patrone des Himmels zu ausgleichender Hilfe bereitfinden. Victricius von Rouen († 407) zum Beispiel konnte seine Gemeinde ermutigen: „Das sei unsere erste Bitte bei den Heiligen, daß sie als Anwälte unsere Sünden in angemessener Barmherzigkeit entschuldigen und nicht im Geist von Richtern untersuchen.“[24]

Auch die scholastischen Theologen zeigen hier keinerlei Bedenken oder Zweifel. Petrus Lombardus († 1160) beschließt seine Antwort auf die Frage nach der Fürbitte der Heiligen mit der bündigen Aufforderung: „Bitten wir also, daß sie [die Heiligen] für uns eintreten, das heißt, daß ihre Verdienste für uns flehen, und sobald sie unser Gutes wollen, dann will, weil sie wollen, auch Gott, und so geschieht es.“[25] Nicht anders urteilt Thomas von Aquin[26]; die Antwort darauf, ob die Heiligen, die im himmlischen Vaterland weilen, für uns bitten[27], ist ihm eindeutig: Weil sie im Himmel von vollkommenerer Liebe sind als zuvor auf Erden, vermögen sie auch mehr für die Erdenpilger zu erbitten, denn je verbundener sie Gott sind, desto wirkmächtiger ist ihr Gebet[28]. Zu bitten vermögen sie für uns „durch ihre Verdienste, die vor Gottes Blick stehen und nicht nur ihnen zum Ruhme gereichen, sondern auch für uns als Fürbitten und Gebete wirksam sind ... Sofern sie [die Heiligen] jedoch für uns beten, indem sie durch ihre Wünsche uns etwas erflehen, werden sie immer erhört, weil sie nur wollen, was Gott will, und nur das erflehen, von dem sie wollen, daß es geschehe.“[29]

Obendrein suchten die Theologen und mehr noch die Kanonisten die Verdienste der Himmlischen „verrechnend“ zu erfassen und definierten den ‚thesaurus ecclesiae‘, den „Kirchenschatz“; dessen Unerschöpflichkeit beruhte auf den überschüssigen Verdiensten aller Frommen auf Erden wie der Heiligen im Himmel, zuletzt auch noch auf den unendlichen Verdiensten Jesu Christi.[30] Aus diesem Kirchenschatz konnten dann die Ablässe erteilt werden, die nahezu gänzliche

Erlassung der „zeitlichen Sündenstrafen". Im späten Mittelalter wurde daraus ein gewissermaßen perfektes Programm der religiösen Zukunftssicherung: „Das Gnadenangebot des Ablasses erscheint so gut wie lückenlos, es gibt gewissermaßen nur Gnade."[31]

3. Der Leib auf Erden

Für die allen Menschen evidente Tatsache, daß der Leib vom Moment des Todes an zu verwesen beginnt, mußten gerade die Christen eine Deutung finden, verkündigten sie doch die Auferstehung der Toten. Wie aber sollte man sich eine solche Auferstehung vorstellen? Schon Paulus hatte diese Frage gestellt und auch eine Antwort darauf gegeben: „Wie werden die Toten auferweckt, was für einen Leib werden sie haben? Was für eine törichte Frage! Auch das, was du säst, wird nicht lebendig, wenn es nicht stirbt ... Was gesät wird, ist verweslich, was auferweckt wird, unverweslich. Was gesät wird, ist armselig, was auferweckt wird, herrlich ... Gesät wird ein irdischer Leib (corpus animale), auferweckt ein überirdischer Leib (corpus spirituale)" (1 Kor 15,35.36.43.44). Der Auferstehungsleib war also ein von Gott erschaffener ‚spiritueller Leib', aber selbstverständlich ein Leib, denn für Paulus gilt grundsätzlich, daß es Heil nicht ohne Leib gibt.[32] So wird es einen Auferstehungsleib geben, der nicht mehr der Leib des Erdenlebens ist; vielmehr werden wir „nach dem Bild des Himmlischen gestaltet werden" (1 Kor 15,49b). Für Paulus liegt „der Akzent ... auf dem Gedanken: das, was ihr jetzt seht, hat nichts mit dem neuen Leib zu tun, dieser ist eine neue Gabe Gottes."[33] Darum kann er an anderer Stelle auch sagen, wir werden „aus dem Leib auswandern und daheim beim Herrn sein" (2 Kor 5,8); der irdische Leib wird also verlassen. Aber deswegen will Paulus nicht eine Leiblosigkeit oder gar die ‚Nacktheit der Seele' erstreben, wie es das Ideal der antiken Todeserwartung erforderte. Vielmehr fürchtet er sich vor solcher Nacktheit und hofft, „überkleidet" zu werden: „So bekleidet [mit dem himmlischen Leib], werden wir nicht nackt erscheinen ..., weil wir nicht entkleidet, sondern überkleidet werden" (2 Kor 5,3 f). Paulus erwartet, „daß der sichtbare Leib aufgelöst wird und daß – offenbar in der Gegenwart schon und von Tag zu Tag immer mehr – ein neuer, pneumatischer Leib aufgebaut wird"[34]. Wegen der Hoffnung auf das Überkleidetwerden mit einem neuen Leib kann dann der irdische hintangelassen werden, ist er doch „ein dem Tod verfallener Leib" (Röm 7,24), und mag in Verwesung übergehen. Im Johannes-Evangelium wird bei der Auferweckung des Lazarus betont, daß der Verstorbene, weil schon vier Tage im Grab, bereits „rieche" (Joh 11,39). So hat denn im Christentum stets gegolten und ist seit der Jahrtausendwende in der Liturgie des Aschermittwoch auch jedem Einzelnen zugesprochen worden: „Staub bist du, und zum Staub mußt du zurück" (Gen 3,19).[35]

Aber schon das um 90 entstandene Lukas-Evangelium bietet eine andere Auffassung. Hier wird die Auferstehung Jesu als „Wiedervereinigung von Leib und Seele"[36] aufgefaßt: Jesus übergibt seinen Geist dem Vater (Lk 23,46), während sein Leib im Grab beigesetzt wird (Lk 23,55). Aber dieser Leib mußte, wie in Psalm 16 vorhergesagt war, die Verwesung nicht schauen (Apg 2,31), so daß „der, den Gott auferweckte, die Verwesung nicht geschaut hat" (Apg 13,37). Lukas' Auffassung ist somit eindeutig: „Auferstehung bedeutet ... die Wiedervereinigung der Seele mit dem der Verwesung nicht verfallenen Fleisch Jesu. Dieser wird im Auferweckungsakt Gottes als Sohn Gottes zum ewigen, unverweslichen Leben ‚gezeugt'."[37] Mit dieser Aussage öffnete sich Lukas dem hellenistischen Denken und bereitete mit der leibidentischen Auferweckung der späteren Reliquienverehrung eine erste Grundlage, dies um so mehr, als bald auch der von allen Evangelisten, nicht aber von Paulus mitgeteilte Befund des leeren Ostergrabes in diese Deutung einbezogen wurde.

Daß diese Leib-Identität sich herausbildete, war nicht zuletzt auch ein Ergebnis der Gnosis. Gegen deren dualistisch-leibfeindliche Haltung grenzte sich die Orthodoxie ab und formulierte den gerade für griechische Christen „harten Biblizismus"[38] von der „Auferstehung des Fleisches"[39]. Das paulinische „Überkleidetwerden" wurde nun so verstanden, daß der sterbliche Leib die Unsterblichkeit überziehe und folglich der irdische Leib bei der Verklärung mit auferstehe.[40] Vorformuliert fand man diese Auffassung in Texten des Alten Testamentes, etwa in der Vision des Propheten Ezechiel von Israels Heimholung: „Die Gebeine rückten zusammen, Bein an Bein (ossa ad ossa). Und als ich hinsah, waren plötzlich Sehnen (nervi) auf ihnen, und Fleisch (carnes) umgab sie, und Haut (cutis) überzog sie" (Ez 37,7f). Kürzer noch und prägnanter hieß es bei Hiob (aber nur, sofern man der Vulgata folgt): „Ich werde wieder mit meiner Haut umgeben, und in meinem Fleisch werde ich meinen Gott schauen" (Hiob 19,26).

Der antignostische Gedanke von der identischen Auferstehung des Fleisches verlieh dem irdischen Leib eine besondere Ehrwürdigkeit. Augustinus, hierin wiederum für die ganze mittelalterliche Eschatologie prägend, schreibt: „Es wird also alles wiederhergestellt werden, was den lebenden Leibern oder auch den Leichen nach dem Tode verlorenging, und wird mitsamt den in den Gräbern verbliebenen Überresten aus dem alten natürlichen Leibe in die Neuheit des geistlichen Leibes verwandelt werden, auferstehen und mit Unvergänglichkeit und Unsterblichkeit umkleidet werden. Mag auch der Leib durch hartes Geschick oder feindliche Wut ganz und gar zerstäubt, in Luft oder Wasser aufgelöst und, soweit überhaupt möglich, vernichtet sein, so kann er doch schlechterdings nicht der Allmacht des Schöpfers entzogen werden, die kein Haar seines Hauptes umkommen läßt."[41] Vor die Aufgabe gestellt, den Auferstehungsleib angemessen zu beschreiben, gesteht freilich Augustinus sein Unvermögen ein: „Aber was nun die Beschaffenheit und Herrlichkeit der Gnadengabe eines geistlichen Leibes anlangt, von dem wir noch keine Erfahrung haben, so würde, fürchte ich, jeder Versuch, sie zu beschreiben, verwegenes Gerede sein."[42] Wohl hält er für gewiß, daß das Fleisch der Auferstehung dem Geist in allem gefügig sei.[43]

Daß die irdischen Leiber mit Fleisch und Gebein auferstehen sollten, war Glaube des ganzen Mittelalters. Die Viten drücken es, wie diejenige des Norbert von Magdeburg, oft nur mit einem Satz aus: Der Leib des Verstorbenen, der trotz Sommerhitze auch nach drei Tagen noch keinerlei Geruchsverderbnis gezeigt habe, „erwartet [im Grab] den Jüngsten Tag in der Hoffnung auf die Auferstehung, die jede gläubige Seele sehnsüchtig herbeiwünscht"[44]. Von den großen Theologen sei Thomas von Aquin zitiert, der zur ganzleiblichen Auferstehung eine eigene Quaestio schrieb: „Werden alle Glieder des menschlichen Leibes auferstehen? Werden Haare und Nägel im Menschen auferstehen? Werden die Säfte im Leibe auferstehen? Wird alles, was im menschlichen Leibe zur Wahrheit der menschlichen Natur gehörte, in ihm auferstehen? Wird das, was stofflich zu den Gliedern des Menschen gehörte, ganz auferstehen?"[45] Zur Antwort gibt er, wie übrigens schon Augustinus, daß die überschüssigen Teile irgendwie in die Gesamtmasse des Auferstehungsleibes eingehen würden.[46] Nur rhetorisch ist ihm die Frage, ob „der Staub des menschlichen Leibes bei der Auferstehung zu demselben Körperteil zurückkehren wird, der in ihn aufgelöst wurde"[47]. Die Entsprechung von Irdischem und Himmlischem bildete die wichtigste Voraussetzung für die Reliquienverehrung, denn diese „wäre nichts als Aberglaube, wenn die Überreste der verstorbenen Heiligen nicht die Reliquien eines wahrhaft ‚menschlichen' Leibes wären"[48].

Neben den für die Würde des Leibes grundlegenden Gedanken, daß der irdische Leib in den Auferstehungsleib eingehen werde, trat weiter die Vorstellung, daß der Leib eines Christen Instrument der Gnade, ja der Tempel des Heiligen Geistes sei (1 Kor 3,16; 6,19); weil aber der Leib am Heil mitgewirkt habe, verdiene er auch seine Belohnung. Augustinus bereits hatte postuliert, die Leiber der Abgeschiedenen dürfe man nicht verächtlich beiseite schaffen, „denn der Geist hat sich ihrer als seiner Organe und Gefäße zu allerlei guten Werken fromm bedient"[49]. Thomas von Aquin wiederholt diese Auffassung: „Deshalb sollen wir auch den Überresten [der Heiligen] zu ihrem Andenken jede entsprechende Verehrung erweisen, und vor allem ihren Leibern, die Tempel und Werkzeuge des heiligen Geistes waren, der in ihnen wohnte und wirkte, und die durch eine glorreiche Auferstehung dem Leibe Christi gleichgestellt werden sollen. Und darum ehrt Gott selbst sinnvollerweise derartige Überreste, wenn Er in ihrer Gegenwart Wunder wirkt."[50] Auch jenseits der Theologie fand dieser Glaube ein Echo. Hören wir nur Michelangelo mit seinen Versen: „Ach wollte mein Geschick, o Herr, daß zart/ Mein toter Balg dein lebend Fleisch bekleide,/ Und ich, wie Schlangen, meine Haut zerschneide/ Und sterbend lebe und auf neue Art."[51]

4. Bleibender Verbund

Von dem Moment an, wo die Christen eine eigene Leibverehrung entwickelten, sahen sie sich mit der religionsgeschichtlich fundamentalen Idee der „Gegenwart der Toten im Grab" konfrontiert, wie immer man sich diese Gegenwart dachte und wie immer man sie mit dem jenseitigen Weiterleben kombinierte. In der antiken Welt und, wie wir gleich hinzufügen können, bis in die Neuzeit bestand kein Zweifel: „Die Toten sind Personen im rechtlichen Sinn, sie sind Rechtssubjekte und also auch Subjekte von Beziehungen in der menschlichen Gesellschaft; mit anderen Worten: sie sind unter den Lebenden gegenwärtig."[52] Zurückschauend müssen wir uns die völlig andersartigen, „archaischen" Vorstellungen vom Toten bewußt machen. Die Zusammengehörigkeit der Lebenden und Toten kennzeichnet wesentlich jenen Kollektivismus, den wir in der archaischen Welt antreffen. Das heißt: der Tote lebt weiter, wenn auch in anderer Art, und bleibt gegenwärtig; er hält Verbindung mit den Lebenden, wie diese mit ihm. Durch den Tod wird also der Lebenskreis nicht grundsätzlich begrenzt: „Wer in Gemeinschaft mit anderen steht, lebt, mag er biologisch tot sein; wer dieser Gemeinschaft entbehren muß, ist tot, sei er biologisch so lebendig wie auch immer.“[53] Stets bleiben Lebende wie Tote aneinander gebunden. Die Lebenden dürfen die Toten gerade auch in den Gefährdungen des Jenseits nicht allein lassen: “‚Unselige‘ Tote können durch ... gemeinschaftsbezogenes Verhalten der Lebenden, ‚erlöst‘ werden.“[54] Die Toten vermögen mit Unfruchtbarkeit, Krankheit, Totgeburten, Mißernten zu drohen, sofern es die Lebenden an der gebotenen Ehrerbietung fehlen lassen. „Es herrschte der Glaube, daß derartige Unheilsgeister wie besessen seien von dem Verlangen, sich an den Lebenden für ihr unseliges Schicksal zu rächen ...“[55]

Für den Kontakt bildete die Grabstätte den nächstgegebenen Ort. Im Mittelalter, ja bis in die Neuzeit besaß der Tote ein Recht auf sein Grab[56], wie er auch ein liturgisches Begräbnis auf einem geweihten Kirchhof beanspruchen konnte[57]. Er war Rechtsperson, und Regino von Prüm († 915) zum Beispiel gebraucht das Wort ‚defunctus‘ vom Zeitpunkt des Begräbnisses an im geistig-personalen Sinne.[58] Der Leichenschmaus und das Totenmahl, bei denen man sich mit dem Verstorbenen versammelte und mit ihm Mahlgemeinschaft hielt, waren, wie schon der Antike, auch dem Mittelalter Totenrecht und Sippenpflicht.[59] Von diesen Gegebenheiten her fällt überhaupt auf die mittelalterliche Toten-Memoria erhellendes Licht: Die Ehrung und die Fürbitte für die Verstorbenen erklären sich, wie Jacques LeGoff es ausgedrückt hat, aus der „Solidargemeinschaft der Lebenden und Toten“[60]. Licht fällt ebenso auf den Heiligen- und Reliquienkult. Zumal ein Heiliger lebte weiter, zeigte sich den Lebenden und brachte Gottes Hilfe.

Zunächst allerdings konnte im Christentum die allgemeine Idee von der Gegenwart der Toten im Grab oder gar im hinterlassenen Leichnam keinen Anklang finden. Paulus zufolge löst sich der sichtbare Leib auf, denn er ist dem Tod verfallen (Röm 7,24); er wird zu Staub und Asche (cineres), gemäß dem Genesis-Wort, daß der Mensch Staub sei und zu Staub zurückkehre (Gen 3,19). Bald gilt dann die

Seele als durchhaltender Lebensträger; wie sie auf Erden dem Leib das Leben gibt, so von neuem auch bei der Auferstehung. Für Augustinus gilt: „Bei ihrem Scheiden von hier hat sie [die Seele] ihm [dem Leib] dieses Leben entzogen. Bei ihrer Rückkehr wird sie es ihm zurückgeben. Denn es ist nicht der Leib, der für die Seele den Lohn der Auferstehung erworben hat, sondern ... die Seele, die ihn für den Leib gewonnen hat."[61] Aber diese Auffassung war platonisierend und viel zu „gelehrt". Die „volkstümlichen" Vorstellungen werteten den verstorbenen Leib anders, nämlich auch ohne Seele noch irgendwie belebt.[62] So ist uns aus Rom eine christliche Grabinschrift des 5. Jahrhunderts überliefert, in der es heißt:

> linquunt namque suis animae uestigia membris
> et miscent meritum corpora mensque suum.
>
> Denn die Seelen lassen Spuren in ihren [Leibes-]Gliedern zurück
> und es vermischen der Geist sein Verdienst und die Körper.[63]

Im Leib bleiben Spuren von Leben; ja, es bleibt sogar das Verdienst. Das heißt: der Leib ist nicht gänzlich tot, und das, was die christliche Heiligkeit begründet, eben das Verdienst, gehört nicht allein der Seele, sondern auch dem Leib. Religionsgeschichtlich gesehen, möchte man an eine ‚interpretatio christiana' der Doppelseele denken, wobei die „Vitalseele" nach dem Tode mindestens für eine Zeitlang noch mit Resten von Lebenskraft verbleiben kann, während die „Freiseele" in die andere Welt hinübergeht, aber zu Besuchen zurückkehrt.[64]

Gregor der Große gab die autoritative Bestätigung: An den Bewegungen des Leibes sei das Leben der Seele zu erkennen; die Märtyrer und Heiligen aber glänzten Tag um Tag in Wundern bei ihren erloschenen Leibern; daraus ergebe sich, in den toten Leibern sei Leben, das sich in den Wundern zeige: „Die Leiber, wiewohl tot, leben hier in so vielen Wundern."[65] Fortan ist klar: Im Leib der wirklich Heiligen sind Kraft und Leben; ja, die Reliquien sind „lebendig", sind der Heilige selbst. Die Beispiele für dieses Leben in den Reliquien sind zahlreich. In der Vita des Eligius († 660) heißt es bei dessen Erhebung, der Leichnam sei so lebendig erschienen, als habe der Verstorbene in seinem Grab gelebt.[66] Das Mittelalter hat es genau so aufgefaßt, und die vorchristlichen, auch bei den Germanen verbreiteten Grabkammern, ausgestattet mit allen Lebensutensilien[67], bezeugen die voraufgehende ältere Tradition. Im Christentum lieferte die bleibende Bezogenheit der Seele auf ihren Leib eine neue Begründung für diesen alten Glauben. Eine besonders anschauliche Theologie bietet Abbo von Fleury († 1004), wenn er über den englischen König Edmund († 870) schreibt: Von ihm könne wie von allen anderen Heiligen, die jetzt mit Christus lebten, gesagt werden, daß die Seele, obwohl in himmlischer Glorie, dennoch „durch Besuche tags wie nachts nicht vom Leib fern ist, mit dem zusammen sie das verdient hat, was sie an Freude seliger Unsterblichkeit schon genießt“[68]. Die im Himmel weilende Seele bleibt mit ihrem Leib, mit dem sie am Ende der Tage erneut vereinigt werden soll, in fortwährender Verbindung. Wo die irdischen „Überbleibsel“ sind, da ist der Heilige selbst gegenwärtig. So bekundeten es schon Inschriften am Martinsgrab in Tours: „Hier ist bestattet der Bischof Martin heiligen Angedenkens, dessen Seele in der Hand Gottes ist; aber hier ist er ganz gegenwärtig, manifest in aller Gnade der Wunder“. Oder noch knapper: „Martinus steht vom Himmel her dem Grabe vor“[69]. Darum kann sich der Heilige am Grab in Vollgestalt zeigen und Aktionen ausführen, wie wiederum zahlreiche Berichte schildern. Gregor von Tours weiß von einem keuschen Ehepaar zu berichten, daß der zuerst verstorbene Mann, als seine Frau ein Jahr später zu ihm ins Grab gelegt wurde, ihr seinen Arm um den Hals legte.[70] Der Asket Romuald († 1027) durfte zu Ravenna sehen, „wie der selige Apollinaris unterhalb des Altares herauskam, der in der Mitte der Kirche errichtet war; in seinem hellen Glanz durchwandelte er das Kircheninnere, ehrte die Altäre, und nachdem das vollbracht war, wandte er sich sogleich dorthin zurück, wo er herausgekommen war“[71]. Bei der heiligen Gertrud von Nivelles „öffnete sich der Schrein, in dem die heilige Jungfrau lag, und der Leib streckte die tote Hand heraus“, um auf diese Weise eine Schenkung entgegenzunehmen.[72] Thomas von Canterbury ist in einem Fenster seiner Kathedrale dargestellt, wie er mit dem halben Leib aus dem Schrein herausragt und einem Mönch erscheint.[73] Mit Recht hat man von einer „Realpräsenz des Heiligen“[74] gesprochen. Zwar ‚ruhte‘ der Heilige in seiner Kirche, wie es zahllose Schenkungsurkunden bezeugen: ‚ubi sanctus ... corpore quiescit‘, aber wie ein Lebender konnte er jederzeit auf Anruf aktiv werden.[75]

Daß der Heilige im Himmel und zugleich auch auf Erden präsent war, bildete den wahren Kern der Heiligenverehrung. Auf diese Weise schufen die Heiligen eine heilsmächtige Verbindung zwischen dem Diesseits und dem Jenseits: Mit Sicherheit weilten ihre Seelen im Himmel, zugleich aber blieben sie mit ihrem Leib auch auf Erden gegenwärtig. Genau in dieser Konstellation, in ihrer ständigen Bilokation, lag die Voraussetzung für ihre Verehrung: vor Gott stehend und doch auf Erden lebendig handelnd. War schon der Heilige in seiner Lebenszeit ein Mittler zwischen Himmel und Erde gewesen, so mit endgültiger Gewißheit jetzt, wo er alle Unsicherheiten des Erdenwandels hinter sich gelassen hatte, vor Gottes Angesicht gerufen war, dort für die Seinen Fürbitte einlegte und auf Erden bei seinem Leib Hilfe und Segen bereithielt.

5. Licht, Feuer, Heiligenschein

Der bleibende Verbund von Seele und Leib hatte auch seine Sichtbarkeit: im „Heiligenschein". Denn wie Gottes Herrlichkeit (hebr. ‚kabod', griech. ‚doxa') sich als Kraft (virtus) erweist, so zeigt sie sich sichtbar als Licht und strahlt aus den Heiligen hervor. Schon auf Erden, so Paulus, „spiegeln die Heiligen mit enthülltem Angesicht die Herrlichkeit des Herrn wider" (2 Kor 3,18). Sie sollen ja auch das „Licht der Welt" sein (Mt 5,14). Am Ende „werden die Gerechten im Reich des Vaters wie die Sonne leuchten" (Mt 13,43). Die eschatologische Verwandlung wird in der Verklärung Jesu bereits als vorweggenommene Apotheose erkenntlich, bei der er mitsamt den Propheten Mose und Elia im Lichtglanz erscheint: „Er wurde vor ihren Augen verwandelt; sein Gesicht leuchtete wie die Sonne und seine Kleider wurden blendend weiß wie das Licht" (Mt 17,2). In der leuchtenden Stadt des himmlischen Jerusalem, auferbaut aus Edelsteinen, Glas und Gold, ist Gott die Sonne; seine Herrlichkeit leuchtet, und die Völker werden in diesem Licht einhergehen (Offb 21,9–22,5).

Wirkliche Heilige sind immer Gestalten des Lichtes und erstrahlen in Herrlichkeit; zumal ihr Gesicht leuchtet, und ihr Auge ist hell (vgl. Mt 6,22). Zum vollen Verständnis muß man sich die antike und mittelalterliche „Lichtmystik"[76] vergegenwärtigen, speziell das Schema von „Ausstrahlung" und „Rückstrahlung", wie es besonders Dionysius Pseudo-Areopagita im 6. Jahrhundert entfaltet hat: Von Gottvater geht der Strahl göttlicher Erleuchtung und Gnade aus, fällt dann auf die Engel und Menschen, wird aber von ihnen, sofern sie rein sind, reflektiert, so daß die Strahlen wieder emporsteigen und in das göttliche Licht zurückkehren. „Jede gute Gabe und jedes vollkommene Geschenk kommt von oben, indem es vom Vater der Lichter herabsteigt. Aber jedes Hervortreten der vom Vater erregten Lichtausstrahlung, welche gütig verliehen zu uns dringt, führt uns auch hinwieder als eine ins Eins gestaltende Kraft aufwärts und vereinfacht uns und wendet uns wieder zur Einheit des Vaters ... und zu seiner vergottenden Einfachheit zurück. Denn aus ihm und zu ihm hin ist alles, wie das heilige Wort sagt."[77] Sogar zu Feuer kann sich das Licht im Menschen verdichten. Zuvörderst ist es das Feuer der Liebe, das Gott in den Herzen der Menschen zu entzünden bereit sei und das dann im Widerschein hervorleuchtet.[78] Im Verständnis etwa Mechthilds von Magdeburg († 1282/94) kann es heißen:

„Aber ein Spiegel wurde gesehen im Himmel vor der Brust einer jeden Seele und eines jeden Leibes. In ihm scheint der Spiegel der Heiligen Dreifaltigkeit und verleiht Wahrheit und Erkenntnis aller Tugenden, die der Leib je übte, und aller Gaben, die die Seele auf Erden empfing. Hiervon glänzt der hehre Widerschein einer jeden Person zurück zur erhabenen Majestät, von der er ausgeflossen ist."[79]

In Meister Eckharts Mystik sind Licht und Spiegel zentrale Metaphern. Der immer wieder benutzte Spiegelvergleich will besagen: Wie sich ein Gegenstand im Spiegel abbildet, so das göttliche Sein im Geschaffenen. Das Bild im Spiegel gleicht seinem ‚Urbild' und empfängt von demselben sein ganzes Sein; denn ein eigenes Sein kommt ihm nicht zu.[80]

„Daher sagt der erleuchtete Dionysius, wo immer er von Gott schreibt: Er ist (ein) Über-Sein, er ist (ein) Über-Leben, er ist (ein) Über-Licht."[81] Die Seele ist im Menschen der Lichtträger: „Die Seele geht mehr in Gott ein als irgendwelche Speise in uns, mehr noch: es verwandelt die Seele in Gott. Und es gibt eine Kraft in der Seele, die spaltet das Gröbste ab und wird mit Gott vereint: das ist das Fünklein der Seele."[82] Nur das ganz Reine wird vom göttlichen Licht berührt: „Göttliches Licht ist zu edel dazu, als daß es mit den [gemeinen] Kräften irgendwelche Gemeinschaft machen könnte; denn alles, was [aktiv] berührt und [passiv] berührt wird, dem ist Gott fern und fremd. Und darum, weil die Kräfte berührt werden und berühren, verlieren sie ihre Jungfräulichkeit. Göttliches Licht kann nicht in sie leuchten; jedoch durch Übung und Läuterung können sie empfänglich werden."[83]

Bei Seuse allerdings wird das himmlische Licht wieder konkreter genommen:

„Sie [Elsbeth Stagel] schaute hin gen Himmel; da deuchte sie, daß die Sonne schön aufginge ohne alles Gewölk mit viel Glast; in dem Sonnenglast stand ein schönes Kindlein in Kreuzes Weise. Da sah sie, daß aus der Sonne ein Strahl ging gen des Dieners Herz, der war so kräftig, daß alle seine Adern und Glieder entzündet wurden ... Es [das Kindlein] sprach: ‚Da habe ich sein minnereiches Herz also klärlich durchglastet, daß ein Widerschein des Glastes von seinem Herzen ausdringen soll, der menschliche Herzen minniglich zu mir ziehen soll.“[84]

Der Tod ist der Zeitpunkt, zu dem das in der guten Seele immer anwesende Licht sichtbar hervortritt. Wie eine Feuerkugel löst sich die Seele vom Leib[85], und die Himmlischen kommen ihr mit Lichtglanz entgegen, um sie abzuholen und auf einer Lichtbahn emporzuführen. Gregor der Große liefert im vierten Buch seiner ›Dialoge‹ anschauliche Beispiele. Die Seele eines Bischofs Germanus „wurde mitten in der Nacht von Engeln in einer feurigen Kugel zum Himmel getragen“[86]. Beim Tod Benedikts sahen zwei Mönche, „wie eine mit Tüchern belegte und unzähligen Lichtern leuchtende Straße genau in östlicher Richtung von seiner Zelle zum Himmel emporführte“[87]. Nach dem Tod Hildegards von Bingen „erschienen zwei überaus helle Bögen von verschiedener Farbe am Himmel ... Im Scheitelpunkt, wo die zwei Bögen sich kreuzten, strahlte ein helles mondförmiges Licht ... In diesem Lichte sah man ein rotschimmerndes Kreuz, das zuerst klein war, dann aber zu ungeheurer Größe anwuchs ... Wir müssen wohl glauben, daß Gott durch dieses Zeichen offenkundig machte, mit welcher Lichtfülle er seine Geliebte im Himmel verherrlicht hat.“[88] Visionäre sehen das Jenseits und seine Bewohner in hellstem Glanz.[89] Noch Michelangelo dichtete: „So wird, aus mir entfacht, das Feuer auch,/ Das mich verzehrt, bis seiner Flamme Schein/ In mir erlischt, mir höheres Leben weisen.“[90] Beim Versterben der Bösen allerdings wird es finster, und dabei erscheinen Dämonen in Gestalt schwarzer Mohren.[91]

Des weiteren sah man auch die Leiber der Heiligen vom göttlichen Licht angestrahlt, ja sogar davon erfüllt. Eine bemerkenswerte Erklärung bietet Jonas von Orléans († 842/43). Gegenüber dem von ihm als blasphemisch empfundenen Urteil des Claudius von Turin († 827), Reliquien seien wie Steine und Holz oder gar wie Viehkadaver, rühmt er die gnadenhafte Würde und wundertätige Wirkung. In Anlehnung an Johannes Chrysostomus[92] übernimmt er dabei Vorstellungen einer Lichtmystik:

„Wie kostbar und genehm strahlt uns das Fest, und leuchtender ist dieser heilige Tag als alle Tage des Jahres. Er leuchtet heller nicht durch verdichtete Sonnenstrahlen, sondern er ist hell vom Licht der Märtyrer erleuchtet, noch über den grellen Blitz hinaus. Die Märtyrer sind heller als alle Sonnen und klarer als die großen Gestirne. Deshalb prangt heute sozusagen der Himmel in größerem Schmuck als die Erde. Bei diesen Vergleichen stoße man sich nicht an der Asche der heiligen Leiber, nicht an dem Staub der Überbleibsel des Fleisches und nicht an den mit der Zeit vergangenen Gebeinen. Vielmehr öffne die Augen des Glaubens und sieh, wie die Überbleibsel in göttlicher Kraft (virtus) und von der Gnade des heiligen Geistes umfangen sind und in der Helligkeit göttlichen Lichtes strahlen. Die Strahlen von der Scheibe der höchsten Sonne sendet Christus auf die Erde hernieder, und von den Leibern der Heiligen scheinen sie zurück in hell aufblitzendem Licht; so erleuchten diese Strahlen das Aussehen der Kirche und blenden den Blick des neidischen Teufels."[93]

Das Licht Gottes, vermittelt durch Jesus Christus, bricht sich in den Reliquien. Gregor von Tours († 594) erfährt bereits, wie bei einer Kirchweihe mit der Übertragung von Martinsreliquien eine Feuerkugel vom Himmel herabkommt und den ganzen Raum so hell erleuchtet, daß alle erschrecken und die Augen schließen müssen; es ist die Virtus des Heiligen selbst, die mit seinen Reliquien angekommen ist.[94] Von dem Kölner Bischof Anno († 1075) berichtet die bald nach 1100 abgefaßte ältere Vita, wie er in seiner Stadt das Stift zu Ehren des heiligen Georg gründete und dabei den in Sankt Pantaleon aufbewahrten Arm des Heiligen zu übertragen beabsichtigte: Eines Nachts sei ihm der heilige Georg erschienen, wie er im Inneren von Sankt Pantaleon in ungeheurer Lichtfülle einhergewandelt sei, angetan mit hellglänzendem Gewand und dann den Schritt in Richtung zur neuen Stiftskirche lenkend.[95] Als Anno bei der Kirchweihe den Reliquienarm übertrug, „kam vom Himmel her ein feuriger Lichtglanz und begleitete den heiligen Bischof; das Licht stieg sichtbar in den Tempel herab"[96]. Vom Himmel strahlt das Licht, das dort den Heiligen zuteil geworden ist, hernieder, und darum leuchten die Reliquien auf Erden. Bei zahlreichen Erhebungen wird ein Aufstrahlen der Gebeine berichtet, und wo ein heiliges Grab vergessen worden ist, da erscheint nicht selten ein Licht als Hinweis und zur Mahnung.

III Quell, geteilt in vier Flüsse: viererlei Tränen, die der Mensch weinen soll.
IV Vögel, dreierlei Vögel: dreierlei Gotteslob.
V Kräuter: Geruch der Tugend, der vom Menschen ausgehen soll.
VI Beschließung: Behütung der Sinne und wahre Geduld.[112]

Mit den Blumen verband sich der Duft. Symeon der Stylite († 459) konnte gepriesen werden als „liebliche Rose, welche durch geistigen Tau groß gezogen wurde und deren Geruch die Oberwelt und die Unterwelt erfreute“[113]. Göttlichen Wohlgeruch kannte die Antike allgemein. Aus allen antiken Kulturen lassen sich Zeugnisse beibringen, „daß die Anwesenheit der Götter in der Umgebung lieblichen Wohlgeruch verbreitet“[114], ebenso das Opfer, dessen Duft aufsteigt[115]. Im Neuen Testament spricht Paulus von dem „Duft der Erkenntnis Christi“, wodurch die Gläubigen „Christi Wohlgeruch für Gott“ werden: „Den einen sind wir Todesgeruch, der Tod bringt, den anderen Lebensduft, der Leben verheißt“ (2 Kor 2,16). Das Gebet, die geistige Opfergabe der Christen, ist jener Weihrauch, den der Engel am goldenen Altar Gottes verbrennt, „um so die Gebete aller Heiligen vor Gott zu bringen“ (Offb 8,3). Genehm ist ein „Gebet voll Wohlgeruch, dargebracht von einem Gewissen, das keinen üblen Geruch von der Sünde her an sich trägt“[116]. Vor allem verbreitet das Selbstopfer des Martyriums, wie es die Umstehenden beim Feuertod Polykarps erfuhren, „einen Wohlgeruch wie von duftendem Weihrauch“[117].

Die Asketen traten auch hierin das Erbe der Märtyrer an. Wo ein Heiliger wirkte, wo ein heiliges Grab geöffnet wurde oder nur Reliquien anwesend waren, da verströmte Wohlgeruch. Der römische wie der turonische Gregor lieferten die autoritativen Beispiele. Als die Kirche der Arianer in Rom katholisch neugeweiht wurde, fuhr nicht nur ein Schwein aus der Kirche, so ist in Gregors Dialogen zu lesen, sondern es stieg auch eine Wolke hernieder und legte sich auf den mit Reliquien ausgestatteten Altar; dabei wurde der ganze Raum von einem solchen Duft erfüllt, daß für eine Zeitlang niemand eintreten konnte.[118] Als der Kölner Bischof Ebergisel († 594) den heiligen Mallosus in Birten bei Xanten auffand, stieg ein Duft von ganz berückendem Aroma auf, und er rief aus: „Bei Christus, ich glaube, daß er mir seinen Märtyrer zeigt, denn hier umgibt mich seine Süße.“[119] Berichte solcher Art durchziehen das ganze Mittelalter. Thiofried von Echternach liefert als theologische Deutung: „Das

Fleisch der Heiligen besitzt weder in sich noch bewirkt aus sich den Geruch der Verwesung, wohl aber den Duft der künftigen Unverwestheit; es stirbt nicht, sondern es duftet."[120] Für das ganze Mittelalter ist unbezweifelt: Der Wohlgeruch ist heilig, nicht irdisch, vielmehr Anzeichen des Paradieses. Weil aber die Heiligen im Himmel sind, verbreiten sie Wohlgeruch auf Erden.

IX. Ort und Zeit

1. Heiliger Anfang

Aller Anfang ist heilig – so könnte man das religionsgeschichtliche Interpretationsmodell des „Ursprungsmythos" charakterisieren. Es besagt: Im Anfang war alles gut und vorbildlich für die nachfolgenden Zeiten. Jene Personen, die diesen guten Anfang grundgelegt haben, können nur heilig gewesen sein, sowohl in ihrer Art wie in ihrem Werk, letztlich in ihrer Person. Für die eigene Gegenwart ergab sich daraus die Forderung: Sofern ein Abfall von der Höhe des Anfangs, eine „Dekadenz", eingetreten war, konnte Besserung nur durch Rückkehr zur Höhe des Anfangs erhofft werden. Nach diesem ursprungsmythischen Modell artikulierten zum Beispiel die antiken Städte ihr Selbstverständnis. Im Mittelpunkt stand das Grab des Gründers, der als Heros gefeiert wurde: „Die Bürger bewahrten das Andenken an den Anfang ihrer Stadt und riefen Leben und Taten ihres Gründers in Erinnerung. Die Jahresfeiern brachten den Glauben zum Ausdruck, daß der Gründer nicht aufhörte, die Stadt zu beschützen."[1]

Im Christentum galt Jesus Christus als Gründer, nicht freilich als mythischer Heros, sondern betont als geschichtliche Gestalt: geboren zur Zeit des Augustus, gekreuzigt unter Pontius Pilatus. In seinem Namen waren die Apostel zu allen Völkern hinausgezogen und hatten allüberall Kirchen gegründet. Diese apostolischen Gründungen erlangten dann ein Ansehen, das sich gutenteils in ursprungsmythischen Formen artikulierte. Denn seit den gnostischen Streitigkeiten beanspruchten die Apostel wie auch ihre Schüler, der Hort der wahren Tradition zu sein[2]; nicht verwunderlich, daß zahlreiche Kirchengründungen wenigstens von Apostelschülern begründet zu sein vorgaben. Ein schlagendes Beispiel bietet Gallien. In Paris sollte der Gründer jener Dionysius gewesen sein, den Paulus auf dem Areopag bekehrt hatte (Apg 17,34) und den dann Petrus nach Gallien entsandt habe. In Trier stehen am Anfang die Namen Eucharius, Valerius und Maternus, von denen die Legende berichtet, daß Petrus sie alle drei,

Eucherius als Bischof, Valerius als Diakon und Maternus als Subdiakon, nach Gallien gesandt habe; nacheinander seien sie dann in Trier Bischof gewesen. Insgesamt behaupteten etwa 40 gallische Bischofssitze einen petrinisch-apostolischen Ursprung.[3]

Für das Bild vom christlichen Heiligen war das ursprungsmythische Modell von großer Wichtigkeit. Jeder Gründer, ob nun eines Bischofssitzes, eines Klosters oder irgendeiner Gemeinschaft, mußte notwendig ein Heiliger gewesen sein. Schon daß eine heilige Gemeinde oder Gemeinschaft ins Dasein getreten war und – noch entscheidender – fortexistierte, war Beweis genug für den guten Anfang und das heilige Leben des Gründers. Wo ein solcher nicht auszumachen war, wurde er gesucht und „rekonstruiert". Zugleich aber waren die Gründer die Inbilder dessen, was für alle Zeiten gültig bleiben und Bestand haben sollte. Jeder nachfolgende Bischof oder Klostervorsteher mußte immer in den Fußstapfen des Gründers wandeln, oder besser noch: Er sollte wie die lebendige Vergegenwärtigung des Gründers sein und wurde darum ein „neuer" oder „zweiter" Gründer genannt, etwa als Abt ein „neuer Benedikt".

Ein geradezu verwegenes, aber deswegen signifikantes Beispiel von ursprungsmythischer Herleitung bieten die Karmeliten. Entstanden als eremitische Bewegung im religiösen Aufbruch des 12. Jahrhunderts, siedelten sie im Heiligen Land am Berge Karmel. Gemäß ihrer im späten 14. Jahrhundert formulierten Ursprungsgeschichte sahen sie sich in „einer von Elias und seinem Schüler Elisäus über Johannes den Täufer und die apostolische Urgemeinde bis in die Kreuzfahrerzeit reichenden Kontinuität eremitischen Lebens auf dem Karmel, die sie als Vorgeschichte ihres Ordens auffassen und als Legitimation für den Anspruch ansehen, der älteste unter allen Orden zu sein, ja die Kirche selbst an Alter um viele Jahrhunderte übertreffen zu können"[4].

Das „ursprungsmythische Deutungsmodell" war im Mittelalter allgegenwärtig, wie Kaspar Elm feststellt: „Der Rekurs auf Väter und Gründer, Spitzenahnen und Patrone wurde wie in Orden und Klöstern, so auch in Städten und Reichen, Geschlechtern und Stämmen, Nationen und Sprachen, von Bischöfen und Patriarchen, von Papsttum und Kirche vorgenommen. Was lange als eine die historische ‚Realität' verfälschende Mystifikation abgetan wurde, ist inzwischen selbst zum Gegenstand der Geschichte geworden, der wie kaum ein anderer den Zugang zum mittelalterlichen Geschichtsdenken und

Korporationsbewußtsein erschließt, für die der Rekurs auf Vorfahren und Vorläufer – seien sie historischer oder mythischer Natur – offenbar von grundlegender Bedeutung war."[5] Bleibt hinzuzufügen, daß dieser Rekurs für die Heiligkeit gleichfalls von grundlegender Bedeutung war: Wer an einem erwiesenermaßen guten Anfang gestanden hatte, war heilig.

2. Heiliger Ort

Die Aktivität, die der heilige Schutzpatron von seinem Grab aus auf Erden entfaltet, wirkt – und darauf kommt es an – in Raum und Zeit, allerdings in jeweils genau bemessener Weise. Ursprünglich ist es überhaupt so gewesen, daß die Heiligen zunächst nur von und in jener Gemeinde geehrt wurden, wo sie ihr Grab hatten. Ihr Kult war anfangs strikt ortsgebunden. „Bis in das 8. Jahrhundert bleibt in Rom die liturgische Verehrung des Heiligen an die Gedenkstätte gebunden."[6] Diese lokale Bindung hat eigentlich immer nachgewirkt.[7] Thiofried von Echternach gibt nur eine gemein-mittelalterliche Auffassung wieder, wenn er Gott den Bewohnern einer jeden Provinz und Stadt den Trost gewähren läßt, durch das Verdienst der Heiligen-Reliquien vor allen Angriffen der Feinde, der sichtbaren wie der unsichtbaren, bewahrt zu werden; Gott schützt seine Kirche durch eine Vielfalt von Patrozinien, und er hat „jedem Ort hinreichend bedeutende Heiligen-Reliquien gewährt, damit die Einwohner sie in würdiger und ergebener Weise verehren und dadurch für immer deren Schutz erfahren"[8]. Der Mönch Wetti von der Reichenau, dem direkt vor seinem Sterben Visionen zuteil wurden – die gewaltigsten vor Dantes ›Divina Commedia‹ –, fand im Jenseits keinen Fürsprecher, dessen Gebeine im eigenen Kloster geruht hätten; in der Folgezeit wurden dann solche erworben, sogar vom Evangelisten Markus[10]. Ebenso bedurften neubekehrte Gebiete, um nicht ohne Patrone zu bleiben, der Ausstattung mit Reliquien, wie es etwa für Sachsen im 9. Jahrhundert durch einen massenhaften Import geschah.[10] Dies alles war kein Zugeständnis an das einfache Volk, wie es in der historischen Literatur so oft zu lesen ist, sondern bildete den Versuch, einen neuen „Sakralort mit Ahnengrab" zu schaffen. Religionsgeschichtlich gelten die Gräber bedeutsamer Ahnen oder auch der Ortsgründer, „deren übermächtige Segenskraft aus der Tiefe der Erde heraus weiterhin fortwirkt und der Stätte ein Mehr an

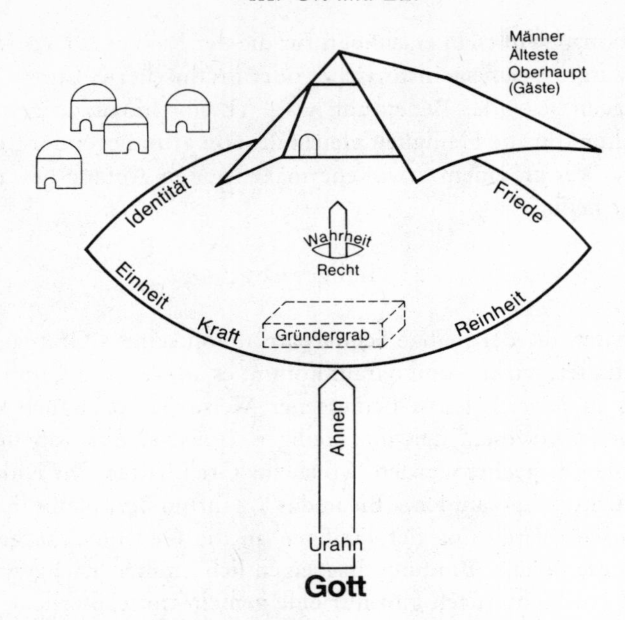

Kult- und Versammlungsplatz mit Ahnengrab (schematische Darstellung eines Ahnengrabes in einem indischen Dorf; nach K. E. Müller). Die Translationen von Reliquien gaben den christlichen Wohnorten einen neuen „Gründerahn", freilich einen solchen des Glaubens, nicht des Blutes.

Sicherheit verleiht"[11], als zentraler Lebens- und Kultort, wobei Knochenreliquien, insbesondere Ahnenschädel wie auch Masken oder Würdezeichen, den heiligen Schatz bilden. So wären denn die übertragenen Reliquien der neue Ahn, wobei aber die Beziehung zu ihm nicht aus dem Blut herrührte (Joh 1,13), sondern aus dem Glauben.

Obendrein gab es Länderpatronate. Schon im Frankenreich sind die Heiligen Martin und Dionysius als Reichsheilige verehrt worden.[12] Alkuin feierte die großen Heiligen als Beschützer der Provinzen des Karlsreiches: Petrus und Paulus in Rom, Ambrosius in Mailand, die Heiligen Thebäer in Agaunum (St. Maurice/Schweiz), Hilarius in Poitiers, Martin in Tours, Dionysius in Paris und Remigius in der Champagne.[13] Der französische König Karl der Einfältige übersandte seinem deutschen Amtsbruder Heinrich I. (919–936) „die Hand des preiswürdigen Märtyrers Dionysius, in Gold und Edelsteine gefaßt", und in Erinnerung an den bereits hundert Jahre zuvor ins Sachsenland transferierten Vitus ließ er seinen Emissär vermelden:

„Dir am liebsten wollte er [mein König] dieses Stück übergeben von dem einzigen Troste, der den Franken, welche Gallien bewohnen, geblieben ist, seitdem der herrliche Märtyrer Vitus uns zu unserem Verderben verlassen und zu eurem beständigen Frieden nach Sachsen gekommen ist. Seit nämlich der Leichnam des heiligen Vitus von uns weggeführt worden ist, haben innere und auswärtige Kämpfe nicht aufgehört; im selben Jahr haben Dänen und Normannen unsere Lande heimgesucht."[14]

Heilige Reliquien zu besitzen und damit einen himmlischen Patron zu haben, ist für das Wohlergehen des Reiches unabdinglich. Und mehr noch, der Heilige verkörpert gewissermaßen das ihm anvertraute Land oder Reich, womit sein Patronat „politisch, geradezu geographisch determiniert"[15] wurde. Besonders die Außenländer Europas haben sich bei ihrer Verselbständigung immer Landespatrone erkoren: der heilige Wenzel in Böhmen, Adalbert und später Stanislaus in Polen, Stephan in Ungarn, Olaf in Norwegen, Knud in Dänemark, Georg in England und Patrick in Irland.[16]

Ebenso hatten die Städte ihren jeweils eigenen Patron. Mochten diese auch nicht die Gründer sein, so liehen sie doch ihren Geist und Schutz.[17] Zugleich übten sie eine politische und rechtliche Funktion aus: nämlich „den Kampf der Kommune für eine gottgewollte Unabhängigkeit anzuführen" und die Stadt als „juristische Person" zu definieren.[18]

Als besonders herausstechendes Beispiel ist der heilige Markus als Schutzpatron von Venedig zu nennen. „Im 12. Jahrhundert tritt in den Staatsverträgen Venedigs ... als handelnde Person zuerst S. Marco, erst dann der Doge auf."[19] Auf Darstellungen erscheinen die Dogen immer im Dienst des Stadtheiligen. Als Wappen-, Hoheits- und Feldzeichen dient das Markussymbol: der Löwe.[20] Nicht anders in Mailand; hier ist es der heilige Ambrosius. Er ficht mit der Stadt gegen den staufischen Kaiser, die Bürger führen sein Zeichen auf ihrem Fahnenwagen mit in den Kampf, und sein Name ist ihr Schlachtruf. Nach dem Sieg gebührt ihm Dank: Jubelgesang sowie Gottesdienste und Kirchenstiftungen.[21] Aus Deutschland kann als Beispiel Köln angeführt werden. Das älteste Stadtsiegel zeigt noch den heiligen Petrus, den Patron der Kathedrale; im 13. Jahrhundert aber, als die Stadt die Ratsverfassung ausbildet und sich vom Bischof freikämpft, unterstellt sich die Bürgerschaft den heiligen Drei Königen, dazu noch den Heiligen Gereon und Ursula. Unter der Dreikönigsfahne besiegt die Stadt ihren Erzbischof in der

Schlacht von Worringen (1288). Die bürgerlichen Stadtpatrone malte Stefan Lochner 1445 auf ein Altarretabel für die Ratskapelle: Maria und die Drei Könige sowie Gereon und Ursula; erst in der französischen Revolution ist dieses Bild an seinen heutigen Standort in den Dom gelangt.[22]

Kurzum, die Heiligen wachen und herrschen gemäß göttlicher Anordnung über einzelne Regionen, Länder oder auch Städte und geben sich als Beschützer der dortigen Menschen.[23] Um eine Kurzformel zu gebrauchen: Gott beherrscht die Welt, und Christus ist der ‚salvator mundi'; die Heiligen aber wachen über die einzelnen Orte, wo sie jeweils als ‚patronus loci' fungieren.

Mit der Zeit allerdings entwickelte sich immer mehr eine ortsüberschreitende Verehrung. Denn die vielen Reliquien, die im Laufe der Zeit verbreitet wurden, machten jeden Heiligen sozusagen multilokal. Noch stärker taten dies die in der Christenheit weithin gemeinsamen Heiligenkalender; der großen Heiligen wurde an jedem Ort gedacht. Endlich trugen zur Vervielfältigung auch die Statuen und Bilder bei. Zuletzt ist der Heilige überall dort gegenwärtig, wo man ihn anruft. Schon Ansgar von Bremen-Hamburg († 865) sah die Heiligen, obwohl abgeschieden, dennoch für das Volk auf Erden gegenwärtig in Wundern und in Werken verschiedener Gnadengaben; zuvörderst geschähen diese an jenen Orten, wo ihre hochheiligen Reliquien beigesetzt seien und verehrt würden; ausweitend fügt Ansgar aber hinzu, daß die Heiligen nicht ausschließlich in ihrer Asche und den Reliquien gegenwärtig (praesentes) seien, sondern allüberall, wo sie gläubig angerufen würden; Gott wolle das heimgesuchte Volk erkennen lassen, daß es einen Patron im Geist und im Leib (patronum in spiritu veluti in corpore) bei sich habe.[24] Erst im Spätmittelalter wurde die „Allgegenwart" der Heiligen allgemeine Frömmigkeitsauffassung; lange noch blieben das Grab oder die Reliquien der erste Ort der Verehrung. Treffend hat A. Gurjewitsch konstatiert: „An einem bestimmten Ort hatte er [der Heilige] gelebt und seine Taten vollbracht; folglich gehörte er zu den dortigen Bewohnern und konnte sich auch nach seinem Ende nicht von ihnen trennen. Der Heilige und seine Gemeinde bildeten eine einheitliche Gruppe, in der Güter ausgetauscht wurden: Gebete, Wunder, Geschenke. Die Gemeinschaft galt für unauflöslich ..."[25]

3. Heiliger Tag

Mit der räumlichen war auch eine zeitliche Bindung gegeben. Ein jeder Heilige hatte seinen bestimmten Tag. In der Regel war es der Tag des Versterbens, für den sich im 3. und 4. Jahrhundert die Bezeichnung ‚dies natalis' durchsetzte; in dieser Bezeichnung schwang eine gewisse gnostische Leib- und Weltverachtung mit, da man betont den Geburtstag für das himmlische Leben und nicht den für das irdische feiern wollte.[26] Der Tag des Heiligen, einmal in Übung gekommen, nahm dann Elemente auf, wie sie religionsgeschichtlich typisch sind für einen ‚heiligen Tag'; derselbe besitzt mit seiner jeweiligen Eigenart einen besonderen Heilscharakter. Im ganzen Mittelalter gestaltete die Person des Heiligen den ihr gehörigen Tag und strahlte eine besondere Heilskraft aus: Was immer an einem solchen Tag geschah, stand im Zeichen des Tagesheiligen. So könnte man sagen: Christus gehört das Jahr – darum ‚annus domini', aber dem Heiligen gehört der Tag – darum ‚dies sancti'.[27]

Entstanden sind die Gedenktage aus dem Gedächtnis, das die einzelnen Christengemeinden ihren Heiligen widmeten. Man versammelte sich am Jahrestag des Martyriums bzw. des Versterbens am Grab[28], wie es schon im ›Martyrium des Polykarp‹ bezeugt ist[29]. Die jährlichen Gedenktage wurden in einen Kalender eingetragen, woraus dann die liturgischen Kalendarien bzw. die ›Martyrologien‹ entstanden.[30] Dieses Datum wie der zumeist miteingetragene Ort der Bestattung sind, historisch gesehen, die wichtigsten „hagiographischen Koordinaten"[31]. Aus Rom ist uns eine erste Liste aus der Mitte des 4. Jahrhunderts überliefert; mit dem 25. Dezember beginnend, zählt sie 23 Märtyrer auf, zuvörderst Petrus und Paulus, desweiteren vier Päpste, aber auch schon Ortsfremde wie die Nordafrikaner Perpetua, Felicitas und Cyprian; Bekenner allerdings fehlen.[32] Bis zur Mitte des 5. Jahrhunderts wuchs der Kalender weiter an. Wenig später entstand in Norditalien das sog. ›Martyrologium Hieronymianum‹, das sowohl römische wie östliche und nordafrikanische Gedenktage enthält. In Gallien wurde dasselbe entweder kurz vor 600 oder bald danach nochmals erweitert. Als solches bildete es den Grundstock des abendländischen Heiligenkalenders, der damit Heilige der ganzen Christenheit enthielt und im Laufe des Mittelalters immer weiter aufgefüllt wurde. Waren es zunächst nur Name, Tag und Ort, so fügte man in karolingischer Zeit einzelne historische Ergänzungen an – die „historischen Martyrologien"[33]. Die Anzahl der Heiligen und ihrer Feste schwoll im Frühmittelalter beträchtlich an. Während Rom im 9. Jahrhundert an die hundert Heiligenfeste feierte, waren im 11. Jahrhundert weitere 123 hinzugekommen, insgesamt also 220; im 12. Jahrhundert betrug der Zuwachs nurmehr 37, wobei aber die Gesamtzahl infolge von Streichungen wieder auf 190 zurückging.[34] Praktisch war jeder Tag ein Festtag. Die im einzelnen kaum mehr überschaubare Zahl veranlaßte ein Kollektivgedächtnis. Bereits Alkuin machte sich zum Fürsprecher einer ‚sollemnitas omnium sanctorum', des Festes Allerheiligen, und nennt auch schon den 1. November als Datum.[35] Im Spätmittelalter wird der Tag, besonders wegen des Zusammenhangs mit dem am 2. November gefeierten Allerseelengedenken, zu besonderer Würde und Verpflichtung gesteigert, vor allem mit Beichte und Kommunionempfang.[36]

Das Gedächtnis feierte die Christengemeinde anfangs am Grab; es war eine ‚Nachtwache' (Vigil) mit Gebet und gegebenenfalls dem Verlesen der Passion oder Vita; am Ende stand ein Totenmahl, das später durch eine Eucharistie ersetzt wurde.[37] Tatsächlich bieten die entsprechenden Liturgiebücher, die Sakramentare, einen eigenen Heiligen-Teil, das ›Sanctorale‹[38]. Das ältesterhaltene Exemplar des Gelasianum, geschrieben wohl um die Mitte des 8. Jahrhunderts, hat nach den Herrenfesten und den Sonntagen einen zweiten Teil mit 80 Meßformularen für Heilige[39]; ebenso viele finden sich im Gregorianum, das Karl der Große für sein Reich empfahl.[40] Die Meßfeier „zu Ehren" der Heiligen verstand sich zunächst wie jede Eucharistie als Dank an Gott, aber zusätzlich und in zunehmendem Maße als Bitte um Interzession der Heiligen; ja, „ihr Kult ist das gewichtigste Moment der Messenhäufung geworden"[41]. Darüber hinaus hat das Heiligengedächtnis auch Eingang in das Stundengebet gefunden.[42]

Religionsgeschichtlich gilt die Zeit in aller Regel nicht als gleichmäßig weiterfließend, sondern als punktuell verdichtet und besetzt entweder mit Heil oder Unheil.[43] Für bestimmte Handlungen bedarf es der rechten Zeit. Wie aber die Christen keine von sich aus heiligen Gegenstände oder Orte kannten, so auch keine vorgegebene heilige Zeit. Vielmehr depotenzierten sie die religiöse Bedeutung der kosmischen Zeiten und besetzten solche Tage mit christlichen Festen. So wurde am 25. Dezember, zur Wintersonnenwende, die Geburt Jesu Christi gefeiert als der Aufgang der neuen „Sonne der Gerechtigkeit".

Ähnlich verchristlichte man die Tag- und Nachtgleiche des Frühjahrs, den 25. März, als „Verkündigung des Herrn", als Tag, an dem in Mariens Schoß das menschliche Leben Jesu seinen Anfang genommen hatte. Die Sommersonnenwende (24. Juni) erhielt Johannes der Täufer zugewiesen, der für sich ein „Abnehmen" und für Jesus ein „Zunehmen" ausgesagt hatte (vgl. Joh. 3,30). Im mittelalterlichen Kalender richtete sich die Qualität eines jeden Tages danach, wie er von Jesus Christus oder einem Heiligen heilvoll geprägt war, und dieses Heil galt es zu nutzen. Man hat für die Staatsakte des Mittelalters geschätzt, daß mindestens 90 Prozent von ihnen an heiligen Tagen stattgefunden haben.[44]

Die herausragenden Handlungen, beispielsweise die Krönungen, fanden bevorzugt an den Hochfesten statt, an Weihnachten, Ostern und Pfingsten. Karl der Große und Karlmann allerdings ließen sich 768 am Tag des von ihrer Dynastie besonders geehrten Dionysius auf den Thron heben.[45] Friedrich II. wurde 1215 am Jakobus-Tag gekrönt, wohl um sich dem Pilger-Apostel für einen geplanten Jerusalemzug zu empfehlen. Als Heinrich IV. 1077 büßend in Canossa vor Gregor VII. erschien, war es der 25. Januar, das Fest Pauli Bekehrung.[46] Die Gerichtstermine in dem von 1178 bis 1180 dauernden Prozeß Barbarossas mit Heinrich dem Löwen waren auf St. Martin, die Oktav von Ephiphanie, Johannes den Täufer, Mariä Himmelfahrt, nochmals die Oktav von Ephiphanie, Palmsonntag und zuletzt wiederum auf Johannes den Täufer angesetzt. Selbst bei Schlachten suchte man die Hilfe des Tagesheiligen; so besiegte Heinrich I. 933 die Ungarn am Tag des heiligen Longinus, jenes Soldaten, der bei der Kreuzigung die Seite des Herrn durchstoßen hatte (Joh 19,34) und dessen Lanze der König gerade erworben hatte.[47]

Wie es die Großen hielten, so hat auch das Volk gehandelt. Bestimmte Heiligentage besaßen tatsächlich eine außerordentliche Volkstümlichkeit. Was sich an einem solchen Tag ereignete, geschah unter dem Patronat des Heiligen und war sozusagen seine Angelegenheit.[48] Wenn man sich an seinem Festtag ihm zu Lob und Ehren versammelte, so nötigte ihn das zu Segenstaten, und genau das erhoffte man sich.[49] Natürlich konnte der Heilige an allen Tagen angerufen werden, was tatsächlich auch geschah; dennoch blieb es dabei, daß er an seinem speziellen Tag in besonderer Weise zugänglich war und seinen eigentlichen Segen spendete. Bei 216 Wundern aus dem nordfranzösischen Bereich des 11. und 12. Jahrhunderts, für die ein Festtag bezeugt ist, ereigneten sich 68 – knapp ein Drittel – am Tag des Heiligen und ein Großteil der weiteren an den Herrenfesten des

Kirchenjahres: 37 in der Karwoche, zu Ostern und seiner Oktav, 32 zu Pfingsten und seiner Oktav, 10 an Weihnachten und 9 an Christi Himmelfahrt.[50] Die Zeit war „heiliggemacht“, nicht zuletzt durch die Heiligen.

Was das Mittelalter allerdings noch nicht kannte, war der Namenstag, die Feier eines Namenspatrons im neuzeitlich-katholischen Sinn, daß ein jeder von der Taufe an einem besonderen Heiligen unterstellt war und dessen Namen trug. Obwohl schon früh – in der gallikanischen Taufliturgie seit dem 6. Jahrhundert – die Namengebung mit der Taufe verbunden war[51], mußte es keineswegs der Name eines Heiligen sein. Regionaluntersuchungen, beispielsweise im Rheinland und Westfalen, haben einen nur schmalen, allerdings wachsenden Bestand von christlichen Namen ergeben.[52] Erst im Spätmittelalter kam der Brauch auf, das Kind nach dem Heiligen des Tauftages zu benennen, wie es beispielsweise bei dem am Martinstag getauften Reformator Luther geschah.[53]

4. Die Wallfahrt

Die reichste Quelle, aus welcher der Segen des Heiligen überfloß, bildete sein Grab. Es war die irdische Vergegenwärtigung dessen, was der Heilige darstellte und anzubieten hatte: die Kontaktstelle für seine himmlische Existenz und damit der irdische Ort für seine Virtus. Das Grab war auf Erden der Ort des Heiligen schlechthin.

Thiofried von Echternach († 1110) beschreibt die Kraft, die davon ausstrahlt: „Wie nämlich ‚das Wort Gottes lebendig, kraftvoll und schärfer ist als jedes zweischneidige Schwert und durchdringend bis zur Scheidung von Seele und Geist, von Gelenk und Mark‘ [vgl. Hebr 4,12] und auf diese Weise mystisch ausstrahlt, so verbreitet sich die Kraft (virtus) der heiligen, schon mit Gott regierenden Seele wunderbar auf alles ihr Zugehörige, ob im Inneren oder Äußeren, ob noch eingeschlossen im Gefängnis des Fleisches oder schon erhoben in die Himmelsstadt Jerusalem. Und was sie, aufgrund ihrer zuvorkommenden und fürbittenden heiligen Verdienste in Fleisch und Bein [während des Erdenlebens] wunderbar tut, dasselbe tut sie noch wunderbarer im aufgelösten Staub und strahlt aus auf alles, das Äußere wie auch Innere, auf jedwede Materie und Kostbarkeit der Ornamentik und der Bedeckung [des Grabes]. Wie die Seele selbst im Leib nicht zu sehen ist und doch wunderbar darin wirkt, so tut es auch der Schatz des kostbaren Staubes, selbst wenn er nicht gesehen wird und nicht berührbar ist. Er überträgt den Überfluß seiner Heiligkeit... auf alles, worin er inwendig geborgen und von außen umschlossen ist. Wer festen Glaubens mit seiner Hand den äußeren Verschluß [des Grabes] berührt, etwa ein Gold- oder Silberplättchen, einen gleichwie wertvollen Edelstein oder sonst ein Stück Gewebe, Ziermetall, Bronze, Marmor oder Holz – es wird berührt, was innen drin ist."[54]

Dies ist der Kern der „Theorie" wie der daraus folgenden Praxis: Wer dem Heiligen auf Erden begegnen will, muß zu seinem Leib gehen, und das heißt normalerweise: zu seinem Grab.[55] Denn wo das Grab mit dem Leib ist, da macht sich immer auch die Seele des Heiligen gegenwärtig, letztlich seine Person selbst. Mit dieser Gegenwart aber steht auch die Virtus, die überirdische Wundermacht, zum Abruf bereit. Den „kostbaren Staub", wie der Grabinhalt bezeichnet wird, braucht man nur anzurühren. So bewegte sich ein ununterbrochener Menschenstrom zu den wunderträchtigen Gräbern der großen Heiligen und umlagerte sie: für eine flüchtige Berührung im nachschiebenden Pilgerstrom oder auch in einem tagelangen Beharren; man klammerte sich an das Grab an, warf sich davor nieder, ja schlief dort nächtens, wie schon bei der antiken Inkubation.[56] Wirkungsvoll war zudem alles, was man vom Grab mitnehmen konnte, etwa das Lampenöl und das Kerzenwachs, ja selbst noch der Staub vom Schrein oder der Abdeckplatte.[57] Endlich auch wurden Pilgerabzeichen angeboten; am besten bekannt sind die Jakobsmuscheln aus Compostella[58].

Die „Sakralmobilität"[59], das Unterwegsseins zu einer „Gnadenstätte"[60], bewegte das ganze Mittelalter[61], ob nun in Form privater Einzel- oder Gruppenpilgerschaft oder auch in der Form einer gemeindlich organisierten Prozession[62]. Gemeinhin spricht man von Wallfahrt (obwohl damit seit der Neuzeit auch eingeschränkt nur die organisierte Prozession gemeint sein kann).[63] Die Anlässe und Absichten mochten wechseln, so daß man an Variationen zum uralten Thema des ‚homo viator' denken möchte.[64] Bei der Wallfahrt zum Heiligen ging es vor allem um dessen Gnade, ob man nun – so die allgemeinste Motivation – „des Gebetes wegen" kam oder aber – so die tatsächlich wirkmächtigste Motivation – zur Erlangung einer Wunderheilung bzw. zum Dank für eine solche. Ein Strom von erbärmlichem, ja abstoßendem Elend ergoß sich zum Heiligengrab, Tage und Wochen unterwegs, nötigenfalls auch Tage und Wochen am Grab verharrend. Die großen Heiligtümer zogen Menschen aus ganz

Europa an. Die meisten indes pilgerten zu den Heiligen der nächsten Umgebung, in der Entfernung nur einer oder weniger Tagesreisen. Kleine Gruppen waren es zumeist: der Bittsteller bzw. der Heilung Suchende, mit ihm einige Verwandte und Nachbarn, der Zahl nach bis zu einem Dutzend, selten mehr. Pfarrer beteiligten sich, anders als im neuzeitlichen Wallfahrtswesen, kaum, nur bei eigener Betroffenheit oder bei Pflichtprozessionen; wohl aber bedurfte man ihrer Beglaubigungs- und Empfehlungsschreiben.[65] Die Annäherung geschieht als Eintritt in die konzentrisch ausstrahlende Sphäre des Heiligen, in seine zum Grab hin verdichtete Wirkmacht: nach mühseliger Pilgerschaft der erste Anblick des Heiligtums von einer bestimmten Stelle aus, die dadurch selbst bereits geheiligt ist und ein Anhalten sowie bestimmte Gebete erfordert; weiter der Eintritt in das Kloster oder die Stadt und – wenn hoch gelegen – der Aufstieg; dort das Erreichen der „Schwelle" und ihr Überschreiten – man denke nur an die römischen ‚limina apostolorum' –, sodann das Betreten des inneren Heiligtums, hier spätestens auch die geistliche Bereitung, etwa durch Beichte[66], und endlich der Kontakt mit dem Grab. Ziel sind „Grabhöhlung und Sarg ... [als] Stätte des Heilkultes"[67]. Der Kranke wird auf den Sarg gelegt oder sein sieches Glied darüber gehalten; ein Kind kann zweimal in das Grab hineingestellt werden, so daß beim ersten Mal das eine, beim zweiten Mal das andere Bein gesundet. Beliebt auch ist das „Durchkriechen" bei Hochgräbern durch eigens freigehaltene Höhlungen. Immer geht es um die „unmittelbare Partizipation an der Kraft des Heiligen"[68]. Die das Heiligtum betreuende Kommunität hat die Vermittlerdienste zu leisten: Begrüßung und Beherbergung, Anhörung der Anliegen und fürbittende Verstärkung, Aufzeichnung der Wunder und Einforderung der Dankesgaben.[69]

Über die Jahrhunderte hin zeigen sich freilich Veränderungen. In der ersten Hälfte des Mittelalters wird das Wunder am Grab erbeten und in aller Regel dort auch erfahren. Von 1.102 Wundern aus dem nordfranzösischen Bereich des hohen Mittelalters ereigneten sich gut 40 Prozent direkt bei der Anrufung im Heiligtum bzw. nach Berührung der Reliquien; fast ebenso viele geschahen noch am gleichen Tag oder den beiden folgenden.[70] Auch betreffen diese Heilungen zumeist die physischen Folgen der allgemeinen Lebenshärte, vornean Verkrüppelungen und „kontrahierte" Glieder, sodann Erblindung, Taubstummheit und Geisteskrankheiten. Schon in karolingischer Zeit machen solche Heilungen drei Viertel der Wunder aus[71], und in den Wunderberichten des 11. und 12. Jahrhunderts aus dem nördlichen Frankreich belaufen sie sich immer noch auf drei Fünftel[72].

Die Siegburger Mirakel, aufgezeichnet in den ersten beiden Jahren nach Erzbischof Annos Kanonisation (1183), spiegeln solche Verhältnisse. Insgesamt werden mit erstaunlicher Sprachgewandtheit über 200 Menschen mit 50 Gebrechen und Leiden beschrieben. Die medizinische Analyse lautet: 30 Lahme und ebenso viele Blinde; 60 Bettlägerige oder Schwerkranke ohne Spezifizierung, 15 von Wassersucht und Geschwulsten Befallene, zehn mit Bauch- und Blutfluß, zwei Zahnerkrankungen und fünf Verbrennungen, neun Herzerkrankungen, fünf vom Teufel Besessene, sodann 24 zum Leben Wiedererweckte, neun ins Wasser Gefallene (vor allem Kinder), sieben an Fallsucht Erkrankte, zehn mit teils schweren Fraktionen, drei mit Krankheiten an Geschlechtsteilen, neun Fälle von Taubheit und zweimal Hilfe für Gebärende. Aus der Stadt Siegburg werden in zwei Jahren insgesamt 27 Krankheitsfälle gemeldet: Bruch der Bauchdecke, Erbrechen, Fieber, Fraktur und Verkrampfung eines Armes, Brandigkeit, Augenverletzung und Verbrennung.[73]

Auch im Spätmittelalter bleiben die Heilungen in der Überzahl, doch beziehen sie sich jetzt vielfach auf Unglücksfälle, zumal solche bei Kindern. Die Anrufung der Heiligen wie auch die Rettung bzw. Heilung sind in der Regel bereits zu Hause geschehen, und mit der Wallfahrt stattet man den Dank ab, zumeist aufgrund eines in der Notsituation abgelegten Gelübdes.[74]

Im zweiten großen Motivkreis der mittelalterlichen Heiligenwallfahrt stehen Strafe und Sühne. Nachdem die irischen Bußbücher die „Heimatlosigkeit“, das heißt: die Verbannung von der heimatlichen Insel, als Bußwerk rezipiert hatten[75], wandelte sich dieselbe auf dem Kontinent zur Sühnewallfahrt zu Heiligen-Gräbern[76]. Empfehlungsschreiben, die den Pilgern mitgegeben wurden, bekunden: Der Betroffene habe zu seiner Sündentilgung eine siebenjährige Heimatlosigkeit auf sich zu nehmen und währenddessen die ‚Orte der Heiligen‘ aufzusuchen.[77] Die Heiligen sollen also bei der Abbüßung mithelfen. Die Wallfahrt zum Heiligen Petrus verband sich mit jenen Bußfällen, die einer päpstlich reservierten Absolution bedurften: Der Bußpilger begibt sich zu den ‚loca sancta‘, zu den ‚corpora sanctorum‘ und zuletzt zum ‚apostolicum romanum‘.[78] Im Laufe des Mittelalters wurde es dann üblich, schwere Vergehen, zumal Mord, mit Wallfahrt zu den großen Sanktuarien zu bestrafen. Bemerkenswerterweise verhängten auch die weltlichen Gerichte solche Strafwallfahrten und ersetzten damit Verbannung oder Haft.[79] Ebenso übernahm die Inquisition diese Strafform für Ketzerei. Die „größere Wallfahrt" führte nach Rom, Compostela[80], Canterbury[81], Köln[82] und Konstantinopel, die „kleinere Wallfahrt" zu einer Fülle von weiteren Orten: Rocamadour, St. Gilles, Einsiedeln, Aachen und vielen anderen.

Ein Beispiel, wie auch Menschen vom Dorf sich auf den Pilgerweg machten, überliefert jener holsteinische Bauer Gottschalk, der 1190 eine Vision hatte und in seinem Bericht auch Dorfgeschichten einfließen ließ. Ein Henker Winido, der an einem Jungen ein Todesurteil hatte vollstrecken müssen, bekam Reue und ging zur Sühne auf Wallfahrt: „Als Winido aber später wieder zu sich selber kam, plagte ihn sein Gewissen, daß er den Jungen, mochte er auch durch Richterspruch nach dem Gesetz zum Tode verurteilt worden sein, nicht im Eifer um Gerechtigkeit, sondern in der Wut der Rache so bösartig zugerichtet habe. Deshalb entschloß er sich, aus eigenem Antrieb eine passende Buße zu leisten. Schon vor langer Zeit hatte er sich zur Sühne seiner Schuld sogar einer Pilgerfahrt nach Jesusalem unterzogen; und jetzt hat er ein Gelübde abgelegt, mit seiner Frau zur Schwelle des heiligen Jakobus zu ziehen. Wo er jetzt auch von dem gegenwärtigen Befinden des von ihm hingerichteten Jungen gehört hat, ist er glücklich und freut sich, daß seine wahnsinnige Wut, mochte sie im Blick auf ihn selbst auch verdammenswert bleiben, für den Jungen doch der Grund für eine mildere Bestrafung und größere Herrlichkeit geworden ist."[83]

War bei all diesen Wallfahrten das Grab oder doch eine Reliquie das Ziel, so änderte sich das im späten Mittelalter. Es entstand eine neue Art von Gnadenorten: Nicht länger suchte man primär Heiligengräber auf, „sondern man fühlte sich angezogen durch Orte, die der Himmel zum Schauplatz seines wunderbaren Eingreifens in den gewohnten Gang der Dinge gewählt hatte"[84]. Zuweilen waren es Erscheinungen oder sonstige mirakulöse Ereignisse, zumeist aber die Auffindung von wundertätigen Bildern. In der Diözese Straßburg zum Beispiel entstanden im 15. Jahrhundert 34 neue Wallfahrtsorte, davon nur noch vier als Grabwallfahrten. Auch lagen die neuen Wunderorte in aller Regel auf dem Land und erhielten Zulauf mehrheitlich von Dörflern. Noch im Bauernkrieg erfuhren diese Heiligtümer Schonung, und nur wo der neugläubige Einfluß erstarkte, minderte sich die Anziehungskraft. Da solche Gnadenorte in verhältnismäßig großer Zahl entstanden, veränderte sich auch die Wallfahrt; nicht daß die Fernwallfahrt aufgehört hätte, aber das Normale war nun der Pilgergang zum nächsten, oft in wenigen Stunden erreichbaren Heiligtum.

X. Die Hagiographie

1. Vita und Mirakel

„Kostbar ist in den Augen des Herrn der Tod seiner Heiligen" (Ps 116,15). Im Tod entschied sich das Leben: Die Taten, ob gut oder böse, gerannen zur Endgültigkeit, und mit seinem verendgültigten Leben trat der Abgeschiedene vor Gott. „Selig die Toten, die im Herrn sterben ...; sie sollen ausruhen von ihren Mühen, denn ihre Werke begleiten sie" (Offb 14,13). Schon die Antike hatte das „Sterben berühmter Männer" gefeiert.[1] Die Christen hielten vor allem die Märtyrer für denkwürdig, ihren blutigen Tod mitsamt dem voraufgegangenen Verhör und Bekenntnis, ebenso die vorher oder nachher geschehenen Wunder. Der literarische Gattungsbegriff ist ›Märtyrerakten‹ oder einfach ›Martyrium‹ bzw. ›Passio‹[2]. Das Ideal des „Märtyrers ohne Blut" schuf sich dann ein eigenes Genus: die ›Vita‹[3]. Beschrieben werden erneut der Tod, nun aber als Endpunkt des voraufgegangenen asketischen Lebens, und gegebenenfalls wiederum die Wunder. Nicht eine Biographie mit der Genese der Persönlichkeit wird geboten, sondern die Konzentration auf die verdienstlichen Leistungen vor Gott und auf dessen gnadenhafte Begabungen, also eine Strukturierung nach dem Schema des Gottesmenschen. Tunlichst erfolgt dabei eine Berufung auf die Bibel[4]; man hat es eine „biblische Orchestrierung" genannt: Schon vor seiner Geburt steht der Heilige unter der Erwählung Gottes und ist vom Mutterschoß an geheiligt (Jer 1,5); alle seine Entscheidungen fällt er von Bibelworten her: wie Abraham hat er Heimat, Haus und Verwandtschaft verlassen (Gen 12,1), desgleichen Vater und Mutter, auch Häuser und Äcker (Mt 19,29), überhaupt allen Besitz, wie Jesus es für die Vollkommenheit gefordert hatte (Mt 19,21). Am Ende hat jeder Heilige den guten Kampf gekämpft und den Lauf vollendet (2 Tim 4,7); er ist eine „aktualisierte Bibel"[5].

Am frischesten noch berichten die Viten, wenn sie aus unmittelbarem Erleben geschrieben sind. Mit dem zeitlichen Abstand wachsen sowohl literarische Gemeinplätze, die Topoi wie auch die Wunder, zuweilen sogar ins Groteske.[6] Bei solchen Viten sind die Variationen oft nur gering; sie ähneln sich in ganzen Passagen, so daß sie wie austauschbar erscheinen. Die hagiographischen Denkmuster haben sich weit über das Genus der Viten hinaus verbreitet, und so ist vorgeschlagen worden, von einer „spirituellen Biographie" zu sprechen, die nicht an ein bestimmtes Literaturgenus gebunden sei.[7]

Was den modernen Leser irritiert und die Forschung lange behindert hat, ist die Typik der Heiligen-Viten. Tatsächlich erscheint der Heilige als Typus mit beinahe „keinen individuellen Zügen"[8], bietet „ein hieratisches Bild anstelle eines wirklichen Portraits"[9].

Theodor Wolpers hat in seiner Untersuchung über ›Die englische Heiligenlegende des Mittelalters‹ die wichtigsten Elemente der Vita aufgezählt.[10] Dem Hagiographen geht es im wesentlichen um die „Beweise heiliger Tugenden und Gnaden", um den „verehrbaren, beispielgebenden und ... anrufbaren Heiligen." Nicht der Mensch als solcher interessiert, und darum „fehlt fast jeder psychologische Spielraum". Vielmehr erscheinen die Heiligen „von nichts als Gottesliebe und anderen heiligen Tugenden ausgefüllt". Dabei durchlaufen sie „kaum eine Entwicklung und haben keine innere Geschichte. Von Kindheit an, vielfach schon im Mutterleibe, sind sie von Zeichen der Heiligkeit umgeben. Zwar gibt es auf ihrem Wege die Entscheidung für das mönchische Leben, das Martyrium, die geistlichen Ämter und ebenso ... die Stufenfolge geistlicher Vervollkommnung, aber in allen Prüfungen bewähren sie sich gleichermaßen und folgen ihrer Berufung. Selbst die Konversions- und Büßerleben bringen keine allmähliche Progression, sondern ein plötzliches, gnadenvolles Umschlagen, das in einem lebenslangen Sichbewähren seine Bestätigung findet." Die Viten nehmen dabei eine „grundsätzliche Entwertung der Kategorien des Raumes und der Zeit" vor, so daß es an szenischer Perspektive und Verknüpfung fehlt. „Zwar finden sich Ortsnamen, mitunter ebenso häufig Personennamen, aber ihnen kommt mehr eine Art reliquiare Bedeutung für die erbauliche Betrachtung zu"; es „geht ... nicht um Historizität". Die Umwelt kann den Heiligen nur bewundern und ihm gehorsam folgen. „In vielen früh- und hochmittelalterlichen Durchschnittsviten erschöpft sich die Betrachtung in Rufen des Staunens und Erschreckens, in homiletischer Mahnung, liturgischem Preisen."

Besonders auffällig ist die Typik in der Personenschilderung; gerade hier wird mit wiederkehrenden, toposhaften Versatzstücken gearbeitet. Immer ist der Heilige mit reichen Gaben des Körpers und des Geistes ausgestattet. Auf seinem Antlitz steht gleichbleibende Heiterkeit; doch ist ihm Lachen versagt, erst recht Ausgelassenheit. Im Auftreten gibt er sich würdevoll, zugleich demütig und einfach.

Prunk verschmäht er, ist ärmlich gekleidet und nur mit Tasche, Stab und vielleicht einem Esel ausgerüstet und obendrein wehrlos. Im Umgang zeigt er sich gewinnend und liebenswürdig, seine Worte sind wohlabgewogen und erbaulich. Stets bleibt er geduldig und zeigt die Sanftmut des Herzens. Wo es aber zu handeln gilt, geht er mit Geschicklichkeit, ja mit Festigkeit vor, und wenn es die Umstände erfordern, auch mit Strenge. Aber niemals darf er zu Waffen greifen. Für sich lebt er in größter Enthaltsamkeit. Die Reinheit des Leibes und der Seele bewahrt er makellos, Speise und Trank beschränkt er auf ein Mindestmaß, den Schlaf kürzt und unterbricht er durch häufige Nachtwachen mit langen Gebeten, wie er überhaupt ständig betet und sich mit geistlichen Dingen beschäftigt, etwa mit geistlicher Lesung, unausgesetzter Psalmenrezitation oder erbaulichen Gesprächen. Seine Wohltätigkeit kennt keine Grenzen, er hilft allen Bedürftigen, wo und wie er nur kann. Es ist ein rundum harmonisches Bild mit Zügen von Liebe, Frommheit und Erbaulichkeit.[11]

Typisch schildert schon Sulpicius Severus den heiligen Martin: „Oh wahrhaft seliger Mann, in dem kein Falsch war: Keinen hat er gerichtet, keinen verurteilt, keinem Böses mit Bösem vergolten; Ja, eine solche Geduld hatte er gegen alle [ihm zugefügten] Ungerechtigkeiten angenommen, daß er, obwohl höchster Priester, sich auch von den untersten Klerikern ohne Wehr beleidigen ließ ... Niemand sah ihn jemals zornig, niemand aufgeregt, niemand traurig, niemand lachend; er blieb immer gleich: himmlische Freude trug er auf seinem Gesicht, er erschien als einer außerhalb der Natur des Menschen. Niemals war in seinem Munde etwas anderes als Christus, in seinem Herzen nichts anderes als Frömmigkeit, Frieden und Barmherzigkeit.“[12]

Obwohl im ganzen Mittelalter die Heiligen typisch dargestellt werden, zumal in den Viten und auch noch in der ›Legenda aurea‹, darf man hieraus nicht auf eine Unfähigkeit zur Personenschilderung schließen. Vielmehr zeigen die großen geistlichen Wortführer seit dem 12. Jahrhundert ein beträchtliches Geschick und sogar psychologischen Scharfblick, wenn es um die Erfassung der individuellen Personqualitäten geht.

Der Zisterzienserabt Aelred von Rievaulx († 1167) empfiehlt als entsprechende Übung: „Stellen wir uns zwei Menschen vor Augen: Der eine ist freundlich, anziehend, ruhig, angenehm und hat von allen Vorzügen etwas an sich. Er lädt die anderen zu vertrautem Umgang ein, ist gewinnend in seinen Worten und ausgeglichen in seinem Verhalten, jedoch in einigen Tugenden weniger vollkommen. Ein anderer hingegen ist zwar in der höchsten Tugend vollkommener, doch ist seine Miene trauriger, sein Aussehen finsterer und seine Stirne durch die strenge Lebensweise gefurcht. Auch wenn er allen Wohltaten erweist und tut, worum man ihn bittet, so ist er im Umgang dennoch nicht angenehm, und er zieht nicht die anderen durch seine Liebenswürdigkeit an. Dem ersten Menschen gegenüber wird das Herz unwillkürlich vom Gefühl der Liebe erfaßt, dem zweiten gegenüber drängen die Vernunft und das Gesetz der geordneten Liebe dazu."[13] Der Text ist ein evidenter Bruch mit dem Vitenideal, das den Heiligen von nichts anderem als heiligen Tugenden ausgefüllt sein läßt.

Der Vita folgen nicht selten noch spezielle Mirakel-Sammlungen. Wurde erstere oft schon bald nach dem Tod verfaßt, so entstanden letztere bei Gelegenheit der Erhebung und Übertragung. Drei Viertel aller Wunderberichte künden vom Wirken des Heiligen nach seinem Tod.[14] Solche Berichte, die es übrigens schon aus der vorchristlichen Antike gibt, erklären sich aus der übergroßen Freude der erfahrenen Wohltat. Sie können dabei das Wunder der himmlischen Hilfe wie die Dramatik des vorherigen Unglücks oder auch die Hoffnungslosigkeit der Krankheit zu wirklichen Realitäts- und Erlebnisschilderungen steigern.[15] Andere Berichte hinwiederum bewegen sich in Topoi und Schemata: die große Not, die nutzlose Suche nach Hilfe bei den Ärzten (die des Kontrastes wegen nicht gut wegkommen), dann der rettende Gedanke der Anrufung eines Heiligen oder eines Gnadenbildes, womit in der Regel ein Gelöbnis verbunden ist, das auszusprechen schon Heilung bringt, dann aber, zumeist als Wallfahrt, noch erfüllt werden muß[16]. Und nicht nur der Verlauf, auch die Art der Wunder erscheint typisiert. Sie beziehen sich auf die Geburt des Heiligen, auf seine Versuchungen und Kämpfe gegen den Teufel, bestehen in Visionen, Erhebungen und Lichterscheinungen, ermöglichen Heilungen und Totenerweckungen, bewirken Vermehrungen, besonders von Öl, Korn und Wein, helfen bei der Abwehr von Feinden und Feuer, von Wasser oder Gewittern, auch bei der Bezähmung von wilden Tieren.[17] Endlich gibt es noch „Wunderprotokolle": von besonderen Kustoden des Heiligtums oder gar von Notaren angefertigte und verbürgte Niederschriften des Geschehenen, einmal zu Ehren des Heiligen und seiner gewährten Hilfe, zum anderen zur Inpflichtnahme der Begnadeten, daß sie ihren gebührlichen Dank abtragen. Die für die Kanonisationsprozesse erforderlichen Wunder mußten ebenfalls protokollarisch bezeugt sein.[18]

Die Viten und Mirakel nehmen für die frühere Hälfte des Mittelalters einen überragenden Anteil in der Literatur ein; man schätzt, „daß die Zahl der hagiographischen Texte des lateinischen Mittelalters die 10.000 weit übersteigt“[19]. Das Frühmittelalter nimmt dabei insofern einen wichtigen Platz ein, als in dieser Epoche die Hagiographie das erstgepflegte literarische Genus war, eigentlich auch das wichtigste.[20] Die Texte wurden im Gottesdienst wie bei Tisch oder auch in der Mönchszelle gelesen. Von daher rührt der Name ‚Legende‘, nämlich ‚legenda‘, das heißt: die jeweils zu lesenden Kapitel.[21] Seit karolingischer Zeit gab es Sammlungen: Legendarien oder Passionarien. Berühmt sind das dreibändige und prachtvoll illuminierte ›Stuttgarter Passional‹ des frühen 12. Jahrhunderts (in Wirklichkeit aus Hirsau), das jüngere, im Kölnischen beheimatete ›Legendar von Arnstein‹ (an der Lahn) und das im österreichischen Raum verbreitete ›Windberger Legendar‹. Eine beispiellose Verbreitung fand die Sammlung des Dominikaners und Erzbischofs von Genua Jacobus a Voragine († 1298), die ›Legenda Aurea‹[22]. An Umfang übertraf alle das nach Monaten in zwölf Bänden aufgeteilte ›Legendar von Böddeken‹ (bei Paderborn) aus dem Jahre 1459, das 1945 bis auf Reste verloren ging.[23] Bereits in die Zeit des Buchdrucks fällt die letzte große Sammlung des Mittelalters, das zu Mailand erschienene ›Sanctuarium‹ des Boninus Mombritius († 1500).[24] Die weitere Entwicklung stand dann im Zeichen der reformatorischen Kontroversen: Die Heiligenverehrung erforderte nunmehr eine theologische und wissenschaftliche Absicherung, besonders auch eine Kritik und historische Verifizierung ihrer Quellen.

Die „Theologie“ der Viten und Mirakel möchte zuerst Gottes allgegenwärtige Macht und dann die Verherrlichung seiner Heiligen bezeugen. Ausschließlich die Macht des Himmels bewirkt das Gute: Gott handelt, und der Mensch vermag ohne ihn nichts. Das bedeutet freilich nicht Quietismus, denn um Gott zum Handeln zu veranlassen, muß sich der Asket bei ihm verdient machen. Ist das Maß der menschlichen Verdienstlichkeit voll, gewährt Gott seine Wunder, zumeist auf der Stelle und in Totalität. Allerdings vermag sich gegen die Macht Gottes und seiner Heiligen vorerst noch der Teufel zu behaupten. Er hat eine zugelassene, aber begrenzte Gegenmacht. Der Mensch ist mitten in das Feld dieses widergöttlichen Streites hineingestellt, und für ihn gibt es keine „neutrale Zone“; er kann in Gottes Gnade stehen, aber allzu oft läßt er sich vom Teufel zum Bösen hinüberziehen.[25] Dieses „halbdualistische“ Weltbild[26] taucht alles entweder in Weiß oder Schwarz: hier die Lichtgestalt des Heiligen und dort die finstere Grimasse Satans. Geradezu ehern gilt dabei die Entsprechung von Tun und Ergehen; wie ein Mensch handelt oder wirkt, so ergeht es ihm: gut oder böse. Der Heilige aber steht, weil er sich aufgrund seiner verdienstlichen Askese auf die gute Seite zu schlagen vermochte, immer fest bei Gott.[27] Darum auch wird er angerufen, wegen seiner Macht bei Gott und seiner ihm verliehenen Virtus.

Die moderne Forschung hat sich mit ihrem „hyperkritischen Rationalismus“[28] der Hagiographie gegenüber lange Zeit schwergetan. Oft hat sie aus der Viten- und Mirakelliteratur nur das historische Material herausgebrochen und dabei deren Genus verkannt. Hagiographisch wichtige Passagen, etwa die Visionen und Wunder, sind in den Ausgaben der ›Monumenta Germaniae Historica‹ zuweilen einfach weggelassen.[29] In Wirklichkeit spiegelt diese Literatur ein bestimmtes Weltbild, innerhalb dessen sie eine konsequente Logik verfolgt. Man kann die Viten darum weder als Aberglauben abtun noch als Poesie verklären. Anstoß erregten insbesondere die Wunder: Das leichtgläubige und wundersüchtige Mittelalter! Heute fällt das Urteil vorsichtiger aus. Eine mentalitätsgeschichtliche Rekonstruktion der zeitgenössischen Vorstellungen und des dazugehörigen Weltbildes machen vieles „verständlich“, in gewissem Maße auch die Wunder. „Es geht nicht an, die tausendfache Überlieferung von Wundern, unter denen Heilungsmirakel vorherrschen, ausschließlich damit zu erklären, daß hier entweder Legendenmotive übertragen oder wirkliche Vorkommnisse umstilisiert ... wurden ... Wir können nicht von vornherein ausschließen, daß im Umkreis der Heiligen sich Ereignisse abspielten, die über den Rahmen des üblichen Geschehens und vielleicht auch dessen, was der ‚aufgeklärte‘ Mensch heute im allgemeinen für möglich hält, hinausgingen und eben den Ruf der Heiligkeit und Auserwähltheit begründet haben.“[30]

2. Typik und Exempel

Sowohl die Heiligen-Vita wie die Mirakel-Berichte schließen eine Reihe von Leitvorstellungen ein, die fast alle älteren Religionsvorstellungen entsprechen. Hierhin gehören schon die Phänome des Typischen und der Topik. Diese sind nicht Ausdruck eines Mangels an Rationalität oder gar an Intelligenz, sondern entstammen der archaischen Religionswelt, die nicht Individuelles, sondern immer nur Archetypisches festhält. Das gilt insbesondere für das Leben des Heiligen, weil gerade er das Ewig-Gültige in sich trägt und zur Anschauung bringt. „Alles, was kein exemplarisches Vorbild besitzt, ist ‚des Sinnes entblößt'", schreibt Mircea Eliade, „das heißt, es besitzt keine Wirklichkeit."[31] Der Mensch der frühen Kulturen halte sich nur in dem Maße für wirklich, als er aufhöre, er selbst zu sein, und er gebe sich damit zufrieden, die Handlungen eines ‚andern' zu ‚wiederholen' und ‚nachzuahmen'. „Mit anderen Worten: er kennt sich als ‚wirklich', d. h. als ‚wahrhaftig er selbst' nur, soweit er eigentlich aufhört, es zu sein."[32] Die Allgegenwart der Typik erklärt sich hauptsächlich aus diesem „nicht-selbst-sein-wollen". So sucht denn auch die Vita „nicht die historische Realität, sondern die Idee des Heiligen zu vergegenwärtigen"[33]. Und das waren sein heiliges Leben und Sterben, sein Wort und Beispiel, seine Askese und Wunder. Man brauchte eigentlich gar nichts Historisches zu wissen; bei wirklich Heiligen konnte zurückgeschlossen werden, wie ihr Leben ausgesehen haben mußte: In jedem von ihnen steckte immer nur die Urfigur des Gottesmenschen. Besser sei es, so meinte Gregor von Tours, von dem einen Leben der heiligen Väter zu sprechen als von mehreren Leben.[34] Das aber hatte für die Viten zur Folge, daß sie von den Heiligen eigentlich immer dasselbe berichten mußten; das heißt, sie wurden „typisch". Diese Typik muß aber keineswegs von „mit der Schere hergestelltem Machwerk"[35] zeugen, sondern intendiert die Verwesentlichung und Konzentrierung auf die heilige Gestalt. Das (in unseren Augen) Historische bildete nur das unvermeidliche Beiwerk, das eigentlich belanglose Drumherum. Eingewobene Zitate, Anspielungen und Topoi darf man nicht sofort als geistloses Abschreiben deuten; vielmehr sollte damit der Nachweis geliefert werden, daß das Geschehen des Heiligen-Lebens mit der autoritativen Tradition übereinstimme und sich gerade dadurch als wahr erweise. So berichtet die Vita des Severin von Noricum († 482) über die Heilung eines gichtkranken Rugiers in der Weise, daß sie Einzelzüge aus dem Neuen Testament entlehnt und in den Text inseriert: Der Rugier leidet schon zwölf Jahre an seinen Gebrechen – wie die blutflüssige Frau im Evangelium (Mk 5,25); er ist der einzige Sohn einer Witwe – wie der Jüngling von Nain (Lk 7,11); Severin tut das Wunder im Hinblick auf den Glauben der Mutter des Kranken – wie Jesus beim Gichtbrüchigen im Hinblick auf den Glauben der Angehörigen (Mt 9,2); nach der Gesundung entzweien sich die Menschen darüber, ob es wirklich der frühere Kranke war – wie im Johannes-Evangelium nach der Heilung des Blinden (Joh 9,8).[36] Severin, so soll hier gesagt werden, ist so sehr Christus-Diener, daß dieser selbst in ihm zum Vorschein kommt.

Durch die „Plagiate" aber hat sich die Forschung lange Zeit täuschen lassen. Der verdiente Viten-Editor Bruno Krusch († 1940) vermochte die merowingische Hagiographie nurmehr als „kirchliche Schwindelliteratur"[37] anzusehen, und Frantisek Graus († 1989) sah, bei aller Warnung vor „Primitivismus", in der Heiligenbeschreibung gleichwohl „eine Häufung verschiedener Epitheta und stereotyper Erzählungen"[38]. Demgegenüber glaubt Walter Berschin doch auch „merowingische Profile"[39] zeichnen zu können. Tatsächlich sind immer wieder „historische" Viten geschrieben worden. Für das Frühmittelalter ist beispielsweise Beda († 735) zu nennen[40], der dann vorbildlich auf die karolingische Bildungserneuerung eingewirkt hat. In Fulda ist die Vita des ersten Abtes Sturmi († 779) zugleich „Lebensgeschichte" und „Gründungsgeschichte"; sie kennt Jahreszahlen nach Art der Geschichtsschreibung und berichtet von „historischen" Ereignissen, nicht aber von Wundern.[41] Der Nordlandmissionar Ansgar († 865), der seinen Hagiographen in seinem Schüler Rimbert gefunden hat, erscheint als lebendige Person mit einer wahren Fülle von historischen Begebenheiten; ja seine Vita scheint sogar einen autobiographischen Kern zu haben.[42] Ebenso enthält die Vita des Johannes von Gorze († 976) reiches historisches Material und treffende Personenschilderungen; zuletzt bricht sie sogar mit dem Topos des „guten Todes", indem sie ausführlich die Sterbensqualen ihres Heiligen beschreibt und dies gerade nicht als Zeichen für Verworfenheit gelten lassen will.[43] Im ganzen aber entschied über die Ausrichtung einer Vita der Typ des Gottesmenschen.

Die Typik dient zugleich auch dem Exempel, das die Vita bieten will. Wahre Geschichtsschreibung versteht Hinkmar von Reims († 882) als dasjenige, was in der alten Überlieferung gesammelt sei und nun zur Belehrung der Nachfahren, der Lesenden wie der Hörenden, den Buchstaben anvertraut werde.[44] Wegen ihrer Erbaulichkeit boten sich die Heiligen überhaupt als denkwürdige Personen an. Mochten sie ihren Mitchristen unerreichbar überlegen sein und sogar als Wundertäter auftreten, so konnten sie gleichwohl in ihrer Lebensführung einem jeden Christen zum Vorbild werden: in der Bereitschaft, Gott zu dienen und dem Teufel zu widersagen, also in ihrem religiös-ethischen Bemühen.

Schon Palladius († 400) bekennt sich mit seiner ›Historia Lausiaca‹ zu „der Absicht, daß du hier als beständiges Arzneimittel gegen das Vergessen ein heiliges Mahnmal zum Nutzen deiner Seele habest, mit dessen Hilfe du dich befreien könntest von aller Schläfrigkeit, die unvernünftige Begierlichkeit erzeugt, von jeder Unentschlossenheit und Zurückhaltung in notwendigen Anliegen, von allem Zaudern und jeder kleinlichen Gesinnung, was den Charakter betrifft, von Zorn und Verwirrung, von Trauer, grundloser Furcht und weltlicher Überschwenglichkeit. Und so solltest du voll unablässiger Sehnsucht in deinem frommen Vorsatz fortschreiten können als Führer deiner selbst und derer, die mit dir und unter dir leben." Palladius endet mit der Aufforderung: „Strebe nach Begegnungen mit heiligen Männern und Frauen, damit du durch sie dein Herz deutlich sehen kannst und in der Lage bist, durch diesen Vergleich deinen eigenen Leichtsinn und deine Sorglosigkeit zu beurteilen."[45]

Sich das Beispiel guter Menschen und vor allem natürlich der Heiligen vor Augen zu stellen, ist ein Grundanliegen der Hagiographie. Sind es zumeist nur toposartige Tugendkataloge, so lassen sich seit dem 12. Jahrhundert doch auch Stimmen anführen, die den Übertragungseffekt, wie er in der Begegnung mit vorbildhaften Menschen geschieht, bereits mit hohem psychologischen Einfühlungsvermögen schildern können. So heißt es bei Wilhelm von St. Thierry († 1148) im ›Goldenen Brief‹:

„Wähle dir selbst nach meinem Rat einen Menschen, dessen beispielhaftes Leben so in deinem Herzen wohnt, den du so verehrst, daß du dich jedesmal, wenn du an ihn denkst, in Ehrfurcht vor ihm erhebst, dich selbst ordnest und sammelst. So als ob er anwesend wäre, möge der Gedanke an ihn in der Zuneigung gegenseitiger Liebe alles in dir bessern, was einer Besserung bedarf... Er möge bei dir sein und dir beistehen, wann immer du willst. Er soll dir oft begegnen, auch wenn du nicht willst. Der Gedanke an seine heilige Strenge möge dir seine Vorwürfe vergegenwärtigen. Der Gedanke an seine Güte und Milde möge dich trösten. Die Reinheit seines heiligen Lebens soll dir ein Vorbild sein. Denn wenn du dir vorstellst, daß auch alle deine Gedanken von ihm gesehen werden, wirst du dich genötigt fühlen, dich zu bessern, als ob er dich sehen und tadeln würde."[46]

Was die Viten intendierten, war die „Kultpropaganda", von der die moderne Forschungsliteratur so oft spricht und die sie nur zu oft auch als moderne Propaganda auffaßt. Tatsächlich werden die Heiligen vorgestellt als Beispiele eines rechten Wandelns und als Bewirker eines heilen Lebens. Beides gehörte im Mittelalter zusammen. Die Balance allerdings, ob nun zuerst das Wunder oder die Vorbildlichkeit herauszustellen sei, war schwer zu halten. Zuweilen konnte es auch nur ein marktschreierisches Anpreisen sein, um zu Geld zu kommen. Bernhard von Clairvaux denunziert den Aufwand für Heiligenbilder und Reliquienschreine als eine Kunst, Gold zu säen, damit es sich vervielfältige: „Von den mit Gold bedeckten Reliquien werden die Augen gebannt, und man öffnet Schreine: Gezeigt wird die wunderschöne Figur irgendeines Heiligen oder einer Heiligen, und sie wird als umso heiliger angesehen, je farbiger sie ist. Zum Kusse eilen die Menschen herbei, werden eingeladen zu spenden, und sie bewundern mehr das Schöne, als daß sie das Heilige verehren."[47] Die „Aufgeklärteren" aber, die sich besser in der theologischen Tradition auskannten, wußten um die Vorrangigkeit des ethischen Beispiels. So schreibt Paschasius Radbertus († 859) anläßlich seiner Neufassung der ›Passio‹ der heiligen Märtyrer Rufinus und Valerius:

„Denn so wie ein sorgfältig und passend geschriebenes Leben der Heiligen ihr Lob verbreitet, so mindert ein vernachlässigtes ihren Ruhm, verdunkelt den Ruf der Kirche und versteckt Christi Sieg. Wenn wir so reden, wollen wir den heiligen Reliquien keinen Abbruch tun, die doch allen sie fromm Verehrenden Sündenvergebung, Tugendkraft und unsterbliche Freude bringen. Wir wollen nur bei [aller] Hochachtung [vor den Reliquien] die Lehre und das Leben derer, an die die heilige Asche erinnert, hören und das Gehörte dem innersten Herzen anvertrauen, daß wir das Antlitz derer, deren Asche wir fromm verehren, als eine lebendige Erscheinung im Sinn haben, damit unser Geist dem ihren verbunden [sei]."[48]

Die Polemik um die rechte Akzentuierung durchzieht wiederum das ganze Mittelalter: Eine Heiligenverehrung, nur um irdische Vorteile zu erlangen oder sich dem geforderten Ethos zu entziehen, konnte nicht rechtens sein. Gerade ketzerische Bewegungen, beispielsweise die Wiclifiten und Hussiten, forderten einen ethischen Ansatz und lehnten darum die Fürbitte und Wunderhilfe der Heiligen ab; dadurch werde nur das eigene sittliche Bemühen geschwächt.[49]

Die Vitenliteratur ist für die Moderne, die auf biographische Genauigkeit drängt, enttäuschend, oft sogar nichtssagend. Eine Tendenz zur Personenschilderung deutete sich erst nach dem 12. und 13. Jahrhundert an, als man von neuem auf „biographische Konsequenz und Ganzheit“[50] drängte. Damit begann sich der Charakter der Viten zu verändern: statt des Typus mit der Anhäufung von Topoi und Exempla erscheint nun deutlicher die Schilderung der Person: ihr „realistischer“ Charakter sowie die Phasen ihrer „historischen“ Entwicklung, das Ringen um Entscheidungen und infolgedessen erste Ansätze einer psychologischen Erfassung. Hatte sich die Bekehrung nach dem älteren Typ ob des allmächtigen Eingreifens Gottes „plötzlich“ vollzogen[51], so daß beispielsweise der Wüstenvater Antonius[52], Norbert von Xanten[53], aber auch noch Calvin[54] sich auf der Stelle bekehrten und vom Saulus zum Paulus verwandelten, so sehen wir bei Franziskus in der frühen Überlieferung eine Entwicklung durchscheinen, die sich über Jahre hinzieht: Bestimmte Charakteristika seiner Heiligkeit „beginnen“, „steigern sich“, bis sie zuletzt „vollkommen“ sind. Die jüngere Franziskus-Überlieferung allerdings fällt wieder in das Schema ‚heilig von Anfang an‘ zurück.[55] In der Folgezeit konnten „geistliche Autobiographien“, wie etwa von Heinrich Seuse, geschrieben werden.[56] Am Ende des Mittelalters begann man sogar, hauptsächlich infolge des seit der Renaissance des 12. Jahrhunderts gestärkten Individualbewußtseins[57], zu portraitieren. Von dem großen Volksprediger Bernhardin von Siena († 1444) besitzen wir nicht nur zahlreiche gemalte Portraits, sondern auch mehrere zeitgenössische „Biographien“.[58] Für die Gesamtentwicklung ist die Entdeckung des persönlichen Entwicklungsprozesses von epochaler Bedeutung: „Die Ablösung der [plötzlichen] Conversio durch den [Entwicklungs-]Prozeß ist einer der umwälzendsten Übergänge in der abendländischen Geistesgeschichte. Was hiermit ansetzt, wird nicht nur die Idee einer subjektiven Entwicklung, sondern auch diejenige eines allgemeinen historischen Fortschritts denkbar machen.“[59]

XI. Die Reliquien

1. Der ganze und unverweste Leib

Die allgemeine Wertschätzung des Leibes steigerte sich bei den Heiligen zum Reliquienkult[1]. Erstmals von Polykarp, über dessen auf das Jahr 156 oder vielleicht erst 167 zu datierenden Flammentod wir den ältesten Märtyrerbericht besitzen, wird erwähnt, daß man die Überbleibsel wie Edelsteine gesammelt habe: „So sammelten wir später seine Gebeine auf, die wertvoller sind als kostbare Steine und besser als Gold, und setzten sie an geeigneter Stätte bei."[2] Den Märtyrern, die 177 in Lyon einen grausamen Tod fanden, wurde die Bestattung verwehrt, um – wie es bezeichnenderweise heißt – die Hoffnung auf Auferstehung zunichte zu machen: „Nachdem die Leiber der Märtyrer auf alle mögliche Weise zum abschreckenden Beispiel gedient und sechs Tage unter freiem Himmel gelegen hatten, wurden sie von den Frevlern völlig verbrannt und ihre Asche in die nahe Rhône geworfen, damit auch kein Restchen mehr auf der Erde davon übrig bliebe. Ihr Handeln entsprang dem Wahne, Herr über Gott zu werden und die Auferstehung der Märtyrer zu verhindern."[3] Die hier als Wahn bezeichnete Idee, durch Vernichtung des Leibes die Auferstehung verhindern zu können, lautet in positiver Version: Für das jenseitige Weiterleben ist der Erhalt des Körpers, zumindest in seinen Gebeinteilen, die Voraussetzung. Es handelt sich um eine offenbar weitest verbreitete und beispielsweise auch in Märchen anzutreffende Vorstellung.[4] Zugrunde lag die Idee, daß „die Knochen der Sitz des Lebens und ihr unbeschädigter Besitz ... die Voraussetzung für die Wiederbelebung" sind.[5] Die ägyptische Religion sah als ihr eigentliches Ziel die Erhaltung des Leibes an und praktizierte darum die Mumifizierung.[6]

Inwieweit diese Idee als christlich bezeichnet werden kann, ist nicht einfach zu beantworten. Denn nach Paulus befindet sich unser irdischer Leib „in Verweslichkeit" (in corruptione), demgegenüber der Psalm 15 (Vulgata 16,10) verheißt, daß Gott „seinen Heiligen die Verwesung nicht schauen läßt" (non videre corruptionem). Der

Pfingstpredigt des Petrus zufolge hat sich dieses Wort darin erfüllt, daß Jesus während der drei Tage im Grab ohne Verwesung geblieben sei (Apg 2,24–28). Deutlicher noch konkretisiert der christliche Rhetor Laktanz († nach 317): Jesu Leib sei im Grab unversehrt geblieben (corpus integrum), weil er nach drei Tagen auferstehen sollte; die Soldaten hätten seine Gebeine nicht zu zerbrechen vermocht (vgl. Joh 19,33), und so sei der Leib unversehrt vom Kreuz genommen und sorgfältig eingeschlossen worden; denn für die Auferstehung habe derselbe nicht, weil verletzt und verkleinert, ungeeignet erscheinen dürfen.[7]

Dem Mittelalter blieb der in der dreitägigen Grabesruhe unverwest gebliebene Herrenleib ein allgemeines Theologumenon.[8] So kann es wenig verwundern, diese Vorstellung bald ebenso bei den Heiligen anzutreffen, wie denn wirklich auch zahlreiche Graböffnungen Unverwestheit offenbarten. Die Beispiele konzentrieren sich auf das Frühmittelalter. Als bekannteste seien angeführt: Cuthbert von Lindisfarne († 687)[9], Balthilde von Chelles († 704/5)[10], Lambert von Maastricht († 705), Hubert von Lüttich († 727), Otmar von St. Gallen († 759), Wynnebald von Heidenheim († 761), Lul von Mainz († 786) und die Rekluse Wiberat von St. Gallen († 926).[11] Ihnen allen war der Leib unverwest erhalten geblieben. Das wohl berühmteste Beispiel bietet Karl der Große, dessen Leib Otto III. „unverwest in den Gliedern" antraf.[12]

Da der Bericht über die Erhebung des Wynnebald von Heidenheim geradezu dramatisch schildert, sei er hier als Beispiel angeführt. Der Bruder des Verstorbenen, Bischof Willibald von Eichstätt, ließ im Jahre 777 das Grab öffnen, und wohl aus diesem Anlaß schrieb eine Verwandte der beiden, die Nonne Hugeburc, die Vita mit dem Erhebungsbericht[13]: „Als nämlich der obengenannte herrliche und denkwürdige Tag des Äquinoktiums über den strahlenden Flächen der Felder leuchtend aufging, da betrat der Bischof mit seinen Diakonen und mit einem Priester das Gotteshaus. Und unverzüglich begannen sie die Decke der Begräbnisstätte des heiligen und verehrungswürdigen Mannes, der seitdem eine Zeitspanne von 16 Jahren ... in der Erde bestattet lag, zu entfernen ... Und sogleich, als sie das Graben begannen, ging der Bischof hinaus. Und zu zweit blieben sie drinnen. Der eine von ihnen war mit der priesterlichen Würde bekleidet, und der andere war ein Kleriker. Diese begannen den heiligen Leib des Bekenners Christi sorgfältig zu suchen ... Und sie fanden dort alles auf das glücklichste und beste in der Erde beigesetzt vor. Daraufhin hoben sie ihn sogleich aus dem Grabe mit ihren Händen heraus, voll Freude und Jubel, weil ihr Wunsch in Erfüllung gegangen war. Mit Leichtigkeit hoben sie ihn aus der Erde, am ganzen Körper unversehrt, mit allen Gliedern versehen, so daß nicht einmal ein Haar an seinem Haupte fehlte. Der Bischof ließ all dies geschehen und blieb draußen, weil er durch den Zweifel in großer Furcht war und nicht sicher wußte, was geschehen würde. Er wurde bedrängt von der Sorge um den Leib seines Bruders, der schon so lange in der Erde bestattet war, in welchem Zustand er nach einem so langen Zeitraum nach Gottes Zulassung den Menschen erscheinen würde. Du aber, Bischof, lege des Herzens Trübsal und Trauer ab ... Siehe dein Bruder, den du in Verwesung glaubtest, er blieb sicher geborgen im Schoß der Erde und des Grabes. Und er ist auf ewig gekrönt im Himmel."[14]

Nicht selten wird der Erhalt des Leibes bei zwei Personengruppen besonders hervorgehoben: bei den Enthaltsamen und den Märtyrern. Die Enthaltsamen haben sich vor aller Befleckung des Leibes bewahrt, das heißt: sich nicht sexuell betätigt; so ist ihr Leib nicht polluiert und muß darum nicht verwesen. Unter den Tugenden, so Aelred von Rievaulx, leuchte die Keuschheit dadurch hervor, daß sie nicht nur eine Qualität der Seele bedeute, sondern „das verwesliche Fleisch zu einer gewissen Unverweslichkeit hinüberträgt und eine Süßigkeit der künftigen Auferstehung vorausschmecken läßt"[15]. Aelred beruft sich auf unverwest aufgefundene Heiligenleiber, wie er selbst es an dem erhobenen König Edward dem Bekenner erfahren hatte.[16]

Schon Beda führt zwei Beispiele an, nämlich die beiden ostanglischen Königstöchter Æthelburg und Æthelthryth. Erstere war Äbtissin in Faremoutiers-en-Brie geworden, „und als sie [die Klosterangehörigen] ihr Grab öffneten, fanden sie den Körper so unversehrt, wie er von der Verderbnis fleischlicher Lust unberührt gewesen war"[17]. Die zweite Königstochter war mit dem nordhumbrischen König Egfried verheiratet gewesen und dann Äbtissin in Ely geworden; das Wunder, „durch welches das bestattete Fleisch dieser Frau nicht verwesen konnte" rührte daher, „daß sie sich von männlicher Berührung unbefleckt hielt"[18] (a uirili contactu incorrupta), daß sie also eine „Josephsehe" geführt hatte. Im Hochmittelalter allerdings kamen auch andere Motive vor. Bei der Heiligen Elisabeth von Thüringen, deren Ehe allbekannt war und deren Leichnam gleichwohl „inkorrupt" aufgefunden wurde, ist der Grund nach Caesarius von Heisterbach ihre Caritas für die Armen, bei denen sie weder üblen Geruch noch Schmutz gescheut habe.[19] Bei Männern, die enthaltsam gelebt haben – so zum Beispiel bei Audoin von Rouen († 684) –, zeigt sich ebenfalls „der Leib so weit entfernt von aller Verwesung, wie er zuvor im Leben mit Jungfräulichkeit geschmückt war“[20].

Auch den Märtyrern konnte die Unversehrtheit ihres geschundenen Leibes wiederhergestellt werden.

Um nur eines der vielen Beispiele anzuführen: Gregor der Große berichtet von Bischof Floridus von Perugia, den die Goten Totilas enthauptet hatten, daß nach 40 Tagen „sein Haupt so mit dem Leib vereinigt war, als sei es niemals abgeschlagen gewesen, ja daß nicht einmal eine Spur von der Abtrennung sichtbar geblieben war“[21].

Man hat von einem eigenen Typ der „Legende vom unzerstörbaren Leben“ gesprochen, als deren Kern die Neuschöpfung des Märtyrers anzusehen ist.[22] Eine nur scheinbare Ausnahme stellten die „Kephalophoren“ dar, jene Märtyrer, die ihr abgeschlagenes Haupt selbst in die Hand nahmen und mit zu ihrem Grab trugen.[23] Zumeist wurde nämlich ein abgeschlagenes Haupt oder Glied, um das Martyrium zu demonstrieren, getrennt aufbewahrt. Das bekannteste Beispiel bieten Petrus und Paulus in Rom, deren Häupter nicht in ihren Grabkirchen, sondern im Lateran, dem „Haupt aller Kirchen“, verehrt wurden.[24] Den enthaupteten Märtyrern blieb dann zwar die Gabe der Integrität vorenthalten, nicht aber die Inkorruptheit. Als Norbert von Xanten 1121 in Köln nach Reliquien grub, verwies ihn eine Vision auf den heiligen Gereon, den er als „unversehrten Leib ohne Haupt“[25] antraf.

2. Der geteilte Leib

Wenn Gott die Heiligen-Leiber mit ihrer Erhaltung besonders ehrte, durften die Menschen nicht zurückstehen; auch sie mußten den Leib beisammen halten. Ein frühes Beispiel bietet der Märtyrer-Bischof Fructuosus von Tarragona († 259), der vom Himmel her seinen zwei Brüdern die Anweisung gab, „daß beide, was sie aus Liebe von der Asche an sich genommen hatten, unverzüglich zurückbringen und an einem Ort bestatten sollten“[26]. Gregor von Tours feierte es jeweils als Triumph, wenn sich die Überreste vollständig erhalten hatten; neunmal spricht er von „ganz“ und „unverwest“ gebliebenen Leibern, und sein Stichwort dafür ist ‚corpus integrum‘[27]. Eine Teilung des Leichnams oder auch nur einzelner Knochen vorzunehmen provozierte den Unwillen des Heiligen und dessen Strafe.[28] Tatsächlich hat sich feststellen lassen, daß „bei Gregor von Tours keine Reliquienteilungen überliefert sind, auch nicht in Zusammenhang mit den zahlreichen Translationen, die im 6. Jahrhundert stattfanden"[29]. Dasselbe gilt für Papst Gregor den Großen: „Weder Gregors Dialoge noch sein Registrum [= Briefe] enthalten irgendeinen Hinweis auf identifizierbare Teile, die von einem heiligen Leichnam abgetrennt worden sind."[30] Ein bemerkenswertes Beispiel liefert Einhard († 840), der von den aus Rom entführten Reliquien der heiligen Marcellinus und Petrus jene Partikel, die er dem Hof übergeben hatte, auf himmlische Weisung hin zurückholen mußte: „So ließ ich jene heiligen Reliquien dem Leib, dem sie weggenommen waren, mit hoher Ehrerbietung wieder zufügen."[31] Bei der 926 von den Ungarn in St. Gallen erschlagenen Rekluse Wiberat, die man acht Tage nach ihrem Martyrium „ohne Anzeichen von Wunden" antraf, schreckte man vor einer Aufteilung des „gesunden und unverletzten" Leibes zurück: „Denn die Abtrennung der Glieder hielten sie für ein Unrecht an der Jungfrau"[32]. Auch der heilige Ulrich von Augsburg († 973) gab von seinem Grab aus Bischof Gebhard II. von Konstanz († 995), als dieser Körperreliquien entnehmen wollte, zu verstehen: „Ich will meinen Körper unversehrt (integrum corpusculum) bis zum jüngsten Tage an diesem Ort bewahren."[33] Anders dagegen Bischof Bernward von Hildesheim († 1022); als er mit Otto III. in Rom weilte, öffnete er in Sankt Paul vor den Mauern den dort aufgestellten Sarkophag des Heiligen Timotheus und „nahm einen ganzen Arm des heiligen Märtyrers heraus"[34]. Die Abtrennung von Gliedmaßen war nun bald selbstverständlich. Besonders das Haupt erhielt eine Art Ehrenstellung. Als die 1231 verstorbene Elisabeth von Thüringen 1236 erhoben und dabei der Leichnam „ganz", „unversehrt" und „unverwest" angetroffen wurde[35], da trennte man ihr Haupt ab, wobei Haut und Haar entfernt wurden, um den reinen Schädel zu haben. Während der erhobene Leib in den Elisabeth-Schrein kam, erhielt der Schädel ein von Kaiser Friedrich II. gestiftetes Kopfreliquiar.[36] Teilungen lösten fortan kein Befremden mehr aus. Bedenkenlos berichtet der Verfasser der Vita des Thomas von Aquin, daß man von dessen unverwest erhaltenem Leib eine Hand abgeschnitten habe[37]; in Wirklichkeit hatte man den Leib bei beginnender Verwesung „ausgekocht" und dabei die Abtrennung vorgenommen[38].

Die in der Forschung allgemein vorfindliche Auffassung, die Gebeinteilung sei eigentlich von Anfang an üblich gewesen[39], muß revidiert werden; ja, bis ins 10. Jahrhundert dürften Teilungen sogar als frevelhaft gegolten haben und darum nur ausnahmsweise vorgekommen sein[40]. Wenn es gleichwohl auch früh bereits Körperreliquien gab, so zunächst nur nach Maßgabe der Idee des „ganzen Leibes". Erlaubt war die Entnahme solcher Teile, die der Körper nachwachsen läßt oder zu ersetzen vermag: Haare, Zähne, Finger- und Zehennägel. Bei der Erhebung des heiligen Amandus im Jahre 809 heißt es beispielsweise: Der Abt des Klosters habe, eigentlich mit verwegener Hand, einen Teil der unverwesten Glieder (inviolatorum portionem membrorum) an sich genommen; er habe die Nägel abgeschnitten, denn diese seien nach dem Tod des Heiligen gegen die Natur so stark weitergewachsen, daß sie sogar durch die Ärmel des Totengewandes hindurchgedrungen seien. Ebenso habe der Abt den Bart des Heiligen, der nach dem Tod gleichfalls weitergewachsen sei, abgeschoren. Endlich habe er mit einer starken Zange zwei Zähne entnommen; beim Herausbrechen sei wunderbarerweise noch Blut geflossen.[41] Darüberhinaus gab es Fälle, in denen man verlegenheitshalber aufteilte. So berichtet Beda, der irische Abt Kolman († 676) habe, als er mit seiner Kommunität das nordhumbrische Kloster Lindisfarne verlassen mußte, den Leib des Gründerabtes Aidan († 651) geteilt: einen Teil habe er mitgenommen, den anderen dagelassen.[42] Offenbar war die Frage, ob nun der Leib des Gründers dem Klosterort oder der Kommunität gehöre, nicht anders lösbar. Endlich gab es Gebeinteile, die irgendwann einmal abgetrennt worden waren, sich als Einzelstücke verselbständigt hatten und als solche dann akzeptiert wurden. Schwerlich wird man sie als Zeugnis für eine allgemein gehandhabte Aufteilung nehmen dürfen.

Gegen das Postulat der Zusammengehörigkeit aller Leibesglieder aber stand im Christentum eine andere, gleichfalls alte Idee: In jedem Teil des Leichnams sei der Heilige virtuell anwesend. Schon Victricius von Rouen († 407), der als einer der ersten eine „Theologie der Reliquien"[43] vorlegte, predigte: „Ubi est aliquid ibi totum est" – wo ein Teil ist, da ist das Ganze.[44] Dies bezog sich auf den Leichnam des Heiligen, dann aber auch auf alles, was mit ihm in Verbindung gestanden hatte. Um nochmals Einhard zu zitieren: Bei der Übersendung einer Partikel seiner Marcellinus- und Petrus-Reliquien an Erzbischof Hetti von Trier schrieb er: „Eine Partikel von den Überbleibseln (cineribus) der seligen Märtyrer gelangt zu euch, und es soll ihr jene Ehre erwiesen werden, die wir ihren ganzen Leibern zu erbieten gehalten sind.“[45] Eine Partikel genügt, um den ganzen Heiligen präsent zu haben. Im weiteren Verlauf des Mittelalters hat sich diese Auffassung durchgesetzt, so daß die Aufteilung allgemein üblich wurde. Das hohe und späte Mittelalter wußte sich von allen Bedenken frei.[46] Wir haben Berichte davon, daß Sterbende oder soeben Verstorbene, die im Ruf der Heiligkeit standen, ihrer Reliquien wegen bedrängt, ja beraubt wurden. Bekannte Beispiele sind Franziskus und Elisabeth.

Franziskus machte bei seiner letzten Reise von Siena nach Assisi einen weiten Bogen um Perugia herum, weil er befürchtete, dort zum Reliquienobjekt zu werden.[47] Elisabeths Leichnam stand vier Tage über Erden, währenddessen er keinerlei Verwesung zeigte, ja wunderbar duftete. „Als dieser heilige Leib, eingehüllt in ein graues Hemd und das Gesicht mit Tüchern umwickelt, auf der Bahre lag, kamen viele der Anwesenden, wohlwissend um die Heiligkeit des Leibes und entflammt von Verehrung, und schnitten, ja rissen Teile ihrer Tücher ab, einige schnitten die Nägel der Hände und Füße ab; andere schnitten die Spitzen ihrer Brüste und einen Finger von ihrer Hand ab, um sie als Reliquie aufzubewahren.“[48] Der toten Maria von Oignies († 1213), Mystikerin und Mitbegründerin des Beginentums, wollte ein ihr befreundeter Prior die Zähne wegnehmen, was zunächst mißlang; erst nach einem Gebet zur Heiligen „öffnet der entseelte Körper, als ob er bei den Worten des Bittenden lächle, den Mund und er spuckte freiwillig in die Hand des Priors sieben Zähne“[49]. Aufgeschrieben hat diese Geschichte Thomas von Cantimpré († 1270/72), der, ein hochgebildeter Theologe wie sein Zeitgenosse Thomas von Aquin, der heiligen Liutgard von Tongern († 1246) zu deren Lebzeiten einen Finger abgebettelt hatte; denselben trennte man nach dem Tod der Heiligen ab und brach dazu noch 16 Zähne heraus; für den Erhalt des Fingers schrieb Thomas die Vita.[50]

3. Die einwohnende ‚virtus‘

Nicht allein, daß Gott die Gebeine der Heiligen schützte und ehrte – mehr noch: in den irdischen Überresten blieb seine besondere Kraft gegenwärtig. Schon Victricius von Rouen († 407) betrachtete die Reliquien nicht nur als mit den im Himmel weilenden Seelen verbunden, sondern obendrein als mit himmlischer ‚virtus‘ erfüllt: „Ich sage nachdrücklich, daß in den Reliquien die volle Gnade und die volle Virtus ist."[51] Den Erweis dafür liefern ihm die Wunderheilungen, die bei und durch die Reliquien geschehen: „Wer heilt, lebt auch; wer lebt, ist in den Reliquien. Die Apostel aber und Märtyrer heilen und reinigen. In den Reliquien sind sie also mit dem Band der ganzen Ewigkeit verbunden."[52] Die Virtus verleiht den Reliquien ihre besondere Kraft, was sich übrigens auch an deren größerem Gewicht beweisen läßt; Gregor von Tours teilt vom römischen Petrusgrab wie vom turonischen Martinsgrab mit, daß Tücher, die über Nacht auf den Gräbern gelegen hatten, so mit Virtus vollgesogen waren, daß sie nun schwerer wogen.[53] Als Medium, das den Austausch der Virtus zwischen Himmel und Erde bewerkstelligte, konnte das Licht dienen. Wiederum Gregor ist dafür Zeuge.[54] Das Licht nennt er ein „Mysterium" (mysterium luminis)[55] und interpretiert es als sichtbare Virtus[56]. Wie die Seelen der Verstorbenen als Feuerkugeln emporsteigen, so können die Seelen der Heiligen in gleicher Gestalt herabsteigen und ihre heilbringende Kraft mitteilen.[57] König Chlodwig († 511) sah, vor der Stadt Poitiers stehend, einen Feuerball aus der Hilarius-Kirche aufsteigen und sich auf ihn niederlassen, um ihn im Kampf gegen die ketzerischen Westgoten zu stärken.[58]

Die auf Erden präsente Virtus hatte zur Folge, daß sich der Reliquienkult in ungeahnter Weise ausweitete. Denn als mit Virtus aufgeladene Reliquie galt schon in der Spätantike alles, was nur irgendwie mit den heiligen Personen zu tun gehabt hatte, nicht allein die Überbleibsel von ihrem Leib – die „Primär-Reliquien" –, sondern ebenso die Marterwerkzeuge, die Lebensutensilien wie auch alles vom Grab – die „Sekundär-Reliquien"[59]. Die ›Libri Carolini‹ benennen sowohl „Körperreliquien" wie auch „Kleidungsstücke und ähnliches, was die Heiligen in ihrer Lebenszeit benutzt haben"[60].

Als wohl geschichtsträchtigste Sekundärreliquie ist die Cappa des heiligen Martin anzuführen, der mit dem Bettler geteilte Mantel. Seit dem Ende des 7. Jahrhunderts waren die Karolinger im Besitz dieser Kostbarkeit. Eigens hatten sie Geistliche in ihre Gefolgschaft aufgenommen, die den Schatz hüteten und auf Feldzügen mitführten; wegen dieser ihrer Aufgabe hießen sie ‚capellani' und die Pfalzoratorien, in denen sie den Mantel aufbewahrten, ‚capella'[61]. Mit dem Aufstieg der Karolinger zur Königsmacht fiel den Kaplänen die am Hof abzuwickelnde schriftliche Administration zu, wodurch die Hofkapelle zum obersten Verwaltungsorgan des Reiches wurde.[62] Auch die englischen Könige hatten solche „shrine-keeper", die zugleich als Schreiber tätig waren.[63]

Die Fülle der Heiligenreliquien nahm mit der Zeit phantastische Formen an. Mit ihrer überirdischen Virtus vermochten sie in aller menschlichen Not wie nichts sonst zu helfen. Ob der allzeit ungesicherten Lebensverhältnisse mußte es gleich eine Vielzahl sein; von daher das schier unstillbare Verlangen nach heiligen Gegenständen. Jedermann wollte einen solchen Virtusträger wenn nicht besitzen, so doch wenigstens aufsuchen und verehren können. Berühren, Bestreichen und Küssen vermittelten die Heilsaufnahme; es konnte aber auch das Durchkriechen unter dem Reliquienschrein oder ein Sich-davor-Niederwerfen gefordert sein. Eine erstrangige Bedeutung hatte unter den Teilreliquien das Blut, weil es wie kein anderes Mittel Heil verschaffte und Sühne bewirkte.[64] Bei Kleidungsstücken, die zu Reliquien geworden waren, wirkte Anziehen schützend oder auch heilend, so etwa das Anlegen von heiligen Gürteln bei schwangeren Frauen. Oft auch wurde Wasser benutzt, das durch Eintauchen der Reliquien heilkräftig geworden war und zum Trinken, Waschen oder Versprengen diente. Dabei konnten die einzelnen Bräuche in ihrer Wirkung nochmals gesteigert werden, wenn etwa das Wasser aus einer zum Becher umgeformten Schädelreliquie verabreicht bzw. getrunken wurde. Erstrebt aber wurde immer dasselbe: die Segensmacht der Heiligen, ihre heilende und heiligende Wirkung.[65] Denn Gegenstände, die von Natur aus heilig gewesen wären, hat das Christentum nie zugelassen; solche zu gebrauchen und zu verehren ist immer als Magie verdammt worden. Erst wenn Dinge von einem Heiligen benutzt, berührt und gesegnet worden waren oder gar – und das war das Höchste – aus seinem persönlichen Gut, zumal von seinem Leib, herrührten, vermittelten sie himmlische Kraft.[66]

Weil die Reliquien aufgrund ihrer Virtus Heilsträger waren, besaßen sie eine Kraft, wie sie eigentlich nur Sakramenten zukam. Tatsächlich können Reliquien auch als „sakramental" bezeichnet werden, so noch in der Vita des 1200 verstorbenen Bischofs Hugo von Lincoln[67], als die scholastische Diskussion die Sieben-Zahl der Sakramente bereits festgelegt hatte. Thomas von Aquin konnte darum die Auffassung von der Präsenz der Virtus in den Reliquienleibern nicht mehr gelten lassen. Entgegen der Meinung, daß in der menschlichen Asche „irgendeine Kraft (aliqua vis) zurück[bleibt], die den Elementen [in die der Leib zerfällt] anhaftet", leugnet er eine den Reliquien inhärierende Kraft und sieht deren Eingehen in den Auferstehungsleib allein in Gottes Anordnung begründet: „In jener Asche besteht keine natürliche Hinneigung zur Auferstehung, sondern allein (eine Hinneigung) aus der Anordnung der göttlichen Vorsehung."[68] Damit trifft Thomas in den Kern des bis dahin geübten Reliquienkultes mit seiner in den Gebeinen verbleibend gedachten Virtus; in gewisser Weise „entzauberte" er die Reliquien. Noch kritischer fragt ein Spruch Eckharts: „Liute, waz suochet ir an dem tôtem gebeine? War umbe suochet ir niht daz lebende heiltuom, daz iu mac geben êwigez leben?"[69] Nichtsdestoweniger erreichte die Reliquienverehrung im Spätmittelalter ihre höchsten Triumphe.

4. Heiltum und Schau

Der Glaube, daß in den Gebeinen der Heiligen und überhaupt in ihrer ganzen Hinterlassenschaft eine heilende und heiligende Virtus präsent sei, die sich von dort aus sogar weiter übertrage, steigerte sowohl die Anzahl der Reliquien wie auch die Vielfalt ihres Gebrauchs. Schon seit der Spätantike dienten den Christen, anstelle der abgelehnten heidnischen Amulette, die Reliquien als „Phylakterien"[70], als schadenabwehrende Schutzmittel. Ein Heiltum – so der mittelalterliche deutsche Ausdruck für solche Virtus-Träger – wollte jedermann besitzen, ob nun für Haus und Familie oder für die eigene Person.[71] Aus dem 6. Jahrhundert gibt es bereits Reliquienkästchen, Kapseln zum Umhängen und Schnallenreliquiare, das heißt: Gürtelschnallen mit Hohlräumen für Reliquien. Nicht zuletzt die Gottesleute trugen solche Schutzmittel bei sich.[72] Als Gallus († 640) seine „Ruhestätte" – das spätere Kloster seines Namens – erwählte, „formte er aus einer Haselrute ein Kreuz und hängte daran das Täschchen, worin Reliquien der heiligen Jungfrau Maria, des heiligen Desiderius und des mächtigen Heerführers Mauritius waren"[73]. Liudger, der Gründerbischof von Münster († 809), nahm die ersten ihm angetragenen Güterschenkungen in der Weise entgegen, daß er sie an jene Heiligen tradieren ließ, deren Reliquien er in einem Kästchen mit sich führte.[74] Sein Lehrer Alkuin allerdings hielt es für besser, „im Herzen die Vorbilder der Heiligen zu befolgen, als in Säckchen ihre Gebeine mit sich herumzutragen"[75]. Aber selbst sein Gönner Karl der Große soll einen Talisman getragen haben, einen Bergkristall mit eingeschlossenen Marienhaaren.[76] Bernhard von Clairvaux hinwiederum wollte – wie es vielgeübter Brauch war[77] – seine zuvor erworbenen Reliquien des Apostels Thaddäus mit ins Grab gelegt bekommen, „auf daß er am Tage der allgemeinen Auferstehung mit diesem Apostel vereint sei“[78].

Umfängliche Reliquiensammlungen trugen die Bischöfe zusammen. Es ist fast wie ein Topos, wenn etwa die Vita des Kölner Erzbischofs Brun († 965) berichtet: „Leiber und Reliquien von Heiligen und fromme Gegenstände aller Art sammelte er von überallher, um den Seinen immer mehr Fürsprecher zu verschaffen und um durch ihre Verehrung den Ruhm des Herrn bei vielen Völkern nah und fern zu verbreiten. Für sie errichtete er mit allem Aufwand und Prunk reichlich ausgerüstete Stätten und Dienste. Über jede einzelne von ihnen wäre viel zu sagen ...“[79] Ebenso sammelten die Herrscher Reliquien. Schon Bonifatius mußte gestatten, daß die Karolinger einige Geistliche mit ins Feld nehmen durften, „um die Reliquien der Heiligen zu tragen“[80]. Karl der Große vereinigte zu Aachen einen ganzen Schatz von Reliquien.[81] Heinrich I. vermochte die Heilige Lanze zu erwerben.[82] Obwohl die Lanze für Jesus ein Leidenswerkzeug gewesen war, diente gerade sie als Kriegsreliquie. Bischof Bernward von Hildesheim zum Beispiel ergriff beim römischen Aufstand gegen Otto III. „die Heilige Lanze, bezeichnete sich und alle anderen mit dem schützenden Zeichen des lebenspendenden Kreuzes und erteilte feierlich den Segen. Während er anderen Mut und Kraft zusprach, rüstete er sich selber, um als Bannerträger mit der Heiligen Lanze an der Spitze der Streitmacht auszubrechen“[83]. Reliquien sammelte auch Karl IV. († 1378) und ließ dafür die edelsteinverzierten Kapellen zu Prag und auf dem Karlsstein errichten[84], die man „wie an die Innenschale des Gebäudes projizierte Schrein-Außenwände“[85] gedeutet hat. Alle aber überragte Byzanz, von dessen großem Schatz die plündernden Kreuzritter im Jahre 1204 nicht wenige Stücke ins Abendland brachten. Im Palast am Bosporus, so schildern es die Eroberer, habe es wohl 500 Zimmer und 30 Kapellen gegeben, vor allem aber die Heilige Kapelle:

„Eine von diesen nannte man Heilige Kapelle. Sie war so reich und erhaben, daß es keine Türangel, keinen Riegel, überhaupt keine Teile, die gewöhnlich aus Eisen sind, gab, die nicht ganz aus Silber waren ... Der Boden der Kapelle war aus so glänzendem und klarem weißen Marmor, daß man glaubte, er sei aus Kristall. Diese Kapelle war so reich und so erhaben, daß es unmöglich ist, Euch den großen Reichtum und die Erhabenheit dieser Kapelle zu beschreiben. In dieser Kapelle fand man viele kostbare Reliquien. Man fand dort zwei Stücke des Kreuzes, dick wie ein menschliches Bein und eine halbe Klafter lang. Man fand die Eisenspitze der Lanze, mit der unserem Herrn die Seite durchbohrt worden war, und die beiden Nägel, die man ihm durch Hände und Füße geschlagen hatte. In einem Kristallfläschchen fand man einen großen Teil seines Blutes. Man fand das Gewand, mit dem er bekleidet war, und das man ihm auszog, nachdem man ihn nach Golgatha geführt hatte. Man fand die geheiligte Krone, mit der er gekrönt war; sie war aus Stechginster, so spitz wie der Dorn einer Ahle. Man fand ein Stück des Gewandes der Mutter Gottes, den Kopf Johannes' des Täufers und so viele andere kostbare Reliquien, daß ich Euch wirklich nicht deren Anzahl nennen kann."[86]

Die Kreuzfahrer machten sich den Heiligen Schatz zur Beute; ein Eifeler Ritter, Heinrich von Ulmen, sicherte sich zum Beispiel jene Staurothek, die heute in Limburg aufbewahrt wird.[87] Vielfach errichteten die Beutejäger zuhause Heilige Kapellen[88], die monumentale Reliquienschreine sein sollten, weswegen das Jahr 1204 ein Schlüsseldatum für die Geschichte der Architektur genannt werden kann. An erster Stelle ist die Sainte Chapelle in Paris anzuführen, die als Reliquien-Tresor erbaut und 1248 geweiht wurde. In ihr erstand die kaiserliche Reliquienkapelle von Konstantinopel sozusagen neu, und „der hier zusammengetragene Reliquienschatz verwandelte Frankreich in ein Ebenbild des Heiligen Landes, das fortan nicht mehr im Osten, sondern im Westen lag".[89] Für die Forschung wäre, so wie man neuerdings die Teilnahme von Herrschern an Kirchweihen untersucht hat[90], dringend auch eine Darstellung der herrscherlichen Reliquienschätze vonnöten[91]; festgestellt worden ist bereits, daß Jesus-Reliquien, sofern sie als Zeichen der Königsherrschaft interpretierbar waren, bevorzugt wurden[92].

Im 14. Jahrhundert begann man, die Reliquien, die ursprünglich immer verhüllt und eingeschlossen gewesen waren, sichtbar zu machen. Man holte sie aus den Altären hervor, gab den Schreinen ein Sichtfenster oder machte eine ganze Seite aufklappbar, zeigte einzelne Reliquienteile in gläsernen Behältern oder stellte sie auf eigens in oder außerhalb der Kirchen errichteten Bühnen und Balustraden zur Schau.[93] Auch wurden solche Schätze bildlich dargestellt, zunächst auf gemalten Tafeln, später auf Blattdrucken und zuletzt in Büchern.[94] Aachen zum Beispiel stellte seine Reliquien erstmals öffentlich im Jahre 1322 aus und wiederholte diese Schau fortan alle sieben Jahre, was jeweils zahlreiche und von fern herkommende Pilger anzog.[95]

Spektakulär waren die Auffindung und Ausstellung des Andechser Heiltumsschatzes. Auf dem Berg Andechs, dem Stammsitz des in der Mitte des 14. Jahrhunderts ausgestorbenen Geschlechtes Andechs-Meran, stand eine Kapelle, und in ihr entdeckte man 1388 eine (heute noch erhaltene) Truhe mit Reliquien, eben den „Andechser Heiltumsschatz": als kostbarste Stücke drei Hostien, von denen eine das Bild des Erlösers trug, die beiden anderen Spuren vom Blut und Fleisch Christi aufwiesen, weiter Teile vom Tischtuch des Letzten Abendmahls, von der Dornenkrone Christi und vom Kreuzesstamm, Stücke vom Rock Mariens, von ihrem Gürtel und ihrem Tischtuch, das Meßgewand des heiligen Petrus und die Stola des heiligen Nikolaus, das Brautkleid der heiligen Elisabeth und zuletzt ein von Engeln Karl dem Großen zum Kampf gegen die Ungläubigen überbrachtes Siegeskreuz.[96] Der Schatz kam nach München und wurde dort unter großem Zulauf des Volkes ausgestellt. Zuletzt aber kehrte er nach Andechs zurück, wo ein Kloster entstand und fortan viermal im Jahr Heiltumsweisungen stattfanden.[97]

Die größten Reliquiensammlungen entstanden im Spätmittelalter, und sie sind in Deutschland auf eigentümliche Weise mit der Reformation verflochten. In Wittenberg, der Residenz der Wettiner, sollte, nachdem man vom französischen Hof einen Splitter aus der Dornenkrone erhalten hatte, wiederum eine Heilige Kapelle entstehen. Ein gezieltes Sammeln allerdings hat erst Friedrich der Weise († 1525) betrieben, der Beschützer Luthers. Offenbar war ihm an dieser Sammlung genauso viel gelegen wie an der ebendort gegründeten Universität. Der gelehrte Rat Spalatin, Luthers Fürsprecher beim Kurfürsten, führte über das Anwachsen genau Buch: Von 5.262 Stücken im Jahr 1513 steigerte sich die Sammlung auf 17.443 im Jahre 1518 und erreichte 1520 ihren Höhepunkt mit 18.970. Für den frommen Besucher gab es Ablässe, die Spalatin auf Jahr und Tag berechnete: zuletzt 1.902.202 Jahre und 270 Tage, dazu noch 1.915.983 Quadragenen.[98] Übertroffen wurde Friedrichs Wittenberger Schatz durch die von seinem Bruder, dem Erzbischof Ernst von Magdeburg († 1513), in Halle begründete und dann von Erzbischof Albrecht von Brandenburg († 1545) fortgeführte Sammlung, die 1520 zwar erst 8.133 Partikel mit allerdings 42 vollständigen Heiligenkörpern umfaßte, aber ein Vielfaches an Ablässen erbrachte, nämlich 39.245.120 Jahre und 220 Tage sowie 6.540.000 Quadragenen; nur gerade ein Jahr später, 1521, war die Zahl der Partikel mit 21.441 schon fast verdreifacht.[99] Die Reformation hat diesen Sammlungen, die beide aufs kostbarste ausgestattet waren, ein Ende bereitet, in Wittenberg durch Auflösung und in Halle durch Abtransport nach Mainz.

5. Betrug, Diebstahl, Irrtum und Kritik

Bei der großen Fülle gab es naturgemäß vielerlei Betrug; manches nahm man zu gutgläubig, anderes wurde gefälscht. Sicherheit sollten beglaubigte Zeugnisse geben, die sogenannten Authentiken.[100] Diese waren für gewöhnlich fingerbreite Pergamentstreifen mit den Namen des oder der Heiligen, von denen die Reliquien stammten; für die Karolingerzeit ist eine größere Anzahl solcher Streifen aus dem Kloster Chelles an der Marne erhalten[101]. Aber auch die späteren von den Bischöfen und vom Papst auszustellenden Beglaubigungen[102] boten keine Echtheitsgarantie. Handel und Gewinnsucht wirkten zu verlockend, und gerade die zahlreichen Reliquienaffären haben dem Mittelalter das Verdikt der Leichtgläubigkeit und Wundersucht eingetragen. Und doch war es „keineswegs eine prinzipiell unkritische Haltung ...; man verstand bloß unter Kritik etwas anderes als wir heute es tun“[103]. Das Richtige bestand darin, „daß es an der Wahrheit der göttlichen Offenbarung und kirchlichen Lehre teilhat“[104]. In Zweifelsfällen wandte man ein Gottesurteil an, nicht zuletzt die Feuerprobe, denn Reliquien galten als unbrennbar.[105] Höchste und letztgültige Bestätigung aber lieferten die Wunder.[106] Das 4. Lateran-Konzil warnte; es suchte den Verkauf zu verbieten und die Neuauffindung unter Kontrolle zu stellen: „Altehrwürdige Reliquien sollen nicht außerhalb des Reliquiars gezeigt und nicht zum Kauf angeboten werden. Neugefundene aber soll niemand sich herausnehmen zu verehren, wenn nicht zuvor die Billigung des römischen Bischofs eingeholt wurde. Die Kirchenoberen sollen es künftig nicht mehr zulassen, daß die Gläubigen, die in ihre Kirchen zum Beten kommen, durch leere Fabeleien und gefälschte Dokumente getäuscht werden, wie es an vielen Orten aus Gewinnsucht geschieht.“[107]

Anstößig auch wirkten, damals wie heute, die „heiligen Diebstähle", die listige oder gar gewaltsame Entwendung von Reliquien.[108] Den ersten, sogar die gesamt-abendländische Geschichte berührenden Fall bieten die Benediktsreliquien, die in der zweiten Hälfte des 7. Jahrhunderts nach Fleury an der Loire, daraufhin St. Benoît-sur-Loire geheißen, übertragen wurden.[109] Weil damals das Kloster mit dem Benediktsgrab auf dem Monte Cassino wüst lag und die Reliquien des verehrten Mönchsvaters ohne Kult waren, schien die Übertragung bestens gerechtfertigt; obendrein zeigt das Interesse aus Gallien das wachsende Ansehen Benedikts, wie jetzt auch dessen Regel nördlich der Alpen in Geltung kam. Die gleichfalls auf dem Monte Cassino beerdigte Scholastika gelangte nach Le Mans. Den in seinen Einzelheiten und Umständen bemerkenswertesten Fall schildert uns Einhard, der Biograph Karls des Großen, der in Rom einen Reliquiendiebstahl arrangieren ließ: die Gebeine zweier Märtyrer, der unter Diokletian gemarterten Marcellinus und Petrus, über deren Grab an der Via Labicana eine vielbesuchte Basilika stand.[110] Ausführlich hat er selbst darüber berichtet, über die Bestechungsgelder, die nächtliche Suche in den Katakomben, die Öffnung der Grabplatte und die Auffindung, wie endlich auch die nicht ungefährliche Reise in den Norden, bis dann die heiligen Leiber in Seligenstadt ihre neue Ruhstatt fanden.[111]

In seinem Bericht heißt es: „Nach dreitägigem Fasten begaben sie sich, ohne daß es ein römischer Bürger merkte, an die Stelle. In der Kirche des heiligen Tirburtius versuchten sie zunächst den Altar zu öffnen, worunter, wie man glaubte, sein heiliger Leib ruhte. Allein die Ausführung des von ihnen begonnenen Unternehmens entsprach sehr wenig ihren Wünschen; denn das aus härtestem Marmor verfertigte Denkmal leistete den unbewaffneten Händen, die es öffnen wollten, leicht Widerstand. Sie ließen daher das Grabmal dieses Märtyrers liegen und stiegen zum Grab der Seligen Marcellinus und Petrus herab. Daselbst machten sie sich nach Anrufen unsers Herrn Jesu Christi und nach Verehrung der heiligen Märtyrer daran, den Stein, der das Grabmahl bedeckte, von seiner Stelle zu heben. Nachdem sie ihn abgehoben hatten, sahen sie den geheiligten Leib des heiligen Marcellinus in dem oberen Teil des Grabes und zu seinen Häupten eine Marmortafel liegen, die durch ihre Inschrift sichere Kunde davon gab, welches Märtyrers Gebeine an dieser Stelle lagen. Wie es sich geziemte, nahmen sie den Leib mit der höchsten Ehrfurcht, wickelten ihn in ein reines Tuch und gaben ihn dem Diakon, damit er ihn nach Hause trage und dort aufbewahre. Um keine Spur von der Wegnahme der Gebeine zu hinterlassen, legten sie den Stein wieder an seine Stelle und kehrten dann in die Stadt zu ihren Herbergen zurück."[112] Dann aber kamen Bedenken auf, ob der im gleichen Grab ruhende Petrus allein zurückbleiben könne, und so holten sie ihn gleichfalls aus seinem Grab.

Größte Auswirkungen zeitigte die Übertragung der Heiligen Drei Könige von Mailand nach Köln. Die im Matthäus-Evangelium erwähnten morgenländischen „Magier", die einem neu aufgegangenen Stern nach Bethlehem gefolgt waren und als Vertreter der Heidenwelt vor Jesus erschienen, gewannen seit der Spätantike immer deutlicher an Kontur: Sie hießen Caspar, Balthasar und Melchior, waren Könige, repräsentierten die drei Lebensalter Jüngling, Mann und Greis, obendrein noch die drei Erdteile, weswegen ein Schwarzafrikaner unter ihnen war.[113] Ihre Reliquien, die Mailand im 12. Jahrhundert zu besitzen beanspruchte, schenkte Barbarossa 1164 seinem Kanzler und Kölner Erzbischof Rainald von Dassel, der sie in seine Kathedrale überführte.[114] Die Translation der vorher kaum beachteten Gebeine löste ein überwältigendes Echo aus. Ströme von Pilgern kamen, und die Stadt Köln begann den Dombau.[115] Für die Gebeine entstand der Dreikönigen-Schrein, der „bedeutendste der erhaltenen mittelalterlichen Reliquien-Schreine"[116], mit einem Portrait auch des Erzbischofs Rainald.

Wie begierig, ja verbissen man sich zuweilen Reliquien aneignete, dafür noch das Beispiel Bischof Hugos von Lincoln († 1200), der im Kloster Fécamp (an der unteren Seine) den Armknochen der Heiligen Maria Magdalena zu sehen begehrte, denselben aus seiner Seidenverhüllung heraustrennte und dann „zubiß":

„Hugo ließ sich von einem seiner Notare ein Messerchen geben, trennte eilig die Fäden auf, zerschnitt die Hülle und führte den hochheiligen Knochen mit Verehrung an Mund und Augen. Da er aber vermittels bloßen Fingerdrucks nichts davon abzubrechen vermochte, nahm er ihn zuerst zwischen die Schneide-, dann zwischen die Backenzähne und brach flink mit kraftvollem Biß zwei Stücke aus ihm heraus ... Der Abt und die Mönche, die dem Geschehen zuerst starr vor Staunen, dann aber wie toll vor Wut zusahen, brachen in Geschrei aus: ‚Oh, welch ein Frevel! Wir dachten, der Bischof hat zur Verehrung nach diesen Heiligtümern verlangt, und jetzt hat er sie wie ein Hund mit seinen Zähnen benagt!'" Der Gescholtene hielt sich zugute, daß er doch auch den allerheiligsten Leib des Herrn mit seinen Zähnen und Lippen zu sich nehme.[117] Dreißig auf ähnliche Weise erworbene Reliquien trug der Bischof in einem Ring mit sich, den er ‚anulus sacramentalis' (Sakramentsring) nannte.[118]

Ein letzter spektakulärer Reliquien-Diebstahl geschah noch im Jahre 1500, als ein Handwerker aus der Stephanskirche zu Mainz, wo er Reparaturen auszuführen hatte, das „Haupt“ der heiligen Anna – ein handtellergroßes Fragment der Hirnschale – entwendete und mitnahm in die Eifel. Mit dem Fall wurden sogar Papst Julius II. und Kaiser Maximilian I. befaßt. Am Ende blieb die Reliquie in Düren und begründete dort eine bedeutende Wallfahrt.[119]

Was aber geschah, wenn Leute gutgläubig einem Betrug aufgesessen waren? Denn zunächst galt, daß das Wunder, das man sich vom Heiligen, näherhin von der Virtus in seinen Reliquien erhoffte, nur statthaben konnte, wenn es wirklich authentische Reliquien waren. Für Thiofried von Echternach, den hochmittelalterlichen Reliquientheoretiker, steht fest: Die Kraft der Reliquien zur Wunderheilung ist Ausdruck der dem Heiligen im Himmel von Gott verliehenen Heiligkeit[120]; diese strahlt auf den Leib hernieder, was aber nur geschieht, wenn es wirklich die echten Gebeine sind. Das aber hat zur Folge, daß ihre Wunderkraft in der Echtheit gründet[121]. Doch sah man sich hier bald Fragen und Problemen ausgesetzt. Guibert von Nogent († 1124), Autor einer langen Abhandlung über Reliquien, stellte die Frage, wie es damit zu halten sei, daß gleich zwei Kirchen das Haupt Johannes des Täufers zu besitzen vorgaben[122], wie ebenso Papst Innozenz III. ratlos resignierte ob der Tatsache, daß in mehreren Kirchen die Vorhaut Jesu gezeigt wurde; das Ganze solle man lieber Gott überlassen[123]. Nur, was galt für die Menschen, die vor falschen Reliquien beteten? War es nicht sakrilegisch, so wiederum Guibert, Ungöttliches, ja Dämonisches als göttlich zu verehren?[124] Zwei Überlegungen verhalfen ihm zu einer Lösung. Einmal, wer irrtümlich die Reliquien eines anderen Heiligen verehre, erleide keinen Schaden und begehe keine Sünde; denn wie es im Himmel eine Universitas der Heiligen gebe, so auf Erden eine Art von Identität in einem gemeinsamen Körper aller Reliquien.[125] Aber Guibert tat noch einen weiteren Schritt: Wenn jemand aus ganzem Herzen und mit vollem Vertrauen einen falschen Heiligen anrufe, dann bringe Gott den Irrtum wieder in Ordnung. Die im 12. Jahrhundert neu erkannte Bedeutung der Intention, die vor allem die Ethik revolutionierte und die „gute Meinung“ über die Qualität des Handelns bestimmen ließ, führte auch in der Reliquienverehrung zu neuen Lösungen: „Gewiß, viele wenig Gebildete sagen sehr häufig Falsches in ihren Gebeten, aber das göttliche Ohr bemißt eher die Intention als die Worte.“[126]

Wie schon die Verehrung der Heiligen immer wieder auch Kritik herausforderte, so mehr noch die der Reliquien; allzu leicht konnten sie sich magisch verdinglichen, das Christenvolk zu falscher Heilssicherheit verführen und obendrein einer finanziellen Ausbeutung Vorschub leisten. Der Reliquientraktat des Guibert von Nogent ist nicht zuletzt durch solche Mißbräuche veranlaßt worden.

XII. Erhoben zur Ehre der Altäre

1. Grab und Altar

Die besondere Würde des irdischen Leibes und mehr noch die Präsenz der Virtus in den Reliquien eines Heiligen mußten notwendig auch eine besondere Ehrung des Grabes veranlassen. Anfangs freilich sind selbst die Gräber hervorragender Christen, wie etwa des Stephanus, nicht in Erinnerung behalten worden, weswegen wir „über Form und Lage der christlichen Gräber in den ersten Jahrzehnten des Christentums nichts auszumachen vermögen“[1]. Das änderte sich sofort mit dem intensivierten Interesse am Leib, der seinen Ort im Grab hatte. Zunächst haben die Christen für ihre Gräber die Bräuche ihrer Zeit und Umgebung übernommen, die Leichenverbrennung allerdings wohl immer abgelehnt.[2] Erst die größer gewordenen Gemeinden schufen sich eigene Beerdigungsareale, entweder im Freien und oft mit Grabbauten oder auch unter der Erde in Katakomben wie beispielsweise in Rom.[3] Immer lagen die Gräber, wie es das antike Sepulkralrecht forderte, außerhalb der Stadt.[4]

Eine besondere Ehrung erfuhren seit der Mitte des 2. Jahrhunderts die Märtyrer; ihr Grab erhielt ein Gedenkmonument (wie gegen 180 das Petrusgrab am vatikanischen Hügel)[5], und hier versammelte sich die Gemeinde am Jahrestag des Martyriums.[6] Unter Konstantin wurden in Rom bei und über den Märtyrergräbern Basiliken errichtet, über dem Petrusgrab die vatikanische.[7] Den nächsten Schritt vollzog Ambrosius: die Überführung von Heiligen-Gebeinen in eine Kirche und die Neubestattung am Altar.[8] Waren bislang die Gräber der Märtyrer wie ebenso der ihnen gleichgeachteten Asketen mit einer Basilika und einem Altar überbaut worden, so geschah es nun auch umgekehrt: Ein schon bestehender Altar erhielt einen Reliquien-Leib zugeführt. Die Reliquien-Altäre zogen dann weitere Gräber an; um nämlich die besondere Fürsprache der Heiligen zu erlangen, regte sich der allgemeine Wunsch, bei ihnen beerdigt zu werden.[9] Als besonders herausstechendes Beispiel seien jene angelsächsischen Könige genannt, die im 7. und 8. Jahrhundert nach Rom zogen und bei

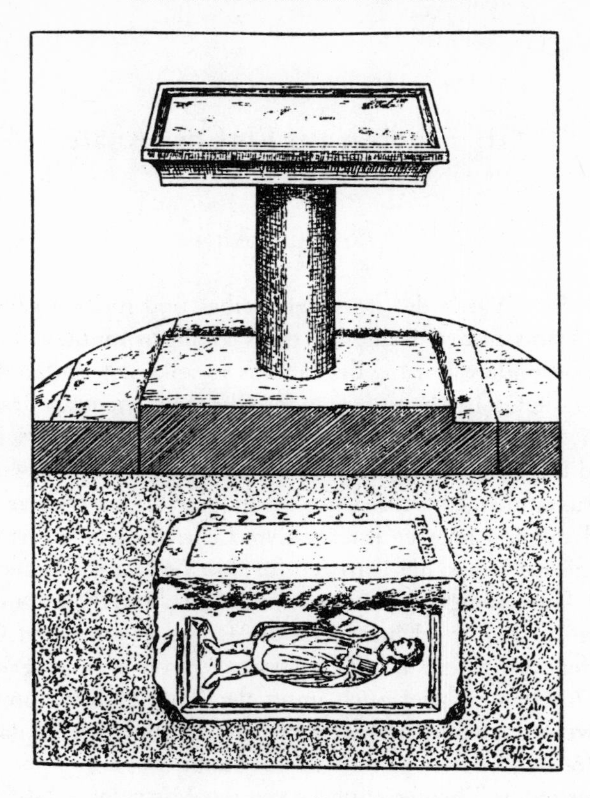

Grab unter dem Altar (St. Peter im Holz/Österreich, Rekonstruktion des spätantiken Befundes nach J. Braun). In Entsprechung zum Aufenthaltsort der Seele am himmlischen Altar (vgl. Offbg. 6,9) erhält der Leib seinen Ort unter dem irdischen Altar.

Sankt Peter ihr Grab suchten[10]; so entstanden am Petrusgrab in karolingischer Zeit ein angelsächsischer, ein fränkischer und ein langobardischer Friedhof[11].

Die Transferierung von Heiligenleibern an bereits bestehende Altäre verdichtete sich rasch zu einem Gesetz: In jedem Altar mußten Reliquien sein. Am Ende des 6. Jahrhunderts galt es in Gallien schon als auffallend, wenn ein Altar dieser Auszeichnung entbehren mußte.[12] Erneut zeigt sich ein Vordringen der Heiligen in einen ursprünglich Jesus Christus vorbehaltenen Bereich: War zunächst der Altar der Thron von Leib und Blut Jesu Christi und als solcher Symbol für ihn selbst[13], wird demgegenüber im 6. Jahrhundert die

Dominanz der Reliquien so geläufig, daß „‚Altar' manchmal einfach die Kurzbezeichnung für Heiligtum, Heiligengrab"[14] ist. Im Kirchweihritus wurde für diese Verbindung eine eigene Liturgie geschaffen: die Deponierung von Reliquien im Altar. Am Vorabend des Weihetages kamen die Reliquien an, wurden außerhalb des Neubaus ausgestellt und während der Nacht mit Vigilien verehrt, dann bei der Weihe feierlich übertragen und im Altar, in einem entweder im Block oder in der Altarplatte ausgetieften Grab, dem sog. Sepulchrum, deponiert.[15]

Reliquien im Altar (nach J. Braun). Der Querschnitt zeigt den Altarblock mit einem unter der Altarplatte angelegten Sepulchrum und dem darin befindlichen Reliquiengefäß.

Dem Mittelalter waren mit solchen Ritualen und Deutungen verpflichtende Vorgaben geschaffen. Die Verbindung von Altar und Reliquien galt als strikt beidseitig: kein Heiligenleib ohne Altar und kein Altar ohne Reliquien.[16] Die Folgen waren so zahlreich wie langdauernd, und die Auswirkungen reichten bis ins letzte Dorf; denn jede Kirche bekam bei ihrer Weihe mindestens Berührungsreliquien zugeführt. Als sich in karolingischer Zeit das Pfarrnetz verdichtete und jede namhafte Siedlung eine eigene Kirche erhielt, befand sich nun überall ein Altar mit Reliquien. Hatten sich ursprünglich nur verhältnismäßig wenige Orte eines Märtyrer- bzw. Heiligengrabes rühmen können, so besaß fortan jede Gemeinde ihr heiliges Grab, und was ursprünglich nur wenigen, etwa von Amts wegen den Päpsten[17], den Bischöfen[18], den Kaisern und Königen[19], hatte ermöglicht werden können, nämlich ein Grab bei einem Märtyrer oder Heiligen zu finden, das wurde jetzt zur Möglichkeit, ja zum Gebot für alle. So sehen wir denn, daß seit dem 8. Jahrhundert die Beerdigungen nur noch bei Kirchen erfolgten.[20] Geschaffen war damit sowohl der mittelalterliche Totenbrauch wie auch das Siedlungsbild: Kirche mit Friedhof und rundherum die Anwohner. Lebende und Tote waren beieinander, ganz im Gegensatz zur Antike mit ihren Gräbern außerhalb der Wohnbezirke.[21] Im Blick auf die Heiligenverehrung ist daran wichtig, daß jeder Ort seinen Heiligen hatte, dessen Reliquien im oder am Altar ruhten. Zahlreiche Ortsnamen, zumal in den romanischen Ländern, sind einfach nur der Heiligenname.[22]

Zu der nunmehr festen Verbindung von Reliquien und Altar kam rasch noch das Bestreben, die Altäre zu vermehren. Der Sankt-Galler Klosterplan aus dem frühen 9. Jahrhundert zeigt eine erste Etappe dieser Entwicklung: siebzehn Altäre mit jeweils einem Heiligenpatron.[23] Dies geschah nicht ohne Systematik: Die Altäre auf Erden sollten – eine umfassende Untersuchung zur mittelalterlichen „Altaranordnung" steht noch aus – zur Hierarchie des Himmels in Entsprechung stehen.[24] So hat Benedikt von Aniane in seinem Kloster sieben Altäre errichtet. Der Hauptaltar ist der Trinität geweiht, und diesem sind drei Altäre „unterlegt", um sowohl die Einheit wie die Dreiheit anzudeuten; im Innern ist eine Höhlung zur Aufnahme von Reliquien; vor dem Altar stehen sieben Leuchter, zusätzlich sind sieben Lampen aufgehängt. Weitere Altäre sind dem heiligen Michael, den Aposteln Petrus und Paulus und dem Erzmärtyrer Stephanus geweiht. Eine zweite, zu Ehren der Gottesgebärerin konsekrierte Kirche hat einen Martins- und Benedikts-Altar, während in der Friedhofskapelle ein Altar Johannes des Täufers steht. Zur Deutung heißt es:

„Denn Christus, der Herr, ist der Fürst aller Fürsten, der König aller Könige und der Herr aller Herren; die selige Gottesgebärerin Maria aber wird als die Königin aller Jungfrauen geehrt; Michael steht allen Engeln vor; Petrus und Paulus sind die Häupter der Apostel; Stephanus als Erzmärtyrer hat den ersten Platz im Chor der Blutzeugen; Martinus glänzt als Edelstein unter den Bischöfen; Benedikt ist der Vater aller Mönche. Unter den sieben Altären, den sieben Leuchtern und den sieben Lampen ist die siebenförmige Gnade des heiligen Geistes zu verstehen."[25]

Altäre, die wie hier der Hauptaltar, eine Höhlung für Reliquien haben, sind durchs ganze Mittelalter üblich geblieben; hineingestellt

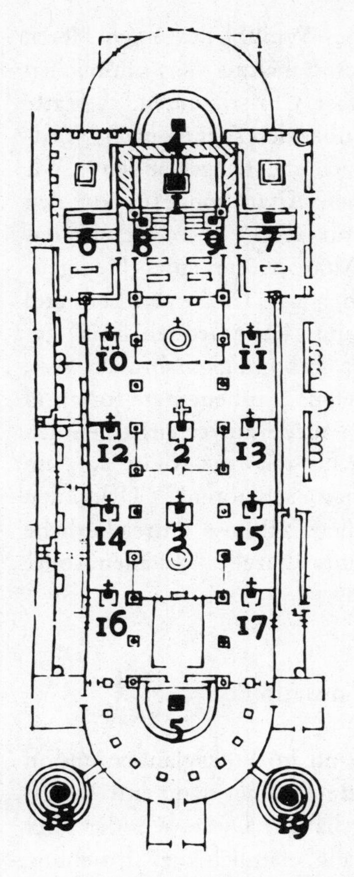

1) Marien- und St. Gallus-Altar nebst Sarkophag und Confessio des hl. Gallus, 2) Heiligkreuzaltar, 3) Johannes Baptist- und Johannes-Evangelist-Altar, 4) Paulusaltar, 5) Petrusaltar, 6) Philippusaltar, 7) Andreasaltar, 8) Benediktusaltar, 9) Kolumbanusaltar, 10) Stephanusaltar, 11) Laurentiusaltar, 12) Martinusaltar, 13) Mauritiusaltar, 14) Unschuldige-Kinder-Altar, 15) Sebastianusaltar, 16) Cäciliaaltar, 17) Agnesaltar, 18) Gabrielsaltar, 19) Michaelsaltar.

Vermehrung von Altären mit Reliquien (St. Gallen, Klosterplan aus dem frühen 9. Jahrhundert, Stiftsbibliothek). Nach altchristlicher Auffassung hatte jede Kirche nur einen Altar, im Mittelalter jedoch eine Vielzahl, die alle auch Reliquien enthielten (nach Horn und Born).

wurden die Reliquiare, die, meist von rückwärts, durch Oculi betrachtet werden konnten.[26] Der letzte Schritt dieser ganzen Entwicklung führte dahin, die Reliquien in den einzelnen Altären zu vermehren, so daß der spezielle Altarheilige von weiteren Heiligen umgeben war.[27]

Die theologischen Konsequenzen von alldem reichten bis ins Zentrum des Glaubens: „Die Reliquien relativieren den einen Altar eines

Versammlungsortes der Gemeinde, dieses Symbol des einen Herrn Christus, auf ein beliebig vermehrbares Behältnis der zahlreichen Martyrer und Heiligen, die den Hofstaat Christi bilden."[28] Hatte noch für Augustinus, als er einen Altar über den soeben nach Nordafrika gelangten Stephanusreliquien errichtete, festgestanden: „Wir errichten ... nicht dem Stephanus einen Altar, sondern von den Reliquien des Stephanus einen Altar für Gott"[29], so verfuhr das Mittelalter unbefangen anders. Jeder Altar ist der eines Heiligen: ‚altare sancti/sanctae ...'. Der ursprünglich als „Thron von Leib und Blut Christi" verehrte Altar ist damit zum „Reliquienbehältnis" geworden.[30] Da es aber mittelalterlicher Frömmigkeitsbrauch war, Altäre zu besuchen, um vor ihnen zu beten[31], so bedeutete fortan in der Kirche beten, sich vor den Altären niederzuwerfen, eigentlich also vor den Heiligen[32]. Weiter auch suchte man die Altäre auf, um dort Eide abzulegen, um „Stein und Bein zu schwören"[33], Urkunden zu besiegeln oder Geschäfte abzuschließen; zahllose mittelalterliche Urkunden enden mit der Zeile ‚Actum ante altare ...'. In allem sollte der Heilige der Garant sein.

2. Elevation und Translation

Die Anfänge des Heiligenkultes werden oft im Volksglauben und in der Wundersucht gesucht. Tatsächlich setzte immer dann eine Verehrung ein, wenn am Grab Wunder geschahen. Diese Wunder aber brachten ein spezielles Verfahren in Gang, nämlich die „Erhebung zur Ehre der Altäre", die man in ihrer Wirkung als „Heiligsprechung" ansehen muß.

Am deutlichsten ist dies im gallikanischen Liturgie-Bereich (zu dem auch Mailand gehörte) zu beobachten. Sobald der Beerdigte mit Wundern den Erweis erbrachte, daß er in Gottes Gegenwart gerufen und von ihm als Heiliger bestätigt war, veranlaßte das eine Elevation und Translation. Waren die Gebeine wegen der gesuchten Nähe zu den Altarreliquien schon in der Nähe des Kirchenbaus und nicht selten in einer besonderen Vorhalle (porticus) beerdigt worden, so wurden sie jetzt erhoben und unmittelbar beim Altar im Kircheninneren neu beigesetzt. Die Begründung lieferte die Apokalypse, der zufolge die Seelen der Märtyrer, denen man aber bald auch die aller Gerechten hinzuzählte, ihren Ort am Fuße des himmlischen Altares hatten (Offb 6,9). Das alte Religionsgesetz der himmlisch-irdischen Entsprechung – „wie im Himmel so auf Erden" – erforderte es sodann, dem Ort der Seele im Himmel eine Entsprechung für den Leib auf Erden zu schaffen. So wurden die Leiber an den Fuß der Kirchenaltäre übertragen. Ambrosius von Mailand fügte noch eine speziell eucharistische Deutung hinzu: „Die siegreichen Opfer [der Märtyrer] sollen an den Platz rücken, wo Christus, das Opfer, ist: dieser, der für alle gelitten hat, auf dem Altar, jene unter dem Altar, weil sie durch sein Leiden erlöst sind."[34]

Dagegen hat Rom noch für Jahrhunderte keine Erhebung, ja nicht einmal eine Graböffnung zugelassen. Hier galt weiterhin das antike Sakralrecht, demzufolge Gräber intangibel blieben. Noch Gregor der Große bekundete: ‚Omnino intolerabile est atque sacrilegum si sanctorum corpora tangere quisquam fortasse uoluerit'– Es ist ganz unzulässig und sakrilegisch, wenn jemand die Leiber der Heiligen etwa berühren wollte.[35] Aber auch in Rom suchte man den Heiligenleib mit einem Altar in Verbindung zu bringen und wollte den Sarg wenigstens berühren können. So ließ Gregor der Große in der römischen Peterskirche den Chorraum so weit anheben, daß der Altar direkt über dem Grabmonument errichtet werden konnte; gleichzeitig wurde unter diesem erhöhten Chorboden ein Stollen angelegt, der am inneren Apsisrund entlang lief und vom Scheitelpunkt als Mittelgang zum Grab führte, zum Sarg Petri, so daß man ihn berühren konnte.[36] Die auf diese Weise in Sankt Peter entstandene Krypta wurde vielmals nachgeahmt. Wirkliche Translationen aber scheinen in Rom, sieht man von den Notbergungen und den Überführungen aus gefährdeten Katakomben in innerstädtische Kirchen einmal ab, erst nach 754 vorgenommen worden zu sein[37], erstmals wohl auf Geheiß König Pippins und seines Emissärs Fulrad von St. Denis bei der heiligen Petronilla, der angeblichen Tochter Petri[38].

Die Erhebung wurde alsbald in der ganzen lateinischen Christenheit praktiziert. Für gewöhnlich bezeichnet man die Überführung des Leichnams an den Altar als Heiligsprechung ‚per viam cultus' oder, da zu einer solchen Erhebung die Zustimmung des Bischofs erforderlich war, auch als bischöfliche Heiligsprechung. Aber dies ist nur beschränkt richtig, weil zumindest in karolingischer Zeit auch Autoritäten wie Kaiser, König oder Graf zustimmen mußten.[39] Ein entsprechender Kanon des Mainzer Konzils von 813, daß nämlich „nie-

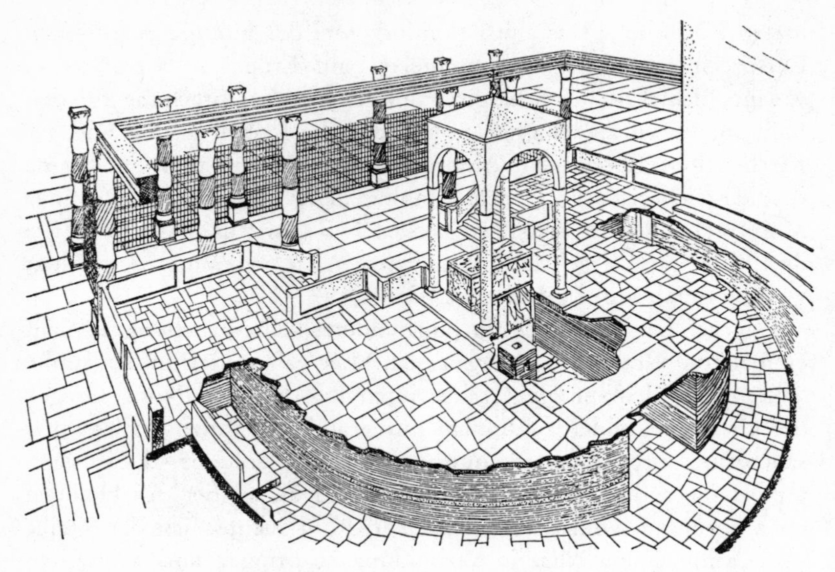

Ringstollen-Krypta (Rom, St. Peter; nach E. Kirschbaum). Da nach römischem, auch von den römischen Christen respektiertem Sepulkral-Recht das Grab intangibel war, schuf Gregor der Große unter dem erhöhten Chor einen Zugang zum Peters-Grab, an das man durch den Mittelgang von Westen her herantrat.

mand die Leiber der Heiligen zu transferieren wage ohne die Weisung des Fürsten oder ohne Erlaubnis der heiligen Bischofssynode", ist in das Gratianische Dekret eingegangen.[40] Im Verfahren bildeten die Elevation und Translation eine eigene Liturgie.[41] Voraus gingen Tage der Vorbereitung mit Gebet und Fasten; vor allem mußten vom Himmel her, entweder von Gott oder vom Heiligen, Zeichen der Zustimmung kommen. Erst dann wagte man die Graböffnung, wobei der Leichnam eines wirklichen Heiligen einen wunderbaren Wohlgeruch verströmte, in Lichterscheinungen aufleuchtete und in besonderen Fällen sogar ohne Verwesung war. Der Leib wurde dann erhoben (elevatio), zur Verehrung ausgestellt, in Prozession herumgetragen, zuletzt zum Altar übertragen (translatio) und dort neu beigesetzt (depositio).

Nehmen wir als Beispiel den heiligen Hubertus († 727), dessen Erhebung im Jahre 743 sogar eine „staatspolitische" Bedeutung hatte. Zeichen und Visionen hatten gemahnt, daß Gott seinen treuen Diener als Licht auf einen Leuchter gestellt sehen wollte. Man hielt ein dreitägiges Fasten und Beten und ging dann in aller Feierlichkeit zu Werke: Der geöffnete Sarg strahlte sofort ein Licht aus, und der unverwest gebliebene Leichnam verströmte Wohlgeruch. Herzugeeilt war auch der Princeps Karlmann, Karl Martells Sohn, der im Norden und Osten des Frankenreichs soeben die Regentschaft angetreten hatte und sich mit dem Erhobenen verwandt wußte. Der Princeps selbst wie auch seine Familienangehörigen und seine Optimaten erwiesen dem Heiligen ihre Ehre und küßten dabei dessen Hände und Füße. Mit eigener Hand legte Karlmann den Leib auf eine Bahre, um ihn zum Altar zu übertragen, und machte reiche Stiftungen: Altartücher, silberne Altargefäße sowie Liegenschaften samt Hörigen.[42]

Wie sehr solche Tansferierungen an den Altar dem Gesetz der himmlisch-irdischen Entsprechung folgten, zeigt noch Bernhard von Clairvaux: Christus gebe den gerechten Seelen „eine Ruhestätte unter dem Altare Gottes", und dort „ruhen die Seelen solange, bis die Zeit anbricht, wo sie nicht mehr unter den Altar gestellt sind, sondern über den Altar erhöht werden"[43] – und das wird bei der Vollendung geschehen.

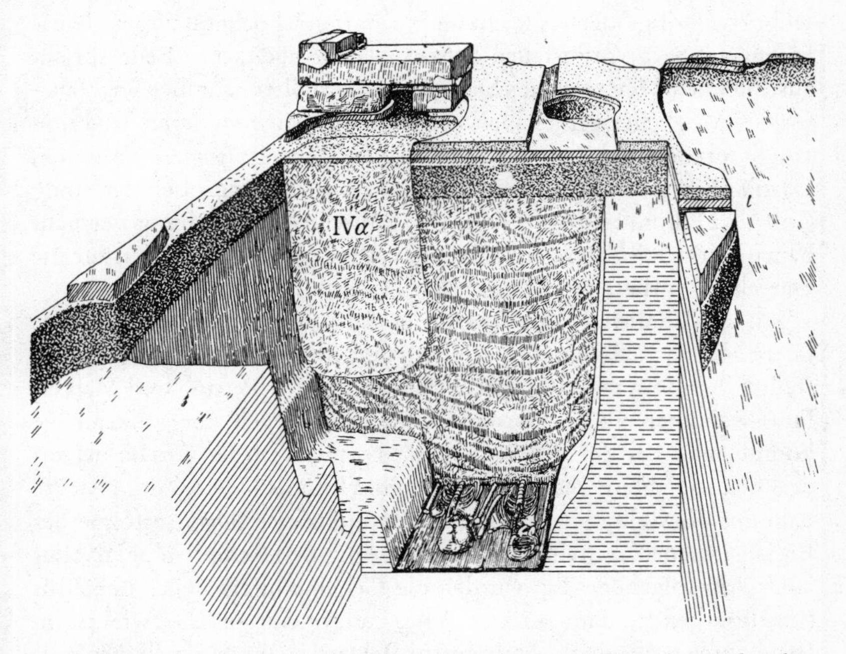

Graböffnung und Reliquiensuche (Xanten, St. Viktor; nach W. Bader). In karolingischer Zeit suchte man nach den am Boden des Grabes liegenden Leibern, hob einen Suchstollen aus (der mit IV alpha bezeichnet ist), grub aber nicht tief genug.

3. Im Schrein über dem Altar

Doch längst wurde diese Symbolik nicht mehr allseits befolgt. Bereits im merowingischen Gallien hatte man damit begonnen, die erhobenen Gebeine in einen besonderen Schrein zu legen und diesen hinter dem Altar aufzustellen. Der heilige Eligius († 660), der als „Goldschmied" vielen Heiligen Galliens eine künstlerisch gestaltete Tumba geschaffen hatte (so dem Märtyrer Quintinus zu Vermand – dem nachmaligen St. Quentin – und besonders aufwendig den Heiligen Martin in Tours und Dionysius bei Paris[44]), wurde selbst ein Jahr nach seinem Versterben, am 1. Dezember 681, erhoben[45]: Man fand „den Leib fest, unbefleckt und unverwest, ohne irgendeine Minderung der Glieder, als lebe er in seinem Grab"; ehrfürchtig tauschten die anwesenden Bischöfe die Kleider des Heiligen gegen neue aus und nahmen die alten als Reliquien an sich; die Beisetzung erfolgte in einem hinter dem Altar neuerrichteten ‚mausoleum', das wir uns wohl ebenerdig oder vielleicht auch schon mit hochgestelltem „hausförmigen" Sarg vorzustellen haben[46]. Der Angelsachse Beda spricht ausdrücklich von solchen ebenerdig aufgestellten Tumben in Hausform.[47] Möglicherweise haben wir es hier mit einer anderen Tradition von Symbolik zu tun: um ein Vorausbild der himmlischen Wohnung. Da nämlich „im Hause des Vaters viele Wohnungen bereitet sind" (Joh 14,2), könnte man hierzu eine irdische Entsprechung versucht haben; tatsächlich wird in zeitgenössischen Visionen von den für die Gerechten vorbereiteten „goldenen Häusern"[48] gesprochen.

Für gewöhnlich wurde fortan der Sarg mit den erhobenen bzw. übertragenen Reliquien hinter dem Altar in erhöhter Position aufgestellt.[49] Als Beispiel sei Einhards Aufstellung der Petrus- und Marcellinus-Reliquien zu Seligenstadt angeführt. Wegen der Volksmenge konnte man bei der Ankunft zunächst nicht in die Kirche gehen; draußen errichtete man unter freiem Himmel einen Altar, stellte dahinter die Reliquien auf und feierte die Messe. Dann erfolgte der Einzug; wiederum stellte man die Trage mit den Reliquien beim Altar auf.[50] Am folgenden Tag wurden die Gebeine in ein neues Behältnis (loculus) gelegt, dann in der Apsis aufgestellt und – „wie es im Frankenreich Sitte ist" – mit einem Baldachin aus Holz (ligneo culmine) überbaut und mit Tüchern und Seidenstoffen verziert.[51] Daß bald auch ganze Reliquiensammlungen in einem Sarg erhöht aufge-

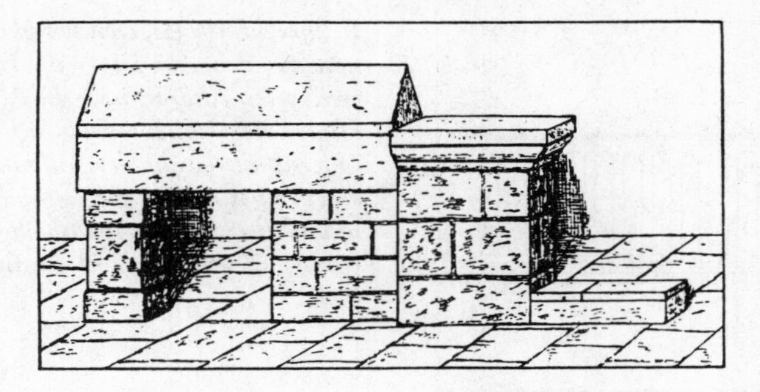

Tumba hinter dem Altar (Bordeaux, Krypta von St. Severin; nach J. Braun). Im gallikanischen Liturgiebereich wurden die Leiber der Heiligen erhoben und in einem meist neugefertigten und ausgeschmückten Sarg hinter dem Altar eben- oder übererdig aufgestellt.

stellt werden konnten, zeigt Hrabanus Maurus, „der zweifellos größte ostfränkische Reliquiensammler"[52].

Von ihm berichtet Rudolf von Fulda († 865): „Er erbaute dort nämlich hinter dem Altar einen steinernen Turm, und mitten darauf setzte er einen steinernen Sarg mit den Gebeinen der genannten einundzwanzig Heiligen; darüber errichtete er einen hölzernen Baldachin auf vier Säulen und versah ihn mit Schmuck aus Gold und Silber; darunter stellte er den länglichen vierwinkligen Sarg, den er gleichfalls mit Gold, Silber und Edelsteinen wie weiter auch mit Bildern der einzelnen Heiligen gebührlich schmückte und mit Versen, wie von den Heiligen selbst gesprochen, rundum beschriftete."[53] Einen Reliquienturm besonderer Art errichtete Suger von St. Denis im Chor der von ihm neuerbauten Abteikirche. Der untere Teil war ein abgeflachter Kubus mit innerem gewölbtem Hohlraum, und darin ruhten die drei Leiber der Heiligen Dionysius, Rusticus und Eleutherius, deren Schreine bis in den vorgebauten Altarblock hineinragten; darüber stand ein aus vergoldetem Holz gefertigter basilikaartiger Aufbau mit „Mittel-" und „Seitenschiffen" und wiederum drei Schreinen. Im Gesamteindruck erscheint der Aufbau wie eine miniaturisierte Kirche samt Krypta und darin verteilt die Reliquien.[54]

Die Erhebungen setzten sich fort, und im 12. Jahrhundert gab es keinen Heiligen mehr, dem nicht diese Ehre zuteil geworden war: Die Reliquien ruhten in einem erhöht hinter dem Altar aufgestellten Schrein. So war es Gottes eigener Wille, wie es beispielsweise der Chronist des Klosters Petershausen vor Konstanz um die Mitte des 12. Jahrhunderts kundtat: „Denn Gott duldet nicht, daß die Leiber

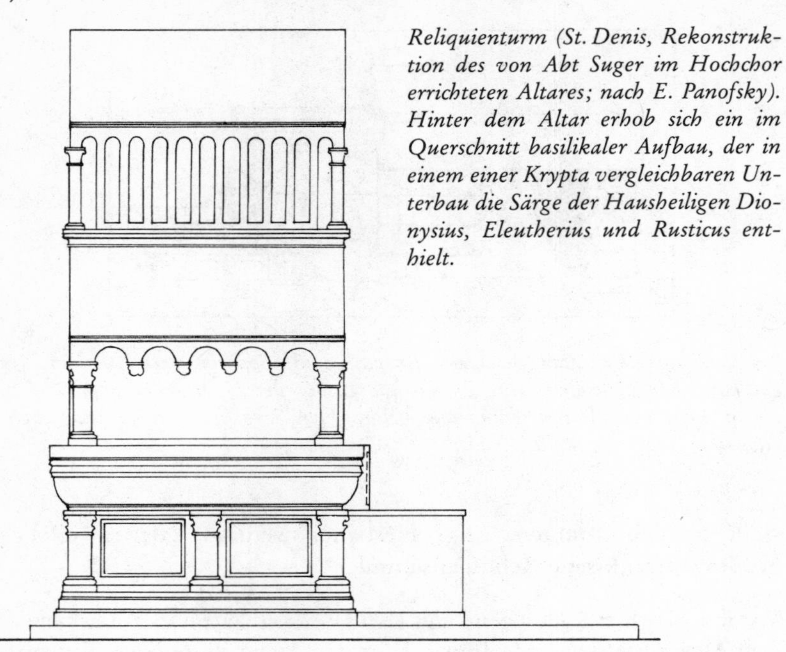

Reliquienturm (St. Denis, Rekonstruktion des von Abt Suger im Hochchor errichteten Altares; nach E. Panofsky). Hinter dem Altar erhob sich ein im Querschnitt basilikaler Aufbau, der in einem einer Krypta vergleichbaren Unterbau die Särge der Hausheiligen Dionysius, Eleutherius und Rusticus enthielt.

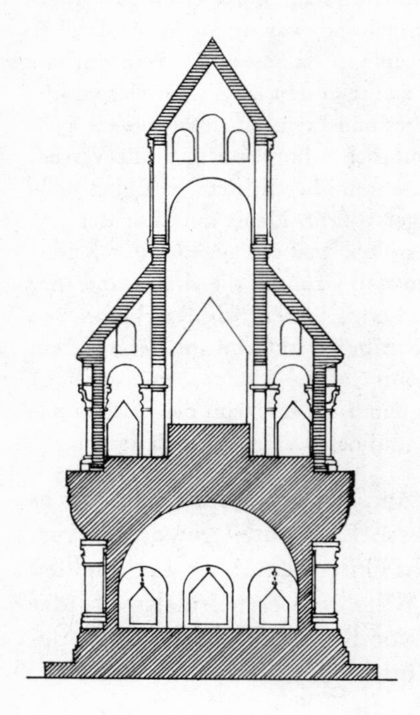

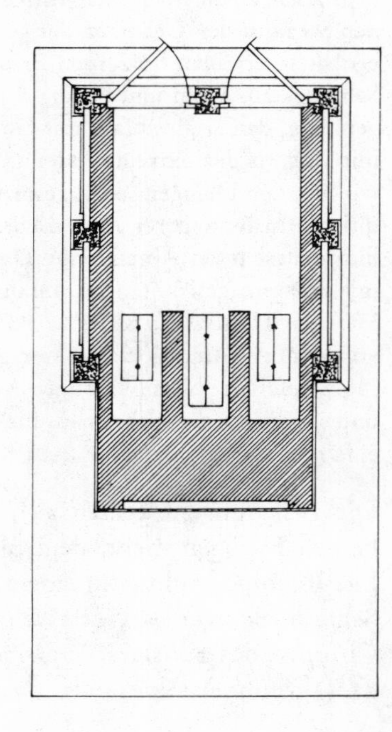

unter der Erde verborgen bleiben; auf den Altar will er sie erhöht sehen; ja, wenn es noch einen ehrenvolleren Platz gäbe, dorthin würde er sie, so bin ich überzeugt, hinstellen."[55] Die aufgestellten Schreine, die nun oft in Hausform gestaltet waren, erhielten eine immer aufwendigere Ausstattung. Besonders berühmt sind diejenigen des Rhein-Maas-Gebietes, darunter als kostbarster der Kölner Drei-Königen-Schrein, der als dreifaches Haus hinter dem Hauptaltar des Domes in der Chorspitze seinen Platz hat.[56]

Die zur Ehre der Altäre erhobenen Heiligen waren gleichwohl nicht unbeweglich. Am Jahrestag des Heiligen erfolgte in aller Regel eine „Tracht"; sein Schrein wurde feierlich „umhergetragen", was bedeutete: der Heilige umschritt seinen ihm anbefohlenen Ort. Aber auch zu besonderen Anlässen konnte der Heilige vom Altar herabsteigen und eingreifen, in Notzeiten etwa, um Gelübde seiner Verehrer entgegenzunehmen, bei kriegerischer Bedrohung, um auf den Stadtmauern dem Feind entgegenzuwirken, überhaupt bei aller unrechtmäßigen Gewalt, um die Widersacher und Rechtsbrecher in ihre Schranken zu weisen. Überall zeigte sich der Heilige gegenwärtig, wo immer man seinen Schrein hinführte. Was die Form der Trachten angeht, war es eine „Prozession", wörtlich verstanden als „Herausgehen", wie es in der Antike seitens der Stadtbevölkerung dem ‚kyrios', dem Herrscher, entboten werden mußte: Die ganze Bewohnerschaft zog, nach Rang und Bedeutung geordnet und dabei ihre Zeichen und Symbole vor sich hertragend, hinaus und brachte dem Ankommenden ihre Huldigung dar – das antike Adventus-Zeremoniell[57]. Dieser Prozessus ist in die christliche Liturgie eingegangen.[58] Bei Victricius von Rouen erhielten die Reliquien bereits einen solchen Empfang.[59] Im Mittelalter wurde die Prozession die selbstverständliche Form der öffentlichen Heiligen-Ehrung: voraus das Kreuz, dazu Lichter, Weihrauch und Fahnen, dann der Zug der Verehrer, geordnet nach geistlichen und weltlichen Rängen, alle betend und singend, und mitten darin der Heilige, ob nun in einem Schrein, einer Statue oder einem Bild.[60]

4. Die Kanonisation

Die Erhebung zur Ehre der Altäre blieb nicht der maßgebliche Akt für die Heiligsprechung, vielmehr wurden ein anderes Verfahren und eine höhere Autorität entscheidend: die Kanonisation durch die

Päpste.[61] Zum ersten Mal bei Bischof Ulrich von Augsburg († 973) erklärte ein Papst, Johannes XV., die Heiligkeit. Nicht mehr eine Liturgie, sondern ein juristisches Verfahren, in dessen Verlauf Lebensführung und Wunder anhand von Zeugen und Dokumenten überprüft wurden, führte zur Einschreibung in den Kanon der Heiligen, zur „Kanonisation". Die Juristen-Päpste Alexander III. († 1181), Innozenz III. († 1216) und Gregor IX. († 1241) vollendeten dieses Verfahren.[62]

Als Beispiel sei die Kanonisation des Kölner Erzbischofs Anno († 1075) angeführt, der in der von ihm gestifteten Abtei Siegburg sein Grab hatte. Unter Papst Alexander III. kam ein päpstlicher Legat nach Siegburg, las die Vita und Mirakel Annos und verwunderte sich, daß derselbe noch nicht in den Kanon der Heiligen (in sanctorum canonem) eingeschrieben sei, was aber mit der Autorität des apostolischen Stuhles durchgeführt werden könne. Die Siegburger, aus ihrer Sorglosigkeit und ihrem Dauerschlaf gleichsam aufgerüttelt, entsandten ihren Abt nach Rom. Dem dort regierenden Papst Lucius trug der Abt die Bitte um Kanonisation vor; mit einem Schreiben Kaiser Barbarossas sowie anderer Großer und mit Hilfe des in Italien weilenden Erzbischofs Christian von Mainz konnte er sein Ziel erreichen. Päpstliche Legaten kamen nach Siegburg und nahmen die Heiligsprechung vor: „Barfüßig warfen sich die Brüder um das Grabmal des gütigen Vaters [Anno] auf dem Estrich nieder. Unter andächtigem Wechselgesang der Psalmen öffneten sie ehrfürchtig diesen himmlischen Schatz, wertvoller als Gold und Edelstein, und hoben ihn heraus. Da konnte man die Brüder sehen, wie sie zwischen Furcht und Hoffnung zitterten. Einerseits beklagten sie ihre Unwürdigkeit, solches zu berühren, andererseits freuten sie sich über die Hervorhebung und die Herausstellung der Verdienste Annos. Darauf nun bargen sie die kostbaren Reliquien in reine Leintücher, wickelten sie darin ein und legten sie bis zum Morgen in das Grab zurück ... Nachdem man den heiligen Leib aus dem Grab ehrfürchtig erhoben hatte, legten ihn die Legaten des heiligen Stuhles auf den Altar nieder und vollzogen die Heiligsprechung unter Jubel und Lobgesang. Unter Festgesang von Klerus und Volk feierten sie das Hochamt in der Form, wie es bei einem heiligen Bekenner üblich ist; der Kardinal zelebrierte die Messe ... Als man dann zur Predigt gekommen war, befahlen die Legaten kraft päpstlicher und der heiligen Apostel Petrus und Paulus Vollmacht, daß dieser Tag der Übertragung oder Heiligsprechung Annos frei sein solle von jeglicher knechtlichen Arbeit. Ferner sei in Zukunft Anno mit den Ehrentiteln zu feiern, wie sie einem Heiligen zustünden ... Nicht lange Zeit darauf präsidierten der Kölner Erzbischof und der Legat des apostolischen Stuhles ... einer Generalsynode in Köln ... Der Erzbischof sprach auf der großen und erlauchten Versammlung ... Anno vor der Kölner

Kirche wiederum heilig und befahl, ihn in den heiligen Kalender aufzunehmen und als überaus heiligen Bekenner zu verehren. Das, was die erwähnten Legaten über ihn [Anno] angeordnet hatten, bestimmte er [der Erzbischof] kraft apostolischer Autorität, entschieden und unverrückbar zu beobachten. Die damit vollzogene Heiligsprechung Annos bestätigte Gott selbst. Er gewährte ihm eine so reiche Gnade für Krankenheilungen, daß es nicht leicht ist, mit dem Munde zu verkünden oder durch die Schrift auszudrüken, durch wieviele und wie große Wunderzeichen in wenigen Tagen der Herr seinen Heiligen verherrlichte ... Der Leib des erhabenen Erzbischofs, unseres Patrons, wurde glanzvoll und glücklich zur Freude und mit glückverheißender Hoffnung des ganzen Klerus und des Volkes am dritten Tag vor dem Vollenden des Mai [29. April], einem Freitag, aus dem Grab erhoben. Nach kurzer Zeit barg man ihn würdig in dem von Gold und Edelsteinen glänzenden Schrein. Dies ereignete sich im Jahre der Menschwerdung des Herrn 1183."[63]

Die ältere Weise der Heiligsprechung beruhte keineswegs nur auf dem so oft apostrophierten Volksglauben, sondern beanspruchte eine himmlische Autorität: Gott oder der Heilige gaben durch Zeichen, Visionen und Wunder kund, daß eine Erhebung geboten sei; die Richtigkeit bestätigte sich dann bei der Graböffnung am ausströmenden Wohlgeruch, in den Lichterscheinungen, gegebenenfalls auch an der Unverwestheit, vor allem aber in den Wundern. Mentalitätsgeschichtlich gesehen, steht der Übergang zur päpstlich-juristischen Kanonisation in Parallele zu einer Reihe von anderen Phänomenen des 12. Jahrhunderts, die alle, weil eine Verlagerung von der Kompetenz Gottes in die der Menschen geschieht, als Erststufe einer „Säkularisierung" bezeichnet werden können. Als paralleles Beispiel sei das Gottesurteil angeführt, bei dem Gott, weil gerecht und allwissend, das Urteil vollzieht, das die Menschen nur annehmen können, nicht aber zu fällen haben. Wie die Gottesurteile kirchlicherseits im 12. und 13. Jahrhundert kritisiert und durch menschlich-richterliche Urteile ersetzt wurden, so nun auch bei der Kanonisation: Es mußte ein regelrechter Prozeß geführt werden mit Beweiserhebung und Zeugenvernehmung, an dessen Ende gegebenenfalls die Heiligsprechung vorgenommen oder auch – wie es in der überwiegenden Zahl der Anträge geschah – abgelehnt wurde.[64]

Wer nun aber glauben würde, daß parallel zur aufgehäuften und zahlenmäßig gesteigerten Frömmigkeit des Spätmittelalters eine Welle von Kanonisationen eingesetzt hätte, muß sich getäuscht sehen. Die Gesamtzahl der im Mittelalter Heiliggesprochenen wird mit 79 angegeben[65], bei deutlich abnehmender Tendenz: Von 1198–1304 sind päpstlicherseits 49 Prozesse geführt worden, von denen knapp die Hälfte, nämlich 24, mit einer Kanonisation endeten; zwischen 1305 und 1378 waren es zwölf Prozesse mit sechs Kanonisationen und von 1379–1431 zehn mit fünf. Der Grund für den Rückgang lag in der Reserve der Kurie gegenüber plötzlich aufflammenden Lokalkulten, in dem zunehmend präzisierten Verfahren und in den Prozeßkosten.[66] Die vom Volk getragene Heiligenverehrung aber expandierte; sie folgte dem allgemeinen Trend zur Vervielfachung und suchte sich angesichts der päpstlichen Zurückhaltung eigene Wege. Seit dem 13. Jahrhundert bildete sich die Unterscheidung zwischen ‚Heiligen' und ‚Seligen' heraus; erstere waren die offiziell Heiliggesprochenen, letztere alle sonstigen Fürsprecher, die man im Himmel wußte und nun ‚Selige' nannte. Allein zwischen 1215 und 1334 erlangten an die 500 den Ruf der „Seligkeit" und wurden unbefangen als Heilige verehrt[67]; der als Pestheiliger angerufene Rochus zum Beispiel war nur ein ‚Seliger'[68]. Die spätmittelalterliche Frömmigkeit entwikkelte überhaupt ihren eigenen Heiligen-Kanon: „Man wird nicht heilig wegen seiner kirchlich-sozialen Verdienste, mögen diese auch noch so groß sein, man wird es wegen seiner wunderbaren Frömmigkeit. Die großen Energeten erlangen nur dann den Ruf der Heiligkeit, wenn ihre Taten in den Glanz eines übernatürlichen Lebens getaucht sind, nicht also Nikolaus von Cues, wohl aber sein Mitarbeiter Dionysius der Kartäuser."[69]

XIII. Statue und Bild

1. Figur und Bildnis

Die Tendenz, Reliquien zu teilen, suchte das Mittelalter „künstlich" wieder aufzuheben. Seit dem späten 9. Jahrhundert begann man, den Reliquienteilen einen künstlerischen Gesamtkörper, ein „redendes Reliquiar"[1] zu schaffen: „Das plastische Bildwerk gibt einer Körperreliquie oft das menschliche Aussehen zurück, das sie in der Verwesung und Zerstückelung verlor."[2] Ja, mehr noch, darin manifestiert sich eine „Allianz von Reliquie und Bildwerk", so daß „das Bild die Erscheinung der Reliquie inszenierte".[3] Das heißt: Das Bildwerk stellte als Ganzes dar, was vom Leib nur im Teil vorhanden war.[4] Das ältesterhaltene Beispiel eines figürlichen Reliquiars ist die Statue der heiligen Fides von Conques aus dem 10. Jahrhundert; als Reliquie hatte man das Haupt, und dieses wurde um einen artifiziellen Leib vervollständigt.[5] „Die Reliquie ist, als Pars pro toto, der Körper des Heiligen ... Die Statue stellt diesen Körper in der dreidimensionalen Erscheinung dar."[6] Im Bildnis ist nun der Heilige, aufgrund seiner Reliquien, „leibhaft" gegenwärtig. „Religionsgeschichtlich ist die Realität des weiterlebenden Heiligen ... der Kern des Phänomens."[7]

Über die Fides-Figur von Conques haben wir den Bericht des in Chartres ausgebildeten und in Angers lehrenden Scholastikers Bernhard, der 1013 die Heilige besuchte und zunächst ob des heidnischen Aberglaubens erschrocken war, sich dann aber eines Besseren belehren ließ. Überrascht mußte er feststellen, daß es in der Auvergne, im Rouergue und Toulousain Statuen aus Gold, Silber und anderen Metallen gab, „in der das Haupt eines Heiligen oder ein besonders wichtiger Teil des Körpers ehrfürchtig geborgen war". Aber den Wissenden sei dies als Aberglauben, als Ritus der alten Götter- bzw. Dämonenkulte erschienen. Auch ihm selbst, weil ja nur ein Mensch von Unklugheit, sei es falsch und dem christlichen Gesetz widersprechend vorgekommen, als er zum ersten Mal die Statue des heiligen Gerald zu Aurillac auf dem Altar gesehen habe, ganz aus Gold gefertigt sowie mit kostbaren Steinen ausgezeichnet und mit einem dem Menschengesicht so ausdrücklich nachgeschaffenen Antlitz, daß die meisten bäuerischen Betrachter sich durchschaut gefühlt und von den Augen der Figur die Erhörung ihrer Bitten wahrgenommen hätten. Aber Bernhard und sein Begleiter fühlten sich an Jupiter und Mars erinnert. Dem wahren Kult des höchsten Gottes sei es verrucht und anstößig, gipserne oder hölzerne Figuren zu schaffen, ausgenommen das Kreuz, das die heilige Kirche zum Andenken an das Herrenleiden als Skulptur oder Bildguß zulasse. In Conques angekommen, betete Bernhard: ‚Heilige Fides, ein Teil des Leibes von dir ruht in dieser Figur, komme mir am Tage des Gerichtes zu Hilfe!' Beim Anblick der anderen Beter aber wird ihm klar, daß hier nicht heidnische Gottheiten verehrt, sondern das Andenken der ehrwürdigen Märtyrerin zu Ehren des höchsten Gottes begangen wurde. Und so kommt er zu der Einsicht, „daß für die Heiligen-Reliquien dieses Behältnis nach dem Willen des Künstlers und in der Art einer Figur geschaffen ist, ausgezeichnet durch einen weit kostbareren Schatz als einst die Bundeslade. Auch wenn hierin nur das wohlerhaltene Haupt einer großen Märtyrerin aufbewahrt wird, so steht doch zweifellos fest, daß dieselbe eine der besonderen Perlen des himmlischen Jerusalem ist ... Folglich ist das Bildnis der heiligen Fides nicht etwas, das zu zerstören oder zu tadeln wäre, da dessentwegen niemand in den alten Irrtum zurückfällt, auch die Verdienste der Heiligen nicht verringert werden und ebenso wenig an der Religion etwas verdirbt."[8]

Bald entstanden eigene Kopfreliquiare. Wurde ein enthaupteter Märtyrer gefunden, entnahm man zuweilen den Schädel und gestaltete ihn, wie ausdrücklich bezeugt wird, als „Bild", und so entstanden die Reliquienbüsten.[9]

Ein Beispiel, wie ein Kopfreliquiar geschaffen wurde, überliefert die im späteren 11. Jahrhundert geschriebene ›Chronik von Tournus‹. Bei der Erhebung des Märtyrers Valerianus fand man das Haupt, anders als erwartet, an der Stelle der Brust. Man nahm nun zunächst die größeren Gebeinteile aus dem Grab, legte sie in einen eigens vorbereiteten Schrein und stellte diesen in der Krypta auf einen neuerrichteten Altar. Im Grab selbst beließ man, was zu Asche zerfallen und noch an Kleiderresten übrig war. Zuletzt fertigte man eine ‚imago' an und „stellte das heilige und verehrungswürdige Haupt hinein"[10]. Weil die größeren Gebeine in einen Schrein gelegt wurden, wird man für das Haupt an ein eigenes Kopfreliquiar denken dürfen.[11] Folglich gab es drei Verehrungsorte: das Grab, den Schrein auf dem Altar in der Krypta und die Büste mit dem Schädel, ein Befund übrigens, der zur Deutung anderer, gleichfalls an mehreren Orten verehrter Heiliger hilfreich sein könnte.

Die gesonderte Aufbewahrung des Hauptes in einem Büstenreliquiar gewann allgemeine Verbreitung. Aus Sankt Ursula in Köln ist eine Vielzahl von hoch- und spätmittelalterlichen Büsten erhalten, die aufklappbar sind und die originalen Schädelreliquien ansichtig und berührbar machen.[12] Ja, allgemein wurde es nun so gehandhabt, daß auch bei Nichtmärtyrern der Kopf abgetrennt und in einem entsprechenden Reliquiar aufbewahrt wurde.[13]

Aus Deutschland können die Reliquien der heiligen Elisabeth angeführt werden.[14] Die im Jahre 1231 Verstorbene erfuhr am 1. Mai 1236 ihre feierliche Erhebung, „ein glanzvolles Ereignis"[15], an dem Kaiser Friedrich II., der Hochmeister des Deutschen Ordens Hermann von Salza, die Erzbischöfe von Köln, Bremen, Trier und Mainz sowie zahlreiche weitere kirchliche und weltliche Große teilnahmen. Zur Vorbereitung hatte man drei Tage zuvor den Leichnam freigelegt, mit purpurnem Stoff umhüllt und in einen Bleisarg gelegt. Am Fest vollzog dann Kaiser Friedrich eigenhändig die Erhebung. Zuvor allerdings hatte man das Haupt abgetrennt und dabei die letzten Fleischreste vom Schädel abgelöst; der Kaiser stiftete das Reliquiar, ein Trinkgefäß, und setzte eine Krone darauf.[16] Seinen Platz erhielt das Kopfreliquiar auf einer Balustrade, während der Schrein offenbar erhöht hinter dem Altar und rechtwinklig zu demselben aufgestellt werden sollte.[17]

Die Verbindung von Bildnis und Reliquie galt im Mittelalter als so selbstverständlich, daß eigentlich jede Figur, Statue oder Plastik Reliquien eingefügt erhielt; sie vergegenwärtigten die Präsenz der dargestellten Heiligenperson.[18]

Daß man den Heiligenfiguren und den Reliquiaren mit Gold und Edelsteinen zusätzlich Glanz verlieh, hatte wiederum seine eigene Bedeutung. Denn in der Herrlichkeit „werden die Gerechten im Reich ihres Vaters wie die Sonne leuchten" (Mt 13,43). Da der Leib an dieser Herrlichkeit teilhaben sollte, galten auch die Reliquien als kostbar, und oft genug verstrahlten sie ja bereits himmlisches Licht. Der älteste Märtyrerbericht, der des Polykarp, nennt dessen Überbleibsel „wertvoller als kostbare Steine und besser als Gold"[19]. Durchs ganze Mittelalter setzte sich diese Redeweise fort. Benedikts Reliquien werden beispielsweise als „kostbare Perlen"[20] bezeichnet. Besonders die Taten und Tugenden preisen die Hagiographien als den edlen Schmuck der Heiligen. So wird Walburga von Eichstätt gerühmt als „voll Glauben, herausragend in ihren Sitten, erfüllt mit Liebe, geziert mit Weisheit, als Edelstein in Keuschheit strahlend (gemmata), mit Barmherzigkeit bekränzt, in Demut leuchtend, mit allen Tugenden geschmückt"[21]. In der spätkarolingischen Amandusvita erklingt als Lob auf die himmlische Existenz: „Den Senatoren des Himmels ist der selige Amandus verbunden und bekleidet mit den bischöflichen Gewändern, jugendlich blüht er mit Siegespalmen, ihn bekrönen Diademe aus Gold und Edelstein; hochgestützt ruht er auf weichem Thron, und die Erdensonne hat er zu seinen Füßen – so erfreut er sich heute unsagbarer Gelage."[22] Wenn die Seele den verherrlichten Körper erhält, so Bonaventura, werden darin „so viele kostbare Gemmen aufleuchten ..., als nur jetzt Tugenden den Geist bewohnen"[23]. Diese himmlische Existenzweise auf Erden sichtbar zu machen, drängte sich auf, und so entstanden die vergoldeten und edelsteinbesetzten Heiligenfiguren[24], die später, vor allem im Barock, auch noch Krönungen erhielten[25].

2. Bild und Gemälde

Wie mit den Figuren Reliquien verbunden waren, so auch mit den Bildtafeln. Zunächst wurden Bilder im Christentum, wegen der damit verbundenen paganen Reminiszenzen, abgelehnt. „Malereien darf es in der Kirche nicht geben", erklärte die zu Beginn des 4. Jahrhunderts im spanischen Elvira abgehaltene Synode; auf Wänden solle nicht gemalt erscheinen, was verehrt und angebetet werde.[26] Jeder Bilderkult neigt gewissermaßen zu Hypostasierungen, daß nämlich das Abgebildete, ob nun Person oder Sache, im Bild gegenwärtig ist. Tatsächlich deutet schon der ältestüberlieferte Bestand an christlichen Heiligenbildern auf eine solche Eigenmacht. Denn „ihr zentrales Thema ist der Heilige als Individuum, als erhöhte und ausgezeichnete Person, der durch Haltung und Blick dem Betrachter zugewandt und zugleich entrückt ist. Seine Wiedergabe in Ganz- oder Halbfigur hat Bildnischarakter; sie prätendiert Portraithaftigkeit und Authentizität. Seine Wiedergabe in einem symbolischen Akt (zum Beispiel als Intercessor oder als Sieger) hat Zeichencharakter, weist auf Vermittlung und auf hilfreiche Virtus hin."[27] Der Ikonoklasmus, wie er im 8./9. Jahrhundert in Byzanz ausgefochten wurde, resultierte aus der Steigerung zum eigenmächtigen „Kultbild": „Die Ikone ist Gnadenträger und hat gleichsam Offenbarungscharakter."[28] Solche Bilder dienen nicht mehr der Belehrung und Erbauung, sondern wollen vergegenwärtigen, sogar das Überirdische. Deswegen auch gebührt ihnen ein Kult: sie werden verehrt, geküßt und gesalbt; bei besonderen Anlässen erhalten sie Schmuck und Bekleidung und werden in Prozessionen herumgeführt; man kann sie zu Taufpaten erwählen, bei ihnen schwören und vor ihnen beten; dank der in ihnen vergegenwärtigten höheren Mächte bzw. Personen vermögen sie Kranke zu heilen, den Sieg über Feinde zu erringen, Teufel und Dämonen zu vertreiben und auch Tote zu erwecken. Manche Bilder stammen überhaupt gar nicht von Menschenhand, sondern sind vom Himmel gefallen oder zeigen das wahre Portrait von Jesus und Maria. Wer sich frevelntlich nähert, wird augenblicks gestraft.[29] Gegen all das richtete sich der Protest der Bilderstürmer, vor allem mit dem Argument: Es gebe überhaupt nur eine legitime Abbildung, nämlich die Eucharistie als wahres Bild Christi, lebend von der Naturgleichheit zwischen Vorbild und Abbild.[30]

Im Westen galt offiziell die Auffassung Gregors des Großen mit der Devise, Bilder seien die Bibel der Laien: „Was denen, die lesen können, die Bibel ist, das gewährt den Laien das Bild beim Anschauen, die als Unwissende in ihm sehen, was sie befolgen sollen, in ihm lesen, obwohl sie die Buchstaben nicht kennen, weshalb denn vorzüglich das Bild für das Volk als Lektüre dient."[31] In Wirklichkeit verehrte man auch hier die Bilder wegen ihrer Heilsmacht. Dabei spielten Reliquien eine besondere Rolle, weil „die personale, das heißt bildnishafte Einzeldarstellung eines Heiligen in der Wandmalerei, weitgehend vom Besitz einer Reliquie abhängig blieb, sie nicht, wie im Osten, ersetzen konnte"[32]. Die ›Libri Carolini‹, ein am Hof Karls des Großen verfaßtes Gutachten zur Bilderfrage, lehnen deren Verehrung ab, streichen aber die Reliquienverehrung heraus: „Den heiligen Leibern Ehre zu erweisen ist von großem Nutzen, zuvörderst deswegen, weil die Heiligen, wie wir glauben, im Himmel auf Thronen mit Christus leben und ihre Gebeine einmal auferstehen werden. Den Bildern aber, von denen nicht geglaubt wird, daß sie gelebt haben und einmal auferstehen werden ..., die allein Gott schuldige Verehrung zu erweisen zeugt von Unachtsamkeit und Unverstand, ja von Unglauben."[33] Was man den Bildern absprach, das genau besaßen die Reliquien: Leben und Kraft.

Wie die Schreine konnten Figuren und Büsten galerieartig hinter dem Altar aufgestellt werden, dazu noch ganze Reliquienschränke. Auf diese Weise entstanden die Schrein- und Flügelaltäre. Die Gesamtanordnung variiert; immer aber steht in der Mitte der Schrein des Hauptheiligen oder seine Figur, zu den Seiten dann weitere Figuren oder Büsten unter Baldachinen, zuweilen auch unverdeckte Reliquien, sichtbar in abgeteilten Fächern; obendrein können die Lebensgeschichte oder Heilsereignisse in Schnitzwerk oder Malerei dargestellt sein.[34]

3. Das wundertätige Bild

Mochte auch offiziell den Bildern alle Heilsmacht abgesprochen werden, so konnten sie in Wirklichkeit dennoch eine solche besitzen, nicht nur in Verbindung mit Reliquien. Heinrich Seuse († 1366), studierter Theologe und für eine bildlose Mystik eintretend, berichtet die folgende Wundergeschichte: Als ein Maler, der in der Kapelle Bilder der alten Mönchsväter an die Wand malen sollte, Schwierigkeiten mit den Augen bekam, da „strich [Seuse] seine Hände an die Bilder und bestrich dem Maler seine wehtuenden Augen und sprach: ‚In der Kraft Gottes und der Heiligkeit dieser Altväter gebiete ich Euch, Meister, daß Ihr morgen des Tages wieder hereinkommt und an Euren Augen gänzlich genesen seid.' Da es Morgens früh ward, da kam er fröhlich und gesund und dankte Gott und ihm, daß er genesen war. Aber der Diener schrieb es den Altvätern zu, an deren Bilder er die Hände gestrichen hatte."[35] Seuses Hand überträgt also von den Gemälden her die Heilkraft. Mit Recht hat man von einer „Realpräsenz der Kultperson in ihrem Bild" sprechen können: „Das Bild war das Sakrament der Frommen"[36]. Wundermacht übten besonders die „privilegierten Bilder" aus: solche, die vom Himmel gefallen waren oder das authentische Abbild einer heiligen Person zeigten, wie etwa die Vera Icon (das Antlitz Jesu im Schweißtuch der Veronika)[37], oder auch die vom Apostel Lukas gemalten Marienbilder[38]. Sie trugen himmlische Kraft in sich und zeigten sich als wundertätig. Wie sich schon durch Teilung oder Berührung von Reliquien die Virtus vervielfältigen ließ, so bei den Bildern dadurch, daß man Kopien herstellte und sie an das Original hielt. Im Kult erfuhren die Bilder die gleiche Ehrung wie die Reliquien. Sie standen erhöht hinter dem Altar, wurden in Prozessionen herumgetragen, genossen Verehrung und nahmen auch Eide und Urkunden entgegen.[39]

Eine besondere Rolle übten die Bilder und Figuren in der Mystik aus. Vor ihnen ereigneten sich oft die Visionen; nicht nur, daß sich die Himmlischen zumeist in Gestalt und Aussehen ihrer Bilder zeigten, obendrein identifizierten sie sich mit ihren Darstellungen und verlebendigten sie.[40] Im Kloster Töß bei Winterthur pflegte zum Beispiel eine Schwester vor einem Marienbild zu beten: „Sy bettet och gewonlich vor unser frowen bild in der capell da die dry kung stant. Und do sy ze ainem mal gar andachtiklichen da bettet, do trost sy unser frow susseklich und sprach gar mineklich zu ir: ‚Min kind, du solt wissen das du von mir niemer geschaiden solt werden'."[41] Eine solche Vision ist gleichsam die Fortsetzung der natürlichen Bilderfahrung im Wunder: „Sie hob im Wunder den irdischen Zustand auf, aus dem der Beter ohnehin ausbrechen wollte."[42]

Das Phänomen des beseelten und damit lebendig reagierenden Kultbildes ist eine „weltweit in den geistig-religiösen Äußerungen der Menschen so vieler Länder, Stämme, Völker und Zeiten zu beobachtende Grundeigenschaft der zur Verehrung gestellten Kultbilder."[43] So gibt es auch in der westlichen Christenheit, wie schon im Osten, genügend Beispiele dafür, daß Bilder „verletzt" werden können, daß sie erbleichen, weinen oder gar bluten.

Wiederum Caesarius von Heisterbach berichtet: Die Einwohner von St. Goar hatten sich bei einer Belagerung in dem recht stabilen Oratorium ihres Heiligen verschanzt und zur Abwehr ein hölzernes Kruzifix in ein Fenster gestellt. Ein Armbrustschütze „brachte dem Heiligen Bild am Arm eine tiefe Wunde bei. Sogleich erneuerten sich die Wunden der Vorzeit, und wie aus eines Menschen Ader begann Blut aus der Wunde zu tröpfeln."[44] Weiter weiß Caesarius von einem Marienbild, das während eines Gewitters, als sich die Leute angstvoll in der Kirche drängten, zu schwitzen begann. Ein Besessener wußte den Grund: „Der Sohn Marias hatte die Hand ausgestreckt zum Schlagen, und wenn sie ihn nicht gehalten hätte, so stünde die Welt jetzt nicht mehr. Seht, das ist die Ursache des Schweißes."[45]

XIV. Der Patronat

1. Der Patron

Die himmlisch-irdische Existenz des Heiligen mit seiner Möglichkeit der Fürbitte bei Gott und der Vermittlung von Virtus für die Menschen begann das spätantike Christentum in Formen des Patronats- und Klientelwesens auszudeuten. Peter Brown hält dafür, eine der kaum beachteten Stärken des Christentums im späten 4. Jahrhundert sei die Feinfühligkeit gewesen, mit der es gesellschaftliche Muster des zeitgenössischen Römischen Reiches nach dem Modell der Beziehungen zur anderen Welt umgestaltet habe.[1] Die religiöse Denkwelt sei dadurch in der Erfahrung des Alltagslebens verwurzelt worden; gleichzeitig habe sich im Licht idealer Beziehungen zu den Heiligen die Relation zwischen Macht, Barmherzigkeit und Gerechtigkeit in der eigenen Umwelt neu geklärt. Kurzum, man ging aus vom spätantiken Patronats- und Klientelwesen, um die Beziehung zu den Heiligen zu beschreiben, kehrte dann aber mit den an den Heiligen gewonnenen idealen Maßstäben zur gesellschaftlichen Wirklichkeit zurück und gestaltete sie neu: das himmlische Patronat als Vorbild des irdischen. Das Mittelalter ging noch einen Schritt weiter: der himmlische Patron nicht nur als Vorbild, sondern als realer Patron auch auf Erden.

Der erste, der im Westen einen Heiligen in eindeutiger Weise als Patron bezeichnete und damit einen antiken Rechtsbegriff auf ihn übertrug, war Ambrosius.[2] Patrozinium bezeichnete im römischen Recht die Schutzpflicht, die ein Patron seinen Klienten schuldete, das heißt ein Grundherr seinen Kolonen, ein Sklaveneigentümer den von ihm Freigelassenen.[3] Entsprechend hatte der Heiligenpatron vom Himmel her seinen Schutzbefohlenen auf Erden beizustehen. Ambrosius sah diese Schutzpflicht nicht so sehr in mirakulösen Heilungen und anderen wunderbaren Begebenheiten, sondern in der Vertreibung von Dämonen und vor allem im „fürbittenden Beistand bei der Sündenvergebung im himmlischen Gericht und bei der Erlangung des ewigen Heils“[4]. Ja, die Hoffnung auf Straferlaß „schob den Heiligen als ‚patronus‘ in den Vordergrund“[5].

Wie das Mittelalter sich einen Patron vorstellte, beschreibt beispielhaft Hinkmar von Reims († 882) in der Vita seines berühmten Vorgängers Remigius († 533). Gott hat den Heiligen mit Gaben der Virtus überreich beschenkt, und so ist er „unser Patron und Beschützer"[6]. Seine Aufgabe ist es, „für die auf Erden im Lebenskampf sich Abmühenden zu bitten"[7]. Dies zu bewirken, wird der Heilige bei seiner Schutzpflicht, eben bei seinem ‚patrocinium' angerufen.[8] Zunächst einmal vermag der himmlische Patron in der Bereinigung all jener Sünden mitzuwirken, die seine Schutzbefohlenen nach der Taufe begangen haben.[9] Hinkmar wendet hier die alte theologische Unterscheidung an, daß die einmalige Sühne Jesu in der Taufe mitgeteilt wird und alle zuvor begangenen Sünden begleicht, daß aber für die Sünden nach der Taufe die Menschen selber aufkommen müssen.[10] Genau hier, bei den von den Menschen selbst zu begleichenden Sünden[11], können die Heiligen mit ihren Verdiensten den irdischen Büßern beistehen: „Wenn unser Herr und Patron uns sieht, wie wir uns in unseren frommen Bemühungen anstrengen, reicht er die Hand der Fürsprache und unterstützt unseren Lauf, damit wir zum Hafen des ewigen Heiles zu gelangen vermögen."[12] Desweiteren hilft der Heilige in der ganzen vielfältigen Not, der sich seine Schützlinge ausgesetzt sehen: „Zu seinem Grab und Leib kommen Kranke und werden, wie in zahllosen Erweisen häufig genug sichtbar geworden ist, gesund; es kommen Eidbrüchige und werden [zur Strafe] von einem Dämon gepeinigt; es kommen Besessene und werden befreit."[13] Das alles kann geschehen wegen der „Doppelexistenz" des Heiligen: „Wie also muß jener dort leben, wo er lebt [nämlich im Himmel], wenn er in so vielen Wundern auch hier lebt, wo nur sein toter Leib liegt."[14] Seine letzte und sogar entscheidende Hilfe gewährt der heilige Patron im Gericht; für Hinkmar und die Seinen ist dort „gegenwärtig als Verteidiger unser seliger Remigius"[15], mit der Folge, daß „wir das ewige Reich schneller erlangen werden durch die Verdienste und gottgefälligen Gebete dieses unseres Vaters und Patrons"[16].

Gerade der Beistand im Sterben und im Gericht war von gesteigerter Bedeutung: Neben Christus und den Engeln fungieren auch die Heiligen als Seelengeleiter und Fürbitter.[17] Gregor der Große läßt in seinem vierten Buch der ›Dialoge‹ mit den Engeln ebenso die Apostel und andere Heilige die abscheidenden Seelen abholen.[18] Im Gericht vermögen die Heiligen sogar den Ausschlag zu geben. Die Vision des ostanglischen Bauern Thurkill aus dem Jahre 1206 berichtet in volkstümlich-anschaulicher Weise, wie der Apostel Paulus und der Teufel an der Seelenwaage sitzen: „Bei dieser Wägung der Seelen, oder besser: Wägung der Verdienste, ging es sehr unterschiedlich zu. Mitunter legte der Apostel nur den kleineren seiner beiden Hämmer [= Gewichte] auf die Waagschale, und sie war doch schwerer als die beiden Gewichte des Teufels."[19] So steht also der heilige Patron seinen Schutzbefohlenen von der Taufe bis zum letzten Gericht heilend und helfend zur Seite. Diese ganze Heilstätigkeit zugunsten der Menschen kann mit dem Begriff Patronat umrissen werden, und selbst noch die Reliquien werden als ‚patrocinia' bezeichnet.[20]

Zusätzlich übertrug man einzelne Phänomene der irdischen Rechtssymbolik auf das himmlische Schutzverhältnis. Hören wir nochmals Gregor von Tours mit seiner Schutzbitte an seinen Patron, den heiligen Martin: Der Heilige solle ihn beim Gericht nicht nur schützend hinter seinem Rücken verbergen, sondern ihn am Ende auch noch mit seinem Mantel bedecken. Die Cappa, Martins berühmteste Reliquie, erhält hier aufgrund einer alten Rechtssymbolik eine besondere religiöse Bedeutung, denn das „unter-dem-Mantel-bergen", das ‚pallio cooperire', war seit alters ein Akt der Schutzgewährung bei der Adoption und Legitimation von Kindern oder in der Herrscherinvestitur.[21] Bei Gregor nun bedeckt der himmlische Patron mit seinem Mantel den irdischen Verehrer, um ihn vor der Verwerfung zu retten. Schon im kaiserlichen Rom findet sich als „Zeichen des Schutzes ... der Mantel des Himmelsgottes"[22], desgleichen im weltlichen Recht als Symbol für Zuflucht und Schutz. Im Alten Testament läßt Ezechiel Jahwe einen symbolischen Adoptionsvorgang vollziehen: „Ich breite meinen Mantel über dich" (Ez 16,8), und an anderer Stelle bittet Ruth Boas, „den Saum deines Gewandes über deine Magd" zu breiten (Ruth 3,9). Auch das Mittelalter benutzte den Mantel als Rechtssymbol in weltlicher wie religiöser Deutung. Im berühmten Gerichtstympanon des Meister Gislebertus zu Autun verbirgt sich eine Seele unter dem Mantel des Seelenwägers Michael.[23]

Eine besondere Bedeutung erlangte der Mantel Mariens, der ja auch der Schutzmantel des Jesuskindes gewesen war. Seit dem 5. Jahrhundert befand er sich in der Blachernenkirche zu Konstantinopel.[24] Legenden, die sich damit verbanden, gelangten auch in den Westen, wie Gregor von Tours bezeugt: Einen Judenjungen, der mit seinen christlichen Schulkameraden die Messe besucht und dabei kommuniziert hatte, bestrafte sein Vater, ein Glasbläser, indem er ihn in den Schmelzofen warf; aber der Junge kam unverletzt wieder hervor, weil ihn die Mutter, die er mit dem Kind auf dem Schoß in der Kirche gesehen hatte, mit ihrem Mantel geschützt habe.[25] Die Schutzmantelmadonna wurde ein großes Thema der hoch- und spätmittelalterlichen Frömmigkeit und Kunst.[26] Caesarius von Heisterbach läßt einen Zisterzienser Einblick in den Himmel nehmen, ohne aber dort andere Ordensangehörige entdecken zu können, bis dann Maria ihren Mantel aufschlägt und ihm die unzählbare Menge von Klosterleuten zeigt, die dort geborgen sind.[27] Unter Einwirkung der Mendikanten haben „Italiens Städte nicht nur die ältesten, sondern auch die am meisten bekanntgewordenen Schutzmantelmadonnen hervorgebracht"[28].

2. Die ‚familia' des Heiligen

Gemäß der christlichen Auffassung von personaler und sozialer Heiligkeit oblag dem himmlischen Patron nicht nur eine geistliche, sondern auch eine mitmenschliche Fürsorge. Seiner Zuständigkeit waren zuerst die Bewohner des eigenen Grabortes, vor allem die dort tätige Kleriker- oder Mönchsgemeinschaft, anheimgegeben, sodann die zum Grab pilgernden Wallfahrer und überhaupt die das Jahresfest mitfeiernde Gemeinde. Für sie alle, welche die ‚familia' des Heiligen bildeten, oblag dem himmlischen Patron eine eigene Fürsorgepflicht; er war ihr ‚patronus specialis'. Seine stärkste Zuwendung galt den Armen und Schwachen, denen tatsächlich auch die Wunder bevorzugt zugute gekommen sind. Die von Pierre-André Sigal vorgenommene Analyse von insgesamt 5.000 Wunderberichten aus Frankreich in der Zeit zwischen 1050 und 1150 hat ergeben, daß dem Adel hauptsächlich die Strafwunder und dem Klerus die Visionen zuteil wurden, daß aber die Heilungen zu 80 % am einfachen Volk geschahen und die Frauen daran den höchsten Anteil hatten.[29]

Darüber hinaus war der Heilige zugleich das Haupt einer verbandlich organisierten ‚familia'. Hatte man das Patronat und die ‚familia' zunächst eher geistlich als Hilfe für die Gewinnung des Heiles verstanden, so reaktivierte sich in karolingischer Zeit mit dem Begriff ‚familia' gutteils wieder dessen verbandlich-rechtliche Bedeutung, freilich mit steter Betonung des Fürsorglichen. Weil der Staat als öffentlich-rechtliche Anstalt nicht existierte, mußte man Schutz im Gefolge von „Mächtigen“ suchen, die dafür Dienste bzw. Abgaben forderten. „Mit Ausnahme der Herrenschicht gab es“, so Karl Bosl, „außerhalb der ‚familiae‘ keine Menschen, ja konnten keine existieren, es sei denn, sie waren Außenseiter, vogelfrei, schutzlos; denn die familiae waren die Schutzverbände und Leitungsgruppen schlechthin.“[30] Das Neue war nun, daß die himmlischen Heiligen, weil auf Erden rechtsmächtig wirkende Personen, ihren Schutzbefohlenen als ‚patronus‘ und ‚pater familias‘ vorstehen konnten, und zwar als Vater aller, unterschiedslos der Geistlichen und Laien, der Männer und Frauen, der Freien und Unfreien.[31] Am frühesten treten die sozialen Auswirkungen auf den geistlichen Grundherrschaften hervor. Ludolf Kuchenbuch hat für das Kloster Prüm festgestellt: Zusammen mit dem Aufkommen des Wortes ‚familia‘ als „Gesamtbezeichnung aller in die Klosterherrschaft eingebundenen Personen“[32] verschwindet in den Klosterurkunden des 9. Jahrhunderts die ältere Unterscheidung der Hintersassen in Freie, Halbfreie und Unfreie. Stattdessen erscheinen jetzt die ‚Menschen‘ (homines) des jeweiligen Heiligen: „War der Begriff ‚homo‘ im 8. Jahrhundert noch den ‚mancipia‘ [Sklaven] gegenübergestellt, so übergreift er seit dem 9. Jahrhundert explizit die rechtsständischen Begriffe oder tritt einfach an deren Stelle. Dabei wird dann auch die Zugehörigkeit zu einer bestimmten Herrschaft (Patron) zum Ausdruck gebracht: ‚homo sancti N.‘“[33] Einem Heiligen anzugehören bedeutete, nicht mehr Freier oder Sklave zu sein, sondern „sein Mensch“ zu werden, sein „Höriger“. Es mag uns überraschen, aber „auf die Frage, wem er unterstehe, hätte ein Bauer damals kaum den ‚Grundherrn‘ oder den König in erster Linie genannt, sondern den oder die Heiligen, denn sie bestimmten am stärksten sein Schicksal“[34].

Besonders vorteilhaft stand sich dabei die spezielle Gruppe der „Wachszinser“. Denn immer wieder gewährten Stifter, die um des eigenen Seelenheils willen Landgüter übertrugen, einigen der dabei mitgeschenkten Unfreien die Freilassung, wie ebenso Äbte oder Bischöfe von sich aus solche Freilassungen vornahmen. Die auf diese Weise Freigewordenen unterstanden nun demjenigen Heiligen, zu dessen Ehre sie die Freiheit erlangt hatten. In Wirklichkeit standen sie im Schutz einer Bischofskirche oder Abtei, sofern diese über eigene Gerichts- und Schutzhoheit, das heißt über Militär und Polizei, verfügten. Dienstleistungen und Schollengebundenheit aber entfielen bei solchen ‚liberti'. Einzig eine Wachskerze bzw. den entsprechenden Geldbetrag von zumeist 4 oder 5 Pfennigen hatten sie am Jahrestag ihrem Heiligen an dessen Altar zu entrichten, weswegen sie Wachszinser hießen.

Folgender Befund hat sich beispielsweise für Bayern aufweisen lassen: „Nirgends gibt es so viele Zensualen"[35]; im 12. Jahrhundert fanden „Tradierungen ... zu Hunderten statt"[36], so daß die „Bistümer und die großen Klöster zu dieser Zeit mehrere Tausend Zensualen besaßen"[37]. Auch wenn sich gelegentlich Freie tradierten, „indem sie ihren Kopf auf den Altar [des Heiligen] legte[n]"[38], so waren es zumeist doch „Unfreie niederen Standes"[39]. „Den Schutz der Kirche suchten vor allem Schwache, besonders Frauen und Witwen, die ihren freien Status und ihren Besitz gegen die Begehrlichkeit benachbarter Grundherren verteidigen mußten"[40]; in den Freisinger Traditionen ist „die Anzahl der Frauen bis zur Mitte des 11. Jahrhunderts mindestens dreimal so hoch wie die Zahl der Männer"[41].

Weil die Zensualen für den Schutz (Munt) des Heiligen an dessen Jahrestag Pfennig- oder Wachszinse für die Beleuchtung der Kirche am Altar niederlegen[42], nennt sie die Forschung auch „Schutz- bzw. Altarhörige"[43]; präziser noch spricht man in Frankreich von „sainteurs"[44]. Wer dem speziellen Patronat eines Heiligen unterstellt war, galt als „persönlich frei"[45], brauchte keine Frondienste mehr zu leisten und besaß als wertvollstes Privileg das Recht, seinen Wohnsitz frei zu wählen[46]. Aufgrund dieser Freizügigkeit stellten die Wachszinser jenes Potential von frei beweglichen Menschen dar, welche die im 12. und 13. Jahrhundert so zahlreich entstehenden Städte bevölkern konnten.[47] Im späten Mittelalter freilich verloren die Zensualen ihren bevorzugten Status; ja, neue Abgaben und Rechtsbeschränkungen drückten sie zuweilen tief in die Unfreiheit zurück; ein unrühmliches Beispiel dafür bietet die Politik der Fürstäbte von Kempten.[48]

Selbst Fälle freiwilliger Wachszinsigkeit von Adeligen haben sich feststellen lassen.[49] Solche Selbsttraditionen geschahen zur Sühne von Vergehen, wurden aber von Frauen oft auch zum Schutz ihrer Freiheit und Eigenständigkeit vorgenommen. Eine gesteigerte Brisanz erhielten diese Anverlobungen an einen Heiligen, wenn sie die private Devotion überschritten und politische Dimension annahmen. So verstanden sich die französischen Könige zeitweilig als Lehnsleute und Bannerträger des heiligen Dionysius. Ludwig VI. († 1137) nahm bekanntlich in St. Denis, nachdem die Reliquien der Heiligen Dionysius, Rusticus und Eleutherius auf den Altar gestellt worden waren, deren ‚vexillum', die „Oriflamme", entgegen.[50] Ludwig der Heilige († 1227) zahlte dem heiligen Dionysius jährlich einen Kopfzins.[51] Was dabei für uns bedeutsam ist: Der himmlische Patron erscheint als Gefolgs- und Lehensherr auf Erden, in Parallele und Konkurrenz zu den anderen weltlichen Herren. Seit dem hohen Mittelalter, mit der zunehmenden juristischen Interpretation der Staatsmacht, verloren freilich die himmlischen Patrone ihre politische Bedeutung.

Im späteren Mittelalter galten die Heiligen nicht mehr nur als zuständig für die Menschen ihres lokalen Umkreises, sondern auch für die Angehörigen eines bestimmten Standes oder Berufes wie beispielsweise für Ritter oder Zunftangehörige, des weiteren für Menschen in bestimmten Lebenslagen, etwa für Pilger oder schwangere Frauen. Mit der gesellschaftlichen Auffächerung und mit der zunehmenden Artikulierung der Lebensbedürfnisse differenzierte sich auch der Heiligenhimmel. Die Patronatsaufgaben mußten sich dementsprechend vervielfältigen, so daß sich die Beziehungen des Heiligen zu seinen verschiedenen Gruppen und ihren Bedürfnissen zu überkreuzen begannen.

Nehmen wir als Beispiel die heilige Elisabeth[52]: von Geburt her eine ungarische Königstochter, die sich in ihrer Witwenschaft dem Krankendienst widmete und nach ihrem Tod heilig gesprochen wurde.[53] Zunächst war die neue Heilige natürlich die Patronin ihres Grabortes Marburg, wo ihr Schrein stand; dort verehrte sie ihre Gemeinde und dorthin kamen die Wallfahrer. Darüber hinaus wirkte die Heilige wegen des Beispiels ihrer Armut und ihrer franziskanischen Wahlverwandtschaft tief auf die Frömmigkeit der Bettelorden ein, vor allem in deren Frauenkreisen. Aber Elisabeth war zugleich von hochgeborener Abkunft und gehörte zwei Dynastien an, dem ungarischen Königshaus und der thüringisch-hessischen Landgrafenfamilie, und beide Dynastien wußten ihren Ruhm für sich zu nutzen. Zuerst übertrug sich Elisabeths Heiligkeit auf den eigenen Gatten, auf Landgraf Ludwig IV. († 1227), an dessen Grab im Kloster Reinhardsbrunn nach Elisabeths Heiligsprechung Wunderheilungen einsetzten – eine „Kanonisation durch Partizipation"[54]. Die Nachfahren beriefen sich lange noch auf ihre Abstammung von der Heiligen. Seitdem dann die Linie, der Elisabeth angehörte, das abgetrennte Hessen regierte, stieg sie als hauseigene Heilige zur Landespatronin auf; ihr Wirkungsort wurde Residenz und ihre Grabkirche die Familiengrablege. Speziell dem Fortbestand der Dynastie diente der „Elisabethmantel", dessen wunderbare Kraft den landgräflichen Frauen Hilfe bei ihren

Geburten bot. Demselben Zweck dienten Elisabethreliquien, über welche die zu Weimar residierenden Wettiner verfügten, nämlich der Gürtel und Löffel der Heiligen, dazu noch ein besonders kunstvoll geschliffener Glasbecher, ein sogenanntes Hedwigsglas[55]; auch diese Reliquien bewirkten bei schwangeren Frauen, aber nur bei Angehörigen des Wettinischen Hauses oder Ehefrauen regierender Fürsten, daß sie „zu gluckseliger, sneller Geburt" kamen, wobei der Gürtel um den Leib gelegt und aus dem Becher Wein verabreicht wurde. Gegen Ende des 15. Jahrhunderts wurden „insgesamt elf Geburten ... durch die Elisabeth-Reliquien gefördert; soweit zu sehen ist, gelangen sie alle"[56].

3. Bruderschaften

Endlich auch kam es zu neuen Gruppenbildungen unter dem Patronat der Heiligen. Gehörte man ursprünglich einem Heiligen an, weil man in dessen Zuständigkeitsbereich lebte, so gestaltete es sich später umgekehrt: Menschen schlossen sich zusammen und wählten sich ihren Heiligen. Auf diese Weise entstanden die Heiligen-Bruderschaften, die ihrerseits eine lange profane Vorgeschichte haben. Denn vorstaatliche Gesellschaften, in denen noch keine öffentliche Schutzgewalt und keine Sicherheitsgarantie für alle besteht, bilden Selbstschutzgruppen aus, die sich nach innen auf Gleichheit und Frieden einschwören, nach außen aber auf Verteidigung einstellen. Ja, „die Struktur der ‚Gesellschaft' im Mittelalter wird zu einem sehr großen Teil gebildet durch ein dichtes Netz geschworener Verpflichtungen, die die Beziehungen der Individuen untereinander schaffen und regeln"[57]. Für eine Vielzahl von Belangen gab es solche Schwureinungen, zum Beispiel die Kaufmannsgilden oder die Schweizer Eidgenossenschaft.[58] Seit karolingischer Zeit begegnen auch religiöse Einungen, die sich auf christliche Bruderschaft beriefen und anfangs vor allem das Gebet für die Verstorbenen pflegten.[59] Ihre allergrößte Vielfalt erreichten die religiösen Bruderschaften im Spätmittelalter: Da gab es solche ständischer oder beruflicher Art für Adelige, Priester oder Handwerker, aber auch für evidente gesellschaftliche oder karitative Erfordernisse wie die Betreuung bzw. Beerdigung von Fremden oder Pestkranken, endlich auch Bruderschaften in rein religiösen Angelegenheiten, etwa zum Rosenkranzbeten oder zur Bußübung. Immer wirkten Heilige mit; man erkor sich einen heiligen Patron mit dem besonderen Ziel seiner Ehrung und seiner Fürbitte. So hatte Köln gleich mehrere Ursula-Bruderschaften, je eine für Patrizier, Priester oder Dachdecker, aber auch eine allgemeine, die, weil standes- wie ortsübergreifend, für jedermann offenstand. Darüber hinaus entstanden Ursula-Bruderschaften an anderen Orten, in Hamburg, Braunau am Inn, Tulln, Krakau und Straßburg.[60] Die Straßburger Ursula-Bruderschaft verstand sich dabei als „Schifflein", sozusagen als Kleinformat des großen Schiffs der Kirche:

1. Eyn zeit hort ich vil guter mer von eynem schiflen sagen, / wie es mit aller tugent wer gar kostenlich beladen. / zu dem schifflein gewan ich hertz, ich vant dor in vil gute gemertz / in mancher handen gaden.
2. Dis schifflein ist eyn pruderschafft, zu Straspurg auffgestanden, / von einem Kartheuser wol behafft mit aller tugent handen / dem hogsten got zu lobe vnd er, der muter sein, sant Vrsulen her, / den iungfrawen allen samen.
3. Sant Vrsula wirt patrona genent, kann wol das schyff regiren. / vil gut werch der gemertz erkent, dor an las dich nit irren. / lege in das schiff noch deinem müt messe gebet vnd ander gutt, / gibe es dem schiff zü furen.

...

5. Vnser schiff herr mit grossem rat, nemlich mit hundert messen, / die bruderschafft begabet hat, eylfftausent woll gemessen / heylig Pater noster susß vnd also dick Maria grüß, / sant Vrsulen vnvergessen.[61]

Wie die fünfte Strophe andeutet, praktizierte man auch hier dingallegorisches Beten. Die Bruderschaftsmitglieder erstellten mit ihren Gebeten ein Schiff samt Ausrüstung für die heilige Ursula und ihre 11000 Gefährtinnen, was entsprechend 11000 Gebete erforderte. Zugleich suchte man sich mit diesem Gebet die Überfahrt ins Jenseits zu sichern, auf daß „jeder Christenmensch ... zu Gnade und zur Versicherung mit Gott kommen mag, und sicher und fröhlich durch das ungeheure Meer dieser Welt an das Gestade und Land des himmlischen Vaterlandes der ewigen Seligkeit schiffern mag"[62].

4. Hüter des Rechts

Die herausgehobene Position des Gottesmenschen beruhte darauf, daß er Träger und Inhaber heiliger Mächte war – heilig verstanden im ursprünglichen Sinne: sowohl der Gnade wie des Schreckens, der Lebensspendung wie der Vernichtung. Alle heilige Kunst bestand darin, beides zu scheiden, um das Förderliche und Heilsame zu gewinnen und das Schreckliche und Tödliche zu bannen. Im steten Kampf von Gut und Böse können Schrecken und Vernichtung heilsamerweise dahin gelenkt werden, daß sie den Bösen treffen und ihn vernichten. Sogar über sich selbst kann man den vernichtenden Fluch herabrufen; sei es, daß ein einzelner den Fluch, der auf allen liegt, auf sich zieht, um die Gemeinschaft zu retten; sei es, daß er als Todgeweihter fluchend in den Untergang geht, um noch als Toter weiter verderblich zu wirken. Die Selbstverfluchung hatte eine außerordentliche Bedeutung beim Eid. Dieser ist eine Erklärung, deren Wahrheit der Schwörende dadurch bekräftigt, daß er sich für den Fall der Unwahrheit unter die verfluchende Vernichtungsgewalt stellt. „Dem ehrlichen Schwörenden können die Elemente nichts anhaben, selbst wenn der Schwörende Feuer und Wasser herausfordert; umgekehrt vernichten sie ihn, wenn sein Eid unwahr ist. Die Eidesformel ist oft als bedingte Selbstverfluchung gestaltet."[63] Vorstaatliche Gesellschaften, die noch nicht über ein durchgehendes Rechtssystem mit einer juristisch kontrollierten und überall wirksamen Sanktionsgewalt verfügen, sind ganz auf den Eid angewiesen: Die Übermächte sollen den Guten retten und triumphieren lassen, den Bösen aber dem Untergang weihen.

Schon von seinem gesellschaftlich-zivilisatorischen Entwicklungsstand her blieb das Mittelalter auf den Eid angewiesen. Dem Neuen Testament zufolge war allerdings das Schwören verboten; denn man sollte „überhaupt nicht schwören" (Mt 5,34) und sogar „die segnen, die euch verfluchen" (Lk 6,28) – was etwas grundsätzlich Neues darstellte.[64] Wenn Paulus im Galater-Brief (1,8) und im ersten Korinther-Brief (16,22) das Fluchwort ‚anathema' verwendet, um jemanden dem Zorn Gottes und sogar dem Satan zu überantworten, so gilt das nur vorübergehend und pädagogisch; ein Blutschänder in Korinth „wird dem Satan übergeben zum Verderben seines Fleisches, damit sein Geist am Tag des Herrn gerettet werde" (1 Kor 5,5). Die Kirche hat denn auch grundsätzlich an dem Gedanken festgehalten, daß die fluchwürdigen Verbrechen durch Reue und Buße gesühnt werden könnten. Ein Irrlehrer vermochte sich durch Sprechen einer Abschwörungsformel vom Anathem frei zu machen.[65]

In diesem Sinne war gerade der Heilige berufen, mit göttlicher Macht zu segnen, unter Umständen aber auch zu fluchen, freilich nie „auf ewig". Waren es in kosmischen Religionen die Naturmächte wie

Blitz, Feuer und Wasser, die den Fluch ausführten, so übernahm im Christentum der Heilige diese Aufgabe, nunmehr als Gottes Vollzugsorgan. Denn das ist gewiß und bestätigt sich immer von neuem: Wer sich gegen Gott und sein Gebot oder auch gegen die Person des Heiligen vergeht, erfährt Bann und Strafe, zuletzt aber oft wieder Vergebung. In den Klostergarten des Abtes Martius zu Clermont-Ferrand – so Gregor von Tours – drang nachts ein Dieb ein, stahl Gemüse und Früchte, fand aber den Ausgang nicht wieder, bis morgens der Praepositus kam, ihm das Tor zeigte und ihn entließ mit der Mahnung, solches nicht zu wiederholen.[66] Aber nicht immer ging es so gnädig ab. Bei Verstockten konnte das Unheil seinen angedrohten Lauf nehmen, bis hin zum plötzlichen Tod. Alkuin berichtet, daß der heilige Willibrord einmal über einen schmalen Feldpfad geritten sei; der Besitzer habe ihn daraufhin mit Schimpf und Schande bedacht, und da er sich auch auf begütigende Zurede hin nicht gemäßigt habe, sei er tags darauf eines jähen Todes gestorben.[67] Alles böse Tun mußte vor dem Heiligen offenbar werden, und so war er der beste Helfer in allen Streitfällen.

Geradezu unzählbar sind die Strafen, welche die Heiligen vom Himmel her vollzogen haben. In den Mirakelberichten des Gregors von Tour finden sich über 100 Strafwunder.[68] So wird von einem Diakon, der auf schändliche Weise Fiskalbeamter geworden war und dabei Tiere aus der Herde des Heiligen Julian von Brioude (Auvergne) requiriert hatte, berichtet, daß ihn das Fieber ergriff und auch Wassergüsse keine Kühlung brachten, ja daß seine Glieder vor Hitze schwarz wurden und Dampf von seinem Körper aufstieg, bis er qualvoll starb.[69] Allenthalben auch sehen wir, wie feierliche Akte im Namen Gottes, der Dreieinigkeit und der Heiligen vollzogen wurden. Urkunden enthalten „Poenformeln" und „Strafformeln", in denen der Zorn der Himmlischen angedroht wird und die als Beispiele göttlicher Verfluchung Judas sowie Dathan und Abiram (die gegen Moses sich erhoben hatten und von der Erde verschlungen worden waren) oder auch die Tempelschänder Heliodor und Antiochus anführen.

Die Gründungsurkunde des Klosters Cluny aus dem Jahre 910 droht jedem, der das neue Kloster beeinträchtigt, an: „Er möge sich zuallererst den Zorn des allmächtigen Gottes zuziehen; seinen Anteil vom Land der Lebenden möge Gott wegnehmen und seinen Namen im Buch des Lebens austilgen;

sein Geschick möge denen gleichwerden, die zu Gott, dem Herrn, sagten: ‚Geh weg von uns'. Und mit Dathan und Abiron, welche die Erde mit offenem Mund verschlang und lebend in die Hölle zog, möge er in die ewige Verdammung laufen; er möge auch Genosse des Judas werden, des Verräters des Herrn, und in ewige Peinigung eingeschlossen sein. Und damit er in diesem Leben für die Augen der Menschen nicht ungestraft durchgeht, möge ihm mit Heliodor und Antiochus zweifache Beraubung zuteil werden; der eine kam unter scharfen Schlägen gerade noch halblebend davon; der andere aber, von himmlischem Eingriff niedergestreckt, ging mit eiternden Gliedern und wimmelnden Würmern elendiglich zugrunde; mit den anderen Tempelschändern, die den Schatz des Hauses des Herrn zu entweihen sich erdreisteten, möge er gemeinwerden; den Erzpförtner der ganzen Kirchenherrschaft [Petrus] möge er als Widersacher und zum Gegner beim Eintritt zum schönen Paradies haben, dazu auch den heiligen Paulus, die er beide, wenn er guten Willens gewesen wäre, für sich als gnädige Fürsprecher hätte gewinnen können."[70]

Um einen möglichst direkten Kontakt mit dem Heiligen herzustellen, wurden Eide in der Regel am Altar oder über Reliquien geschworen. Schon Gregor von Tours weiß entsprechende Beispiele.[71] Als ein Einwohner von Bourges, der einige Mitbürger belangen wollte, erreicht hatte, daß diese auf einer im Kirchenaltar enthaltenen Blutreliquie des Heiligen Stephanus einen Reinigungseid ablegen mußten, traf es ihn selbst: „Mit den Füßen wurde er nach oben geschleudert und in die Luft gewirbelt, schlug mit dem Kopf auf den Boden auf und lag, wie alle sehen konnten, halbtot da. Nach einer Zeit von etwa zwei Stunden, als man ihn sterben glaubte, öffnete er die Augen, bekannte seine Untat, daß er die Leute unrechtmäßig verfolgt und für schuldig erklärt hatte. An den befreiten Unschuldigen und den bezeichneten Schuldigen offenbarte sich in aller Deutlichkeit die Virtus des Seligen."[72] Ein berühmtes Beispiel bietet in karolingischer Zeit jener Eid, den der Bayernherzog Tassilo III. Karl dem Großen schwor, worüber die Reichsannalen berichten: „Das bekräftigte ... Tassilo an den Gebeinen der hl. Dionysius, Rusticus, Eleutherius sowie denen des hl. Germanus und des hl. Martinus, zeit seines Lebens es so zu halten, wie er es eidlich versprach."[73] Der Teppich von Bayeux zeigt, wie der angelsächsische König Harald zwischen zwei Reliquienschreinen steht, beide mit der Hand berührt und vor dem Normannen Wilhelm einen Eid ablegt.[74] Die erste religiöse Volksbewegung des Mittelalters[75], die Gottesfrieden-Bewegung des späten 10. und 11. Jahrhunderts – „ein Friede ..., zu dem die Initiative, wenn nicht allein, so doch in hohem Maße von der Kirche ausging“[76] – kam dadurch zustande, daß man die Heiligenschreine herbeiführte und den Adel zwang, darauf Friedensschwüre abzulegen: „Auf den Friedensversammlungen fiel ihnen [den Reliquien] eine beträchtliche Rolle zu. Man leistete auf ihnen den Eid, ... und allgemein war man der Ansicht, daß die Heiligen hinfort über die Durchführung der Pax wachen würden.“[77]

Die bei den Eiden zu sprechenden Formeln rufen zuerst Gott und dann die Heiligen der jeweils vorhandenen Reliquien an. Der Eid, mit dem Karl der Große 802 die Untertanen auf sich als den neuen Kaiser verpflichtete, enthielt den Passus: „So mir Gott helfe und die Reliquien (patrocinia) der Heiligen, die hier an diesem Ort sind.“[78] Auch im bürgerlich-städtischen Leben bildete der Eid die Grundlage, denn die Gemeinde beruhte auf einer Schwureinung[79], in der Regel vollzogen unter Anrufung Gottes und der Heiligen, zumal des Stadtpatrons.

Als Helfer war der Heilige immer auch Rechtsschützer, und so wurde durchs ganze Mittelalter eine Vielzahl von Rechtsakten unter Herbeiziehung von Reliquien getätigt. Oft zitiert ist in der Geschichtsschreibung das Eingreifen des heiligen Remaclus, als die Mönche von Stablo gegen Kaiser Heinrich IV. protestierten, weil er der Abtei das untergeordnete Kloster Malmedy entzogen hatte; die Mönche zogen nach Aachen und stellten den Schrein ihres Heiligen auf die Festtafel des Königs, was ein solches Entsetzen hervorrief, daß der alte Rechtszustand wiederhergestellt wurde.[80] In Cluny trug man die Reliquien-Schreine um das Kloster herum, wenn Feindseligkeiten oder Plünderungen drohten.[81] Und so geschah es eigentlich allerorten. Auch zahlreiche Handelsgeschäfte wurden über Reliquien bzw. vor einem Altar abgeschlossen. Immer und überall fungierten die Heiligen als Rechtshüter.

Selbst die Kirchenleute begannen, trotz des Eidverbotes im Neuen Testament, zu schwören, auch sie auf Reliquien. Bonifatius († 754), der als erster nordalpiner Bischof nach seiner Weihe in Rom am Petrusgrab den dort üblichen Amtseid ablegte, schloß mit der Aussage: „Diese Eidesformel aber habe ich, Bonifatius, ein geringer Bischof, eigenhändig unterschrieben und, nachdem ich sie auf deinen hochheiligen Leib gelegt, vor Gott als Zeugen und Richter den Eid, wie er oben steht, geleistet, den ich auch zu halten verspreche."[82] Ebenso wurde seit Benedikt die Mönchsprofeß vor Reliquien abgelegt.[83]

5. Kirchen- und Altarpatrozinium

Endlich gibt es noch ein spezielles Patronat, das Kirchenpatrozinium, und daraus hat sich ein eigenes historisches Forschungsfeld entwikkelt: die Patrozinienkunde[84]. Anfangs begnügten sich die Christen für ihre Zusammenkünfte mit Räumen in Privathäusern. Auf Sakralräume wollten sie bewußt verzichten, da sie sich selbst als „Tempel aus lebendigen Steinen auferbauen lassen [wollten] zu einem geistigen Haus" (1 Petr 2,5). Aber dann entstanden doch besondere Gebäude und Räume, das „Haus des Herrn", im Osten ‚kyriake', im Westen ‚ecclesia salvatoris' genannt. Zugrunde lag der Gedanke, daß dem Haupt Christus die versammelte Gemeinde zugehöre und infolgedessen auch das Versammlungsgebäude. Im Zuge des allgemein zu beobachtenden Hervortretens der Heiligen erhielten, wie schon beschrieben, die Cömiterialbasiliken die Namen ihrer Märtyrer bzw. Bekenner. Nominell galt allerdings der Salvator als der eigentliche Herr, und bis ins hohe Mittelalter wird er zumeist an erster Stelle genannt. Karolingische Theologen betonen ausdrücklich, „daß zu keines anderen Ehre als des lebendigen Gottes ein Tempel errichtet werden darf"[85]. Dennoch beginnen die Heiligen zu dominieren. Ein bekanntes Beispiel dafür, wie der Salvator zurücktritt, bietet schon die Lateran-Basilika, die im 8. Jh. das Johannes-Patrozinium hervorkehrte.[86] Man darf dabei allerdings nicht an einen eigenen liturgischen oder kirchenrechtlichen Akt denken, als sei bewußt und definitiv ein neues Patrozinium eingeführt worden; der Salvator fand einfach keine Erwähnung mehr, und der Heilige, von dem wichtige Reliquien in der betreffenden Kirche aufbewahrt wurden, gab den Namen.

Veranschaulichen kann man sich das an der Klosterkirche zu Fulda. Im Jahre 818 wurde sie geweiht „zu Ehren des heiligen Salvators, unseres Herrn Jesus Christus, und zu Ehren der heiligen Gottesgebärerin Maria wie auch der heiligen Apostel Petrus und Paulus sowie aller Apostel, ferner des heiligen Johannes des Täufers und des heiligen Märtyrers Bonifatius sowie vieler anderer Heiliger."[87] Aber schon zuvor wird einfach vom ‚monasterium sancti Bonifatii' gesprochen.[88] Ähnlich geschieht es bei dem von Bischof Bernward

(† 1022) in Hildesheim gegründeten Benediktinerkloster; die Weihe geschieht „zu Ehren unseres Herrn und Erlösers Jesus Christus, seiner heiligsten Mutter und allzeit reinen Jungfrau Maria, des heilbringenden Holzes des verehrungswürdigen lebenspendenden Kreuzes, zu Ehren des heiligen Michael als des besonderen Schutzpatrons (speciale patrocinium)". Sofort anschließend aber wird, wie bis heute üblich, von der „Kirche des heiligen Michael" gesprochen.[89]

In aller Regel richteten sich die Patrozinien nach den vorhandenen Reliquien, die zumeist am oder im Hauptaltar waren. Für Orte, die nicht über ein eigenes Heiligengrab verfügten – und das waren beinahe alle –, wurden Reliquien und damit Patrozinien übertragen. So finden sich beispielsweise im Münsterland die großen fränkischen Reichspatrone wieder, die mit der Christianisierung unter Karl dem Großen dorthin gekommen sind: Dionysius in Rheine, Martinus in Greven und Beckum, Brictius in Schöppingen und Remigius in Borken.[90] In der Forschung hat man davon gesprochen, daß zunächst, sozusagen in einer „objektiven Patrozinienwahl", jeweils der mit seinem Grab oder mit seinen Teil- bzw. Berührungsreliquien vorgegebene Heilige der Kirchenpatron war. Seit dem hohen Mittelalter aber erwählte oder bevorzugte man in einer „subjektiven Patrozinienwahl" einen besonderen Heiligen aus den nunmehr zahlreichen Reliquien, der damit zum Kirchen- oder Spezialpatron aufstieg.[91] Sogar von regelrechten „Moden" hat man sprechen können: Es gab Standesheilige wie die Ritter Georg und Mauritius, Wallfahrtsheilige wie Jacobus (von Compostella in Spanien) und Aegidius (St. Gilles in Südfrankreich), aber auch Pestheilige wie Rochus und Sebastianus (weil seine Martyriumspfeile als Ausdruck des die Pest provozierenden Gotteszornes gedeutet wurden), zuletzt noch Anna, die Mutter Mariens (weil die Franziskaner die unbefleckte Empfängnis Mariens befördern wollten). Endlich hatte auch jeder Altar seinen bestimmten Patron oder deren gleich mehrere; die „Moden" wiederholten sich dabei.

Die schon im frühen Mittelalter zu beobachtende Ansammlung einer Vielzahl von Reliquien im Altar wurde, nicht anders als bei den Kirchenpatrozinien, hierarchisch geordnet und begann in der Regel mit Jesus-Reliquien. Verwirrende Beispiele gibt es dabei, die davor warnen, Patrozinien allzu bestimmt benennen zu wollen.

So berichtet die Chronik des Klosters Petershausen vor Konstanz[92], daß die dortige Basilika 1134 „zu Ehren der hl. Dreifaltigkeit und des siegreichen Kreuzes ... sowie des hl. Apostels Philippus, des Papstes Gregor und des Bischofs Gebhard" geweiht worden sei. Letzterer war Bischof Gebhard II. von Konstanz, der 983 Petershausen gestiftet hatte und dessen Gebeine vor der Neueinweihung erhoben worden waren. Für den gleichzeitig konsekrierten Hauptaltar zählt die Chronik folgende Reliquien auf: „Vom Kreuz des Herrn, von dem Gefäß, in dem Longinus das Blut des Herrn auffing, von einem Baum, den der Herr gepflanzt hatte, von den Haaren und dem Schleier der Gottesmutter Maria, Reliquien von der Basilika des hl. Erzengels Michael, die er selbst auf dem Berge Garganus geweiht hatte, und von Johannes dem Täufer, den hl. Aposteln Petrus, Paulus, Andreas, Jacobus, Philippus, Bartholomäus, von den hl. Märtyrern, den Päpsten Alexander, Calistus, Fabianus, Marcellus, Felix, den Bischöfen Apollinaris, Dionysius, Blasius, Herasmus, Lampertus, sowie den Märtyrern Pelagius, Georg, Mauritius, Candidus, Sebastian, Cyriacus, Vitus, Pancratius, Christophorus, Hermes, Cosmas und Damian, Agapitus, Crispinus und Crispinianus, Tyburtius, Protus und Jacinctus, Crisantus, Fidelis, Castus und Desiderius, Carpophorus, Amandus, Anianus, dem Presbyter Polycarp, Heraclius, Constantius, Julianus, Nicander und Martianus, Maximus, Pergentinus und Laurentinus, den hl. Bekennern Papst Leo, Papst Gregor, den Bischöfen Nikolaus, Severin, Maternus, Maximinus, Gaugerich und Gebhard, ferner dem Gallus, Barbatianus und den hl. Jungfrauen Agatha, Lucia, Cäcilia, Daria, Brigida, Walpurga und anderen heiligen Frauen, Maria Magdalena, Felicitas, Digna und Sophia." Ohwohl in dieser langen Liste auch Gebhard erwähnt wird, stand über seinem Grab noch ein eigener Altar, wiederum mit einer Mehrzahl von Reliquien. Denn „am gleichen Tag ... wurde der Altar, der über dem Grabe des hl. Gebhard steht, eingeweiht zu Ehren unseres Herrn Jesus Christus und des hl. Kreuzes, der Gottesmutter Maria, des hl. Benedikt und der anderen Heiligen, deren Reliquien dort bewahrt sind: der hl. Apostel Petrus, Paulus, Andreas, Philippus, Bartholomäus, der hl. Märtyrer Fabianus, Calistus, Felix, Apollinaris, Blasius, Dionysius, Pelagius, Sebastian, Vitus, Cyriacus, Agapitus, Protus und Jacinctus, Mauritius, Candidus, Maximus, Fidelis; der hl. Bekenner Gregorius, Nicolaus, Gaugerich, Gallus, Barbatianus, und der hl. Maria Magdalena, Digna, Sophia und Walpurga."

Normalerweise obsiegte jener Heilige, dessen Leib in der Kirche ruhte; die Urkundenformel ‚ubi quiescit corpus sancti ...' erinnert daran. In Petershausen aber lagen die Verhältnisse verwickelter. Das Kloster war von Bischof Gebhard II. († 995) gegründet worden, um, wie es damals häufiger geschah, Rom zu imitieren, weswegen auch die ‚domus sancti Petri', eben Petershausen, errichtet wurde und seinen Ort jenseits des Rheins erhielt, wie das römische Sankt Peter jenseits des Tiber.[93] Mit Sicherheit wäre Petrus der Patron geworden, wenn das Kloster nicht eine andere bedeutende Reliquie besessen hätte: das Haupt Papst Gregors.[94] Gegen diese Reliquie vermochte sich auch der Gründerbischof, wiewohl sich dessen Grab in der Kirche befand, nicht durchzusetzen.

Und noch ein letztes: Mit den Reliquien in den Statuen verfuhr man nicht anders als mit denen in den Altären. Eine Petrusfigur konnte, wie für Cluny bezeugt, wiederum eine Vielzahl in sich schließen: „In dem Bildnis des heiligen Petrus sind folgende Reliquien enthalten: Ein Teil vom Kreuz des Herrn, vom Kleid Mariens, der Mutter des Herrn, vom eigenen Leib des heiligen Apostels Petrus und vom Fleisch des heiligen Apostels Jakobus ..."[95] Mit jedem Patron ist sozusagen immer die Gemeinschaft der Heiligen samt ihrem Haupt Christus gegenwärtig.

XV. Dank und Dornen

1. Lobpreis und Anrufung

Die erste Weise der alten Kirche, angesichts eines Verstorbenen zu beten, war die Danksagung an Gott.[1] Wer Zeuge im Glauben und in der Liebe gewesen war, weckte Dank für Gott, wie es schon der Psalter verkündete: ‚mirabilis deus in sanctis suis' – Wunderbar ist Gott in seinen Heiligen (Ps 67[68],36). Den höchsten Dank verdienten die Märtyrer und Heiligen. Darum waren ihre Gräber „kultfordernd"[2]: Sie mußten, als Stätten irdischer Präsenz der Heiligen, besonders geehrt werden. Asketen ließen sich nieder und bildeten Gemeinschaften; Altäre wurden errichtet, und ein liturgischer Dienst begann. Auf diese Weise entstanden die großen Grabheiligtümer, in Gallien die „Basilikalklöster": St. Martin in Tours, St. Denis bei Paris, St. Germain in Auxerre, St. Medard in Soissons, St. Aignan in Orléans, St. Pierre le Vif in Sens, St. Hilaire in Poitiers, St. Arnulf in Metz, St. Eucharius in Trier, St. Severin und St. Gereon in Köln. Über all diesen Gräbern erhob sich ein Heiligtum mit einer Liturgie von höchster Feierlichkeit, und die hier wirkenden Kleriker und Asketen nannten sich betont „Diener" oder „Mönche" des jeweiligen Heiligen.[3] Sollte aber menschliche Nachlässigkeit ein Grab unbeachtet gelassen oder gar vergessen haben, meldete sich der Heilige, manchmal mahnend, nicht selten strafend. Zuweilen erschienen die Himmlischen, Engel und andere Heilige, um dem unbeachteten Gottesfreund die verdiente Ehre zu erweisen. Vom ungeehrten Grab des heiligen Frodobert berichtet Adso von Montier-en-Der († 992), daß man dort nächtens „honigsüße Stimmen wie von singenden Klerikern" gehört und „im Kreis um das Grab helle Lichter" gesehen habe.[4] Einem Heiligen kann und darf man nicht sein Recht auf Ehrerweisung verweigern. Eine solche Verweigerung wäre zudem töricht, denn sie würde bedeuten, das Segensangebot des Heiligen auszuschlagen. Nur die Ehrung hält den Gnadenstrom in Fluß – und was konnte den Menschen hilfreicher sein?

Das Gebet zu den Heiligen setzt neutestamentliches Beten fort, demzufolge die Gerechten ihre Gerechtigkeit vor Gott für andere verwenden; denn – so der neutestamentliche Befund – „der Gerechte oder Gott Näherstehende bittet auch für den, der ferner steht“[5]. Die Anrufung der Heiligen bezieht sich auf deren Ehrenstellung bei Gott; als Nächststehende sollen sie für die noch in Erdenferne Weilenden eintreten. Nicht sie selbst also sind letzter Adressat, dies kann immer nur Gott sein; daher die Unterscheidung von ‚adoratio‘ und ‚invocatio‘, von Anbetung, die nur Gott gebührt, und Anrufung, die sich auf die Heiligen bezieht. Seit dem Frühmittelalter geschah diese Anrufung gleich „reihenweise“[6] als Anrufen langer Reihen von Heiligen, wobei Vorsänger die einzelnen Namen deklamierten und das Volk jeweils mit ‚ora pro nobis‘ – bitte für uns! anwortete. Die Allerheiligenlitanei wurde bei allen großen Gottesdiensten, bevorzugt bei Prozessionen, an Bittagen und beim Sterben, gesungen oder gebetet. Ansonsten sind förmliche Gebete für den einzelnen, wenn er zum Grab bzw. zum Schrein drängte, kaum überliefert, wohl aber Rufen, Weinen, ja auch Schreien; dazu dann die Gesten: immer wieder das Sich-Hinwerfen auf den Boden, oft mit ausgebreiteten Armen, ferner die schon antike Orantenhaltung mit zum Himmel erhobenen Augen und Händen; zuletzt zum Dank oft ein Freudentanz um Grab oder Altar. Man betete allein; angesichts besonderer Notfälle aber schrien alle zusammen. Das Grab wurde regelrecht belagert: herandrängen, berühren, küssen, sich darauf legen, wo möglich darunter herkriechen und – sofern nötig – ein Ausharren über Stunden oder Tage. In Canterbury zeigen noch heute die alten Steinplatten vor dem ehemaligen (in der Reformation beseitigten) Thomas-Sanctuarium die Abnutzungsspuren durch die Pilger. Im hohen Mittelalter ist noch eine Intensivierung festzustellen, daß man sich einerseits vor dem Grab weiterhin niederwarf, während andererseits darin, daß man etwa auf den Knien betete und die Hände faltete, erste Verinnerlichungen zu beobachten sind.[7] In den spätmittelalterlichen Mirakelberichten, beispielsweise von Eberhardsklausen (an der Mosel), „wird immer wieder geschildert, daß alle beim Kranken oder Verunglückten Anwesenden sich zur Erde werfen, die Arme und Augen oder Herzen und Hände zum Himmel erheben“[8].

2. Gelübde und ‚ex-voto'-Gaben

Mit dem Gebet ist religionsgeschichtlich oft das Gelübde verbunden, ein Vertrag, der die Gottheit zur Erfüllung verpflichten will; das Votum „hat regelmäßig die Form eines Bedingungssatzes mit genauer Angabe des Zeitraumes, der bis zur Erfüllung verstreichen soll, und der Erwartungen, die man hegt"[9]. Im Christentum allerdings mußte jede Bedingung vor Gott als Anmaßung erscheinen, stand doch neben den drei Kriterien von Anbetung, Lobpreis und Bitte als viertes die Selbstverdemütigung, die „Hintanstellung des Willens des Beters hinter den Willen Gottes"[10], was dem Menschen ein hartes Ringen abverlangen mußte, am Ende aber die Haltung herbeiführen sollte, „daß Gott bestimmen darf und soll, weil er und nicht der Beter mächtig und heilig ist"[11]. Theologisch war darum „für besondere Bindungen durch Gelübde ... kaum Platz." Tatsächlich aber entfernten sich die Christen „im täglichen Leben nicht so weit von der Gelübdepraxis der jüdischen und heidnischen Umwelt"[12]. Gegenüber Heiligen wurde das Gelübde, zumal im Spätmittelalter, zumeist spontan gefaßt: „Da ist das Gelübde oft nicht mehr als ein Reflex, ein unbewußter Stoßseufzer, mit dem der Bedrängte sich Luft zu verschaffen sucht, wie ‚mein Gott', ‚Heilige Maria' usf. Denn überraschendes Eintreffen und schnelles Vorübergehen eines plötzlichen Unglücks lassen kaum Zeit, das Gelübde bewußt zu formulieren."[13] Ein solches Spontangelübde legte auch der junge Luther ab, als ihn im Juni 1505 bei Erfurt fast ein Blitz getroffen hätte, und er aufschrie: „Hilff du, S. Anna, ich will ein monch werden."[14] In aller Regel wurde für die Errettung eine Dankesgabe gelobt, allerwenigstens die Darbringung einer Kerze, dann die Verrichtung bestimmter Gebete oder die Bestellung von Meßfeiern. In außergewöhnlichen Fällen geschahen größere Stiftungen, etwa eines Sakralgegenstandes oder gar einer Kirche bzw. eines Klosters, zuweilen auch der persönliche Eintritt in einen Orden. Zumeist aber gelobte man eine Wallfahrt zum Ort oder Bild des angerufenen Heiligen.[15]

Die Praxis des Hoch- und Spätmittelalters, einem Heiligen ein Gelübde zu machen, vermischte sich wiederum mit säkularen Rechtsgesten: Sie vollzog sich in der Form einer Kommendation. Im Lateinischen erscheinen dafür Begriffe wie ‚se mancipare', ‚se tradere', ‚se devovere', ‚se obligare', ‚se offerre' und ‚se commendare'[16], im Deutschen „sich verheißen", „sich versprechen", „sich verloben"; in den Mirakelbüchern der schönen Maria in Regensburg wird für 1519 bei 460 einschlägigen Stellen 230 Mal „verheißen" verwandt, 125 Mal „versprechen" und 30 Mal „verloben".[17] Entscheidend ist, daß nicht lediglich eine Sache versprochen wird, sondern die Menschen sich selbst dem Heiligen übergeben; mit ihrer Übergabe ist allerdings zusätzlich die Gabe etwa einer Kerze oder eines Wallfahrtsversprechens verbunden. Mit dieser, der vasallitischen Kommendation gleichgearteten Selbstgelobung bzw. Selbstversprechung an den Heiligen wurde auch der entsprechende Ritus praktiziert: der Handgang. Bei der Übergabe an einen Herrn legte bekanntlich der Tradent seine Hände zusammen, und der Herr nahm dieselben zwischen seine beiden Hände. Im Lehnrecht des Sachsenspiegels heißt es: „Nach des Vaters Tod komme der Sohn binnen Jahr und Tag zu seinem Herrn und biete ihm mit gefalteten Händen seine Mannschaft an."[18] Der Ritus der zusammengelegten Hände war ursprünglich, und so wohl schon in der Antike, ein Verknechtungsritus.[19] Im Mittelalter ist dieser Gestus von der weltlichen Kommendation[20] aus in die Liturgie übergegangen; in karolingischer Zeit gehörte er bereits zum Gehorsamsversprechen im Priesterweihritus[21] wie ebenso zum Mönchsgelübde[22]. Seit dem 13. Jahrhundert trifft man die zusammengelegten Hände auch bei Grabfiguren; auf deutschem Boden dürfte das Braunschweiger Grab Heinrichs des Löwen († 1195) eines der frühesten Beispiele sein; aber nicht Heinrich selbst erscheint so – er trägt die von ihm gestiftete Blasius-Kirche –, sondern seine Gemahlin.[23] Bei Grabfiguren mag übrigens diese Haltung von der ‚Commendatio animae' her inspiriert sein, von dem Psalmwort: ‚In manus tuas commendo spiritum meum' – In deine Hände empfehle ich meinen Geist (Ps 31,6; Lk 23,46). Allmählich erscheint der Gestus auch in der Heiligenverehrung. Für das hohe Mittelalter hat Pierre-André Sigal in den von ihm untersuchten 5.000 Wunderberichten noch kein Beispiel von gefalteten Händen feststellen können, sondern nur das Sich-hinwerfen auf den Boden oder aber die antike Orantenhaltung der erhobenen Hände, zuweilen verbunden mit dem Kniefall.[24] Im Spätmittelalter sind die gefalteten Hände die geläufige Weise, mit der man Gott und seinen Heiligen entgegentritt.

Den Wohltaten der Heiligen mußte mit Dienstwilligkeit und Dank geantwortet werden.[25] Sowohl das Gelöbnis war einzulösen wie ein Entgelt für die Wohltaten zu entrichten. Dabei hatte es anfangs als ein unterscheidendes Merkmal gegolten, daß die christlichen Gottesmenschen, anders als die heidnischen Heroen, keinen Lohn forderten; sie selbst hatten „umsonst empfangen" und sollten auch „umsonst geben" (Mt 10,8b).[26] Bei den Wundern freilich, die die Heiligen nach ihrem Tode wirkten, bestanden sie auf ihrem Recht, sowohl auf der Erfüllung der ihnen gemachten Gelübde wie auf einer Dankesgabe für jede Heilung. Nicht zuletzt deswegen wurden die Wunder in ‚Libri miraculorum' registriert. Die geopferten Gaben sind von verschiedenster Art: Wachs, Brot, Wein oder Eier, ebenso Kleider und Gerätschaften, sogar Vieh wie Kühe und Pferde, nicht zuletzt auch Geld.[27] Die übliche Kerze mußte zuweilen das Gewicht des eigenen Körpers haben.[28] Zu Füßen der Antoniusfigur im Isenheimer Altar knien zwei junge Männer, die dem Heiligen ein Huhn und ein Schwein anbieten.[29] Ob solcher Dankespflichten suchte sich mancher allerdings davonzustehlen, am Ende natürlich erfolglos.[30]

Für das seit 1489 als Wallfahrtsort aufblühende Altötting registriert ein Einkünfteverzeichnis von 1492 unter anderem: 1.720 Pfund Pfennige als Erlös für fast vierzig Zentner Wachs, 50 Pfund für Getreide, 1.966 Pfund für etwa 324 Kleider, Schleier und Pelze, sodann 64 Stück Großvieh, darunter 24 Pferde, 13 Stück Jung- bzw. Kleinvieh, nämlich Füllen, Kälber, Lämmer und Ziegen, endlich 59.860 Pfund Flachs und 3.698 Hühner, dazu noch 7.346 Pfund „Tafelgeld" und 343 Pfund Opferstockgeld, insgesamt 12.375 Pfund Pfennig.[31]

Gerne stiftete man „Votivgaben": eine Nachbildung der geretteten Person oder eines geheilten Gliedes, sodann Gegenstände, die mit der Rettung verbunden waren oder ein Bild davon. In altkirchlicher Zeit hatte man – so noch eine zwischen 561 und 605 zu Auxerre abgehaltene Synode – verboten, bei der Einlösung von Gelübden geschnitzte Füße oder eine Menschenfigur in Kirchen darzubringen; statt dessen sollte man eine Gabe an die Armen geben.[32] Dennoch, am Grab des 1282 verstorbenen Thomas Cantilupe, der vom Amt des Oxforder Universitätskanzlers zur Bischofskathedra von Hereford übergewechselt war und der 1320 heiliggesprochen wurde, fanden sich laut Kanonisationsakten an Dankesgaben aufgestellt: 170 Schiffe aus Silber und 41 aus Wachs, 129 Menschenfiguren oder Gliedmaßen in Silber und 1.424 in Wachs, 77 Tierfiguren, 108 Krücken, endlich noch drei hölzerne Wagen.[33] Die figürlichen Nachbildungen von Personen oder ihren Gliedern illustrieren nicht nur die Heilung, sondern stellen auch eine „sprechende" Dankesgabe dar. Geschah eine Heilung oft dadurch, daß man zum Beispiel den Zahn des Heiligen an den eigenen schmerzenden Zahn hielt, so stellte man auch in der Danksagung eine Glied-zu-Glied-Entsprechung her: Der Heilige hat, was bereits abgestorben oder verloren schien, wiedergeschenkt, und so gebührt ihm die entsprechende Gegengabe.[34] Die seit dem Spätmittelalter in Brauch gekommenen Votivbilder veranschaulichen die wunderbare Rettung: die Notsituation, darüber am Himmel die angerufenen Heiligen, darunter auf Erden der Gerettete mit der Bekundung, daß das Bild ‚ex voto' – aufgrund eines Gelübdes – gestiftet ist; in Italien heißt die Formel deutlicher noch: votum fecit – gratiam accepit[35]. Das Bild ist öffentliche Bekundung des Wunders und zugleich Dank dafür.

3. Enttäuschung und Strafe

Treue Verehrer konnten unliebsame Widerfahrnisse eigentlich nur in mangelnder Hilfsbereitschaft ihrer Patrone begründet sehen; Enttäuschung, ja Verbitterung mußte sie überkommen. Was aber durch gute Worte und Gebete bei den Himmlischen nicht zu erreichen war, das sollte die Strafe bewirken. Ein Heiliger, der evident versagte, hatte dafür einzustehen. Schon Gregor von Tours berichtet, Bischof Franco von Aix habe sich, von einem der Königsleute im Kirchenbesitz geschädigt, vor dem Grab seines Bistumsheiligen Mitrias niedergeworfen und mit Kultentzug gedroht: „Hier wird kein Licht mehr angezündet und kein Psalmengesang mehr erklingen, glorreichster Heiliger, bevor du nicht deine Diener an ihren Feinden rächst und die dir geraubten Güter der heiligen Kirche wiederbringst"[36]. Auf das Grab warf der Bischof Dorngestrüpp, verschloß die Kirchentüren und häufte auch vor dem Eingang Dornen auf. Es dauerte nicht lange, da erfaßte den Räuber ein Fieber, er verlor sein Haar und erschien wie eine Leiche; da endlich ging er in sich, erstattete den Schaden und mußte gleichwohl sterben. „Der Bischof aber erlangte für den Kirchenfeind, wie er es vorausverkündet hatte, die Rache durch die Virtus des Gotteskämpfers [des heiligen Bischofs Mitrias]." Dornen auf das Heiligengrab zu werfen und den Kult zu unterbrechen war Bestandteil eines festen und offenbar weit verbreiteten Rituals.[37] In Tours ist dieses Ritual für Jahrhunderte in Geltung gewesen, und auch aus Cluny ist ein solches überliefert. Die Liturgie feierte man dann nur reduziert, mit herabgesetzter Stimme, ohne besondere Gewänder und mit wenigen Lichtern; währenddessen lagen Kreuz und Reliquien auf einer Bußmatte vor dem Altar und waren wie die Heiligengräber mit Dornen zugedeckt. Die ganze Kommunität warf sich nieder und betete Fluchpsalmen. Daneben konnten aber auch ganz spontane und private Aktionen gegen die Heiligen erfolgen.

Caesarius von Heisterbach († 1240) weiß folgende Geschichte: Ein Wolf hatte das Kind einer Burgherrin geraubt. Diese wandte sich sofort an eine von ihr sehr verehrte Marienstatue mit Jesuskind, stürzte „in großer Bitterkeit des Herzens in die Kapelle und riß das Bild des Heilands vom Schoß der Mutter. Dann trat sie ihr entgegen und rief mit vielen Tränen die Worte: Herrin, Ihr bekommt Euren Knaben nie wieder, wenn Ihr mir nicht mein Kind unversehrt wiedergebt. O wunderbare Demut der Himmelskönigin! Als fürchte sie, um ihren Sohn zu kommen, wenn das Weib nicht ihre Tochter bekäme, befahl sie sogleich dem Wolf, und er ließ das Mädchen frei.“[38]

Das 2. Konzil von Lyon (1274) verurteilte die Bestrafung von Heiligen und bestimmte: „Den verabscheuenswerten Mißbrauch der schrecklichen Unfrömmigkeit jener, welche gemalte oder geschnitzte Bilder des Kreuzes, der seligen Jungfrau oder anderer Heiliger voll Unehrerbietigkeit zu behandeln wagen, dabei zur Verschärfung den Gottesdienst einstellen und diese Bilder auf die Erde stellen und Disteln oder Dornen unter sie legen, mißbilligen wir durchaus. Strengstens verbieten wir, dergleichen in Zukunft zu tun.“[39]

XVI. Die Sonderfälle

1. Jesus-Reliquien

Obwohl Jesus von Nazareth sich nicht im hellenistischen Sinne als Gottmensch verstanden hat, ja der Begriff „‚Gottmensch' bzw. sein griechisches Äquivalent im Neuen Testament nicht begegnet"[1], gibt es später doch eine „theíos anér-Christologie", deren Bedeutung in der göttlichen Überhöhung Jesu liegt[2]. Weil er Gottes Sohn und einzigartiger Heilbringer ist, übertrifft er alle anderen Gottesmenschen, ja entwertet ihre Stellung. Von daher rührt die durch die ganze christliche Frömmigkeitsgeschichte gehende „Konkurrenz" Jesu Christi mit den Heiligen; als Haupt der Gemeinschaft aller Heiligen ist er unvergleichlich höhergestellt und doch auch brüderlich mit ihnen verbunden.

Jesus hat Worte und Taten hinterlassen. Das von ihm vermittelte Heil wird im willigen Hören und gehorsamen Befolgen gewonnen, kurzum im Glaubensentscheid und nicht im Kontakt mit Reliquien.[3] So hat denn auch die Urgemeinde die Worte und Taten Jesu in Erinnerung behalten, nicht aber Reliquien von ihm gesammelt. Das Mittelalter kannte gleichwohl eine Fülle von Jesus-Reliquien. Zunächst waren es gemäß der Vorstellung vom ‚corpus totum' die überschüssigen Teile, die bei der Auferstehung nicht in den Herrlichkeitsleib miteingegangen waren, also Haare, Zähne und Nägel, aber auch die bei der Geburt abgetrennte Nabelschnur wie die bei der Beschneidung entfernte Vorhaut; hinzu kamen seine Tränen und – am wichtigsten – sein Blut.[4] Das leibhaftige Blut erschien dem ganzen Mittelalter viel bedeutungsvoller als das eucharistische. Als 804 die Nachricht umging, daß in der Stadt Mantua Blut Christi aufgefunden worden sei, wandte sich Karl der Große an Papst Leo III., und dieser reiste eigens zu ihm nach Aachen[5]; später galt das Blut als von Longinus (der dem gekreuzigten Jesus die Seite geöffnet hatte) dort vergraben[6]. Das Mittelalter verehrte an vielen Orten Ampullen mit dem Blut Jesu, im deutschen Reich auf der Reichenau[7], in Weingarten[8], in Brügge[9] und noch mancherorts sonst[10]. Die Eucharistie gewann höchste Anziehungskraft immer dort, wo Hostien fleischartig anschwollen und Blut heraustropfte. Die von Peter Browe zusammengestellten eucharistischen Blutwunder belaufen sich auf 191; sie setzten im 8. Jahrhundert ein, haben ihren Höhepunkt im Spätmittelalter und erlöschen zu Beginn des 17. Jahrhunderts.[11] Bekannte Beispiele sind die Wallfahrten zum heiligen Blut im brandenburgischen Wilsnack (das wohl auf Betrug beruhte)[12] oder im odenwäldischen Walldürn[13]. Als herausragende Reliquie galt zudem alles, was mit Jesu Passion in Verbindung gestanden hatte: das Kreuz, die Dornenkrone, die Longinus-Lanze, die Nägel, sowie der Schwamm mit der Essigtunke, desweiteren Jesu Gewand und vorrangig das mit seinem Antlitz geprägte „Schweißtuch der Veronika". Seitdem die Kaiserin Helena das Kreuz aufgefunden und Kaiser Heraklius es 634 von den Sassaniden, die es aus Jerusalem geraubt hatten, wieder zurückgeholt hatte, feierte die Christenheit gleich zwei Kreuzesfeste, das der „Auffindung" und das der (erneuten) „Erhöhung".[14] Kreuzpartikel besaß im Mittelalter eigentlich jede Kirche, die irgendwie Rang oder Namen beanspruchte.[15] Die Longinus-Lanze wurde zum Herrscherzeichen. Seit Heinrich I. wähnten sich die deutschen Könige in ihrem Besitz, und heute noch befindet sich dieses Exemplar in der Wiener Schatzkammer.[16] Die Dornenkrone konnten 1239 die französischen Könige erwerben und erbauten dafür die Sainte Chapelle zu Paris.[17] Das Gewand Jesu zählte die Trierer Domkirche zu ihrer wichtigsten Kostbarkeit; aber erst spät, erstmals 1512, wurde dieser Heilige Rock öffentlich ausgestellt.[18] Das Veronika-Tuch endlich befand sich in der Peterskirche zu Rom; das darin abgebildete Antlitz Jesu wurde „zum Archetyp des heiligen Portraits im Abendland."[19] Die hoch- und spätmittelalterliche Passionsfrömmigkeit, die sich alle Einzelheiten vergegenwärtigen wollte, oder wie Bernhard von Clairvaux es ausdrückte: alle Bitterkeiten zu sammeln suchte (colligere omnes amaritidines)[20], wandte sich gerade auch den Passionsreliquien zu und verbildlichte dieselben. Es waren die ‚arma Christi', die „Waffen", mit denen er für das Heil gestritten hatte. Im Mittelpunkt stand zunächst noch das Bild des Schmerzensmannes mit seinen Wunden und ihm zugeordnet die Leidensinstrumente: Kreuz, Nägel, Dornenkrone, Lanze, Essigschwamm, Geißeln und Ruten, sodann Rock und Würfel, desweiteren die Fackeln, Schwerter und Keulen der Häscher, ebenso die bei der Kreuzabnahme verwandte Leiter wie auch die zum Herausziehen der Nägel benutzte Zange, endlich noch Mund und

Zunge des Judaskusses sowie der zum Verrat Petri krähende Hahn. Im späteren Mittelalter stellte man anstelle des Schmerzensmannes zumeist die fünf Wunden in die Mitte und zentral die Herzenswunde.[21] Die Passionsfrömmigkeit begann sich zur Herz-Jesu-Verehrung zu wandeln.[22]

Geradezu unendlich war bei Jesus die Fülle der Sekundärreliquien. Renate Kroos hat Belege aus Köln sowie aus dem „Heiltum" zu Halle herausgegriffen und dabei auch Hinweise auf die Darstellung dieser Stücke in der mittelalterlichen Kunst gegeben, die wir oft nicht mehr als solche zu erkennen vermögen.

Aus Jesu Lebensphase bis zur Passion werden beispielsweise als Heiltum angegeben: Vom Gewand und Gürtel Mariae bei der Geburt, von Krippe und Heu, von ihrem Wochenbett mit Decken und Kissen; vom Ort, da der Engel den Hirten erschien; Nabel(schnur), Vorhaut und Milchzahn des Jesuskindes, sein schon um 570 in Nazareth gezeigtes ABC; die heiligen Drei Könige und ihre Gaben; vom Tuch, in dem das Christuskind dem greisen Simeon übergeben wurde; vom Baum, ‚dorunter Maria geruhet, als sie yn Egipten geflogen' (= geflohen); vom Ort, wo Christus vierzig Tage und Nächte fastete (ehemals in der Pfarrkirche St. Paul/Köln) und vom Stein, womit der Teufel den Herrn versuchte; vom Sessel, auf dem er bei der Hochzeit zu Kana gesessen; Kana-Krüge und Teile davon (verehrt nicht nur in St. Ursula zu Köln, sondern auch in St. Michael zu Hildesheim, dort inmitten der bernwardinischen Lichterkrone aufgehängt, ferner im Magdeburger Dom, in Quedlinburg, auf der Reichenau); Brot von der Speisung der 5000 (u.a. in St. Gereon und St. Pantaleon Köln); vom Stein, auf dem Christus während der wunderbaren Brotvermehrung saß; von der Quaste seines Gewandes, mit der er die Blutflüssige heilte (in der Kölner Kartause); vom Ort, wo Christus die Apostel beten lehrte (in St. Severin Köln), bzw. ‚von der stadt do Christus das Pater noster geleret'; vom Ort, wo er das Weltgericht voraussagte; vom Baum, auf dem Zachäus saß; vom Ort, an dem Christus über Jerusalem weinte (eine Träne Christi wurde in Vendôme verehrt).[23]

Man darf solche Sammlungen nicht primär als die Vorformen der frühneuzeitlichen Raritätenkabinette ansehen (die sie freilich auch waren), sondern als Ausdruck der Verehrung von Christi Menschheit. Der erwachenden historischen Kritik aber mußten sie als phantastische Ausgeburt von Aberglauben erscheinen.

Endlich ist noch eine besondere Art von Jesus-Reliquien zu erwähnen. Der Gedanke, den Heiligen mittels Reliquien gegenwärtig zu haben, wurde auch auf Jesus übertragen. Dabei kam der Brauch auf, als Jesus-Reliquie die Eucharistie zu verwenden und sie dort einzufügen, wo er vergegenwärtigt gesehen wurde: im Altar und im Kruzifix. Zum römischen Kirchweihritus, wie er seit der Mitte des 8. Jahrhunderts praktiziert wurde, gehörte neben der Niederlegung von Reliquien im Altargrab auch die Einfügung von „drei Teilen des Herrenleibes“ samt ebenso vielen Weihrauchkörnern[24]; dieser Brauch setzte sich bis ins hohe Mittelalter fort[25]. Desgleichen weisen viele Kruzifixe eine verschließbare Höhlung für Reliquien oder auch die Eucharistie auf, besonders bei jenen Kreuzen oder Jesus-Figuren, die bei der Karfreitagsliturgie ins Grab gelegt wurden.[26] Allbekannt ist der Bericht Thietmars von Merseburg über das vom Kölner Erzbischof Gero († 976) geschaffene und bis heute unter dessen Namen im dortigen Dom aufbewahrte Kreuz:

„Den hölzernen Crucifixus, der jetzt mitten in der Kirche über seinem Grabe steht, ließ er kunstfertig herstellen. Als er jedoch einen Riß in seinem Haupte bemerkte, heilte er ihn ohne eigenen Eingriff durch des höchsten Künstlers so viel heilbringendere Hilfe. Einen Teil vom Leibe des Herrn, unseres einzigen Trostes in allen Nöten, vereinigte er mit einem Teile des heilbringenden Kreuzes, legte ihn in den Spalt, warf sich nieder und rief den Namen des Herrn flehentlich an; als er sich wieder erhob, hatte er durch sein demütiges Lobpreisen die Heilung erwirkt.“[27]

Das heutige Gero-Kreuz geht höchstwahrscheinlich auf den gleichnamigen Bischof zurück, zeigt allerdings keine Spuren eines alten Risses. Daß aber das Kreuz eine „Heilung“ erfuhr, erwies es als „lebendiges“ Bildnis. Reliquien vornehmlich bewirkten diese Verlebendigung. In der Kölner St. Georgs-Kirche stand ein Kreuz, das wegen einer eingeschlossenen Partikel vom wirklichen Kreuz wundertätig war und vor dem die Leute Kerzen anzündeten; als der Glöckner diese wegnahm und für eigene Zwecke benutzte, kam eines Nachts das Kreuz, „und unter Scheltworten stieß es ihn so heftig, daß er krank ward und viele Tage Blut spie“[28].

2. Muttergottes Maria

Das Neue Testament erweist Maria, der Mutter Jesu, eine hohe theologische Wertschätzung, obwohl es, von der lukanischen Kindheitsgeschichte abgesehen, historisch wenig über sie weiß. Während

Markus Maria nur zweimal beiläufig erwähnt (Mk 3,31; 6,3), ist die Mutter Jesu schon bei Paulus, der nur ein einziges Mal und ohne Namensnennung von ihr spricht (Gal. 4,4f), von vornherein stark in die Christologie eingebunden.[29] Jesu Stammbaum und Geburt, wie sie bei Matthäus und Lukas dargestellt werden, verfolgen bei allen Unterschieden im einzelnen die gleiche Aussageabsicht: Sie wollen mit ihren Aussagen über Maria „Christus als das Ziel der Geschichte und als den Retter seines Volkes erweisen"[30]. Am ausführlichsten berichtet Lukas:

„In jenen Tagen erließ Kaiser Augustus den Befehl, alle Bewohner des Reiches in Steuerlisten einzutragen ... Da ging jeder in seine Stadt, um sich eintragen zu lassen. So zog auch Josef von der Stadt Nazareth in Galiläa hinauf nach Judäa in die Stadt Davids, die Bethlehem heißt; denn er war aus dem Haus und Geschlecht Davids. Er wollte sich dort eintragen lassen mit Maria seiner Verlobten, die ein Kind erwartete. Als sie dort waren, kam für Maria die Zeit ihrer Niederkunft, und sie gebar ihren Sohn, den Erstgeborenen. Sie wickelte ihn in Windeln und legte ihn in eine Krippe, weil in der Herberge kein Platz für sie war" (Lk 2,1–7). Der Engel Gabriel hatte Maria die Geburt verheißen und dabei verkündet: „Er wird groß sein und Sohn des Höchsten genannt werden" (Lk 1,32). Bei Matthäus erscheint ein Engel dem Josef mit der Verheißung: „Das Kind, das sie [Maria] erwartet, ist vom Heiligen Geist." Seine Verlobte sei die Jungfrau, von der Jesaja (vgl. Jes 7,14 LXX) geweissagt habe, sie „wird ein Kind empfangen, einen Sohn wird sie gebären" (Mt 1,20c.23). Lukas zeichnet Maria als „Magd des Herrn" (Lk 1,38), auf deren „Niedrigkeit" der Herr geschaut habe (Lk 1,48a, vgl. 1 Sam 1,11): „Von nun an preisen mich selig alle Geschlechter" (Lk 1,48b, vgl. Gen 30,13). Das Magnificat, von Lukas wohl aus textgeschichtlich vorgängiger liturgischer Verwendung eingefügt[31], greift in Gattung wie Aussage vielfach auf das Loblied der Hanna (1 Sam 2,1–10) und andere alttestamentliche Frauengestalten zurück; dabei verknüpfen „verschiedene Reflexionszitate das berichtete Geschehen bewußt mit alttestamentlichen Ereignissen und Heilserwartungen"[32] und lassen sie als erfüllt erscheinen.

So gesehen, sagt das Neue Testament über keinen Menschen Vergleichbares: Maria als Jungfrau mit der vom Heiligen Geist gewirkten Empfängnis Jesu und so Mutter desjenigen, der „Sohn Gottes" genannt wird.[33]

Trotz der ausführlichen lukanischen Kindheitsgeschichte regte sich früh ein weiterdrängendes Interesse, von dem die apokryphen Kindheitsgeschichten Zeugnis geben.[34] Von stärkster Nachwirkung war das bald nach 150 abgefaßte ›Protoevangelium des Jacobus‹, dieses nun mit der Kindheitsgeschichte Mariens, ihrem Verlöbnis mit Josef und der Geburt Jesu: Maria ist davidischer Abstammung; ihre Eltern heißen Joachim und Anna; die unfruchtbare Anna erfährt durch einen Engel die Ankündigung der Geburt Mariens; diese wird im Alter von zwei Jahren Tempeljungfrau und webt mit am Tempelvorhang; zwölfjährig wird sie durch Losentscheid die Verlobte Josefs, der aus früherer Ehe bereits Kinder hat und nun in seinem Alter durch die Schwangerschaft Mariens in große Verlegenheit gerät. Aus dem Matthäus-Evangelium fließt die Josefsgeschichte ein und aus dem Lukas-Evangelium die Passagen über Maria. Die Geburt Jesu ereignet sich in einer Höhle, überschattet von einer lichten Wolke; die jungfräuliche Geburt, welche die Hebamme Salome überprüfen will, wird durch ein Wunder bestätigt. Zuletzt erscheinen die Magier aus dem Osten.

Die jungfräuliche Gottesmutter erhielt eine Stellung, wie sie niemand sonst unter den Heiligen innehatte und innehaben konnte. Das Konzil von Ephesus (431) sprach ihr den Titel „theotokos – Gottesgebärerin“[35] zu, allerdings nicht als „marianische Definition“, sondern als Aussage zur Christologie: „Daß der Emanuel in Wahrheit Gott und die heilige Jungfrau deshalb Gottesgebärerin ... ist, weil sie das Fleisch gewordene, aus Gott stammende Wort dem Fleische nach geboren hat.“[36] In ihrer herausgehobenen Stellung wurde Maria als die „ganz Reine“, die „allzeit Selige“, die „ganz Unbefleckte“, die „immer Jungfräuliche“ gefeiert. Zudem galt sie wegen des Wortes: „Dir wird ein Schwert durch die Seele dringen“ (Lk 2,35), als Märtyrerin.[37] Ein spezielles Fest ihr zu Ehren zu feiern bereitete allerdings Schwierigkeiten, da ein Todesdatum nicht überliefert war und als Sterbeort sowohl der Garten Gethsemane in Jerusalem wie Ephesus genannt wurden. Das älteste eigenständige Marienfest entstand zu Jerusalem als „Entschlafung“ (Koimesis) mit dem Datum des 15. August, bald schon verstanden als Aufnahme in den Himmel. Als weitere Feste kamen hinzu: die „Verkündigung“ am 25. März und „Mariä Reinigung“ bzw. „Lichtmeß“ am 2. Februar, sodann die „wunderbare Empfängnis“ durch ihre Mutter Anna am 8. Dezember sowie die Geburt am 8. September. Bis auf die wunderbare Empfängnis feierte man diese Feste seit dem 7. Jahrhundert auch im Westen, sowohl in Rom wie in den anderen Liturgiefamilien.[38] An den legendären Sterbeorten Jerusalem und Ephesus entstanden Marienkirchen; im Westen war die erste Santa Maria Maggiore in Rom.[39]

Die Mariologie des Westens löste die Gestalt Mariens stärker von Jesus Christus und verselbständigte sie: die Eva/Maria-Parallele, dann Maria als Typus der Ecclesia und immer wieder Maria als die durch besondere Heilsprivilegien Hervorgehobene. Wie keine andere war sie Fürsprecherin bei ihrem Sohn, Mittlerin seiner Gnaden, ja wegen ihres Mitleidens sogar Miterlöserin. Dogmatisch wandelte sich die „Entschlafung" zur „Himmelfahrt", oder korrekter: zur „leiblichen Aufnahme Mariens in den Himmel"[40]. Lange umstritten war dagegen die Auslegung der „wunderbaren Empfängnis", ob die Heiligung Mariens schon im Mutterleib geschehen und als Bewahrung vor der Erbsünde anzusehen sei, wie es die Skotisten und Franziskaner bejahten, die Thomisten und Dominikaner jedoch ablehnten. Offiziell wurde das Fest der Unbefleckt Empfangenen erst seit 1477 auch in Rom gefeiert.[41]

Wie Maria den Kreis der Heiligen überragte, so erhöhte sich auch ihre Verehrung. Die apokryphen Kindheitserzählungen, nach dem ›Protoevangelium des Jakobus‹ besonders das im 8./9. Jahrhundert entstandene ›Pseudo-Matthäusevangelium‹ mit seiner Erwähnung von Ochs und Esel an der Krippe[42], ferner die Marienlegenden und Mariendichtungen[43]: sie alle zeichneten ein immer detailreicheres Bild. „De Maria numquam satis – von Maria nie genug" – diese fälschlicherweise Bernhard von Clairvaux zugeschriebene Devise[44] ist wirklich kennzeichnend für die Marienverehrung des Mittelalters. Überall ist es ein Überschwang, in der Theologie wie im Kult, in Bildwerken wie in der Dichtung. Die anfänglich wenigen und eigentlich mehr auf Jesus Christus bezogenen Feste wurden im Mittelalter zu einer das ganze Jahr überspannenden Kette; neben den altbekannten waren es nun zusätzlich der Freitag nach dem ersten Passionssonntag als Gedächtnis der Sieben Schmerzen, der 2. Juli als Mariä Heimsuchung (Begegnung mit Elisabeth), der 16. August als Skapulier-Fest (Legende von der Übergabe des wundertätigen Skapuliers an den Karmeliterorden), der 5. August als Kirchweihe von „Maria im Schnee" (Maria Maggiore in Rom), der 12. September als Mariä Namensfest (seit 1683 für die ganze Kirche), der 24. September als Maria vom Loskauf der Gefangenen (vom Orden der Mercederier).

Entsprechend vielfältig präsentierte sich das Marienbild in der Kunst: Verkündigung durch den Engel Gabriel, Verlöbnis mit Josef, Begegnung mit Elisabeth, Jesu Geburt, die Drei Könige, Mariä Reinigung, der zwölfjährige Jesus im Tempel, die Hochzeit zu Kana, vor allem aber Maria unter dem Kreuz, bei der Auferstehung zu Ostern und im Kreis der Apostel zu Pfingsten, dann ihr Tod sowie die Aufnahme in den Himmel und ihre Krönung; hinzu kamen Themen aus apokrypher Überlieferung, so Joachim und Anna wie auch Maria als Tempeljungfrau; zuletzt noch das eigentlich an den Anfang gehörende Bild der unbefleckt Empfangenen.[45] Am Ende des Mittelalters feierte man das Marienleben mit vielen Stationen in Legende und Liturgie, auf Bildtafeln und im Lied. Unter den Bildformen war die verbreitetste das „autonome" Marienbild: als Mutter mit ihrem Sohn, entweder thronend mit dem Kind auf dem Schoß oder stehend mit dem Kind auf dem Arm.[46] Das hohe und späte Mittelalter betonte die lieblichen Züge und gestaltete die Kindesbeziehung besonders herzlich, wobei die Mutter oft eine Frucht oder auch ihre Brust reicht.[47] Bei den künstlerischen Darstellungen mitsamt ihren Implikationen kann die Vielfalt hier nur angedeutet werden. So erhielt das Verkündigungsbild eine eigene theologische Akzentsetzung dadurch, daß zum Beispiel die von Gottvater ausgehenden Strahlen, auf denen sich die Geisttaube oder auch die kindsgestaltige Jesusseele zu Maria hinbewegen, auf deren Ohr zielen, um zum Ausdruck zu bringen, daß der Glaube vom Hören komme[48]; die Kindsgestalt konnte jedoch auch zu der irrigen Meinung verleiten, Jesus habe seinen Leib schon vom Himmel mitgebracht und nicht im Schoß Mariens erhalten[49]. Aber auch ganz aktuelle Bezüge, etwa zur mittelalterlichen Frauenbildung, konnten gegeben werden, wurde doch Maria als Lesende dargestellt: „Maria, mit den Augen des Mittelalters betrachtet, war der Inbegriff einer bücherhungrigen, lesefreudigen und wissenschaftlich gebildeten Frau"[50]; sie „sollte einerseits den Erkenntnis- und Bildungswillen geistig aufgeschlossener Frauen rechtfertigen, andererseits Frauen zum Lesen anspornen"[51].

Bei Bernhardin von Siena, dem großen Volksprediger des 15. Jahrhunderts, hört sich das folgenderweise an: „Laß dir sagen, wo der Engel Maria fand. Wo glaubst du, daß sie gerade war? Etwa am Fenster oder sonst mit einer Eitelkeit beschäftigt? Nein. Sie war in ihrer Kammer eingeschlossen und las; dir, Mädchen, zur Lehre, daß du keine Freude daran haben sollst, unter der Haustüre oder am Fenster zu stehen, sondern zu Hause bleibest und das Ave Maria und Paternoster betest, oder, wenn du des Lesens kundig bist, mit frommer und guter Lektüre dich beschäftigest: lerne das Offizium Unserer Lieben Frau und habe daran Freude."[52]

Ein anderes Beispiel, wie Frömmigkeit, Bildtradition und zeitgenössische Polemik sich kombinieren konnten: Der fromme, aber in Theologie wenig gebildete Abt Heinrich von Clairvaux, so Caesarius von Heisterbach, sei zur Kreuzzugspredigt aufgefordert worden, und da habe Maria, da er über kein sonderliches Bücherwissen verfügte, ihre Brust dargeboten, um ihn daraus saugen und trinken zu lassen, und wirklich, mit der heiligen Milch habe er das erforderliche theologische Wissen eingesogen, so daß er am Ende sogar Kardinal geworden sei.[53] Caesarius vermischt in dieser Wundergeschichte die ‚sedes sapientiae' und die ‚Madonna lactans' mit dem paulinischen Motiv von der Milch als der anfänglichen Speise (vgl. 1 Kor 3,2). In der Kunst ist aufgrund einer ähnlichen Legende vor allem Bernhard mit dem Milchstrahl aus der Marienbrust zum Thema geworden.[54]

Die Verehrung bewirkte ein vielfältiges Ineinander von Bild, Gestus, Spiel und Gebet. Maria ist zum Beispiel Gefäß der besonderen göttlichen Gnadenerwählung. Zugrunde liegt die uralte Vorstellung vom Menschen als einem Gefäß, in das der Geist eingegossen wird. Die biblische Redeweise vom „Eingießen der Gnade in unsere Herzen" (Röm 5,5) nimmt diese Vorstellung auf, und das Mittelalter läßt sie in der Anwendung auf Maria kulminieren. Hören wir nur einen Hymnus des Adam von Sankt Victor († 1192):

Salve, mater salvatoris,	Heil dir, der das Heil entsprossen:
Vas electum, vas honoris,	Kelch der Hoheit ehrumflossen
Vas caelestis gratiae,	Kelch des Lichts aus Himmelsland;
Ab aeterno vas provisum,	Kelch, ersehn vor allen Zeiten,
Vas insigne, vas excisum	Kelch, geformt zu Herrlichkeiten
Manu sapientiae.	Durch des Schöpfers weise Hand.[55]

Auf Marienbildern findet man immer wieder dieses Gefäß dargestellt. Es ist eine gläsern-durchsichtige Vase, durch welche ein Lichtstrahl fällt, zum Zeichen dafür, daß die vom Geist gnadenhaft gewirkte Mutterschaft Mariens nicht ihre Jungfräulichkeit verletzt habe.[56] Desgleichen gilt Maria als „Tempel Gottes". Wiederum liegt eine religionsgeschichtlich alte Vorstellung zugrunde, nämlich vom Menschen als einem Haus für einen einwohnenden Geist, eine Vorstellung, die auch biblisch rezipiert ist: „Ihr seid Tempel Gottes und der Geist Gottes wohnt in euch" (1Kor 3,16). Für die Gottesgebärerin Maria traf dies in einzigartiger Weise zu, und so ist „Templum ... die häufigste Gebäudemetapher für Maria"[57]. Am Wunder der göttlichen Einwohnung, daß der Unendliche selbst, der Weltenherrscher, im

Schoß Mariens seine Wohnung genommen hatte, konnte sich das mittelalterliche Marienlob kaum genugtun: Maria war ,aula Domini', Thronsaal des Herrn. Hören wir nochmals Adam von St. Viktor:

Salve, mater pietatis	Heil dir, Mutter, liebumflossen:
Et totius trinitatis	Herrlich war dein Saal erschlossen
Nobile triclinium,	Thronender Dreifaltigkeit;
Verbi tamen incarnati	Doch dem fleischgewordnen Worte
Speciale maiestati	War empfangend deine Pforte
Praeparans hospitium.	Um so festlicher bereit.[58]

In der Kunst sind daraus die „Schrein-Madonnen" entstanden: Im Leib Mariens thront die Trinität.[59]

Unter den Verehrungsweisen muß eine besonders genannt und erklärt werden: der im Spätmittelalter entstandene „Rosenkranz", bei dessen Entstehung verschiedene Gebetsweisen ineinanderflossen. Die beste Erläuterung gibt noch die Bezeichnung ›Psalterium beatae Mariae virginis/Psalter der Jungfrau Maria‹[60]. Den Psalter mit allen seinen 150 Psalmen möglichst jeden Tag zu beten, war monastisches Ideal; um dies auch für lateinunkundige Klosterleute erfüllbar zu machen, kamen Ersatzformen auf: anstelle der 150 Psalmen jeweils die entsprechende Anzahl von ›Pater noster‹ oder – seit dem Hochmittelalter – ebensoviele ›Ave Maria‹: den Gruß Gabriels bei der Verkündigung an Maria mitsamt der Lobpreisung ihrer Leibesfrucht Jesus (Lk 1,28.42) und daran angehängt noch eine Bitte für „uns Sünder"[61]. Da man üblicherweise jedem Psalm ein Gebetsmotto zufügte – Ansgar von Bremen-Hamburg sprach von „Würze" –, so nun auch bei jedem Vaterunser oder Gegrüßet-seist-Du-Maria, was auf 150 solcher Gebetsthemen hinauslief, zu viele, als daß Laien sie hätten behalten können. In der Trierer Kartause und in einer Kölner Rosenkranz-Bruderschaft schuf man eine Form, die zum wirklichen Volksgebet wurde.[62] Zunächst einmal erfolgte eine Unterteilung in drei Fünfziger-Gruppen und dann nochmals in fünf Zehner-Gruppen. Für diese zehn ›Gegrüßet-seist-du-Maria‹ galt jeweils ein Betrachtungssatz, insgesamt also fünfzehn. Inhaltlich bezogen sich diese Sätze auf Leben, Tod und Auferstehung Jesu und wurden an den Text des Engelsgrußes angeschlossen, um dann mit der Fürbitte beendet zu werden. Vergegenwärtigen wir uns hier gleich die Form, wie sie im nordalpinen Katholizismus der Neuzeit üblich wurde: das Ave-Maria und eingefügt ein Satz aus den schmerzhaften Gesätzen:

Ave Maria,	Gegrüßet seist du Maria,
gratia plena	voll der Gnaden,
dominus tecum;	der Herr ist mit Dir;
benedicta tu in mulieribus	du bist gebenedeit unter den Frauen
et benedictus fructus ventris tui,	und gebenedeit ist die Frucht deines Leibes Jesus,
[qui pro nobis sanguinem sudavit].	[der für uns Blut geschwitzt hat].
Sancta Maria, mater Dei,	Heilige Maria, Mutter Gottes,
ora pro nobis peccatoribus,	bitte für uns Sünder,
nunc et in hora mortis nostrae.	jetzt und in der Stunde unseres Todes
Amen.	Amen.

Das Rosenkranzgebet verbreitete sich allenthalben und wurde rasch volkstümlich.[63] Die Kölner Bruderschaft soll schon bald 100000 eingeschriebene Mitglieder gehabt haben.[64]

Natürlich gab es von Maria auch Reliquien, wegen der leiblichen Aufnahme in den Himmel allerdings keine eigentlichen Körperreliquien, sondern nur wieder Haare, Zähne und Nägel, darüber hinaus als Besonderheiten Milch (als welche zuweilen auch das Wasser vom Kalkgestein der Bethlehem-Grotte galt) und Kleidungsstücke: mindestens viermal das Hemd – so in Konstantinopel, Aachen, Chartres und Utrecht –, dazu der Gürtel und dergleichen mehr.[65] Einige Orte, die Marien-Reliquien besaßen, stiegen zu bedeutenden Wallfahrtsorten auf. Die älteste Marien-Kirche des Abendlandes, Santa Maria Maggiore in Rom, besaß seit dem 6. Jahrhundert die Krippe von Bethlehem, zählte zu den Hauptkirchen Roms, und jeder Pilger besuchte sie.[66] In Karls des Großen zweigeschossiger Pfalzkapelle zu Aachen war der untere Altar der Gottesmutter geweiht; im Hoch- und Spätmittelalter besaß das dortige Münster vier große Heiltümer: das Kleid Unserer Lieben Frau, die Windeln Jesu, das Lendentuch der Kreuzigung und das Tuch, worin das Haupt Johannes des Täufers geborgen worden war.[67] In Einsiedeln besagte eine seit dem 12. Jahrhundert faßbare Überlieferung, die alte Kapelle des heiligen Meinrad († 861) sei von Christus und seinen Engeln geweiht worden. Sie bildete deswegen ein eigenes Heiligtum, das schon die romanische Abteikirche in ihren Innenraum einbezog. Der Einweihung gedachte man jährlich im „Engelfest", das zahllose Wallfahrer anzog. Ein in der Kapelle verehrtes spätgotisches Marienbild verstärkte die Wallfahrt und galt zuletzt als eigentliches Gnadenbild.[68]

Was Maria so anziehend machte, drückt am besten ihre Benennung „Unsere Liebe Frau“[69] aus. Maria zeigte sich immer voll Huld, und alle konnten zu ihr kommen, Mann und Frau, hoch und niedrig, die Frommen wie die Sünder. Jeden hörte sie an und bestrafte keinen, vielmehr neigte sie sich gnädig herab, um dann bei ihrem Sohn Fürsprache einzulegen. Endlich auch war sie die „Schmerzensreiche“[70]. An den unabänderlichen und von Gottes Gerechtigkeit verfügten Nöten und Leiden hatte sie selbst Anteil genommen; ein Schwert hatte ihre Seele durchdrungen, sogar sieben Mal, wie die spätmittelalterliche Frömmigkeit wußte.[71] Zum Inbegriff dieses Leidens wurde das spätmittelalterliche Vesperbild[72], die Klage Mariens über ihren toten Sohn: dieser vom Kreuz herabgelassen (zur Zeit der Vesper, wie man sich dachte) und nun auf ihrem Schoß liegend. Das Bild hat keinen biblischen Anhalt, ist vielmehr „frei“ gestaltet und aus der Mystik des Mitleidens hervorgegangen.

3. Petrus, Apostelfürst und Himmelspförtner

Simon[73], so der ursprüngliche Name, stammt aus dem Fischerort Betsaida-Julias, das östlich vom Einfluß des Jordan in den galiläischen See lag. Von Beruf war er Fischer und wohl nur wenig jünger als Jesus. Vermutlich bei seiner Heirat übersiedelte er in das westlich gelegene Kafarnaum, das eine rein jüdische Bevölkerung hatte; dessen alte Bebauung ist zum Teil ausgegraben worden, auch das angebliche Haus Petri.[74] Im Jüngerkreis war Simon möglicherweise der Erstberufene. Offenbar bildete das „Haus des Simon“ (Mk 1,29) den Stützpunkt für Jesu Tätigkeit in Galiläa. Hierbei erhielt er jenen Beinamen, der später zu seinem Hauptnamen wurde: Petros. Die nur griechisch überlieferte Version läßt auf das aramäische ‚kepha‘ zurückschließen und bedeutet ‚Edelstein‘, auch Grundstein oder Felsenfundament. Ursprünglich dürfte damit gemeint gewesen sein, daß Petrus „der ‚Stein‘ unter den Zwölfen“ war.[75] Das Felsenwort des 18. Kapitels bei Matthäus ist wohl erst nachösterlich: „Du bist Petrus, und auf diesen Felsen werde ich meine Kirche bauen, und die Mächte der Unterwelt werden sie nicht überwältigen. Ich werde dir die Schlüssel des Himmelreiches geben; was du auf Erden binden wirst, das wird auch im Himmel gebunden sein, und was du auf Erden lösen wirst, das wird auch im Himmel gelöst sein“ (Mt 16,18f). Tatsächlich nahm Petrus nach dem Gesamtzeugnis der Evangelientradition eine Sonderstellung innerhalb der Jüngergruppe Jesu ein.[76] Ja, deutlicher noch: „Kein zweiter Jünger tritt vergleichbar oft, profiliert und bedeutend hervor, kein zweiter macht ihm die charakteristische Rolle als Sprecher des Jünger-, Vertrauten- und Zwölferkreises streitig."[77] Markus zufolge sprach Simon-Petrus das Messias-Bekenntnis aus: „Du bist der Messias" (Mk 8,29). In den Tagen der Passion erklärte Petrus seine Schicksalsgemeinschaft mit Jesus (Mk 14,29–31), verleugnete allerdings seinen Herrn dreimal (Mk 14,66–72). Gleichwohl erscheint er am Schluß als bevorzugter Empfänger der Osterbotschaft (Mk 16,7). Bei Lukas ist Jesu letztes Wort an Petrus eine Fürbitte: „Simon, Simon, der Satan hat verlangt, daß er euch wie Weizen sieben darf. Ich aber habe für dich gebetet, daß dein Glaube nicht erlischt. Und wenn du dich wieder bekehrt hast, dann stärke deine Brüder" (Lk 22,31f). Der Apostelgeschichte zufolge trat Petrus sieben Wochen nach dem Tod Jesu, an Pfingsten, mit einer Predigt an die Öffentlichkeit, die den Auferstehungsglauben exemplarisch bezeugte (Apg 2,14–36). Für etwa zehn Jahre leitete er die Jerusalemer Gemeinde und war dann der Erstverantwortliche für die Judenmission. Damals auch dürfte „die urkirchliche Position des Petrus als des entscheidenden Offenbarungstradenten, des Felsenfundaments, des in der Juden- und Heidenmission geschehenen Baus der Ekklesia des Herrn Jesus, des Inhabers der Schlüsselvollmacht, [welche] ... Auslegungsvollmacht der Zulassungs- und Ausschlußbedingungen für die Ekklesia mit Wirkung für die Basileia ist, ... formuliert" worden sein.[78] Daß Petrus später, frühestens im Jahre 55, nach Rom ging, ist heute unbestritten, ebenso daß er dort im Jahre 64 bzw. 67 das Martyrium erlitt; wahrscheinlich ist er gekreuzigt worden, und möglicherweise geschah das in den vatikanischen Gärten; im anschließenden Gräberfeld verehrte man seit der zweiten Hälfte des 2. Jahrhunderts sein Grab.

Mit Oscar Cullmann ist zu konstatieren: „Petrus behält ... für alle Zeiten die einzigartige Größe und Würde, ‚in den ersten Tagen der Kirche Jesu Christi' Leiter der Urgemeinde und damit der damaligen Gesamtkirche gewesen zu sein."[79] Daß diese exzeptionelle Stellung nicht sofort zu einer herausgehobenen Position der römischen Bischöfe führte, wird konfessionell unterschiedlich gedeutet. Evangelischerseits betont man, daß nur die Ursprungskirche von diesem Apostel geleitet worden sei[80] und daß er keineswegs sein Leitungsamt nach Rom übertragen habe. Katholischerseits wird genau diese Übertragung supponiert, obwohl über Petri Wirken in Rom fast nichts überliefert ist[81], ja gravierender noch, obwohl „die neutestamentlichen Schriften keinen unmittelbaren ‚Nachfolger' des Petrus kennen [und] ... nichts wissen von einer petrinischen Sukzession"[82]. Das Amt eines Nachfolgers Petri wird tatsächlich erst im dritten Jahrhundert anfanghaft sichtbar, und am Ende des 4. Jahrhunderts gewinnt es

Gestalt und Autorität. Papst Bonifatius I. († 422) beschrieb das Petrusamt als Haupt-Funktion: „Es ist gewiß, daß Petrus den Kirchen des gesamten Erdkreises gleichsam das Haupt ihrer Glieder ist", und: „Wer gegen ihn in Verachtung sich erhebt, wird nicht Bewohner des Himmelreichs sein können. Dir, so sprach der Herr [zu Petrus], werde ich die Schlüssel des Himmlreiches geben, das keiner ohne die Gunst des Pförtners betreten wird."[83] Dieser Petrus wirkt weiter in den Päpsten, und da er seine Gewaltenfülle von Christus selbst erhalten hat, gelten die Päpste sowohl als Stellvertreter Petri wie letztlich sogar als Stellvertreter Christi.[84]

Aber nicht um die Geschichte des Papsttums ist es hier zu tun.[85] Vielmehr sollen Hinweise folgen, daß dieses Amt nicht aus Grundsätzen abgeleitet worden ist, sondern aus dem „lebendigen" Handeln des heiligen Petrus. Wie jeder Heilige wirkte auch Petrus weiter, er mit Binde- und Lösegewalt sogar für Himmel und Erde. Die Beispiele sind zahlreich. Vergegenwärtigen wir uns hier nur solche, die in entscheidenden historischen Zusammenhängen stehen. Als erstes sei die berühmte ›Epistola dogmatica‹ Papst Leos des Großen an das Konzil von Chalcedon angeführt. Definiert wurde dort die Lehre von den zwei Naturen Jesu Christi: seine Gottheit und Menschheit – eine Lehre, welche den großen Konfessionen bis heute Gemeinbesitz ist. Aber nicht primär als päpstlicher Entscheid wurde der Brief interpretiert, sondern als Stimme Petri selbst, so daß Konzilsväter mit dem Ruf reagierten: „Petrus hat so durch Leo gesprochen."[86] Als weiteres Beispiel sei Papst Stephan II. († 757) angeführt, der von den Langobarden bedrängt, sich an den soeben zum König erhobenen Pippin wandte und ihm einen Brief schrieb an Petri Statt: „Ich, der Apostel Gottes Petrus, bin leibhaftig hier und stehe vor euch."[87] Pippin „gehorchte" Petrus und restituierte die den Langobarden entrissenen Gebiete nicht, wie es rechtens gewesen wäre, dem oströmischen Kaiser, sondern als Gabe an den heiligen Petrus. Auf diese Weise entstand das ‚Patrimonium sancti Petri', das ‚Erbgut des heiligen Petrus', der spätere Kirchenstaat.[88] Im Investiturstreit, als Gregor VII. († 1085) den deutschen König Heinrich IV. († 1106) bannte, tat er dies als Anrufung Petri:

„Heiliger Petrus, Fürst der Apostel, neige, wir bitten dich, gnädig dein Ohr und erhöre mich, deinen Knecht ... Und daher glaube ich, daß es dir in deiner Gnade und nicht um meiner Werke willen gefallen hat und noch gefällt, daß das christliche Volk, das dir ganz besonders anvertraut ist, mir gehorcht, weil es mir als deinem Stellvertreter ebenfalls ausdrücklich anvertraut ist, und daß mir um deinetwillen von Gott Gewalt gegeben ist, zu binden und zu lösen, im Himmel und auf Erden. In dieser festen Zuversicht also, zur Ehre und zum Schutz deiner Kirche, im Namen des allmächtigen Gottes, des Vaters, des Sohnes und des Heiligen Geistes, kraft deiner Gewalt und Vollmacht spreche ich König Heinrich, des Kaisers Heinrich Sohn, der sich gegen deine Kirche mit unerhörtem Hochmut erhoben hat, die Herrschaft über Deutschland und Italien ab, und ich löse alle Christen vom Eid, den sie ihm geleistet haben oder noch leisten werden, und untersage, ihm fürderhin als König zu dienen ... Darum binde ich als dein Stellvertreter ihn mit der Fessel des Fluchs und binde ihn im Vertrauen auf dich derart, daß alle Völker es wissen und erkennen, daß du bist Petrus und auf deinen Felsen der Sohn des lebendigen Gottes seine Kirche gebaut hat und die Pforten der Hölle sie nicht überwältigen werden.«[89]

Weiter wirkte sich aus, daß Petrus der erste Apostel war, ihr Princeps.[90] Wie die Heiligen einen Patronat ausübten, so Petrus den Prinzipat, und wie die Heiligen im Laufe des Mittelalters auch in irdischen Belangen als Patrone auftraten, so auch der heilige Petrus mit prinzipalen Rechten.[91] Zunächst betraf das nur Innerkirchliches: Petrus, oft zusammen mit Paulus, als Patron Roms anstelle von Romulus und Remus, aber dann Petrus als Princeps der Gesamtkirche. Wegen des Prinzipats überragte er alle. Obendrein besaß er damit einen Rechtstitel, der in Rom den Kaiser bezeichnete. Das ›Constitutum Constantini‹ behauptete genau dies: Im Westen sind die kaiserlichen Rechte an die Nachfolger Petri übergegangen – eine Rechtsvorstellung, welche die ganze abendländische Geschichte aufs tiefste beeinflußt hat.[92] Nur wieder einige Hinweise: In Rom gab es ein ‚vexillum sancti Petri'[93]; schon Karl der Große erhielt es von Leo III. ausgehändigt. Ferner nahm der Apostelfürst einen Zins entgegen, den die Angelsachsen, Dänen und Polen als „Peterspfennig" nach Rom zahlten.[94] Obendrein gab es ‚milites sancti Petri'[95], ‚Soldaten des heiligen Petrus'. Einige Herrscher vollzogen auch eine Selbstkommendation an den heiligen Petrus; dieses ‚commendare semetipsum omnemque domum et regnum suum beato Petro' blieb allerdings immer doppeldeutig, sollte doch das erste, nämlich die Übergabe der eigenen Person „reine Devotion bezeugen und das zweite, die Übergabe des Reiches, eine Lehnskommendation an die römische Kirche sein"[96]. Seit Gregor VII. suchte die päpstliche Politik diese zunächst devotionalen Vorgänge und Symbole allzugerne in lehensrechtlichem Sinne auszudeuten.[97]

Es ist immer dasselbe Vorstellungsmodell: Petrus handelt persönlich, vermittelt durch den Papst. Genau diese Vorstellung wurde offenbar allgemein akzeptiert, zumal bei Neubekehrten und beim „Volk“. Eine ganze Reihe von angelsächsischen Königen des späten 7. und frühen 8. Jahrhunderts, darunter einige sogar noch ohne Taufe, gingen nach Rom, um dort zu sterben und ein Grab bei Petrus zu finden.[98] Denn Petrus war der Himmelspförtner, und dies verstand man realistisch. Auf der berühmten Synode von Whitby (664), die gegen die irische Kirchenobservanz zugunsten der römischen entschied, gab die Vorstellung vom Himmelspförtner für den nordhumbrischen König Oswiu den Ausschlag:

„Darauf sagte ... der König: ‚Stimmt ihr beide ohne jeden Widerspruch dem zu, daß ... ihm [Petrus] die Schlüssel zum Reich des Himmels vom Herrn gegeben wurden?‘ Beide antworteten: ‚Ja‘. Und er [der König] kam so zum Schluß: ‚Und ich sage euch, dieser ist jener Pförtner, dem ich nicht widersprechen will; sondern soweit ich weiß und kann, möchte ich seinen Anordnungen in allem folgen, damit nicht dann, wenn ich zufällig zur Pforte des Himmelreiches komme, niemand da ist, der aufmacht, weil der sich abgewendet hat, der erwiesenermaßen die Schlüssel besitzt.‘“[99]

In den frühmittelalterlichen Missionsgebieten, besonders auch den sächsisch-nordischen, zeigen in Gräbern gefundene Schlüsselamulette, welche die Thors-Hämmer ersetzten, die Christlichkeit an.[100] Daß Rom für die abendländische Christenheit des Mittelalters das Zentrum bildete und daß die Stadt der größte mittelalterliche Wallfahrtsort war, rührte selbstverständlich von Petrus her. Denn, so Gerd Tellenbach, wie „die organisatorische Zusammenfassung der partikulären Kirchen, der Pfarrkirchen, der Diözesen, der Kirchenprovinzen, der ‚Landeskirchen‘ durch die Päpste erst sehr lose war, so ist doch die gläubige Verehrung des Stellvertreters Petri und der Sacra Roma .. ein auch äußerlich faßbarer Ausdruck der Einheit der Kirche auf Erden wie nichts anderes.“[101]

XVII. Kulmination und Umschlag

1. Beim Volk: „das große Laufen"

Man hat das späte Mittelalter die kirchenfrömmste Zeit überhaupt genannt: „Die Bereitschaft und Sehnsucht, das weltliche Leben im Rahmen der von der Kirche geschaffenen Ordnungen und mit Hilfe der von ihr angebotenen Gnadenschätze zu heiligen, waren kaum je im Mittelalter allgemeiner verbreitet und sind zu keiner anderen Zeit deutlicher sichtbar."[1] Die Ketzerei war so gut wie verschwunden; massenweise drängte man sich in die Kirchen; Bruderschaften und Stiftungen erreichten Höchstzahlen. Aber die Heilssehnsucht gebärdete sich zugleich als bedrängende Heilsunsicherheit[2], und beides zusammen bewirkte eine eifervolle, aufbrandende Gewaltsamkeit.[3] Gleichwohl entstanden „keine neuen Formen ... Doch geschah das Hergebrachte in solch massenhafter Häufung und großenteils so bewußt, daß es beinahe wie der Ausdruck einer neuen Gesinnung wirkt."[4] Insofern war es ein konservatives Verhalten, aber in einer „aufgeregten Gesellschaft"[5]. Die Theologie hat darauf mit einer Wendung zum Praktisch-Ethischen und Erbaulichen geantwortet.[6] Zwei Wege sind daraus entstanden: zum einen die Betonung der objektiven Gnadeninstanz Kirche mit ihren Sakramenten, Ablässen und Fürbitten, zum anderen die Pflege des subjektiven Frömmigkeitslebens und der Verinnerlichung, also eine Art „Selbstpastorat der Frommen"[7]; oder schlagwortartig: die Polarität von „sakralinstitutioneller" und „interiorisierender" Frömmigkeit[8].

Gerade in der Heiligen- und Reliquienverehrung spiegelt sich der religiöse Eifer. Was heute Kirchen und Museen noch an mittelalterlichen Bildern, Figuren und Altartafeln zeigen, stammt großenteils aus dem späten 15. und beginnenden 16. Jahrhundert. Der Eifer überschlug sich bis zur Erregung. Massenbewegungen, die wie Epidemien um sich griffen, trieben zu Wallfahrten an und ließen urplötzlich Wallfahrtsorte neu entstehen.

Konrad Stolle schildert in seiner „Thüringischen Chronik“ (1475) das Phänomen der Wallfahrtsepidemie und Massenpsychose: „In der Woche nach dem Tag des Johannes Baptist begab sich eine merkwürdige Geschichte im Lande Thüringen, Franken, Hessen, Meißen und anderen Ländern. Es rannten da die jungen Leute, Knaben und Jungfrauen, zwischen zwanzig und acht Jahren, sogar kleine Kinder, zu dem Heiligen Blut – ohne Geld, ohne Wissen der Eltern, Kinder, die ansonsten nicht aus dem Haus gingen ohne Geheiß der Eltern, Kinder frommer Leute und wohlerzogen; Dienstboten, Mägde, Knechte ließen ihre Kleider und was sie hatten, unbeschützt ... und liefen ihre Straße so, daß in einem Haufen zu zwei- oder dreihundert gingen, und sie sangen Leisen ...; etliche sprachen, es ginge ihnen ein rotes Kreuz voraus. Die Kinder entliefen mit Gewalt ihren Eltern, Töchter ihren Müttern, so daß die Mütter ihnen weinend und schreiend nachliefen, und konnten die Kinder doch nicht aufhalten. Und wenn man sie einsperrte, so wurden sie rasend; und wenn es sie ankam, fingen sie zu weinen an – gleich wie groß, wie alt, wie klein sie auch waren, und begannen zu zetern ... und weinten so lange, bis sie aus dem Haus auf den Weg kamen und liefen den Leuten mit Gewalt davon. Und sobald sie das ankam, liefen sie sofort ihre Straße – barfuß, halbnackt, in Hemden, in Ketten, mit entblößtem Haupt, ohne Geld, ohne Brot und ohne jeden Verstand. Und wenn das Essen auf dem Tisch stand ... und sie noch nüchtern waren, so liefen sie ohne Essen davon und ließen sich auf keine Weise aufhalten. Von Hundert gab es kaum einen Menschen, den man überzeugte. Man führte sie zur Beichte, aber auch die Beichtväter konnten sie nicht zur Einsicht bringen ... Ebenso Wöchnerinnen mit Kindern, desgleichen manch junge Frau hatte fünf oder sechs Kinder daheim – sie ließen sie alle unversorgt und ohne Aufsicht und liefen davon; Vieh, Kühe und Schafe, Haus und Hof ließen sie unversorgt stehen und liefen vom Feld, von den Pflügen, von der Weide, vom Gras. Die Knaben, die die Pferde hüteten, die hatten deren Zäume an ihren Hälsen und liefen davon und etliche, die auf das Feld fuhren, die ließen Wagen und Pferd stehen und liefen ihre Straße.“[9]

Ganz ähnlich zeigte es sich in Niklashausen an der Tauber, wo 1476 Volksscharen vom Elsaß wie vom Meißener Land zusammenliefen, um den von der Jungfrau Maria berufenen „Propheten“ Hans Behem zu hören; gegen 15000 folgten ihm in das damals gut 5000 Einwohner zählende Würzburg, wohin der Bischof den Geisterweckten auf die Marienfeste abführen ließ, und harrten auf seine wunderbare Befreiung; aber er endete auf dem Scheiterhaufen.[10] Jäh aufspringende Bewegungen waren es, wie etwa auch in Grimmenthal bei Meiningen, wo nach einer Heilung vor einem Marienbildstock eine Massenwallfahrt mit Errichtung einer Kirche folgte; 1503 sollen es 44.000 Pilger gewesen sein. Zur selben Zeit begann in Altötting und vielerorts sonst die Wallfahrt.

Ausführlicher vorgestellt sei hier die Wallfahrt zur Schönen Maria in Regensburg, mit einer wiederum zeittypischen Erregung und zugleich mit ersten Zeichen eines Umbruchs.[11] Die wirtschaftlichen Schwierigkeiten der Stadt suchte der städtische Prediger und vormalige Prorektor der Universität Ingolstadt, Balthasar Hubmaier, abzulenken auf die Juden und deren angeblichen Wucherzins. Nach dem Tode Kaiser Maximilians (12. Januar 1519), des Schutzherrn der Juden im Reich, nutzte man das Interregnum dazu, die Judenschaft zu vertreiben und das Ghetto samt Synagoge zu zerstören; um einen Wiederaufbau auszuschließen, errichtete man in aller Eile eine Marienkapelle aus Holz, woran täglich drei- bis viertausend Menschen mitgewirkt haben sollen. Als ein Handwerker beim Zusammenbrechen eines Gerüstes wie tot begraben wurde, aber anderntags wieder auf den Beinen war und zur Baustelle kam, hatte Maria ihr erstes Wunder getan. Am 25. März wurde bereits ein Altar konsekriert, auf den man eine gemalte Marientafel stellte, während draußen auf einer Säule eine Marien-Figur aus Stein zu stehen kam. In Massen strömten die Pilger. Zu Pfingsten 1520 sollen es 27000, zuvor am Georgstag sogar 50000 gewesen sein. Für die ersten drei Jahre belief sich die Zahl der Meßfeiern auf 25374. Allein 1520 verkaufte man über hunderttausend bleierne und fast zehntausend silberne Wallfahrtszeichen. Seltsamer noch mutet die Erregung an, welche auch hier die Menschen ergriff. Wie von Sinnen, so wird uns berichtet, seien sie nach Regensburg gelaufen, getrieben wie von einem Geist: Männer, Frauen und Kinder, vom Land und aus der Stadt, Adelige und Dienstleute. In der Pfingstwoche 1520 überkam die Leute das „Fallen", wie es auf Michael Ostendorfers bekanntem Holzschnitt zu sehen ist: Vor der Statue draußen liegen die Ergriffenen wie von Sinnen danieder, zitternd, weinend, manche sich hochreckend, zuweilen offenbar unter Geschrei und mit Geifer vor dem Mund, alle in Furcht und Verzweiflung ob ihrer Sünden; zuletzt wurde daraus ein ekstatisches Tanzen. Im Hintergrund zeigt der Holzschnitt den andrängenden Betrieb; zwei Prozessionen kommen von rechts heran, eine dritte von links, jeweils mit Kerzen und Fahnen. Weiter sieht man die zahllosen Mitbringsel, Rechen, Schaufeln, Gabeln, Sicheln, Spinnrocken, Teller und Schüssel, alles mögliche Gebrauchs- und Arbeitsgerät, nicht zuletzt die frömmigkeitsüblichen Kerzen.

„Die heftigen Gegensätze und die starken Spannungsübergänge zeigen sich im religiösen Leben des Gebildeten ebenso gut wie bei der unwissenden Masse. Die religiöse Erleuchtung kommt immer wieder mit einem Schlag."[12] Die Erregung steigerte sich, bis sie am Ende jäh umschlug. Das gehört mit zu den Eigentümlichkeiten des Spätmittelalters, wurde aber in Regensburg besonders deutlich. Genau der Mann, der das ganze Schauspiel um die Schöne Maria in Szene gesetzt hatte, der Stadtprediger Balthasar Hubmaier[13], ging im Herbst 1520 nach Waldshut, öffnete sich dort dem Einfluß der Zürcher Reformatoren und der Täuferbewegung, veranlaßte im Herbst 1524 in seiner Kirche einen Bildersturm und führte eine Meßreform durch, empfing endlich zu Ostern 1525 die neue Taufe und spendete dieselbe auch an 300 Bürgern. Sein Credo, für das er 1528 in den Tod ging, lautete: Wort, Gehör, Glaube, Taufe, Werk. Biographisch aufs kürzeste zusammengedrängt, wird hier jener Umschwung sichtbar, der die westliche Christenheit fortan zerspalten sollte.

2. Die Humanisten: „ein Meer des Aberglaubens“

Gewiß hat das Mittelalter schon früher Erregungen und Umschläge gekannt, nachweislich auch theologische Kritik am Heiligen- und Reliquienkult geübt. Neu war jetzt die Zuspitzung sowohl der erregten Frömmigkeit als auch ihrer Ablehnung. Die Verantwortlichen blieben gespalten. Wohl durchzog das ganze Jahrhundert ein umfassender Eifer zur auferbauenden Liebe, die sich gerade auch den einfachen Christen zuwenden wollte, um ihnen mit allen nur denkbaren Heilsmitteln Mut zu machen und die Sünder auf den Weg des Heiles zurückzubringen. Im Blick aber auf das sprunghafte Ansteigen einer massiven Kirchenfrömmigkeit, „die einmalig in der Geschichte der Kirche ist“[14], versuchten die einen, die Bedürfnisse der Gläubigen durch ihre Angebote beruhigender Techniken der Gnaden- und Heilsvermittlung zu kanalisieren, während andere, mit deutlicher Zurückhaltung gegenüber der Kirchenfrömmigkeit der Massen, verinnerlichte Frömmigkeitsformen postulierten.

Die Humanisten indes sahen nur Aberglauben und gossen Hohn und Spott darüber. Von billigen „Wundergeschichten“ und „Schauermären“, passend nur für dumme oder verdummte Leute, sprach Erasmus von Rotterdam, Haupt und Vorbild aller Humanisten: „Sie bekommen nie genug, sooft einer gruselige Dinge von Erscheinungen, Geistern, Gespenstern, Gerippen und anderm Spuk zum besten gibt; je toller die sind, um so lieber werden sie geglaubt ...; es trägt auch etwas ein, besonders den Priestern und Predigern.“[15] Der ganze Kosmos der Schutzpatrozinien mit seinen vielfältigen Zuständigkeiten ist schlichtweg töricht: „Hierher gehört es wohl auch, wenn jeder Ort einen eigenen Heiligen in Beschlag nimmt, wenn sie jedem seine Aufgabe anweisen und jedem seinen Kult zuteilen: bei Zahnweh eilt dieser herbei, Gebärenden steht jener zur Seite, ein anderer schafft gestohlenes Gut wieder her, dieser erscheint als Retter in Seenot, jener beschützt die Herden und so weiter."[16] Frivolerweise sei die poetische Legende wirksamer als das Evangelium: „Nehmt einen Heiligen mit einer unterhaltsamen, poetischen Legende, wie den Georg, den Christophorus, die Barbara – ihr werdet sehen, daß der viel fleißiger verehrt wird als Petrus oder Paulus oder selbst Christus."[17] Die religionsgeschichtliche Logik, die der Heiligen- und Reliquienverehrung zugrunde liegt, vermag Erasmus nicht mehr nachzuvollziehen. Das Ganze ist ihm „ein Meer von Aberglauben"[18]. Nach zwei Richtungen erfolgt sein Stoß: als historische Kritik und als Forderung nach Innerlichkeit. Nur sofern die Heiligenverehrung versittlichend und verinnerlichend wirkt, will er sie gelten lassen:

„Du verehrst die Heiligen, du freust dich, ihre Reliquien zu berühren. Doch du verachtest das beste, was sie überliefert haben, das Beispiel des reinen Lebens. Keine Verehrung ist Maria willkommener, als wenn du ihr in ihrer Demut nachfolgst. Keine Frömmigkeit ist den Heiligen erwünschter und gemäßer, als wenn du dich mühst, ihre Tugenden nachzuahmen. Willst du dich Petrus und Paulus verdient machen? Nimm dir den Glauben des einen und die Liebe des anderen zum Vorbild und du tust mehr damit, als wenn du zehnmal nach Rom pilgerst. Willst du Franziskus ehren? ... Dein Opfer für den Heiligen sei, dich zu bezähmen, nach dem Beispiel des Franziskus bescheiden zu werden, schnöden Gewinn zu verachten und nach den Gütern des Herzens zu trachten. Laß ab vom Streit und besiege das Böse durch das Gute! Der Heilige wird diese Ehre höher schätzen, als wenn du ihm hundert Kerzen angezündet hättest. Hältst du es für etwas Großes, mit der Kutte des Franziskus begraben zu werden? Die ähnliche Kleidung im Tode nützt dir nichts, wenn die Gewohnheiten im Leben verschieden waren. Und obwohl man sich am besten an Christus ein Vorbild aller Frömmigkeit nimmt, so sollst du dennoch, wenn die Verehrung Christi in seinen Heiligen dich durch ein bestimmtes Opfer anzieht, Christus in den Heiligen nachahmen und zur Ehre der einzelnen Heiligen einzelne Laster ablegen oder dich bemühen, einzelne Tugenden zu pflegen. Wenn das gelingt, so verwerfe ich auch das nicht, was außen geschieht ... Wenn du die Gebeine des Paulus, die in Kästchen aufbewahrt sind, verehrst, wieso verehrst du nicht seinen Geist, der in den Schriften verborgen ist? Du machst ein Aufhebens davon, daß du ein Stück seines Körpers durch ein Glas sehen kannst, und du bewunderst nicht seinen Geist, der als ganzer aus den Schriften leuchtet? Du verehrst die Asche, durch die zuweilen die Laster des Körpers getilgt werden. Wieso verehrst du nicht mehr die Schriften, durch die die Laster der Seele geheilt werden? ... Du aber greife gläubig zu seinen Büchern, damit du, der du vertraust, daß Gott alles vermag, ihn über alles lieben lernst. Du erweist dem Bild des Gesichtes Christi Ehre, das in Stein gehauen oder aus Holz geschnitzt oder auch in Farben gemalt ist. Viel frömmer ist es, das Bild seines Geistes zu ehren, welches uns mit der Hilfe des Heiligen Geistes die Schriften des Evangeliums anschaulich machen ... Du betrachtest gespannt das Gewand oder das Schweißtuch, das man Christus zuschreibt, und liest schläfrig die Sprüche des Gesetzes Christi? Du glaubst, es sei das Größte, daß du zu Hause ein Stück des Kreuzes besitzt. Doch das ist nichts im Vergleich dazu, daß du das Geheimnis des Kreuzes in dir trägst."[19]

Solche Postulate griff eine zahlenmäßig nur kleine, aber kritische Öffentlichkeit auf, wobei der neue Buchdruck eine rasche Information und zugleich massenhafte Propagierung ermöglichte. In kürzester Zeit fanden sich in den Städten gebildete Zirkel zusammen, empfänglich für das Neue und, wie sich bald zeigen sollte, entschlossen zum Handeln. So selbstverständlich bis dahin die alten Frömmigkeitsweisen gegolten hatten, so radikal und neuartig trat nun eine dezidiert ablehnende Doktrin hervor: daß „alles Verdienst vor Gott trügerisch und verderblich sei und daß das Heil am Glauben statt an den Werken, an Christus statt an den Heiligen hänge"[20]. Für den Kult der Heiligen und Reliquien hörte die alte Selbstverständlichkeit abrupt auf, ja fortan wurde erbittert darum gekämpft. Martin Luther, dessen Schriften am Jahresende 1520 bereits in über 500.000 Exemplaren kursierten[21], polemisierte in seiner wohl erfolgreichsten Schrift ›An den christlichen Adel deutscher Nation‹ gerade auch gegen die wilden Wallfahrten: „Daß die wilden Kapellen und Feldkirchen würden bis zum Boden zerstöret, als da sind, wo die neuen Wallfahrten hingehen, Wilsnack, Sternberg, Tier, das Grimmental und jetzt Regensburg und der Anzahl viel mehr."[22]

XVIII. Der reformatorische Einspruch

1. Martin Luther

Die Reformatoren nahmen es grundsätzlich: Um Christi alleinige Sühne ungeschmälert herauszustellen, bestritten sie die Möglichkeit einer Anrufung der Heiligen bei ihren Verdiensten; Christi Sühne sei einzigartig und dürfe nicht durch ein Anrechnen der Heiligenverdienste als ergänzungsbedürftig erscheinen.[1] Luther bekundete schon im Streit mit dem Wittenberger Allerheiligen-Stift: „Über die Toten und Heiligen hat die Heilige Schrift nichts"; vielmehr schien ihm durch die Heiligenverehrung „der einzige Mittler der Menschen, Christus ausgelöscht und aufgehoben und ... durch diese Scharen und Haufen von Mittlern und Fürbittern ersetzt."[2] Folgerichtig mußte Luther in seiner Vorrede zum Hebräer-Brief die nur einmalige Zuwendung der Kreuzessühne in der Taufe einen „harten Knoten"[3] nennen, wollte er doch das ganze Leben der Getauften unter die sühnende Gnade Christi gestellt sehen. Damit rüttelte er an dem altkirchlichen und für das ganze Mittelalter maßgeblichen Satz, daß die ‚peccata post baptismum' (die Sünden nach der Taufe) vom Menschen selbst abzubüßen seien. Zur Bußhilfe aber hatte man gerade die Heiligen angerufen, und eine solche Mithilfe lehnte Luther nun ab. Als verehrungswürdig beließ er allein das Zeugnis des Glaubens. Für die in den Niederlanden hingerichteten Glaubensbrüder, für die „Brüsseler Märtyrer", schrieb er sofort eine Gedenkschrift.[4] Des Zeugnisses wegen konnte er sogar die Legende, trotz seines gleichfalls geäußerten Gegenwortes „Lügende"[5], warmherzig befürworten.

„Und nehest der heiligen schrifft ist ja kein nutzlicher buch fur die Christenheit denn der lieben heiligen Legenden, sonderlich welche rein und rechtschaffen sind. Als darinn man gar lieblich findet, wie sie Gottes wort von hertzen gegleubt und mit dem munde bekand, mit der that gepreiset und mit yhrem leiden und sterben geehret und bestettigt haben. Solchs alles aus der massen trostet und sterckt die schwach gleubigen, und noch viel mutiger und trotziger macht, die zuvor starck sind. Denn wo man allein die schrifft on exempel und historien der heiligen leret, ob wol jnnwendig der geist das seine reichlich thut, so hilffts doch trefflich seer, wo man von auswendig auch die exempel der andern sihet odder horet. Sonst denckt ymer ein schwach hertz also: Sihe, du bist alleine, der also gleubet und solchs bekennet, thut und leidet etc."[6]

Zu den „Bildnissen"[7] sich zu äußern, wurde Luther durch seinen Doktorvater Karlstadt herausgefordert, der von „geschnitzten und gemalten Ölgötzen" sprach, dabei auch das Kruzifix nicht ausnahm und um die Jahreswende 1521/22 in Wittenberg einen Bildersturm inszenierte.[8] Der von der Wartburg herbeigerufene Luther wollte die evangelische Freiheit nicht in ein neues Gesetz umschlagen lassen. So predigte er nicht für die gewaltsame Beseitigung, sondern gegen die Stiftungsfrömmigkeit: „Ich wollt, sie wären in der ganzen Welt abgetan von wegen ihres Mißbrauchs ... Denn wer ein Bild in die Kirche stellt, der meinet, er habe Gott einen guten Dienst und gut Werk erzeigt, welchs dann rechte Abgötterei ist."[9] Zuerst müßten wir die Bilder aus den Herzen stoßen, bis sie auch mit der Faust weggetan würden; aber niemand sei pflichtig, Gottes Bilder mit der Faust zu stürmen, sondern alles sei frei; wiewohl die Bilder an Wallfahrtsorten, weil des Teufels Herberge, zu zerstören löblich sei, wäre es doch zu weit getrieben, solches unter Sünde zu verlangen.[10] In Absetzung von den Schwärmern ist sogar ein Umschwung[11] zu verzeichnen, indem Luther den alten Gedanken der Biblia pauperum aktiviert[12]. Nicht nur befördert er Bibelillustrationen; auch „die ganze Bibel inwendig und auswendig an den Häusern vor jedermanns Augen malen ... [zu lassen], das wäre ein christlich Werk"[13]. Denn beim Hören entwirft sich notwendig ein Bild: „Wenn ich Christum höre, so entwirft sich in meinem Herzen ein Mannsbild, das am Kreuze hänget."[14] Die Wallfahrten endlich, gerade auch die nach Rom, sollten als reiner Fürwitz und Teufelsverführung abgetan werden[15]; bei den neuen Wallfahrten gebärde sich das Volk „tobend ohn Vernunft, in Haufen wie das Vieh"[16]. Stattdessen solle man die Pfarrei ehren, statt der Wallfahrtsgelübde sich begnügen „an dem Gelübde, in der Taufe geschehen"[17]. Die Wunder könnten unmöglich aus Gott sein, vielmehr sei es gewißlich der Teufel selbst oder aber der Eifer der Pfaffen, um „ein Geldbringen aufzurichten"[18]. Zuletzt noch argumentierte er utilitaristisch: „unnütz Geld und Arbeit zu verlieren"[19].

Schärfstens wandte sich Luther gegen die Reliquien. Schon in seinen 1518 vorgelegten ›Resolutiones‹ zu den Ablaßthesen möchte er die „wahren Reliquien" ins Bewußtsein rücken: „Viele pilgern nach Rom und nach andern heiligen Orten, um den (ungenähten) Rock Christi, die Gebeine der heiligen Märtyrer, die Wohnorte und Fußstapfen der Heiligen zu sehen (was ich zwar nicht verwerfe), aber das beseufze ich, daß wir von den wahren Heiltümern, nämlich von dem vielfältigen Leiden und Kreuz, das die Gebeine und andere Erinnerungszeichen der Märtyrer geheiligt und so großer Verehrung würdig gemacht hat, so wenig wissen, ... daß uns diese so kostbaren Heiltümer Christi, die die heiligsten unter allen sind, als ein Geschenk für die auserwählten Kinder Gottes gegeben werden möchten."[20] Protest erhob Luther gegen die 1523/24 erfolgte Kanonisation Bischof Bennos von Meißen († 1106), die der ihm abgeneigte Herzog Georg der Bärtige von Sachsen betrieben hatte: Nicht eine Erhebung von Toten zur Ehre der Altäre gebiete das Neue Testament, sondern die Hinwendung zu den einzigen Heiligen, die dort genannt seien, nämlich den Mitchristen, zumal den Bedürftigen unter ihnen.[21] Bei aller Differenzierung im einzelnen, von dauernder Wirkung wurde das klare und knappe Verdikt im ›Großen Kathechismus‹: „alles tot Ding"[22] – ein Diktum, mit dem noch Albert Hauck († 1918) einen Artikel über Reliquien beschloß[23].

Für die Kirchen und ihre Kunst hatte Luthers Position erhebliche Folgen: Belassen wurden die Altäre, Bilder, Figuren, Jahrtage wie auch die Namen der Kirchenpatrozinien, beseitigt aber die Reliquien. Nürnbergs Kirchen sind ein Exempel dafür; die zahlreichen Altäre, Schnitzwerke und Bildtafeln blieben erhalten und wurden nur, sofern als anstößig empfunden, zugehängt.[24] Theologisch blieben Gottes Gnadenwirken und das gute Beispiel. Definitiv heißt es in der ›Confessio Augustana‹: „Über die Verehrung der Heiligen wird von den unsern gelehrt, daß wir sehen, wie ihnen Gnade wiederfahren und ihnen durch den Glauben geholfen worden ist. Außerdem soll man sich an ihren guten Werken ein Beispiel nehmen, jeder für seinen Lebensbereich ... Aus der Heiligen Schrift läßt sich aber nicht beweisen, daß man die Heiligen anrufen oder Hilfe bei ihnen suchen soll. ‚Denn es ist nur ein Gott und ein Mittler zwischen Gott und den Menschen, nämlich der Mensch Christus Jesus'. Er ist der einzige Heiland, der einzige hohe Priester, Quelle der Gnade und Fürsprecher vor Gott."[25]

2. Bildersturm

Radikaler ging Huldrych Zwingli († 1531) vor. Nicht weniger als 47 Bibelstellen schienen ihm gegen die Bilder zu sprechen.[26] Seine Theologie basiert auf dem Axiom, die Sphäre des Heiligen sei als solche zugleich die Sphäre des Geistig-Innerlichen, die zu allem Sinnlichen in Gegensatz stehe.[27] So lehnt Zwingli auch das Kruzifix ab, in letzter Konsequenz sogar die leibhaftige Gegenwart Jesu Christi in der Eucharistie.

Wie der Heiligenkult in Zürich „abgetan" wurde, ist in Einzelheiten dokumentiert. Die Verehrungsstätte der Stadtpatrone Felix und Regula befand sich in einer alten Seitenkapelle des Großmünsters; dort stand ihr Altar und darüber der Schrein mit den Reliquien. Gegen 1500 hatte Hans Leu der Ältere ein fünfteiliges Bild mit den beiden Heiligen gemalt und darunter das Stadtpanorama. Unter Zwinglis Einwirken waren Umzüge und das an Festtagen übliche Öffnen der Altartafeln seit Weihnachten 1523 untersagt. Bei der am 20. Juni 1524 verordneten Entfernung aller Heiligenbilder kamen die Tafeln in die Sakristei; die Gesichter der Patrone wurden dabei zerkratzt und später übermalt, um die Stadtansicht weiter zeigen zu können. Am 12. Dezember 1524 brach man die Gräber ab, am 17. Dezember den zugehörigen Altar. Aus den Steinen dieses und weiterer Altäre erhielt das Großmünster einen neuen Lettner, wobei die Altarplatten als Fundament für die mittig angeordnete Kanzel dienten. Im Herbst des Jahres 1525 erfolgte die Einschmelzung aller Edelmetall-Reliquiare und die Einziehung sonstiger Wertgegenstände, wobei insgesamt 16000 Gulden erzielt wurden. Weitere 10000 Gulden erbrachte die Konfiskation von Missalien, Legendarien und Mirakelbüchern; das Pergament kauften beispielsweise Apotheker zur Herstellung von Salbenbüchsen. Mit dem Kult wurden zugleich auch die Festfeiern der Stadtpatrone abgeschafft, sowohl die zu ihren Ehren abgehaltene Prozession am Pfingstmittwoch wie auch der Festtag am 11. September, überhaupt alle Kirchweih- und Heiligentage, insgesamt dreißig. „In ihrer Differenziertheit und konzeptionellen Ausformung verdeutlichen die getroffenen Desakralisierungsmaßnahmen, wie stark die Präsenz der Heiligen vormals in alle Lebensbereiche gedrungen war und welches Kapital ihre kultische Wirksamkeit einer rein materiell-utilitaristischen Zweckbestimmung hatte entziehen können."[28]

Die gewaltsame Bilderzerstörung setzte sich rasch fort.[29] Die Täuferbewegung, die von Zürich ausging, breitete sich bis nach Norddeutschland und in die Niederlande aus. Am radikalsten agierten die

Täufer in Münster (1535/36); sie wollten ganz ohne materielle Kultgegenstände auskommen, profanierten darum die Kirchen der Stadt zu „Steinkuhlen" und zerschlugen das Inventar:

„Was von den früheren Verwüstungen in den Kirchen noch verschont geblieben war, wurde nun zerstört. Die Bücher brachten sie aus allen Kirchen auf den Domplatz und verbrannten sie mit den Urkunden; Rechnungsbücher und Gerichtsakten zerrissen sie und warfen sie auf den Straßen umher. Die Glasfenster, auf denen sie die Wappen der Vorfahren oder die Bilder der Väter und Heiligen fanden, zerbrachen sie mit Stöcken, Knütteln und Kolben. Denn Bilder des Gekreuzigten, der Jungfrau Maria, der Apostel oder Märtyrer konnten sie nicht ausstehen; die Bilder der Teufel, Juden und gottlosen Tyrannen beschädigte dagegen keine Wiedertäuferhand. Die Reliquienbehälter brachen sie auf, nahmen Gold, Silber und Perlen, mit denen die Gebeine geschmückt waren, weg, streuten die Knochen auf die Straße und traten sie mit Füßen. Das zweiseitige Bild der jungfräulichen Gottesmutter, das mit vergoldeten Strahlen umgeben mitten in der Überwasserkirche vom Gewölbe herabhing, warfen sie herunter. Die ausgezeichnete und neue Orgel zerstörten sie und schlugen in allen Kirchen der Stadt die Stühle, Altäre und Pulte entzwei. Die Nonnenklöster, Überwasser und Ägidii, plünderten sie aus. In der Georgskommende fanden sie in einer Kiste, die aus unbehauenen Eichenbrettern wie ein Sarkophag zusammengefügt war, zwei vergoldete Monstranzen, vier Kelche, ein silbernes Weihrauchfaß, sieben Löffel, und einige silberne Becher, eine Schüssel mit Silbermünzen jeder Art und ein Kästchen mit geprägtem Golde gefüllt. Im Rathaus und in der Schreiberei erbrachen sie die Türen und zerstörten das große Stadtsiegel, in das der Kopf des hl. Paulus eingegraben war. Das viele Jahre hindurch geheimgehaltene Archiv des Rathauses durchwühlten sie und zerrissen und zerstreuten die Privilegien, Ratsbeschlüsse und Stadtbücher. Die Bilder der alten Bischöfe, die zur Zierde und zum Gedächtnis am Rathause angebracht waren, warfen sie herunter; alle Bildnisse, die am Rathause angebracht waren, warfen sie herunter, alle Malereien und Bildnisse Gottes und frommer Menschen vernichteten und übertünchten sie, damit nichts von ihnen im Gedächtnis der heranwachsenden Jugend hafte. Das Wappen des Bischofs rissen sie vom bischöflichen Palast und traten es in den Kot."[30]

Johannes Calvin († 1564) setzte die Bilderfeindlichkeit fort.

„Wenn die Schrift Gott allgemein ganz für sich allein beschreibt und alle sonstige ‚Gottheit' in der Welt scharf von ihm fernhält, so macht sie damit alles zunichte, was sich die Menschen aus eigenem Gutdünken an Göttern hergestellt haben: denn Gott allein ist vollgültiger Zeuge von sich selbst" – so seine eherne Stimme. Nur roher Unsinn ist die sichtbare Gestalt aus Holz,

Stein, Silber oder sonstigem toten Stoff, nur ein frevlerischer Betrug auf Gottes Ehre, denn seine Majestät wird dadurch in ungeziemender und schändlicher Einbildung in den Schmutz gezogen. Die biblischen Erscheinungen dürfen nur als flüchtiges Merkzeichen genommen werden, im Alten Testament nur als Vorspiel der Offenbarung in Christus, als Zugeständnis an das kindliche Zeitalter. Die Papisten haben mit ihren Bildern schreckliche Ungeheuer an Gottes Statt gesetzt. „Und die Gemälde und Bildsäulen, die sie den Heiligen errichten – was sind die anders als Musterbilder der verderbtesten Üppigkeit und Schamlosigkeit? Würde sich einer nach solchem Vorbild wirklich richten, der wäre Prügelns wert!"[31] Aber die Menschen sind betört, und es macht keinen Unterschied, „ob man einfach das Götzenbild anbetet oder Gott in dem Götzenbild"[32].

Ganze Gebiete sind von Bildern und Reliquien leergefegt worden. Am bekanntesten ist die Vernichtungsaktion, die am 20. August 1566 in Antwerpen begann und sich über weite Teile des heutigen Belgien und Nordfrankreich ausbreitete.[33] Oft genug triumphierten die Bilderstürmer damit, Figuren, sogar Kruzifixe umgestoßen und Reliquien herausgerissen zu haben, ohne von himmlischer Strafe getroffen worden zu sein; ihr Tun war offenkundig gottgefällig.

XIX. Die katholische Erneuerung

1. Verteidigung und Rettung

Die Altgläubigen wußten das Hergebrachte zunächst oft nur wie hilflos zu verteidigen. Als Grundüberzeugung blieb weiterhin, wie Hubert Jedin resümiert: „Die Bildverehrung ist erlaubt, weil sie sich auf die abgebildeten Gegenstände und letztlich immer auf Gott selbst bezieht, der kirchlichen Überlieferung, auch der des Altertums, entspricht und mit dem heidnischen Götzendienst nicht auf eine Stufe zu stellen ist; sie besitzt großen religionspädagogischen Wert, weil die Bilder die Bücher der Ungelehrten sind."[1] Vereinzelt lassen sich auch Warnungen vernehmen, daß in den Bildern keine Virtus enthalten sei, oder Bedenken, ob die Trinität dargestellt werden könne.[2] Das Trienter Konzil bestätigte, wie auch für zahlreiche andere Frömmigkeitsbräuche, die Verehrung der Heiligen, Reliquien und Bilder als von Anfang an in der Kirche üblich und weiterhin gültig:

„Die Heiligen, die zusammen mit Christus herrschen, bringen ihre Gebete für die Menschen Gott dar; es ist gut und nützlich, sie flehentlich anzurufen und zu ihren Gebeten, ihrem Beistand und ihrer Hilfe Zuflucht zu nehmen, um von Gott durch seinen Sohn Jesus Christus, unseren Herrn, der allein unser Erlöser und Erretter ist, Wohltaten zu erwirken ... Auch die heiligen Leiber der heiligen Martyrer und anderer, die mit Christus leben, die lebendige Glieder Christi und ein Tempel des heiligen Geistes waren und von ihm zum ewigen Leben auferweckt und verherrlicht werden, sind von den Gläubigen zu verehren, wodurch den Menschen von Gott viele Wohltaten erwiesen werden ... Ferner soll man die Bilder Christi, der jungfräulichen Gottesgebärerin und anderer Heiliger vor allem in den Kirchen haben und behalten und ihnen die schuldige Ehre und Verehrung erweisen, nicht weil man glaubte, in ihnen sei irgendeine Gottheit oder Kraft, deretwegen sie zu verehren seien, oder weil man von ihnen irgendetwas erbitten könnte, oder weil man Vertrauen in Bilder setzen könnte, wie es einst von den Heiden getan wurde, die ihre Hoffnungen auf Götzenbilder setzten: sondern weil die Ehre, die ihnen erwiesen wird, sich auf die Urbilder (prototypa) bezieht, die jene darstellen, so daß wir durch die Bilder, die wir küssen und vor denen wir das Haupt entblößen und niederfallen, Christus anbeten und die Heiligen, deren Bildnis sie tragen, verehren ...; dann aber wird aus allen heiligen Bildern ein großer Nutzen gezogen, nicht nur, weil das Volk an die Wohltaten und Geschenke erinnert wird, die ihm von Christus erwiesen wurden, sondern auch, weil den Gläubigen durch die Heiligen Gottes Wunder und heilsame Beispiele vor Augen geführt werden, so daß sie Gott für diese Dank sagen, ihr Leben und ihre Sitten auf die Nachahmung der Heiligen ausrichten und dazu angespornt werden ... Sollte es aber einmal geschehen, daß die Geschichten und Erzählungen der heiligen Schrift, wenn dies dem ungelehrten Volke nützt, dargestellt und abgebildet werden, so soll das Volk belehrt werden, daß die Gottheit nicht deswegen abgebildet werde, weil sie mit den Augen des Leibes erblickt oder durch Farben oder Figuren dargestellt werden könnte. Ferner soll jeder Aberglaube bei der Anrufung der Heiligen, der Verehrung der Reliquien und dem heiligen Gebrauch der Bilder beseitigt, jeder schändliche Gelderwerb ausgeschaltet und schließlich jede Mutwilligkeit gemieden werden."[3]

Eine Sicherung des Hergebrachten wollte das Konzil und, wo nötig, auch eine Reform. Mehrere Neuregelungen zeitigten eine nachhaltige Wirkung. Der Heiligenkalender erfuhr eine Reduktion auf den spätantik-frühmittelalterlichen Stand und wurde nun von Rom aus für die ganze Kirche einheitlich vorgeschrieben.[4] Um allen Wildwuchs zu beschneiden, mußte die mittelalterliche Praxis, vom Volk erkorene Heilige als Selige gelten zu lassen, beseitigt werden. Niemand sollte mehr ohne päpstliche Zustimmung einen öffentlichen Kult erhalten, und darum schuf Urban VIII. 1631 ein zusätzliches Verfahren, das bei herausragenden Verstorbenen, die man aber noch nicht als Heilige geehrt sehen wollte, eine auf bestimmte Orte, Länder oder Gemeinschaften begrenzte Verehrung erlaubte: die Seligsprechung.[5] Breite Wirkung erzielte die Vorschrift, jedem Kind bei der Taufe den Namen eines Heiligen zu geben[6] (wohingegen sich in den reformierten Kirchen biblische, nicht zuletzt alttestamentliche Namen vermehrten). Die dogmatische Absicherung der Erneuerung leistete der für die ganze Kontroverstheologie maßgebliche Jesuit Robert Bellarmin († 1621): die Gottesschau der Gerechten sofort nach dem Tod, die Möglichkeit der Anrufung und Fürbitte der Heiligen, die Berechtigung der päpstlichen Kanonisation, die Unterscheidung von Verehrung und Anbetung.[7]

Überall, wo die Reformation Anhänger fand, geriet die Verehrung der Heiligen und Reliquien zum Kampfthema. Wer sich dem hergebrachten Kult verpflichtet wußte, konnte die Zerstörungen der Neuerer nicht mitansehen. Vielfältige Rettungsaktionen sind zu beobachten: Bilder, Statuen und Reliquien wurden sichergestellt und zu neuen Ehren gebracht.[8] Der 1523/24 kanonisierte Benno von Meißen gelangte 1580 nach München und wurde sogar Patron der Stadt[9]; die Reliquien des Norbert von Magdeburg transferierte man 1626 nach Prag[10], und 1661 vermochte die kurkölnische Verwaltung von der Stadt Soest ein Marienbild zu erhandeln, das dort in der Wiesenkirche achtlos abgestellt gewesen war und nun in Werl eine Wallfahrt begründete[11]. Die alten Verehrungsweisen wiederzubeleben und zu reformieren taten sich vor allem die neuen Orden hervor, die Jesuiten und Kapuziner, auch die Franziskaner. Das von den Jesuiten gepflegte Schultheater bot vorrangig liturgische Darstellungen, aber auch solche der Heiligen, zumal der Märtyrer.[12] Weiter gründeten die Jesuiten „Sodalitäten" und „Kongregationen", Vereinigungen für ihre Schüler, dann auch für Adelige, Bürger und Handwerker. In ihnen nahm die Heiligen- und Reliquienverehrung einen hervorragenden Platz ein.[13]

2. Die Marienverehrung

Einen neuen, nunmehr betont katholischen Glanz erhielt die Verehrung Mariens. ›Maria, die unvergleichliche Jungfrau und doch heilige Gottesgebärerin‹ – so ein Buchtitel des von Köln bis Wien als Gegenreformator tätigen Jesuiten Petrus Canisius († 1597): In Auseinandersetzung mit protestantischen Autoren erscheint die marianische Frömmigkeit als Ausweis des Katholischen, bestätigt an den wunderwirkenden Marienheiligtümern und vom Volk demonstriert auf den Wallfahrten.[14] In der Dogmatik wurde nun die Lehre von der Unbefleckt-Empfangenen vorherrschend. Das entsprechende Bild lieferte die spanische Kunst. Bartolomé E. Murillo malte Maria mädchenhaft-jugendlich: „Sie schwebt über der Mondsichel, das Kind fehlt. Engel tragen Attribute aus der Lauretanischen Litanei, die Hinweis auf ihre unbefleckte Empfängnis sind."[15] Später kommt noch das Motiv der Schlangentöterin hinzu: Maria zertritt (unter Berufung auf Gen 3,15) der Schlange, welche die Weltkugel umringelt, den Kopf. Den Rosenkranz machte die Barockfrömmigkeit endgültig zum allgemeinen Volksgebet, und die dabei verwendete Perlenschnur gedieh zum katholischen Erkennungszeichen.[16] Nach dem Sieg von Lepanto, der Mariens Fürsprache zugeschrieben wurde (1571), kam ein eigenes „Rosenkranz-Fest" in Brauch.[17] Die Rosenkranz-Bruderschaften erlebten eine neue Blüte.

Ein eigenes Kapitel bilden die Loreto-Kapellen. Die Legende von dem nach Loreto bei Ancona übertragenen ‚Haus von Nazareth' hatte erst in den letzten Jahrzehnten des 15. Jahrhunderts auch nördlich der Alpen Resonanz gefunden. Die wirkliche Ausbreitung setzte mit der Gegenreformation ein, als die Jesuiten sich zu Förderern machten, dabei die „Lauretanische Litanei"[18] (die in Loreto übliche Marien-Litanei) verbreiteten und entsprechend ihre Zöglinge in den Schulen beeinflußten. Der jesuitisch erzogene und gegenreformatorische Adel, vorab die Wittelsbacher und Habsburger, unternahmen nicht nur persönlich Wallfahrten, sondern begannen auch, Loreto-Kapellen zu errichten, die im 17. Jahrhundert zu genauen Kopien wurden und deren erste im rekatholisierten Böhmen entstanden, darunter als bekannteste die der Familie Lobkowitz auf dem Hradschin zu Prag. In der Folgezeit entstanden solche Kapellen in allen katholischen Gebieten, in den altgläubigen Kantonen der Schweiz, in den südlichen Teilen von Baden und Württemberg, ebenso in Bayern sowie in der ganzen Habsburger Monarchie.[19] Endlich sind noch die Marien-Säulen zu erwähnen. Sie stellen die Himmelskönigin als Siegerin über Feinde verschiedenster Art dar: über Teufel und Häresie, über Türken und Mauren, über Seuchen und Pest. Beispielgebend wirkte die 1614 vor Santa Maria Maggiore aufgestellte Säule; es folgten – um nur die herausragendsten Beispiele anzuführen – München mit einer Säule auf dem Marienplatz vor dem Rathaus (1638) und Wien mit einer solchen am Hof (1713).[20]

Bestimmend war aber letztlich nicht einfach eine gegenreformatorische Propaganda. Die Lebensmacht, welche die Marienverehrung zu entfalten vermochte und sie so stark aufblühen ließ, lag in der Fürsprache beim allmächtigen und erhabenen Gott (wie ihn gerade auch die Reformatoren, zumal Calvin, predigten). Um den gestrengen Gott bei seinem Urteil milde zu stimmen, bot sich gerade Maria als Fürsprecherin an.[21] Sie war die „Schmerzensreiche" und darum die „Trösterin der Betrübten"[22]: Die Schmerzen der Mutter des Gekreuzigten ließen sie für menschliches Leid empfänglich erscheinen, und wegen ihrer Schmerzen hatte sie Gnade gefunden bei Gott. Ihre Existenz gab Trost und Hoffnung.

Jüngst ist von einer mehr emanzipativ ausgerichteten Geschichtsbetrachtung besonders die solidarisierende Wirkung der Marienverehrung hervorgehoben worden: „Niemand mußte sich scheuen, mit welchen Anliegen auch immer um Mariens Hilfe zu bitten. Alles, was ihnen an Leid zugefügt wurde, findet hier seinen Ort."[23] Insbesondere die Frauen fühlten sich angezogen, und tatsächlich „hat Maria auch in seelischen und geistigen Bedrängnissen überproportional viel Frauen zu helfen vermocht"[24]. In ihren spezifischen Nöten, allen voran der „Kindsnot", war Maria die Adressatin: „Die hohe Kindersterblichkeit – nicht wenige Frauen gebaren an die zwanzig Kinder, ohne daß sie mehr als fünf oder sechs aufziehen konnten – wie auch die starken psychischen Belastungen einer Geburt – zahlreiche Wunder wissen von ‚Anfeindungen durch den Teufel' während oder nach der Geburt zu berichten – stellten wissenschaftliche und volkstümliche Medizin vor unlösbare Probleme und ließen die Hilfe Mariens besonders wichtig werden."[25] Endlich bestärkte Maria die Frauen auch in ihrer spezifisch religiösen Rolle: „Die ... eigenständige und uneingeschränkte Beziehung, die Frauen zur Gottesmutter aufbauen konnten, erstreckte sich auch auf die Möglichkeit der Verlobung. Von Anbeginn an, noch bevor der Entschluß zu einer Verlobung innerlich gereift war, wissen die Frauen, daß sie sich selbständig, ohne den Gatten oder Vater um Erlaubnis zu fragen, direkt an Maria wenden können."[26]

3. Die Himmelsglorie

Um die Glorie des Himmels mitsamt den Heiligen anschaulich zu machen, gestaltete das Barock den Kirchbau gänzlich neu. Die Heiligen, historisch bezeugte Menschen, waren bereits in die Herrlichkeit eingegangen. Um die Kirche nunmehr als Ort der besonderen Gnadenvermittlung dieser Heiligen darzustellen, schuf man ein „sprechendes" Kult- und Kunstprogramm: die Kirche „als konkreter Ort des Heiles, als Kristallisationspunkt der Heilsgeschichte"[27].

Die zahlreich erhaltenen Kirchweihpredigten zielen auf den Aufweis dieses heilsgeschichtlichen „Hier". Als Grundlage dient der Traum Jakobs: „Er sah eine Treppe, die auf der Erde stand und bis zum Himmel reichte. ... Hier ist nichts anderes als das Haus Gottes und das Tor des Himmels" (Gen 28,12. 17b). In dieser Stelle sah man vorhergesagt, was Kirche sein sollte: Orte des offenen Himmels mit freier Kommunikation für die Menschen auf Erden. Die Deckenmalerei insbesondere der Kuppel will diese Offenheit anschaulich machen: „Die illusionistische Architekturmalerei führt die reale Architektur optisch so weiter, daß zwischen dem dargestellten Himmel und der Architektur bzw. dem Kirchengebäude jede Grenze aufgehoben scheint, oder anders formuliert, daß Existenzraum und illusionierter Bildraum (Himmel) eine Einheit bilden."[28] Doch soll diese Öffnung bis hin zum Jenseits den Kirchenraum nicht zum Himmel auf Erden machen; derselbe bleibt vielmehr ein irdischer Ort, freilich ein in besonderer Weise ausgezeichneter: In dem offenen Raum zwischen Himmel und Erde bewegen sich die Engel hernieder; die Heiligen hingegen steigen empor und, in der Glorie Gottes angekommen, lassen sie, deren Leiber in der Kirche ruhen, das von Gott empfangene Gnadenlicht, zuweilen ganz realistisch mit Hilfe von eingebauten Spiegeln, zurückfallen auf die Irdischen, die von den Reliquien her zu ihnen aufblicken.

Die Heiligkeit des Kirchenortes besteht darin, daß sich ein einst realer, geschichtlich bezeugter Mensch nun als Heiliger in der himmlischen ‚Glorie' befindet und die betreffende Kirche als Vermittlungsort der Gnade erwählt hat.[29] Darum ist grundsätzlich das wichtigste Deckenfresko dem Kirchenpatron, seinem Leben und Wirken, seiner Hilfe und seinem Martyrium sowie seiner Verherrlichung zugeordnet.[30] In verkleinerter Form wollen dasselbe auch die (Neben-)Altäre für die anderen Heiligen, von denen man Reliquien besitzt, bezeugen. Auf der Mensa ruhen die Gebeine, und im Altarblatt ist das Martyrium dargestellt, im oberen Teil des Blattes oder im darüber befindliche Deckenfresko ist dann wieder der geöffnete Himmel zu sehen.[31]

Daß hier die mittelalterliche Heiligenverehrung ungebrochen fortlebt und sich mit Hilfe barocker Ausdrucksmittel sogar noch steigert, ist evident. Auch Einzelheiten gehen nicht verloren. Schon die pompöse Einholung der Gebeine ist in Wirklichkeit der alte, seit dem frühmittelalterlichen Kirchweihritus vorgeschriebene Translationsakt mit Übernächtigen draußen vor der Kirche und feierlicher Deposition in oder auf dem Altar. Die Umgestaltung des Kirchbaus zu einem irdisch-himmlischen Kommunikationsraum visualisiert in künstlerisch überwältigender Weise den Glauben an die bipolare Existenz des Heiligen. Selbst die verbindenden Lichtstrahlen sind, trotz aller barocken Glorie, nicht neu, hatte doch auch das Mittelalter die Gebeine in himmlischem Licht leuchten sehen. Weiter wird man die Aufstellung ganzer Reliquienkörper, zumeist wächsern ausgestaltet und kostbar bekleidet, als Fortführung der Idee des ‚ganzen Leibes' ansehen dürfen. Endlich erscheint noch der „Ursprungsmythos", die Gründungsgeschichte mitsamt den Stiftern; was damals genau am Ort der jetzigen Kirche geschah, hat im Himmel seine Bestätigung gefunden. So bringt das Barock in Wahrheit den Triumph des mittelalterlichen Heiligenkultes.

4. Prozession und Wallfahrt

Welchen „Aberglauben" ein jesuitisch erzogener und tridentinisch eingeschworener Pfarrer in seiner katholischen Gemeinde antreffen konnte, zeigt ein 1650 verfaßter Bericht aus dem münsterländischen Ascheberg über die Umtracht einer Katharinen-Figur.

„Jehrlich wirdt am Ersten Sontag nach Jacobi eine Procession zu Aschebergh gehalten (so von vielen S. Catharinen jacht genent wirdt) ... gewiß befindet sich aber daß Zu selbige Procession ganz ärgerlich und abergläubig, und zu selbiger etliche thausendt menschen zu roß und fuß auß underschiedtlichen dorpferen, stetten und orttern erschienen, etzliche zwar aus guter meinung ihr gelübt zu bezahlen, meisten theils aber durch hekßen und teuffelsbännern raht da hin gewiesen, durch welcherer rath wachssene bildnüssen unfruchtbahrer biester, als pferden, kühen, schaaffen, und schweinen S. Catharinen geopffert werden, in abergläubiger meinung als solten durch sothane offerung die biester künftigen jahrs werben und fruchtbar werden. Berührte Procession wird folgender gestalt gehalten: Des vorigen tags versamblet sich das volck zu Aschebergh, etliche so einiges vermögens sind, begeben sich in wirtshäuseren und krügen die nachtZeit mit fressen, sauffen, tantzen, spielen, unkeuschen liedern, und andern leichtfertigkeiten zubringend; andere verfügen sich in die Kirche, doch des gantzen nachts kein gebett und andacht, sondern unchristlich ruffen und gestanck erweckt, auch woll hurerei in ecken und winckelen getrieben, dadurch die Kirche Gottes profanirt und entheiliget wirdt. Zu mitternacht um zwelff uhren wirdt ein kurze predige gehalten; und nachdem selbige geendiget gehet man in dicker finsternuß (bevorab wan kein monschein vorhanden) und fällt mit großer confusion unordnung und getränck, ohne präsentz einiges pastors und geistlichen, ohne gebett, ohne lobgesanck, ohne kreuz und fahnen, und ohne schein christlichen wehsens; und ist die gantze Processions einer abgöttischen heidenschen gotlosigkeit, als christlicher katholischer andacht gleicher, dah bei nicht leichteres zu besoren, als daß menschen und kinder im getummell der pferden umbkommen, wie vor diesem geschehen als männiglichem bewußt, dah ein kindt den pferden unter die füß gebracht und zerrissen. Alle andacht (oder vielmehr aberglaub) so bei obiger Procession in diesen 1649 jahr von parocho loci gesehen und in notam genommen worden ist diese: daß nemblich die leuthe so ihr gelübt verrichten, die vor S. Catharinen bildniß hangenden funff schellen mit gewissen zahl anschlagen, in abergläubiger opinie S. Catharinen höre nicht, nemme auch das opffer nicht an, wan mit selbigen schellen nicht geleuttet würde."[32]

Nicht einen Bericht nur gibt der Pfarrer, er „programmiert", ja perhorresziert zugleich, um reformieren zu können. Tatsächlich ist das bis heute vertraute Bild von Wallfahrt und Tracht aus der tridentinischen Reform hervorgegangen, modelliert freilich nach der mittelalterlichen Prozession: der wohlgeordnete und disziplinierte Zug, liturgisch sakralisiert durch das vorangetragene Kreuz und die begleitenden Fahnen, die Figuren und Schreine, aufgeteilt nach Geschlechtern und Ständen, aber das Ganze unter Führung und Aufsicht der Kleriker. Alles Unkontrollierte und Undisziplinierte soll beseitigt werden. Deswegen auch will man keine Fernwallfahrten mehr; die Compostella-Wallfahrt kam fast ganz außer Übung[33]. Man bleibt – worauf gleicherweise die Landesherren drängen – im eigenen Land.[34] Aber nicht nur das; zu jeder Prozession und Wallfahrt gehören fortan Beichte und Meßfeier mit Kommunion oder eucharistischem Segen, zumeist auch Predigt und bei kürzeren Prozessionen die Mitführung des Allerheiligsten. Bei entfernteren Wallfahrten beginnt man mit einer Messe in der Heimatkirche, spätestens am Wallfahrtsort erfolgen Beichte und Kommunionempfang, in der Regel auch das Anhören einer großen Predigt und persönliche Gebets- und Bußübungen.

Als Beispiel sei das münsterländische Telgte[35] angeführt, das ein Vesperbild besaß und jährlich in der eigenen Flur eine Tracht veranstaltete. Fürstbischof Christoph B. v. Galen machte daraus den zentralen Wallfahrtsort des Münsterlandes. 1654 wurde eine neue „Gnadenkapelle" errichtet, im barocken Stil und so groß, daß ein Altar Platz fand, um vor dem Gnadenbild die Messe feiern zu können. Von Münster aus führte ein mit „Stationen" versehener Wallfahrtsweg dorthin: die Bilder der schmerzhaften Muttergottes auf dem Hinweg, die freudenreichen für den Rückweg. Jesuiten hatten das Programm geliefert und schufen auch die Prozessionsordnung. Bei der Jahrhundertfeier im Jahre 1754 zählte man 56 „angeordnete" Prozessionen mit sechzig- bis achtzigtausend Menschen, das heißt: jeder dritte Bewohner des Münsterlandes war anwesend. So nachhaltig wirkte das Fest, daß es in den religiösen Erzählstoff einging und noch bis zur Mitte des 19. Jahrhunderts nachklang.

In Bayern hatten die Wittelsbacher schon nach der Mitte des 16. Jahrhunderts damit begonnen, Altötting zu einem besonderen Wallfahrtsort auszubauen. Sie selbst pilgerten dorthin, unterzeichneten teilweise mit eigenem Blut ihre Selbstverpflichtung an Maria und ließen ihr Herz am Gnadenbild beisetzen; auch der ligistische Feldherr Tilly liegt in einer Nebenkapelle begraben.[36] Jesuiten und Franziskaner, die jeweils mit 30 Patres tätig waren, sorgten für die nötige Andacht und führten darüber Buch: gegen Ende des 18. Jahrhunderts zählten sie jährlich 200000 Beichten und ebenso viele Kommunionen.[37]

5. Die Katakomben-Heiligen

Daß 1578 an der römischen Via Salaria ein Weinberg einbrach und eine Katakombe freigab, wirkte wie providentiell: sowohl wissenschafts- wie frömmigkeitsgeschichtlich.[38] Die katholische Erforschung der altkirchlichen Märtyrerverehrung setzte ein, zugleich auch eine neue Welle von Übertragungen: Es waren die „Katakomben-Heiligen“[39]. Besonders die süddeutschen Klöster und Stifte, die ihre großen Barockbauten zu errichten begannen, griffen eifrig zu. Persönliche Beziehungen zu hochgestellten römischen Kirchenkreisen oder auch nur zur Schweizer Garde dienten der Vermittlung. Anonyme Gebeine wurden „getauft“ und erhielten einen Namen, was die römische Riten-Kongregation zwar zunächst untersagte, dann aber auf päpstliche Intervention hin doch als „alten Brauch“ zuließ. Als sichere Kriterien des Martyriums galten die in den Katakombengräbern gefundenen Beigaben, vor allem die „Blutfläschchen“, als welche man irrtümlich die antiken Duftfläschchen ansah. Bei der Einholung wurde den Reliquien ein Empfang im Prunk barocker Fürsten zuteil. Als Stationen und Prozeduren standen an: eine erste, formlose Entgegennahme der Reliquien mit Überprüfung der römischen Authentiken, anschließend ihre Ausschmükung und die Deponierung in einem Schrein, sodann Beherbergung am Ortsrand zumeist in einem Festzelt; als Höhepunkt der Tag der feierlichen Einholung mit Prozession, Predigt, Hochamt, zuletzt die Deposition in der Kirche, abschließend oft noch eine szenische Darstellung des Märtyrerlebens. Der Aufwand für Beschaffung, Ausstattung und Empfang konnte hohe Summen kosten, so daß gelegentlich Dorfpfarrer zahlungsunfähig wurden.

Die am 16. September 1659 gefeierte Translation der Placidus-Gebeine nach Einsiedeln bietet ein aufwendiges und höchst typisches Beispiel: ein Fest von barockem Glanz, von massenhaftem Andrang und nicht zuletzt präziser Planung.[40] Es war der dritte Katakomben-Heilige, deren Anzahl sich noch auf zwölf steigern sollte. Für die Abtei, nächst Loreto schon der bedeutendste Marien-Wallfahrtsort, formulierten die Mönche als Leitspruch: Ruhm und Glorie der Muttergottes in der Ankunft des Märtyrers Placidus. Den Festtag eröffneten in der Frühe um halb drei Böller und ein anschließendes einstündiges Geläut. Die Mönche begannen den Chorgesang, die Priester zelebrierten ihre Einzelmessen oder gingen in die Beichtstühle. Es folgte das Frühamt, danach die Festpredigt. Das eigentliche Hochamt, zu dem der päpstliche Nuntius eingeholt wurde, „dürfte zu den prunkvollsten Hochämtern gezählt werden, die je in der alten gotischen Stiftskirche gefeiert wurden“[41]: Gewänder und Sakralgefäße, Schmuck und Farben, mehrchöriger Gesang und Instrumentalmusik – alles in unerhörter Festlichkeit und Pracht. Den Gläubigen, die zu zehntausend versammelt waren, sollte es vorkommen, als hätte sich „der Himmel geöffnet und als wären seine Bewohner herabgestiegen“[42]. Danach erst erfolgte die Translation in ihrer letzten Wegstrecke, einsetzend mit Salutation und ›Te Deum‹, dann die Übertragung mit großer Prozession und Ehrengeleit der Sondergäste, mit Pilgern und Soldaten in Paradeuniform, dazu personifizierte und szenische Darstellungen, zuletzt der Einzug in die Kirche und die Erhebung des Märtyrers auf den ihm zugedachten Altar. Hier nun hatte er seinen neuen Ort und seine Verehrung. Nach so vielen Stunden der Frömmigkeit bedurfte es der Rekreation auch des Leibes. Festräume waren hergerichtet und hundert geistliche und weltliche Würdenträger wurden zu Tisch gebeten, die ganze katholische Elite der Innerschweiz, darunter die Fürstäbte und vorab der päpstliche Nuntius. Am Abend fand eine vierstündige Festaufführung im Freien statt: Die Heiligen Einsiedelns hießen Placidus willkommen; gespielt wurde bei Feuerwerksbeleuchtung und auf einer Drehbühne. Noch weitere vierzehn Tage dauerten die Feierlichkeiten an, täglich ein Festhochamt mit Predigt eines befreundeten Benediktinerabtes.

Katakomben-Heilige finden sich in der Schweiz, im gesamten katholischen Süddeutschland sowie in Österreich. Nur ausnahmsweise ist eine Übertragung auch in den Norden erfolgt: so die des heiligen Donatus nach Münstereifel.[43]

6. Entstehung der Hagiographie

Die wissenschaftliche Bezweiflung der Existenz mancher Heiliger, etwa Luthers Auslassungen über die heilige Barbara, von der „niemant gewiß weyß ob sie eyn heylig ist oder nicht“, oder über „den

Christoffel ... wilchs on tzweyffel der grösten geticht [Erdichtung] und lugen eyne ist"[44], forderten die altgläubige Gegenwehr heraus. Das dank humanistischer Gelehrsamkeit geschärfte historische Bewußtsein verlangte klare Beweise. Um diese historische Absicherung zu liefern, begründete der aus Utrecht stammende Jesuit Heribert Rosweyde († 1629) die ›Acta Sanctorum‹, eine nach Monatsdaten geordnete Sammlung und kritische Aufarbeitung der Heiligenviten. Den eigentlichen Anfang aber setzte der Ordensbruder Jean Bolland († 1665), welcher der von ihm organisierten jesuitischen Arbeitsgruppe auch den Namen gab: „die Bollandisten"[45]. Die Fortschritte in der kritischen Erarbeitung und Editionstechnik gingen so rasch voran und waren dabei von soviel Selbstkritik begleitet, daß zum Beispiel Bolland den bereits angelaufenen Druck des ersten, von ihm selbst besorgten Bandes wieder stoppte, weil sein jüngerer Mitarbeiter Gottfried Henschen († 1681) eine noch kritischere Bearbeitung postulierte. 1643 konnten als erste Bände die beiden des Monats Januar erscheinen, über 2.500 Seiten in Folio; 1658 folgten die drei Februar-Bände. Zustimmung kam sowohl von Papst Alexander VII. († 1667) wie von Protestanten, beispielsweise vom reformierten Amsterdamer Historiker und Theologen Gerhard Johann Vossius († 1649). In der Tat, die Bände dürfen „die ersten Beispiele methodischer Quellenkritik" genannt werden.[46] Eine nochmalige Steigerung brachte der seit 1695 mitarbeitende Daniel Papebroch († 1714), „der wohl genialste Betreuer"[47] des ganzen Unternehmens. Auf Bibliotheksreisen durch ganz Europa erweiterte er die Textbasis in bis dahin ungekannter Weise. Nicht nur, daß er diese Überlieferungsmasse mit Gelehrsamkeit und Scharfsinn durchdrang, er bewies obendrein Freimut und Unbeugsamkeit, zuletzt in einem Konflikt, der für „älteres" und „moderneres" Denken als typisch gelten kann: Die Karmeliten fühlten sich verletzt, weil ihr „ursprungsmythischer" Anfang, aus der Prophetenschule des Elias am Berge Karmel hervorgegangen zu sein, nicht erwähnt war. Die sofort einsetzende Polemik beantwortete Papebroch mit dem klaren Aufweis der Ungeschichtlichkeit, woraufhin ihn die Spanische Inquisition mit dem Vorwurf der Häresie belegte. Bis aufs Sterbebett beharrte Papebroch ebenso fest wie demütig auf seinem Sachverstand, und erst nach seinem Tod wurden die Anwürfe zurückgenommen. In der Folgezeit gedieh das Unternehmen ungestört bis zu den ersten Oktoberbänden fort. Die Aufhebung des Jesuitenordens

(1773) ließ es stocken, und die französische Revolution brachte sein Erliegen.

Ein ähnlich epochales Werk erstellte die französische Benediktiner-Kongregation von St. Maur.[48] Der geniale Jean Mabillon († 1707), bekannt insbesondere als Begründer der modernen Urkundenlehre, der „Diplomatik", war hier die herausragende Figur. Trotz geschwächter Gesundheit arbeitete er jahrelang vom frühen Morgen bis in die tiefe Nacht, zumeist bei Kerzenschein und mit selbst hergestelltem Papier. Seine 1669 vorgelegte Edition der Werke des Bernhard von Clairvaux, die erstmals 1.570 echte gegen 1.450 unechte Kolumnen stellte, blieb maßgeblich bis zu der in den 50er und 60er Jahren unseres Jahrhunderts erstellten Neuedition durch Jean Leclercq. Wie die Bollandisten machte Mabillon Bibliotheksreisen und publizierte neben vielem anderen die ›Acta Sanctorum Ordinis Sancti Benedicti‹, die Benediktiner-Heiligen, aber nicht nach Kalendermonaten, sondern in historischer Abfolge. Die neun Bände, die 1701 erschienen, führen bis ins 11. Jahrhundert; die Vorarbeiten für das 12. Jahrhundert füllen weitere sieben Foliobände und liegen heute in der Pariser Bibliothèque Nationale. Auch Mabillon wurde, nicht anders als Papebroch, wegen der Aufdeckung von legendären Geschichten und sekundärem Brauchtum angefeindet. Desgleichen sah er sich mit dem Bollandisten, den er ob seiner Urkundenkritik in einer berühmt gewordenen Kontroverse hatte angreifen müssen, vereint im Bedenken gegen die Katakomben-Heiligen.[49]

7. „Volksfrömmigkeit" und „Sozialdisziplinierung"

Um die neuzeitliche Volksreligiosität sind in den letzten Jahren heftige Kontroversen ausgetragen worden, speziell um die Konfrontation von „Elitekultur" und „Volkskultur". Das niedere Volk habe seine eigene Lebenswelt und auch seine eigene Religion gehabt. Darauf und auf den Prozeß ihrer Unterdrückung richtete sich das Interesse, etwa von Carlo Ginzburg, Robert Muchembled und Peter Burke.

Ginzburg entdeckt im Mittelalter eine „jahrtausendealte kosmologische Tradition"[50], „eine bäuerliche Religion, die sehr wenig gemeinsam hatte mit der, die der Pfarrer von der Kanzel predigte"[51]. Aber mit der Reformation „hatte ein Zeitalter begonnen, das von hierarchischer Verhärtung, von Indoktrination der Massen von oben herab, einer Vernichtung der Volkskultur und von mehr oder weniger gewaltsamer Ausgrenzung der Minderheiten und abweichenden Gruppen gekennzeichnet war"[52]. Ähnlich Muchembled, der das 17. und 18. Jahrhundert schon gleich mit dem Titel „Unterdrückung der Volkskultur" überschreibt. Dem Leben des niederen Volkes habe ein „animistisch-vitalistisches Weltbild"[53] zugrundegelegen, eine „unorthodoxe Volksreligion"[54], die im spätmittelalterlichen Heiligen- und Reliquienkult ihre Kulmination erfuhr[55]. Die neuzeitliche Gelehrtenkultur der königlichen Beamten, der kirchlichen Prediger und des städtischen Bürgertums seien zur „gnadenlosen Unterdrückung"[56], ja, zu einem „Unterwerfungsfeldzug"[57] angetreten. Auch Peter Burke sieht die gebildeten Klassen, um Wohlanständigkeit, Ordnung, Selbstkontrolle und Sparsamkeit herbeizuführen, eine Reform der Volkskultur bewerkstelligen.[58]

Das Fazit ist eindeutig: Zerstörung der eigenständigen, vor- oder nichtchristlichen Volksreligion zugunsten einer doktrinalen Kirchlichkeit und gouvernementalen Gefügigkeit. Im deutschsprachigen Bereich hatte zuvor schon Gerhard Oestreich von einer „Sozialdisziplinierung" und jener „Zucht und Ordnung" gesprochen, die ein grundlegendes Phänomen der neuzeitlichen Staats- und Lebensführung geworden sind: „Sozialdisziplinierung will das geordnete Leben in der Gesellschaft im Blick auf den Staat stärken und hierfür das menschliche Verhalten in Beruf und Lebensmoral disziplinieren"[59]; es ist ein „säkularer Prozeß, der durch die religiöse Disziplinierung unterstützt, aber nicht bestimmt wird"[60]. Zwei neuere Arbeiten haben anhand unserer Thematik und am Beispiel der Heiligenverehrung und der Wallfahrten das „Unterdrückungs- und Manipulationsschema" infragestellt und dabei sowohl die Christlichkeit wie die Eigenberechtigung der voraufklärerischen Religionswelt dargetan wie auch den Wechselprozeß zwischen Volk und Eliten neu beleuchtet. Das Ergebnis: „Muchembled, Ginzburg und andere verstellten mit ihrer Sympathie für das ‚unterdrückte' Volk den Blick auf die weiterhin bestehenden Freiräume der Volksfrömmigkeit."[61]

Die Arbeit von Werner Freitag über ›Volks- und Elitenfrömmigkeit in der frühen Neuzeit‹ bietet einen stark theoretisch durchgefeilten Ansatz und behandelt die Wallfahrten des Fürstbistums Münster. Ausgehend von der „Modernisierungsthese" der „Bielefelder Schule" fragt er nach drei Kategorien: „erstens der Rationalisierung von Glaubensvorstellungen, zweitens der damit verwobenen Sozialdisziplinierung [und] drittens der inneren Staatsbildung als Voraussetzung der beiden Prozesse"[62]. Auf die Frage, ob von der Zerstörung der Volkskultur gesprochen werden kann, lautet die Antwort: „Die Volkskultur bewahrte bei ihrer spezifischen Rezeption obrigkeitlicher Rationalisierungs- und Disziplinierungsschübe Eigenständigkeit."[63]

Rebekka Habermas dreht schon im Titel die bisherige Blickrichtung um und formuliert: ›Wallfahrt und Aufruhr‹, Wallfahrt als Hervorkehrung der „eigenen Welt" des „gemainen Mannes" mit dem Wunder als notwendigem und zutiefst menschlichem Bestandteil. Tatsächlich entstehen dadurch neue Einsichten: „Wird ... davon ausgegangen, daß eine so weit verbreitete kulturelle Praktik wie die Wallfahrt nicht allein als mentale Beschränkung, obrigkeitliche Propaganda, dumpfe Tradition und tiefer Katholizismus interpretiert werden kann, muß nicht nur den sozialen Rahmenbedingungen, Brauchfragmenten und Herrschaftsinteressen nachgegangen werden, sondern auch den Praktiken und Deutungen des ‚gemainen Mannes'. Struktur wie Wandel von Wunderglauben und Wallfahrt sind nämlich Teil eines Kräftefeldes, in dem neben Kirche und Staat, Ökonomie und Politik auch das ‚gemaine Volk' eine überaus aktive Rolle spielt."[64] Ja, in der Wallfahrt sei dem gemeinen Volk ein einzigartiger Freiheitsraum eröffnet gewesen: „Vielleicht ist der Wallfahrtsort gegen Ende des 18. Jahrhunderts der einzige Ort, an dem dem gemainen Volk eine solche symbolische Anerkennung zuteil wurde, an dem niemand danach fragte, ob er Bauer, Grundherr, Tagelöhner oder Geistlicher war, und an dem niemand wissen wollte, ob die Bäuerin oder Adelige den moralischen und ökonomischen Imperativen der aufgeklärten Kultur auch Genüge leistete."[65]

Ein weiterer Punkt ist die Bewertung der „Gegenreformation", die ursprünglich nur als „katholische Reaktion" ohne eigenständigen Reformwert verstanden wurde. Heute dagegen – so Wolfgang Reinhardt – erkenne man eine Parallelität von „Reformation" und „Gegenreformation"[66]. Alle drei großen Konfessionen, die Lutheraner, Calviner und Katholiken, hätten einen „erstaunlich gleichsinnig und gleichzeitig"[67] verlaufenden Prozeß aufzuweisen; für alle gelte zum Beispiel „die letztlich ausschlaggebende Internalisierung der neuen Normen" und damit notwendigerweise auch eine „Individualisierung"[68]. Wohl habe sich die jeweilige Identität unterschiedlich ausgeformt, und die Altgläubigen hätten dabei neben der Sakramentsfrömmigkeit den Heiligen- und Bilderkult zum Inbegriff des Katholizismus stilisiert.[69] Im Prozeß der Sozialdisziplinierung sieht Reinhardt die Konfessionalisierung als eine erste Phase an, wobei die Kirche die im staatlichen Apparat zunächst noch verbliebene Lücke geschlossen und mit der eigentlichen Durchsetzung begonnen habe. Im Blick auf die Wallfahrten und die Heiligenverehrung glaubt nun Werner Freitag aufzeigen zu können, daß im „Zusammenspiel von volksfrommen Mustern und konfessioneller Formierung“[70] der Prozeß der Sozialdisziplinierung die entscheidenden Impulse im religiösen Bereich erhielt. Wallfahrtswesen und Heiligenkulte erfuhren Förderung wie Intensivierung bei gleichzeitig strenger kirchlicher Lenkung und Kontrolle. Historisch Unhaltbares, ja allzu Legendenhaftes und Phantastisches merzte man aus. Vom einzelnen Gläubigen wurde religiöse Aktivität verlangt, nämlich bestimmte Glaubenssätze anzuerkennen und moralisches Verhalten zu beweisen. Nicht Brüche der „Volksreligion“, sondern „eine gelenkte Religiosität“[71] kennzeichnet die Neuzeit.

1 Reliquien im Schreinaltar (Köln, Dom, Klarenaltar des 14. Jahrhunderts). Wie Schreine hinter dem Altar erhöht aufgestellt werden konnten, so auch einzelne Reliquiare; auf diese Weise entstanden die Schrein- und Flügelaltäre.

2 Hinter dem Altar erhöht aufgestellter Schrein (Köln, St. Severin). Die erhobenen Reliquien legte man in einen besonderen Schrein und stellte denselben hinter dem Altar erhöht auf.

3 Reliquienfigur der Heiligen Fides (Conques en Rouerge, St. Fides, Ende 10. Jahrhundert). Den nur im Teil erhaltenen Reliquien schuf man künstlerisch einen neuen Gesamtleib.

4 Die Sonderrolle heiliger Frauen: die Heilige Katharina von Siena gibt Papst Calixt III. Anweisungen (Tafel des Sano di Pietro um 1460; Siena, Pinakothek). Heilige Frauen, obwohl dem ‚schwachen Geschlecht' zugehörig und vom Amt ferngehalten, vermögen dank der Gnade, die das Schwache stark macht, die Männer zu übertreffen.

5 Der unverweste Leib (Cortone, St. Margareta, Grabmal der Heiligen, geschaffen um 1340 von Giovanni Pisano). Engel heben den Sargdeckel hoch und die Besucher sehen den wohlerhaltenen, bereits für die Auferstehung vorbereiteten Leib.

6 Bittsteller vor den ausgestellten Reliquien (Köln, St. Severin, Ausschnitt aus einem Altargemälde um 1500). Erhöht hinter dem Altar steht der Severin-Schrein, auf dem Altar sind weitere Reliquien ausgestellt, hinter dem Altar Millefleurs-Teppiche ausgespannt und über dem Altar die Devotionsgaben aufgehängt.

7 Pilger flehen den Heiligen in seinem erhöhten Schrein an (Meister von San Sebastiano, Italien, Anfang des 15. Jh.; Rom, Nationalgalerie). Bittsteller, Gesunde wie Kranke, umlagern den Altar und wenden sich dem erhöhten Schrein zu.

8 Reliquienschrein der heiligen Dreikönige (Köln, Dom). Der Schrein ist ein dreifaches Haus und bildet unter den Schreinen des 12. und 13. Jahrhunderts im Rhein- und Maasgebiet den Höhepunkt. Die Ansicht zeigt die im Spätmittelalter über den Basisfiguren angebrachte Öffnung, um das Schauverlangen zu befriedigen.

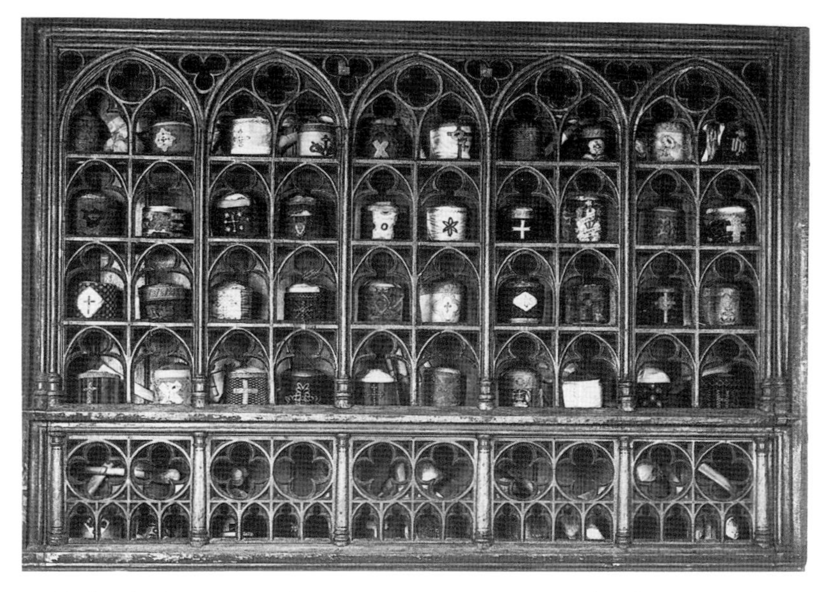

9 Reliquienkasten (Köln, Dom, um 1300). Für einzelne, zumeist in besonderen Gefäßen oder Textilien aufbewahrte Reliquien schuf man eigene Schaukästen.

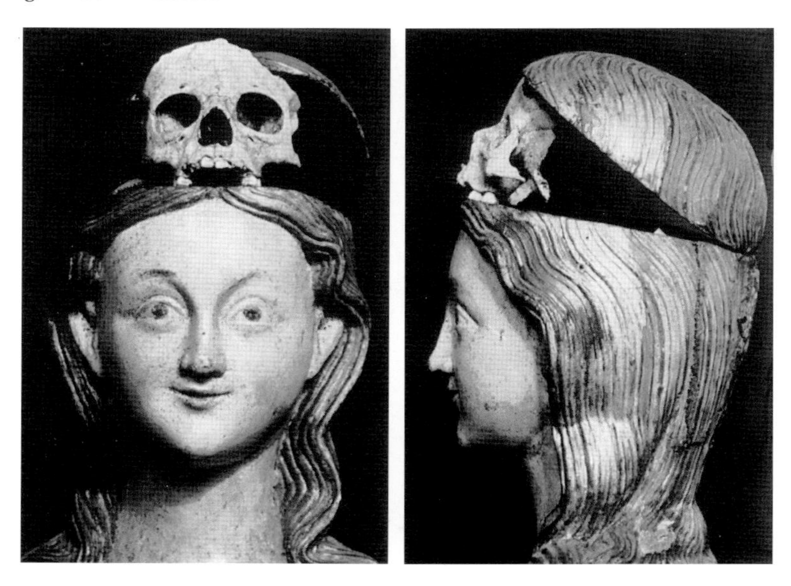

10 Kopfreliquiar (Köln, St. Ursula, Goldene Kammer). Das Haupt erhielt, besonders bei enthaupteten Märtyrern, eine Sonderbehandlung. Die in Köln im Hochmittelalter zahlreich hergestellten Büsten für die Häupter der Ursula-Gefährtinnen sind Reliquiare und zugleich Schaugefäße.

11 Schutzmantel-Madonna im Rosenkranz (Druck um 1500; Bamberg, Staatsbibliothek). Dargestellt ist Maria mit ihrem Schutzgefolge und vornean Dominikus; in den Ecken die als Förderer des Rosenkranzes bekannten Dominikaner Petrus Martyr (oben links), Thomas von Aquin (oben rechts), Vinzenz Ferrer (unten links), Katharina von Siena (unten rechts).

12 Sogenanntes Ursula-Schiffchen (oberrheinischer Holzschnitt um 1460/70). Bei der Verehrung der Heiligen wurden deren Attribute „ding-allegorisch" ausgelegt: das Schiff der Heiligen als Ort der Bruderschaft und zugleich als Mittel der Überfahrt ins Jenseits, wie es die Inschrift besagt.

13 Bittsteller und ‚ex voto'-Gaben bei einer Heiligen-Kapelle (Pipping bei München, Altarbild von 1480). Auf dem Altar der Kapelle steht der Heiligenschrein, den Pilger aufsuchen, Devotionsgaben sind auf den Stufen niedergelegt oder an der Außenwand aufgehängt, obendrein auch Krücken und Prothesen als Zeichen erlangter Heilung.

14 Das „große Laufen" (Michael Ostendorfer, Holzschnitt mit Kirche der schönen Maria zu Regensburg; Graphische Sammlung München). Die 1519/20 sprunghaft aufgekommene Wallfahrt ist hier in Einzelheiten dargestellt: die Prozessionen mit Fahnen und Opfergaben, mit Kerzen und allen möglichen Gerätschaften, vor dem draußen aufgestellten Marienbild stürmisches Bitten und ekstatische Erschöpfung.

15 Von der Heiligenkirche zur Predigerkirche (Zürcher Großmünster; Zürich, Zentralbibliothek). Was immer an Heilige oder Reliquien erinnerte, wurde in Zürich beseitigt und dabei die Steine der Heiligenaltäre als Fundament für den Letner mit dem Kanzelkorb verwendet.

16 Bildersturm (Holzschnitt von E. Schoen um 1530; Nürnberg, Germ. Nationalmuseum). Ausräumung einer Kirche und Zerstörung der Sakralfiguren.

17 Luther als neuer Verkündiger des Gotteswortes in Heiligen-Darstellung (Holzschnitt von Hans Baldung Grien aus dem Jahre 1521; Nürnberg, Germ. Nationalmuseum). Im Luthertum galten nicht mehr Fürbitte und Stellvertretung seitens der Heiligen, wohl aber deren Bezeugung des Gotteswortes.

18 Katakomben-Heilige (Gars am Inn, ehemalige Augustiner-Stiftskirche mit Felix-Kapelle). Die aus römischen Katakomben erworbenen Reliquien erhielten eine lebensähnliche Ausstopfung und kostbare Ausschmückung.

19 Die barocke Glorie (Entwurf von J. B. Straub für einen Altar; München, Graph. Sammlung). Über dem Altar ruht der Leib des Heiligen, und von der Herrlichkeit des Himmels her, wo er in Wirklichkeit bereits lebt, kommen lichte Wolken herunter.

20 Spottprozession mit Kultgegenständen und Reliquien während der Französischen Revolution (Paris, Bibliothèque Nat.). Mit dem Ancien Régime wollte man auch den alten Kult beseitigen; Verspottungen und Vernichtungen sollten dessen Nichtigkeit erweisen.

21 Protest des schlesischen Priesters Ronge gegen die Trierer Heilig-rock-Wallfahrt (Limburg a. d. Lahn, Diözesanarchiv). Vor der deutsch-katholischen Kirche, für welche die himmlische Wahrheit ficht, müssen die Vertreter des Ultramontanismus, so Papst, Mönche und Vertreter des Ancien-Régime, dahinfallen.

XX. Evangelische Heiligenverehrung?

1. Im Luthertum

Die im Mittelalter so mächtig emporgewachsene und oft schon wuchernde Heiligenverehrung reformatorisch an der Wurzel zu fassen bedurfte es besonderer Anstrengungen. Die Festtage rhythmisierten das Leben, waren beliebte Volksfeiern und von reichem Brauchtum umrankt. Sie „biblisch" umzugestalten zog sich über Generationen hin. Zuweilen setzten sich Mischformen fort.[1] So hatten in konfessionellen Gemengegebieten wie in Franken neugläubig gewordene Gemeinden, die Wallfahrtsorte gewesen waren, alle Mühe damit, die eigenen Mitglieder vom „Aberglauben" fernzuhalten oder auch Prozessionen von altgläubig gebliebenen Nachbargemeinden abzuweisen bzw. zu dulden.[2] Im Württembergischen, wo die Einstellung der Reformatoren in der Bilderfrage schwankte, kam es sowohl zu Zerstörungen wie auch zur Beibehaltung. Das Volk verhielt sich eher konservativ. Bilder und Statuen wurden, wo sie erhalten blieben, oft nicht nur weitergepflegt, sondern zuweilen auch geehrt, so daß selbst noch vor leeren Postamenten Devotionsgaben niedergelegt wurden.[3] Vielerorts auch mußte, schon aus Gründen des bürgerlichen Zusammenlebens, der katholische Kalender beibehalten werden, etwa Heiligentage als Termine für Dienstantritt, Feldarbeit, Märkte, Zahlungen und Abgaben.[4] Zuweilen wurden Umdeutungen vorgenommen, schon um nicht auf die großen Feste verzichten zu müssen. Der heilige Urban zum Beispiel, seit dem Mittelalter als Weinheiliger verehrt, erhielt weiterhin seinen Umzug, aber nunmehr in einem Volksfest aus dem kirchlichen Bereich herausgelöst, vielerorts zum „Rebenmännle" desakralisiert und bei Regenwetter sogar mit dem Eintauchen in den Stadtbrunnen bestraft.[5]

Zudem war das Heiligengedächtnis im Luthertum keineswegs gänzlich beseitigt worden. „Wer das Kirchenjahr der Reformationszeit überschaut, der staunt über den Reichtum, den es gegenüber dem heutigen durch die zahlreichen Heiligentage besaß", so Robert Lansemann in seiner maßgeblichen Dissertation; „wir können uns nicht vorstellen, daß sie einmal zum Bestandteil des evangelischen Kirchenjahres gehört haben"[6]. Tatsächlich lebte das Heiligengedächtnis fort, gerade auch die Ehrung Mariens[7], freilich immer beschnitten um Anrufung und Fürbitte. Gefeiert wurden die Zeugen des Christusglaubens als persönliches Vorbild und zur Ermutigung im Glauben. In diesem Sinne setzte sich auch eine evangelische Hagiographie fort: Georg Major († 1574) mit seinen ›Vitae Patrum‹ und Georg Spalatin († 1545) mit seinen ›Exempla et sententiae ex vitis et passionibus sanctorum‹, beide von Luther belobigt und 1544 in Wittenberg publiziert.[8] Weitere Sammlungen folgten. Immer stand das Gedächtnis der eigenen Märtyrer vornean. Bald gehörte auch eine Luther-Vita dazu; gerade hier dominierte die Tendenz zum Bekennerhelden.[9] Viele Bausteine und Motive der mittelalterlichen Viten kehrten wieder, so daß man von einer „Luther-Legende" hat sprechen können. Die lutherische Orthodoxie vollends machte den Reformator zum Fundament der Rechtgläubigkeit: „Gottes Wort und Luthers Lehr / wird vergehen nimmermehr"[10]. Man feierte ihn als geistlichen Ritter, Märtyrer, Wundermann, Propheten, Apostel und Evangelisten, als neuen Jakob, Simson und Moses, als neuen Johannes und Paulus, als Führer des Fähnleins Gottes, als Wagen und Fuhrmann Israels.[11] In geradezu übernatürliches Licht wurde seine Person gerückt und erschien als „Kompendium der Heilswahrheit und Rechtgläubigkeit".[12]

Ein eigenes Phänomen bildeten die Luther-Feiern, zumal die großen Zentenar-Feiern von 1617 und 1717[13]: „Den meisten Lutheranern gilt er traditionell als der ‚Engel' in der Offenbarung des Johannes (14,6.7), der vor dem Ende der Welt das ‚ewige Evangelium' verkündet und zur Verehrung des einen und wahren Gottes aufruft."[14] Und weiter noch, eine „strukturale Identität im Hiatus erblicken die Prediger auch zwischen Luther und Noah, Mose und Elia"[15]. Oft sind für die Deutung Luthers Elemente angewandt, wie sie zuvor gleicherweise in der Heiligenverehrung gewirkt hatten, aber in der reformatorischen Kritik scharf abgelehnt worden waren, etwa die Deutung des Franz von Assisi als des apokalyptischen Engels[16].

Die Reformation brachte eine theologische Kritik, nicht aber bewirkte sie das gänzliche Verschwinden jener religionsgeschichtlichen Elemente, aus denen sich der Heiligen- und Reliquienkult seit der Spätantike aufgebaut hatte.

2. Im Pietismus

Am deutlichsten trat das Anliegen der Heiligenverehrung im Pietismus hervor, der gerade jene religiösen und mystischen Elemente wiederbelebte, welche auch die mystischen Heiligen des Mittelalters ausgezeichnet hatten: Herzensinnigkeit und Gotterhobenheit. Unter dem Einfluß von Gottfried Arnold's ›Unparteiische Kirchen- und Ketzer-Historie‹, die sich nicht an den Konfessionsparteien, sondern an den vom Glauben Betroffenen orientierte, hielt Gerhard Tersteegen († 1769) dafür, „daß in der katholischen Kirche mehr wahre evangelische Christen seien als in der evangelischen Kirche".[17] In dieser Auffassung schrieb er seine ›Auserlesene Lebensbeschreibungen heiliger Seelen‹, drei Bände mit 25 Biographien von mehrheitlich katholischen Heiligen, insbesondere von Einsiedlern, Ordensleuten und Mystikern, darunter allein sieben Karmeliter wie Theresa von Avila und Johannes vom Kreuz. Das Unternehmen wollte in überkonfessioneller und urtümlicher Unbefangenheit „der Kirche geben, was ihr zugehöret, nemlich diese Vorbilder der Heiligen, als kostbare Kirchen-Zierrathen"[18]. Grundlage einer Einbindung der Heiligen in das protestantisch-pietistische Kirchenwesen war eine spiritualisierte Ekklesiologie: „Die Kirche ist nichts anders, als die Versammlung der Heiligen, oder die, von der Zerstreuung in Creatur und Eigenheit wieder zu Gott versammelte, und mit ihm in Christo vereinigte Seelen; aller anderer Name oder Unterscheid gilt vor Gott nichts: sagst du nun: Diese heilige Seelen sind nicht von meiner Parthey; so schneidest du dich damit ab von der Gemeinschaft beydes des Haupts und der Glieder."[19]

Damit ist bereits angedeutet, daß sich Tersteegen mit den Anwürfen zweier Parteien auseinanderzusetzen hatte: mit der „sectirerischen Selbst-Liebe" der Orthodoxie, andererseits mit dem „Eckel" der Aufgeklärten „wegen dieser oder jener Päbstischen Kirchen-Gebräuche": „Was in diesen Tagen dem eitlen Sinn nicht gefällt, das muß eine Fabel, eine Legende seyn: die muthwillige Vernunft will alles meistern; da doch gewiß die menschliche Vernunft, und ein bloß natürliches Urtheil, ohne den Geist Gottes, dem Heil der Seelen tausendmal mehr schadet, als die Superstition und gottselige Fabeln, deren Inhalt und Grund im übrigen unschädlich ist."[20] Das Werk ist geprägt von einem eigentümlichen Irenismus, der am Katholizismus viel Gutes findet, ja die Einführung von klösterlichen Lebensgemeinschaften im Protestantismus für möglich hält.[21] Der zeitgenössisch praktizierte Katholizismus jedoch wird nach konfessionalistischen Kriterien streng verurteilt; dessen „abgeschmackteste Fabeln“ hätten „die Wahrheit verdunkelt, den Irrtum fortgepflanzt, wodurch wahrlich der ungläubigen Vernunft, und dem Atheistischen Sinn des menschlichen Herzens, ein grosses eingeräumt worden; anderer Früchte zu geschweigen“[22].

Man suchte sich der Heiligenverehrung gegen die spirituelle Austrocknung durch Orthodoxie und Aufklärung zu versichern: Die katholische Heiligenliteratur, welche „durch den Gebrauch der Seelen-Führer, und die offenherzige Handelung mit denselben“ viel zahlreicher sei als die Kunde vom Seelenleben protestantischer Heiliger, schätzte Tersteegen vornehmlich im Hinblick auf „wesentliche Wahrheiten des inwendigen Lebens, als da sind, die völlige Absagung der Welt, die Absterbung seiner selbst, die Wege des Gebäts, die gründliche Tugenden, die Führungen Gottes über seine Auserwählten, sie von ihren Eigenheiten zu reinigen, mit sich selbst zu vereinigen, und die Wunder seiner Gnade und Liebe in ihnen und durch sie zu offenbaren“[23]. Es ging um die Überwindung der seiner Ansicht nach falschen protestantischen Haltung, die Heiligkeit um jeden Preis zu verbergen, um nicht in Werkheiligkeit und Heuchelei zu verfallen; tatsächlich aber handele es sich um die religiöse Laxheit derer, die „lieber condescendiren und ihre Heiligkeit verborgen halten, und gebe GOTT, daß sie nur an jenem Tage [des Gerichts] könne gefunden werden“[24].

Heiligkeit sollte zu einer Alltagsheiligung fortgetrieben werden, nicht als Ausnahmeerscheinung weniger, sondern als Lebenskonzept aller: „Die verschiedenen Vorbilder der Heiligen zeigen es, daß Gottes innere Wirkungen von keinen äussern Umständen abhangen: hier sehen wir Heiligen in dem Pallast, und Heiligen in der Einöde; Heiligen in dem Ehestand, und Heiligen in dem Kloster; Heiligen in der Kirche, in der Kammer, in der Küche, auf den Strassen, in den Geschäften, und aller Orten. Ach, drum lasse doch keiner, in seinen etwa bedrängten Umständen, den Muth sinken, als wann ihm deswegen der Weg zu einer gründlichen Heiligung solte verlegt seyn. Haben wir nur GOTT und das Creutz, so haben wir zur vollkommenen Heiligung Mittel genug.“[25]

Deutlich sind die Heiligen eingebunden in eine ‚theologia crucis‘, und damit in Urmuster protestantischen Denkens.

XXI. Aufklärung und Kritik

1. Gebein ist „tot"

Von dem Lutherischen Arzt L. Chr. Fr. Garmann († 1700) erschien postum eine Schrift ›De Miraculis Mortuorum‹ (Von den Wundern der Toten), die zunächst zwei Thesen über das Totsein des Leichnams vorstellt: Zum einen, daß der Kadaver noch eine ‚vis vegetans' (Lebenskraft) besitze, einen Rest von Leben und Empfindungsvermögen, weswegen man dem Toten eine leichte Erde wünsche und ihn pfleglich behandele. Entgegengestellt wird die von vielen Wissenschaftlern vertretene These, daß der Leichnam gänzlich ohne Leben sei; nur Aberglauben des Volkes sei es, noch ein Empfindungsvermögen anzunehmen. Garmann hält es aufgrund ihm unbezweifelbar erscheinender Phänomene mit der Volksmeinung: Deutlicher Beweis sei zum Beispiel das wunderbare Bluten des Leichnams, wenn der Mörder herzutrete, das Weiterwachsen von Haaren, Nägeln und Zähnen wie die Absonderung von Schweiß, schließlich die Fähigkeit, im Grab noch Laute von sich zu geben; bisweilen geschähen durch Berührung des Toten, beispielsweise durch Glied-zu-Glied-Kontakt, Heilungen und Kräftigungen, sogar in der Liebeskraft; selbst Knochen bestimmter Menschen wirkten schützend, wenn beispielsweise ein Soldat den Finger eines Gefallenen bei sich trage; ja, ein göttliches Wasser gebe es, das man aus Leichenteilen und besonders aus Blut von gewaltsam zu Tode Gekommenen bereiten könne und tunlicherweise aus einem Schädel trinke, und noch beim Suchen helfe eine Kerze aus menschlichem Talg. Ähnlich argumentierte auch der päpstliche Arzt Paul Zacchia: Es gebe unverwesliche Leichname, was einen Widerstand des Körpers anzeige und auf einen Rest von Leben hindeute.[1] Wie sehr solche Deutungen der allgemeinen Lebenspraxis entsprachen, zeigen volkskundliche Erhebungen. In Augsburg zum Beispiel, einer teilweise lutherischen Stadt, galten Leichenteile, zumal von Hingerichteten, als besonders wirksame Zaubermittel; bei Einbrüchen benutzte man eine aus dem Fingerchen eines Neugeborenen hergestellte Diebeskerze, die den Täter angeblich unsichtbar machte.[2]

Im 18. Jahrhundert sehen wir die Medizin sozusagen auf der Wende: Die beiden Autoren Garman wie Zacchia gestanden dem Toten noch eine Art von Persönlichkeit zu, waren davon überzeugt, daß er noch Leben in sich habe und es bei Gelegenheit auch manifestiere.[3] Aber es obsiegte die Auffassung vom toten Körper: „Im neunzehnten Jahrhundert wird die Medizin diesen Glauben aufgeben und sich der These anschließen, daß der Tod ... Deformation und Nicht-Leben ist."[4] Der Körper eines Verstorbenen ist fortan „tot". Rasch wurden die Konsequenzen gezogen. Zuerst einmal verlegte man die Friedhöfe aus den Städten nach draußen; die unmittelbare Symbiose von Toten und Lebenden hörte auf. Bei der Begründung waren hygienische Postulate maßgeblich, vorab die Parole von der Schädlichkeit der Kirchhofbegräbnisse bei den Behausungen der Lebenden.[5] Die hygienische Sensibilität schlug um, und nichts fürchtete man fortan mehr als die Leichendünste: statt des göttlichen Wohlgeruchs der Reliquien nun der Pesthauch der Toten – eine „Revolution der Geruchswahrnehmung".[6] Für die Entschlafenen sollten im Freien, durchlüftet von Winden, Ruhegärten entstehen, als solche auch dienlich den Lebenden zum gedankenvollen Promenieren.[7]

Im Rückblick auf den Reliquienkult frappiert, wie viele seiner Elemente in der medizinischen Diskussion noch „volkstümlich" und „volksmedizinisch" zu fassen sind und die Vollform der älteren religiösen Praxis noch einmal erahnen lassen. Der zuvor geübte Reliquienkult war eben nicht „aufgesetzt", sondern Element einer selbstverständlichen und umfassenden Lebensdeutung. Aber die wissenschaftliche Rechtfertigung, die jetzt nötig wurde, führte zum Absinken in den Volksglauben. Für die Heiligenverehrung und mehr noch für die Reliquien wirkte das Ersterben der tragenden Voraussetzungen geradezu vernichtend. Der Tote wurde nicht mehr als mit Rechten und Pflichten handelnde Person angesehen und wohnte auch nicht länger in seinem Grab. Otto G. Oexle sieht hier die Zäsur der Moderne: „Für die moderne Auffassung vom Toten seit der Epochenschwelle ‚um 1800' ist festzustellen, daß der Tote jetzt nicht mehr als Rechtssubjekt und nicht mehr als Subjekt realer Beziehungen gilt."[8] Ihm gebührt Pietät, aber Rechte hat er nicht mehr.[9] Johann Wolfgang von Goethe († 1832) hat das Erlöschen der alten Vorstellungen in den ›Wahlverwandtschaften‹ beschrieben.

Die Schloßherrin hat den Friedhof um die Dorfkirche so umgestaltet, daß die Grabmäler an die Kirchmauer gerückt sind und die abgeräumte Fläche mit Klee eingesät wird. Aber es kommen Einwände aus der Gemeinde: „Allein desungeachtet hatten schon manche Gemeindemitglieder früher gemißbilligt, daß man die Bezeichnung der Stelle, wo ihre Vorfahren ruhten, aufgehoben und das Andenken dadurch gleichsam ausgelöscht; denn die wohlerhaltenen Monumente zeigen zwar an, wer begraben sei, aber nicht, wo er begraben sei, und auf das Wo komme es eigentlich an, wie viele behaupteten.“ Und warum kommt es auf das Wo an? „Aber dieser Stein ist es nicht, der uns anzieht, sondern das darunter Enthaltene, das daneben der Erde Vertraute. Es ist nicht sowohl vom Andenken die Rede, als von der Person selbst, nicht von der Erinnerung, sondern von der Gegenwart. Ein geliebtes Abgeschiedenes umarme ich weit eher und inniger im Grabhügel als im Denkmal, denn dieses ist für sich eigentlich nur wenig; aber um dasselbe sollen sich wie um einen Markstein Gatten, Verwandte, Freunde selbst nach ihrem Hinscheiden noch versammeln ...“[10]

Gleichwohl, das Befremden verlor sich. Die Leiber verwesten, die Toten waren tot. Gestützt auf die Wissenschaft, begegnete die Aufklärung den Reliquien, weil nun wirklich totes Gebein, mit Kritik und Spott, zuletzt mit Haß und Zerstörung. Bezeichnend ist schon das Verdikt der aufklärerischen ›Encyclopédie‹ Diderots und d'Alemberts. Der Artikel ‚Relique‘[11] beginnt mit der Verdächtigung, daß eine rigorose Untersuchung eine große Zahl von Fälschungen zum Vorschein brächte, Knochen keineswegs nur von Seligen, sogar auch von Nichtgetauften. Mit den Teilungen und Translationen seien die Betrügereien aufgekommen. Manches jedoch ist nicht ohne Kenntnis: die neutestamentliche Begründung für den Fuß des Altares als Ort der Heiligen (Offb 6,9) oder auch die Deutung des Todestages als des eigentlichen ‚Geburtstages‘. Im Ganzen aber fehlt es an einer theologischen und religionsgeschichtlichen Durchdringung. Das leitende Stichwort ist die Superstition: der verrückte Aberglauben des Volkes, das nur Wunder sucht, wie ebenso der Könige, die auf Reliquien schwören lassen, nicht zuletzt auch die Habsucht des Klerus – ein Gemisch von Wahn und Betrug, im Ursprung letztlich heidnisch. Als Fazit bleibt, was fortan oft wiederholt werden sollte: „Das Volk ist abergläubisch, und durch den Aberglauben läßt es sich fesseln; die erdichteten Reliquienwunder wurden zu einem Magneten, der von überall Reichtum zu jenen Kirchen zog, wo solche Wunder geschahen.“[12] Mitlesen muß man den von Baron d'Holbach geschriebenen

Artikel ‚Prêtre'. Priesterwerk ist der die Sinne der Menschen beeinflussende „äußere Kult", inszeniert jedoch nur für die eigene angenehme Lage, um über andere herrschen und ein sorgenfreies Leben führen zu können. Götterzorn habe man gepredigt und dagegen als Schutz die Zeremonien, Weihungen und Mysterien angeboten. Auf diese Weise machten sich die Priester so geschätzt wie unersetzlich – alles eitle Ansprüche, die freilich Ströme von Blut forderten und sich auf die Unwissenheit der Völker, die Schwäche der Herrscher und die Geschicklichkeit der Priester stützten.[13]

Wo aber – so mußte es sich dem Leser aufdrängen – war dieser Priesterbetrug leichter nachzuweisen als in der Heiligen- und Reliquienverehrung? Daß in Deutschland Immanuel Kant in seiner ›Religion innerhalb der Grenzen der bloßen Vernunft‹ den vierten Teil mit „Dienst und Afterdienst" überschrieb, dabei auch vom „Pfaffentum als einem Regiment im Afterdienst" handelte und das „Fetischmachen" dem „Zaubern" gleichsetzte, mußte im Katholischen unvermeidlich die Reliquien betreffen. Denn sie gehörten evidenterweise zu jenen „bloß physischen Mitteln", die „den Beistand der Gottheit gleichsam herbeizaubern"; wer aber nicht „die Bestrebung zum guten Lebenswandel" vorausschickt, „verwandelt den Dienst Gottes in ein bloßes Fetischmachen und übt einen Afterdienst aus"; dabei ist dann „das Pfaffentum ... die Verfassung einer Kirche, sofern in ihr ein Fetischdienst regiert".[14] Des Heiligen- und Reliquienkultes begann man sich jetzt zu schämen; er war dumm und zugleich ekelhaft.

So schreibt Georg Forster, der spätere Mainzer Revolutionär, im Jahre 1790: „Nirgends erscheint der Aberglaube in einer schauderhafteren Gestalt als in Köln. Jemand, der aus unserm aufgeklärten Mainz dahin kommt, hat in der Tat einen peinigenden Anblick ... an der blinden Abgötterei, die der Pöbel hier wirklich mit Reliquien treibt, welche den echten Religionsverehrern unter den Katholiken selbst ein Ärgernis geben. Wenn die Legende von den elftausend Jungfrauen auch so wahr wäre, wie sie schwer zu glauben ist, so bliebe doch der Anblick ihrer Knochen in der Ursulakirche darum nicht minder scheußlich und empörend. Allein, daß man die Stirne hat, dieses zusammengeraffte Gemisch von Menschen- und Pferdeknochen, welches vermutlich einmal ein Schlachtfeld deckte, für ein Heiligtum auszugeben, und daß die Kölner sich auf diese Heiligkeit totschlagen oder, was noch schlimmer ist, den kühnen Zweifler selbst leicht ohne Umstände totschlagen könnten, das zeugt von der dicken Finsternis, welche hier in Religionssachen herrscht."[15]

Indes sollten die Reliquien selbst bei den Aufgeklärten nicht gänzlich verschwinden. In säkularisierter Form kehrten sie wieder. Tatsächlich findet sich in der Kölner ›Sammlung Peters‹ ein diptychonartiges, zehn Zentimeter hohes und oben abgerundetes Reliquiar, dessen Gehäuse aus dem frühen 18. Jahrhundert stammt und ursprünglich einmal kirchlichen Reliquien gedient hat; nach 1827 erfolgte eine Umwidmung, und dabei hat man die alten Pergamentstreifen mit den Namen der Heiligen einfach nur umgewendet und neu mit Namen von Dichtern und Philosophen beschriftet, so Klopstock, Wieland, Schiller, dazu Kant und Fichte, aber auch Vergil, Homer und Shakespeare. Man hat es ein „Reliquiar der Goethezeit" genannt, Ausdruck der Verehrung des „edlen Menschen"[16].

2. Entzauberung der Welt

Das von Max Weber († 1920) in den allgemeinen wissenschaftlichen Sprachgebrauch eingeführte Wort „Entzauberung"[17] setzt eine Redeweise des 18. Jahrhunderts fort: „einen Menschen, eine Sache aus dem Bann eines Zaubers, des Rausches, des Wahns zu lösen und zu befreien"[18]. Max Weber sah hierin die grundsätzliche Verschiebung, daß „der Intellektualismus den Glauben an die Magie zurückdrängt und so die Vorgänge der Welt ‚entzaubert' werden, ihren magischen Sinngehalt verlieren, nur noch ‚sind' und ‚geschehen', aber nichts mehr ‚bedeuten'"[19].

Ein im 18. Jahrhundert besonders eindrückliches Beispiel von Entzauberung lieferte die naturwissenschaftliche Erklärung des Blitzes; er konnte nicht länger als Zeichen und Instrument göttlichen Zornes gelten, ebensowenig als Ausweis von Gottes unmittelbarem Weltregiment.[20] Was sollten jetzt noch Gewitterläuten und Wettersegen, die immer auch unter Anrufung der Heiligen, bei Ausstellung ihrer Reliquien und unter Anzünden von Kerzen geschahen? Was auch die Flur- und Hagelprozessionen? Fortschritte auf anderen Gebieten, vor allem in der Medizin, führten zu dem Argument, daß Hygiene einen besseren Schutz biete und eher Heilung verspreche als Heiligenanrufung oder Reliquienverehrung. Michael Wecklein († 1849), Würzburger Priester und später Theologe in Münster[21], sah, wie es die Gebildeten der Zeit empfanden, den Heiligenhimmel als eine Konkurrenz, da einem „jedem sein eigenes Departement der übersinnlichen Arzneykunde oder der übersinnlichen Mechanik angewiesen ist. Jedem wird ein unbedingtes Vertrauen zugemessen, ohne auch nur einmal den Beysatz zu machen, daß der Mensch bey diesem Vertrauen auch die natürlichen Mittel nicht verabsäumen sollte"[22]. Die Aufgeklärten plädierten in diesem Sinne für Einschränkungen: Wallfahrten und Umzüge seien Zeitvergeudung und allzu oft Gelegenheit zu ungebührlichem, ja unsittlichem Verhalten. Und wie früher Heiligen- und Totenerweckungen der Wallfahrtspropaganda gedient hatten, so galt jetzt jedes unziemliche Verhalten oder gar ein plötzlicher Sterbefall als Argument für die Abschaffung. Theologische Überlegungen kamen hinzu: Die Spezialpatrone bedeuteten eine Minderung der alleinigen Macht Gottes; es schmälere Gottes Souveränität, wenn man den Himmel in ein Abgeordnetenhaus oder gar in Vielgötterei aufspalte; schon anfangs bei der Missionierung habe man an die Stelle der alten Götzen die Heiligen geschoben.[23] Der Vorstellung vom heiligen Ort, daß Gott mancherorts seine Gnade, nicht zuletzt wegen der Verdienste der Heiligen, mit einem gewissen Vorzug erteile, hielt man das Johannes-Wort entgegen, Gott wolle nicht an einem bestimmten Ort, sondern im Geist und in der Wahrheit angebetet werden (Joh 4,24). Gepredigt wurde die bürgerliche Tugend, exemplifiziert an den Heiligen. Am besten war praktische Nützlichkeit für den Alltag, wie es ein Marienlied der Jahrhundertwende besingt:

1. Laßt uns die Tugenden besingen,/ Die Zierden an Mariä Bild,/
   Laßt uns mit ihr nach Gnade ringen,/ Nach Ehre, die im Himmel gilt!/
   Es muntere ihr Lebenslauf/ Uns Alle auch zur Tugend auf.
2. Als Kind schon war Sie sanft, bescheiden,/ War lernbegierig, hörte gern/
   Die guten Lehren, that mit Freuden/ Der Eltern Willen, hielt sich fern/
   Von Eitelkeit und Eigensinn,/ Schon früh war Tugend ihr Gewinn.
3. Als Jungfrau war sie keusch und züchtig,/ In Mienen, Reden, Thun und Blick;/
   Ihr Herz blieb rein, ihr Fußtritt richtig,/ Sie strebte nach dem höchsten Glück,/
   Nach Seelenruh und Frömmigkeit,/ Der Jugend schönstem Ehrenkleid.
4. Als Gattin lebte sie zufrieden,/ Ihr Herz und Ihres Mannes Herz,/
   War eins, was ihr der Herr beschieden,/ Das theilte sie mit Leid und Schmerz;/
   Und ging nach ihres Mannes Hand/ Geduldig nach Egyptenland.
5. Auch lernen Mütter von Marien,/ Was manche kaum zur Hälfte weiß,/

Was Kinder tugendhaft erziehen,/ Was ächte Muttertreue heißt./
Drum Mütter: folgt dem schönen Pfad,/ Den Sie als Mutter einst betrat.
6. Als Kristin hörte sie mit Freuden/ Die schönen Lehren ihres Herrn,/
War voll Geduld im schwersten Leiden,/ Und that des Heilands Willen gern./
Sie gab in demuthsvollem Sinn/ Sich ganz in seinem Opfer hin.
7. Nun stimmt sie dort in jenen Höhen,/ Mit allen Himmelsbürgern ein,/
Was sie geglaubt, das wird sie sehen,/ Und erndten volle Garben ein.
Wer selig werden will, wie sie,/ Vergesse ja ihr Beyspiel nie.[24]

Nichts mehr von der Jungfrau, der Unbefleckt-Empfangenen, der Gottesmutter, sondern Maria als sittsam-tüchtige Lebensgefährtin, als Erzieherin und Hauswalterin. Sogar das Vesperbild galt als „unnatürlich“[25].

Neben theologischen Argumenten wogen fast schwerer noch die ökonomischen. Die Katholiken feierten zu viel! Für den aufgrund seiner landwirtschaftlichen Reformprojekte bekannten evangelischen Pfarrer von Kupferzell, Johann Friedrich Mayer († 1798), resultierte die höhere Produktivität der evangelischen Länder aus der größeren Anzahl von Arbeitstagen:

„Der Catholicke hat jährlich 120. Ruhetäge: der Protestant hat ihrer nur 60; dergestalt, daß der erste den dritten Theil des Jahres, der andere nur den sechsten Theil desselben müßig ist. Der catholische Ackersmann vermisset also den Gewinn aus 60. Tagen, den der protestantische machet, und da der catholische an den Feyertägen von 60 Tägen in den Wirthshäusern schmauset, oder festlicher zu Hause isset, trinkt, und sich kleidet, Besuche annimmt oder gibt und dergleichen, so ist unterdessen der Protestante mit seinem Alltagsbrod zu frieden und arbeitet sich weniger schadhaft in seinem alltäglichen Kittel. Der Catholicke also gewinnt 60 Täge nichts, und verzehret vorzüglich 60 Täge hindurch; da der Protestante 60 Täge gewinnt, und durch keine feyerliche Ausschweifung etwas verliehrt. Dieses bedeutet beym Pöbel wohl vieles!“[26]

Eine von der Sozietät der Wissenschaften zu Göttingen 1768 ausgezeichnete Preisschrift machte eine Rechnung im großen auf: Für ein mit 300.000 Bauern und 60.000 Handwerkern bevölkertes Territorium wird pro Festtag ein Verlust von 50.000 Reichstalern veranschlagt, der sich bei 30 Feiertagen auf eineinhalb Millionen Reichstaler summiert.[27]

Dennoch, gerade die deutsche Aufklärung ist nicht so generell religionsfeindlich gewesen, wie es ihr oft nachgesagt worden ist.

Gegen die lange Zeit akzeptierte Vorstellung, die Aufklärung sei vornehmlich „als Durchsetzungspotential religionsfreier Emanzipation“[28] zu begreifen, haben im katholischen Raum bereits Sebastian Merkle († 1945)[29] und allgemein Ernst Cassirer († 1945) darauf hingewiesen, daß die geistige Problematik der Aufklärung in die religiöse eingeschlossen war[30]. Für Reinhart Koselleck blieb „die deutsche Aufklärung ..., man gestatte die Verallgemeinerung, im Kern selbst religiös“[31]. Zumal im norddeutschen Protestantismus bildete sich eine „Religiosität der Gebildeten“ heraus, die den christlichen Glauben keineswegs abtun, sondern reinigen wollte: In mündigem Denken sollte die Kluft zwischen Glauben und Wissen, Religion und Vernunft überwunden werden. Religiöse Subjektivität und aufgeklärte Dogmenkritik „konvergierten in der Rationalisierung, Emotionalisierung und Ethisierung der Religion“[32].

Aufgeklärte Religiosität hat auch in den Katholizismus hineingewirkt, am schärfsten durch die von Kaiser Joseph II. († 1790) verordnete Kirchenpolitik[33]. Bei Heiligen wie Reliquien drängte man auf Reduzierungen, sowohl in der Verehrung wie im Aufwand, bei Festen ebenso wie bei Prozessionen, begründet vom aufgeklärten Bewußtsein her wie auch aufgrund theologischer Argumente. Hier erst ist die Unterscheidung von wesentlichen und nebensächlichen Elementen des Christentums entstanden, ebenso der Begriff der „Volksreligiosität“[34]. Die josephinistische „Religions-Polizey“ hat, um eine einheitliche Durchformung des religiösen Lebens zu erreichen und auch bestimmte fiskalische und ökonomische Interessen durchzusetzen, einen breiten Konflikt zwischen dem Religionsideal der absolutistisch und ‚fortschrittlich‘ eingestellten Obrigkeit und der traditionellen Religiosität des Volkes heraufbeschworen.

Dieser religionspolizeiliche Rigorismus erregte sich über den vielfachen „Mißbrauch, vermög welchem den Statuen und Bildern besondere Kleider, Hemder, Strümpfe, Schuhe angelegt, Perüken aufgesetzt, golden, silberne und andere Herzen angehänget und andere Puzwerke beygebracht würden.“ Man stieß sich an den „Opfertafeln, hölzernen Füßen, Säbelen, Panzer, Ketten und dergleichen Gezeuge“, welches die Kirchen „mehr verunstaltet als gezieret“. Das alles müsse „nach und nach weggeschafft und so weit je einen Wert enthalten viel gedeihlicher zur Vergrößerung des Peculii Ecclesiae verwendet“ werden.[35] Dementsprechend ordnete man für die Reliquien aufgehobener Klöster an, daß „die Consistorien jene, so mit Authentiken versehen sind, zwar von den Commissarien übernehmen, jedoch nicht vertheilen, sondern in einem besonderen, von der Kirche abgesonderten Behältnisse zusammenlegen, und aufbewahren, jene Reliquien aber, bey welchen keine Authentik vorgefunden wird, von diesseitigen Landesstellen unter Mitwirkung einer von dem Herrn Ordinario abgeforderten Person ohne Aufsehen gleich vertilget werden sollen."[36] Eine Flut von Maßregeln betraf die Heiligen-Bruderschaften, ihre Ablässe und die ihnen „beygesellt gewesten ausserordentlichen Verheissungen in betref der gänzlichen Sündennachlassung und ganz zuverlässigen Erlangung des ewigen Seelenheils" sowie die „falschen und aberglaubischen datis, die sie zu ihren Grund hatten, als z.B. der unmittelbaren Uebergabe des Skapuliers und Monika-Gürtels vom Himmel etc.". Man lastete ihnen an, „daß, da diese Nebenandachten größtentheils im äusserlichen Zeremoniell bestunden, dessen Beobachtung leichter als die Erfüllung des wesentlichen Christenthums fiele und ... dadurch eine Lauigkeit und Fahrlässigkeit bey Befolgung der weesentlichen Gebote und Pflichten des Christenthums einschleichen und sich verbreiten muste"[37].

In der josephinischen Aufklärung vermischten sich säkular orientierte, an der juristischen Fakultät für zukünftige Beamte gelehrte und von diesen auch praktisch umgesetzte Religionspolitik mit einer theologisch motivierten katholischen Aufgeklärtheit.[38] Der Konflikt mit der Volksreligiosität nahm vielfach scharfe Formen bis hin zu Volksaufständen an; die erregte Landbevölkerung brach geschlossene Kapellen mit Gewalt auf, verprügelte Beamte und Geistliche, die die Reformen durchzusetzen suchten, ignorierte das Arbeitsgebot an aufgehobenen Feiertagen und erstritt handgreiflich die Fortsetzung von Wetterläuten, Flurprozessionen und Bittgängen.[39]

Doch hat die katholische Aufklärung, anders als im Protestantismus, der ethischen Sublimierung keine gleichartige Entkirchlichung folgen lassen. Das hat vor allem mit ihrer weniger elitären Struktur zu tun, aber auch mit der nicht so scharfen Trennung zwischen Gebildeten und „Pöbel". Viele katholische Aufklärer handelten betont im Sinne einer Volksaufklärung. Anders als der rationalistisch-utilitaristische Josephinismus suchten etwa die Reformen eines Johann Michael Sailer († 1832) oder des Ignaz von Wessenberg († 1860) den ganzen Menschen anzusprechen, den Verstand zu erleuchten und zugleich das Gefühl zu erwärmen. Wessenberg, letzter Generalvikar und Verweser des alten Bistums Konstanz, konnte noch 1835 im Blick auf die Volkserziehung sagen: „Nirgends gedeiht das Christentum besser, als unter dem

Schutze der Aufklärung, so wie diese nirgend ungestörter fortschreitet, als unter dem Schutze des Christentums."[40] Heiligen- und Reliquienkult, Ablaß- und Wallfahrtseifer erschienen ihm als Wucherungen, welche die Frömmigkeit des Volkes in periphere Randzonen des Glaubens hineindrängte. In zwei 1845 veröffentlichten Büchern über Bilder und Kunst be- und verurteilte er den Heiligen- und Reliquienkult streng nach theologischen wie auch ästhetischen Kriterien und glaubte gerade so zu Nutz und Frommen des Volkes zu argumentieren.

Reliquien- und Bilderdienst seien allein eine Nachgiebigkeit der Kirchenvorsteher gewesen, „um in den Herzen des Volks die Neigung zum heidnischen Wesen leichter zu zerstören, ihm für dessen sinnliches Gepräng einigen Ersatz zu gewähren ... Aber unvermerkt schritt der Aberglaube, den man beschwichtigen wollte, zur Übertragung der Verehrung vom unsichtbaren Urbild auf das sichtbare Abbild über."[41] Mangel an Geschmack und Kunstfertigkeit sowie Mangel an Bildung und wahrer Religion arbeiteten Hand in Hand: „Denn in der finstern Unordnung, die im Mittelalter Überhand nahm, steigerten Unwissenheit und frommer Betrug den Bilderdienst auf einen solchen Grad von Albernheit, daß wahrhaft fromme und zugleich unterrichtete Christen manchmal versucht sein mochten, die griechische und römische Abgötterei beinahe verzeichlicher und einer edlen Deutung empfänglicher zu finden, indem die bessern Göttergebilde doch die Seele aufwärts zum Übersinnlichen wiesen, wogegen die Figuren des neuen Bilderdienstes nur der groben Sinnlichkeit Nahrung gaben, und zum stumpfsinnigsten Aberglauben herabzogen."[42] Die Verbindung von religiösem Inhalt und künstlerischer Ästhetik ist nicht nur wünschenswert, sondern gerade die entscheidende Voraussetzung für eine sinnvolle Wirkung der Bilder als „Beförderungsmittel des christlichen Sinnes". „Einfachheit und Wahrheit" als Ausweis geläuterter Religion müssen sich in „Einfachheit und Naturhaftigkeit" der Kunst widerspiegeln; Reliquien- und Bilderdienst gelten als bildungs- und kunstlose Identifikation von Urbild und Abbild: „Der Mystizismus, Idee und Symbol, Sache und Bild stets verwechselnd, diente ganz vorzüglich zur Verunstaltung der Werke schöner Kunst. Die Verwechslung der Idee und des Symbols ist die Quelle des Aberglaubens und des Unglaubens."[43] Gleiches gilt von den Legenden der Heiligen; selbst den „gereinigten" gebührt nur eine „sehr untergeordnete Stelle"; bildlich dargestellt werden sollen sie nur auf Nebenaltären als Beispiele christlicher Tugendübung.

3. Revolution und Säkularisation

Die Gewalt der Französischen Revolution gegen das Ancien-Régime richtete sich nicht zuletzt gegen den „Aberglauben". Daß Kirchen und Kultgegenstände zerstört wurden, gehörte zeitweilig zum Alltagsgeschehen.

Hören wir eine Schilderung über das gewaltsame Vorgehen der Sanskulotten auf den Dörfern: „‚Sie kommen!' ... [Es] gilt, die alte Gesellschaftsordnung samt ihrer Symbole restlos zu beseitigen. Religion und Tyrannei sind in ihren Augen untrennbar miteinander verbunden, und daher zertrümmern sie alle Heiligenstatuen, holen die Glocken von den Türmen, verbarrikadieren die Kirchen, jagen die Priester davon und stürzen alle Kreuze um. Den ihrem Treiben oft ratlos zuschauenden Bauern versuchen sie klarzumachen, daß es ‚weder einen Gott noch einen Teufel gibt' und daß sowohl das Paradies als auch die Hölle frei erfunden seien. Jesus Christus bezeichnen sie als syphiliskranken Taugenichts, die Gottesmutter tun sie als Hure ab! Die Marienbilder sollen zerstört, die Kirchen entweiht und die Glockentürme mit Hilfe von Kanonenschüssen umgelegt werden. Sie trinken aus den Abendmahlskelchen, entfernen sämtliche Andachtsbilder aus den Kirchen und entzünden daraus riesige Feuer ... Auf Ochsenkarren türmen sich in buntem Durcheinander Urkunden über feudale Herrschaftsrechte, in Holz geschnitzte Darstellungen der Bourbonenlilien sowie weitere Symbole der einstigen Adelsherrschaft, Heiligenfiguren aus Holz und Andachtsbilder. Dieses Sammelsurium wird auf den Marktplatz gekarrt, um dort zusammen mit Strohpuppen verbrannt zu werden, die den Papst oder französische Könige darstellen ... Diese Feste, die sich gegen die katholische Religion und die in den Augen der Sanskulotten untrennbar mit ihr verknüpfte Tyrannei richten, sollen den Untergang einer alten und den Beginn einer neuen Ordnung besiegeln."[44]

Was in der Provinz geschah, betraf genauso die Hauptstadt mit ihren großen Kirchenschätzen in der Sainte Chapelle und zu St. Denis, die beide der König zum besseren Schutz an letzterem Ort hatte vereinen lassen. Im November 1793 brachte die Bürgerschaft die Kostbarkeiten in einer Spottprozession von St. Denis nach Paris und übergab sie als „republikanisches Opfer". Was wissenschaftlich von Wert schien, wurde für die Museen ausgesondert, ansonsten das Edelmetall zur Einschmelze freigegeben.[45] Auf diese Weise gingen bis auf kleine Reste verloren: das ‚Kreuz des Eligius' aus der 1. Hälfte des 7. Jahrhunderts[46], ferner zwei Stücke aus der Zeit Karls des Kahlen: der mit über 700 Perlen und zahlreichen Edelsteinen besetzte ‚Schrein Karls des Großen' (escrain, scrinium), ein fassadenartiger und mit eingestellten Bögen gegliederter Aufbau, der – vielleicht – Reliquien diente[47], desgleichen ein goldenes, in drei Bögen unterteiltes Altarretabel[48]. Gegenstände jahrhundertealter Verehrung und von kunstgeschichtlicher Unersetzlichkeit waren damit vernichtet.

Und wie in Frankreich, so geschah es weit darüber hinaus. Die Revolutionskriege wie ebenso die Säkularisation, zumal der Klöster und Stifte, bedeuteten für die Heiligenbilder und für die Reliquien vielerorts das Ende. In verordneter oder auch angemaßter Zerstörung wurde eine schier unersetzliche Fülle von Kultobjekten vernichtet. Auch wo man bei der Säkularisation bürokratisch vorging, wie in Bayern, war es für die Kirchenschätze kaum schonungsvoller. Die Reliquien zumal wurden ihres Schmuckes beraubt, damit unansehnlich gemacht und verloren sich, wenn nicht irgendeine rettende Hand eingriff, in alle Himmelsrichtungen.

Das Kloster Andechs, aufgrund des gleichnamigen Adelsgeschlechtes tief mit der bayerischen Geschichte verbunden, verlor seine seit dem Spätmittelalter berühmten, „in Deutschland nur mit Aachen vergleichbaren Reliquienschätze"[49]. Als am 17. März 1803 über das Kloster das Suppressions-Instrument verkündet wurde, betraf dies auch die Reliquien; in München wurden dieselben ihrer Fassungen beraubt, wobei aber einem Klosterangehörigen die Sicherstellung wenigstens der Sakralstücke gelang.[50]

Ein dramatisches Beispiel für die Auswirkungen der Säkularisation auf Kirchen und Kunst bietet Köln, zeitweilig die größte Stadt im deutschen Mittelalter und als solche entsprechend reich ausgestattet. Seit 1794 gehörte sie faktisch und seit 1801 endgültig zu Frankreich, woraufhin die Aufhebung der Orden und der Verkauf ihrer Kirchen samt Inventar erfolgte. Die Kunstgüter lagen buchstäblich auf der Straße. Der junge Kaufmannssohn Sulpiz Boisserée († 1854), damals gerade in eine Freundschaft mit dem soeben konvertierten Schlegel eingetreten, hat es in seinen Tagebüchern beschrieben:

„Denn es geschah in den ersten Monaten nach unserer Rückkehr, als wir mit Schlegel auf dem Neumarkt, dem größten Platz der Stadt, spazierten, daß wir einer Tragbahre mit allerlei Geräthe begegneten, worunter sich auch ein altes Gemälde befand, auf dem die goldenen Scheine der Heiligen von ferne leuchteten. Das Gemälde, die Kreuztragung mit den weinenden Frauen und der Veronika darstellend, schien nicht ohne Vorzüge. Ich hatte es zuerst bemerkt und fragte nach dem Eigenthümer, der wohnte in der Nähe, er wußte nicht, wo das große Bild zu lassen, und er war froh, es für den geforderten Preis los zu werden. Nun hatten wir für die Unterbringung zu sorgen; um Aufsehen und Spottreden zu vermeiden, beschlossen wir, das bestaubte Alterthum durch eine Hinterthüre in unser elterliches Haus zu fördern. Als wir dort anlangten, erschien durch ein eigenes Zusammentreffen unsere alte Großmutter an der Thüre, und nachdem sie das Gemälde eine Weile betrachtet hatte, sagte sie zu dem etwas verschämten neuen Besitzer: ‚Da hast du ein bewegliches (rührendes) Bild gekauft, da hast du wohl daran gethan!' Es war der Segensspruch zu dem Anfang einer folgereichen Zukunft ...“[51]

Aber es ging nicht nur um Altäre und Bilder; eine Reihe von Klosterkirchen wurde niedergelegt, und dabei ließen sich besondere Beobachtungen machen: „Eine Menge Wandgemälde, die auf den aufgedeckten Mauern einiger verlassenen Kirchen und Klöster hie und da sichtbar wurden, bezeugten wiederholt das Alter und die umfassende Thätigkeit dieser altkölnischen byzantinisierenden Malerschule. Wir sahen dergleichen Wandmalereien beim Niederlegen von Kirchen ...; im Augenblick, wo die Pfeiler zusammenbrachen sahen wir die Kalkdecke von den Wänden und Gewölben sich loslösen, unter welcher die bemalten Flächen wie in einem Blitz hervortraten, um dann für immer zu verschwinden.“[52] Auch außerhalb Kölns sah sich Boisserée um. „Eine sehr lehrreiche Entdeckung machten wir in der verlassenen Abteikirche zu Heisterbach im Siebengebirge, dort fanden wir mehrere Tafelgemälde, worunter zwei mit Aposteln und heiligen Aebten, die zu dem vollendetsten gehören, was aus jener altkölnischen Schule übriggeblieben ist.“[53] Die verlassenen Klöster traf es besonders schlimm: „Freilich waren hie und da aus Tafelgemälden ein Fensterladen, Taubenschlag, Tischblatt oder Schirmdach verfertigt worden; ja es war vorgekommen, daß man den Käufern von Glocken und altem Eisen zur Bedingung gemacht hatte, größere Gemälde, auf die wegen ihrer Schwere Niemand hatte bieten wollen, und die man doch von Ort und Stelle schaffen mußte, in den Kauf zu nehmen. Auch da, wo in den weitläufigen Kreuzgängen große, durch Staub und Schmutz unkenntlich gewordene Tafeln zurückgeblieben waren, und wo nun bloße Hüter der Klostergebäude, meist Leute von er gemeinsten Art und Sitte hausten, mögen dieselben wohl als Brennmaterial verbraucht worden seyn.“[54]

Die Sammlung von Boisserée hatte noch eine bewegte Nachgeschichte. Goethe sollte dafür begeistert werden. Preußen wollte sie kaufen, zögerte aber, und so griff Ludwig I. von Bayern zu, so daß die Bilder heute in der Münchener Alten Pinakothek hängen.

XXII. Von der Romantik zum Ultramontanismus

1. Die Heiligen kehren zurück

Das Werk der Zerstörung war noch in vollem Gang, als bereits ein Chor von Gegenstimmen erscholl: die Romantiker, zumeist übrigens protestantischer Herkunft. Wilhelm Heinrich Wakenroder († 1798), aus dem aufklärerischen Berlin eigens übergewechselt nach Erlangen zur Bestärkung der dortigen Aufgeklärtheit, erlebte in Banz (bei Bamberg) noch ein barockes Kirchenfest mit dem ganzen Heiligenkult. Ihm wurde es zur Bekehrung, und er verfaßte die ›Herzensergießungen eines kunstliebenden Klosterbruders‹, schon vom Titel her in jedem Wort ein Affront gegen die Aufklärung.[1] Direkt vor der Jahrhundertwende erhob Novalis (Friedrich von Hardenberg, † 1801) seine Stimme über „die schönen glänzenden Zeiten, wo Europa ein christliches Land war“[2]:

„Sie erzählten von längst verstorbenen himmlischen Menschen, die durch Anhänglichkeit und Treue an jene selige Mutter und ihr himmlisches, freundliches Kind die Versuchung der irdischen Welt bestanden, zu göttlichen Ehren gelangt und nun schützende, wohltätige Mächte ihrer lebenden Brüder, willige Helfer in der Not, Vertreter menschlicher Gebrechen und wirksame Freunde der Menschheit am himmlischen Throne geworden waren. Mit welcher Heiterkeit verließ man die schönen Versammlungen in den geheimnisvollen Kirchen, die mit ermunternden Bildern geschmückt, mit süßen Düften erfüllt und von heiliger erhebender Musik belebt waren. In ihnen wurden die geweihten Reste ehemaliger gottesfürchtiger Menschen dankbar, in köstlichen Behältnissen aufbewahrt...“[3]

Man muß bestätigen: Novalis weiß die mittelalterliche Heiligenverehrung zu erfassen. Heinrich von Kleist († 1811) publiziert 1808 seine ›Heilige Cäcilie‹, die wunderbarerweise zum Dirigieren einer Palaestrina-Messe erscheint und dadurch Bilderstürmer von ihrem frevelhaften Werk abhält.[4] In Kunst und Literatur erscheint wieder der Mönch, zuvor für die Aufklärung der Inbegriff von Bigotterie, nun aber erhoben zur Idealgestalt des stetigen Glaubens. Josef Görres, einstiger Revolutionär und seit 1826 als Professor in München politisch-religiöser Prophet, veröffentlichte 1836/42 neun Bücher über ›Die christliche Mystik‹[5].

Für den Katholizismus und gerade auch für seine voraufklärerischen Religionsformen wirkte die Romantik wie eine Schutzglocke. Das Volk durfte wieder verehren, was ihm heilig war und ihm hatte genommen werden sollen. Ein schönes Beispiel liefert Goethe mit seinem ›Sankt-Rochus-Fest zu Bingen‹, wie er es am 16. August 1814 selbst miterlebte und zu beschreiben für würdig befand. Die Kapelle des Heiligen, infolge der Revolutionskriege 24 Jahre lang ohne Festfeier geblieben, ist neu hergerichtet, und dabei hat man vom aufgehobenen Kloster Eibingen die Gebeine des heiligen Ruprecht mitsamt der Kircheneinrichtung übernommen. „Hierbei bemerkte man wohl, daß es sich nicht geziemt hätte, diese Heiltümer in den Kauf mit einzuschließen oder zu irgendeinem Preis anzuschlagen; nein, sie kamen vielmehr durch Schenkung als fromme Zugabe gleichfalls nach Sankt Rochus. Möchte man doch überall, in ähnlichen Fällen, mit gleicher Schonung verfahren sein!“ Das Volk drängt nun wieder zu seinem Heiligen: „Die Menge bewegte sich von der Haupttür gegen den Hochaltar, wandte sich dann links, wo sie einer im Glassarge liegenden Reliquie große Verehrung bezeigte. Man betastete den Kasten, bestrich ihn, segnete sich und verweilte solange man konnte; aber einer verdrängte den anderen, und so ward auch ich im Strome vorbei und zur Seitenpforte hinausgeschoben.“ Freilich zeigten die Wallfahrer nicht einhellig frohe Gesichter: „Die Kinder waren sämtlich froh, wohlgemut und behäglich, als bei einem neuen, wundersamen, heiteren Ereignis. Die jungen Leute dagegen traten gleichgültig anher. Denn sie, in böser Zeit geborne, konnte das Fest an nichts erinnern, und wer sich des Guten nicht erinnert, hofft nicht. Die Alten aber waren alle gerührt.“[6] Goethe selbst stiftete ein Gemälde des Heiligen, „welches gar nicht übel, aber doch allenfalls von der Art ist, daß es Wunder tun kann.“[7]

Mochte sich auch die Masse des katholischen Volkes der verordneten Aufklärung gebeugt haben oder noch weiterhin beugen müssen, so war es doch keine wirkliche Überzeugung, sondern eher eine Verstörtheit wegen des Verhaltens der aufgeklärten Pfarrer und gelegentlich auch Protest, wie etwa bei den „Unruhen“ um die abgeschaffte Mitternachtsmesse zur Weihnacht.[8] Zu den alten Formen und Weisen von Frömmigkeit zurückzukehren war vielfältiges Bestreben und hatte auch weitenteils Erfolg[9], obwohl die aufklärerischen Eingriffe in nicht wenigen Gebieten erst nach 1820 auf ihren Höhepunkt kamen, zu einem Zeitpunkt also, da „Religion wieder zum Grundgefühl der Zeitgenossen wie zu ihrer Reflexion auf Welt"[10] gehörte. Der Heiligen- und Reliquienkult erfuhr eine Restauration, oft in betont katholisch gewendeter Rückkehr zum Alten, in Wirklichkeit nicht ohne Elemente einer Renovation, etwa in verstärkter Katechese, häufiger Predigt und stetiger Mahnung zur Versittlichung. Für eine kurze Zeit auch kam die Übertragung von Katakomben-Heiligen wieder in Gang, merkwürdigerweise gerade in und um die Revolutionsereignisse von 1848.[11] Mit der von der Frankfurter Verfassung gewährten religiös-kultischen Autonomie der Religionsgemeinschaften konnte sich das katholische Frömmigkeitsleben neu und unbeschwert entfalten. Als zum Beispiel 1860 die Reliquien des Heiligen Liudger, des ersten Bischofs von Münster, vom Grabort Werden (bei Essen) an dessen Sterbeort Billerbeck (bei Münster) verbracht wurden, strömten wochenlang Prozessionen dorthin, und der alte Reliquienkult feierte Urständ.

„Wer Andacht und Rührung wahrnehmen wollte, der hätte in den Tagen des Jubiläums in Billerbeck sein und sehen müssen, wie sich das Volk zu den Reliquien hindrängte, vor ihnen zu beten und sie zu küssen. Fast ununterbrochen mußte ein Geistlicher da sein, sie zum Kusse darzureichen. Rosenkränze, Bilder, Kreuze, alles wollte man daran anrühren. Das Meßgewand des Heiligen Ludgerus, das neben den Reliquien ausgehängt war, war vor Beschädigung nicht mehr sicher. Man war gezwungen, es dem Gedränge dadurch zu entziehen, daß man es sehr hoch aufhängte. Aber auch jetzt noch suchte man es mit Rosenkränzen zu erreichen. Den ganzen Tag war die Kirche mit Pilgern so angefüllt, daß der eine den andern drängte."[12]

Die neue „alte Frömmigkeit" blieb nicht auf den Katholizismus beschränkt. Die Begeisterung wurde sogar von außen herangetragen. Man denke nur an die zahlreichen Konvertiten, die im Katholizismus das Voraufklärerische suchten. In den Text von Wackenroders ›Herzensergießungen eines kunstliebenden Klosterbruders‹ schob sein Freund Ludwig Tieck (der den Druck besorgte) den „Brief eines jungen deutschen Malers in Rom an seinen Freund in Nürnberg" ein mit folgendem Passus: „Beschreiben kann ich es Dir nicht, wie Mariens Herz immer um das Wohl meiner Seele besorgt war, als sie hörte, daß auch ich der neuen Lehre zugetan sei. Sie bat mich oft inbrünstig, zum alten, wahren Glauben zurückzukehren."[13] In Rom tat sich eine Gruppe junger deutscher Künstler zusammen, die „Nazarener"[14]; christlich und altdeutsch wollten sie sein, vor allem aber Maler des Vorneuzeitlichen. Nicht wenige von ihnen konvertierten. Ihre frommen Bilder, inspiriert an mittelalterlichen Themen und Formen, nahm das Kirchenvolk dankbar an, und so lebte der Nazarenismus, obwohl in der allgemeinen Kunstentwicklung bald überholt, katholischerseits durch das ganze 19. Jahrhundert fort.

Noch bis in unser Jahrhundert schlug die Welle der romantischen Ergriffenheit. Als Studenten in Heidelberg nach 1900 eine Jahrhundertfeier zur Romantik in ihrer Stadt veranstalteten (weil „der poetische Zauber der deutschen Romantik ein Jahrhundert lang an Heidelbergs Namen haften blieb"[15]), machten sie sich auch auf die Suche nach der ›Legende‹:

„Nachdem wir unsere Hörer mit Sage und Märchen der wiedererweckten Volkskunst bekannt gemacht hatten, mochten wir ihnen auch die religiöse Erzählung ... nahebringen. Doch fand sich zu unserm Erstaunen gerade auf diesem Gebiet durch die romantische Forschung nur weniges zutage gefördert – und andererseits zeigten sich die vom heutigen Katholizismus noch zu kirchlichem Zweck gebrauchten Fassungen als zeitangepaßt, der Kraft ihrer Sprache beraubt. So mußte man sich behelfen und manches eilig Zusammengeholte erst gewissermaßen wieder ins Mittelalterliche rückübersetzen – und doch gelang es, eine unvergeßliche Stunde der ‚Andacht zur Kunst', wie sie Wackenroder träumte, neu zu schaffen: Milder Kerzenschimmer erhellte den einst geweihten Raum, und die jugendliche Äbtissin, in edler Gewandung mit Stirnreif und Schleier, saß am liliengeschmückten Pult und las aus dem Heiligenbuch mit sanfter Stimme vom Leben und Leiden der Märtyrer und von ihrer Erlösung durch die Gottheit. Alte Musik und Gesang leitete die Lesung ein und beschloß sie."[16] – Das Leben und Leiden der Märtyrer als ästhetisches Erlebnis!

2. Medium des Jenseits

Die neue „alte Frömmigkeit" zeigt eigentlich nurmehr, daß das katholische Volk sich zurückholte, was ihm Aufklärung und Revolutionskriege für ein Menschenalter vorenthalten hatten. Indes gingen die „Theoretiker" der Romantik grundsätzlicher vor. Als Clemens von Brentano (auf dessen Familiengut Winkel übrigens Goethe während der Binger Rochus-Tage zu Gast war) im Jahre 1818 von Berlin in das münsterländische Dülmen reiste und sich dort an das Krankenbett der stigmatisierten Nonne Anna Katharina Emmerick setzte, suchte er eine visionär beglaubigte Erkundung des Jenseits. Die von Aufklärung, wissenschaftlichem Fortschritt und Revolution ausgelöste Sinn- und Orientierungskrise, die Bedrohung „von der Nachtseite der Naturwissenschaft“[17] her, sollte eine verifizierbare Glaubensantwort erhalten. Es war das urromantische Verlangen nach der Region des Geistigen und Göttlichen, der Blick über die Sinnen- und Scheinwelt hinaus, die Regeneration des Paradieses, und dafür suchte und fand Brentano Beweise in der Ausnahmestellung der Seherin.[18] Gegen die historisch-aufklärerische Bibel-Kritik, wie sie 1835 in David Friedrich Straußens Jesus-Buch kulminieren sollte, wollte er die Existenz des Gottessohnes visionär absichern und sogar noch die im Neuen Testament verbliebenen Lücken auffüllen lassen; auf die Stunde genau und unter Bennennung aller mitbeteiligten Personen wie auch aller Umstände sollte das Leben Jesu rekonstruiert werden. Den Anlaß bot ihm die Erfahrung, daß die Emmerick die Reaktion eines „vollkomnen Sacrometers“[19] zeigte, vermochte sie doch alles Heilige und von der Kirche Geweihte durch das Gefühl zu erkennen. Darin sei erwiesen, daß der Kirchenleib eine Gemeinschaft der Heiligen darstelle: „das lebendige Gefühl vom innigsten Zusammenhang der Kirche, als eines Leibes, und die heilige Pflicht eines jeden für den anderen zu beten, zu sühnen, zu büßen“[20]. Als wichtigstes Prüfmaterial benutzte Brentano Reliquien.[21] Sofern solche der Seherin während ihrer Ekstasen nahegebracht wurden, vermochte sie genau deren Namen anzugeben, Berührungs- und Körperreliquien zu unterscheiden, entsprechend deren Segenskraft zu benennen und – das Erstaunlichste – alle mit den betreffenden Heiligen verbundenen Umstände wie überhaupt deren ganzes Leben minutiös zu beschreiben, zuletzt auch die des Lebens Jesu. Brentano sah hierin die Möglichkeit eines Erkenntnisdurchbruchs ins Jenseits bestätigt, für Skeptiker experimentell nachprüfbar.

Reliquien der seltsamsten Art, von denen er immer einige in der Brieftasche bei sich trug, hielt er der Emmerick hin, versah sie mit Nummern und vernahm am Ende die zutreffende Identifizierung. Zur Sicherheit mischte er „ungetaufte Knochen aus Hünengräbern“ darunter und konnte dann die „unheimliche Wirkung heidnischer, böser Gebeine“ beobachten. Echte Reliquien nutzte er zur weiteren Stimulierung der Ekstase, welche die Emmerick in die vergangenen Zeiten und ihre Umstände zurückversetzte und dabei „die untergegangene römische alte Welt in allen ihren Gebräuchen und Sitten“ beschreiben ließ. Brentano ging in seinem „durchaus dämonisch zu nennenden Zugriff“[22] so weit, der Seherin auch Haare von Louise Hensel (der unter seinem Einfluß konvertierten und von ihm geliebten Tochter eines Hamburger Pastors) oder von seiner verstorbenen Frau hinzuhalten, um Einblick in deren Leben und Gedanken zu erhalten. Ja, die Seherin sollte selbst noch ihr Leben vor ihm ausbreiten, indem er ihr ihre eigenen Haare oder abgeschnittenen Nägel oder auch die Krusten ihrer Wundmale auflegte: „Ich halte ihr die Reliquie von St. Clemens vor, sie sagt: ach, da ist noch Etwas! Ich gab ihr aber statt dessen Haare von ihr selbst, wie eine Reliquie eingepackt, sie ergreift sie und spricht: Nein! es muß noch etwas Anderes da sein! – Ich: leuchtet denn dieses nicht? Sie: Ja, aber nicht viel. Ich reiche ihr nun die Reliquie und sie sagt lebhaft: Das ist es, St. Clemens.“[23]

Für Brentano stand nun fest, daß „diese Heiligen eben so strahlten und die Gebeine zu ihren Besitzern in einem wunderbaren sichtbaren Bezug waren, und eines wieder auf das andere, wie sie sich durch Liebe und Verehrung erweckt hatten und einer durch den Andern sich zum Guten gefördert hatten, und dabei das wunderbare Wirken und Strahlen der Gebeine, und der Heiligen durch sie, und der Gnade Gottes durch die Heiligen und ihre Gebeine und alles dieses in einem lebendigen Bild des Wachsens und Steigens ... und daß die Kirche immer groß genug war und immer wuchs, so hat man ein schwaches Bild von dem Unaussprechlichen, was ich gesehen, denn Alles war bis in die kleinste Form und Gestalt richtig und wahr nach der Ordnung Gottes.“[24] Noch einmal waren es die altbekannten Phänomene des Mittelalters, wenn die Emmerick auch die Gräber auf dem Friedhof unterschiedlich strahlen sah, viele in „trüben Schattensäulen“, manche in „Lichtsäulen“, und sich angerufen hörte von dumpfen Stimmen, für sie, die Hilflosen, zu beten. Sich frei unter den Toten zu bewegen war ihr nicht möglich, auf den Gräbern Unseliger wurde sie „umgeworfen“, „hin und her geschleudert“, ja manchmal „vom Kirchhof hinaus gedrängt“[25].

Nach ihrem Tod mußte die Emmerick dann noch die lüsterne Neugier ihrer romantischen Bewunderer erfahren, geradezu ein „Leichenexperiment“[26]. Louise Hensel, der Emmerick ganz ergeben, ließ deren Grab öffnen – eine wahrhaft mittelalterliche Inventio des ‚corpus incorruptum‘:

„Schmerz und Unruhe über diese Ungewißheit, und die innige Sehnsucht, die Gestalt meiner Freundin noch einmal zu sehn, brachten mich zu dem

Entschluß Grab und Sarg öffnen zu lassen. Ich überredete einen frommen, braven Bürgersmann mit leichter Mühe, mich in der nächsten Nacht auf den Kirchhof zu begleiten ... Wir gingen um 12½ Uhr, als der Mond eben aufgegangen und in der Stadt alles ruhig war ... Ich bat Gott und die hl. Jungfrau Maria unser Vorhaben, das ich für Ihm gefällig hielt, zu segnen und uns vor Störung zu bewahren. Niemand störte uns. Wir gingen durch die kleine offenstehende Thür des Stadtthors. In meinem Herzen kämpfte die Hoffnung, die liebe Entseelte noch einmal zu sehn, gegen die Furcht, ob ... ich sie auch noch finden würde. Die Männer suchten eine Weile nach ihrem Sarge ... Ich kniete oder stand abwechselnd neben der Grube und leuchtete hinein, da der Mond noch nicht hoch genug war, um hinein zu scheinen. Als sie auf den rechten Sarg stießen, den sie an der Form von den neben stehenden zu unterscheiden wußten, gruben sie die Erde weiter los, bis sie ihn ... bewegen konnten. Wir hoben ihn herauf – mir schlug das Herz Lieb- und Erwartungsvoll bei dieser Arbeit. Der Deckel des Sarges ward geöffnet, ich schaute begierig hin, voll Sehnsucht die geliebten Züge zu erblicken und – ach ich mußte mich abwenden, um meinen Schrecken zu verbergen – ihr liebes Gesicht war von der einen Seite fast ganz mit Schimmel überzogen, was den ersten Anblick grauenvoll machte. Bei längerem Hinschauen ward ihr Gesicht mir wieder vertraut und angenehm. Es war, als ob der Schimmel sich an der Luft verzehrte. Ihre Züge wurden mir immer lieblicher, sie schien zu schlafen, es war nicht die geringste Verzerrung an ihr und ihre feine, gradausgestreckte, in ein feines Leintuch gehüllte Gestalt hat mir ein unvergeßlich rührendes Bild in der Phantasie zurück gelassen. Es war schon 5 Wochen, daß sie in der Erde lag, dennoch war nicht der geringste Leichengeruch zu bemerken, auch kein Wurm. Das Grabtuch war naß wie eben gewaschen, und schmiegte sich dicht an ihre Glieder, das Heu, auf dem sie lag, war schon voll Moder und Schimmel; beim Aufheben des Deckels hatte sich ein dumpfiger Geruch verbreitet, der von dem modernden Heu und den nassen Tüchern kam; es war keine Spur von Leichengeruch zu bemerken. Ihre Augen waren tief in den Kopf hinein gesunken, ihr Mund sanft geöffnet. – Wir hatten still an ihrem offenen Sarge gebetet."[27]

Trotz allem – so viel hier mit Reliquien hantiert wird und so sehr dabei ein religiöses Interesse obwaltet –, es überwiegt die experimentielle Zudringlichkeit der Neuzeit, der „Versuch zur Hierognosie"[28]. Das Verlangen, Medien des Jenseits zu besitzen, setzt sich durch das ganze 19. Jahrhundert fort. Die Visionärin und Ekstatikerin Louise Beck († 1879) in Altötting konnte auf diese Weise eine hochgestellte Klientel beherrschen.

Sie unterhielt über ein positives Medium, das angeblich durch Exorzismen und Segnungen an die Stelle satanischer Dämonen getreten war, einen direkten Kontakt mit einer „Mutter", die unter zunehmender theologischer Aufladung mit der Gottesmutter identifiziert wurde, so daß die Seherin zunächst Weisungen Mariens und zuletzt, über diese vermittelt, auch Weisungen Gottes von sich gab. Die bayerischen Redemptoristen in Altötting, die Seelenführer und Beichtväter der Beck, gerieten dabei unter einen unentrinnbaren Einfluß dieser „Höheren Leitung", wurden selbst zu „Kindern der Mutter" und suchten deren Einfluß durch die Unterstellung prominenter bayerischer Kirchenmänner zu erweitern. Die „Theologie der Höheren Leitung" setzte sich zusammen aus einem Komplex von Sühnegedanken, unbedingter Unterwerfungsbereitschaft, verdrängter sexueller Obsession und fanatischem Kampf gegen Häresie und Sittenlosigkeit. „Krankhaft, phantastisch, bizarr waren die Anfänge, in denen der Romantiker Bruchmann [Provinzial der bayerischen Redemptoristen] kritiklos das Hereingreifen der Geisterwelt zum Schutze des bedrohten Ordens erkennen wollte. Zum Schaden des Ordens, zu einer Quelle von Lieblosigkeiten, Ungerechtigkeiten, Verleumdungen und übelster Geistestyrannei wuchs sich die Sache aus, als der fanatische Psychopath Schmöger [Sekretär des Provinzials, später selbst Provinzial] sich zum Hohenpriester der wunderbaren Tatsache gemacht und die Leitung der Provinz in seine Hände genommen hatte, bis schließlich mit seinem Tod der Spuk ein Ende nahm."[29] Alle diese Verhaltensweisen, bis hin zur Billigung von und Beteiligung an obskuren sexuellen Praktiken, wurden zum „Geheimnis im Geheimnis" erklärt, motiviert als stellvertretende Sühne für die Verworfenheit von Klerus und Theologie. Einen Abfall von der „Höheren Leitung" oder Übergang zu verwerflicher „Selbstleitung" ahndete man mit psychischer und physischer Folter.

Nicht nur Teile des bayerischen Hochadels, auch zahlreiche Diözesangeistliche und sogar Bischöfe waren Louise Beck hörig: Der Münchener Erzbischof und spätere Kurienkardinal Reisach war „Kind der Mutter"; ebenso hatte sich sein Generalvikar Windischmann der „Mutter" unterstellt, um von drückenden Schulden und Erpressung befreit zu werden; 1872 trat der Regensburger Bischof Senestrey bei, der auf dem I. Vaticanum als einer der intransingentesten Infallibilisten agiert hatte, auch er ein Opfer von Erpreßbarkeit. Diese und andere Mittelsmänner wurden benutzt, um unter Berufung auf die Mutter kirchenpolitische Weichenstellungen vorzunehmen, Personalentscheidungen zu fällen, die verhaßte „deutsche Theologie" in Mißkredit zu bringen und deren Vertreter in Rom zu denunzieren. Obwohl der zuständige Passauer Bischof Hofstätter Zweifel an der

Übernatürlichkeit der Altöttinger Vorgänge hegte, haben Reisach wie erst recht Windischmann eine konsequente Untersuchung lange zu hintertreiben vermocht. Der ganze Vorgang hat Beziehungen wiederum zu Katharina von Emmerick. Pater Schmöger als Seelenführer der Beck gab gleichzeitig kommentierte Emmerick-Schriften heraus, stand mit Brentano und Görres in Kontakt und hat sich auch mit den ekstatischen Visionen der Tirolerin Maria von Mörl in Kaltern befaßt. Zahlreiche weitere Namen und „Seherinnen", schillernd zwischen Spiritismus, Ekstase und Wunder, lassen den Eindruck eines mystizistischen Netzwerks entstehen, vornehmlich von Frauen, aber nicht als ein „Geschlechtsphänomen"[30], eher als Auswirkung des spätromantischen Frauenbildes mit entsprechender geistlicher Rollenzuweisung. „Innere Unsicherheit" und das „Bedürfnis einer übernatürlichen Sicherung"[31] waren die Beweggründe, das Diesseits durch das Jenseits und das Jenseits um des Diesseits willen zwingen zu wollen.

3. Demonstration des Katholischen

Wenn das „Kölner Ereignis" (die 1837 ohne Gerichtsanweisung erfolgte „Abführung" des Kölner Erzbischofs Droste zu Vischering) die Katholiken-Emanzipation einleitete, die dann auf dem Kölner Dombaufest von 1842 zwischen König Friedrich Wilhelm IV. und dem Erzbischof Johannes Geissel ihre erste Besiegelung erhielt, so stellt die Trierer Heilig-Rock-Wallfahrt des Jahres 1844 die erste katholische Selbstdarstellung aufgrund der neu eingeräumten Freiheiten dar. Demonstrativ wollte man zeigen, was richtiger katholischer Glaube sei, zu welchen Massen auch das katholische Volk aufzustehen vermöge. Die absehbaren Einwände suchte man argumentativ vorwegzunehmen. In einer vom Trierer Kirchenhistoriker und Domkapitular Jakob Marx verfaßten und von Bischof Arnoldi approbierten Schrift heißt es gleich eingangs: „Jeder weiß, daß es sich in dieser ganzen Sache nicht um einen Glaubensartikel handelt, in Betreff dessen ein bestimmtes Urtheil und Halten des Christen geboten wäre."[32] Doch glaubte der Verfasser, für den „auf Tradition ruhenden Glauben des Volkes" ein historisch hinreichendes „Maaß von Licht und Gewißheit über diesen Gegenstand"[33] darbieten zu können. Dies um so mehr, als es ihm keineswegs nur um „den innern Drang des christlich frommen Gemüthes" zu tun war: „Denn alle Verehrung dieser heiligen Reliquie, wie sie sich auch kund geben mag, gilt einzig dem Erlöser Jesus Christus selbst."[34] Die Gebete allerdings und Lieder der ›Andachtsübungen‹[35] drückten es ganz zuversichtlich aus: Es war Jesu Rock, ungenäht und von Maria gewebt, dazu noch mit seinem heranwachsenden Träger größer geworden. „Ist das der Rock, Herr Jesus Christ, der ohne Naht bereitet ist?", so hob eines der Wallfahrtslieder an und bestätigte Strophe um Strophe: „Es ist das vielgepriesene Kleid, das ihn bekleidet alle Zeit", den Pilgern nun dargeboten zur frommen Betrachtung. Der Überschwang des Zudrangs übertraf alles bislang Dagewesene, schon in den Zahlen: Über eine Million wollten die Domordner gezählt haben, in Wirklichkeit vielleicht nur die Hälfte, aber dennoch die „größte organisierte Massenbewegung des deutschen Vormärz überhaupt" – täglich fast so viele, wie im engeren Stadtbezirk wohnten, nämlich 10.000.[36] Der äußere Verlauf wahrte höchste Disziplin; „generalstabsmäßig"[37] erschienen die Prozessionen nach genauem Plan im Dom und zogen am Heiligen Rock vorbei, stets unter Aufsicht und Leitung der Geistlichkeit. Die liberale Presse kolportierte gleichwohl Fälle von niedergetrampelten Menschen und von Frauen, die in aller Öffentlichkeit niedergekommen seien.[38] Die Stadt verwandelte sich in ein Heerlager der Pilger (auch Karl Marx' Schwiegermutter machte ein Zimmer frei).[39] Die Pilger beseelte das Verlangen jener Frau aus dem Evangelium, die in fester Zuversicht nur „sein Gewand" berühren wollte, um geheilt zu werden. Tatsächlich auch geschahen Wunderheilungen, über die der „Königlich-Preußische Stadtkreis-Physikus zu Trier", Dr. V. Hansen, eine ›Aktenmäßige Darstellung‹ vorlegte, um „als Arzt mit bedächtig ernstem aber unverzagtem Muthe die Thatsachen zu prüfen, und das Resultat dem Publikum zur Beurtheilung vorzulegen"[40]. Achtzehn Fälle präsentierte er, darunter die spektakuläre Heilung der gelähmten Gräfin Johanna Droste zu Vischering (einer Nichte des Kölner Erzbischofs), die nur mit Krücken und gestützt von Angehörigen die Treppe bis zum heiligen Rock hatte hinaufsteigen können und dann ohne Krücken wieder herunterkam.[41]

Die Einwände aber ließen nicht auf sich warten, im Umfang eine „‚ganze Bibliothek' von Streitschriften"[42], unter anderem der (zunächst wenig beachtete und auch unter anderem Titel publizierte) ›Pfaffenspiegel‹, endlich ein frivoles Spottlied auf die geheilte Droste-Vischering, das Friedrich Engels zu den „besten politischen Volksliedern seit dem sechzehnten Jahrhundert" zählte:

Freifrau von Droste-Vischering, Vi-Va-Vischering,
Zum heiligen Rock nach Trier ging, Tri-Tra-Trier ging;
Sie kroch auf allen Vieren, sie tat sich sehr genieren,
Sie wollt gern ohne Krücken durch dieses Leben rücken.
Ach herrje, o Jemine, Jemine, ja ach herrje,
O Jemine, o Jemine! Joseph Maria!
Freifrau von Droste-Vischering, Vi-Va-Vischering,
Noch selb'gen Tags zum Kuhschwof ging, Ki-Ka-Kuhschwof ging.[43]

Die fromme Wahrscheinlichkeitsrechnung des Kirchenhistorikers Marx provozierte zwei Bonner Historiker, den jungen Heinrich von Sybel und den Orientalisten Johann Gildemeister, zu der Gegenschrift: ›Der Heilige Rock zu Trier und die zwanzig andern Heiligen Ungenähten Röcke‹. Nicht daß sich die Schrift grundsätzlich katholikenfeindlich gäbe; sie verweist sogar auf eine Lösung, wie sie heute geradezu kirchenoffiziell vertreten wird. Man solle sich mit der Feststellung der frommen Tradition und päpstlichen Gutheißung begnügen: „Dieser Rock ist zu verehren, weil er, wie andere Röcke, päpstlich bestätigt und weil er früher verehrt ist."[44] Ein viel schärferer Protest kam aus dem innerkatholischen Bereich selbst. Wie Hiebe ließ der junge schlesische Priester Johannes Ronge († 1887) seine Einwände auf den Trierer Bischof niedergehen: „Wissen Sie nicht, – als Bischof müssen Sie es wissen ..."

Alte und neue Anwürfe sind es, aufklärerisch und zuletzt noch verunglimpfend: „Fünfmalhunderttausend Menschen, fünfmalhunderttausend verständige Deutsche sind schon zu einem Kleidungsstücke nach Trier geeilt, um dasselbe zu verehren oder zu sehen!", so schrieb er am 1. Oktober 1844. „Die meisten dieser Tausende sind aus den niederen Volksklassen, ohnehin in großer Armuth, gedrückt, unwissend, stumpf, abergläubisch und zum Theil entartet, und nun entschlagen sie sich der Bebauung ihrer Felder, entziehen sich ihrem Gewerbe, der Sorge für ihr Hauswesen, der Erziehung ihrer Kinder, um nach Trier zu reisen zu einem Götzenfeste, zu einem unwürdigen Schauspiele, das die römische Hierarchie aufführen läßt."[45] Und noch verderblicher: „Werden nicht Manche, die durch die Reisekosten in Noth gerathen sind, auf unrechtmäßige Weise sich zu entschädigen suchen? Viele Frauen und Jungfrauen verlieren die Reinheit ihres Herzens, die Keuschheit, den guten Ruf, zerstören dadurch den Frieden, das Glück, den Wohlstand ihrer Familie ..."[46] Aber der Bischof hätte das alles wissen müssen, vor allem „daß der Stifter der christlichen Religion seinen Jüngern und Nachfolgern nicht seinen Rock, sondern seinen Geist hinterließ"[47]. Aus diesem Protest ging die Deutsch-katholische Bewegung hervor, die in den späten Jahren des

Vormärz einen großen Teil der Öffentlichkeit auf sich zog, zuletzt aber nur eine kleine Sektenbewegung blieb.[48]

Zuletzt erhob seine Stimme Joseph Görres, alles verteidigend, ja sich zum Künder einer mystischen Historie steigernd, hatte doch schon sein ›Athanasius‹ das Kölner Ereignis erst wirklich zum Ereignis gemacht. Vor den eigenen Augen sah er nun das „Unbegreifliche" sich ereignen: „eine Völkerwanderung durch eine Handvoll Lammswolle erregt"[49]. Was in Trier geschehe, sei nicht ein Zusammenlauf nur, vielmehr die Demonstration der rheinischen Völker[50]; selbst die Vaterlandsbewegung gegen Napoleon werde übertroffen, ein zweites Deutschland sei im Aufbruch; das Volk zwischen Rhein und Maas, von fränkischer Wurzel, wandere zu seiner ältesten Hauptstadt, nach Trier, dem ehemals kirchlichen Haupt Germaniens und Galliens. Görres predigt hier den romantischen Gedanken vom religiösen Volk als dem Antrieb zur größten Bewegung, zur Lebensbewegung, und weil die Entscheidung der Zukunft bei den Massen liege[51], wird die Million nach zeitüblichem polititischen „Zahlenkult"[52] plebiszitär ausgemünzt: „Die Hoffart fand aufs allertiefste sich verletzt, daß das Volk ein solches zu bieten wage; 20.000 das hätte sie zugegeben, und mitleidig zu der Thorheit gelächelt; 60.000 hätte sie noch wohl sich gefallen lassen, aber 100.000, das doppelte, das dreifache, sechsfache, zehnfache, dann gar über die Million hinaus ins Unbestimmte, ist nimmer zu verdauen"[53]. Es ist die Vision eines „neuen Volkes": nicht Pöbel, sondern „Ständemischung", die christliche égalité.[54]

Dem Ganzen freilich ist das Demonstrative anzumerken: der Glaube und das Wunder, Disziplin und Devotion. Im Politischen schwang zweifellos ein Affront gegen die nationalen und liberalen Feste mit, deren größtes im Vormärz, das von Hambach im Jahre 1832, „nur" 30.000 zu mobilisieren vermocht hatte. Bleibt noch anzufügen, daß die Trierer Demonstration gleichwohl keine „bremsende Rolle" auf die Revolution von 1848 ausgeübt hat[55], daß vielmehr der dortige politische Katholizismus, und darunter Jakob Marx, eine besonders ausgeprägt demokratische Färbung hatte und der Herrschaft des vernünftigen Volkswillens das Wort reden wollte.[56]

4. Die Jungfrau Maria

Aus dem insgesamt wieder verstärkten Heiligenkult stach die Marienverehrung nochmals heraus. Novalis hat dafür die Intonation geschrieben:

„Ich sehe dich in tausend Bildern,/Maria, lieblich ausgedrückt,/
Doch keins von allen kann dich schildern,/Wie meine Seele dich erblickt."[57]

Daß Katholiken wie Clemens Brentano, Joseph von Eichendorff und Annette Droste von Hülshoff das Marienlob fortsetzten[58], muß nicht erstaunen, wohl aber die anderen, zumeist protestantischen Stimmen: Friedrich Hebbel, Ludwig Uhland, Justus Kerner, Friedrich Rükkert, sogar Ernst Moritz Arndt und Heinrich Heine[59]. Letzterer bekennt 1850, zwei Jahre vor seinem Tod: „Ich war immer ein Dichter, und deshalb mußte sich mir die Poesie, welche in der Symbolik des katholischen Dogmas und Kultus blüht und lodert, viel tiefer als andern Leuten offenbaren ... Auch ich schwärmte manchmal für die hochgebenedeite Königin des Himmels, die Legenden ihrer Huld und Güte brachte ich in zierliche Reime, und meine erste Gedichtesammlung enthält Spuren dieser schönen Madonna-Periode, die ich in spätern Sammlungen lächerlich sorgsam ausmerzte."[60] Und so währte es bis ins 20. Jahrhundert. Etwa Hermann Hesse fühlte sich noch angezogen.

Die Madonna „wäre so recht ein Heiligtum für Menschen von meiner Art, und es ist eigentlich schade, daß ich gar nicht Katholik bin und gar nicht richtig zu ihr beten kann. Was ich indessen dem heiligen Antonius und dem heiligen Ignatius nicht zutraue, das traue ich doch der Madonna zu: daß sie auch uns Heiden verstehe und gelten lasse. Ich erlaube mir mit der Madonna einen eigenen Kult und eine eigene Mythologie, sie ist im Tempel meiner Frömmigkeit neben der Venus und neben dem Krischna aufgestellt; aber als Symbol der Seele, als Gleichnis für den lebendigen, erlösenden Lichtschein, der zwischen den Polen der Welt, zwischen Natur und Geist, hin und wider schwebt und das Licht der Liebe entzündet, ist die Mutter Gottes mir die heiligste Gestalt aller Religionen, und zu manchen Stunden glaube ich sie nicht weniger richtig und mit nicht kleinerer Hingabe zu verehren als irgendein frommer Wallfahrer vom orthodoxesten Glauben."[61]

Im Volk setzte sich zunächst die barocke Marienfrömmigkeit fort, allerdings in den Zahlen gemindert und erst im späteren 19. Jahrhundert wieder ins Massenhafte ansteigend. Kevelaer am Niederrhein, durch ein wundertätiges Marienbild seit 1642 zum Wallfahrtsort geworden, hat im 18. Jahrhundert jährlich 100.000 Pilger angezogen, zum Jubiläum 1742 sogar gegen 40.000 an einem Tag.[62] Im 19. Jahrhundert lag die Zahl während der Napoleonischen Zeit noch bei 100.000, sank dann aber 1826 auf 20.000 „Ausländer" und 1835 sogar auf unter 5.000, um dann 1842 bei der Zweihundertjahrfeier und dem Kölner Dombaufest schon wieder auf 200.000 emporzuschnellen. Um die Jahrhundertwende war eine halbe Million erreicht, und heute liegt die Zahl noch darüber.[63] Ähnlich in Altötting, wo im 18. Jahrhundert jährlich 200.000 Pilger gebeichtet und kommuniziert hatten; erst 1876 wurde diese Kommunikantenzahl überschritten, und 1900 waren es 300.000.[64]

Größtes Echo, sogar Erregung lösten die Marienerscheinungen aus.[65] Es begann mit der 23jährigen Novizin Catherine Labouré in der Pariser Rue du Bac, der am 18./19. Juli, am 27. November und im Dezember 1830 Maria als von der Sonne umgebene Frau erschien und den Auftrag gab, eine bestimmte Medaille prägen zu lassen, die beim Tod der Visionärin im Jahre 1876 eine Verbreitung von einer Milliarde erreicht haben soll.[66] Es folgte am 19. September 1846 die Erscheinung vor zwei Hirtenmädchen in La Salette, und dann – in der Wirkung alles übertreffend – die achtzehn Erscheinungen der Unbefleckt-Empfangenen vom 11. Februar bis zum 16. Juli des Jahres 1858 in Lourdes vor der 14jährigen Bernadette Soubirous. Die rasche kirchliche Anerkennung ließ hier einen der größten Wallfahrtsorte des Katholizismus mit heute jährlich fast fünf Millionen Pilgern entstehen.[67] Aus unserem Jahrhundert ist noch das portugiesische Fatima zu nennen, wo 1916 von Mai bis Oktober, jeweils am 13., Erscheinungen stattfanden und mit einem „Sonnenwunder" endeten.

Wie es Hirtenmädchen waren, die Maria verehrten, so nicht minder die Päpste. Pius VII. (1800–1823) führte zum Dank für seine Befreiung aus napoleonischer Gefangenschaft das Fest ‚Maria, die Hilfe der Christenheit' (24. März) ein und schrieb das ‚Fest der Schmerzen Mariens' (15. September) für die ganze Kirche vor.[68] Pius IX. sah sich dank Maria vor der Revolution von 1848/49 errettet, verkündete am 8. Dezember 1854 das Dogma von der „Unbefleckten Empfängnis", wie er weiter, jeweils wiederum am 8. Dezember, 1864 den Syllabus verkündete und 1869 das erste Vatikanische Konzil eröffnete. Das Kirchenvolk nahm den Kult der Unbefleckt-Empfangenen tief verinnerlichend auf, sah freilich weniger die im Schoße ihrer Mutter Anna ohne Erbsünde Empfangene, als vielmehr die in Reinheit erstrahlende Jungfrau. Die bevorzugte Darstellungsweise blieb die des Mädchens, nicht mehr die Mutter mit Kind, schon gar nicht die Madonna lactans. Andacht und Ehrung erfuhr die reinste Jungfrau öffentlich und privat. Den 8. Dezember feierte man als das marianische Hochfest schlechthin. Der Rosenkranz mitsamt der Lauretanischen Litanei wurde zum ersten und allgemein geübten Gebet. Gleich eine Mehrzahl von Marien-Andachten findet sich in den im 19. Jahrhundert neugeschaffenen und überall eingeführten Diözesan-Gebetbüchern, dazu eine Vielzahl von Liedern, die wie ›Christi Mutter stand mit Schmerzen‹ oder auch ›Alle Tage sing und sage‹ wahre religiöse Volkslieder wurden.[69] Als neue Verehrungsweise kam aus Frankreich die ‚Maiandacht' und fand spontane Zustimmung.[70] Auch die Katechismen erhielten jetzt eigene Kapitel über die Stellung und Bedeutung Mariens.[71] Aus persönlicher Devotion weihten sich Einzelpersonen und ganze Gruppen, die Päpste an der Spitze nicht anders als katholische Vereinigungen von Arbeiterinnen und Hausmädchen, der allerseligsten Jungfrau Maria. Die zahlreichen Ordensgründungen des 19. Jahrhunderts sind alle irgendwie marianisch geprägt, bei vielen schon im Namen und ausdrücklich in der Spiritualität.[72] Das allgegenwärtige Bild der reinen Jungfrau drang tief in das katholische Bewußtsein ein, trug gewiß auch zur Prüderie des 19. Jahrhunderts bei, aber ebenso zur wachsenden Anerkennung der Frauenwürde. Gerade die sozialen Unterschichten, vorab auf dem Land und doch auch in der Stadt, fanden sich mit ihren Sehnsüchten und Leiden im Bild Mariens wieder.

Man mag geneigt sein, das alles als „typisch katholisch" abzutun. Erstaunlich aber bleibt: Genau diese marianischen Reinheitsvorstellungen wirkten weit über den Katholizismus hinaus; zutiefst entsprachen sie dem romantischen Zug des 19. Jahrhunderts. Gerade das neue Mariendogma von 1854 bildete eine Art feierlicher Sanktionierung: „Die Dogmatisierung der Unbefleckten Empfängnis Mariens 1854 durch Pius IX. am Ende der romantischen Epoche muß so beinahe ... wie die kirchenamtliche Ratifikation und Legitimation einer hundertfach künstlerisch-ikonographisch oder künstlerisch-poetisch ausgestalteten Marienverehrung wirken."[73] Und so setzte es sich noch bis ins 20. Jahrhundert fort. Bei Stefan George († 1933) zeigt „die häufige Verarbeitung des Marienmotivs ..., wie sehr Maria als Figur der Schönheit, Reinheit und Erhabenheit fester Bestandteil des Kosmos Georgescher Ästhetik war."[74] Nicht anders bei Rainer Maria Rilke († 1926); für ihn ist „Hauptreiz der Madonna ... immer wieder deren Unberührtheit, Reinheit und Keuschheit."[75] In seinem frühen Versuch ›Heiliger Frühling‹ verbindet er damit eine frühkindliche Erinnerung: „Und der junge Mann neigte sich und berührte mit kühlen, gierdelosen Lippen Stirn und Mund der Kranken. Wie einen Segen trank er den heißen Duft dieses keuschen Mundes, und dabei fiel ihm eine Szene aus ferner Kindheit ein: wie Mutter ihn mal emporgehoben hatte zu einem wundertätigen Madonnenbild."[76] Franz Werfel tat 1940 in Lourdes den Schwur, bei Gelingen seiner Flucht vor den Nazi-Häschern das ›Lied der Bernadette‹ zu schreiben.[77]

Man hat die seit der Mitte des 19. Jahrhunderts so überschwenglich hervortretende und in der katholischen Kirche bis zum 2. Vatikanischen Konzil fortdauernde Marienfrömmigkeit als „marianisches Zeitalter" bezeichnet.[78] Allein die päpstlicherseits publizierten Verlautbarungen belaufen sich auf mehr als ein halbes Tausend.[79] In Deutschland allerdings ging die Initiative, zumal für die Verehrung der Unbefleckt-Empfangenen, nicht „von oben" aus. Die Theologen lehnten die Dogmatisierung als zu wenig in Schrift und Tradition begründet ab, und auch die Bischöfe blieben eher zurückhaltend.[80] Die Initiative ergriff wiederum jener „Mainzer Kreis", der schon 1848 die Laien politisch aktiviert hatte und dabei zielbewußt ein neues, konsequent katholisches Kirchenbewußtsein anstrebte: „Leitbild und Symbol für dieses Programm wird die unbefleckt Empfangene. Ihre Verehrung gilt als Kriterium der geforderten Katholizität."[81] In offenbar untrüglichem Gespür trafen die Mainzer das Volksempfinden: Die Feiern anläßlich der Dogmatisierung übertrafen alles Dagewesene. Sowohl Ausmaß wie Intensität übersteigen heutiges Vorstellungsvermögen.

Wie die Marienfrömmigkeit wirkte, sei am Beispiel Aachens erläutert.[82] Die Stadt war vom Mittelalter her bereits ein Marienheiligtum, und im 19. Jahrhundert wurde sie der bedeutendste rheinische Ort der Frühindustrialisierung. Nach Düsseldorf stieg hier die Einwohnerzahl am schnellsten, von 24.000 im Jahre 1800 auf gut 50.000 im Jahre 1850 und auf 160.000 im Jahre

1914. Zugleich zeigte sich die Stadt als Zentrum einer intensivierten und überregional ausstrahlenden Katholizität. In der Marienfrömmigkeit setzten sich die alten Traditionen fort. Die Zeigung der Heiltümer zog Zehntausende an, im Jahre 1861 erstmals mehr als hunderttausend.[83] Die Verehrungsweisen blieben zunächst noch voraufklärerisch: Bruderschaften unter dem Namen Maria-Hilf, ferner zu Ehren des Unbefleckten Herzens Mariä und zur Bekehrung der Sünder, andere speziell für das Rosenkranz-Gebet oder für Wallfahrten, so nach Kevelaer, endlich eine Erzbruderschaft vom Heiligen Franziskus und der Unbefleckten Empfängnis sowie eine Skapulier- und Todesangst-Bruderschaft. Für gewöhnlich zählten diese Vereinigungen mehrere hundert Mitglieder, zuweilen aber auch über tausend. Marianische Gebetsübungen standen vornean, zugleich aber auch das strikte Bemühen um christlich-sittliche Lebensführung und regelmäßigen Sakramentenempfang. Eine neue Intensität bewirkten die Jesuiten, die 1851 in der Stadt ihre zweite Niederlassung in Preußen gründeten. Die alte, seit Ende des 16. Jahrhunderts bestehende jesuitische Bürgersodalität zählte gegen Mitte des 19. Jahrhundert gegen 3.000 Mitglieder. Die Pflichten waren beträchtlich: tägliches Gebet, besonders zu Maria, vor der sonntäglichen Messe eine eigene religiöse Unterweisung, Besuch der Nachmittagsandacht an allen Marienfesten sowie weitere nachmittägige Gebetsstunden an besonderen Festtagen (so beim vierzigstündigen Gebet), am ersten Sonntag nach den Quatember-Tagen das Totenoffizium, endlich die Teilnahme an Prozessionen. Eine Bibliothek sorgte für gute Lektüre, eine Unterstützungskasse für Arme und in Not Geratene. Sofort (1852) gründeten die eben niedergelassenen Jesuiten eine Gymnasiasten-Kongregation, wiederum mit einem streng religiösen Programm, so dem täglichen Meßbesuch. Es folgte 1856 eine Junggesellen-Kongregation, die in 20 Jahren über 2.000 Aufnahmen tätigte. Desgleichen entstand eine marianische Männerkongregation mit wiederum 2.000 Mitgliedern im Jahre 1870. Man traf sich zu Gemeinschaftsveranstaltungen religiöser wie auch geselliger Art; darüber hinaus bestanden Kleingruppen von jeweils 15 Personen für das regelmäßige Rosenkranzgebet. Zuletzt sammelten sich auch Mädchen in marianischen Jungfrauen-Kongregationen. Die Mitglieder versprachen: „sich stets einfach, nicht über ihren Stand zu kleiden; keine Tanzspiele und kein Theater zu besuchen; nie ein unehrbares Wort zu sagen; keine gefährlichen Bücher zu lesen; nie in einem Dienste zu verbleiben, in dem sie Gefahr oder Gelegenheit zur Sünde erkannt haben; im Falle einer Bekanntschaft werden die Betreffenden nur im Beisein der Eltern oder anderer gottesfürchtiger Personen zusammenkommen."[84] Wie sehr dabei „Sittlichkeit" vorwaltete, zeigt eine Stellungnahme der Aachener Pfarrerkonferenz, die befand, „daß der sittliche Zustand derselben [der ärmeren Mädchen] verhältnismäßig gut genannt werden muß, und unter denselben überhaupt, und besonders auch unter den Fabrikarbeiterinnen, sehr viele gefunden werden, die als Muster der Sittsamkeit und Tugend aufgestellt zu werden verdienen."[85] Man drängte förmlich zur Marienverehrung. In einer von einem „Sozialkaplan" gegründeten Suppenküche fand 1842 die erste Maiandacht auf deutschem Boden statt, die wegen des Zulaufs gerade auch von seiten der unteren Volksschichten und der Fabrikarbeiter bald in die Kirche verlegt werden mußte.[86]

Die sichtbarste Manifestation ihrer Marienfrömmigkeit schuf sich Aachen nach der Verkündigung des Dogmas von der Unbefleckten Empfängnis Mariens. Während andere Städte eine Mariensäule errichteten[87], entschied sich hier die Bürgerschaft für eine Marienkirche im Neubaugebiet zwischen Altstadt und Bahnhof[88]. Die Stadt stiftete das Grundstück; Kollekten und Sammlungen deckten die Baukosten; es waren die Pfennige der Armen wie die Stiftungen der Begüterten, dazu auch freiwillige Arbeitsleistungen. Um den Widerstand der preußischen Behörden niederzuringen, fand sich eine tausendstimmige Gebetsgemeinschaft zusammen. Die Grundsteinlegung im Jahre 1855 beging die Stadt als marianische Selbstdarstellung mit Festzug und Stadtillumination. Der bekannteste Neugotiker, Vinzenz Statz, zeichnete den Plan. Für die Ausmalung kam vom Frankfurter Städel der „letzte Nazarener", Edward Steinle; ein Freskenzyklus mit dem Bild der Unbefleckt-Empfangenen über dem Hochaltar suchte „Keuschheit der Empfindung mit der Schönheit der Erscheinung zu verbinden."[89] Die Bekrönung des Ganzen bildete eine vergoldete, vier Meter hohe Statue der Unbefleckt-Empfangenen auf der Spitze des Vierungsturmes. Mittelalterliche Frömmigkeitstradition und moderner Industrialismus, Volksglaube und Romantik, die Sehnsüchte der Armen und neuer Religionssinn der Bürger wirkten hier in eindrucksvoller Weise zusammen. Bedauerlicherweise ist dieses Monument einzigartiger Mariendevotion im letzten Krieg so schwer beschädigt worden, daß es in den 70er Jahren vollends abgerissen wurde.[90]

Wie tief die Marienfrömmigkeit in das allgemeine katholische Empfinden eindrang, dafür noch ein Zeugnis aus unseren Tagen: Günter de Bruyn bekannte 1990 in einer Rede auf Heinrich Böll: „Der zweite Erfahrungsbereich, den ich mit dem Verehrten gemeinsam zu haben glaubte ..., war das Katholische, das sich in mir schon immer (was manchem seltsam erscheint, aber Böll-Kenner nicht wundert) mit dem Problemkreis um Frauen, Liebe und Ehe verband. Da spielen Widerstände hinein, die mit Begriffen wie Keuschheit, Zölibat, Unbefleckte Empfängnis und Beichte zusammenhängen; da gibt es die Einheit von Ästhetik und Glauben, das Einkalkulieren der Sünde und vor allem die große Liebes-, Verehrungs- und Hingabeaufforderung im Marienkult."[91]

XXIII. Historismus und Säkularismus

1. Historischer Rückzug

Relativ lange noch konnte sich das neu aufblühende religiöse Leben des 19. Jahrhunderts „wissenschaftlich" unbeeinflußt halten. Die Romantiker gaben sich überhaupt zuversichtlich; die richtige Wissenschaft werde die Religion bestätigen.

Görres schrieb im Vorwort seiner fünf Bände über ›Die christliche Mystik‹: „Mit der Sicherung des Factischen erscheint aber dann auch die Ueberzeugung der Früheren, wie der Glaube der Einfältigen, vollkommen gerechtfertigt; und während sich nun ergibt, daß jene Überzeugung keineswegs auf Täuschung, absichtlicher oder verschuldeter, sich gründet, und dieser Glaube keineswegs so köhlerhaft ist, als der Dünkel der Neueren sich eingebildet, möchte sich auch die lange Verborgenheit dieser ganzen Wunderwelt als eine providentielle Verhüllung erklären, um sie dem Begaffen einer leeren, seichten Zeit zu entziehen ... Es muß also zugleich in die Tiefe eingedrungen, und bis zum Besonderen vorgegangen sein, um den Ansprüchen der Wissenschaft ihr Recht zu thun, und gerade hier im rechten Sitze des Materialism ihm die Waffen zu seiner Bekämpfung abzugewinnen."[1] Nur mit höheren Mitteln sei Einsicht zu gewinnen: „Die Mystik ist ein Schauen und Erkennen unter Vermittlung eines höheren Lichtes, und ein Wirken und Thun unter Vermittlung einer höheren Freiheit; wie das gewöhnliche Wissen und Thun durch das dem Geiste eingegebene geistige Licht, und die ihm eingepflanzte persönliche Freiheit sich vermittelt findet."[2]

Die Spannung freilich, die sich zu den historischen Erkenntnissen ergab, nicht zuletzt über die Existenz und Eigenart mancher Heiliger wie mehr noch über die vielen Reliquien, ließ sich auf die Dauer nicht verschweigen. Der belgische Kirchenhistoriker Roger Aubert schreibt im Blick auf den westeuropäischen und auch deutschen Katholizismus: Gerade in der Zeit, da sich an Universitäten geschulte Historiker daranmachten, die Kirchengeschichte auf der Grundlage authentischer Dokumente zu schreiben, habe die Erbauungsliteratur fromme Darstellungen bevorzugt, als sei jede Art von Überlieferung anzunehmen, sofern sie nur die Frömmigkeit fördere; man habe sich dabei zu Verteidigern der unwahrscheinlichsten Heiligenlegenden gemacht, die von den Bollandisten und den Maurinern längst beiseite geräumt gewesen seien.[3] Die Folge waren harte Rückschläge, für die Frommen oft tief schockierend. Bei dem vielverehrten Haus von Loreto, für dessen Authentizität Stephan Beissel noch vor der Jahrhundertwende eine Verteidigung geschrieben hatte, mußte die Ungeschichtlichkeit eingestanden werden.

Ulysse Chevalier († 1923), katholischer Priester und Verfasser des berühmten ›Repertoire des sources historiques du moyen-âge‹[4], wie auch Georg Hüffer († 1922)[5], ein sich bewußt katholisch verstehender Historiker, zerstörten mit ihren kritischen Untersuchungen den frommen Glauben an das Haus der Heiligen Familie. Joseph Braun († 1947)[6], ein Schüler Stephan Beissels und Verfasser voluminöser Werke über den christlichen Altar mit allem seinem Zubehör wie auch über die Reliquien, lenkte ab und meinte, nicht Reliquien seien heutzutage zu verteidigen, sondern die angegriffene Glaubenssubstanz.[7] Noch die in den dreißiger Jahren publizierte Auflage des (katholischen) ›Lexikon für Theologie und Kirche‹ mußte beschwichtigen: „Die Gleichstellung des Loreto-Glaubens mit dem katholischen Glauben, wie sie der Rationalismus oft vollzogen und die katholische Verteidigung bisweilen beansprucht hat, ist abwegig.“[8]

Ein anderes Beispiel ist das „Skapulierfest“, das an ein vorgeblich von Maria selbst an den Karmelitergeneral Simon Stock 1251 überreichtes „Schulterkleid“ erinnern wollte und allen, die mit diesem Skapulier starben, darin ein besonderes Unterpfand der Rettung verhieß; von Päpsten zu diesem Fest gewährte Ablässe stellten dieselbe Hilfe den Ordensangehörigen und angeschlossenen Bruderschaftsmitgliedern wie zuletzt auch unter bestimmten Bedingungen allen Gläubigen in Aussicht. Aber die Quellenkritik ergab die historische Unhaltbarkeit. Gleichwohl war der Abschied vom Skapulierfest schwierig.

Noch die 1950 begründete ›Münchener Theologische Zeitschrift‹ widmete dem Problem in ihrem zweiten Band einen eigenen Aufsatz mit dem Ergebnis: Das Skapulier sei ein „Sakramentale, speziell dem Karmelitenorden reserviert und mit Ablässen und Verheißungen belegt, die in ihrer Wirkung enorm sind und die zu gewinnen wir eifrigst bestrebt sein sollten ... Die Kirche [hat] mit ihrer Autorität de facto zu wiederholten Malen sich zugunsten der Privilegien des Skapuliers geäußert. Diese Äußerungen werden für uns das Maß der Verehrung bestimmen, die wir dem Skapulier entgegenbringen, ganz unabhängig davon, ob sie auch historisch fest begründet sind ... Unabhängig von dieser theologisch festen Begründung bleibt die Frage nach dem Ursprung des Skapuliers. Wie aber auch die ferneren Untersuchungen über die Geschichte des Skapuliers ausfallen mögen, der Bedeutung desselben tun sie keinen Eintrag. Denn sein Wert hängt nicht von seiner historischen Begründung und Entwicklung ab."[9]

2. Religionsgeschichte und Ethnologie

Von umstürzender Wirkung war der Einblick in die Religionshistorie und Ethnologie, beunruhigend für die einen, eröffnend für die anderen. Man begann nun, deutlicher die Gleichartigkeit mit anderen Religionen und dabei die eigene Relativität zu erkennen. Die Stimmen sind zahlreich und vielklingend; wenig nur kann hier davon verlauten.

Bestürzend für die Theologen wirkte die historisch-kritische Einsicht, daß Legende und Mythos eine allgemeine religiöse Denkform darstellten, auch der Bibel. Um die Jahrhundertwende wurde „Religionsgeschichte" zum Schlagwort in der protestantischen Theologie und mehr noch zu ihrem Problem. Eine Gruppe von jungen Göttinger Theologen – Wilhelm Bousset († 1920), Hermann Gunkel († 1932) und Ernst Troeltsch († 1923)[10] – löste sich von den kirchlich und dogmatisch vorgegebenen Begrenzungen und forderte stattdessen eine „religionsgeschichtliche" Erklärung: Ausgangspunkt sollte die „gelebte Religion" sein: die „Frömmigkeit" und nicht die Dogmatik, das Handeln der Gemeinde und nicht die kirchliche Institution. Die Geschichte Jesu und der Urgemeinde müsse als ein Kapitel der allgemeinen Religionsgeschichte geschrieben werden, und dabei seien allein die Mittel und Methoden der Religionsforschung zu berücksichtigen, nicht mehr Postulate des Dogmas oder Grenzen des Kanons. Praktisch bedeutete das die endgültige Negation der Lehre von der Bibel-Inspiration und vom Kanon. Denn, so erklärte Bousset als der Wortführer: „Es ist unmöglich, nach dieser Nivellierungsarbeit der Geschichte ein ganz spezielles Gebiet göttlicher Offenbarung im menschlichen Leben im alten Sinn noch festzuhalten."[11] Für die Forschung hieß das: das Neue Testament nicht länger primär aus dem Alten zu erklären, sondern aus dem religionsgeschichtlichen Vor- und Umfeld. Als religionsgeschichtliche Themen wurden dabei der „Hellenismus" und das „Spätjudentum" (heute als „Frühjudentum" bezeichnet) entdeckt. Den weiteren Schritt vollzog die nachfolgende Generation: Martin Dibelius († 1947) und Rudolf Bultmann († 1976).

Sie befaßten sich mit den Formungs- und Traditionsgesetzen der religiösen Überlieferung, angewandt nun auf das Urchristentum und die Entstehung von dessen frühesten Schriften. Für die Jesus-Überlieferung hat sich dabei als erste größere „Geschichte" die des Todes und der Auferstehung ausmachen lassen, dann eine „Sammlung" von Worten, Wunder- und Beispielhandlungen, die aber keineswegs „biographisch" aufzufassen sind, zuletzt noch die Ausgestaltung der Kindheitsgeschichte. Im Ganzen ist es zweifellos eine Überlieferungsgestaltung, wie sie uns auch in den Viten begegnet: das exemplarische Sterben mit dem Übergang ins Jenseits, dann das Leben, sofern es beispielhaft war und sich durch Wunder auszeichnete, dazu noch die erwählte Kindheit. Neu herausgearbeitet wurde an der Jesus-Überlieferung die ›Logien-Quelle‹, die Sammlung von Herren-Worten. Gerade Bultmann hat ihre Formierung und Geschichte eindrucksvoll dargestellt und damit wiederum auf die Erforschung der Hagiographie zurückgewirkt.[12]

Bei den deutschen katholischen Theologen ist ein tieferes Vordringen von historischer Relativierung in der „Modernismus-Krise" zu beobachten. Der Münchener Dogmenhistoriker Joseph Schnitzer († 1939), „einer der ganz wenigen deutschen Modernisten von wissenschaftlichem Rang"[13], löste seine kirchenamtliche Suspendierung[14] dadurch aus, daß er 1908 eine Rezension über Heinrich Günters ›Legenden-Studien‹ veröffentlichte und die dort beschriebenen „legendären Züge" auch in der Jesus-Überlieferung wiederfand:

„Mit der erdrückenden Fülle seiner Beobachtungen und Belege liefert er [Günter] einen Induktionsbeweis . . ., daß mit wunderbaren Zügen ausgestattete Heiligenleben legendären Charakter tragen und das Werk späterer Aufzeichnungen sind, während sich die den Ereignissen gleichzeitigen Berichte von Augen- und Ohrenzeugen durch schlichte Natürlichkeit auszeichnen. Nun unterliegt aber ohne Zweifel das Lebensbild Jesu demselben historischen Gesetze wie das seiner Heiligen; man wird also von vorneherein annehmen dürfen, daß auch das Bild des Erlösers, das ja die Phantasie der Gläubigen unaufhörlich aufs regste beschäftigte, von der stille umschaffenden, leise ausschmückenden und verherrlichenden Tätigkeit, die die begeisterte Liebe treuer Anhänger am Gedächtnisse ihrer Helden zu entfalten pflegt, nicht verschont geblieben sein werde. Bedenken wir nun, daß . . . unsere Evangelien nicht von Aposteln, überhaupt nicht von Augen- und Ohrenzeugen des Wirkens Jesu und überdies nicht gleichzeitig, sondern erst Jahrzehnte nach seinem Tod aufgezeichnet wurden, so werden wir uns nicht bloß nicht wundern, auch in den Evangelien legendäre Zusätze anzutreffen, sondern müßten uns im Gegenteil höchlichst wundern, wenn es anders wäre."[15]

In Frankreich wirkte der Modernismus dramatischer und wirklich erschütternd. Die fünf Bände über die Geschichte der Alten Kirche von Louis Duchesne († 1922), katholischer Priester und unter der laizistischen Dritten Republik Direktor der École Française de Rome, argumentierten historisch, scheuten nicht vor der Demontage von Legenden und sonstigen frommen Konstruktionen zurück, riskierten auch Relativierungen des dogmatischen Lehrgefüges und kamen so auf den ›Index der verbotenen Bücher‹. Duchesnes ›Geschichte des christlichen Kultes‹ zeigte die Gewordenheit der Liturgie, und sein bis heute unentbehrliches Werk über die Anfänge der Bischofssitze im antiken Gallien erwies endgültig die Unhaltbarkeit ihres apostolischen Ursprungs. Alfred Loisy († 1940), vom Modernismus persönlich tief getroffen, charakterisierte seinen Lehrer Duchesne mit der Formel: „Ein großer Gelehrter, jedoch kein großer Gläubiger."[16]

Von besonderer Bedeutung für unsere Thematik wurde das religionsgeschichtlich-ethnologische Bild vom heiligen Menschen. Seitdem Charles Darwin († 1882) den Entwicklungsgedanken auf die Geschichte der Menschheit angewandt hatte, wurde auch die Religion evolutiv gesehen. Edward E. Tylors († 1917) ›Primitive Culture‹ und James G. Frazers († 1941) ›The Golden Bough‹ stehen dafür als Paradigmen. Unter den zahlreichen Ergebnissen, die inzwischen erarbeitet sind, sei hier nur das Bild des Schamanen angeführt, der sich in der klassischen Grundgestalt bei vielen Völkern des eurasischen Raumes findet.[17] Der Schamane vermittelt die Beziehungen zur anderen Welt, zu den außer- und übermenschlichen Kräften, zu den transintelligiblen Geistern. Seine Fähigkeiten sind ihm vermittelt; er bedarf der Berufung, der Erweckung, konkret der Ekstase. Dann befindet er sich in jener anderen Welt, die in Wirklichkeit, wenn auch unsichtbar, das Diesseits bestimmt. Von hier aus deutet und ordnet der Schamane die Fährnisse des Lebens und die Widrigkeiten der Welt: die Beziehungen zwischen den Menschen, das Verhalten der Tiere wie ebenso der Natur. Seine Gabe ist es, die überall wirksamen Geister zu erkennen und zu beeinflussen. Mittel sind ihm Trance und Ekstase, aber auch Riten, Opfer und Kulttechniken. Bei den Menschen ist die Heilung seine erste Aufgabe, darüber hinaus die Begleitung des Lebensablaufs. Der Schamane, so Mircea Eliade, ist „der Spezialist einer Trance, in der seine Seele den Körper zu Himmel- und Unterweltfahrten verläßt“[18]. Auf den ersten Blick denke man an einen Vergleich mit den Mönchen, Mystikern und Heiligen der christlichen Kirchen; doch komme im Schamanismus der Ekstase eine größere Bedeutung zu.[19] Wenn heute in der Religionsgeschichte der Heilige als „die eigentlich tragende Erscheinung der Religion“[20] genannt wird, dann geht das nicht zuletzt auf das Phänomen des Schamanen zurück.

Gelegentlich auch machen sich Religionshistoriker selbst zu Verkündigern. So erklärt Mircea Eliade († 1986) im Vorwort seiner ›Geschichte der religiösen Ideen‹: „Das ‚Heilige‘ ist also ein Element der Struktur des Bewußtseins und nicht ein Stadium in der Geschichte dieses Bewußtseins. ‚Als ein menschliches Wesen zu leben‘ war in den ältesten Kulturen schon an sich ein ‚religiöser Akt‘, denn Nahrung, Sexualität und Arbeit hatten eine sakramentale Bedeutung. Mit anderen Worten, ‚Mensch‘ sein oder, besser: werden, heißt ‚religiös‘ sein.“[21] So stellt er denn auch fest, daß das Heilige keineswegs einfachhin verschwunden ist: „Und eben das ist bezeichnend für die Situation des modernen Menschen: Er befriedigt sein nicht vorhandenes religiöses Leben (nicht vorhanden auf ‚Bewußtseinsebene‘) durch die imaginären Welten der Literatur und der Kunst. Und es ist genauso bezeichnend für die Literaturkritiker, die in ‚profanen Werken‘ religiöse Bedeutungen entdecken.“[22]

Natürlich ist sich auch Eliade der Einwände bewußt: „Doch ich spüre, daß ‚wir‘ nicht mehr dasselbe tun können, wir können nicht mehr zu den ‚klassischen‘ Mythologien zurückkehren, zu dem, was sich ausschließlich auf Griechenland und auf Europa bezieht. Unsere Pflicht – die Pflicht der Schriftsteller, ‚Gelehrten‘ und Philosophen – besteht darin, die ‚anderen‘ mythologischen Überlieferungen und zuvörderst die archaischen Traditionen für das moderne westliche Bewußtsein neu zu interpretieren.“[23] Als Beispiel bietet er an: „Ich habe das Gefühl, in Lehre und Ritualen der Initiation die einzige Möglichkeit entdeckt zu haben, wie ich mich gegen den ‚Schrecken der Geschichte‘ und die kollektive Bedrängnis wehren kann. Ich will damit sagen, wenn es uns gelingt, zu experimentieren, den Schrecken, die Verzweiflung, die Depression, das offensichtliche Fehlen eines Sinnes der Geschichte als ebenso viele Initiationsprüfungen aufzufassen – dann werden alle diese Krisen und Qualen einen ‚Sinn‘ bekommen, einen Wert, und die Verzweiflung der Konzentrationslagerwelt wird uns erspart bleiben.

Wir werden dann eine ‚Aufgabe' finden. Wir werden auch die Geschichte transzendieren, indem wir sie in der echtesten Form erleben (indem wir also die Verpflichtungen akzeptieren, die uns der historische Augenblick auferlegt)."[24]

Ähnlich ruft Raimon Panikkar, selbst halbindischer Herkunft und in Kalifornien Religionsgeschichte lehrend, dazu auf, angesichts der heutigen Weltlage mit ihren bedrängenden Fragen nach Zukunft, Leben, Gerechtigkeit und Vollendung, den Mönch als „universalen Archetyp" wiederaufzuspüren, wobei er in Wirklichkeit aber mehr den heiligen Menschen beschreibt:

„Ein Mönch, ‚monachos': das ist in meinen Augen ein Mensch, dem es einzig darum geht, die höchste Bestimmung des Lebens durch Hingabe seines ganzen Seins zu verwirklichen, indem er auf alles zum Erreichen des Ziels nicht unbedingt Notwendige verzichtet. Sein ganzes Leben kreist um das Eine und Einzige dessen, worauf es letztlich ankommt. Was den monastischen Weg von anderen Bemühungen um Heil oder Erlösung unterscheidet, ist die Geisteseinfalt ...: die Ausschließlichkeit dessen, wohin er führen soll, unter Mißachtung aller anderen zwar wichtigen, aber eben untergeordneten Lebensziele. Zumindest vom ‚Wunsch' nach Befreiung ... ist der Mönch so sehr beseelt, daß er alles andere darüber vergißt: er verzichtet auf seinen Anteil an den Früchten seiner Taten ..., denn er hat gelernt, Wirkliches von Unwirklichem zu unterscheiden. Er ist bereit, sich der zur Verwirklichung seiner Bestimmung notwendigen Praxis ... zu unterziehen. Zwar ist im Grunde jeder Mensch berufen, nach dem letzten Ziel des Lebens zu streben, doch den Mönch zeichnet seine Radikalität und Ausschließlichkeit aus. Was nicht Leiter ist, zählt nicht; was nicht Weg ist, fällt weg. Ich behaupte, daß der Mönch Ausdruck und Erscheinung eines Archetyps ist, der zu den ‚grundlegenden Dimensionen' gehört, die ‚menschliches Leben' als solches kennzeichnen."[25]

3. Psychologie, Kunst und Literatur

In jenem Moment, als die Geschichtswissenschaft die Viten und Legenden als Betrug und als „kirchliche Schwindelliteratur" abtat, löste die Begegnung mit den „primitiven Religionen" etwas ganz Neues aus: die Geburt der Tiefenpsychologie. Am Anfang stand die überraschende Erfahrung, daß psychisch Kranke Symptome aufweisen können, wie sie genauso in ethnologischen und religionshistorischen Untersuchungen beschrieben stehen. Sigmund Freud († 1939) führte in ›Totem und Tabu‹ solche Vergleiche durch. Die erste dem Menschen gelungene Weltdeutung, der Animismus, besage, „daß der primitive Mensch Strukturverhältnisse seiner eigenen Psyche in die Außenwelt verlegte" und damit die Absicht verfolgte, „den realen Dingen die Gesetze des Seelenlebens aufzuzwingen"[26]. Ausdruck dafür sei der Geister- und Dämonenglauben, der in Wirklichkeit beim Primitiven „nichts als die Projektionen seiner Gefühlsregungen"[27] darstelle.

Ausgangspunkt war Frazers Entdeckung der „imitativen" oder „homöopathischen Magie", daß zum Beispiel, um Regen herbeizuzaubern, man nur etwas zu tun brauche, „was wie Regen aussieht oder an Regen erinnert"[28], oder um einen Feind zu schädigen, man nur zum Beispiel dessen gemaltem Ebenbild etwas Böses antun müsse, woraufhin dem Feind selbst ein entsprechender Schaden zustoße[29]. Das alles beweise, daß „der primitive Mensch ein großartiges Zutrauen zur Macht seiner Wünsche hat", daß nämlich bestimmte Geschehnisse einträten, „weil er es will"[30]. Freuds Formel dafür lautet: „Allmacht der Gedanken"[31].

Von hierher kommt Freud zu der Konklusion, daß zwischen der psychischen Urgeschichte und dem heutigen (krankhaften) Verhalten eine Beziehung bestehe: „Der Inhalt des Unbewußten ist ... kollektiv, allgemeiner Besitz der Menschen."[32] Besonders deutlich wird Freuds These an seinem bekanntestem Exempel: nämlich „daß im Ödipus-Komplex die Anfänge von Religion, Sittlichkeit, Gesellschaft und Kunst zusammentreffen, in voller Übereinstimmung mit der Feststellung der Psychoanalyse, daß dieser Komplex den Kern aller Neurosen bildet"[33].

C. G. Jung († 1961) hat diesen Ansatz weiter ausgebaut. Er hielt es „für ausgeschlossen, daß jemand ohne Kenntnisse auf mythologischem und folkloristischem Gebiet, ohne ein Wissen um die Psychologie der Primitiven und um die vergleichende Religionswissenschaft das Wesen des Individuationsprozesses versteht"[34]. Gewisse, besonders ausgeprägte Mythologeme bezeichnet er als „Archetypen":

„Darunter sind spezifische Formen und bildmäßige Zusammenhänge zu verstehen, die sich in übereinstimmender Form nicht nur in allen Zeiten und Zonen, sondern auch in den individuellen Träumen, Phantasien, Visionen und Wahnideen finden. Ihr häufiges Vorkommen in individuellen Fällen sowohl wie ihre ethnische Ubiquität beweisen, daß die menschliche Seele nur zu einem Teil einmalig und subjektiv oder persönlich ist, zum anderen aber kollektiv und objektiv."[35]

Für unsere Thematik ist wichtig der Archetyp der „Mana-Persönlichkeit“: „Die Mana-Persönlichkeit aber ist eine ‚Dominante‘ des kollektiven Unbewußten, der bekannte Archetypus des mächtigen Mannes in Form des Helden, des Häuptlings, des Zauberers, Medizinmannes und Heiligen, des Herrn über Menschen und Geister, des Freundes Gottes.“[36] Das Äquivalent bei Frauen ist „eine mütterlich-überlegene Figur, die große Mutter, die Allerbarmerin, die alles versteht und alles verzeiht und immer das Beste gewollt hat, die stets für andere gelebt und niemals das Ihre gesucht hat, die Entdeckerin der großen Liebe“[37]. In jedem Falle ist die Mana-Persönlichkeit „einerseits ein überlegen Wissender, andererseits ein überlegen Wollender“[38]. Dabei gewann nun auch der Heilige als archetypische Grundgestalt ein neues Interesse. Schamanen wie Gottesmenschen entdeckte man als gegenwärtig in der „charismarischen Persönlichkeit“[39]. Die alten Mythen, seit der Aufklärung kritisiert, aber schon in der Romantik wieder gesucht, gewannen eine neue Bedeutung, nun jenseits aller Historie, nämlich als psychisches Urmaterial. Selbsterfahrung erforderte ihre Kenntnis. Der Eugen Diederichs-Verlag zu Jena hat seit der Jahrhundertwende genau dies zu seinem Programm gemacht.[40]

Aber auch die Kunst begann das mythische Material, weil eben Urmaterial der eigenen Psyche, neu zu formulieren und darzustellen. Vor allem sind die Surrealisten anzuführen: „Mythen und Gegenstände der Naturvölker gehörten zu ihrem Einzugsgebiet. Sie sahen darin prärationale Schöpfungen voller Schrecken und Lüste, welche das Innen nach außen kehren und das durch Kultur Verdrängte frei strömen lassen.“[41] Max Ernst zum Beispiel schuf ein Bild und eine Plastik mit dem Titel ›Oedipus‹ und 1941 ein Gemälde ›Totem und Tabu‹.[42]

Auch christliche Heilige wurden in neuem Licht dargestellt, nun oft herausgelöst aus ihrem kirchlichen Bezug. So erklärte der Kunsthistoriker Henry Thode († 1920) in einem 1885 erschienenen Franziskus-Buch den Heiligen zum ersten modernen Menschen.

„In Franz von Assisi gipfelt eine große Bewegung der abendländischen christlichen Welt, eine Bewegung, die nicht auf das religiöse Gebiet beschränkt, sondern universell im eigentlichsten Sinne die vorbereitende und treibende Kraft der modernen Cultur ist ... Die innerste Triebkraft ... ist das erwachende starke individuelle Gefühl. Dieses Gefühl aber scheint in einem einzigen Menschen, Franz von Assisi, als glühende, tief innerliche Liebe zu Gott, der Menschheit und der Natur gleichsam zu gipfeln. Von einer Schilderung dieses merkwürdigen Mannes, der weniger als ein Heiliger der katholischen Kirche denn vielmehr als der Träger einer weltbewegenden Idee die Verehrung aller Nachgeborenen verdient, hat die Betrachtung dieses jugendfrischen Lebens, das die alten Formen zerbricht, auszugehen ... Der begeisterte Verkündiger der Humanität erhalte seine vollen Rechte als Vertreter der ganzen Bewegung."[43]

Die verschiedenen Bilder heiliger Gestalten werden nun kulturtypisch und als solche literarisch beschrieben. Die „Stimmung", wie nach der Jahrhundertwende ein Heiliger gesehen werden konnte, findet sich in einem 1912 publizierten Text von Rudolf Kassner († 1959), Essayist und Verfasser des ›Ewigen Juden‹:

„Die Bibel kennt den Begriff des Heiligen nicht, in ihr steht der Gerechte. Der persönliche Gott der Juden verlangt nach dem Gerechten und will nicht, daß der Mensch über die Gerechtigkeit hinausgehe. Es ist leicht einzusehn, daß sich dieser Gerechte des Alten Testaments zum Teil im christlichen Heiligen wiederfinden mußte, daß sich also um dieses Gerechten willen der reine Begriff des Heiligen im Christentum nur selten durchzusetzen und zu verwirklichen vermocht hat ... Den indischen Heiligen wird verstehn, wer begriffen hat, daß dem indischen Geist die Vorstellung des Gerechten fremd geblieben ist ... Wir Europäer verstehn im allgemeinen sehr gut den Gerechten und sehr schlecht den Heiligen, weil wir Forscher und Zweifler sind und also nach Maß und Recht verlangen. In der Welt der Forscher und Zweifler ist der Heilige stets unbewiesen und zudem ein Narr oder ein Verkehrter, auch ein Flüchtling, ein Überflüssiger, weshalb ihn die Wissenschaft zu allen Zeiten in dem Maße verspottet als sie den Gerechten verherrlicht hat ... Daß nun der Mut Mut, das Wort Wort bleibe, das und gar nichts anderes ist Kultur, ist Begriff, ist die bleibende, die größere Tat des Gerechten. Und darum, im Sinne der Kultur, im Sinne der größern Tat ist es gar nicht so wichtig, daß ein Mensch gütig oder treu sei und liebe, als daß eben die Güte, die Treue, der Mut, die Liebe da seien ... Man kann also vom Gerechten sagen, er habe die Güte, die Treue, den Mut, die Bosheit, ohne daß er selber gütig oder treu oder mutig oder böse sei, und es ist gut, daß es so ist ... Die Existenz eines Staates, das Leben der Familie ist ohne diese Gerechten nicht möglich, so sie Liebe haben, ohne zu lieben. Der Gerechte allein darf töten, ohne Mörder zu sein, und also sind die Kriege in einem ganz bestimmten Sinne Ausdruck der Kultur, denn sie allein nähren und erhalten den zeitlichen Frieden ... Der Gerechte kann sich nicht opfern, habe ich gesagt. Der Gerechte kann sich selber nur widerlegen ... Und hier setzt der Heilige ein, hier ist der Heilige einzusehn: der einzige Mensch, der sich selber nicht widerlegen kann, der einzige Mensch, der von Grund aus nicht begreifen kann, daß der Frieden nur durch den Krieg erhalten werde, der wahre Bringer des ewigen Friedens, er, der den Tod nicht schaue. Und so ist der Heilige stets gegen die Kultur und gegen den Begriff."[44]

Der Weg zu Hermann Hesses 1922 (aufgrund einer Indien-Reise von 1911) publizierten ›Siddhartha‹ ist eröffnet:

„Dieser Siddhartha ist ein wunderlicher Mensch, wunderliche Gedanken spricht er aus, närrisch klingt seine Lehre. Anders klingt des Erhabenen reine Lehre, klarer, reiner, verständlicher, nichts Seltsames, Närrisches oder Lächerliches ist in ihr enthalten. Aber anders als seine Gedanken scheinen mir Siddharthas Hände und Füße, seine Augen, seine Stirn, sein Atmen, sein Lächeln, sein Gruß, sein Gang. Nie mehr, seit unser erhabener Gotama in Nirwana einging, nie mehr habe ich einen Menschen angetroffen, von dem ich fühlte: dies ist ein Heiliger! Einzig ihn, diesen Siddhartha, habe ich so gefunden. Mag seine Lehre seltsam sein, mögen seine Worte närrisch klingen, sein Blick und seine Hand, seine Haut und sein Haar, alles an ihm strahlt eine Reinheit, strahlt eine Ruhe, strahlt eine Heiterkeit und Milde und Heiligkeit aus, welche ich an keinem anderen Menschen seit dem letzten Tode unseres erhabenen Lehrers gesehen habe."[45]

4. Verwischte Spuren – verfremdete Heilige

Was ist aus dem ‚Heiligen' in der Moderne geworden? – so fragt ein Sammelband und antwortet: „verwischte Spuren"[46]. Die Kunst, wiewohl längst aus der Bindung an die Religion entlassen, erinnere mittels ihrer Aura an die lange Verbindung mit dem Heiligen.[47] Anführen kann man dafür beispielsweise Joseph Beuys' Aktion ›Manresa‹, veranstaltet am 15. Dezember 1966 in der Düsseldorfer Galerie Schmela.

Eine Depression im Jahre 1957, die Beuys durch das Mitleben und Mitarbeiten auf dem Hof der ihm befreundeten Gebrüder van der Grinten überwand, deutete er nachträglich als „eine entscheidende Aufforderung, manches zu bereinigen und in bestimmter Richtung zu neuen Ergebnissen zu kommen"[48]. Einen Katalysator bildete dabei die in ›Rowohlts monographien‹ erschienene Biographie des ›Ignatius von Loyola‹ von Alain Guillermou. Das Exemplar mit den Anstreichungen und Notizen ist erhalten. Haftpunkt war der Aufenthalt des Ignatius in dem südlich von Montserrat gelegenen Städtchen Manresa, „die schöpferische Pause", aus der Ignatius aufgrund einer mystischen Erfahrung die Klarheit für seine künftige Lebensweise erhielt.[49]

Beuys selber deutet im nachhinein: Die „Disziplinierung des Ich" müsse hinführen zu „der äußersten Zuspitzung des Bewußtseins – sagen wir mal ruhig: im DENKEN. Dort ist diese Genauigkeit erreicht, in einem ganz kleinen Restbestand. In der Tiefe der Nacht, in der Tiefe der Isolation, in der völligen Abgeschiedenheit von jedem Spirituellen vollzieht sich ein Mysterium im Menschen, welches ingang gebracht wird durch die Wissenschaften und nicht durch die tradierten Institutionen des Christentums."[50] Oder auf einem Zettel die Notiz: „Armut, nicht Reichtum, Schmach nicht Ehre, Demut nicht Hochmut"[51].

Konzentriert erhebt sich die Forderung nach dem Sakralen an den Krisenpunkten des Lebens. Hören wir etwa das Hamburger Psychologen-Ehepaar Anne-Marie und Reinhard Tausch, die über ihre Erfahrungen, als die Frau dem Krebstod entgegenging, ein Tagebuch geschrieben haben. Erstaunlich genug, es sind gutteils die „alten Themen", wie sie schon in den Viten aufschienen.

Etwa das Licht: „Sie hat die letzten Tage manchmal das Gefühl gehabt, daß hinter ihrem Bett eine Lichtquelle ist. Sie sagte auch schon manchmal: ‚Lösch doch das Licht hinter mir aus'. Und am vorletzten Tag sagte sie: ‚Ich sehe ein helles Licht vor mir. Es ist so, als ob eine Lampe hinter mir ist, die den Raum vor mir ausleuchtet'. – ‚Ich weiß, daß ich ganz in das Licht eintauchen werde, wenn ich sterbe'."[52] Oder das Bestreben, ein „Vermächtnis" zu hinterlassen, also ‚ultima verba' in moderner Version: „Dann sprach ich unmittelbar nach einer Spritze, die mir die Schmerzen nahm, den drei Kindern und Reinhard jedem etwas auf Tonkassetten. Mich erleichterte es sehr, daß jedes Kind eine Kassette von mir hatte, meine Stimme noch ganz persönlich hören konnte."[53] Auch kommt die Sorge auf, ob nach dem Versterben der Körper wirklich tot sei: „Als um 23 Uhr ihr Körper abgeholt wurde, quälte mich plötzlich die Frage, ob sie wirklich tot war... Heute bedaure ich es, daß ich nicht deutlicher meinen Wunsch geäußert habe, ihren Körper noch einige Stunden länger bei uns zu behalten."[54] Dann das Grab: „Den größten Schmerz empfinde ich, wenn ich ihr Grab besuche und sich mir der Gedanke aufdrängt, daß sie dort ‚ruht', wie es oft heißt. Aber wenn ich mir bewußt mache, daß sie dort nicht ruht, sondern wahrscheinlich in einer anderen Wirklichkeit ist und auch in mir selbst, dann ändern sich sogleich meine Gefühle."[55] Es bleibt eine starke positive Erinnerung, verbunden mit dem „Lebensraum" der Verstorbenen: „Ich habe sehr positive, befriedigende Erfahrungen und Gefühle mit allem, was mich an Anne-Marie erinnert. So fühle ich mich wohl in dem Haus, in dem wir so lange zusammen gelebt haben, in ihrem Zimmer. Ich suche gern Plätze auf, die in meinen Erinnerungen mit ihr verbunden sind. Ich fühle mich ihr dann nahe, und es tut mir gut, sie zu spüren."[56]

Aber wie großer Gelassenheit bedarf es, Phänomene wie hier beschrieben, zuzulassen, und wieviel Mut obendrein, sie zu publizieren. Um sie ernstgemeint zu Gehör zu bringen, müssen sie heutzutage wohl von habilitierten Universitätsleuten geäußert werden. Der voraufklärerischen Welt aber waren sie essentiell: Licht, Seligkeit, Grab und Erinnerung. In der Wirklichkeit unserer Welt gelten sie als „subjektiv", „privat", eigentlich nach dem Motto „Träume sind Schäume", im aktuellen Todesfall vielleicht versehen mit Respektgefühlen vor den trauernden Angehörigen. Es fehlt ihnen heute die Einbindung in eine größere Sinnhaftigkeit, die Zuordnung zu einem wirklichen Jeneits, für das sie einstmals als reale Hinweise dienten.

Andere verweisen auf Heiliges in unserer Geschichte, auf Bausteine in unseren eigenen Fundamenten. Am leichtesten begreift der moderne Mensch das Faktum, daß technische Erfindungen, wenn einmal gemacht, von vielen relativ leicht erlernt und angewandt werden können. Gibt es Ähnliches in Moral, Politik, Religion? Hans Jonas († 1993) ruft in diesem Sinne zur Erinnerung daran auf, „daß Jesaia und Sokrates, Sophokles und Shakespeare, Buddha und Franz von Assisi, Leonardo und Rembrandt, Euklid und Newton eben nicht zu ‚übertreffen' sind. Ihr Scheinen durch die Geschichte gibt Grund zu der Hoffnung, daß diese Kette nicht abreißt. Getan werden kann dafür nicht mehr, als die Verdorrung ihres geheimen Zeugungsbodens zu verhüten (die ihm zum Beispiel von manchen Tendenzen der Technik und der technologisch orientierten Utopie droht)." Aber auch eine andere Haltung sei denkbar: der Undank – verständlich, „da die Bilanz der Geschichte in der Tat alles andere als eindeutig ist und Schuld vielleicht immer die Gerechtigkeit überwiegt."[57] Heute bestehe ein ethisches Vakuum dergestalt, daß größtes Können sich paare mit geringstem Wissen davon, wozu das Ganze betrieben werde. „Es ist die Frage, ob wir ohne die Wiederherstellung der Kategorie des Heiligen, die am gründlichsten durch die wissenschaftliche Aufklärung zerstört wurde, eine Ethik haben können, die die extremen Kräfte zügeln kann."[58] Als Beispiel benennt sich selbst Erwin Chargaff, der sein Leben durch die Mitbeteiligung an zwei Entdeckungen „gezeichnet" sieht: die Spaltung des Atoms und die Entschlüsselung der Gene. Diese naturwissenschaftlichen Taten vermag er aber nur noch in der religiösen Sprache der Apokalyptik zu beschreiben; es brauche dazu „die Flamme eines Jesaija"[59]: Unsere

Zeit sei dazu verflucht, daß schwache, als Fachmänner verkleidete Leute Entschlüsse von enormer Reichweite zu machen gezwungen seien. „Die Zukunft wird uns ... verfluchen."[60]

Stärker auf die Religion konzentriert sich Leszek Kolakowski. Religion sei das „Verstehen, Wissen, das Gefühl der Teilhabe an der letzten Realität"[61]. Der Prozeß der Säkularisierung sei erst verhältnismäßig kurz, und die meisten Ungläubigen von heute stünden immer noch, wenn auch nur mit dünnen Fäden, im Gefolge der religiösen Tradition. Bei gänzlicher Auslöschung aller Formen von Teilnahme an Ritualen werde dann religiöses Leben unverständlich.[62] Denn nur durch Teilnahme am religiösen Leben und nicht durch rationale Überredung werde man in das Verständnis einer religiösen Sprache und in den Kultus eingeführt.[63]

Mehrere Gründe sind es, die Kolakowski das Heilige unabdingbar erscheinen lassen: „Abgesehen vom nackten physischen Zwang ist Schuld alles, was die Menschheit besitzt, um ihren Mitgliedern Verhaltensregeln aufzuerlegen, und alles, was sie besitzt, um diesen Regeln die Form moralischer Gebote zu verleihen."[64] Das Regulativ Schuld aber führt zum Heiligen: „Das Heilige wird uns in der Erfahrung unseres Versagens geoffenbart. Religion ist in der Tat das Bewußtsein menschlicher Unzulänglichkeit, sie wird in dem Eingeständnis der Schwäche gelebt."[65] In diesem Sinne sei das Christentum ein „Hilferuf", denn es „brachte den Menschen deutlich ihre Bedingtheit und die Endlichkeit des Lebens, die Vergänglichkeit des Körpers, die Beschränktheit der Vernunft und der Sprache und die Macht des Bösen in uns zu Bewußtsein"[66]. Oder sofern man es im Blickwinkel des Heiligen und Profanen sehen will: „Die gesamte Geistesgeschichte des Christentums ist eine nicht endende Suche nach einer treffenden Formel, durch die entweder die harmonische Koexistenz des Profanen mit dem Heiligen gesichert oder eine Beeinträchtigung des Heiligen durch das Profane verhindert werden kann; diese Geschichte ist voll von immer wieder erneuerten Bemühungen, zur ursprünglichen Berufung des Christentums zurückzukehren."[67]

Auffällig ist bei all diesen Theoremen, daß es um ‚das' Heilige, nicht um ‚den' Heiligen geht. Dies ist letztlich das Problem eines jeden Gottglaubens: Wenn er seine transzendente Personalität verliert, bleibt die Ahnung des Unendlichen, dazu die Erfahrung des eigenen Gewordenseins und der Endlichkeit. Das Andere, Größere und Fremde sucht man im unbestimmt gelassenen Sakralen.

XXIV. Heutige Positionen der Kirchen

1. Die Dogmatik

Von Anfang an ist die Möglichkeit der Heiligen- und Reliquienverehrung davon abhängig gewesen, wie über die Eschata, die Letzten Dinge, gedacht wurde. Die heutige Theologie vertritt, hierin der Exegese verpflichtet, ein ganzheitliches Menschenbild, das, anders als die griechische Anthropologie, den Menschen nicht als aus Leib und Seele zusammengesetzt sieht. Die Berufung allerdings darauf, es gebe kein biblisches Wort, das einen von der Seele getrennten Leib bezeichne, wie umgekehrt alle seelischen Bezeichnungen den ganzen leibhaftigen Menschen meinten, legt bereits die Schwierigkeiten offen. Denn die alttestamentliche Begrifflichkeit hält, offenbar bewußt, eine archaische Ungeschiedenheit bei, um Personalität und Subjekthaftigkeit als Mitte des leibhaftigen Menschen herauszustellen.[1] Gleichwohl, für Tod und Auferstehung hat diese Ganzheit eine fundamentale Bedeutung. Denn es stirbt der Mensch, nicht aber streift er nur die sterbliche Hülle des Fleisches ab. Entsprechend kann für die Auferstehung gefolgert werden, daß in ihr eine gesamtmenschliche Erneuerung geschieht und „daß der eigentliche Kern des Auferstehungsglaubens gar nicht in der Idee der Rückgabe der Körper besteht, auf die wir ihn aber in unserem Denken reduziert haben“[2].

Kann man diese Aussagen weithin als Gemeinbesitz der großen Konfessionen ansehen, so treten für die Vorstellung vom Zwischenzustand Differenzen auf. Evangelischerseits wird dabei die Lehre von der Unsterblichkeit der Seele als unbiblisch abgewiesen. Schon Martin Luther[3] hatte auf das frühchristliche Bildwort vom „Todesschlaf“[4] verwiesen. Verschärft wird nun gesagt: Der Tod bedeute eine wirkliche Vernichtung, eine vollständige ‚annihilatio‘; der Mensch stehe grundsätzlich im Tod und erhalte neues Leben allein durch Gottes Gnade, durch dessen Neuschaffung aus dem Nichts.[5] Vom Menschen bleibt folglich weder ein göttliches noch ein geschöpfliches Etwas, sondern allein ein Tun und Verhalten des Schöpfers zu seinem Geschöpf. Damit erledigen sich alle Vorstellungen über einen wie immer zu denkenden „Zwischenzustand" des Menschen, desgleichen solche über eine „lebendige" Communio der Lebenden mit den Verstorbenen, auch den Heiligen.

Die katholische Dogmatik betont gleichfalls den Ganztod, denkt aber für die Zwischenzeit nicht an eine vollständige Vernichtung, sondern an eine geminderte Weiterexistenz. Der Wartezustand sei „nicht das Warten eines ‚Teiles', sondern des ganzen Menschen – freilich in einem Status geminderten Lebens"[6]. Eine Kontinuität anzunehmen gebiete das Erfordernis der Person-Identität. Wenn dabei katholischerseits gesagt werden kann: „Das Wesentliche des Menschen, die Person, bleibt; das, was in dieser irdischen Existenz leibhaftiger Geistigkeit und durchgeisteter Leiblichkeit gereift ist, das besteht auf eine andere Weise fort. Es besteht fort, weil es in Gottes Gedächtnis lebt"[7], so mag das dann doch wieder nicht so weit entfernt von der evangelischen Position sein, wenn dort für die Zwischenzeit bis zur Auferstehung Gott als der „einzig in Frage kommende Sinn-Träger"[8] angesehen wird. Die Annahme eines bleibenden Person-Kontinuums aber kann, ja muß letzten Endes doch wieder zum Postulat einer weiterlebenden Seele führen: „Soll aber Auferstehung den einzelnen in seiner unverwechselbaren Identität betreffen und nicht die Neuschaffung eines anderen sein, so muß es ein Prinzip geben, das irdisches und postmortales Sein miteinander verbindet, ein Prinzip, das in der abendländischen Tradition Seele heißt. So gesehen, kommt keine denkerisch verantwortliche Eschatologie ohne einen gewissen anthropologischen ‚Dualismus' aus."[9] Die Seele ist die von Gott in den Menschen gelegte und über den Tod hinaus erhaltene individuelle Lebenskraft, die zugleich, wie immer zu definieren, leibhaftig lebt[10]. Jedoch wird abgelehnt, die „verklärte Leiblichkeit physizistisch als Wiederbelebung des Leichnams und damit in Verlängerung empirischer Materialität zu denken"[11]. Sofern Auferstehung dennoch als erneute Vereinigung von ‚psyche' und ‚soma' gedacht wird, sind beide Begriffe mit Sicherheit nicht ‚griechisch' aufzufassen, sondern thomasisch: als aufeinander angewiesene Substanzen, die beide zusammen erst den Menschen konstituieren.[12] Die neue Leiblichkeit ist zudem nicht mehr nur individuell zu denken; sie ist zugleich gelungene Mitmenschlichkeit und vollendete Weltoffenheit, denn die Auferstehung „erreicht ... wegen der wesenhaften Relation der einzelnen zum Ganzen erst in der Auferstehung aller am Ende der Geschichte ihre letzte Vollendung"[13].

2. Katholische Praxis

Katholischerseits setzte sich die im 19. Jahrhundert neu aufgeblühte Heiligenverehrung bis ins 20. Jahrhundert fort. Die Kirchen-Konstitution des 2. Vatikanischen Konzils resümiert:

„Daß aber die Apostel und Martyrer Christi, die mit ihrem Blut das höchste Zeugnis des Glaubens und der Liebe gegeben hatten, in Christus in besonderer Weise mit uns verbunden seien, hat die Kirche immer geglaubt, sie hat sie zugleich mit der seligen Jungfrau Maria und den heiligen Engeln mit besonderer Andacht verehrt und hat fromm ihre fürbittende Hilfe erbeten. Bald wurden ihnen auch andere beigezählt, die Christi Jungfräulichkeit und Armut entschiedener nachgeahmt haben, und schließlich die übrigen, welche die hervorragende Übung der christlichen Tugenden und die göttlichen Charismen der frommen Andacht und Nachahmung der Gläubigen empfahlen ... Im Leben derer, die, zwar Schicksalsgenossen unserer Menschlichkeit, dennoch vollkommener dem Bilde Christi gleichgestaltet werden ..., zeigt Gott den Menschen in lebendiger Weise seine Gegenwart und sein Antlitz. In ihnen redet er selbst zu uns, gibt er uns ein Zeichen seines Reiches, zu dem wir, mit einer so großen Wolke von Zeugen umgeben und angesichts solcher Bezeugung der Wahrheit des Evangeliums, mächtig hingezogen werden.“[14]

Die nachkonziliaren Reformen griffen bis in Details. Beginnen wir mit dem Heiligen-Kalender.[15] Die nach dem Trienter Konzil durchgeführte Reform hatte den Bestand auf 200 Feste reduziert, doch war die Zahl bis 1960 erneut um 160 angewachsen, so daß im Durchschnitt wieder jeder Tag ein besonderer Gedenktag oder ein Fest war.[16] Die Reform kürzte erneut, um den herausragenden Charakter der Hauptfeste und Sonntage zu betonen und auch den Regionalkirchen und Diözesen ein Gedenken ihrer speziellen Heiligen zu ermöglichen.[17] Evangelische Heilige allerdings sind bislang nicht in den katholischen Kalender aufgenommen worden, obwohl das ›Dekret über den Ökumenismus‹, das die getrennten Christen als „Brüder im Herrn“ anspricht, es für „billig und heilsam [hält], die Reichtümer Christi und das Wirken der Geisteskräfte im Leben der anderen anzuerkennen, die für Christus Zeugnis geben, manchmal bis zur Hingabe des Lebens“[18]. Neugeordnet wurden auch die Kanonisationsverfahren.[19] Beklagt wird daran, daß weiterhin „Selig- und Heiligsprechungsprozesse selbst für Personen, die von Amts wegen daran beteiligt sind, nicht so transparent gemacht werden, wie es wünschenswert wäre“; das gelte auch für die Kosten.[20]

Über die Reliquienverehrung, wie sie im 19. Jahrhundert gleichfalls neu aufgelebt war, wird heute praktisch nicht mehr gesprochen. Ja, die allgemeine Ratlosigkeit scheint bereits in Peinlichkeit umgeschlagen zu sein, hat man doch mancherorts die gläsernen Schreine und Reliquienkästen beiseite geschafft oder doch mit Vorhängen, Platten oder dunklem Glas abgedeckt.[21] Aussagen, daß „Hochschätzung und Verehrung der Reliquien ... [der] Prüfstein des Glaubensgewissens"[22] seien, bleiben vereinzelt. Selbst die neuen Katechismen schweigen sich aus.[23]

So sehr scheint die Reliquienverehrung obsolet geworden zu sein, daß ein Buch aus einem traditionell religiösen Verlag dem Leser in einem offenbar für einvernehmlich gehaltenen Ton erklärt: „Sicher ist nichts dagegen einzuwenden, wenn wir Erinnerungsstücke an uns liebe Verstorbene bewahren und ehren. Aber der schwungvolle Handel, der besonders in der Kreuzzugszeit mit irgendwelchen verblichenen Knochen getrieben wurde, ist eher makaber. Besonders begehrt waren Hirnschalen, die man zu kostbaren Pokalen verarbeitete – ein Gruß aus der keltischen Frühzeit der Kopfjäger, wo mumifizierte Feindesköpfe der stolzeste Besitz jedes Herrschers waren. Romanische Portale (besonders in Irland), geschmückt mit Reihen von in Stein gehauenen Köpfen (später wurden daraus Kugeln), erinnern noch daran."[24]

Auch werden Reliquien als Antiquitäten auf Kunstmärkten angeboten, versteigert und gesammelt.[25] Über die Versteigerung einer „Außergewöhnlichen Reliquie vom Kreuz unseres Herrn Jesus Christus" berichtete die FAZ vom 15. Mai 1993 (Nr. 112, S. 33): „Nach dem Aufruf mit 10000 Franc schossen die Gebote der Kandidaten im Saal und an zwei Telefonen schnell in die Höhe; eine Dame in der ersten Reihe, die nervös an den Bügeln ihrer Brille kaute, bekam den Zuschlag bei 100000 Franc. Der Erlös, so war zuvor angekündigt worden, geht an ein Hilfswerk für autistische Kinder. Die Auktionatoren verzichten auf ihre Kommission. Und die Kreuzessplitter? Die Käuferin erklärte, sie wolle sie einer Kirche übergeben. Beim Pariser Erzbistum, das die Pietätlosigkeit einer Versteigerung mit Mißfallen betrachtet hatte, kann man beruhigt sein ..."

Die Liturgiereform möchte zu den Erst- und Frühformen zurückkehren. In einer „Studienausgabe" für ›Die Feier der Kirchweihe und Altarweihe‹ heißt es zu Altar und Reliquien: Für den Normalfall ist ein fester Altar zu empfehlen, auch nur ein einziger, dazu freistehend, so daß sich Priester und Gemeinde um ihn scharen können. Im Blick auf den Brauch, die Weihe an Gott und zu Ehren der Heiligen vorzunehmen, wird an Augustinus erinnert, Altäre nicht den Märtyrern, sondern dem Gott der Märtyrer zu weihen. Desweiteren sollen auf dem Altar keine Statuen oder Bilder von Heiligen stehen, ebenso wenig Reliquien. Der Brauch allerdings, Reliquien unter dem Altar beizusetzen, sei nach Tunlichkeit beizubehalten, freilich unter der Bedingung, daß die Reliquien noch als Teile menschlicher Körper erkenntlich und erweislich von einem Heiligen seien; sie sollten unterhalb der Altarmensa beigesetzt werden.[26] Zur Begründung heißt es, nicht die Leiber der Märtyrer ehrten den Altar, vielmehr sei es der Altar, der die Gräber der Märtyrer ehre; das Opfer der Glieder habe seinen Ursprung im Opfer des Hauptes. Das Ambrosius-Wort: Christus, der für alle gelitten habe, sei auf dem Altar, und die Märtyrer unter dem Altar, wird mit der apokalyptischen Vision gedeutet, daß die Seelen der Hingemarterten unter dem Altar seien.

Als auffälligstes Faktum ist die Praxis der Selig- und Heiligsprechungen anzuführen. Schon Pius XI. hat hierbei neue Akzente gesetzt: weniger Ordensleute und mehr Laien, insbesondere mehr Frauen.[27] Geradezu gigantisch, jedenfalls im Vergleich mit den 79 während des Mittelalters Heiliggesprochenen, ist die Zahl der derzeit Kanonisierten: Vom Beginn unseres Jahrhunderts bis 1985 waren es 77 Heiligsprechungen; das aber sind bereits mehr als doppelt so viele wie zwischen 1588 und 1900. Für den Pontifikat des derzeitigen Papstes Johannes Paul II. beliefen sich Ende 1991 die Zahlen auf 262 Heilig- und 380 Seligsprechungen.[28]

Die Theologie äußert sich zur Heiligenverehrung eher verhalten. Referieren wir Karl Rahners ebenso grundsätzlichen wie zurückhaltenden Überlegungen. Auszugehen sei von jener Prämisse, die nur um den Preis des Christlichen zu verschweigen sei: Heiligkeit als Anteilhabe an Gott. Dieser habe – so das Neue Testament – seine Gnade ausgegossen, und so müsse die Kirche „zu ‚allen' Zeiten, gleichsam beschämt, aber eindeutig, verkünden, daß sie die heilige ist"[29]; sie müsse diese Heiligkeit „konkret sagen" und die Wolke der Zeugen (cf. Hebr 12,1) „mit Namen nennen", freilich „nicht bloß als ‚geglückte Produkte' kirchlicher Leitung", sondern als Geheiligte Gottes.

Wie es eine Geschichte der Wahrheitsaneignung gebe, so auch eine solche der Heiligkeitsaneignung: Vollauf habe Gott die Heiligkeit in Jesus Christus kundgegeben, und von ihm her solle sie sich in jeder Generation verwirklichen, und zwar jeweils neu und nicht bloß als Wiederkehr desselben; der Heilige lebe das Leben eines „gefährlichen Abenteuers", nicht auf dem „Niveau eines anständigen Bürgers", sondern mit Konflikten auch in der Kirche. Die alten Heiligen würden deswegen nicht unaktuell, so wenig wie Platon nach Kant unwichtig werde. Der Heilige zeige den Kern des Christlichen, nämlich „in der Liebe zu wachsen", und dessen Vollzug dürfe nicht in einen tödlichen Kreislauf der Reflexion geraten. Denn biblisch gesprochen gelte: „Nur wer dem unerkannten Christus in seinem Bruder und seiner Schwester begegnet ist, kann ihm ausdrücklich – spätestens im Gericht – begegnen." Eigentlich vermittle jeder Akt mitmenschlicher Liebe transzendentale gnadenhafte Erfahrung. In der Person Jesu begegneten sich die Selbstvermittlung Gottes zu den Menschen und die Öffnung des Menschen zu Gott; in Christus seien die Heiligen vor Gott, denn er sei ihr Leib und ihr Haupt. Nach der theologischen Grundlegung aber folgen auch die Schwierigkeiten. Es scheine kein Verhältnis mehr zu den Toten zu geben („ohne Rest aus unserem Daseinskreis ausgeschieden"), und – schwerwiegender noch – die Welt sei „unabsehbar groß und gleichzeitig profan geworden." Wie solle man da noch von besonderen Patronen und gesonderten Anliegen sprechen, als gäbe es ein „Vermittlungsbüro" und einen „Instanzenzug". Man könne „die größte Bewunderung für Franz von Assisi haben und ihn durchaus als beispielhaftes Vorbild christlicher Existenz erleben, ohne jemals ‚zu ihm gebetet' zu haben"; die Heiligenverehrung an sich sei für den einzelnen Christen keine Verpflichtung.

Am Ende gilt: Bei der Heiligenverehrung „vollzieht [der Christ] ihr Wesen schon in der Nächstenliebe." Die Anrufung sei „im Grunde nur der Mut der Liebe, Du zu sagen über allen Tod hinaus, und der Glaube, daß keiner allein lebt, sondern jedes Leben in Christo für alle gültig ist vor Gott."

3. Evangelische Praxis

Wir „werden getragen und bewegt von der Christuserfahrung der früheren Geschlechter der Kirche, durch ihre Zeugnisse davon, ihre Bekenntnisse, Lieder, Gebete, durch das Erbe an Erfahrung der Väter, das so auf uns kommt. Die Gemeinde lebt von ihren ‚Heiligen', den im Glauben sonderlich Bewährten. Sie dienen ihr, wenn sie ihrer gedenkt ... In diesem Sinne gibt es auch ein evangelisches Allerheiligen"[30] – so der Erlanger Dogmatiker Paul Althaus († 1966). Näher besehen, ist es allein das Zeugnis der Vergangenen, aber es geschieht keine Communio mit Lebendigen, kein geistlicher Austausch zwischen den Vollendeten in Christus und den Pilgernden auf

Erden. Genau das aber wollte Max Lackmann bezeugt sehen, als er 1958 seinen als ›Verehrung der Heiligen‹ betitelten „Versuch einer lutherischen Lehre von den Heiligen“ vorlegte: „Die ‚vollendeten Gerechten‘, geheiligt von dem einen Heiligenden (Hebr 2,11), sind eine wirksame, geschichtliche und himmlische Realität wie Jesus Christus selbst und seine heiligen Engel.“[31] Auf dieser Linie bewegen sich mehr oder weniger deutlich auch die vielen evangelischen Heiligen-Bücher und oft umfänglichen Zeugen-Sammlungen, die in der Nachkriegszeit publiziert wurden. So ist der deutschsprachige Protestantismus, wie der evangelische Kirchenhistoriker Ulrich Köpf sagt, „wohlversorgt mit einschlägiger Literatur“[32]. Zu nennen sind an erster Stelle die zahlreichen Publikationen des Schweizer Kirchenhistorikers Walter Nigg, dessen 1946 erstmals erschienenes Werk ›Große Heilige‹[33] zehn Auflagen erlebte. Hierhin gehört auch Jörg Erb mit den vier Bänden ›Die Wolke der Zeugen‹[34]; die kurzen Biographien möchten ausdrücklich das Gedächtnis der Heiligen wiedergewinnen, bieten eine Kirchengeschichte in Lebensbildern, sind ökumenisch ausgerichtet und berücksichtigen in großer Zahl auch mittelalterliche und katholische Heilige. Einen breiten, zudem anthropologisch und religionsgeschichtlich fundierten Ansatz hat neuerdings der Marburger Theologe Hans-Martin Barth vorgestellt. Die Praxis der Heiligenverehrung sei so alt wie die (ausformulierte) Trinitätslehre, an welcher der überwiegende Teil der Christenheit bis heute festhalte[35]; die Christen würden sich „blind und undankbar gegenüber dem Wirken Gottes [verhalten], wenn sie an den Zeugnissen und Zeugen der Kirchengeschichte vorbeigingen.“

Dies wiege umso mehr, als der Christ zum Beispiel über Predigten Eckharts oder Gedichte von Angelus Silesius auch die Heilige Schrift wieder als inspirierenden Text neu entdeken könne. Aber, so die wichtigere Frage, genügt das Nach- und Einwirken der Früheren? Denn: was ist mit ihrem „Jetzt“? „Die Frage, wo denn unsere Toten bleiben und wie wir die Beziehung zu denen, die wir doch als Lebende gekannt haben, nach ihrem Tod gestalten sollen, läßt sich nicht einfach verdrängen und in ein emotionsloses Niemandsland verweisen.“ Hier wird genau jene Lücke benannt, die angesichts der dogmatischen Position der Annihilatio im Tod unschließbar ist. Obendrein habe die Rede von den Heiligen eine anthropologische Bedeutung. Vor allem lasse sich in der Begegnung etwa mit den mittelalterlichen Heiligen ermitteln, was Tugend sei. Begegnen könne man den Heiligen besonders dort, wo sie gelebt hätten, beispielsweise Franziskus in Assisi. Heute stelle sich überhaupt die Frage, ob eine rationale Begründung humanitären Handelns ausreiche und genügend Durchhaltevermögen freisetze bei Enttäuschung und Mutlosigkeit. Kurzum: „Hat sich evangelische Theologie und Kirche durch die Vernachlässigung der Frage nach den Heiligen nicht selbst manche Wurzel abgeschnitten, die ihr wichtige Nahrungselemente zuführen könnte?" Obendrein sei man mit der Fixierung auf die Gestalten der Reformatoren einer Täuschung erlegen: „Martin Luther, hoch aufgerichtet und in Protest-Pose auf die Bibel zeigend, war eine Zeitlang ein kollektives Leitbild des Protestantismus, wobei die Haltung trotziger Selbstbehauptung stärker internalisiert wurde als das Gegründet-Sein des Reformators im Zeugnis der Heiligen Schrift."

Der 1966 beschlossene ›Evangelische Namenskalender für das deutsche Sprachgebiet‹ ist im Blick auf die katholische Liturgiereform noch einmal überarbeitet und 1984 veröffentlicht worden: 85 Namen sind in Übereinstimmung mit dem katholischen deutschen Regionalkalender, davon freilich 14 mit verschiedenem Datum; nimmt man die mit den katholischen Diözesan- und anderen Regionalkalendern übereinstimmenden Tage wie ebenso die „biblischen" Gedenktage hinzu, so ergeben sich insgesamt 138 gemeinsame Fest- und Gedenktage.[36] Auch in der Liturgie wird dem in der Aufklärung beseitigten Heiligengedächtnis neuer Raum gewährt. Der Vorentwurf für eine ›Erneuerte Agende‹ kennt Formulare für „Märtyrer", für die „Lehrer der Kirche", zum „Gedenktag der Entschlafenen" und für die „Tage der Apostel und Evangelisten".[37] An Einzeltagen mit besonderem Gedenken werden aufgeführt: der Erzmärtyrer Stephanus (26. Dez.), der Apostel und Evangelist Johannes (27. Dez.), die Unschuldigen Kinder (28. Dez.), Beschneidung und Namensgebung Jesu (1. Jan.), Darstellung des Herrn / Lichtmeß (2. Febr.), Ankündigung der Geburt des Herrn (25. März), Geburt Johannes des Täufers (24. Juni), Gedenktag der Augsburgerischen Konfession (25. Juni), Heimsuchung Mariä (2. Juli), Erzengel Michael und alle Engel (29. Sept.), Gedenktag der Reformation (31. Okt.), Gedenktag der Heiligen (1. Nov.).[38]

Und dennoch: Für den durchschnittlichen Protestanten der Gegenwart – so wiederum Köpf – gehöre die Heiligenverehrung seiner katholischen Mitchristen, wie sie vor allem bei Reisen in den romanischen Ländern, aber auch in manchen Gebieten Deutschlands begegne, zum Überraschendsten und Befremdendsten, was der Katholizismus überhaupt aufzuweisen habe. Das liege weder daran, daß ihm die verehrten Heiligengestalten unbekannt wären, noch daran, daß er dem Begriff des Heiligen, der heiligen Person, keinen Sinn abgewinnen könnte. Es hänge vielmehr an dem völlig andersartigen Verhältnis des Protestanten zum heiligen Menschen, an seiner viel distanzierteren und innerlich kühleren Beziehung zu ihm.[39] Bei den Reliquien sei es nicht nur eine Distanz, sondern eher Respektlosigkeit und auch Spott, was den Katholiken weniger auf der rationalen Ebene als vielmehr im emotionalen Bereich treffen müsse.[40]

XXV. Die „Ersatz"-Heiligen

1. Die Postulate der Religionssoziologie

Zu den epochemachenden Büchern des 19. Jahrhunderts zählt das von Ludwig Feuerbach 1841 publizierte ›Wesen des Christentums‹: Die Jenseitshoffnungen seien nur eine Projektion, deren entfremdende Wirkung man abbauen müsse, um sich ganz dem Diesseits zuwenden zu können. An Stelle der alten fordert er eine neue Religiosität: „Religiös müssen wir wieder werden – die Politik muß unsere Religion werden."[1] Auf die heilige, alle mitreißende und begeisternde Kraft der Religion wollte Feuerbach nicht einfach verzichten; nur sollte der heilige Eifer nicht dem Traum des Jenseits gelten, sondern der Realität des Diesseits. Dies wurde die Forderung aller Radikal-Aufklärerischen, ob nun der Nationalen, Liberalen oder der Linken: statt Gottesdienst realitätsbezogener Weltdienst! Hervorgetreten war damit etwas Neues: „die Sozialreligion, die den Sinn des Lebens in der Herstellung einer neuen Gesellschaft und eines neuen Menschen sieht"[2]. Schlechthin epochemachend wirkte die Übernahme dieser Religionskritik durch Karl Marx († 1883), womit die marxsche Revolutionslehre ein „letzter Glaube" war, der gerade aus dem Atheismus seine „sinnstiftende Kraft" zog.[3] Diese Kraft sollte ganz auf die Welt und ihre Veränderung gerichtet werden. Die Jenseitsreligionen aber lenkten davon ab und galten nur als Vertröstungen.

Konnte es unter diesen Voraussetzungen noch einen heiligen Menschen geben? Gewiß nicht mehr den christlichen Heiligen, räsonierte Friedrich Nietzsche († 1900), freilich mehr in tiefem Widerstreit mit jeder Art von asketischen Idealen: „[Man] darf [die Askesevorstellungen] ohne alle Übertreibung ‚das eigentliche Verhängnis' in der Gesundheitsgeschichte des europäischen Menschen nennen."[4] Die Reihe ihrer Übel ist lang: „Überall das zum Lebensinhalt gemachte Mißverstehen-‚Wollen' des Leidens, dessen Umdeutung in Schuld-, Furcht- und Strafgefühle; überall die Geißel, das härene Hemd, der verhungernde Leib, die Zerknirschung; überall das Sich-selbst-Rädern des Sünders in dem grausamen Räderwerk eines unruhigen, krankhaftlüsternen Gewissens. Überall die stumme Qual, die äußerste Furcht, die Agonie des gemarterten Herzens, die Krämpfe eines unbekannten Glücks, der Schrei nach ‚Erlösung'."[5] Zündende Parolen wurden daraus: „Das asketische Ideal entspringt dem Schutz- und Heil-Instinkte eines degenerierenden Lebens"[6], und es sind die „‚sportsmen' der ‚Heiligkeit', an denen alle Zeiten, fast alle Völker reich sind"[7], die sich diesem „Spielball des Unsinns"[8] hingeben.

Daß aber Religion gerade nicht Schwäche und Vertröstung sei, sondern welthistorische Leistungen hervorzubringen vermöge, das suchte Max Weber († 1920) aufzuzeigen. Seinen 1904/05 entstandenen und später überarbeiteten ›Aufsätzen zur protestantischen Ethik‹ hat er ein bis heute berühmtes Vorwort vorangestellt mit der Frage: „Welche Verkettung von Umständen hat dazu geführt, daß gerade auf dem Boden des Okzidents, und nur hier, Kulturerscheinungen auftraten, welche ... in einer Entwicklungsrichtung von ‚universeller' Bedeutung und Gültigkeit lagen?"[9] Von dieser Frage her erhält Webers ganzer religionssoziologischer Ansatz seine besondere Akzentuierung.[10]

Die Reihe dieser einmaligen Kulturleistungen ist bedeutend: die Vollentwicklung einer systematischen Philosophie und Theologie im hellenistisch beeinflußten Christentum, obwohl es Wissen von außerordentlicher Sublimierung auch anderswo gegeben habe; das rationale Experiment, das zum Beispiel in den überaus entwickelten indischen Naturwissenschaften gefehlt habe; eine rationale Chemie sei außerhalb des Okzidents überhaupt nicht entwickelt worden, ebenso wenig eine rationale Rechtslehre; von besonderer Art ist ihm auch das Musische: die rationale, harmonische Musik mit ihrem gesamten Zubehör in Noten, Instrumenten und Orchestern; die Baukunst habe den Spitzbogen als Mittel der Schubverteilung und die Malerei die Zentralperspektive hervorgebracht, wie auch eine Druckkunst zur Buchherstellung entstanden sei; als ebenso einmalig müsse man das politische und soziale Gebiet ansehen: das Fachbeamtentum und der Staat als politische Anstalt, zuletzt noch der Kapitalismus.[11]

Begründet sah Weber diese außerordentlichen Hervorbringungen des Okzidents in bestimmten Konstellationen der christlichen Theologie wie der Askese, nämlich in Luthers Auffassung vom „Beruf", das heißt: von Gottes Berufung an jedermann zur Erfüllung der täglichen „Berufspflichten", sodann in der (nach-)kalvinischen Forderung nach Bewährung im weltlichen Berufsleben zum Ausweis des Gnadenstandes. Das alles habe zu einer „innerweltlichen Askese" geführt, bei der die religiösen Energien in welthaft effektive Tätigkeiten umgelenkt worden seien. Genau hierin aber lägen die Gründe für die okzidentalen Besonderheiten.

„Die christliche Askese enthielt in sich zweifellos sowohl der äußeren Erscheinung wie dem Sinn nach höchst Verschiedenartiges. Im Okzident aber trug sie in ihren höchsten Erscheinungsformen bereits im Mittelalter durchaus und in manchen Erscheinungen schon in der Antike einen ‚rationalen' Charakter. Die welthistorische Bedeutung der mönchischen Lebensführung im Okzident in ihrem Gegensatz zum orientalischen Mönchtum – nicht: seiner Gesamtheit, aber seinem allgemeinen Typus – beruht darauf. Sie war im Prinzip schon in der Regel des heiligen Benedikt, noch mehr bei den Cluniazensern, wiederum mehr bei den Zisterziensern, am entschiedensten endlich bei den Jesuiten, emanzipiert von planloser Weltflucht und virtuosenhafter Selbstquälerei. Sie war zu einer systematisch durchgebildeten Methode rationaler Lebensführung geworden, mit dem Ziel, den status naturae zu überwinden, den Menschen der Macht der irrationalen Triebe und der Abhängigkeit von Welt und Natur zu entziehen, der Suprematie des planvollen Wollens zu unterwerfen, seine Handlungen beständiger Selbst-‚Kontrolle' und der ‚Erwägung' ihrer ethischen Tragweite zu unterstellen und so den Mönch – objektiv – zu einem Arbeiter im Dienst des Reiches Gottes zu erziehen und dadurch wiederum – subjektiv – seines Seelenheils zu versichern."[12]

Derart überragend schienen Weber diese Leistungen, daß er sich fragte, was denn geschehe, wenn, wie in der Moderne zu beobachten, die Religionssubstanz austrockne und davon nur ein Apparat wie ein „stahlhartes Gehäuse" übrigbleibe, worin das aus religiösen Antrieben in Gang gebrachte Schwungrad allein noch weiterfunktioniere; man frage sich allerdings, wie lange noch.[13]

Die Frage nach der Leistungsfähigkeit der Religion bewegte auch andere: Ist ein gesellschaftliches Zusammenleben möglich ohne Religion? Eine maßgebliche Antwort gab Émile Durkheim († 1917), der – wie Weber in Deutschland – in Frankreich der Begründer der modernen Religionssoziologie wurde, mit Auswirkungen bis heute, zumal in der Geschichtswissenschaft und Soziologie. Durkheim ging es, gerade auch angesichts der laizistischen Dritten Republik, um die Grundlegung der Moral durch Religion.

Alle Moral enthalte das Moment der Pflicht, aber keineswegs als einziges; hinzukomme ein zweites Merkmal: „ein gewisses Erstrebenswertsein". Also: einerseits Anstrengung und Selbstzwang und andererseits ein enthusiastischer

Elan, der uns beim moralischen Handeln über uns selbst hinausreiße; ja wir fänden einen gewissen Reiz darin, „die uns durch die Regel gebotene moralische Handlung zu vollziehen."[14] Dieselbe Dualität aber zeigt für Durkheim das Heilige: „Das heilige Objekt flößt uns wenn nicht Furcht, so doch Respekt ein, der uns von ihm fernhält. Gleichzeitig aber ist es ein Liebes- und Wunschobjekt; wir trachten danach." Etwas Heiliges sei vor allem die menschliche Person: „Jeder Übergriff auf die Domäne, in der sich die Person eines unserer Mitmenschen rechtmäßig bewegt, erscheint uns als Sakrileg. Sie ist gleichsam von einem Heiligenschein umgeben, der sie absondert ... Zugleich aber ist die Person der hervorragende Gegenstand unserer Neigung; unsere Bemühungen richten sich darauf, sie zu entfalten. Sie ist das Ideal, das wir in uns so vollkommen wie nur möglich zu verwirklichen trachten." Sogar eine „Aufopferung des Einzelnen für den anderen" könne geschehen, etwa des Forschers für die Wissenschaft. Schwerlich sei Sittlichkeit zu verstehen, wenn man sie nicht mit dem religiösen Leben in Vergleich setze; das bedeute freilich nicht Göttlichkeit, „da ich in der Göttlichkeit nur die transfigurierte und symbolisch gedachte Gesellschaft sehe."

Mit der gesellschaftlichen Göttlichkeit negierte Durkheim den transzendenten Grund der Religion und reduzierte sie radikal auf Soziales.[15] In seinen ›Elementaren Formen des religiösen Lebens‹ erscheinen die Konsequenzen: „Man kann also zusammenfassend sagen, daß fast alle großen sozialen Institutionen aus der Religion geboren sind", und: „Wenn die Religion alles, was in der Gesellschaft wesentlich ist, hervorgebracht hat, dann deshalb, weil die Idee der Gesellschaft die Seele der Religion ist."[16]

In Durkheims Nachfolge insistierte 1939 Roger Caillois in einem mehrfach aufgelegten Buch über das Heilige darauf, „der Gesellschaft ein aktives, unbestrittenes, gebieterisches und vereinnahmendes Heiliges wiederzuschenken"[17].

Denn das Heilige stelle „eine gefährliche, undurchschaubare, kaum zu steuernde Energie von außerordentlicher Wirkungskraft dar." Wer beschließe, Zuflucht bei ihr zu suchen, „steht vor dem Problem, daß er sie zum Besten seiner Anliegen einspannen und benutzen, sich aber auch schützen muß vor den Gefahren, die der Umgang mit einer so schwer lenkbaren Kraft mit sich bringt."[18] Gelingt diese Lenkung, ist das Heilige die stärkste Kraft der Gesellschaft: „Alles, was ihre Gesundheit, ihre Beständigkeit zu sichern scheint, wird als heilig, alles, was gefährdend sein könnte, als Sakrileg empfunden." Die Kulmination des Heiligen bringen die Feste: „Sie sind Konzentration, die der Zersplitterung der Gesellschaft Einhalt gebietet, sind das Fieber ihrer Kulminationspunkte innerhalb stiller, mühevoller Arbeit in den monotonen Phasen des Lebens." Das Fest vergegenwärtigt sowohl das „primordiale Chaos" wie die „Schöpfung des Kosmos"; es ist „Chaos und Goldenes Zeitalter" zugleich. Dies alles aber wollte Caillois in Beziehung sehen zur eigenen Zeit. Als Beispiel nennt er die Liturgie der ewigen Flamme unter dem Arc de Triomphe am Grabe des Unbekannten Soldaten – „eine Art weltlicher Liturgie", ein „Modell weltlicher Mystik". Denn „im allgemeinen haben die verschiedenen Werte, denen totale Ergebenheit erwiesen wird und die über jede Infragestellung erhaben sind, ihre Anhänger und Märtyrer, die den Gläubigen als Vorbild dienen ... Die Sage von ihrem Leben und Sterben bewegt jedermann und spornt an, sich mit ihnen im Innersten seines Herzens zu identifizieren und es ihnen gegebenenfalls gleichzutun." Caillois, der in den 30er Jahren ein Anhänger der Volksfront war, nannte aber als Beispiel für moderne politische Feste in der Erstauflage seines Buches neben dem 14. Juli auch die Nürnberger Parteitage.[19]

Noch Jürgen Habermas knüpft in seiner ›Theorie des kommunikativen Handelns‹ an Durkheim an, nimmt dann aber eine Richtungsänderung vor:

Er lasse sich „von der Hypothese leiten, daß die sozialintegrativen und expressiven Funktionen, die zunächst von der rituellen Praxis erfüllt werden, auf das kommunikative Handeln übergehen, wobei die Autorität des Heiligen sukzessive durch die Autorität eines jeweils für begründet gehaltenen Konsenses ersetzt wird. Das bedeutet eine Freisetzung des kommunikativen Handelns von sakral geschützten normativen Kontexten. Die Entzauberung und Entmächtigung des sakralen Bereichs vollzieht sich auf dem Wege einer Versprachlichung des rituell gesicherten normativen Grundeinverständnisses; und damit geht die Entbindung des im kommunikativen Handeln angelegten Rationalitätspotentials einher. Die Aura des Entzückens und Erschreckens, die vom Sakralen ausstrahlt, die bannende Kraft des Heiligen wird zur bindenden Kraft kritisierbarer Geltungsansprüche zugleich sublimiert und veralltäglicht."[20]

Das eigentliche Motiv all dieser Theorien liegt deutlich zutage: die Suche nach einer gesellschaftlichen Formationskraft. Zu bewältigen ist das Problem des gesamtgesellschaftlichen Zusammenhalts und der gesellschaftlich notwendigen Leistungen. Sofern dies nicht ohne die religiös motivierten Kräfte zu bewerkstelligen ist, muß eben Religion oder etwas Entsprechendes mobilisiert werden – ein Problem des ganzen 19. wie auch des 20. Jahrhunderts.

2. National- und Sozialheilige

Die erste Ersatzreligion des 19. und 20. Jahrhunderts war der Nationalismus: „In der Epoche des politischen Glaubens gewinnt Nation ... einen religiösen Zug, religiöse Prädikate – Ewigkeit und erfüllte Zukunft, Heiligkeit, Brüderlichkeit, Opfer, Martyrium – werden mit ihr verbunden.“[21] Wer diese Opfer leistet, ist ein Heros, der Held des Vaterlandes, und ihm gebühren Andenken und Ehre. Doch darf man den Nationalismus nicht als gänzlich außerchristliches Phänomen ansehen. Vielmehr gab es auch theologische Wurzeln, etwa den Gedanken, daß jedes Volk eine besondere Schöpfung Gottes sei und die christliche Gemeinschaft sich in der des Volkes verwirkliche; von daher erklärt sich der Drang zu nationaler Christlichkeit und zu christlich-nationalen Identifikationsfiguren.

Begonnen hat der religiöse Nationalismus im revolutionären Frankreich. Das Verbrüderungsfest am 14. Juli 1790, im ersten „glücklichen Jahr“ der Revolution und am Jahrestag des Sturmes auf die Bastille, gab das „Vorbild aller weiteren revolutionären Festakte“ ab.[22] Die Vorbereitungen hatten mehr als 300.000 Livres verschlungen, trotz begeisterter freiwilliger Mitarbeit von Zehntausenden, von niederem Volk und Bürgerlichen, auch von Mönchen und Frauen. Aus der Provinz fanden an die fünfzigtausend „mitbürgerlich“ Unterkunft und feierten mit. Der Festzug zählte 70.000, und 300.000 säumten das Marsfeld. Aber noch war es ein wesentlich kirchlich geprägtes Fest. In der Mitte stand ein Altar, im Kreis herum die Fahnen der 83 Departements und ein Zelt für die königliche Familie. Um halb vier begann Talleyrand das Festhochamt. Dann legte Lafayette, am Altar stehend, den Eid auf die Prinzipien der neuen Verfassung ab. Die unabsehbare Menge toste und antwortete im Chor: „Wir schwören es“. Man lag sich in den Armen und gab sich „gleich“ und „zivil“. Der Ablauf blieb ohne Zwischenfall, trotz der Massen und ständigen Regens. Als im April und Juli des folgenden Jahres Mirabeau († 1791) und Voltaire († 1778) ins Pantheon, das inzwischen zum „Tempel des Vaterlandes“ umgewidmet war, überführt wurden, fingen die Konturen an zu verfließen: „Die Tradition der Heiligenverehrung wird einfach auf die Gegenwart, auf die Helden des Vaterlandes erstreckt.“[23] In der Sommerkrise von 1793 kreierten die Sansculotten einen eigenen Märtyrerkult zur Bestätigung ihrer republikanischen Grundsätze. Eine vom Volke ausgehende Glaubensgemeinschaft sollte demonstriert werden, eine Sublimierung des revolutionären Glaubens. „Der Prunk des neuen Kultes ersetzte in gewisser Weise den des traditionellen Gottesdienstes ... Die Bildnisse der Märtyrer wurden in den Kirchen, die zu Tempeln der Vernunft geworden waren, an die Stelle der katholischen Heiligenbilder gehängt."[24] Mit ihrem neuen Kalender allerdings scheiterten die Revolutionäre.[25]

Die Beerbung der Revolution durch Napoleon setzte sich auch darin fort, „daß das Phänomen Napoleon Bonaparte Schuld ist an der Heldenverehrung der Neuzeit"[26]. Seinen Soldaten galt er als unverwundbar, obendrein als väterlicher Fürsorger, ja den Verwundeten wie ein heilender Heiliger; kurzum, er repräsentierte „die thaumaturgische Kraft des gottbegnadeten Herrschers"[27]. Als Feiertag verordnete er seinen Geburtstag, der am 15. August mit Mariä Himmelfahrt zusammenfiel, weiter seine zweite Krönung am 2. Dezember. Für den Maler Louis David war Napoleon „mon héros", und so malte er ihn auch.[28] Drei letzte Auszeichnungen erhoben ihn zur Religionsfigur: der siegreiche Eroberer, der von Elba zurückkehrende Rächer und der einsame Märtyrer auf St. Helena. Auf den Höhepunkt kam sein Kult, als die Leiche 1840 in den Invalidendom überführt wurde. Mit der französischen Revolution und Napoleon begann auch die Verehrung der gefallenen Soldaten, der „Helden", die Errichtung von Denkmälern der Siege und der gefallenen Heroen des Vaterlandes.

Die Befreiungskriege weckten Nationalbegeisterung auch in Deutschland. Zur eigenen Wesensart galt es zurückzufinden, zur altdeutschen Vorzeit im Mittelalter und möglichst noch davor.[29] Dafür begeisterten sich Linke wie Rechte. Radikal-demokratische Studenten trugen altdeutsche, von Dürerbildern abgeschaute Trachten (die ihnen aber von der Reaktion verboten wurden) und träumten von einem Parlament im gotischen Stil, den man für wesentlich deutsch hielt. Karl F. Schinkel und Caspar D. Friedrich malten Idealbilder gotischer Dome, gedacht als Nationaldenkmal, wie auch Joseph Görres einen gotischen Dom für die gefallenen Freiheitskämpfer vorschlug.[30] Die älteste, aus dem Jahre 1839 stammende Idealansicht des vollendeten Kölner Domes, die 1965 beim Abbruch eines Hauses in Zürich entdeckt wurde, hatte sich dort August Follen schaffen lassen, der als Gießener Theologie- und Philosophiestudent zum Umkreis von Karl L. Sand, dem Kotzebue-Mörder, gehört hatte und in die

Schweiz geflohen war.[31] Als aber der Kölner Dom nach 1842 weitergebaut wurde, bestand Erzbischof Johannes Geissel auf dem Charakter einer katholischen Kathedrale.[32]

Wie schon die Nationalbewegung, so entsprang der vaterländische Heroenkult auch in Deutschland den Befreiungskriegen. Im Ursprungsland des Kampfes gegen Napoleon, in Preußen, nahm sogar eine Frau die erste Stelle ein: Königin Luise († 1810)[33]. Das Pathos entzündete sich an ihrer dramatischen Flucht nach der Niederlage von Jena und Auerstedt bis nach Tilsit in den äußersten Winkel Preußens, dort ihr Gespräch mit Napoleon, dann ihr Tod mit 34 Jahren im Jahre 1810, gestorben zwar als frühvollendete, aber aus Gram über das geknechtete Vaterland.

Jede gebildete Frau, so Novalis, „sollte das Bild der Königin in ihrem oder ihrer Töchter Wohnzimmer haben ... Ähnlichkeit mit der Königin würde der Karakterzug der Neupreußischen Frauen, ihr Nationalzug.“[34] Bei Luisens Tod sang Achim von Arnim: „Offen ist des Himmels Thor, / dich begrüßt des Himmels Chor.“[35] Bilder zeigen ihre Apotheose, ihre Auffahrt in den Himmel und anschließend ihr Erscheinen vor dem Prinzen Karl im Traum. Durchaus als Christin wird sie gesehen, aber besonders zeichnet sie aus, daß sie als liebende Mutter über ihrem Volk steht und als solche zur „preußischen Madonna“ wird. Doch für die Franzosen soll sie der Racheengel sein. Theodor Körner, dem Lützowschen Korps angehörig und im Befreiungskrieg gefallen, ruft sie an: „Luise sei der Schutzgeist deutscher Sache, / Luise sei das Losungswort zur Rache!“[36] Der Krieg von 1870/71 erst bringt die wirkliche Einlösung: Luisens Sohn Wilhelm als Bezwinger Frankreichs und deutscher Kaiser. Der Heiligen Preußens stellten sich Berlins größte Historiker zur Verfügung. Heinrich von Treitschke bekundete 1876 in einem Vortrag anläßlich Luisens 100. Geburtstages: „Ihr Bild, dem Herzen ihres Volkes eingegraben, ward eine Macht in der Geschichte Preußens.“[37] Theodor Mommsen nannte sie eine „Iphigenie des Befreiungskrieges“, ihren Tod „einen Opfertod“[38]. Noch Otto Hintze huldigte ihr 1910 als dem freundlichen Schutzgeist ihres Volkes, dem guten Genius Preußens, „von Himmelshöhen her segensvoll waltend über den Schicksalen ihres Landes“[39]. In der schier unermeßlichen Popular-Literatur ist sie „die schönste, die reinste, die frömmste“ – schlechthin der Inbegriff alles Ästhetischen, Sittlichen und Religiösen.[40]

Selbst Deutschlands Eisernen Kanzler verklärte ein Kult, der Züge von „Religionsersatz“ an sich hat. Nicht nur wurden ihm gegen 450 Ehrenbürgerschaften angetragen und zum 80. Geburtstag eine halbe Million Glückwünsche zugesandt, er erhielt auch ein halbes Tausend Monumente, bevorzugt aus Granit und mit Eichen entweder umpflanzt oder dekoriert – ein Aufwand von 14 Millionen Mark, gesammelt in den Bismarck-Vereinen mit ihren Mitgliedern hauptsächlich aus den Reihen des höheren Bürgertums, der Akademiker, Unternehmer, Verwaltungs- und Kaufleute, nicht aber der Bauern und Arbeiter. Den Huldigungssprüchen schienen kaum die Superlative zu genügen: „Deutschlands größter Sohn“, „der vollendetste Staatsmann aller Zeiten“, „der Einzigeine“, „Bismarck über alles“; sogar kirchenliedartige Verse konnten es sein: „Oh Bismarck, steig vom Himmel nieder, ergreif des Reiches Steuer wieder, wo Du bist, da ist Deutschland“. In eine Aura von genuin religiösen Vorstellungen wurde er eingehüllt: „Die Reichsgründungszeit ist ‚heilige Zeit‘, Bismarcks Tod ‚heilige Stunde‘, heilig ist alles, was zu ihm in Beziehung steht, selbst Denkmäler können es sein. Häufig erscheint Bismarck als Siegfried, St. Georg oder St. Michael, die den Drachen der nationalen Zwietracht, das Prinzip des Bösen also, erlegen. Die ‚Bismärcker‘ sind ‚Pilger‘; das Ziel ist der ‚heilige Hain‘ des Sachsenwaldes. Zu Bismarck-Denkmälern gehört vielfach ein ‚Altar‘, ‚Feueraltar‘, ‚Opferstein‘, auf dem das ‚Dankopfer‘, die ‚Opferflammenspende‘ dargebracht wird.“[41] Noch zum hundertsten Geburtstag 1915 formulierte der Sprecher der im Mausoleum zu Friedrichsruh versammelten Rektoren aller deutschen Universitäten als Schlußwort: „Von dir, Bismarck, erflehen wir: sei auch ferner im Geiste mit uns.“[42]

Ihrer inneren Struktur nach verfuhr die deutsch-nationale Religiosität eigentlich „ursprungsmythisch“ und wandte sich deshalb der „Urgeschichte“ zu. Sie beschwor die gemeinsame Erinnerung, die erneut zu ergreifende Eigengeschichte[43], um aus ihr der eigenen Identität gewiß zu werden[44]. Denn die großen Werke der Vergangenheit offenbaren das spezifische Zeugnis des Nationalgeistes, sind darum Ausdruck des eigenen Wesens. Darin geschieht nicht einfach nur kontemplativer Ahnendienst, sondern Anrufung zur Erneuerung, Beschwörung der Zukunft.[45] Genau auf diese Art auch definieren sich Mythos und Kult, nämlich den Ursprung aufzusuchen, die heroischen Taten und die großen Menschen kultisch zu vergegenwärtigen, um auf diese Weise die Zukunft zu gewinnen. Dementsprechend suchte man nun die Hinwendung zum Germanisch-Nordischen der Frühzeit, wo die eigene Art noch nicht von Romanentum und Christentum überfremdet war. Das Heldenreservoir bildete das freie Germanien: Hermann der Cherusker oder Hengist und Horsa, im Mittelalter dann die großen Könige und Kaiser, aber nur jene, die wirkliche deutsche und nicht romhörige Politik betrieben hatten.

Die Heroisierung griff noch über die Politik hinaus. Als im November 1859 der 50. Todestag Schillers, des „nationalen Dichters", anstand, wurde es „das größte Fest, das in Deutschland jemals zu Ehren eines Dichters gefeiert wurde ... Nur Bauern, katholische Geistliche, Offiziere und der Adel fehlten."[46] Besungen wurde Schiller als „Heiland" und „Erlöser". Nicht anders, ja intensiver noch gestalteten sich die Feiern zu Ehren von Ferdinand Lassalle († 1864), die nach festem Ritual abliefen: in einem Festsaal mit vorne in einem Blumenmeer aufgestellter Büste und bei Umrahmung mit Musik- und Chorstücken. Als „Messias" wurde er bejubelt und sein Tod – im Duell – als „Opfertod für das unerlöste Proletariat" beklagt.[47] Den eigenen Worten zufolge hatte er die Arbeiter als „Fels" ansehen wollen, „auf welchem die Kirche der Gegenwart gebaut werden" sollte.[48]

Zum Kult gehörte das Denkmal. Zwei Momente, so Thomas Nipperdey, seien dabei wesentlich. Zum ersten der sakrale Charakter: „Es ist Tempel und Heiligtum, herausgehoben aus dem Getriebe der Stadt, der Weg zu dieser Stätte ist als Wallfahrtsweg konzipiert, und kultisch-religiöse Feiern sollen dort begangen werden. Das Denkmal mutet darum dem Besucher eine andächtige, glaubensähnliche Stimmung zu ... Wir haben hier einen Ansatz zur Erhebung des Profanen ins Sakrale, zur Sakralisierung der Nation."[49] Das Andere ist der transzendente Verweischarakter, das Denkmal als Hinführung auf ein Unbegrenztes: „In seiner Sichtbarkeit auf ein Unsichtbares, in seiner Bedingtheit auf ein Unbedingtes, in seiner Individualität auf ein Allgemeines, auf eine Idee, es hat formal eine sich selbst transzendierende Struktur"[50]. Kein Zweifel: Hier herrschen die Mittel der Religion.

Wie aber der Nationalismus seine hehren Ziele und seine heiligen Orte hatte, so brauchte er auch seine Priesterschaft. In Frankreich erklärte man sich die Niederlage von 1870 unter anderem damit, daß Deutschland nach seiner Befreiung von Napoleon eine bessere Geschichtswissenschaft und dadurch ein das ganze Volk durchdringendes Nationalbewußtsein entwickelt habe, geschöpft aus den ureigensten Quellen der Geschichte Deutschlands; die Devise ‚Sanctus amor patriae dat animum' („die heilige Liebe zum Vaterland gibt Mut") stehe auf der ersten Seite der Folianten der ‚Monumenta Germaniae', umgeben von einer Eichenlaubkrone. „Es ist also legitim, ... den Kindern Frankreichs jene ‚pietas erga patriam' zu geben, die die Kenntnis des Vaterlands voraussetzt."[51] Ernest Lavisse, dessen

Grundkurs der französischen Geschichte zur Bibel dieses Nationalismus wurde, träumte von einem neuen Typ des Historikers: Ein Demiurg sollte er sein, „einsam die gesamte Entwicklung überschauend, von religiösem und patriotischem Atem inspiriert, Sänger einer theophanischen Nation, Künder eines neuen Evangeliums, in dem ... das Christusprinzip, das Inkarnationssymbol und die nährende Mutter Erde nurmehr ein einheitliches Ganzes bilden"[52].

Die deutsche Nationalbegeisterung nahm sich ihre Helden zuletzt auch aus der Kirche, als ersten Martin Luther. Ihm zu Ehren wurden Festzüge abgehalten und eine Vielzahl von Denkmälern errichtet. „Die reformatorische Stadtkultur trieb ihren Öffentlichkeitsanspruch auf die Spitze, indem sie schließlich den Reformator selbst aus der Kirche holte und als Lutherdenkmal ‚mitten auf den Markt', ‚auf einem freien Platze', ‚unter Gottes freiem Himmel, jedermann zugänglich' aufstellte – wie dies zuvor nur dem Herrscherstandbild gebührt hatte. Das kommunalisierte reformatorische Fest leistete so auch der bürgerlichen Denkmalsidee Schrittmacherdienste."[53]

Die Enthüllungsfeier des Lutherdenkmals zu Worms im Jahre 1868 konnte ein Zeitgenosse wie folgt beschreiben: „Jetzt folgte eine Scene, so hehr und heilig, so feierlich und tief ergreifend, daß keine Feder sie wieder zu geben vermag. Es war dies einer jener unbeschreiblich schönen und großartigen Momente, die man selbst mit erlebt und mit empfunden haben muß, um sich eine Vorstellung davon machen zu können. Als mit den letzten Worten des Redners die weitgespannte Hülle sank, welche das umfangreiche Denkmal auf vier Seiten umgab, und Kanonendonner und Glockengeläute der Umgegend verkündigte, daß das kolossale Standbild des deutschen Reformators, umgeben von seinen Vorläufern, Beschützern und Mitstreitern, eben im hellen Glanze der Mittagssonne strahlend vor den überraschten Blicken des Festversammlung erschien: da war Alles wie bezaubert; der greise, aber immer noch rüstig und stattlich aussehende König Wilhelm mit den übrigen auf dem Pavillon versammelten fürstlichen Gästen erhob sich, sichtbar tief ergriffen von der Majestät des Augenblicks; ein nicht enden wollender Jubel begrüßte das überaus herrliche Kunstwerk und ließ erst nach, als unter Musikbegleitung das Hohelied des Protestantismus: ‚Ein feste Burg ist unser Gott' von vielleicht 20.000 Festtheilnehmern angestimmt und unter dem Takte der regelmäßig sich wiederholenden Kanonensalven zu Ende gesungen wurde. Was in jenen unvergeßlichen Augenblicken die enge Brust eines jeden Anwesenden bewegte, davon gab so manches feuchte Auge Kunde, das die Stimmung des Herzens verrieth."[54]

Luther wurde zum deutschen Heros, und deutscher Glaube konnte eigentlich nur lutherisch sein. Aber auch die Katholiken zollten dem Nationalkult ihren freilich geringeren Tribut, etwa in der Bonifatius-Verehrung. Gerne nannte man ihn Winfried, und katholische Studenten-Verbindungen wählten sich den Namen ‚Winfridia'. Unbezweifelbar war der Angelsachse germanisch, zudem Mitbegründer und „Apostel" Deutschlands, und doch auch Rom ergeben und Emissär des Papstes. Was im 19. Jahrhundert den Katholiken so oft vorgeworfen wurde, nämlich vaterlandslose Gesellen zu sein, schien schon in Winfried-Bonifatius widerlegt.[55]

3. Die totalitären Ideologien

„Der Nationalsozialismus besaß einen Kult, wie ihn die Religionen aufweisen, nämlich öffentlich sanktionierte Feste und Feiern mit regelrechten Liturgien und festgelegten Ritualen."[56] Daß die letzte Nummer der Zeitschrift für NS-Liturgie ›Neue Gemeinschaft‹ noch im Januar 1945 erschien, zeigt die Intensität des Bemühens. Gestaltet wurden zunächst die Lebensfeiern wie Namensweihe, Jugendweihe, Eheweihe und Totenweihe. Den Höhepunkt erreichte Thüringen im Jahre 1943 mit allerdings nur knapp vier Prozent der standesamtlich zu registrierenden Akte.[57] Für gewöhnlich sollte es jeden Morgen, wo immer nationalsozialistische Gemeinschaften zusammen waren, eine Morgenfeier sein, sonntags fast schon wie ein Kirchgang. Allem voran aber standen die großen Feste der Bewegung und des Führers: die Reichsparteitage mit ihren Lichtdomen und der Totenehrung, der 1. Mai als Tag des deutschen Volkes, das Bückeburger Erntedankfest und zuhöchst „Führers Geburtstag". Der neue Kult offenbarte sich am reinsten in den „Heldischen Feiern" zum 9. November, in Erinnerung an den Münchener Putschversuch von 1923: die sechzehn „Märtyrer" und ihre „Blutfahne" als Reliquie. Gefeiert wurde die „mit Blut besiegelte Urtat", aus der sich das Dritte, das Tausendjährige Reich erhoben hatte und die nun als Fest des Sieges und der Auferstehung wiederholt wurde. Einen „ideologischen Mythos der Unsterblichkeit"[58] hat man es genannt, der sich einen „heiligen Ort", die „Ehrenhalle" auf dem Königsplatz, schuf und eine „ewige Wache" für das vergossene „heilige Blut" aufstellte. Die Feier galt, wie bei allem Mythos und allem Kult, der ewigen Wiedergeburt: „Da sich das neue Realissimum – das Blut – im Volk aktualisiert und jedes Mitglied der Volksgemeinschaft insofern am ‚Heiligen‘ partizipiert, wird das Volk im nationalsozialistischen Kult konsekriert und erfährt eine Apotheose“[59] – ein ideologischer Unsterblichkeitsglaube. Der Führer selbst agierte dabei in der Rolle des Heilbringers.

Sofort nach dem Zusammenbruch, schon Weihnachten 1945, hat Romano Guardini († 1968) die Perversion aufgezeigt: „Dieser Mythos, das Heil, das er versprach, die Lebensordnung, die auf ihm ruhen, die Zukunft, die aus ihm hervorgehen sollte – alles das mußte auch einen Verkünder und Verkörperer haben: er wurde in Adolf Hitler gesehen“[60]. Und wichtiger noch: „Von Hitler wurden Aussagen gemacht und auf ihn Haltungen gerichtet, die der Glaubende Christus zuwendet“[61]. Auch die nun schon zwei Generationen andauernde Hitler-Forschung kann dieses Urteil nur bestätigen. „Hitlers quasi messianische Verpflichtung auf eine ‚Idee‘, ein Glaube, der keine Alternativen duldete, gab ihm eine Willensstärke, der man in seiner Gegenwart nur schwer widerstehen konnte.“[62] Joseph Goebbels war schon nach der Lektüre von ›Mein Kampf‹ wie gefesselt: „Wer ist dieser Mann? Halb Plebejer, halb Gott! Tatsächlich der Christus oder nur der Johannes?“[63] Wie ein religiöser Bann wirkte für viele diese „Persönlichkeit von der Unbeirrbarkeit eines Fanatikers, der glühenden Überzeugung eines selbsternannten Propheten und der ideologischen Selbstgewißheit eines Missionars“[64]. Religiöse Inbrunst sollte im „Widerstand gegen die Transzendenz“[65] die reale Welt verändern und verklären.

Ebenso bemerkenswert ist die leninistisch-bolschewistische Religionspolitik, war doch eines ihrer ersten Bekämpfungsziele die Religion, am deutlichsten ersichtlich an der offenen Unterstützung der Gottlosen-Bewegung. Die überhaupt früheste gewalttätige Aktion gegen die Orthodoxe Kirche bestand darin, die Gräber und Schreine zu öffnen und die Reliquiengebeine zu vernichten. Gerade an den toten Gebeinen sollten die Unhaltbarkeit der Religion und ihre Abscheulichkeit demonstriert werden. Dabei muß man wissen, daß in Rußland die Verehrung des unverwesten Heiligenkorpus eine übergroße Bedeutung einnahm. Schon das ›Väterbuch des Kiewer Höhlenklosters‹, eine mittelalterliche Legende, beschreibt, „wie es bei einem Heiligen sein muß: Auch alle seine Gelenke waren heil und von Verwesung unberührt“[66]. Noch Dostojewski schildert in seinem Roman ›Die Brüder Karamasow‹ das Entsetzen darüber, daß der Leichnam des im Ruf der Heiligkeit verstorbenen Starez Sosima sofort in Verwesung überging.[67] Diesen alten Glauben wollte man nun als einen besonders perversen Bestandteil der ohnehin unsinnigen Religion decouvrieren und zerstören. Die Gottlosen-Bewegung machte entsprechende Propaganda. In einer deutschsprachigen Radiosendung des Moskauer Gewerkschaftssenders zu Weihnachten 1930 wurde ein „Spaziergang durch das antireligiöse Museum" gesendet und dabei folgendes beschrieben:

„Nun kamen wir in die Abteilung ‚Die Kirche in der Sowjetunion'. In der Ecke eines Saales befanden sich Reliquien, Totenreste. Dieses Wort wurde bei uns zum Symbol der allerekelhaftesten und gemeinsten Lüge, die die würdigen Kirchenväter zur niedrigsten Ausbeutung der Menschheit gebraucht haben. Wir besichtigten diese Reliquien mit Ekel ... Auf dem Platz vor dem Museum atmete ich auf ..., als hätte ich mich aus dem Reich der Finsternis entfernt. Der laute Lärm Moskaus, die bewegte Twerskaja, energische Menschen, das sind unsere Wirklichkeiten, in denen wir leben, in denen wir ohne Heilige, ohne Reliquien und ohne Weihrauch vorwärts schreiten."[68]

Daß gerade die Reliquien und die unverwesten Heiligenleiber als besonders verabscheuungswürdige und evident widersinnige Religionsphänomene angegriffen wurden, entbehrt insofern nicht der Ironie, als die Bolschewisten sich genau dieses Mittels für den eigenen Personenkult bedienten, indem sie Lenin einbalsamierten und zur Verehrung ausstellten. Von religionshistorischer Seite ist sofort auf diesen offenkundigen Widerspruch hingewiesen worden, daß man nämlich mit aufklärerischen Argumenten gegen die Religion kämpfte, aber das Bekämpfte am Ende für die eigene Propaganda in Anspruch nahm: Lenin, der Gründer, „unverwest fortlebend"[69].

Letztlich wird an den totalitären Ideologien die tödliche Gefahr offenbar, das Heilige als Mittel auf Weltliches anzuwenden. Der Versuch des 19. Jahrhunderts, eine innerweltliche Religion zu schaffen, um alle Kraft vom Transzendenten abzuziehen und dem Innerweltlichen zuzuführen, führte am Ende zum Totalitarismus. Denn wirkliche religiöse Mittel zielen auf Ewigkeit, verheißen Endgültiges, freilich für das Jenseits, und verlangen dafür das Äußerste. Religionsgeschichtlich gilt als Heilbringer, wer den Weg öffnet zu dieser transzendenten Endgültigkeit. Anders nun die transzendenzlosen Religionen der neuen Art. Sie richteten ihre „Absicht darauf, die heilige

Gestalt, welche das innerste Maßbild der christlichen Welt gewesen, herauszubrechen und an ihre Stelle eine andere zu setzen, welche das Dasein rein irdisch bestimmen sollte"[70]. Damit aber das Innerweltliche, das zum endgültigen Heil erklärt wird, wirklich auch das Heil bringt, versucht man es mit aller Macht durchzusetzen. Das heißt: die Machtanwendung erhält die Totalität des Religiösen und führt, da keine Vertröstung mehr geduldet werden kann und stattdessen innerweltlicher Erfolg ausgewiesen werden muß, zu einer Übersteigerung noch der härtesten Diktatur, eben zum Totalitarismus. Man glaubt den Schrecken, den unser Jahrhundert erfahren hat, noch herauszuhören, wenn etwa Arno Borst als Mediävist schreibt, daß ehemals die Heiligen „ungezügelte Gewalt [zu] verhindern und friedlich Errungenes [zu] schützen" gewußt hätten[71]. Die Ersatzreligionen der Moderne haben Hekatomben von Opfern gefordert für Werte, die nur eine Generation später schon vergessen gewesen sind. Niemand kann und will heute die Sprüche der Kriegerdenkmäler von gestern noch verstehen: „Politische Erfahrungen oder Botschaften sind nur schwer über den Tod einer jeweiligen Generation hinaus tradierbar"[72] – so Reinhard Koselleck im Rückblick auf die Ehrenmale und Gedenktafeln des 19. und 20. Jahrhunderts. Weder Blut noch Boden, ebensowenig Rasse oder Klasse haben sich als haltbare, geschweige unvergängliche Werte erwiesen. Theologisch heißt das: Alles menschliche Handeln steht unter einem „eschatologischen Vorbehalt", unter dem grundsätzlichen Eingeständnis, daß Mensch und Welt nur „vorläufig" sind.

XXVI. Ein Exempel historischer Hermeneutik?

1. Der „Volksglauben"

Wer über die Heiligen und ihre Reliquien spricht, gerät unvermeidlich in die derzeit uferlose Diskussion um die Volksreligiosität.[1] Diese erscheint dabei immer in Relation zu einem Anderen, oft sogar in Reaktion dazu, jedenfalls als variabler Entsprechungsbegriff. Mit Recht hat man von einem „dichotomen Interpretationsmuster" gesprochen, welches „das auch noch so disparat wirkende, der popularen Religiosität subsumierte Phänomen immer in Wechselbeziehung mit einem jeweils zu konkretisierenden nicht-popularen Korrelat konzipiert"[2]. So kann „populare Religiosität" im Gegenüber zur offiziellen Religion stehen, etwa als volksfrommer Brauch gegen Theologie und Liturgie der Priester, im Affront auch zur Religion der Oberklassen und Spezialisten mit ihrer „wahren" oder gar „aufgeklärten" Weltsicht, im Kampf endlich von „hegemonialer" und „unterdrückter" Gesellschaftsschichtung. Wie immer man definiert – heraus kommt die Bipolarität der jeweils „unteren" Popularreligiosität und eines Höheren: Volksfrömmigkeit und Aufklärung, Kirchenvolk und Amtskirche, Welt des gemeinen Mannes und Herrschaftsgefüge, vorrationale Denkstrukturen und wissenschaftlich-aufgeklärtes Weltbild, Beharrungswillen des Volkes und Modernisierung seitens der Elite. Die populare Volksreligiosität kann dementsprechend positiv oder negativ erscheinen: als des Volkes gesunder und unzerstörbarer Urinstinkt oder aber als des Pöbels Unaufgeklärtheit. Entsprechend dualistisch erscheint auch die Interaktion: einerseits von unten als positiv selbstregulierte bzw. als verblödete Welt des gemeinen Mannes oder aber von oben als Indoktrination bzw. fürsorgliche Patronanz. Für die europäisch-christliche Religiositätsgeschichte hat man sowohl von einer gleichbleibenden Kontinuität[3] wie auch von einer 2000-jährigen Indoktrination gesprochen[4], seltener von wechselseitiger Verschränkung[5].

Zur Entzerrung der Antagonismen sind mehrere Perspektiven zu beachten. An erster Stelle die historische, für unser Thema die religionshistorische. Ohne vorschnell das Dogma einer Höherentwicklung festschreiben zu wollen, darf hier doch davon ausgegangen werden, daß die personal-ethische Heiligkeit immer als die jüngere Entwicklungsstufe gilt. Das Christentum mit seiner radikal-ethischen Heiligkeitsforderung mußte sich folglich von den älteren Formen absetzen. Doch hat auch die Ethik selbst Entwicklungsstufen. In der Forschung spricht man von archaischen Formen, auch von „Vulgärethik", und setzt darüber „eine höhere, in der religiösen Erfahrung oder im rationalen Denken neu begründete Ethik"[6]. Auf all diesen Stufen kann sich Virtuosität zeigen, weswegen Max Weber „die Scheidung zwischen den ... zuweilen sehr hochgelernten Zauberern und den keineswegs immer besonders hochgelehrt wirkenden Priestern ... [für] nicht einfach"[7] hält. Schon auf frühen Stufen muß mit dichotomen Verwirklichungsgraden gerechnet werden, wie ebenso in den ethisch begründeten Formen. In der historischen Langzeitperspektive ist folglich mit einer oszillierenden Bewegung zu rechnen: Was einmal „oben" war, kann später, in geradezu unveränderter Qualität, zum „unten" werden. Oder: die Eliten von früher können in einem späteren Stadium, wenn sie sich der Weiterentwicklung versagt haben, untenan stehen. Sicher waren zum Beispiel im späten Mittelalter nicht wenige Kleriker „zurückgebliebener" als mancher gebildete Stadtbürger. Kurzum: das historische Problem einer Religiosität von unten oder von oben verschiebt sich im Laufe der Geschichte erheblich und definiert sich auf beiden Seiten jeweils neu.

Das Entscheidende und in der Diskussion um die Volksreligiosität zu wenig beachtete Kriterium liegt in der Ethisierung. Diese beruht auf der Fähigkeit zur Introspektion, zur Wahrnehmung innerseelischer Vorgänge, und führt zu einem von dorther gesteuerten Handeln. Sobald eine Religion diesen Schritt vollzieht, geschehen grundlegende Veränderungen, gerade auch in der Auffassung von Heiligkeit und Kult. Was im Herzen vorgeht, das entscheidet nun. Aller Gottesdienst hat nur Wert, wenn er beseelt vollzogen wird, und alle Heiligkeit muß dadurch überzeugen, daß sie sich in sittlichem Tun ausweist. Die Fähigkeit zur Introspektion aber hängt engstens zusammen mit vielerlei zivilisatorischen Voraussetzungen: mit der Möglichkeit zur Reflexion, mit Bildung und wohl auch mit Büchern. Dadurch erklärt es sich, daß für das Mittelalter nicht von einer klassen- oder schichtengebundenen Frömmigkeit gesprochen werden kann. Entscheidend sind vielmehr Prozesse der Alphabetisierung und geistigen Mobilisierung gewesen, die christliches Frommsein verinnerlicht und das Gewissen geschärft haben[8]; nur so hat es auch dazu kommen können, daß bibelhungrige Laien des späten Mittelalters „sich in der Heiligen Schrift mitunter weit besser [auskannten], als mancher ‚arm priester, der in der geschrift nit geuebet‘ war“[9]. Zu beachten ist freilich, daß es für das Mittelalter ein langer Weg war von den thaumaturgischen Gottesmenschen der Zeit Gregors von Tours bis zu den devoten Heiligen des spätmittelalterlichen Mystikertums. Gleichwohl war es der Weg, der in seiner Gesamtrichtung vom Neuen Testament herkam, von dort zwar nicht direkt vorgezeichnet, aber doch inspiriert.

Ein weiteres Merkmal, das man gerne dem angeblich durch die Jahrhunderte währenden Volksglauben zuspricht[10], ist der Glaube daran, daß der Heilige gerade auch in seinen Reliquien gegenwärtig sei. Diese Gegenwart basiert auf der Vorstellung vom Weiterleben der Seele, letztlich auf der allgemeinen „Grundvorstellung, daß der Tote in irgendeiner Form weiterlebt“[11]. Der Ort des Heiligen sind der Himmel und zugleich sein Grab auf Erden. Das aber schließt ein, „daß die Leiber der Heiligen keine bloßen Leichname waren“[12]. In diesem Glauben war sich das ganze Mittelalter einig: Auf die Heil- und Wunderkraft von Reliquien zu vertrauen, war nicht Sache des einfachen Volkes nur, vielmehr wurden Reliquien von allen Schichten und Gruppen der mittelalterlichen Gesellschaft verehrt, und deshalb ist es nicht statthaft, „den Kult der Heiligen in eine klerikale und laikale Variante auseinanderdividieren zu wollen.“[13] Eine solche schichtenspezifische Aufteilung scheitert schon daran, daß „die meisten Kunden der Reliquienhändler und -diebe ... Könige, Kirchenfürsten und hohe Adelige“[14] waren. Erst die Neuzeit bewirkte einen Bruch. Für die Heiligen- und Reliquienverehrung dürfte er sich darin vollzogen haben, daß man sich die virtuelle Präsenz der Toten, ihre himmlische Gegenwart auf Erden, nicht mehr vorzustellen vermochte, weil sie wissenschaftlich unhaltbar geworden war. Erinnern wir uns: Präsent waren die Heiligen im Himmel wie auf Erden; kultisch waren sie die Träger der Gotteskraft und deren Vermittler; juristisch beanspruchten sie Rechte und erfüllten Pflichten. Zur Voraussetzung hatte diese Position „das Lebendigsein“ des Toten, wie es religionsgeschichtlich weithin anzutreffen ist. Seit der Spätantike gründete sich das Lebendigsein darin, daß die Seele unsterblich war und nach ihrer Heimreise immer noch auf den Leib ausstrahlte, der folglich nicht gänzlich dem Totsein verfiel. Bei der Heiligen- und Reliquienverehrung verstärkten sich diese vorgegebenen Momente zur virtuellen Verbindung von himmlischer Seele und irdischem Leib. Die Verbindung wirkte wie ein Lichtkanal und vermittelte die Gnade. Mit der naturwissenschaftlichen Aufklärung, die den Leib medizinisch für absolut tot erklärte, mußte die ältere Auffassung dahinfallen. Wohl diskutierte noch die Medizin des 18. Jahrhunderts, ob im Leichnam, zumal im unverwesten, nicht doch eine ,vis vegetativa' zurückbleibe. Aber seit 1800 war in Europa der Tote tot. Der Leiche gebührte noch Pietät, aber sie war nicht mehr Instrument persönlicher Anwesenheit oder Zeuge des Fortlebens. So fehlte dem Heiligenkult nunmehr der Leib auf Erden, der zuvor das Kontaktorgan für die Verehrer gewesen war. In der Theologie reaktivierte man daraufhin die paulinische Vorstellung, daß der irdische Leib „in Verwesung" sei und erst der pneumatisch-göttliche Leib „in Unverwestheit"; das heißt: der konkrete Leib wurde belanglos.

Wiederum sehen wir Positionen und Fronten sich verschieben. Wenn ein Thomas von Aquin den Reliquien eine besondere Virtus oder auch den Lichtcharakter absprach, war das für die Religiosität seiner Umwelt „aufklärerisch", während die von ihm weiterhin vertretene Auffassung der Identität von historischem und auferstehendem Leib seit der Aufklärung als absurd und abergläubisch erscheinen mußte. So veränderten sich in der Religiosität sowohl ,oben' wie ,unten' und bildeten keinen über zweitausend Jahre unveränderten Antagonismus. Gerade der in der Heiligen- und Reliquienverehrung aufscheinende Bruch führte eine neue Konstellation im Verhältnis von Religion und Aufklärung herbei. Seit dem ausgehenden 18. Jahrhundert tat sich eine Spaltung auf, daß nunmehr alles Außerordentliche und Wunderbare für die Gebildeten, auch die katholischen, zunehmend unmöglich wurde. Heiligen- und Reliquienverehrung wie ebenso Wallfahrten erschienen fortan als schichtenspezifisch für den „meist dummen, an Mißbräuchen und Aberglauben gewohnten Pöbel".[15] Nur „Unaufgeklärte", „Zurückgebliebene" und „Hinterwäldler" praktizieren noch ihren „Köhlerglauben". Allein durch Aufklärung konnte und mußte das verbliebene Vernunft-Defizit beseitigt werden. Und diese Vernunft begriff sich, um eine Formulierung von Ernst Troeltsch aufzugreifen, als „Antisupranaturalismus"[16]: Sie forderte nicht nur eine innerweltlich-kausale Erklärung aller Ereignisse und Phänomene; sie wollte auch gar keine anderen mehr.

2. Nach der Aufklärung

„Ein Wunder beleidigt den guten Geschmack“[17], so empfand es die Aufklärung, und so empfindet es die aufgeklärte Welt bis heute.

Die Nachwirkungen liest man etwa in Thomas Manns ›Zauberberg‹: Da „begann Naphta von frommen Ausschreitungen der Liebestätigkeit zu reden, die das Mittelalter gesehen, erstaunlichen Fällen von Fanatismus und Verzükkung in der Krankenpflege: Königstöchter hatten die stinkenden Wunden Aussätziger geküßt, hatten sich geradezu mit Absicht an Leprosen angesteckt und die Schwären, die sie sich zugezogen, dann ihre Rosen genannt, hatten das Wasser ausgetrunken, womit sie Eiternde gewaschen, und danach erklärt, nie habe ihnen etwas so gut geschmeckt. Settembrini tat, als müsse er sich erbrechen. Weniger das physisch Ekelhafte an diesen Bildern und Vorstellungen, sagte er, kehre ihm den Magen um, als vielmehr der monströse Irrsinn, der sich in einer solchen Auffassung von tätiger Menschenliebe bekunde. Und er richtete sich auf, gewann wieder heitere Würde, indem er von neuzeitlich fortgeschrittenen Formen der humanitären Fürsorge, siegreicher Zurückdrängung der Seuchen sprach und Hygiene, Sozialreform nebst den Taten der medizinischen Wissenschaft jenen Schrecknissen entgegenstellte.“[18]

Wie an so vielen Stellen unserer Religiositätsgeschichte legt sich die Aufklärung gerade in der Heiligen- und Reliquienverehrung als sowohl wissenschaftliche wie ästhetische Barriere zwischen Moderne und Vergangenheit. Es ist fast wie in einem dualistischen Weltbild: Wer nicht im Licht der Aufklärung steht, befindet sich in der Finsternis des Aberglaubens. Vom Ursprung her ist dieser Widerstreit „ein Thema christlicher Provenienz, ein abendländisches“, das ohne die frühen, religionsphilosophischen und religionskritischen Implikationen der christlichen Apologetik der Väterzeit nicht denkbar ist.[19] Und wirklich, keiner der griechischen und römischen Kulte hat, um Heinrich Dörrie zu wiederholen, „eine in sich schlüssige Theologie hervorgebracht“[20]. Ganz anders die Christen; ihnen war Gottes Offenbarung anvertraut, wovon „noch nicht der kleinste Buchstabe vergehen wird“ (Mt 5,18). Wer aber von der rechten Lehre abwich, der „sei verflucht“ (Gal 1,8). Das hier verwendete ‚anathema sit‘ sollte die christliche Verfluchungsformel gegen alle Dissidenten werden und verwandelte die Religion der Nächstenliebe allzu oft in eine solche des erbittertsten Parteienkampfes. Sofern es allerdings zum

Wesen aller Religion gehört, zu wachsen und sogar bis zum Identitätsverlust zu wuchern, bildete die Offenbarung das Fundament, zu dem man zurückkehren mußte und anhand dessen man reformieren konnte. Das heißt: Die Trennung von rechter und falscher Lehre entschied über Regeneration und Reform; noch das Wort ‚revolutio' meint nur dieses: die „Rückwälzung" zum richtigen Ausgangspunkt. Und mehr noch: Ein vor der Vernunft einsichtig zu machender Kern an Glaubenslehren, vermittelbar allen Menschen guten Willens, schuf erst die Voraussetzung für Mission, für die Verkündung bei allen Völkern, wie sie neutestamentlicher Auftrag war. Bei ihrem Kampf um den reinen Glauben übernahmen nun die Christen den Begriff ‚superstitio' – Aberglauben, mit dem die Römer jede Art von übertriebener Religionspraxis bezeichnet hatten, in der Spätzeit nicht selten auch die nach Rom vorgedrungenen arkanen und ekstatischen Kulte. Die Christen aber bezeichneten damit die, von ihrer Dogmatik aus gesehen, falsche religiöse Praxis. So war ‚superstitio' von Anfang an ein „Kampfthema"[21] und erfuhr in der neuzeitlichen Konfessionspolemik noch eine Verschärfung: Im Wettstreit um die rechte Form des Christentums war aller Aberglaube auszurotten. Der Fanatismus bei der Hexenverfolgung scheint noch daraus entsprungen zu sein.[22] In der Aufklärung folgte nochmals eine Zuspitzung, aber wesentlicher noch eine Umdeutung: Gründete sich der christliche Kampf gegen die falsche Glaubenspraxis auf das Dogma, so der aufklärerische auf die Vernunft. Dieter Harmening, der die abendländischen Vorstellungen vom Aberglauben untersucht hat, resümiert: „Wurde bis dahin Aberglaube als eine Entwürdigung der Religion betrachtet, so wird er nun als eine Entwürdigung der Vernunft aufgefaßt."[23]

Die Geschichtsschreibung des 19. Jahrhunderts gab sich weithin „aufgeklärt" und „realpoplitisch", das heißt: die Herrscher als die entscheidenden Handlungsträger agierten durchaus zweckhaft und sogar „rational" politisch. Mochten sie sich krönen und salben lassen, gelegentlich auch vor Kirchenmännern niedersinken, im letzten trieben sie wohlberechnete Politik und wußten selbst die Belange der Kirche besser zu behandeln als deren eigene Vertreter. Daß Herrscher gezielt Heiligtümer besuchten, an Kirchweihen teilnahmen, Gebetsgedächtnisse stifteten, heilige Tage einhielten, ihre eigene Liturgie feierten, besondere Heilige verehrten und große Reliquiensammlungen zusammenbrachten, hat erst eine erneuerte Mediävistik ins Bewußtsein gehoben. Der älteren Betrachtungsweise mußte eine „Religionsgeschichte" des Mittelalters nur hinderlich sein. Was speziell die Heiligen- und Reliquienverehrung anbetrifft, so hat die historische Schule des 19. Jahrhunderts „die Kritik an mittelalterlichen Autoren im allgemeinen und an hagiographischen Schriften im besonderen zu hoher methodischer Sicherheit entwickelt"[24]. Gleichwohl blieb eine eklatante Diskrepanz. Einer der erfolgreichsten Editoren frühmittelalterlicher Heiligenviten, Bruno Krusch († 1940)[25], hat den Legendenstoff geradezu gehaßt.

Die Viten werden ausgepreßt auf historische Fakten, der Rest ist Legende, wie zum Beispiel in der Vita Lupi die „uncontrolierbaren Nachrichten über Heimath, Familie, Lehrzeit und andere Lebensumstände des Heiligen, seine frommen Werke, Kasteiungen, Wunderkuren, Spenden für die Armen und zur Loskaufung von Gefangenen"[26]. Zu diesen Legendisten gehört auch Gregor von Tours mit seiner Frankengeschichte: „Vor Fälschung der Quellen [ist er] nicht zurückgeschreckt"[27], und er erweist sich als „ein Meister im Verschweigen dessen, was seine Geschichtsauffassung Lügen strafte"[28], ja hierin zeigt sich „seine ganze Schlauheit"[29]. Dies trifft insbesondere auf seine „romantische Erzählung" von der Taufe Clodwigs zu[30], worin einzelne Punkte eine „unverschämte Lüge"[31] sind, weswegen man ihn „auch zu anderen Verirrungen fähig"[32] halten muß. Am Ende ist es eine gallige Wut: „Jedes Wort ist gelogen. Gregor war ein dreister Schwindler, und der Schaden, den seine Legenden angerichtet haben, ist unübersehbar."[33]

Für die Reliquien sah und sieht es nicht anders aus, eher noch kritischer. Hören wir zum Beispiel Jacob Grimm in der Vorrede seiner 1844 publizierten ›Deutschen Mythologie‹: „kirchen und kapellen des mittelalters durchdringt mit schwülem grabgeruch ein anbeten todter knochen, deren echtheit und wunderkraft selten beglaubigt, zuweilen ganz unmöglich scheint. die wichtigsten geschäfte des lebens, eidschwüre und krankheiten, forderten berührung dieser heilthümer und alle geschichtlichen denkmäler zeugen von ihrem weit eingerissenen, in der bibel durch nichts gerechtfertigten, dem frühsten christentum fremden gebrauch... an idololatrie und heiligendienst fand aber die herschaft der geistlichkeit ihre große stütze."[34] Jüngst noch konnten die Reliquientranslationen ins Sachsenland und die dabei geschehenen Wunder als eine Art „Zugeständnis" gedeutet werden, denn „das zielte besonders auf das niedere Volk, das stärker als der fortschrittliche Adel in heidnischen Vorstellungen lebte"[35]. Gehörte dann aber, so wäre nach dieser Logik zu fragen, nicht auch Karl der Große zum einfachen und sogar heidnischen Volk wegen seiner Reliquiensammlung in Aachen? Gerade in der Bewertung des Reliquienkultes lebt die Hypothese vom Priesterbetrug zuweilen uneingeschränkt fort.

Auf den Reliquienkult[36] hätten „die führenden Vertreter der kirchlichen Hierarchie oft mit äußerster Zurückhaltung oder gar Mißbilligung ... herabgesehen." Weil aber „der Heiligenkult in so hohem Maße den Gefühlen der unteren Volksschichten entsprach, konnte er für die Kirche unter bestimmten Bedingungen ein einzigartig geeignetes Mittel darstellen, die Massen stärker an die Kirche heranzuziehen." Elevationen und Translationen sind „ein deutliches Zeichen, mit welcher Sicherheit man durch solche, uns primitiv anmutenden, damals aber wirksamen Mittel die gewünschte Wirkung erzielt und die Menge angelockt hat." Die Mönche zumal lassen „kein Mittel unversucht, ... den Zustrom der Bevölkerung zur Klosterkirche zu verstärken"; wenig verwunderlich, daß sie „sich sehr nachdrücklich darum bemühen, ihrem Konvent zugkräftige Reliquien zu verschaffen", und auf diese Weise berühmt gewordene Klöster „locken aus entfernten Gegenden Pilger an." Die Aufstellung von Schreinen, zumal in der Oberkirche, zielte augenscheinlich darauf ab, „die Eindruckskraft der Reliquien auf die zuströmenden Pilger zu vergrößern". Ja, „die kirchlichen Institute haben damals Methoden der Massenbeeinflussung entwickelt, die einen Vergleich mit moderner Propaganda zulassen" und „marktschreierische Methoden" darstellen. Wenn in der deutschen Hagiographie der Wunder- und Reliquienglaube weniger hervortrete, sei das „nur ein Beweis für den konservativen, betont aristokratischen Charakter der deutschen Kirche, die es vorerst noch nicht nötig hatte, in so massiver Weise auf die Bevölkerung einzuwirken."

Die sich dem Religiösen gegenüber so kritisch gebärdende Aufgeklärtheit argumentierte allerdings dort inkonsequent, wo sie national wurde. Nunmehr konnte sich das vorgeblich „Überholte", die „alte Barbarei", das „verjährte Vorurteil" als durchaus bedeutsam erweisen, als Hinweis etwa auf die nationale Vorzeit, den Anfang der eigenen Volksgeschichte oder Wesensart, auch auf anfängliche Züge arteigener Religion. Nicht selten wurde dabei ein und dasselbe Phänomen, wo es christlich-mittelalterlich erschien, als abergläubisch abgetan, wo immer es aber als „vaterländisch" hervortrat, als „urgermanisch" und „wesenseigen" gerühmt. Man braucht nur auf das Reliquiengrab und daneben das Ahnengrab zu schauen. Es ist jeweils dieselbe Wirklichkeit: das Grab als Ort der sich fortzeugenden und „weiterblühenden" Lebenskraft. Wie aber das Reliquiengrab verabscheuenswert war, so das Ahnengrab ruhmwürdig. Sprach Jacob

Grimm vom „schwülen Grabgeruch" in mittelalterlichen Kirchen und vom „Anbeten toter Knochen", so konnte August von Platen († 1835) des Westgoten Alarichs ›Grab im Busento‹ besingen: „Daß die hohen Stromgewächse / Wüchsen aus dem Heldengrabe"[37]. Nur aufgeklärte Entwicklungshistorie war es, wenn jenseits des finsteren Mittelalters die Morgenröte der eigenen Geschichte anhob: im Vormittelalterlichen. Noch in der Gegenwart sucht Aaron Gurjewitsch die „‚vormittelalterlichen' Züge", „eine bestimmte tiefliegende Kulturschicht"[38]. Die gegen Ende des 19. Jahrhunderts kulminierenden Versuche, die vorchristlichen Götter in den christlichen Heiligen zu entdecken, beruhen gleichfalls auf dieser Diastase. In Deutschland war es Ernst Lucius, der die christlichen Heiligen geradezu als Versatz- bzw. Ersatzstücke der alten Götter hinstellte.[39] In Frankreich popularisierte P. Saintyves die Formel: Les saints – successeurs des dieux.[40] Am Ende aber siegte immer wieder die Aufklärung.

Carl A. Bernoulli, der im Jahre 1900 ein bis heute als Standardwerk zitiertes Buch über ›Die Heiligen der Merowinger‹ publizierte, gab sich zwar „nicht gewillt, den Kosmos des Mirakels mit dem Tatzenschlag einer modernen Anschauung kurzer Hand zu zertrümmern", sondern bestrebte sich, „aus dem Bewußtsein unserer stets wachsenden Aufklärung ... selbst nutzlos gewordenes Geistesgut unserer Altvordern doch noch zu verstehen und in Ehren zu halten, auch ein Zeichen dafür, daß wir nun eben um hundert Jahre weiter sind"[41]. Zuletzt aber kommt doch nur wieder die ›Encyclopédie‹ hervor: daß die fränkische Kirche „aus dieser ihrer wirksamsten und volkstümlichsten Funktion nach Kräften Kapital schlug ..., indem sie Heilungen zu einer Art Reklame benutzte"[42], daß weiter „Kurerfolge für die Kirche einen nicht zu unterschätzenden Machtzuschuß"[43] bedeuteten; dennoch seien „bei den alten Franken ... Treu und Glauben zu Gott und seinen Heiligen noch nicht an schamlosem Priesterbetrug" zu Schanden geworden.[44]

Nicht zu beantworten vermag das aufklärerische Schema die Frage, warum denn nun gerade ein vermeintlich so abseitiger Religionsstoff wie der Reliquien- und Heiligenkult die Menschen solchermaßen zu vereinnahmen vermochte. Damit sei die Religion im Frühmittelalter auf die niedrigste Stufe des Mirakelglaubens abgesunken, so der Kirchenhistoriker Hans von Schubert († 1931), er freilich mehr in konfessionell-protestantischer als aufklärerischer Betonung; den Heiligen- oder Reliquienkult aber habe man sich merkwürdig schnell und in umfassender Weise angeeignet und ihn immer reicher entfaltet.[45]

Angesichts der begeisterten Aufnahme und der über Jahrhunderte fraglosen Praktizierung hätte man sich mindestens eingestehen müssen, was Ludwig Wittgenstein († 1951) gegen James G. Frazers ›The Golden Bough‹ eingewendet hat: „Es ist sehr merkwürdig, daß alle diese Gebräuche ... so zu sagen als Dummheiten dargestellt werden. Nie wird es aber plausibel, daß die Menschen aus purer Dummheit all das tun."[46] Und so dürften wir besser beraten sein, Aaron J. Gurjewitsch zu folgen: „Wir werden in der mittelalterlichen Kultur gar nichts begreifen, wenn wir uns auf die Überlegung beschränken, daß in jener Epoche Unwissenheit und Dunkelmännertum herrschten ..."[47]

Einen Anwalt des Heiligen- und Reliquienkultes möchte man in der katholischen Hagiographie zu finden geneigt sein, wollte sie doch betont auf die der Aufklärung entgegenwirkende Romantik zurückgreifen. Zweifellos liegt hier das große Verdienst von Stephan Beissels († 1915) Untersuchung über die ›Verehrung der Heiligen und ihrer Reliquien‹[48], ein Buch, das bis heute einen unersetzlichen Wert einnimmt. Im Nachdruck kommentiert Horst Appuhn: Ein froher Eifer habe den Autor beseelt und seine werbende Art zu schreiben habe als Abwehr rationalistischer Kritik gewirkt; doch sei das Vertrauen in die Heiligen nun auch – seit dem zweiten Vatikanischen Konzil – den katholischen Autoren verloren gegangen.[49] Beissels gefeierte Verdienste vermögen jedoch nicht darüber hinwegzutäuschen, daß sein Buch – aus der Entstehungssituation des Kulturkampfes bestens verständlich – apologetisch ist und die ganze Breite des Heiligenkultes nicht zu erfassen vermag. Bei anderen Autoren meldete sich zuletzt auch wieder das Modell von „wissendem Klerus" und „unwissendem Volk", freilich in besonderer Akzentuierung. Den Volksgeist hielt man für den eigentlichen Schöpfer der Heiligenlegenden. Doch das im ganzen so fromme Volk pflegte gelegentlich zu übertreiben, vorauseilend oder auch zurückbleibend; da mußte dann „die Kirche", ob nun Bischöfe, Päpste oder Theologen, steuernd eingreifen.

„Das Primitive der Auffassung, besonders bei einfachen Völkern, bewirkte, daß es in Sachen des Brauchtums zu rührender Verständnislosigkeit, zu Äußerlichkeit, zur Entstellung, zu merkwürdigem Gemisch und selbst zu unchristlichem Christentum kommen konnte, indes die Idee des Christentums als der Religion der Erlösung und des ewigen Heiles beständig blieb inmitten der Entstellung ... Vom gläubigen Gemüt her wurde das Gebiet der Heiligenverehrung verbreitert, deren ‚Erlaubtheit und Nützlichkeit' – so vorsichtig drückt sich die Kirche aus – lehramtlich erst vom Konzil von Trient bestätigt wurden."[50]

Noch der Neubollandist Hippolyte Delehaye († 1941), „der in vieler Hinsicht der katholischen Hagiographie völlig neue Wege wies"[51], sah den Werdegang der Legende wie folgt:

„Im Mittelalter erwärmt sich das ganze Volk für die Heiligen; jeder ruft sie an, feiert sie und hört gerne ihr Lob. Der Kreis, in welchem die Legenden sich bilden, ist sehr gemischt; er schließt bei manchen keineswegs literarische Ansprüche aus ... In der Wirklichkeit äußert sich die Intelligenz der Menge überall als eine sehr beschränkte, und es wäre Irrtum, zu glauben, daß sie im allgemeinen durch den Einfluß der Elite gewinne. Im Gegenteil verliert letztere durch die Berührung, und es wäre sehr unlogisch, einer volkstümlichen Überlieferung besonderen Wert zuzuschreiben, weil sie in einem Kreis sich gebildet, in dem ein paar geistig Höherstehende sich finden. In der Menge verschwindet alle Überlegenheit, und der Durchschnitt der Intelligenz steht tief unter der Mittelmäßigkeit. Der beste Punkt der Vergleichung von deren Niveau ist die Intelligenz des Kindes ... Die einfältige, vereinfachende Natur der Volksseele äußert sich klar in den Legenden, die sie schafft."[52]

So tritt jetzt bei Delehaye an die Stelle der regulierenden Kirche die hagiographische Wissenschaft: „Delehaye's Historiographie ist stark der Ansicht der deutschen Schule des 19. Jahrhunderts verpflichtet, daß glaubwürdige Geschichte von den modernen Vorstellungen der Kausalität abhängt."[53]

In der heutigen Historiographie kann – so Frantisek Graus – „die alte Methode, die Legenden ... als ‚Pfaffenbetrug' zu erklären", als „überwunden" gelten.[54]

Dennoch liest man gerade auch in neuesten (deutschen) Publikationen Äußerungen „enzyklopädistischer" Art: Im mittelalterlichen Wallfahrtswesen gebe es „religiöse Werbung durch bildliche Darstellungen", und etwa Bildzyklen seien als Bildprotokoll mit „kultpropagandistischen Zwecken" eingesetzt worden; das Geheimnis des Erfolges so mancher Wallfahrt liege in einer „großangelegten Propaganda", wie beispielsweise die Wallfahrt zur schönen Maria in Regensburg als „Paradigma für die Bildpropaganda des Spätmittelalters" gelten könne, und der Erfolg dieser „massiven graphischen Werbung" am Verkauf von über 100.000 Pilgerzeichen abzulesen sei.[55] Ein anderes Erklärungsmuster bildet die „Kultkonkurrenz"; die Vielzahl der spätmittelalterlichen Kultorte resultiere aus ihrer „Konkurrenz mit Nachbarheiligen", wobei man die „Beschwörung des Heimatgefühls" als Mittel der Werbung eingesetzt und als besonders „subtile Technik der Werbung" den „höflichen Heiligen" kreiert habe; zumal die Geistlichkeit der kleinen Wallfahrtsorte sei darum bemüht gewesen, die Menschen der eigenen Region mittels Mirakelberichte von den weiten Pilgerreisen abzuhalten. Im Hintergrund stehen natürlich „handfeste materielle Motive"[56]. Nicht, daß es das alles nicht gegeben hätte, aber die betonte und oft ausschließliche Herausstellung solcher Erklärungsmuster wirkt verkürzend. Sogar ganze Serien von Viten können auf ihre angeblich „wahren Absichten" hin untersucht werden, die man nur in den wenigsten Fällen offen ausgesprochen finde[57]; weil eben die Vita nur ein Mittel sei, gelte es, „die vom Autor mit seinem Werk bewußt verfolgte, aber ungenannte Absicht herauszufiltern"[58].

Wenn die Vita des Heiligen, den selbst man als die „tragende Figur der Religion" hat bezeichnen können, von vornherein so wenig an Eigensubstanz hat und nur als Verkleidung von Rechtsansprüchen, Herrschaftspositionen, Besitzsicherungen und Vorrechten gesehen wird, da kann man mit Frantisek Graus „nur bedauern, daß der Hagiograph eben Hagiograph war, und nicht lieber nur Urkunden abschrieb", und man kann sich auch eines Kopfschüttelns nicht erwehren, „als ob ihre Hauptaufgabe darin bestanden hätte, den Wissenschaftlern besonders verzwickte Probleme aufzuhalsen"[59]. Primär fordern die Viten ihre eigene Interpretation als „spirituelle Biographie"[60], und von diesem Gesamtrahmen her ist das zweifellos immer auch mitgegebene historische Material anzugehen, mehr aber noch die „religiöse" Aussage. Die Forschungen etwa eines Marc van Uytfanghe über die Allgemeinheit des zugrunde liegenden Religions- und Weltbildes schon in den Religionssozietäten der Antike und dessen weitere Konstanz bis zur neuzeitlichen Aufklärung bleiben allzu oft unberücksichtigt; die Logik und Lebenskraft des Religiösen scheinen nicht auf.

3. „Aufklärung über die Aufklärung"

Die heutige hermeneutische Diskussion könnte den Eindruck erwekken, als sei man über die aufklärerisch-romantische Kontroverse kaum hinausgekommen. Das Wiedererstehen ‚romantischer' Denkfiguren in der Gegenwart, so Christoph Jamme über die gegenwärtigen

Mythos-Theorien, zeige Proteste gegen Verkümmerungen durch den aufklärerischen Vernunfttypus, demgegenüber die Mythen eine Denk- und Handlungsorientierung anböten, die den wissenschaftlichen Weltbildern fehle.[61] Unerledigt seien weiterhin die Konkurrenz von Religion und Wissenschaft, wie überhaupt die Frage nach einem Glauben, der der Aufklärung gewachsen sei; der Mythos biete sich als Gegenmodell an zu den Defiziten moderner Rationalität; ja, er erscheine selbst als frühe Form von Rationalität[62], nach Hans Blumenberg sogar als „ein Stück hochkarätiger Arbeit des Logos“[63]. Im Kern wird zugestanden, daß der Mythos eine eigene, wenn auch andere Logik verfolgt und eine unter seinen Prämissen schlüssige Weltsicht vorträgt. Der Mythos, so Kurt Hübner, sei nicht weniger als die Wissenschaft Ausgangspunkt argumentierenden, empirischen Denkens, wenn er sich auch auf ganz andere Gegenstände richte als diese[64]; und mehr noch, die Überlegenheit der Wissenschaft sei allein eine faktisch-historische, nicht eine solche zwingender Rationalität[65]. Kurzum, es erhebt sich die Forderung einer „Aufklärung über die Aufklärung“, denn, so argumentiert Walter Haug, dieselbe hat „eine der großen abendländischen Geschichtsfälschungen in die Wege geleitet“[66].

Fragwürdig bleibt schon die in der Aufklärung oft benutzte Deutung von einer „menschheitsgeschichtlichen Kindheit“, wie sie zuweilen, unbedacht in ihren Konsequenzen und je nach Situation mit herablassendem Wohlwollen oder erhabenem Besserwissen vorgetragen, weiterlebt. Die genetische Psychologie Jean Piagets († 1980) hat zwar längst auch Modellfunktion für die Menschheitsgeschichte[67], doch bleibt die Frage, ob man die mythische wie die kindliche Rationalität „einfach logozentrisch ausgrenzen [kann] als eine bloß defiziente Vorform der Vernunft“[68], denn das hieße, „zweigeschichtliche Stufen menschlichen Denkens“[69] anzunehmen. Sind die Kriterien der Erkenntnis in Wirklichkeit universell oder müssen wir, um die Vielfalt und auch Verschiedenartigkeit zu verstehen, „das Programm wechseln“, nicht nur von einem schmaleren zu einem breiteren, sondern auch von einem weniger zu einem mehr entwickelten?[70] Endlich: gibt es eine Kompatibilität in dem Sinne, daß nicht eine Vorstufe, sondern eine Ergänzung anzunehmen wäre? Die Zweifel an der Alleingültigkeit moderner Weltdeutung liegen zutage, wie etwa Jürgen Habermas offen eingesteht: Wenn wir für unseren Begriff der Rationalität, mit wievielen Vorbehalten auch immer, Allgemeingültigkeit beanspruchten, ohne dabei einem völlig unhaltbaren Fortschrittsglauben anzuhängen, übernähmen wir „eine erhebliche Beweislast“[71]. Im Blick auf die hier abgehandelte Thematik gilt es, die Verschiedenheit von Weltbildern in unserer eigenen Geschichte zu realisieren: den Zusammenstoß von vor- und nachaufklärerischen Deutungsweisen. Aber selbst noch die Erfahrungsansätze der alten Religiosität fallen heute einer rigorosen (Selbst-)Zensur zum Opfer, müssen mühsam in Erinnerung gerufen oder anhand ethnologischer Parallelen rekonstruiert werden.

Der Hinweis auf gewisse Beschränktheiten des aufklärerischen Weltbildes, so kann eingewendet werden, sei doch nicht neu. In der Tat, eine lange hermeneutische Debatte hat unseren Blick wirklich auch geweitet. Aber speziell das Phänomen des Heiligen- und Reliquienkults scheint davon wenig profitiert zu haben. Für die Gegenwart muß Peter Brown beklagen: „Aus unserer eigenen gelehrten Überlieferung haben wir Grundhaltungen übernommen, die nicht einfühlsam genug sind, um uns zu helfen, uns in die Denkprozesse und Bedürfnisse zu versetzen, die zum Aufkommen und zur Ausbreitung der Heiligenverehrung in der Spätantike führten ... Gelehrte jeder und keiner Konfession [sind] immer noch vereint in Zurückhaltung und Unverständnis, wenn sie diesem Phänomenen begegnen.“[72] Gegen alles Jenseitige bildet das moderne „abgeschlossene“ Weltbild eine Barriere. Fast mit Notwendigkeit muß darum allein oder doch vornehmlich das „Weltliche“ bei den Heiligen hervorgekehrt werden: ihre soziale und politische Rolle, ihre Viten als Quellen für Kultur-, Rechts-, Alltags- und Mentalitätsgeschichte, ihre Religiosität endlich beschränkt nur auf die menschlich-ethische Vorbildfunktion. In Wirklichkeit aber gilt für den Heiligen, so wie er in der voraufklärerischen Welt erscheint, eine „Aufwärts-Erweiterung der Person“[73], die „vom Ich bis hin zu Gott“[74] reicht. In diesem Sinne ist der Heilige eine offene Existenz, und so stand, wie für die Gottesmenschen in aller Religion, „die Grenze zwischen ihm und den Göttern weit offen“[75]. Alles andere ist nurmehr Konsequenz aus dieser Offenheit, im Christlichen freilich unter den Bedingungen des theistischen, das heißt: konsequent persönlich handelnden Gottes. In dieser Logik muß sich zum Beispiel das aller Aufklärung so anstößige Wunder gerade nicht als Zumutung darstellen, sondern als das „Natürlichste“ dieser Offenheit.[76] Denn das Wunder stellt in der voraufklärerischen Welt „ein Faktum im Alltag einer Gesellschaft dar, die als Ganzes durch ein sakrales Deutungsmuster geprägt ist. Man glaubt einfach an Wunder. Sie sind fester Bestandteil der ‚Weltanschauung‘ und keiner fühlt sich genötigt, Wunder anders denn als Signum göttlichen Eingreifens zu interpretieren. Man versteht sie als Teil der zwar unbegreifbaren, jedoch gerechten göttlichen Ordnung.“[77]

Um aber zur Anerkenntnis dieser Denkwelt vorzudringen, bedarf es offenbar besonderer Erfahrungen. Peter Brown, der mit religionsgeschichtlichen Studien zur Spätantike zum Bestsellerautor geworden ist, bekennt, daß er bestimmten religions- und völkerkundlichen Autoren, unter ihnen Edward Evans-Pritchard und besonders auch Mary Douglas, „eine persönliche Dankesschuld abzutragen“[78] habe. Im Grunde müssen wir uns bestürzt eingestehen, daß selbst Experten wie beispielsweise der Neubollandist Hippolyte Delahaye, Jesuit und für unser Jahrhundert unbestritten einer der besten Spezialisten, Deutungen vorgelegt haben, die wir heute als unzureichend ansehen. Nicht daß wir klüger wären! Aber weil die Historiker inzwischen Kontakt mit den Ethnologen aufgenommen und bei ihnen andere Welten kennengelernt haben, vermögen wir mit eigenen Augen zu sehen, wieviel von dem angeblich Abstrus-Mittelalterlichen heute noch auf der Welt gelebt wird: in den Stammeskulturen, in den „vorrationalen“ und „traditionalen“ Gesellschaften. Obendrein sehen wir, daß diese Lebenswelten in sich durchaus schlüssig sind und für vielerlei menschliche Problematik glücklichere Lösungen bieten, als wir es vermögen. Aber nur weil wir mit eigenen Augen sehen, daß solche anderen Systeme auf der Welt wirklich noch existieren, sind wir bekehrt und belehrt worden. Was jedoch wird geschehen, wenn die archaischen Kulturen alle modernisiert sind? Sind wir dann endgültig in unserer Weltsicht bestätigt oder nicht vielmehr in ihr gefangen? Jedes allzu simpel verstandene Schema von Aufklärung muß, um Zugang zum „vorher“ zu gewinnen, relativiert, ja auf andere Sehweisen regelrecht umgestellt werden. Wir müssen uns die Logik „prärationaler“ Denkwelten wenigstens vorzustellen versuchen.

Erhellend wirkt eine Reihe von Beobachtungen, die Aaron J. Gurjewitsch für das ›Weltbild des mittelalterlichen Menschen‹ zusammengetragen hat: Welt und Natur waren von transzendenten Mächten durchzogen.

„Der christliche Symbolismus ‚verdoppelte' die Welt, indem er dem Raum eine neue, zusätzliche Dimension gab, die nicht mit dem Auge zu sehen, jedoch mittels einer ganzen Serie von Interpretationen zu erfassen war."[79] Ferner stellen „Gott und die menschliche Seele ... für jene Epoche einen absoluten Wert dar, während die Natur nur einen relativen Wert besaß." Aber noch vollzog „der Mensch jener Epoche ... [ein] Vermischen der geistigen und physischen Ebenen und zeigte die Tendenz, das Ideelle als Materielles aufzufassen." Dabei allerdings vereinigt sich „der mittelalterliche Mensch schon nicht mehr völlig mit der Natur, aber er stellt sich ihr auch noch nicht gegenüber". So bleiben „die Elemente des menschlichen Organismus ... mit den Elementen, die das Weltall bilden, identisch. Der Leib des Menschen besteht aus Erde, das Blut aus Wasser, der Atem aus Luft und die Wärme aus Feuer. Jeder Teil des menschlichen Körpers entspricht einem Teil des Weltalls: der Kopf dem Himmel, die Brust der Luft, der Bauch dem Meer, die Beine der Erde, die Knochen den Steinen, die Adern den Zweigen, die Haare dem Gras und die Gefühle den Tieren." Darum auch „besaß der Mensch ein Gefühl der Analogie, mehr noch, ein Verwandtschaftsgefühl der Struktur des Kosmos mit seiner eigenen Struktur". Für Raum und Zeit ist zu beobachten, „daß diese Kategorien in ihrem Bewußtsein nicht in Form neutraler Koordinaten auftreten, sondern als mächtige geheimnisvolle Kräfte, welche alle Dinge, das Leben der Menschen und sogar der Götter lenken. Deshalb sind sie emotional-wertmäßig durchdrungen: Sowohl Zeit als auch Raum können gut und böse, günstig für die eine Tätigkeit und gefährlich und feindselig für die andere sein; es existiert eine sakrale Zeit, eine Zeit der Feste, Opferbringung und der Neubildung eines Mythos, welche mit der Rückkehr der ‚ursprünglichen' Zeit verbunden ist." Endlich muß man sich bewußt halten, daß „das ‚archaische' Bewußtsein ... antihistorisch [ist]. Die Erinnerung eines Kollektivs an tatsächlich geschehene Ereignisse wird im Laufe der Zeit zu einem Mythos verarbeitet, welcher diesen Ereignissen ihre individuellen Züge nimmt und nur das bewahrt, was dem im Mythos festgehaltenen Vorbild entspricht." Auf diese Weise verliert „das Leben ... den Charakter der Zufälligkeit und Vergänglichkeit. Es ist in die Ewigkeit einbezogen und erhält dadurch einen höheren Sinn." Von „daher besitzen die Vergangenheit und die Zukunft einen größeren Wert als die Gegenwart, die vergängliche Zeit".

Damit hat die Forschung bereits eine Fülle von Beobachtungen zusammengetragen, die auch die Heiligen- und Reliquienverehrung in ihrem angemessenen Verständnisrahmen erscheinen lassen. Nach Ansicht der Hagiographen, so Frantisek Graus, ist das Leben des Heiligen, das er schildert, nicht verflossen, sondern direkt mit der Gegenwart verbunden: Geschichte und Hagiographie hätten eben eine verschiedene Hierarchie der Werte. Für die Geschichte seien der Verlauf und der Kausalnexus maßgebend; für den Legendisten hingegen, ob er nun den Heiligen als Tugendhelden oder als Thaumaturgen auffasse, sei ausschließlich maßgebend, was für den Leser Sinn habe (oder haben sollte) und was den Heiligen – im weitesten Sinn des Wortes – mit der Gegenwart verbinde.[80]

Darüber hinaus ist dieses vormoderne Heiligenbild in den noch größeren, allgemein-religionsgeschichtlichen Rahmen zu stellen, demzufolge die Toten „lebendig-tote Gestalten"[81] sind und dabei den Menschen freundlich begegnen können, wie die Ahnen, aber auch feindlich. Es handelt sich offenbar um ein universalmenschliches Phänomen, denn in nahezu allen alten Religionen scheint die Ahnenverehrung heimisch gewesen zu sein: Die reichste Entwicklung findet sich in der chinesischen Religion; aber auch in Indien, Griechenland und Rom, bei den Persern wie bei den Kelten – überall „nimmt der Toten- und Ahnenkult einen breiten Raum ein"[82]. Ebenso verbreitet war der Reliquienkult: Schon bei primitiven Völkern lassen sich Reliquien feststellen, zumeist Überbleibsel von mit Kraft erfüllten Menschen, besonders von Häuptlingen und Kriegern, und dieselben wurden als Zaubermittel gebraucht. Auch in der antiken Welt, zumal der griechischen, erlangte der Reliquienkult große Verbreitung; desgleichen finden wir ihn im Jainismus und Buddhismus.[83] Erst wenn dieser größere religions- und geistesgeschichtliche Rahmen eröffnet ist, läßt sich angemessen über den vormodernen Heiligen- und Reliquienkult sprechen.

XXVII. Zuletzt: Der christliche Heilige

Wer ist der christliche Heilige? Religionsgeschichtlich gesehen hat man den Heiligen als „Typus des religiösen Ausnahmemenschen“[1] bezeichnet. Er begegnet als Held und Heros, als Stammvater und Gründer, als Wohltäter und Heilbringer, als Thaumaturg und Retter, kurzum als „die eigentlich tragende Erscheinung der Religion“[2]. Er ist dies, weil er „Repräsentant der Gottheit“[3] ist; darum auch hat er seine Bezeichnung von der hervorstechendsten göttlichen Eigenart, eben dem „Heiligen“. Für seine Rolle kann der Heilige berufen werden oder schon von Geburt an erwählt sein; zuweilen allerdings muß er sich seine Stellung auch durch heroische Taten verdienen. Immer ist er Instrument übermenschlicher Mächte, verfügt über göttliche Charismata, die ihn der Welt und auch den Menschen überlegen sein lassen: besondere Stärke und Unangreifbarkeit, Vorauswissen und Herzenskenntnis, Raum- und Zeitüberlegenheit, noch im Tod Wunderkraft und Unverweslichkeit. Als Repräsentanten des Göttlichen gebührt dem Heiligen übermenschliche, geradezu göttliche Verehrung.

Mit diesem allgemeinen Bild stimmt der christliche Heilige teils überein, hebt sich teils aber auch davon ab. Denn so sehr das Christentum in einem großen religiösen Strom stand und steht, sind dennoch die einzelnen Elemente zuweilen reduziert, vergeistigt, ethisiert und vor allem theisiert. Zunächst einmal fällt auf, daß „der Heilige stets Mensch bleibt“[4]. Schon im Alten Testament erscheint der Gottesmann als Mensch und ganz von Gott abhängig, von ihm begnadet und gesandt. Die einzige Ausnahme ist Jesus Christus, „das Spiegelbild des einen transzendenten Schöpfergottes“[5]. Dennoch konnten die Heiligen in eine gewisse Konkurrenz zu ihm treten, als ‚alter Christus‘ – zweiter Christus. Denn das Mittelalter dachte und fühlte religiös „vollblütiger“ als die alte Christenheit und fing darum an, die im Christentum mitenthaltenen Religionselemente wieder aufzufüllen, ja teilweise zu ihren archaischen Grundgestalten zurückzuführen. Nicht so sehr als „vergröberte Fassung des Christentums“[6] erscheint das Mittelalter, sondern als aufgefüllte und zugleich mehr archaische Form. Von hier aus klärt sich sofort auch ein anderes Problem: das der Reformen. Bei jedem Rückgriff auf das Neue Testament, auf die Person Jesu Christi und die ,ecclesia primitiva' mußte eine Differenz hervortreten und gerade auch Nichtchristliches sichtbar werden. Als legitim mußte es erscheinen, solche Wucherungen zurückzuschneiden. Erst das „geschlossene" Weltbild der Aufklärung griff tiefer.

Letztlich wird man sagen müssen, daß Art und Möglichkeit des christlichen Heiligenbildes engstens mit dem personalen Theismus verknüpft sind: Sofern sich Gott als Herr der Welt und Freund der Menschen offenbart und über den Tod hinausführt, gibt es auch „seine Heiligen". So entscheidet das Gottesbild notwendig über Art und Sein der Heiligen. Schon wenn man das biblische Gottesbild neben das griechische stellt, ergeben sich deutliche Unterschiede mit Auswirkung auch auf den Gottesmenschen: Im Griechentum ist die Gottheit Geist (nous), und wegen dieser Geisthaftigkeit dominiert die Bindung an die vernünftige Ordnung. Für die Gottheit sind darum nicht alle Dinge möglich; Willkür ist ausgeschlossen. Der Mensch hat mit seinem Nous den göttlichen Funken in sich; wenn er ihn freilegt und reinigt, kann er zur Göttlichkeit aufsteigen, ja sich im Göttlichen verschmelzen. Es ist der Weg der Aufstiegsmystik. Anders die Bibel; ihr zufolge steht Gott über Mensch und Welt, bleibt in jeder Hinsicht der überlegene Herr; denn er verkörpert Macht und Willen. Gleichzeitig ist alles von ihm abhängig, doch hat er ein gnädiges Herz. Für das menschliche Handeln ergibt sich daraus: Nicht Einsicht und Verschmelzung mittels des Nous, „sondern Gehorsam gegenüber Jahwes erlassenen Geboten wie auch seinen einmaligen Befehlen befähigen den Heiligen zum richtigen Handeln"[7].

Mit ihren unterschiedlichen Akzentuierungen haben beide Gottesbilder spezifische Stärken und auch Schwächen: Das griechische Gottesbild ist kosmisch interpretierbar, daß nämlich in Welt und Mensch Geist von Gottes Art wirkt, der beide verbindet. Menschlicher Gottesdienst zielt darum vorrangig auf Erkenntnis, ist „Theoria" – Schau, um so die Teilhabe an Gott zu gewinnen. Aber es bleibt die Frage, ob „das Göttliche sich um die Menschen, um den einzelnen Menschen kümmert"; das ist die bleibende „Wunde"[8]. Wie aber der griechische Beter sich mit dem göttlichen Geist vereint, so obliegt es dem biblischen Beter, sich mit Gottes Willen zu identifizieren: „Dein Wille geschehe" (Mt 6,10). Gehorsam ist darum nach biblischer Auffassung das erste, das dem Menschen abverlangt wird, selbst wenn es gegen seine Einsicht geht. Überhaupt ist Gottes Wille grundsätzlich nicht „ausdenkbar", er muß sich vielmehr offenbaren, und der Mensch hat zu folgen; darum die Verdemütigung und der Gehorsam. „Gottes souveräne Freiheit als Quelle seines Erbarmens ahnt nur der, der Gott nicht als Partner begreift, mit dem ich diskutieren kann, sondern als den, vor dem man verstummen muß, weil ‚er' auf alle Fälle Recht und Gerechtigkeit setzt."[9] Hier liegen letztlich die Gründe sowohl für die Prädestination (daß Gott in seinem absoluten Willen alles vorherbestimmt hat), wie auch für seine unausdenkbare Güte (daß Gott ohne Ansehen der Person und damit sogar auch den Sünder liebt). Dies zu vollziehen, mußte dem Menschen viel abverlangen: die Aufgabe seiner selbst. Man kann darum das asketische Ringen um Verdienste, wie wir es bei den Heiligen feststellen, auch anders interpretieren, als Versuch nämlich, angesichts des gänzlich ungebundenen Gottes sich doch einen Grund zu verschaffenen, von dem aus man mit Gott „rechten" konnte. Hans Blumenberg sieht das Mittelalter eben dadurch gekennzeichnet, daß man Sicherungen schaffen wollte gegenüber dem biblischen Gott, „der sich so leidenschaftlich auf die Geschichte der Menschen eingelassen zu haben schien und der das menschliche Verhalten mit allen Registern des großen Affektes – des Zorns, der Rache, der Vorliebe – bedacht hatte", wie auch schon die griechische Philosophie gegen die Willkür der mythischen Götter Schutzmaßnahmen ergriffen hatte.[10] Der Bibel zufolge aber sollte jeder Beter und erst recht der Heilige darauf vertrauen, daß Gottes „andere Gedanken" gerade auch solche einer unausdenklichen Fürsorge seien. Aufs Ganze gesehen, bleibt aber auch hier eine „Wunde", die Frage, wie bei Gottes unausdenkbarer Fürsorge so viel Leid geschehen könne.

In den spezifisch biblischen Eigenarten des Gottesbildes sind auch die besonderen Eigentümlichkeiten des christlichen Heiligen begründet: Er ist getreuer Zeuge der Offenbarung Gottes, ebenso dienstwilliger Vollbringer seines Willens, nicht minder leibhaftiger Zeuge von Gottes unausdenkbarer Güte. Im Gebet hört er auf Gott, vollführt im Leben gehorsamst dessen Willen und liebt sowohl Gott wie die Menschen.

Das biblische Gottesbild kennt aber nicht nur den Antagonismus von Willen und Güte, sondern auch den von Güte und Gericht. Wie kann – wenn Gott auch die Sünder liebt – noch ein Gericht stattfinden? Spricht nicht die Bibel fortwährend von Gericht, ja in anthropomorpher Weise sogar vom Zorn Gottes? Die Antwort des Neuen Testamentes, etwa bei Jesus, für den das Gottesgericht „sekundär, freilich notwendig ist“[11], lautet: Zu oberst steht die Güte, sowohl bei Gott als Gnade wie auch beim Menschen als Anforderung, und erst wenn der Mensch die Antwort auf diese Güte sowohl gegenüber Gott wie auch gegenüber den Mitmenschen verweigert, trifft ihn das Gericht. Wer Gottes Heilsangebot schuldhaft verweigert und wer dem Mitmenschen die Schulden nicht erläßt, der wird ins Gefängnis geworfen, bis er alles bezahlt hat. Die grundlose Güte Gottes, sein erklärter Wille, auch die Sünder zu lieben, stellten für alle, die barmherzig sein sollten, „wie euer Vater barmherzig ist“ (cf. Lk 6,36), eine umstürzende Herausforderung dar. Normalerweise kennzeichnen gerade auch die Religionen das Gottesverhältnis als Ausdruck der Gerechtigkeit, wobei Geben und Nehmen ineinander verschränkt sind. Dem christlichen Heiligen aber war gerade hier Außerordentliches abverlangt: die eigene Leistung vor Gott nicht in Rechnung stellen zu dürfen und auch noch für den schlimmsten Verbrecher eintreten zu sollen. So stellte das Verhältnis zu den Bösen, den Sündern, eine wirkliche Bewährungsprobe dar. Der Heilige sollte sich gerade dadurch ausweisen, daß er dem Teufel radikal feind war, daß er ebenso allen Widersachern Christi das Gericht ansagen mußte. Dennoch durfte er den ärgsten Bösewicht nicht für immer verfluchen. Gnade mußte auch bei ihm das letzte Wort sein. In ganz besonderer Weise aber hatte er sich allen Armen zuzuwenden. Seine Armut war nicht in erster Hinsicht Weltverachtung, sollte vielmehr Barmherzigkeit sein, und damit wurde der Heilige prägend für die weitere Geschichte.

Die Wirkung der Heiligen werden wir uns kaum groß genug vorstellen können. Ihre Hilfe in der Not, ihre Wunder bei Krankheit und Unglück, ihr Trost in Leid und Pein – wer konnte auch nur annähernd Vergleichbares bieten? Und wirklich, die Heiligen boten Hilfe, materiell wie geistig, in Krankheit und Sünde, auf dem ganzen beschwerlichen Weg des Lebens und noch auf dem Weg zum Himmel. Die Hilfesuchenden sahen in den Heiligen ob deren eigener Menschlichkeit die ersten Ansprechpartner, und die Heiligen gewährten ja auch Zuflucht vor Gottes Zorn und Gericht. Die Hilfe der Heiligen zu verherrlichen wurden die Viten und Mirakelbücher verfaßt, eine „Kultpropaganda“, die für die Bedrängten und Bedrückten menschlich notwendig war, aber auch den Heiligen diente und den geschuldeten Dank abstattete. Kann man dies wiederum als allgemein-religiös bezeichnen, so wollte man christlicherseits doch auch ein weiteres betonen: die Nachfolge Jesu. Dafür ist der Heilige ein Beispiel, das die Christen nachahmen sollen. Die Auseinandersetzung darüber, ob nun die Wunderkraft oder die Tugend das Wichtigere sei, durchzieht die ganze Hagiographie, neigt sich aber zuletzt, wegen des ethischen Ansatzes im Christentum, der Beispielhaftigkeit zu. Insofern hat der Heilige mit beigetragen zur Umwandlung von Religion in Ethik. Eindringlicher freilich mag noch ein anderes gewesen sein: das Erzählen des Lebens und Handelns der Heiligen. Sofern allgemein gilt, daß Lebensmodelle sich am wirksamsten anhand von konkreten Personen und nicht von Theoriemodellen übertragen, gebührt den Heiligen, ihrer Gestalt und ihren Erzählungen, eine erstrangige Bedeutung. Sie stellten Vorbilder dar, die tief geprägt haben. In einer Gesellschaft, deren Kultur weithin oral bestimmt war, muß diese Vorbildwirkung außerordentlich gewesen sein. Auch von daher ist es unzureichend, die Viten nur unter dem Gesichtspunkt ihrer „historischen Realität" zu betrachten.

Nicht zuletzt ist auf den „asketischen Vorrat" zu verweisen, den die Heiligen erbracht haben. Carl-Friedrich von Weizsäcker, der eine neue „asketische Kultur" postuliert, hat sich dabei auch auf die Religionsgeschichte berufen.

Es gebe „in fast allen Hochkulturen das Leitbild echter Askese der Entsagenden. Diese Entsagung versteht sich im allgemeinen religiös. Medizinmann und Priester, Einsiedler und Mönch, der Fromme einer Heilssekte, jeder, der in sich und anderen eine religiöse Reinigung und Reifung sucht, braucht Übung, Askese. Er braucht insbesondere die Beherrschung der elementaren leiblichen Bedürfnisse, ihre scharfe Zügelung in Fasten und sexueller Enthaltung. Er braucht die scharfe Zügelung der gesellschaftlichen Bedürfnisse durch freiwillige Armut und durch Machtverzicht, letzteren in den religiösen Orden, wie im Militär in der Form des freiwilligen Gehorsams. Einheitlich in den Grundzügen, wenngleich mit zahllosen kulturellen und individuellen Schattierungen, findet sich diese Erfahrung in allen überlieferten Kulturen."[12] So ist zu konstatieren: „Religion ist durch die Jahrtausende kulturtragend gewesen, weil sie zugleich die verkörperte Kulturkritik enthielt. Hier hatte die Askese einen symbolischen Sinn. Sie drückte die Verwerfung des der herrschenden Kultur innewohnenden Prinzips der Begehrlichkeit in sinnenfälliger Schärfe aus."[13] Gilt das für immer? „Die Bedürfnisverzichte, symbolisiert in den Mönchsgelübden der Armut, der Keuschheit, des Gehorsams, sind Mittel der Bewußtwerdung, der Distanzierung von sich selbst und damit der Entdeckung seiner selbst. Die tiefe Verwandlung der menschlichen Natur, die dadurch möglich wird, strahlt dann prägend in die Kultur zurück."[14]

Ein letztes wird dabei auch die ästhetische Erscheinung des Heiligen getan haben. Der Welt Gottes zugehörig, war er von dessen Licht umstrahlt und ob der eigenen Verdienste verherrlicht. Dies hatte seine Auswirkung auch auf die Verehrer. „Jahrhundertelang", schreibt zum Beispiel Günter de Bruyn in seinem Essayband über ›Deutsche Befindlichkeiten‹, „wurden Marienbilder gemalt. Daß das immer gleiche Sujet nicht nur Epigonentum hervorbringt, sondern auch immer große Kunst, ist nicht aus der Verfeinerung der Mittel zu erklären, sondern dadurch, daß hier immer wieder neu neue Realität entdeckt wird, sowohl äußere durch Kleidung, Architektur, Landschaft und Zeit, als auch innere: neues Lebensgefühl."[15]

Nachwort

Am Ende ist Dank zu sagen. Zuerst den Mitarbeitern: Frau Regine Krause harrte sachverständig am Computer aus und verlor auch bei noch so vielen Korrekturen nie die gute Laune. Matthias Werth meisterte trotz vielem Hin und Her die Fußnoten und brachte Quellen wie Literatur auf die Reihe. Ines Gora, Evamaria Rasch und Annette Windheuser kümmerten sich um Bücher und Bilder. Die Mitglieder des Doktoranden-Kolloquiums lasen die einzelnen Kapitel mit und gaben ihre Kritik. Dr. Gisela Muschiol stellte ihr Spezialwissen über Frau und Liturgie im Frühmittelalter zur Verfügung. Thomas Lentes ließ mich generös an seinem reichen Wissen über spätmittelalterliche Frömmigkeit teilhaben und fertigte einzelne Übersetzungen an. Dr. Andreas Holzem steuerte aus seiner weitgefächerten Literatur- und Quellenkenntnis zu Aufklärung und Romantik sowohl Materialien wie auch einzelne Ausarbeitungen bei. Christiane Völker informierte mich über Aspekte der politischen Theologie im 19. Jahrhundert. Zuletzt unterzogen Dr. Hubertus Lutterbach, der auch zur Hagiographie beigetragen hat, und Matthias Scholz das Manuskript einer kritischen Gesamtlektüre. Der Sorgfalt von Barbara und Christoph Kösters sind die Korrekturen und das Register zu verdanken.

Weiter gaben mir Ermutigung und Hinweise die Kollegen: Pius Engelbet (Rom), Wilhelm Geerlings und sein Assistent Georg Röwekamp (Bochum), Ludolf Kuchenbuch (Hagen), Klaus Schreiner (Bielefeld) und Nikolaus Staubach (Münster). Michael Matheus (Trier) überließ mir seine noch ungedruckte Habilitationsschrift über Adelige als Zinser und Michele Ferrari (Bellinzona–Zürich) seine ebenfalls noch ungedruckte Dissertation über Thiofrid von Echternach. Allen meinen besonderen Dank!

Die Zusammenarbeit mit dem Beck-Verlag, insbesondere mit Ernst-Peter Wieckenberg, war eine Freude.

Arnold Angenendt

Anhang

Anmerkungen

I. Zur Einführung

1. *Eliade*, Die Religionen, S. 19.
2. Ebd. S. 34.
3. *Greschat*, Mana und Tabu.
4. *Eliade*, Die Religionen, S. 43.
5. *Colpe*, Beschäftigung mit „dem Heiligen", S. 49.
6. *Colpe*, Das Heilige.
7. Ebd. S. 53; s. auch: *ders.*, Diskussion um das „Heilige".
8. *Colpe*, Beschäftigung mit „dem Heiligen", S. 50.
9. *Speyer*, Verehrung des Heroen, S. 49f.
10. Ebd. S. 50.55.
11. Ebd. S. 55.
12. Ebd. S. 49.
13. *Douglas*, Ritual, S. 21.
14. *Dörrie*, Wesen antiker Frömmigkeit, S. 4.
15. *Burkert*, Griechische Religion, S. 132.
16. Platon, Nomoi – Gesetze IV (Werke 8,1), 716e, S. 258f; *Burkert*, Griechische Religion, S. 132.
17. *Dörrie*, Gottesvorstellung, Sp. 139.
18. *Latte*, Römische Religionsgeschichte, S. 39.
19. Ebd. S. 41.
20. S. unten S. 18.
21. *Dörrie*, Wesen antiker Frömmigkeit, S. 12.
22. *Weber*, Wirtschaft und Gesellschaft, S. 288.
23. *Dihle*, Heilig, Sp. 39.
24. *Büttner*, Imitatio.
25. Kant, Die Religion IV,1 (ed. Vorländer), S. 170.191.
26. *Weber*, Wirtschaft und Gesellschaft, S. 287.
27. *Harmening*, Superstitio.
28. *Betz*, Gottmensch, Sp. 290.
29. *Farmer*, Hagiographie, S. 364.

II. Im Umfeld: Griechen, Israeliten, Lateiner, Germanen

1. *Colpe*, Heilig, mit Schaubild und Äquivalenten des Lateinischen, Griechischen, Hebräischen und Arabischen, dazu noch der indoeuropäischen Varianten.
2. *Burkert*, Griechische Religion, S. 402–406; *Dihle*, Heilig, Sp. 2–16.
3. *Burkert*, Griechische Religion, S. 402f.
4. *Dihle*, Heilig, Sp. 7.
5. *Burkert*, Griechische Religion, S. 403.
6. *Dihle*, Heilig, Sp. 10.
7. Ebd. Sp. 33f. 37f.
8. *Burkert*, Griechische Religion, S. 406–408; *Dihle*, Heilig, Sp. 11f.
9. *Dihle*, Heilig, Sp. 13f.
10. Ebd. S. 7.
11. Ebd.
12. Ebd. Sp. 14.
13. Ebd. Sp. 15.
14. Ebd.
15. *Diels*, Fragmente der Vorsokratiker, Bd. 1, Nr. 69, S. 166ff.
16. *Ferguson*, Spiritual Sacrifice, S. 1152–1156.
17. *Müller*, Heilig, Sp. 589f.
18. *Kellermann*, Heiligkeit , S. 698.
19. *Müller*, Heilig, Sp. 591.

20. *Kellermann*, Heiligkeit , S. 698.
21. *Müller*, Heilig, Sp. 606.
22. *Crüsemann*, Exodus.
23. *Lanczkowski*, Heiligkeit.
24. *Eichrodt*, Theologie des Alten Testaments, S. 176–185.
25. *Müller*, Heilig, Sp. 590.
26. *Kellermann*, Heilig, Heiligkeit und Heiligung, S. 30–34.
27. *Preuß*, Barmherzigkeit, S. 222.
28. *Deissler*, Opfer im Alten Testament, S. 33.
29. *Latte*, Römische Religionsgeschichte, S. 38.
30. *Dihle*, Heilig, Sp. 16.
31. *Latte*, Römische Religionsgeschichte, S. 39.
32. Ebd. S. 40.
33. *Dihle*, Heilig, Sp. 17.
34. Ebd. Sp. 20.
35. *Latte*, Römische Religionsgeschichte, S. 38.
36. *Dihle*, Heilig, Sp. 21.
37. *Colpe*, Das Heilige, S. 93.
38. Ebd.
39. *Latte*, Römische Religionsgeschichte, S. 39.
40. Ebd. Sp. 21 f.
41. *Meid*, Religion, S. 489.
42. *Eggers*, Annahme des Christentums, S. 497 f; *Maid*, Religion, S. 489.
43. *Burkert*, Griechische Religion, S. 312–319.
44. *Speyer*, Heros, Sp. 862.
45. *Burkert*, Griechische Religion, S. 315.
46. Ebd.
47. *Speyer*, Heros, Sp. 863.
48. *Cornell*, Gründer.
49. *Pfister*, Reliquienkult.
50. *Burkert*, Griechische Religion, S. 318.
51. *Speyer*, Heros, Sp. 870.
52. *Speyer*, Heros, Sp. 873.
53. *Brown*, Aufstieg, S. 36.
54. *Betz*, Gottmensch; *Bieler*, Theíos anér.
55. *Bieler*, Theíos anér 1, S. 141.
56. *Stutzinger*, Theíos anér; *Heintze*, Theíos anér.
57. *Theißen*, Wundergeschichten, S. 262–273.
58. Ebd. S. 145.
59. *Schottroff*, Gottmensch, Sp. 214–234.
60. *Jeremias*, Heiligengräber, S. 127.
61. Ebd. S. 129.
62. *Baumeister*, Theologie des Martyriums.
63. *Latte*, Römische Religionsgeschichte, S. 98; *Klauser*, Totenmahl; *Février*, Totenmahl.
64. *Klauser*, Petri Stuhlfeier.

III. Das Neue Testament

1. *Dihle*, Heilig, Sp. 38.
2. Ebd. Sp. 39.
3. *Gnilka*, Jesus von Nazaret, S. 226–241; *Jeremias*, Neutestamentliche Theologie, S. 206–222.
4. *Dihle*, Heilig, Sp. 40.
5. Ebd. Sp. 41.
6. *Kuß*, Römerbrief, 2. Lieferung, S. 396–432.
7. *Kellermann*, Heilig, Heiligkeit und Heiligung, S. 35.
8. Ebd. S. 43 f.
9. Ebd. S. 44.
10. *Delehaye*, Sanctus, S. 24–73.
11. *Ferguson*, Spiritual Sacrifice, S. 1152–1156.
12. *Schlier*, Römerbrief, S. 355 ff.
13. *Kertelge*, Tod Jesu (Sammelband mit verschiedenen Autoren).
14. *Gnilka*, Philipperbrief, S. 154 f.
15. *Mußner*, Galaterbrief, S. 417–420.
16. *Ders.*, Jakobusbrief, S. 112 ff.
17. *Frank*, Opferverständnis; *Angenendt*, Sühne durch Blut, S. 445 f.
18. *Dihle*, Ethik, Sp. 760.
19. Ebd. Sp. 763.

20. Ebd. Sp. 767.
21. *Troeltsch*, Schriften 1, S. 80.
22. *Dihle*, Ethik, Sp. 686f.
23. *Köster*, Formgeschichte; *Berger*, Formgeschichte.
24. *Theißen*, Wundergeschichten, S. 273–283.
25. *Betz*, Gottmensch, Sp. 288.
26. *Theißen*, Wundergeschichten, S. 274.
27. *Betz*, Gottmensch, Sp. 291.
28. Ebd. Sp. 290.
29. Ebd. Sp. 236.
30. *Schweizer*, Jesus Christus, S. 722.
31. *Stockmeier*, Christus, S. 197.
32. *Jungmann*, Stellung Christi, S. 112–125.
33. *Theißen*, Wundergeschichten, S. 274.
34. Ebd. S. 293.
35. *Berger*, Psychologie des Neuen Testaments, S. 67.
36. *Köster*, Formgeschichte.
37. *Schweizer*, Jesus Christus, S. 696.
38. *Stuhlmacher*, Biblische Theologie, S. 176.
39. *Bultmann*, Theologie, S. 8.
40. *Hengel*, Nachfolge, S. 97.
41. *Jeremias*, Neutestamentliche Theologie, S. 211; *Hengel*, Nachfolge, S. 68–89.
42. *Gnilka*, Jesus von Nazaret, S. 179.
43. Ebd. S. 166–175.
44. *Ringeling*, Frau, S. 432.
45. *Schürmann*, Lukasevangelium, S. 445–447.
46. *Blank*, Frauen, S. 15.
47. *Uytfanghe*, L'hagiographie, S. 166–169.

IV. Die Entfaltung der Grundgestalten

1. *Popkes*, Gemeinschaft, Sp. 1131.
2. *Hertling*, Communio und Primat.
3. *Piolanti*, Antonio, Art. Gemeinschaft der Heiligen, in: LThK IV (1960), Sp. 651–653.
4. *Popkes*, Gemeinschaft, Sp. 1142.
5. *Lubac*, Credo.
6. Niketas von Remesiana, De symbolo 10 (ed. Burn, Niketa of Remesiana), S. 48; *Camelot*, Pierre-Thomas, Art. Niketas von Remesiana, in: LThK 7 (1962), Sp. 974f.
7. *Kleinheyer*, Heiligengedächtnis.
8. *Geiselmann*, Theologische Anthropologie, S. 74.
9. Ebd. S. 76–86.
10. S. unten, S. 179ff.
11. Luther, Wider den neuen Abgott und alten Teufel (WA 15), S. 192[16].
12. *Brox*, Zeuge und Märtyrer, S. 106.
13. Ebd., S. 227.
14. *Baumeister*, Theologie des Martyriums, S. 302–306 (Zusammenfassung).
15. Martyrium des Polykarp 14 (ed. Baumeister), S. 78[4].
16. *Février*, Martyre; *Saxer*, Morts.
17. *Dassmann*, Sündenvergebung, S. 166–168, S. 176–178.
18. *Schieffer*, Winfrid-Bonifatius, S. 274.
19. Thietmar von Merseburg, Chronicon IV,45 (FSGA 9), S. 160[28].
20. *Fried*, Otto III., S. 81–117.
21. Chaucer, Canterbury-Erzählungen (ed. Droste).
22. *Foreville*, Thomas Becket, S. 25.
23. *Deckers*, Kult, S. 29–31; *Zehnder*, Sankt Ursula, S. 42–48.
24. *Levison*, Ursula-Legende.
25. *Deckers*, Kult, S. 28f.
26. *Zehnder*, Sankt Ursula, S. 17–41.
27. Ebd. S. 89.
28. *Zender*, Heiligenverehrung, S. 196–201.
29. *Roloff*, Apostel, S. 434f.442.
30. Apostelgeschichten (NTApo II).
31. *Frank*, Vita Apostolica, S. 153–159.
32. *Brox*, christliche Mission, S. 192–215.
33. *Frank*, Vita Apostolica, S. 159.

34. Ebd. S. 159–166.
35. Vita Anskarii 42 (FSGA 11), S. 128[15]–133.
36. *Frank*, Vita Apostolica, S. 145 bis 147; *Congar*, Yves, Art. Apostel, in: LexMA I (1980), Sp. 781–786.
37. *Ladner*, Erneuerung, Sp. 267.
38. *Frank*, Franz von Assisi, S. 204–219.
39. *Felten*, Norbert von Xanten.
40. *Walter*, Robert von Arbrissel.
41. *Selge*, Waldenser.
42. *Frank*, Franz von Assisi, S. 219–228.
43. *Eßer*, Dominikaner; *Vicaire*, Dominikus 1, S. 131–150; *Scheeben*, Dominikus, S. 132–152.
44. *Dinzelbacher*, Rollenverweigerung.
45. *Felten*, Norbert von Xanten, S. 93–102.
46. *Albertz*, Gebet, S. 41.
47. *Jeremias*, Neutestamentliche Theologie, S. 176.
48. *Gnilka*, Jesus von Nazaret, S. 205.
49. Ebd. S. 168.
50. *Berger*, Gebet, S. 48.
51. Ebd.
52. *Jeremias*, Neutestamentliche Theologie, S. 187f.
53. *Berger*, Gebet, S. 48.
54. Ebd. S. 53.
55. *Baumeister*, Gebet, S. 61.
56. *Vogüé*, Le maître, S. 518–522 (die ältere Gebetsweise).
57. *Ochsenbein*, Gebet, S. 193–249.
58. Vita Anskarii 35 (FSGA 11), S. 110[16].
59. *Berschin*, Biographie II, S. 26–43.
60. Vita Columbani I,9 (FSGA 4a), S. 428.
61. Ebd.
62. Vita Norberti 10 (FSGA 22), S. 480[26].
63. *Haas*, Gottleiden, S. 23
64. Ebd. S. 24.
65. Ebd. S. 158f.
66. Eckehart, Predigten 19 (ed. Quint), S. 238f.
67. Eckehart, Predigten, II. Traktat (ed. Quint), S. 69[32].
68. *Nitz*, Albertus Magnus, S. 13–24; *Stammler*, Albert der Große.
69. *Angenendt*, Missa specialis, S. 217.
70. *Haas*, Gottleiden, S. 31.
71. *Langer*, Mystische Erfahrung, S. 128.
72. Heinrich Seuse, Büchlein der ewigen Weisheit, 3. Teil, Prolog (ed. Bihlmeyer), S. 314[9]; neuhochdt. Übers. Heller, S. 285.
73. Ebd. S. 315[1]; S. 286.
74. *Jungmann*, Missarium Sollemnia 2, S. 1–125.
75. Traditio Apostolica 20 (ed. Brox), S. 252f.
76. *Mollat*, Arme im Mittelalter, S. 42–45; *Sternberg*, Orientalium more, vor allem S. 36–43; *Schieffer*, Bischof.
77. *Angenendt*, Frühmittelalter, S. 196–201.
78. *Lindgren*, Uta, Art. Armut und Armenfürsorge B I (Armenfürsorge, kirchliche), in: LexMA 1 (1980), Sp. 988–989, Sp. 988.
79. *Prinz*, Grundlagen, S. 106.
80. *Flood*, Armut; *Boshof*, Armenfürsorge; *Mollat*, Arme im Mittelalter.
81. *Bruhns*, Armut und Gesellschaft, S. 34f.
82. *Weiler*, Witwen und Waisen, S. 186f.
83. *Finley*, Wirtschaft, S. 31.
84. Ebd. S. 34.
85. *Oexle*, Armut und Armenfürsorge, S. 78.
86. *Mollat*, Arme im Mittelalter, S. 29.
87. *Uytfanghe*, Stylisation biblique, S. 84ff; *Mollat*, Arme im Mittelalter, S. 42.
88. *Graus*, Gewalt, S. 93.
89. *Ders.*, Volk, Herrscher und Heiliger, S. 293; *ders.*, Pest, Geissler, Judenmorde, S. 100f.
90. *Mollat*, Arme im Mittelalter, S. 69.
91. *Uytfanghe*, Stylisation biblique, S. 100, auch S. 94.102.115.
92. *Mollat*, Arme im Mittelalter, S. 29; *Kimpel*, Martin von Tours.
93. *Mollat*, Arme im Mittelalter, S. 82–96.

94. Ebd. S. 96–106.116; *Flood*, Poverty.
95. *Manselli*, Franziskus, S. 42.
96. *Köpf*, Leidensmystik, S. 142.
97. Franziskus von Assisi, Testamentum 1 (ed. Esser), S. 307f; dt. Übers. Hardick – Grau, Schriften, S. 217.
98. Ebd. 1–3, S. 307f; dt. Übers. ebd. S. 217.
99. *Köpf*, Angela von Foligno, S. 247.
100. *Vogel*, Vom Töten zum Morden, S. 52f.
101. *Benedict*, Urformen der Kultur, S. 11.
102. *Gnilka*, Jesus von Nazaret, S. 228–232.
103. *Harnack*, Militia Christi.
104. *Prinz*, Klerus und Krieg.
105. Seuse, Das Leben 26 (ed. Bihlmeyer), S. 78[28]; neuhochdt. Übers. Heller, S. 71–73.
106. Vita Norberti 7 (FSGA 22), S. 467.
107. *Hattenhauer*, Recht der Heiligen, S. 21.
108. *Gaiffier*, Un thème hagiographique; *ders.*, Liberatus a suspendio.
109. *Hattenhauer*, Recht der Heiligen, S. 30f.
110. *Günther*, Legende, S. 80–85.
111. Palladius, Historia Lausiaca 18 (Übers. Laager), S. 87.
112. Franziskus von Assisi, Fioretti 21 (Übers. Kirschstein, Fioretti), S. 123–126; eine kritische Edition der Fioretti fehlt, vgl. *Grau*, Einführung.
113. Franziskus von Assisi, Fioretti 16 (Übers. Kirschstein, Fioretti), S. 111.
114. Ebd. 21, S. 123.

V. Askese und Entsagung

1. *Baumeister*, Heiligenverehrung, Sp. 136f.
2. *Steidle*, Homo Dei Antonius, S. 58–61.
3. *Berschin*, Biographie I, S. 195–211.
4. Sulpicius Severus, Ep. 2,12 (SC 133), S. 330.
5. Ebd. 2,12–13, S. 330; dt. Übers. BKV 20, S. 62.
6. *Uytfanghe*, Stylisation biblique, S. 17–60.
7. *Gnilka*, Jesus von Nazaret, S. 177.
8. Ebd. S. 179.
9. *Brown*, Keuschheit der Engel, S. 54.
10. *Berger*, Psychologie des neuen Testaments, S. 85.
11. *Hadot*, Philosophie, S. 15.
12. Seneca, De ira II,12,4 (ed. Rosenbach), S. 172f.
13. Marc Aurel, Wege zu sich selbst, VI,13 (ed. Theiler), S. 126f.
14. *Brown*, Keuschheit der Engel, S. 41.
15. *Hadot*, Philosophie, S. 18.
16. *Frank*, Grundzüge des Mönchtums, S. 7.
17. *Uytfanghe*, Stylisation biblique, S. 102–111.117–142.
18. Ebd. S. 108.
19. Ebd. S. 111.
20. Ebd. S. 133.
21. *Brown*, Keuschheit der Engel; *Graus*, Volk, Herrscher und Heiliger, S. 468–477.
22. *Frank*, Angelikos Bios.
23. *Heinzelmann*, Studia sanctorum (das Beispiel der merowingischen Hagiographie).
24. *Leclercq*, Jean, Art. Askese, in: LexMA 1 (1980), Sp. 1112–1115, Sp. 1113.
25. *Batlle*, Adhortationes; *ders.*, Art. Apophthegmata patrum, in: LexMA 1 (1980), Sp. 778–779.
26. *Steidle*, Benediktusregel, S. 19 (Einleitung).
27. Palladius, Historia Lausiaca, Prolog (Übers. Laager), S. 14.16.
28. Ebd. S. 21f.

29. Ebd. S. 245 f.
30. *Graus*, Volk, Herrscher und Heiliger, S. 106–109; *Zoepf*, Heiligen-Leben, S. 112–136.
31. *Gougaud*, Dévotions.
32. *Zeller-Werdmüller – Bächtold*, Stiftung des Klosters Oetenbach, S. 228.
33. *Schmeidler*, Anti-asketische Äußerungen; *Graus*, Volk, Herrscher und Heiliger, S. 108 f.
34. Ignatius von Loyola, Bericht (ed. Schneider), S. 45; die folgenden Zitate ebd. S. 55.63.65.64.
35. Regula Magistri 7,59 (SC 105,1), S. 364.
36. Regula Benedicti 5,7; 68 (SC 182,2), 1, S. 466 und 2, S. 664.
37. *Vogüé*, Regula Benedicti, S. 118.
38. Ebd. S. 129.
39. *Esser*, Anfänge, S.192.
40. *Hauck*, Kirchengeschichte 4, S. 409.
41. *Prinz*, Askese, S. 11.
42. Ebd. S. 73.
43. *Angenendt*, Die irische Peregrinatio; *Kottje*, Beiträge der Iren.
44. *Prinz*, Frühes Mönchtum, S. 121 bis 316; *Kottje*, Beiträge der Iren.
45. *Levison*, England, S. 70–173.
46. *Brunhölzl*, Geschichte der lateinischen Literatur, S. 241–506; *Kottje*, Beiträge der Iren, S. 19–22.
47. *Zoepf*, Heiligen-Leben, S. 131.
48. *Weber*, Wirtschaft und Gesellschaft, S. 333.
49. *Burkert*, Griechische Religion, S. 131.137 ff.
50. *Böcher*, Blut.
51. *Stuhlmacher*, Verstehen des Neuen Testaments, S. 237.
52. *Dassmann*, Kirchengeschichte, S. 202–214.
53. *Ders.*, Sündenvergebung, S. 154.
54. *Dölger*, Bluttaufe, S. 126.
55. Tertullian, De anima 55 (CSEL 20), S. 389[3]: ‚tota paradisi clauis tuus sanguis est.'
56. Cyprian, Ad Fortunatum, Praefatio 4 (CSEL 3,1), S. 319[3].
57. *Campenhausen*, Idee des Martyriums, S. 96.
58. Origenes, In Numeros Homilia 24,1 (GCS 30), S. 226[6]: ‚Donec enim sunt peccata, necesse est requiri et hostias pro peccatis.'
59. *Dassmann*, Sündenvergebung, S. 153–182.
60. Origenes, Exhortatio ad martyres 30 (GCS 2), S. 27.
61. *Lohse*, Märtyrer und Gottesknecht, S. 199.
62. Goethe, Faust, Erster Teil (ed. Trunz), V,1740, S. 58.
63. *Wißmann* u. a., Blut.
64. *Vauchez*, Sainteté, S. 173–183.
65. Vita Adalberti 30 (MGH.SS 4), S. 610[40].
66. Vita Liudgeri 20, (ed. Diekamp), S. 24; dt. Übers. Senger, Liudger in seiner Zeit, S. 35.
67. Vita Norberti 12 (FSGA 22), S. 484–487.
68. Vita et miracula Engelberti II,8, auctore Caesario Heisterbacense (ed. Zschaeck), S. 265; dt. Übers. Langosch, Caresarius, Erzbischof Engelbert, S. 76.
69. *Vauchez*, Sainteté, S. 178.
70. *Graus*, Volk, Herrscher und Heiliger, S. 98.
71. Ebd. S. 96–100.
72. *Vauchez*, Sainteté, S. 180 f; *Schmitt*, Der heilige Windhund (wo allerdings die Sühne unbeachtet bleibt).
73. *Pauly*, Werner von Oberwesel.
74. *Graus*, Judenfeindschaft, S. 35.
75. *Vauchez*, Sainteté, S. 181.
76. Ebd. S. 479–489.
77. *Herzog*, Verbrecher; zu der auch in der Bibel durchscheinenden Auffassung, daß der Tod des Verbrechers, sofern derselbe vor der Exekution ein entsprechendes Votum abgibt, Sühne zu schaffen vermag, s. *Jeremias*, Neutestamentliche Theologie, S. 273.
78. Vita Anskarii 40 (FSGA 11), S. 124[1].

79. Ebd. S. 124[22].
80. Ebd. 42, S. 130[9]; vgl. Isidor von Sevilla, Etymologiarum sive Originum liber VII, XI,4 (ed. Lindsay).
81. *Angenendt*, Sühne durch Blut, S. 437–467.
82. *Waldstein*, Geißelung; *Angenendt*, Sühne durch Blut, S. 459 bis 466.
83. *Gougaud*, Dévotions, S. 192.
84. Petrus Damiani, Epistola 44 (MGH.B 4,2), S. 22[2]; *Angenendt*, Sühne durch Blut, S. 462f; *Vauchez*, Sainteté, S. 226.
85. *Vauchez*, Sainteté, S. 384.
86. Casus sancti Galli 83 (FSGA 10), S. 172.
87. *Ochsenbein*, Leidensmystik.
88. Heinrich Seuse, Deutsche Schriften (ed. Bihlmeyer), S. 76*–80*.
89. Heinrich Seuse, Das Leben 18 (ed. Bihlmeyer), S. 52[6]; neuhochdt. Übers. Heller, S. 51.

VI. Der Gottesmensch

1. *Betz*, Gottmensch, Sp. 235.
2. *Brown*, Heiden, S. 44ff.
3. *Bieler*, Theíos anér.
4. *Betz*, Gottmensch, Sp. 288.
5. *Pesch*, Markusevangelium 2, S. 544–559.
6. *Steidle*, Homo Dei Antonius; *Berschin*, Biographie I, S. 113–128.
7. *Steidle*, Homo Dei Antonius, S. 65–82.
8. Vita Antonii 10,4 (ed. Bartelink), S. 30[14].
9. Mehrmals spricht die Vita von ‚virtus deifica', z.B. ebd. 20,1, S. 46[23], auch 20,2, S. 48[8].
10. Ebd. 38,2, S. 80[6]; ebd. 38,3, S. 80[11].
11. Ebd. 48,2, S. 98[8].
12. *Speyer*, Verehrung des Heroen, S. 50f.
13. *Steidle*, Homo Dei Antonius, S. 95–101.
14. Vita Antonii 70,1–71,2 (ed. Bartelink), S. 136[2]–138[9].
15. Sulpicius Severus, Vita Martini, Praefatio 5 (SC 133), S. 250.
16. Ebd. 7,3, S. 268.
17. Ebd. 16,5, S. 288.
18. Ebd. 21,1, S. 298; ebd. 22, S. 300f; ebd. 24,4, S. 306f.
19. Vita Genovefae 21 (MGH.SRM 3), S. 224[11]; *Heinzelmann*, Martin – *Poulin*, Joseph-Claude, Art. Genovefa, in: LexMA 4 (1989), Sp. 1237.
20. *Brown*, Heiden, S. 130.
21. *Brown*, Aufstieg, S. 46.
22. *Muschiol*, Famula Dei S. 353–366.
23. *Lotter*, Severinus, S. 78f.
24. *Puzicha*, Vita iusti, S. 291.
25. *Muschiol*, Famula Dei S. 364ff.
26. *Uytfanghe*, Stylisation biblique, S. 71f.
27. Vita prima Bernardi II 9–12.14–15.19.28 (PL 185), Sp. 273D–275D.276D–277C.279B–D.283D–284C; dt. Übers. Sinz, Leben des heiligen Bernhard, S. 110–113.115f.119f.127.
28. *Huizinga*, Herbst des Mittelalters, S. 266.
29. *Steidle*, Homo Dei Antonius, S. 98.
30. Cassian, De institutis coenobiorum VI,18 (CSEL 17), S. 125[19].
31. Z.B. Sulpicius Severus, Vita Martini 13,7–8 (SC 133), S. 280f; ebd. 26,2, S. 312.
32. Ders., Dialogi II (III),14 (CSEL 1), S. 212[14].
33. Ders., Vita Martini 16,5 (SC 133), S. 288.
34. Ders., Dialogi I (II),4 (CSEL 1), S. 184[17].
35. Vita Genovefae 34 (MGH.SRM 3), S. 229[11].
36. Vita Radegundis I,22 (MGH.SRM 2), S. 371[26]; ebd. I,25, S. 372[27]; zu diesem Komplex auch *Muschiol*, Famula Dei, S. 358.

37. *Lorenz*, Das vierte bis sechste Jahrhundert, S. 68–71; *Vogt*, Theologische Diskussion, S. 297–302.
38. Z. B. Vita Columbani I,9 (FSGA 4 A), S. 428: ‚Nec immerito misericors Dominus suis sanctis tribuit postulata, qui ob suorum praeceptorum imperio proprias crucifixerunt voluntates.'
39. Vita Ansberti 26.29.32.33.34.35 (MGH.SRM 5), S. 636[28]. 638[3.28.33].639[2.9.12.30.35].640[10].
40. *Dihle*, Demut, Sp. 766.
41. *Uytfanghe*, Stylisation biblique, S. 77ff.
42. Bernhard von Clairvaux, Sermones super Cantica Canticorum 18,1–3.6 (ed. Leclercq, Sancti Bernardi Opera 1), S. 103[13].108[3]; dt. Übers. Wolters, Bd. 5, S. 133f.139.
43. *Blaise*, Le vocabulaire, S. 179, 414, 532.
44. Vita prima Bernardi III,20 (PL 185), Sp. 314D–315C; dt. Übers. Sinz, Leben des heiligen Bernhard, S. 179f; *Sigal*, L'homme, S. 17–35, bes. S. 29f.
45. Sulpicius Severus, Epistola I,13 (SC 133), S. 322; dt. Übers. Erster Brief an Eusebius (BKV 20), S. 57.
46. Zum antiken Hintergrund: *Hadot*, Philosophie, S. 13–98.
47. *Landgraf*, Dogmengeschichte I, Bd. 1 (Die Gnadenlehre), S. 161–183, Zitat ebd. S. 162.
48. Petrus Lombardus, Sententiae II, dist. 27, cap.1,1 (SpicBon 4), S. 480[8]; *Pesch*, Thomas, S. 231–245.
49. *Haug*, Experimenta medietatis, S. 147.
50. *Weber*, Wirtschaft und Gesellschaft, S. 324.
51. Vita Honorati 37,2 (SC 235), S. 168f; *Uytfanghe*, Stylisation biblique, S. 215.
52. Gregor der Große, Dialogi I,12,4 (SC 260), S.116[47]; *Uytfanghe*, La controverse biblique, S. 218.
53. *Axters*, Virtus en heiligheidscomplex; *Lotter*, Severinus, S. 51–57.
54. Innozenz III., Brief vom 12. Jan. 1199 (ed. Hageneder, Die Register Innozenz' III, 1,1), Nr. 528 (530), S. 761–764, S. 762[17].
55. *Demm*, Rolle des Wunders, S. 304–327.
56. *Hofmann*, Tugend.
57. *Demm*, Rolle des Wunders, S. 321.
58. Vita et miracula Engelberti II,14, auctore Caesario Heisterbacense (ed. Zschaeck), S. 272f; dt. Übers. Langosch, Caresarius, Erzbischof Engelbert (GDV 100), S. 87f.
59. Ebd., I,1, S. 236; dt. Übers. ebd., S. 30.
60. *Weidlé*, Nimbus, bes. Sp. 330.
61. *Scharbert*, Heilsmittler, S. 81–99; *Wessel*, Elias; *ders.*, Elisa.
62. *Grillmeier*, Gottmensch, Sp. 312f.
63. *Penco*, Vir Dei.
64. *Angenendt*, Totenmemoria, S. 150ff.
65. Gregor von Tours, De virtutibus sancti Martini II,60 (MGH.SRM 1,2), S. 180[20].
66. *Jungmann*, Stellung Christi, S. 188–211.
67. Vita Eugendi 139 (SC 142), S.388; dt. Übers. *Frank*, Frühes Mönchtum 2, S. 155.
68. *Kantorowicz*, Die zwei Körper, S. 86–93.
69. Vita Germani 12 (SC 112), S. 144: "... terram corporibus, caelum meritis possident"; dt. Übers. Frank, Frühes Mönchtum 2, S. 71.
70. Vita Genovefae 43 (MGH.SRM 3), S. 233[10].
71. Vita Balthildis A 16 (MGH.SRM 2), S. 503[22]; De virtutibus sanctae Geretrudis 1 (MGH.SRM 2), S. 465[7]; *Muschiol*, Famula Dei, S. 185.
72. Vita Anskarii 42 (FSGA 11), S.128[23]: „... inter caelum et terram medius, inter Deum et proximum sequester".

73. *Landgraf*, Dogmengeschichte II, Bd. 2 (Die Lehre von Christus), S. 288–328.
74. Thomas von Aquin, Summa theologica III, qu. 26,1 (Die deutsche Thomas-Ausgabe 26), S. 208 f.
75. Ebd. S. 209.
76. *Uytfanghe*, L'hagiographie, S. 172.
77. *Sigal*, L'homme, S. 32–35.
78. Epistola encyclica de transitu S. Francisci (AFranc 10).
79. *Lapsanski*, Perfectio evangelica, S. 61–67.
80. Thomas von Celano, Vita secunda 163 (AFranc 10), S. 255[3]; dt. Übers. Grau, Leben und Wunder, S. 429.
81. *Lapsanski*, Perfectio evangelica, S. 66 f.
82. *Reblin*, Freund und Feind, S. 71–78.
83. *Colpe* u. a., Geister.
84. *Zintzen*, Geister.
85. *Haag*, Teufelsglaube, S. 166.
86. Ebd. S. 217.
87. *Boecher*, Christus exorcista, S. 166–175.
88. *Ders.*, Dämonen.
89. Ebd. S. 285.
90. *Dinzelbacher*, Kampf der Heiligen; *Pietri*, Saints.
91. Vita Antonii V,4 (ed. Bartelink), S. 16[22]; dt. Übers. Przybyla, Vita Antonii, S. 29 f.
92. Ebd. VIII,2, S. 24[6]; dt. Übers. ebd. S. 34.
93. Ebd. IX,5, S. 28[16]; dt. Übers. ebd. S. 35 f.
94. Ebd. XXII,1, S. 52[2]; dt. Übers. ebd. S. 48; s.a. *Schneemelcher*, Kreuz Christi.
95. *Godel*, Irisches Beten, S. 293–306.389–396.
96. Vita Galli 18 (MGH.SRM 4), S. 298[1]; dt. Übers. Duft, Lebensgeschichten, S. 33 f.
97. Colmar, Bibliothèque municipale Ms. 268, 188 v f; neuhochdt. Übers. Thomas Lentes.
98. *Ruh*, Meister Eckhart, S. 46.

VII. Die „Guten" und die „Besseren"

1. *Rad*, Genesis, S. 39.
2. *Gnilka*, Jesus von Nazareth, S. 179.
3. *Pagels*, Adam, S. 62.
4. Ebd. S. 65.
5. *Rousselle*, Ursprung der Keuschheit, S. 33.
6. *Brown*, Keuschheit der Engel, S. 32.
7. Ebd. S. 40.
8. Ebd. S. 45.
9. *Müller*, Paradiesesehe, S. 19–32; *Brown*, Keuschheit der Engel, S. 395–437.
10. *Pagels*, Adam, S. 85.
11. *Brown*, Keuschheit der Engel, S. 13.
12. Ebd. S. 35.
13. Ebd. S. 30.
14. Ebd. S. 37 f.
15. *Pagels*, Adam, S. 52 f.
16. *Graus*, Volk, Herrscher und Heiliger, S. 468.
17. Ebd. S. 468–471.
18. *Klauser*, Heinrichs- und Kunigundenkult, S. 69–77; *Pfaff*, Kaiser Heinrich II., S. 59–65.
19. *Vauchez*, Sainteté, S. 412–414.
20. Vita Hedwigis 1,4 (ActaSS Oct. VIII), S. 225 D; dt. Übers. Metzger, Leben der heiligen Hedwig, S. 49.
21. *Dassmann*, Diakonat, S. 63.
22. *Wendebourg*, Reinheitsgesetze.
23. Regula Magistri 80 (SC 106), S. 328–331.
24. *Browe*, Sexualethik.
25. Vita Anskarii 42 (FSGA 11), S. 130[2].
26. Vita Ailredi 63 (ed. Powicke), S. 62.

27. Thomas von Celano, Vita secunda S. Francisci II (AFranc 10), 217a, S. 256[13]; dt. Übers. Grau, Leben und Wunder, S. 430[25].
28. Sulpicius Severus, Ep. 3,17 (SC 133), S. 342.
29. *Heffernan*, Sacred Biography, S. 101–105.
30. *Rad*, Genesis, S. 37.
31. *Gnilka*, Jesus von Nazaret, S. 185.
32. *Gössmann*, Elisabeth, Art. Frau A/ I (Theologie, Philosophie und Hagiographie/ Theologisch-philosophisch), in: LexMA Sp. 852f, 852.
33. *Conzelmann*, Der erste Brief an die Korinther, S. 289f.
34. *Gössmann*, Stellung der Frau.
35. Ebd.
36. Palladius, Historia Lausiaca (Übers. Laager), Vorrede u. 41, S. 18 u. 215; *Jensen*, Gottes Töchter, S. 106–110.
37. *Prinz*, Der Heilige, S. 302.
38. *Böhne*, Winfried, Art. Monegundis, in: LThK 7 (1962), Sp. 549.
39. Gregor von Tours, Liber vitae patrum 19, Praefatio (MGH.SRM 1,2), S. 286[17].
40. Ebd. 19,3, S. 289[17].
41. Ebd. 19,4, S. 290[10].
42. *Cristiani*, La sainteté féminine; *Muschiol*, Famula Dei.
43. Vita Genovefae 46 (MGH.SRM 3), S. 234[8].
44. Ebd. S. 234[16].
45. Ebd. 52, S. 236[14].
46. Ebd. 30, S. 227f.
47. *Uytfanghe*, Marc van, Art. Gertrud von Nivelles, in: LexMA 4 (1989), Sp. 1356–1357, Sp. 1356; *Zender*, Heiligenverehrung, S. 89–143.
48. *Holzbauer*, Heiligenverehrung.
49. *Gössmann*, Elisabeth, Art. Hildegard von Bingen, in: LexMA 5 (1991), Sp. 13–15; *Maier*, Hildegard von Bingen.
50. *Schneider*, Katharina von Siena.
51. *LeGoff*, Geburt des Fegefeuers, S. 394–396.
52. *Demyttenaere*, The Cleric, S. 161: „not typically early medieval nor typically Christian".
53. *Muschiol*, Famula Dei, S. 200–202. 207–210.
54. *Pagels*, Adam, S. 70.
55. Ebd.
56. Ebd. S. 67–71.186–188.
57. *Köpf*, Angela von Foligno, S. 229.
58. *Vauchez*, Sainteté, S. 442.
59. Ebd. S. 243–249.
60. Ebd. S. 316.
61. Ebd. S. 427.
62. Ebd. S. 442.
63. *Goodich*, Vita perfecta, S. 173–185.
64. *Vogüé*, Regula Benedicti, S. 17.
65. Ebd. S. 23.
66. Ebd. S. 28.
67. *Dekkers*, Profession – second baptême.
68. *Bacht*, Mönchsprofeß, S. 250–264.
69. *Campenhausen*, Idee des Martyriums, S. 139–144; Bernards, Speculum virginum S. 44–46; Regula Benedicti 42 (SC 182), S. 584ff.
70. *Stancliffe*, Red, White and Blue Martyrdom.
71. Bernhard von Clairvaux, Sermo de diversis XI, De duplici baptismo (ed. Leclercq, Sancti Bernardi Opera 6,1), S. 124–126.
72. Ders., De praecepto et dispensatione 17,54 (ed. Leclercq, Sancti Bernardi Opera 3), S. 289[6].
73. Thomas von Aquin, Summa theologica II/II, qu. 189,3 (Die deutsche Thomas-Ausgabe 24), S. 253.
74. *Burger*, Aedificatio, S. 98–105.176–190.
75. Augsburger Bekenntnis 27 (ed. Gaßmann), S. 54; *Pfnür*, Rechtfertigungslehre, S. 84–86.
76. *Grundmann*, Welt des Mittelalters, S. 401.

77. Hieronymus, Ep. 108,1 (CSEL 55), S. 306[5]; *Speyer*, Genealogie, Sp. 1256.
78. *Graus*, Volk, Herrscher und Heiliger, S. 117.
79. *Prinz*, Frühes Mönchtum, S. 489–493.496–501; *Heinzelmann*, Martin, Art. Adelsheiliger, in: LexMA 1 (1980), Sp. 148 (mit reicher Literatur).
80. *Vauchez*, Sainteté, S. 204.
81. Regula Benedicti 2,16–22 (SC 182,1), S. 444ff.
82. *Schreiner*, Untersuchungen, S. 112–133.
83. Hildegard von Bingen, Briefwechsel (ed. Führkötter), S. 203; dazu *Haverkamp*, Tenxwind von Andernach.
84. *Teske*, Laien, die folgenden Zitate aus FMSt 11 (1977), S. 316.
85. Eckehart, Traktat: Vom edlen Menschen, in: Predigten (ed. Quint), S. 140–149, Zitat S. 140.
86. *Vauchez*, Sainteté, S. 208.
87. *Hauck*, Ausbreitung des Glaubens, S. 147–160.
88. *Gottschalk*, St. Hedwig, S. 52–60.
89. *Goodich*, Vita perfecta, S. 147–172 (mit Tabellen).
90. *Folz*, Les saints rois; *ders.*, Les saintes reines.
91. *Angenendt*, Kaiserherrschaft, S. 1–5; *ders.*, Rex et sacerdos.
92. *Ders.*, Princeps imperii, S. 18–25.
93. *Tellenbach*, Die westliche Kirche, S. 208–225.
94. *Hoffmann*, Die heiligen Könige.
95. *Folz*, Les saints rois, S. 117–135.
96. *Vauchez*, Sainteté, S. 410–427; *Goodich*, Vita perfecta, S. 186–191; *LeGoff*, La sainteté.

VIII. Die Doppelexistenz: im Himmel und auf Erden

1. *Daley*, Eschatologie.
2. *Angenendt*, Totenmemoria, S. 113f.
3. *Stuiber*, Refrigerium interim, S. 11–105.201f (Zusammenfassung).
4. Tertullian, De anima 22 (CSEL 20), S. 335[22].
5. *Greshake*, Seele, S. 119.
6. *Daley*, Eschatologie, S. 193.
7. *Greshake*, Seele, S. 124f, Zitat S. 125.
8. Augustinus, Enchiridion de fide 110 (ed. Barbel), S. 182.
9. Bernhard von Clairvaux, Sermo in festivitate omnium sanctorum 3,1 (ed. Leclercq, Sancti Bernardi Opera 5), S. 349[4]; dt. Übers. Wolters, Bd. 3, S. 188f.
10. Ders., Sermo in dedicatione ecclesiae 4,4 (ed. Leclercq, Sancti Bernardi Opera 5), S. 386[7]; dt. Übers. Wolters, Bd. 3, S. 287.
11. Ders., Sermo in festivitate omnium sanctorum 2,4 (ed. Leclercq, Sancti Bernardi Opera 5), S. 346[3]; dt. Übers. Wolters, Bd. 3, S. 186.
12. Ebd. 3,1 S. 350[1]; dt. Übers. Wolters, Bd. 3, S. 189.
13. *Landgraf*, Dogmengeschichte IV, Bd. 2 (Die Lehre von der Sünde und ihre Folgen), S. 255–350 (Die Linderung der Höllenstrafen).
14. Thomas von Aquin, Summa theologica III Suppl., qu. 69,2 (Die deutsche Thomas-Ausgabe 35), S. 11f.
15. *Dykmans*, Les sermons; *ders.*, Pour et contre.
16. Benedikt XII, „Benedictus Deus" (DH), Nr. 1000, S. 406.
17. *Berger*, Gebet, S. 57.
18. *Kötting*, Heiligenverehrung, S. 76.
19. *Klauser*, Gebet, Sp. 19–22; *Pietri – Bernand*, Graffito.
20. *Pietri*, Graffito I, Sp. 658f.
21. *Blaise*, Le vocabulaire, S. 219–223.
22. *Dassmann*, Sündenvergebung, S. 153–182.

23. *Angenendt*, Totenmemoria, S. 148–152.
24. Victricius von Rouen, De laude sanctorum 1 (ed. Herval), S. 111.
25. Petrus Lombardus, Sententiae in IV libris distinctae, liber IV, 45,6 (SpicBon 5), S. 529[8].
26. Thomas von Aquin, Summa theologica III Suppl., qu. 72 (Die deutsche Thomas-Ausgabe 35), S. 133–152.
27. Ebd. II,II, qu. 83, art. 11 (Marietti 3), S. 424; vgl. dt. Inhaltsangabe bei Erni, Die Theologische Summe, II,2, S.150.
28. Ebd.
29. Ebd. III Suppl., qu. 72,3 (Die deutsche Thomas-Ausgabe 35), S. 148.
30. *Paulus*, Geschichte des Ablasses, S. 284–306; *Vorgrimler*, Buße und Krankensalbung, S. 206–209.
31. *Möller*, Ablaßkampagnen, S. 62f.
32. *Hoffmann*, Die Toten in Christus, S. 247.277.
33. Ebd. S. 252.
34. *Berger*, Psychologie des Neuen Testaments, S. 84.
35. *Schneider*, Asche.
36. *Hoffmann*, Auferstehung, S. 505.
37. Ebd.
38. *Kretschmar*, Auferstehung, S. 111.
39. Ignatius von Antiochien, Brief an die Smyrnäer 3,1 (ed. Fischer), S. 206[3]; Justinus, Dialogus 80 (PG 6), Sp. 667A.
40. *Kehl*, Gewand, Sp. 987–991; *Staats*, Auferstehung, S. 474–476.
41. Augustinus, De civitate Dei XXII,21 (CChr.SL 48), S. 841[1]; dt. Übers. Thimme, Vom Gottesstaat 2, S. 800.
42. Ebd. S.841[21]; dt. Übers. ebd. S. 801.
43. *Lubac*, Corpus Mysticum, S. 158–163.
44. Vita Norberti 23 (FSGA 22), S. 540f.
45. Thomas von Aquin, Summa theologica III Suppl., qu. 80, 1–5 (Die deutsche Thomas-Ausgabe 35), S. 295–327, Zitate S. 295.299.302. 307.322; auch Petrus Lombardus, Sententiae in IV libris distinctae, liber IV, 44,2f (SpicBon 5), S. 518.
46. Thomas von Aquin, Summa theologica III Suppl., qu. 79,3 (Die deutsche Thomas-Ausgabe 35), S. 293: „identitas totius“; auch Augustinus, De Civitate Dei XXII,12 (CChr.SL 48), S. 838[11]; dt. Übers. Thimme, Vom Gottesstaat 2, S. 795: „Die so häufig geschorenen Haare und geschnittenen Nägel … werden … gleichwohl bei der Auferstehung keinem verloren gehen, sondern sich vermöge der Wandelbarkeit des Stoffes auf die Weise in das Fleisch desselben Leibes verwandeln, daß sie die Harmonie seiner Teile nicht stören, welchen Platz sie auch immer einnehmen mögen.“
47. Thomas von Aquin, Summa theologica III Suppl., qu. 79,3 (Die deutsche Thomas-Ausgabe 35), S. 290–294, Zitat S. 290.
48. *Pesch*, Thomas, S. 200–205, Zitat S. 202.
49. Augustinus, De civitate Dei I,13 (CChr.SL 47), S. 14[1]; dt. Übers. Thimme, Vom Gottesstaat 1, S. 25.
50. Thomas von Aquin, Summa theologica III, qu. 25,6 (Die deutsche Thomas-Ausgabe 26), S. 205.
51. Michelangelo, Gedichte (ed. Engelhard), Nr. 94, S. 141.
52. *Oexle*, Gegenwart der Toten, S. 22.
53. *Hasenfratz*, Die toten Lebenden, S. 11.
54. Ebd. S. 6.
55. *Müller*, Universum der Identität, S. 167.
56. *Kyll*, Tod, S. 114.
57. Ebd. S. 120.
58. Ebd. S. 127.
59. Ebd. S. 156.
60. *LeGoff*, Geburt des Fegefeuers, S. 22f.

61. Augustinus, De cura pro mortuis gerenda V,7 (CSEL 41), S. 633[5]; dt. Übers. Schlachter – Arbesmann, Sorge für die Toten, S. 12; *Duval*, L'inhumation „ad sanctos", S. 3–47.
62. *Duval*, L'inhumation „ad sanctos", S. 203–223.
63. ICUR.NS 7 (1990), Nr. 18944, S. 259.
64. *Müller*, Universum der Identität, S. 353.
65. Gregor der Große, Dialogi IV,6 (SC 265), S. 40.
66. Vita Eligii II,48 (MGH.SRM 4), S. 728[5].
67. *Fehring*, Einführung in die Archäologie, S. 60–71.
68. Vita Edmundi 16 (ed. Winterbottom), S. 86.
69. *Pietri*, La ville de Tours, S. 809 Nr. 13 und 15.
70. Gregor von Tours, Liber in gloria confessorum 41 (MGH.SRM 1,2), S. 324[10].
71. Vita beati Romualdi 2 (FSI 94), S. 17[10].
72. Vita Gertrudis, Appendix II (ActaSS Mart. II), S. 600 B.
73. *Ward*, Miracles and the Medieval Mind, S. 91, Abb. 7.
74. *Dinzelbacher*, Realpräsenz.
75. *Fichtenau*, Lebensordnungen, S. 427.
76. *Hedwig*, Sphaera Lucis.
77. Dionysius Areopagita, De coelesti hierarchia I,1 (PTS 36), S. 7[3]; dt. Übers. Stiglmayr (BKV 1,2), S. 1f.
78. *Nie*, Views, S. 165–183.
79. Mechthild von Magdeburg, Das fließende Licht der Gottheit VI,41 (MTUDL 100), S. 250; dt. Übers. Schmidt – Balthasar (MKZU 3), S. 320.
80. *Ruh*, Meister Eckhart, S. 85.
81. Eckehart, Predigten 37 (ed. Quint), S. 331.
82. Ebd. 20, S. 243.
83. Ebd. 11, S. 201.
84. Heinrich Seuse, Das Leben 20 (ed. Bihlmeyer), S. 59[10]; neuhochdt. Übers. Heller, S. 56f.
85. *Angenendt*, Totenmemoria, S. 103–105; *Nie*, Views, S. 185.
86. Gregor der Große, Dialogi IV,8 (SC 265), S. 42.
87. Ebd. II 37,3 (SC 260), S. 244; *Gross*, Tod des Hl. Benediktus.
88. Leben der heiligen Hildegard III,27 (ed. Führkötter), S. 131f.
89. *Dinzelbacher*, Vision und Visionsliteratur, S. 29–56; *Blank*, Nonnenviten, S. 198–239.
90. Michelangelo, Gedichte (ed. Engelhard), Nr. 63, S. 85.
91. Gregor der Große, Dialogi IV,19,3 (SC 265), S. 74.
92. Johannes Chrysostomus, In sanctos Maccabaeos, Homilia I,1 (PG 50), Sp. 617–619.
93. Jonas von Orléans, De cultu imaginum 1 (PL 106), Sp. 327 C-D.
94. Gregor von Tours, Liber in gloria confessorum 20 (MGH.SRM 1,2), S. 309f; *Nie*, Views, S. 189f.
95. Vita Annonis 17 (MGH.SS 11), S. 474[37].
96. Ebd. 17, S. 475[33].
97. Gregor von Tours, Liber in gloria confessorum 21 (MGH.SRM 1,2), S. 310f; *Nie*, Views, S. 179.
98. *Engels*, Anfänge des spanischen Jakobusgrabes, S. 148.
99. Thomas von Aquin, Summa theologica III Suppl., qu. 78,3 (Die deutsche Thomas-Ausgabe 35), S. 271.
100. *Weidlé*, Nimbus.
101. *Gagé*, Fackel, Sp. 162f. 199–203.
102. Augustinus, Sermo 304,3 (PL 38), Sp. 1396.
103. Gregor der Große, Dialogi IV, 37,8 (SC 265), S. 130[63].
104. *Nie*, Views, S. 108–132.
105. Gregor von Tours, Liber de passione et virtutibus sancti Juliani martyris 46b (MGH.SRM 1,2), S. 132[32].

106. Gregor von Tours, Liber vitae patrum VII,3 (MGH.SRM 1,2), S. 238[21].
107. Vita Radegundis II,23 (MGH.SRM 2), S. 393[3].
108. *Nie*, Views, S. 121–125.
109. Thiofried von Echternach, Flores epitaphii sanctorum (PL 157), Sp. 313f.
110. *Appuhn*, Paradiesgärtlein; *Legner*, Präsenz des Heiltums, S. 88f mit Abb. 28–34. Schon die Antike kannte „Grabgärten", s. *Kötting*, Grab, Sp. 391f.
111. *Lentes*, Gewänder der Heiligen, S. 121–129.
112. *Schmidtke*, Erbauungsliteratur, S. 191.
113. Cosmas, Brief an den Herrn Symeon Stylites (TU 3,2), S. 186[1].
114. *Kötting*, Wohlgeruch, S. 24f.
115. Ebd. S. 29f.
116. Origenes, De oratione 2,2 (GCS 3), S. 300[13].
117. Martyrium des Polykarp 15,2 (ed. Baumeister), S. 80[26].
118. Gregor der Große, Dialogi III,30,5 (SC 260), S. 382[3].
119. Gregor von Tours, Liber in gloria martyrum 62 (MGH.SRM 1,2), S. 80[28].
120. Thiofried von Echternach, Flores epitaphii sanctorum I,5 (PL 157), Sp. 328 CD.

IX. Ort und Zeit

1. *Cornell*, Gründer, Sp. 1141.
2. *Speyer*, Gründer, Sp. 1149–1152.
3. *Levison*, Anfänge rheinischer Bistümer.
4. *Elm*, Ordensgründer, S. 382.
5. Ebd. S. 396f.
6. *Häußling*, Mönchskonvent, S. 193.
7. *Delehaye*, Loca sanctorum.
8. Thiofried von Echternach, Sermo 1, De sanctorum reliquiis (PL 157), Sp. 405 B-C.
9. *Borst*, Mönche am Bodensee, S. 54–56.
10. *Hauck*, Die fränkisch-deutsche Monarchie, S. 447–450 mit Karte 12; *Angenendt*, Frühmittelalter, S. 339–342 mit Karte 67.
11. *Müller*, Universum der Identität, S. 19.
12. *Guillot*, Les saints.
13. Vita Willibrordi 32 (MGH.SRM 7), S. 139[7–24].
14. Widukind, Res gestae Saxonicae I,33 (FSGA 8), S. 64.
15. *Borst*, Barbaren, S. 295.
16. Ebd. S. 294–302.
17. *Peyer*, Stadt und Stadtpatron; *Becker*, Hans-Jürgen, Art. Stadtpatron, in: HDRG 4 (1990), Sp. 1861–1863, Sp. 1862; *Orselli*, Santi.
18. *Becker*, Hans-Jürgen, Art. Stadtpatron, in: HDRG 4 (1990), Sp. 1861–1863, Sp. 1862; *ders.*, Stadtpatrone, S. 25; *Pietri*, Culte des saints.
19. *Becker*, Stadtpatrone, S. 26.
20. Ebd.
21. Ebd. S. 27.
22. Ebd. S. 37–43.
23. *Head*, Hagiography, S. 135–201.
24. Miracula Willehadi (ActaSS Nov. III), S. 847 A-E.
25. *Gurjewitsch*, Volkskultur, S. 70.
26. *Stuiber*, Geburtstag, Sp. 230–233; *Dürig*, Geburtstag und Namenstag.
27. *Auf der Maur*, Herrenfeste; *Kellner*, Heortologie.
28. *Baumeister*, Heiligenverehrung, Sp. 125–128.
29. Martyrium des Polykarp 18,3 (ed. Baumeister), S. 82[5].
30. *Dubois*, Jacques, Art. Martyrologium, in: LexMA 6 (2/1992), Sp. 357–360; *ders.*, martyrologes;

Ders. – Lemaitre, Sources, S. 103–134.

31. *Delehaye*, Cinq leçons, S. 7–17.
32. *Kirsch*, Festkalender, S. 15–96.
33. *Ouentin*, martyrologes historiques.
34. *Jounel*, Le culte des saints, S. 97–185, S. 128.154.
35. Alkuin, Epistola 193 (MGH.Ep 4, Karolini aevi 2), S. 321[12]; *Kellner*, Heortologie, S. 229–233.
36. *Schnitzler*, Theodor, Art. Allerheiligen, in: LexMA 1 (1980), Sp. 428.
37. *Quasten*, Reform des Martyrerkultes.
38. *Jounel*, Le culte des saints, S. 123–129; *Dubois – Lemaitre*, Sources, S. 135–160.
39. Sacramentarium Gelasianum, Liber secundus (ed. Mohlberg), S. 129–175.
40. Sacramentarium Gregorianum 1 (ed. Deshusses, SpicFri 16), S. 8–14 (Übersicht).
41. *Häußling*, Mönchskonvent, S. 236.
42. *Dubois – Lemaitre*, Sources, S. 89–98.
43. *Eliade*, Das Heilige, S. 63–66.
44. *Schaller*, Der heilige Tag, S. 4.
45. Ebd. S. 5.
46. Ebd. S. 19.
47. Ebd. S. 17.
48. *Mitterauer*, Ahnen, S. 330–367.
49. *Head*, Hagiography, S. 157–172.
50. *Sigal*, L'homme, S. 188–196.
51. *Jussen*, Patenschaft, S. 238–242.
52. *Littger*, Heiligennamen, S. 289–292; *Hartig*, Rufnamen, S. 32–36; jetzt: *Mitterauer*, Ahnen, S. 330–357.
53. *Brecht*, Luther I, S. 13; *Mitterauer*, Ahnen, S. 351–354.
54. Thiofried von Echternach, Flores epitaphii II,3 (PL 157), Sp. 345 A-B.
55. *Dubois – Lemaitre*, Sources, S. 321–341.
56. *Harmening*, Fränkische Mirakelbücher, S. 133f; *Sigal*, L'homme, S. 135–144.
57. *Harmening*, Fränkische Mirakelbücher, S. 112–116.
58. *Köster*, Pilgerzeichen.
59. *Brückner*, Problemfeld Wallfahrtsforschung, S. 14.
60. Ebd. S. 9.
61. *Schmugge*, Pilgerverkehr im Mittelalter.
62. *Ders.*, Motivstrukturen.
63. *Brückner*, Problemfeld Wallfahrtsforschung, S. 14–21.
64. *Ladner*, Homo viator.
65. *Zender*, Mirakelbücher, S. 118f.
66. *Sigal*, L'homme, S. 117–134; *Harmening*, Fränkische Mirakelbücher, S. 103–134.
67. *Harmening*, Fränkische Mirakelbücher, S. 108.
68. Ebd. S. 109.
69. *Sigal*, L'homme, S. 123–126.
70. Ebd. S. 68–73.
71. *Rouche*, Miracles (mit zwei Tafeln).
72. *Sigal*, L'homme, S. 227–264, bes. S. 255ff und Grafik Nr. 1, S. 291.
73. *Fehlmann*, Heilkundliche Kasuistik, S. 46*.
74. *Vauchez*, Sainteté, S. 544–558.
75. *Angenendt*, Die irische Peregrinatio.
76. *Vogel*, Le pèlerinage.
77. Formulae Senonenses recentiores 11 (MGH.L 5, Formulae 5), S. 217[18].
78. *Aronstam*, Penitential pilgrimages, mit Quellenanhang ebd. S. 79, Nr. 1.
79. *Carlen*, Wallfahrt, S. 70–114.
80. *Maes*, Mittelalterliche Strafwallfahrten.
81. *Ward*, Miracles and the Medieval Mind, S. 89–109.
82. *Hofmann*, Die heiligen Drei Könige, S. 133–136.
83. Visio Godeschalci (A) 27 (ed. Assmann), S. 102–104; *Dinzelbacher*, verba.
84. *Rapp*, Wallfahrten, S. 128.

X. Die Hagiographie

1. *Ronconi*, Exitus; *Gnilka*, Ultima verba.
2. *Berschin*, Biographie I, S. 33–110.
3. *Dubois – Lemaitre*, Sources, S. 21–57.161–190; *Grégoire*, Agiologia; *Aigrain*, L'hagiographie; wichtige Einzelheiten bei *Clasen*, Hagiographie; *ders.*, Heiligkeitsideal; *ders.*, Franziskanische Heiligenlegenden; *Lotter*, Erkenntnisse.
4. *Graus*, Volk, Herrscher und Heiliger, S. 88–120; *Uytfanghe*, Stylisation biblique, S. 61–115.
5. *Uytfanghe*, Modèles bibliques, S. 477ff.
6. *Lotter*, Erkenntnisse, S. 320–328.
7. *Uytfanghe*, Heiligenverehrung; *ders.*, L'hagiographie, S. 136–159.
8. *Graus*, Volk, Herrscher und Heiliger, S. 62.
9. *Clasen*, Heiligkeitsideal, S. 47.
10. *Wolpers*, Heiligenlegende, S. 21–39. Die folgenden Zitate ebd. S. 24.25.33.25.27. 33.
11. *Hertling*, Heiligentypus, S. 267f; *Graus*, Volk, Herrscher und Heiliger, S. 62–120.
12. Sulpicius Severus, Vita Martini 26,5–27,1 (SC 133), S. 314.
13. Aelred von Rievaulx, Speculum caritatis III, 18,42 (CChr.CM 1), S. 125; dt. Übers. Brem, S. 207.
14. *Sigal*, L'homme, S. 255.
15. *Harmening*, Fränkische Mirakelbücher, S. 53–56.
16. *Zender*, Mirakelbücher, S. 111.
17. *Günter*, Psychologie.
18. *Harmening*, Fränkische Mirakelbücher, S. 56–62; *Vauchez*, Sainteté, S. 561–581.
19. *Berschin*, Biographie I, S. 3.
20. *Leonardi*, Claudio, Art. Hagiographie B/I (Lateinische und volkssprachliche Hagiographie [Westen] und Handschriftenüberlieferung/ Gallisch-fränkisch-germanischer Bereich), in: LexMA 4 (1989), Sp. 1841–1845, Sp. 1842; *Gurjewitsch*, Weltbild, S. 9.
21. *Rosenfeld*, Legende; *Philippart*, Legendare; *Berschin*, Biographie I, S. 3–32.
22. *Fleith*, Legenda Aurea.
23. *Philippart*, Legendare, Sp. 652f.
24. *Cambell*, Jacques, Art. Mombritius, in: LThK 7 (1962), Sp. 532.
25. *Uytfanghe*, Stylisation biblique, S. 102–111; *Rubellin*, Le diable.
26. *Uytfanghe*, Stylisation biblique, S. 111.
27. Ebd. S. 111–113.
28. *Lotter*, Erkenntnisse, S. 305.
29. Z. B. die Edition der Vita Aldegundis durch Levison (MGH.SRM 6), S. 88, Anm. 5: „Visiones Aldegundis quae sequuntur omissae sunt."
30. *Lotter*, Severinus, S. 92f.
31. *Eliade*, Kosmos und Geschichte, S. 48.
32. Ebd.
33. *Lotter*, Erkenntnisse, S. 345; *Gurjewitsch*, Weltbild, S. 341–346.
34. Gregor von Tours, Liber vitae patrum (MGH.SRM 1,2), S. 212[23].
35. *Levison*, Sigolena, S. 229.
36. *Lotter*, Severinus, S. 119.
37. *Krusch*, Florianslegende, S. 559.
38. *Graus*, Volk, Herrscher und Heiliger, S. 73.
39. *Berschin*, Biographie II, S. 110f.
40. *Campbell*, Bede; *Leonardi*, Beda; *Brunhölzl*, Lateinische Literatur des Mittelalters, S. 207–227.
41. *Berschin*, Biographie III, S. 33f.
42. Ebd. S. 348.
43. Vita Johannis Gorziensis 3 (MGH.SS 4), S. 337[33]; *Jacobsen*, Vita des Johannes; *Oexle*, Individuen.
44. Vita Remigii, Praefatio (MGH.SRM 3), S. 250–254.

45. Palladius, Historia Lausiaca, Prolog (Übers. Laager), S. 8f; ebd. S. 18f.
46. Wilhelm von Saint-Thierry, Epistola ad fratres de monte Dei 103 (SC 223), S. 224[1]; dt. Übers. Kohout-Berghammer, S. 52.
47. Bernhard von Clairvaux, Apologia ad Guillelmum abbatem 12 (ed. Leclercq, Sancti Bernardi Opera 3), S. 105[16].
48. Paschasius Radbertus, Passio Rufini et Valerii (PL 120), Sp. 1490f; dt. Übers. *Berschin*, Biographie III, S. 305f.
49. *Feld*, Ikonoklasmus, S. 85–96; *Schreiner*, Peregrinatio.
50. *Ohly*, Kathedrale als Zeitenraum, S. 174; *Gurjewitsch*, Weltbild, S. 346–350.
51. *Sigal*, L'homme, S. 73f; *Dorn*, Der sündige Heilige, S. 115–151.
52. *Steidle*, Homo Dei Antonius S. 55, auch S. 103.
53. *Greven*, Bekehrung Norberts.
54. *Nijenhuis*, Calvin, S. 570.
55. *Clasen*, Franziskus.
56. *Misch*, Autobiographie IV,1, S. 113–310; *Haas – Ruh*, Seuse.
57. *Benton*, Consciousness.
58. *Origo*, Bernardino von Siena, S. 9–14; Texte in dt. Übers.: Leben des hl. Bernardin (ed. Schläpfer).
59. *Haug*, Experimenta medietatis, S. 148.

XI. Die Reliquien

1. *Dubois – Lemaitre*, Sources, S. 247–319.
2. Martyrium des Polykarp 18,2 (ed. Baumeister), S. 82[8]; zur Datierung *Baumeister*, Heiligenverehrung, Sp. 112f.
3. Eusebius, Historiae Ecclesiasticae Lib. V,1 (PG 20), Sp. 433f; dt. Übers. Kraft, Kirchengeschichte, S. 244.
4. *Grimm*, Kinder- und Hausmärchen, Nr. 46: Fitchers Vogel, "... suchte die Glieder zusammen, legte sie zurecht, Kopf, Leib, Arme und Beine. Und als nichts mehr fehlte, da fingen die Glieder an, sich zu regen und schlossen sich aneinander ...", Winkler S. 259; Nr. 81: Bruder Lustig, "... nahm er das schöne weiße Gebein heraus und legte es auf eine Tafel, und reihte und legte es nach seiner natürlichen Ordnung zusammen. Als das geschehen war, trat er davor und sprach dreimal ‚im Namen der allerheiligsten Dreifaltigkeit, Tote, steh auf.' Und beim drittenmal erhob sich die Königstochter lebendig, gesund und schön.", ebd. S. 410; *Uhsadel-Gülke*, Kessel und Knochen.
5. *Hattenhauer*, Recht der Heiligen, S. 44.
6. *Morenz*, Ägyptische Religionen, S. 208–214; *Hermann*, Einbalsamierung.
7. Lactantius, Divinae institutiones IV,26 (CSEL 19), S. 382[9].
8. *Landgraf*, Dogmengeschichte II, Bd. 1 (Die Lehre von Christus), S. 199–272 (Die Sterblichkeit Christi); *Angenendt*, Corpus incorruptum, S. 342–346.
9. *Rollason*, Saints and Relics, S. 38–41.
10. *Laporte*, Le tresor, S. 153–160.
11. *Angenendt*, Corpus incorruptum, S. 345f.
12. Chronicon Novaliciense III,32 (MGH.SS 7), S. 106[47]; *Angenendt*, Corpus incorruptum, S. 334f.
13. *Bauch*, Diözese Eichstätt, S. 131f; *Padberg*, Heilige und Familie, S. 146f; *Engels*, Vita Willibalds.

14. Vita Wynnebaldi 116,1–21 (ed. Bauch), S. 172–175.
15. Aelred von Rievaulx, Sermo 14,21 (CChr.CM 2A), S. 119[181]; vgl. ebd. 45,11, S. 355[119].
16. Vita Edwardi (PL 195), Sp. 782B-D.
17. Beda, Historia ecclesiastica III,8 (ed. Spitzbart), S. 232f.; *Rollason*, Saints and Relics, S. 50.
18. Beda, Historia ecclesiastica IV, 19 (ed. Spitzbart), S. 374f.; *Rollason*, Saints and Relics, S. 50.34f.
19. Caesarius von Heisterbach, Sermo de translatione beate Elyzabeth 4 (PGRGK 43), S. 386[35].
20. Vita altera Dadonis vel Audoeni 43 (ActaSS Aug. IV), S. 819C.
21. Gregor der Große, Dialogi III 13,3 (SC 260), S. 300–302.
22. *Baumeister*, Martyr invictus, S. 160.
23. *Simonetti*, Santi cefalofori altomedievali.
24. *Blaauw*, Cultus, S. 154; *Kirschbaum*, Apostelfürsten, S. 208–211.
25. Vita Norberti 12 (FSGA 22), S. 484[34].
26. Martyrium des Marinus (KDQ, NF 3), S. 85; *Engels*, Odilo, Art. Fructuosus, in: LThK 4 (1960) Sp. 411.
27. *Angenendt*, Der „ganze" Leib.
28. Gregor von Tours, Historia Francorum Lib. VII,31 (FSGA 2), S. 132[7.12]; *Weidemann*, Kulturgeschichte 2, S. 183.
29. *Weidemann*, Reliquie und Eulogie, S. 371f.
30. *McCulloh*, Cult of Relics, S. 153; *ders.*, Papal Relic Policy, S. 313.
31. Einhard, Translatio et miracula SS. Marcellini et Petri II,11 (MGH.SS 15,1), S. 248[30].
32. Vita Wiboradae 38 (ed. Berschin), S. 204.
33. Casus monasterii Petrishusensis I,28 (ed. Feger), S. 64f.
34. Vita Bernwardi 26 (FSGA 22), S. 320[20].
35. Caesarius von Heisterbach, Sermo de translatione beate Elyzabeth (PGRGK 43), S. 386[29].
36. Ebd. S. 387[13].
37. Leben des heiligen Thomas (ed. Eckert), S. 172f.
38. Translatio corporis S. Thome de Aquino (AnBoll 58).
39. *Dinzelbacher*, Realpräsenz, vor allem S. 118; *Kötting*, Reliquienverehrung, S. 66f; *Heinzelmann*, Translationsberichte, S. 20–22.
40. *Hermann-Mascard*, Les reliques, S. 62f.
41. Vita Amandi 7 (MGH.SRM 5), S. 479[2].
42. Beda, Historia ecclesiastica III,26 (ed. Spitzbart), S. 296f.
43. *Cardini*, Reliquie e pellegrinaggi, S. 1017.
44. Victricius von Rouen, De laude sanctorum 10 (ed. Herval), S. 137; *Mulders*, Victricius van Rouen.
45. Einhard, Ep. 45 (MGH.Ep 5), S. 132[27].
46. *Hermann-Mascard*, Les reliques, S. 62ff.
47. *Dinzelbacher*, Realpräsenz, S. 151.
48. Caesarius von Heisterbach, Sermo de translatione beate Elyzabeth 30 (PGRGK 43), S. 379[38].
49. Vita Mariae Oigniacensis Suppl. III (14) (ActaSS Jun. IV), S. 672; *Dinzelbacher*, Realpräsenz, S. 117f.
50. Vita Lutgardis III,3 (ed. Hendrix), S. 174; *Dinzelbacher*, Realpräsenz, S. 149f.
51. Victricius von Rouen, De laude sanctorum 11 (ed. Herval), S. 141.
52. Ebd. S. 143.
53. Gregor von Tours, Liber in Gloria martyrum 27 (MGH.SRM 1,2), S. 53f; ders., De virtutibus sancti Martini I,11 (MGH.SRM 1,2), S. 145[21]; *Weidemann*, Kulturgeschichte 2, S. 164f.
54. *Nie*, Views, S. 161–211.
55. Gregor von Tours, Liber in gloria confessorum 58 (MGH.SRM 1,2), S. 331[25].

56. *Nie*, Views, S. 187.
57. Gregor von Tours, Liber in gloria confessorum 58 (MGH.SRM 1,2), S. 331[8]; ebd. 102, S. 363[8].
58. Ders., Historia Francorum II,37 (FSGA 1), S. 130[31].
59. Für Gregor von Tours: *Weidemann*, Kulturgeschichte 2, S. 161–201; ferner *Sigal*, L'homme, S. 35–73.
60. Libri Carolini III,24 (MGH.Conc. Suppl.), S. 154[3].
61. *Bosch*, Capa, S. 7–55; *Fleckenstein*, Hofkapelle, S. 11f.
62. *Fleckenstein*, Hofkapelle, S. 11–112.
63. *Rollason*, Saints and Relics, S. 159–163, Zitat S. 163.
64. *Angenendt*, Sühne durch Blut.
65. *Kroos*, Umgang mit Reliquien, S. 32–34; *Harmening*, Fränkische Mirakelbücher, S. 109–116.
66. *Ward*, Miracles and the Medieval Mind, S. 25f.
67. Vita Hugonis 5,XIV (ed. Douie – Farmer), Vol. II, S. 167.
68. Thomas von Aquin, Summa theologica III Suppl., qu. 78,3 (Die deutsche Thomas-Ausgabe 35), S. 268–272, Zitate S. 270f.
69. Eckehart, Sprüche 8 (ed. Pfeiffer), S. 599[26]; zur fraglichen Authentizität s. *Ruh*, Art. Meister Eckhart, Sp. 331.
70. *Eckstein – Waszink*, Amulett, Sp. 407–410.
71. *Snoek*, Reliekverering, S. 69–72.
72. Ebd. S. 84–88.
73. Vita Galli 11 (MGH.SRM 4), S. 263[4]; dt. Übers. Duft, Lebensgeschichten, S. 27.
74. Z. B.: *Blok*, Klooster Werden, S. 160, Nr. 5.
75. Hrabanus Maurus, Epistolarum Fuldensium fragmenta 11 (MGH.Ep 5), S. 520[15].
76. *Schramm – Mütherich*, Denkmale, S. 120.479.Abb. 17, S. 222.
77. *Snoek*, Reliekverering, S. 108–114.
78. Vita prima Bernardi V,2 (PL 185), Sp. 360D; dt. Übers. Sinz, Leben des heiligen Bernhard, S. 248.
79. Vita Brunonis 31 (FSGA 22), S. 224[8].
80. Concilium Germanicum (FSGA 4b), (IIa), S. 378[26].
81. *Schiffers*, Reliquienschatz.
82. *Goetz*, Hans-Werner, Art. Heilige Lanze, in: LexMA 4 (1989), Sp. 2020f.
83. Vita Bernwardi 24 (FSGA 22), S. 318[16].
84. *Schiffers*, Reliquienschatz.
85. *Legner*, Wände aus Edelstein, S. 171.
86. Robert de Clari, La conquête de Constantinople LXXXII (ed. Lauer), S. 81f; dt. Übers. nach *Legner*, Wände aus Edelstein, S. 174.
87. *Kuhn*, Heinrich von Ulmen.
88. *Belting*, Reaktion der Kunst.
89. Ebd. S. 174.
90. *Benz*, Kirchweihe.
91. *Swinarski*, Herrschen mit den Heiligen, diese Untersuchung legt den Akzent auf die bei den „Heiligenbesuchen" getätigten politischen Akte.
92. *Schwineköper*, Christus-Reliquien-Verehrung.
93. *Dinzelbacher*, Realpräsenz, S. 138–146; *Snoek*, Reliekverering, S. 289–305.
94. *Erlemann – Stangier*, Festum Reliquiarum.
95. *Lermen – Wynands*, Aachenfahrt; *Scholten*, Aachener Marienkirche.
96. *Schütz*, Andechs-Meranier, S. 165–185.
97. *Brückner*, Wolfgang, Art. Andechs II (Wallfahrt im Spätmittelalter), in: LexMA 1 (1980), Sp. 594.
98. *Kalkoff*, Ablaß und Reliquienverehrung, S. 62ff; *Bellmann* u. a., Denkmale der Lutherstadt, S. 239–267.
99. *Redlich*, Albrecht von Brandenburg, S. 227–316.242f.260; *Reber*,

Albrechts Begegnungen; *Krause*, Albrecht von Brandenburg; *Tacke*, Hallenser Stift.
100. *Dubois – Lemaitre*, Sources, S. 262–265.
101. *Laporte*, Le tresor, S. 119–132.
102. *Naz*, Reliques, Sp. 572f.
103. *Fichtenau*, Reliquienwesen, S. 66.
104. *Schreiner*, Wahrheitsverständnis im Heiligen- und Reliquienwesen, S. 145.
105. *Ders.*, Discrimen, S. 9f.
106. Ebd. S. 20–25.
107. *Foreville*, Lateran, S. 439.
108. *Geary*, Furta sacra.
109. *Hourlier*, La translation; *Geary*, Furta sacra, S. 120–122.
110. *Guyon*, Cimetière, S. 104–116.381–397.
111. Einhard, Translatio et miracula SS. Marcellini et Petri (MGH.SS 15,1); *Geary*, Furta sacra, S. 45–49; *Guyon*, Cimetière, S. 474–484.
112. Einhard, Translatio et miracula SS. Marcellini et Petri (MGH.SS 15,1), S. 241[39]; dt. Übers. Esselborn, Übertragung und Wunder, S. 9f.
113. *Dassmann*, Epiphanie; *Deckers*, Huldigung der Magier.
114. *Engels*, Reliquien der Heiligen Drei Könige; *Stehkämper*, Könige.
115. *Engels*, Odilo, Art. Drei Könige III. (Verehrung), [1], in: LexMA 3 (1986), Sp. 1388.
116. *Lauer*, Rolf, Art. Dreikönigenschrein, in: LexMA 3 (1986), Sp. 1389.
117. Vita Hugonis 5,XIV (ed. Douie – Farmer), Vol. II, S. 169; dt. Übers. *Dinzelbacher*, Realpräsenz, S. 115.
118. Vita Hugonis 5,XIV (ed. Douie – Farmer), Vol. II, S. 167.
119. *Gatz*, Annaverehrung.
120. Thiofried von Echternach, Sermo 1, de sanctorum reliquiis (PL 157), Sp. 407C.
121. *Schreiner*, Wahrheitsverständnis im Heiligen- und Reliquienwesen, S. 145.
122. Guibert von Nogent, De sanctis et eorum pigneribus 1 (CChr.CM 127), S 102[535].
123. Innozenz III., De sacro altaris mysterio IV,30 (PL 217), Sp. 876D bis 877A.
124. Guibert von Nogent, De sanctis et eorum pigneribus 1 (CChr.CM 127), S. 103[544].104[571].
125. Ebd. 1, S. 108[708] „... universitas [sanctorum] sub Christo capite sit quasi quaedam identitas corporis ... commembres in sui auctoris corpore ...“
126. Ebd. 1, S. 109[734].

XII. Erhoben zur Ehre der Altäre

1. *Kötting*, Grab, Sp. 385.
2. Ebd. Sp. 383.
3. *Kollwitz*, Coemeterium.
4. *Klingenberg*, Grabrecht, Sp. 599.
5. *Stähler*, Grabbau, Sp. 423.
6. *Häußling*, Mönchskonvent, S. 213ff; *Baumeister*, Heiligenverehrung, Sp. 114f.117–122.
7. *Brandenburg*, Kirchenbau.
8. *Dassmann*, Ambrosius.
9. *Baumeister*, Heiligenverehrung, Sp. 131f.
10. *Krüger*, Königskonversionen.
11. *Stoclet*, Les établissements Francs.
12. *Kötting*, Der frühchristliche Reliquienkult, S. 106; *Häußling*, Mönchskonvent, S. 217.
13. *Häußling*, Mönchskonvent, S. 221f; *Dölger*, Heiligkeit des Altares.
14. *Häußling*, Mönchskonvent, S. 216.
15. *Benz*, Geschichte der römischen Kirchweihe; *Snoek*, Reliekverering, S. 185–188.
16. *Häußling*, Mönchskonvent, S. 215–225.

17. *Borgolte*, Petrusnachfolge und Kaiserimitation, S. 49–126.
18. *Gierlich*, Grabstätten der Bischöfe, S. 385–421 (Ergebnisse).
19. *Krüger*, Königsgrabkirchen, S. 497–500 (Ergebnisse).
20. *Fehring*, Einführung in die Archäologie, S. 60–90.
21. *Oexle*, Gegenwart der Toten, S. 53f.
22. *Dubois – Lemaitre*, Sources, S. 191–210.
23. *Horn – Born*, St. Gall, Bd. 1, S. 205.
24. Beispiele: *Schlink*, Saint-Bénigne, S. 103–139; *Bandmann*, Altaranordnung.
25. Vita Benedicti 17 (MGH.SS 15,1), S. 206[28].
26. *Braun*, Altar I, S. 191–220.
27. *Häußling*, Mönchskonvent, S. 221f.
28. Ebd. S. 223.
29. Augustinus, Sermones 318,1 (PL 38), Sp. 1438; *Saxer*, Morts, S. 260.
30. *Häußling*, Mönchskonvent, S. 221f.
31. Ebd. S. 305, Anm. 26.
32. *Snoek*, Reliekverering, S. 137–141.
33. *Hattenhauer*, Recht der Heiligen, S. 11; *Kolmer*, Promissorische Eide, S. 236–238; *Snoek*, Reliekverering, S. 245–251.
34. Ambrosius, Ep. 77,13 (CSEL 82,3), S. 134[133]; dazu *Dassmann*, Ambrosius, S. 55.
35. Gregor der Große, Ep. IV,30 (CChr.SL 140), S. 249[32–34.43–44].
36. *Kirschbaum*, Apostelfürsten, S. 156–165.
37. *Jounel*, Le culte de saints, S. 99–103.
38. *Angenendt*, Mensa Pippini regis.
39. *Heinzelmann*, Translationsberichte, S. 59f.
40. Corpus Iuris Canonici, Decretum III (De consecratione), dist. I, c37, (ed. Friedberg), Sp. 1303.
41. *Hermann-Mascard*, Les reliques, S. 82–84.103–105.
42. Vita Hugberti 20 (MGH.SRM 6), S. 495f.
43. Bernhard von Clairvaux, Sermo 3, In festivitate omnium sanctorum (ed. Leclercq, Sancti Bernardi Opera 5), S. 351[2], auch ebd. Sermo 4, S. 355[14]; dt. Übers. Wolters, Schriften 3, S. 190.195.
44. *Vierck*, Eligius von Noyon.
45. Vita Eligii II,48 (MGH.SRM 4), S. 727f.
46. *Vierck*, Eligius von Noyon, S. 153.
47. Beda, Historia ecclesiastica III,19 (ed. Spitzbart), S. 264f; *Rollason*, Saints and Relics, S. 49f; *Vierck*, Eligius von Noyon, S. 153.
48. Vita Romarici 11 (MGH.SRM 4), S. 225[10].
49. *Snoek*, Reliekverering, S. 213–225.
50. Einhard, Translatio et miracula SS. Marcellini et Petri I,14 (MGH.SS 15,1), S. 245[5].
51. Ebd. 15, S. 245[16].
52. *Lübeck*, Reliquienerwerbungen, S. 131.
53. Rudolf von Fulda, Miracula sanctorum in Fuldenses ecclesias translatorum 14 (MGH.SS 15,1), S. 339[37]; *Heller*, Grab des heiligen Bonifatius, S. 146f.
54. *Panofsky*, Abbot Suger, S. 172–175 (mit Abb.).
55. Casus monasterii Petrishusensis V,1 (ed. Feger), S. 206f.
56. *Lauer*, Dreikönigsschrein.
57. *Kölzer*, Theo, Art. Adventus regis, in: LexMA 1 (1980), Sp. 170f; *Cancik*, Epiphanie.
58. *Jungmann*, Josef Andreas, Art. Prozession I. (Liturgisch), in: LThK 8 (1963), Sp. 843f.
59. *Gussone*, Adventus-Zeremoniell.
60. *Snoek*, Reliekverering, S. 262–267.
61. *Klauser*, Entwicklung des Heiligsprechungsverfahrens.
62. *Vauchez*, Sainteté, S. 15–120; *Klauser*, Heiligsprechung; *Peter-*

sohn, Kanonisationsdelegation, S. 164–169.

63. Libellus de translatione, (ed. Mittler), S. 3–25; *Verbeek*, Annograb; zum kanonistischen Verfahren: *Petersohn*, Kanonisationsdelegation, S. 180–183.187–199.
64. *Goodich*, Vita perfecta, S. 45.
65. Liste bei *Klauser*, Heiligsprechung, S. 173–176.
66. *Vauchez*, Sainteté, S. 71 f.
67. *Goodich*, Vita perfecta, S. 82.
68. *Vauchez*, Sainteté, S. 99–120.
69. *Huinzinga*, Herbst des Mittelalters, S. 256.

XIII. Statue im Bild

1. *Braun*, Reliquiare, S. 380–458.
2. *Belting*, Bild und Kult, S. 331.
3. Ebd. S. 336.
4. Erinnert sei in diesem Zusammenhang auch an die mittelalterliche „Korporationslehre“: *Kantorowicz*, Die zwei Körper; *Ginzburg*, Repräsentation.
5. *Hubert – Hubert*, Piété chrétienne, S. 235–237; *Belting*, Bild und Kult, S. 335 f; *Keller*, Entstehung der sakralen Vollskulptur.
6. *Belting*, Bild und Kult, S. 333.
7. Ebd. S. 336.
8. Liber Miraculorum sancte Fides I,13 (ed. Bouillet), S. 46–49.
9. *Keller*, Entstehung der Reliquienbüste; Gesamtübersicht bei: *Kovács*, Kopfreliquiare.
10. Chronicon Trenorchiense 39 f (ed. Poupardin), S. 98 f.
11. *Keller*, Entstehung der sakralen Vollskulptur, S. 31; *Hubert – Hubert*, Piété chrétienne, S. 262 f, wo allerdings die ‚imago‘ als Statue interpretiert wird.
12. *Zehnder*, Sankt Ursula, S. 186–190; *Karpa*, Reliquienbüsten.
13. *Legner*, Präsenz des Heiltums, S. 80.
14. *Franke*, Geschichte der Elisabethreliquien.
15. Ebd. S. 167.
16. *Beumann*, Friedrich II..
17. *Dinkler-von Schubert*, Schrein der Hl. Elisabeth, S. 151–157.
18. *Pötzl*, Bild.
19. Martyrium des Polykarp 18,2 (ed. Baumeister), S. 82[3]; *Hermann*, Edelsteine.
20. Miracula S. Benedicti 7 (MGH.SS 15,1), S. 482[28].
21. Miracula S. Waldburgis Monheimensia I,4 (ed. Bauch), S. 156[10].
22. Vita Amandi (MGH.SRM 5), S. 468[34].
23. Bonaventura, Soliloquium – Alleingespräch IV 22 (ed. Hosse), S. 224 f.
24. *Dahl*, Heavenly images.
25. *Gussone*, Krönung von Bildern.
26. Concilium Eliberritanum 36 (ed. Vives), S. 8.
27. *Belting-Ihm*, Heiligenbild, Sp. 69.
28. *Thümmel*, Bilderlehre, S. 36.
29. *Beck*, Geschichte, S. D 68 f; *Thümmel*, Bilderlehre, S. 10–41.95–100.
30. *Thümmel*, Bilderlehre, S. 40 f.
31. Gregor der Große, Registrum epistolarum, liber X,10 (CChr.SL 140 A), S. 874[21]; *Duggan*, Book of the Illiterate.
32. *Belting-Ihm*, Heiligenbild, Sp. 82.
33. Libri Carolini III,24 (MGH.Conc. Suppl.), S. 155[10].
34. *Keller*, Flügelaltar; *Ehresmann*, Role of Liturgy.
35. Heinrich Seuse, Das Leben 20 (ed. Bihlmeyer), S. 60[22]; neuhochdt. Übers. Heller, S. 57.
36. *Lentes*, Gebet und Bild, S. 35.
37. *Belting*, Bild und Kult, S. 246–252.

38. Ebd. S. 70–72.382–390.
39. Ebd. S. 292–509.
40. Ebd. S. 457–483.
41. Leben der Schwestern von Töß (ed. Vetter), S. 27.
42. *Belting*, Bild und Kult, S. 460.
43. *Kretzenbacher*, Kultbild, S. 7f.
44. Caesarius von Heisterbach, Dialogus Miraculorum X,19 (ed. Strange), Bd. II, S. 232; dt. Übers. Müller-Holm, S. 170.
45. Ebd. VII,2 Bd. II, S. 3; dt. Übers. ebd. S. 115.

XIV. Der Patronat

1. *Brown*, Heiligenverehrung, S. 66.
2. *Dassmann*, Ambrosius; ebd. S. 59, Anm. 83 mit ausführlichen Belegen; *Orselli*, L'idea e il culto del santo patrono, S. 32–66.
3. *Becker*, Hans-Jürgen, Art. Patrozinium, in: HDRG 3 (1984), Sp. 1564–1568, Sp. 1564.
4. *Dassmann*, Ambrosius, S. 60.
5. *Brown*, Heiligenverehrung, S. 69.
6. Vita Remigii 30 (MGH.SRM 3), S. 326[24].
7. Ebd. 31, S. 330[30].
8. Ebd. S. 331[3].
9. Ebd. S. 332[2].
10. *Angenendt*, Missa specialis, S. 154–158.
11. S. oben S. 62 ff.
12. Vita Remigii 31 (MGH.SRM 3), S. 332[15]
13. Ebd. S. 332[30]
14. Ebd. S. 332[32].
15. Ebd. S. 333[3]
16. Ebd. S. 333[10].
17. *Angenendt*, Totenmemoria, S. 168–171.
18. Ebd.
19. Visio Thurkilli (ed. Schmidt), S. 38 f.
20. *Niermeyer*, Lexicon, ‚patrocinium' 4, S. 775 f; *Gagov*, Il culto delle reliquie.
21. *Erler*, Adalbert, Art. Mantelkinder, in: HDRG 3 (1984), Sp. 255–258; *Kahsnitz*, Fürstenbildnisse, S. 59–65.
22. *Belting-Ihm*, Sub matris tutela, S. 17.
23. *Rupprecht-Hirmer*, Romanische Skulptur, Abb. 175.
24. *Belting-Ihm*, Sub matris tutela, S. 38–57, *Lentes*, Gewänder der Heiligen, S. 135–141.
25. Gregor von Tours, Liber in gloria martyrum I,9 (MGH.SRM 1,2), S. 44.
26. *Sussmann*, Maria.
27. Caesarius von Heisterbach, Dialogus Miraculorum VII, 59 (ed. Strange), Bd. II, S. 79 f.
28. *Belting-Ihm*, Sub matris tutela, S. 77.
29. *Sigal*, L'homme, S. 288–310, siehe auch die Grafiken auf S. 305 und 307.
30. *Bosl*, Familia, S. 413.
31. *Eliade*, Geschichte, Bd. 3,1, S. 61.
32. *Kuchenbuch*, Klosterherrschaft, S. 362.
33. Ebd. S. 361.
34. *Fichtenau*, Lebensordnungen, S. 430.
35. *Dollinger*, Der bayerische Bauernstand, S. 304.
36. Ebd. S. 308.
37. Ebd.
38. Ebd. S. 311.
39. Ebd. S. 310.
40. Ebd. S. 315.
41. Ebd.
42. *Kuchenbuch*, Grundherrschaft, S. 38 f.
43. Ebd. S. 38.
44. *Duparc*, sainteurs.
45. *Dollinger*, Der bayerische Bauernstand, S. 330.
46. Ebd. S. 337.
47. *Schulz*, Stadtrecht und Zensualität.

48. *Franz*, Bauernkrieg, S. 16–22.
49. *Matheus*, Adelige als Zinser.
50. *Schramm*, König von Frankreich I, S. 130–144, bes. S. 139.
51. *Matheus*, Adelige als Zinser, S. 415–429.
52. *Werner*, Flos Ungariae.
53. *Leinweber*, Das kirchliche Heiligsprechungsverfahren.
54. *Vauchez*, Sainteté, S. 211.
55. *Philippe*, Joseph, Art. Hedwigsgläser, in: LexMA 4 (1989), Sp. 1986f.
56. *Moeller*, Reliquie Luthers, S. 252.
57. *Oexle*, Gilden, S. 207.
58. *Ders.*, Conjuratio und Gilde.
59. *Schmid – Wollasch*, Memoria (Sammelband mit zahlreichen Beiträgen); *Schmid*, Karl, Art. Gebetsverbrüderungen, in: LexMA 4 (1989), Sp. 1161.
60. *Schnyder*, Ursulabruderschaften.
61. Zit. nach: ebd. S. 218f.
62. Vorrede der Straßburger Bruderschaft (ed. *Schnyder*, Ursulabruderschaften), S. 193[5]; *Lentes*, Gewänder der Heiligen, S. 141–143.
63. *Erler*, Adalbert, Art. Eid, in: HDRG 1 (1971), Sp. 861f.
64. *Speyer*, Fluch, Sp. 1278.
65. Ebd. Sp. 1272.
66. Gregor von Tours, Liber vitae patrum 14,2 (MGH.SRM 1,2), S. 269[6].
67. Vita Willibrordi 15 (MGH.SRM 7), S. 128[17].
68. *Graus*, Volk, Herrscher und Heiliger, S. 46, Anm. 144.
69. Gregor von Tours, Liber de passione et virtutibus sancti Juliani martyris 17 (MGH.SRM 1,2), S. 121[32].
70. Gründungsurkunde (ed. Wollasch), S. 11.
71. *Kolmer*, Promissorische Eide, S. 236–238.
72. Gregor von Tours, Liber in gloria martyrum 33 (MGH.SRM 1,2), S. 58[33].
73. Annales regni Francorum (FSGA 5), S. 18[3]; *Kolmer*, Promissorische Eide, S. 98–109; *Becher*, Eid.
74. *Wilson*, Teppich von Bayeux, Tafel 25 und 26, Text S. 172.180f.
75. *Erdmann*, Kreuzzugsgedanke, S. 67.
76. *Hoffmann*, Gottesfriede, S. 1.
77. Ebd. S. 19.
78. Capitularia missorum specialia (MGH.Cap 1) S. 101[35].102[5].
79. *Isenmann*, Die deutsche Stadt, S. 92; *Kolmer*, Promissorische Eide, S. 207–215.
80. *Vogtherr*, Der König.
81. *Wollasch*, Heiligenbilder.
82. Bonifatii Epistola 16 (FSGA 4b), S. 64[10].
83. Regula Benedicti 58,19 (SC 181), S. 630.
84. *Lehner*, Johann Baptist, Art. Patron, in: LThK 8 (1963), Sp. 187–191.
85. Agobard von Lyon, De picturis et imaginibus 11 (CChr.CM 52), S. 162[57]; *Gagov*, Il culto delle reliquie.
86. *Blaauw*, Cultus, S. 50.94f.
87. Hrabanus Maurus, Carmina 41 (MGH.PL 2), S. 205.
88. Im Urkundenbuch heißt es bereits 754: ‚monasterium sancti Bonifatii' (Urkundenbuch, ed. Stengel, Nr. 25, S. 49); 759 heißt es aber wieder: ‚monasterium sancti salvatoris et sancti Bonifatii' (ebd. Nr. 33, S. 58); 762 heißt es erneut: ‚monasterium sancti Bonifati[i]' (ebd. Nr. 37, S. 64).
89. Vita Bernwardi 49.51 (FSGA 22), S. 350[3.11]; weitere Beispiele. *Krumwiede*, Schutzherrschaft.
90. *Freise*, Das Frühmittelalter, S. 307.
91. *Zimmermann*, Patrozinienwahl.
92. Casus monasterii Petrishusensis V,6.5 (ed. Feger), S. 210f.; *Fuchß*, Grab des heiligen Gebhard.
93. *Maurer*, Konstanz, S. 64–77.

94. Ebd. S. 65 f.
95. Liber tramitis II,189 (CCMon 10), S. 260[21]; *Wollasch*, Heiligenbilder, [S. 1].

XV. Dank und Dornen

1. *Ntedika*, L'évocation de l'au-delà, S. 24 f.
2. *Häußling*, Mönchskonvent, S. 216.
3. Ebd. S. 123–142.
4. Vita Frodoberti 28 (MGH.SRM 5), S. 83[19].
5. *Berger*, Gebet, S. 48.54.
6. *Knopp*, Sanctorum nomina seriatim; *Coens*, Recueil d'études bollandiennes, S. 131–322; *Dubois – Lemaitre*, Sources.
7. *Sigal*, L'homme, S. 126–134.
8. *Zender*, Mirakelbücher, S. 111.
9. *Latte*, Römische Religionsgeschichte, S. 46.
10. *Pesch*, Markusevangelium 2, S. 390.
11. *Berger*, Psychologie des Neuen Testaments, S. 254.
12. *Kötting*, Gelübde, Sp. 1084.1095.
13. *Harmening*, Fränkische Mirakelbücher, S. 86.
14. *Brecht*, Luther I, S. 57.
15. *Vauchez*, Sainteté, S. 530–540.
16. *Matheus*, Adelige als Zinser.
17. *Stahl*, Schöne Maria, S. 134.
18. Eike von Repgow, Der Sachsenspiegel (ed. Schott), S. 264.
19. *Diestelkamp*, B., Art. Kommendation, in: HDRG 2 (1978), Sp. 960–963.
20. *Ders.*, Art. Homagium, in: ebd. Sp. 225–228.
21. *Kleinheyer*, Priesterweihe, S. 147–150.
22. *Herwegen*, Rechtssymbolik, S. 21–29.
23. *Kahsnitz*, Fürstenbildnisse, S. 56–59.
24. *Sigal*, L'homme, S. 126 f.
25. *Brückner*, Volkstümliche Denkstrukturen.
26. *Bogaert*, Geld, Sp. 870.
27. *Harmening*, Fränkische Mirakelbücher, S. 120–131.
28. *Richter*, Opferung; *Ward*, Miracles and the Medieval Mind, S. 94 f.
29. *Kriss-Rettenbeck*, Ex voto, S. 27 f.
30. *Sigal*, L'homme, S. 148–155; *Ward*, Miracles and the Medieval Mind, S. 97.
31. *König*, Weihegaben, S. 5.
32. Synodus Dioecesana Autissiodorensis (561/605), c. 3 (CChr.SL 148 A), S. 265[7].
33. *Vauchez*, Sainteté, S. 534.
34. *Kriss-Rettenbeck*, Ex voto, S. 271–306.
35. Ebd. S. 155–227.
36. Gregor von Tours, Liber in gloria confessorum 70 (MGH.SRM 1,2), S. 339[15–34], Zitat S. 339[33].
37. *Beissel*, Verehrung der Heiligen (II), S. 10–13; *Geary*, Humiliation of Saints; *Snoek*, Reliekverering, S. 164–175.
38. Caesarius von Heisterbach, Dialogus Miraculorum 7,45 (ed. Strange), Bd. II, S. 63 f; dt. Übers. Müller-Holm, S. 127 f, Zitat S. 128.
39. Concilium Lugdunense II, can. 17 (ed. Hefele – Leclercq), S. 195.

XVI. Die Sonderfälle

1. *Betz*, Gottmensch, Sp. 288.
2. Ebd. S. 296 f.
3. *Schnackenburg*, Johannesevangelium, S. 508–524.
4. *Boussel*, Des reliques, S. 101–155; *Saintyves*, Les Reliques, S. 946–970.
5. Annales regni Francorum (FSGA 5), S. 80[13].

6. *Boussel*, Des reliques, S. 125.
7. *Klüppel*, Reichenauer Hagiographie, S. 89f.92.
8. *Nagel*, Blut Christi.
9. *Ryckaert*, Marc, Art. Brügge I (Topographie und Stadtgeschichte), in: LexMA 2 (1983), Sp. 741–745, Sp. 742.
10. *Kolb*, Vom Heiligen Blut; *Brückner*, Wolfgang, Art. Blutwunder (Blut, Heiliges; Bluthostien) I (Frömmigkeitsgeschichte), in: LexMA 2 (1983), Sp. 292f.
11. *Browe*, die eucharistischen Wunder, S. 93–202.
12. *Boockmann*, Streit.
13. *Brückner*, Verehrung des heiligen Blutes.
14. *Kellner*, Heortologie, S. 236–241.
15. *Frolow*, La relique.
16. *Schramm – Mütherich*, Denkmale, S. 139.
17. *Boussel*, Des reliques, S. 158–160; *Witzleben*, Dornenkrone.
18. *Iserloh*, Der Heilige Rock; *Ronig*, Heilige Rock, dort die Jahreszahlen der Ausstellungen: 1512, 1585, 1594, 1655, dann 1844, 1891, 1933, 1959.
19. *Belting*, Bild und Kult, S. 233.
20. Bernhard von Clairvaux, De diversis, sermo 22,5 (ed. Leclercq, Sancti Bernardi Opera 1,1), S. 173[23].
21. *Suckale*, Arma Christi.
22. *Richstätter*, Herz-Jesu-Verehrung.
23. *Kroos*, Umgang mit Reliquien, S. 27f.
24. Ordo Romanus 42,11 (ed. Andrieu IV), S. 400[11]; Kommentar ebd. S. 389–392.
25. *Nußbaum*, Aufbewahrung, S. 187–189.
26. Ebd. S. 189–203; *Dünninger*, Hostiensepulcren.
27. Thietmar von Merseburg, Chronicon III,2 (FSGA 9), S. 86[17].
28. Caesarius von Heisterbach, Dialogus Miraculorum VIII,25 (ed. Strange), Bd. II, S. 101; dt. Übers. Müller-Holm, S. 135.
29. *Söll*, Mariologie, S. 9–12.
30. Ebd. S. 12.
31. *Jenny*, Cantica, S. 625.
32. Ebd. S. 13.
33. Gesamtübersichten: *Söll*, Mariologie; *Räisänen* u. a., Maria; *Biedermann*, H. M. u. a., Art. Maria, hl., in: LexMA 6,2 (1992), Sp. 243–275; *Schiller*, Ikonographie 4,2.
34. Kindheitsevangelien (NTApo I).
35. *Klauser*, Gottesgebärerin; *ders.*, Kult der Gottesmutter.
36. Cyrill, III. Brief an Nestorius, 1. Anathem (ed. Camelot), S. 241; *Klauser*, Gottesgebärerin, Sp. 1084–1087.
37. *Klauser*, Gottesgebärerin, Sp. 1092.
38. Ebd. Sp. 1094f.
39. *Krautheimer*, Rom, S. 58–61.
40. *Kellner*, Heortologie, S. 165–174.
41. Ebd. S. 174–192.
42. Kindheitsevangelien (NTApo I), S. 306–309.
43. Siehe die zahlreichen „Marien"-Artikel in: VerLex 5 (1985), Sp. 1264–1282; VerLex 6 (1987), Sp. 2–56.
44. *Leclercq*, Bernhard, S. 149f.
45. *Nitz*, Marienleben.
46. *Braunfels* u. a., Maria.
47. *Ulbricht*, Kindheit in Deutschland, S. 171–178.
48. *Emminghaus*, Verkündigung an Maria.
49. *Guldan*, Darstellung der Inkarnation Christi.
50. *Schreiner*, Marienverehrung, S. 317.
51. Ebd. S. 318.
52. *Hefele*, Bernhardin von Siena, S. 232f.
53. Caesarius von Heisterbach, Fragment der Libri Miracolorum 23 (ed. Meister), S. 152f.
54. *Squarr*, Bernhard von Clairvaux, Sp. 377f.
55. Adam von St. Victor, Sequenz auf Mariä Geburt 1 (ed. Wellner), S. 278f.

56. Vgl. *Emminghaus*, Verkündigung an Maria, Sp. 432.
57. *Ohly*, Haus, Sp. 974.
58. Adam von St. Victor, Sequenz auf Mariä Geburt 8 (ed. Wellner), S. 282f.
59. *Braunfels* u. a., Maria, Sp. 193f.
60. *Klinkhammer*, Marienpsalter.
61. *Wachinger*, Mariengrüße.
62. *Klinkhammer*, Adolf von Essen, S. 3–113.
63. *Hartinger*, Religion, S. 122–124.
64. *Klinkhammer*, Marienpsalter, Sp. 49; andere Beispiele: *Schmitt*, La confrérie du rosaire, *Kulenkampff*, Marienbruderschaft von St. Maria im Kapitol.
65. *Boussel*, Des reliques, S. 177–185.
66. *Blaauw*, Cultus, S. 196–198.
67. *Beissel*, Aachenfahrt, S. 47–62.
68. *Böck*, Einsiedeln, S. 57–84.
69. *Hauke*, Frau.
70. *Wimmer*, Maria.
71. *Sauser*, Schmerzen Mariens.
72. *Emminghaus*, Vesperbild.
73. *Pesch*, Simon-Petrus; *Cullmann*, Petrus.
74. *Stuhlmacher*, Biblische Theologie, S. 181.
75. *Pesch*, Simon-Petrus, S. 31.
76. *Cullmann*, Petrus, S. 25–34.
77. *Pesch*, Simon-Petrus, S. 22.
78. Ebd. S. 104.
79. *Cullmann*, Petrus, S. 256.
80. Ebd.
81. *Pesch*, Simon-Petrus, S. 109.
82. Ebd. S. 163.
83. Regesta pontificum Romanorum (ed. Jaffé – Wattenbach), Bd. 1, Nr. 365, S. 54; Epistolarum romanorum pontificum collectio (TD 23), S. 29[57].
84. *Ullmann*, Gelasius I., S. 70–77.
85. *Mikat*, P., Art. Papst, Papsttum, in: HDRG 3 (1984), Sp. 1435–1476; *Schatz*, Primat.
86. *Camelot*, Ephesus, S. 142.
87. Codex Carolinus 10 (MGH.Ep 3), S. 502[12].
88. *Classen*, Karl der Große, S. 11–14; *Schieffer*, Karolinger, S. 58–64; *Frenz*, Kirchenstaat.
89. Brunonis saxonicum bellum 70 (FSGA 12), S. 288[1].
90. *Angenendt*, Princeps imperii.
91. *Ullmann*, Gelasius I., S. 77–87.
92. *Fuhrmann*, Constitutum Constantini.
93. *Classen*, Karl der Große, S. 54–57.
94. *Becker*, Hans-Jürgen, Art. Peterspfennig, in: HDRG 3 (1984), Sp. 1638f.
95. *Erdmann*, Kreuzzugsgedanke, S. 185–211.
96. *Fried*, Der päpstliche Schutz, S. 51.
97. Ebd. S. 321–325.
98. *Krüger*, Königskonversionen.
99. Beda, Historia ecclesiastica III,25 (ed. Spitzbart), S. 294f.
100. *Fehring*, Einführung in die Archäologie, S. 71.
101. *Tellenbach*, Westliche Kirche, S. 72.

XVII. Kulmination und Umschlag

1. *Moeller*, Frömmigkeit in Deutschland, S. 75.
2. Ebd. S. 77.
3. Ebd. S. 78.
4. *Andreas*, Deutschland vor der Reformation, S. 142.
5. *Meuthen*, Das 15. Jahrhundert, S. 3.
6. *Hamm*, Frömmigkeit, S. 482.
7. Ebd. S. 484.
8. Ebd. S. 487.
9. Stolle, Thüringisch-Erfurtische Chronik (ed. Hesse), S. 128ff; hochdt. Übers. v. Thomas Lentes.
10. *Arnold*, Niklashausen, S. 37–126.
11. *Stahl*, Schöne Maria.
12. *Huizinga*, Herbst des Mittelalters, S. 249.
13. *Windhorst*, Balthasar Hubmaier.

14. *Hamm*, Frömmigkeitstheologie, S. 217.
15. Erasmus von Rotterdam, Lob der Torheit (ed. Welzig), S. 93.
16. Ebd. S. 97.
17. Ebd. S. 105 ff.
18. Ebd. S. 97.
19. Erasmus, Handbüchlein (ed. Welzig), S. 200–205.
20. *Moeller*, Stadt und Buch, S. 121.
21. Ebd. S. 115.
22. Luther, An den christlichen Adel deutscher Nation von des christlichen Standes Besserung (WA 6), S.447[17]; hochdt. Übers. Borcherdt – Merz, Ausgewählte Werke 2, S. 127.

XVIII. Der reformatorische Einspruch

1. *Köpf*, Protestantismus und Heiligenverehrung; *Pinomaa*, Heilige bei Luther; *Manns*, Luther und die Heiligen.
2. Luther, Brief an Propst, Dekan und Kanoniker des Allerheiligenstifts zu Wittenberg. Wittenberg, 19. August 1523 (WA.B 3), Nr. 648, S. 132[67.80].
3. Ders., Vorrede auf die Epistel zu den Hebräern (WA.DB 7), S. 344[13]; hochdt. Übers. Borcherdt – Merz, Ausgewählte Werke 6, S. 109 f; *Brecht*, Luther II, S. 59.
4. Ders., Ein Brief an die Christen im Niederland (WA 12), S. 73–80; hochdt. Übers. ebd. 3, S. 61 f; zu diesen und anderen Märtyrern, derer Luther gedachte, s. *F. Schulz*, Gedächtnis der Zeugen, S. 74 f, Anm. 32; *ders.*, Hagiographie, 378[4].
5. Luther, Die Lügend von St. Johanne Chrysostomo (WA 50), S. 48–64; *Schnyder*, Legendenpolemik.
6. Luther, Vorrede zu Lazarus Spengler, Bekenntnis. 1535 (WA 38), S. 313[10].
7. *Stirm*, Bilderfrage.
8. *Bubenheimer*, Scandalum et ius divinum; *Christensen*, Art, S. 23–41; *Brecht*, Luther II, S. 34–53.
9. Luther, Sermon am Mittwoch nach Invocavit (WA 10,III), S. 31[1]; hochdt. Übers. Borcherdt – Merz, Ausgewählte Werke 4, S. 44; *Christensen*, Art, S. 42–65; *Brecht*, Luther II, S. 64–72.
10. Luther, Wider die himmlischen Propheten (WA 18), S. 74[2]; hochdt. Übers. Borcherdt – Merz, Ausgewählte Werke 4, S. 80.
11. *Campenhausen*, Bilderfrage, S. 116.
12. Ebd. S. 120.
13. Luther, Wider die himmlischen Propheten (WA 18), S. 83[4f]; hochdt. Übers. Borcherdt – Merz, Ausgewählte Werke 4, S. 87.
14. Ebd. S. 83[9]; hochdt. Übers. ebd. S. 88.
15. Ders., An den christlichen Adel deutscher Nation von des christlichen Standes Besserung (WA 6), S. 437[1]; hochdt. Übers. ebd. 2, S. 116.
16. Ebd. S. 448[2f]; hochdt. Übers. ebd. S. 127.
17. Ebd. S. 438[9]; hochdt. Übers. ebd. S. 117.
18. Ebd. S. 448[16]; hochdt. Übers. ebd. S. 127.
19. Ebd. S. 447[25]; hochdt. Übers. ebd. S. 127.
20. Ders., Resolutionen, Von der Kraft der Ablässe (WA 1), S. 613[33]; hochdt. Übers. ebd. 1, S. 272.
21. *Brecht*, Luther II, S. 93–95; *Manns*, Luther und die Heiligen, S. 545.
22. Luther, Der große Katechismus, das dritte Gebot (WA 30,I),

S. 145[19]; hochdt. Übers. Borcherdt – Merz, Ausgewählte Werke 3, S. 205.
23. *Hauck*, Reliquien.
24. *Christensen*, Iconoclasm; *ders.*, Art, S. 66–78.
25. Augsburger Bekenntnis 21, Über die Heiligenverehrung (ed. Gaßmann), S. 37; *Manns*, Heiligenverehrung nach CA 21.
26. *Campenhausen*, Bilderfrage, S. 101.
27. Ebd. S. 106.
28. *Jezler*, Desakralisierung, S. 316.
29. *Christensen*, Art, S. 79–109.
30. Kerssenbrock, Anabaptistici furoris historica narratio (ed. Detmer), Bd. 2, S. 543–545; dt. Übers. Dülmen, Täuferreich, S. 90f.
31. Calvin, Unterricht (ed. Weber), S. 44.
32. Ebd. S. 46.
33. *Deyon – Lottin*, Les casseurs.

XIX. Die katholische Erneuerung

1. *Jedin*, Dekret über die Bilderverehrung, S. 470f.
2. Ebd. S. 472.475f.
3. Concilium Tridentinum, Sessio XXV, Dekret über die Anrufung, die Verehrung und die Reliquien der Heiligen und über die heiligen Bilder (DH), Nr. 1821–1825, S. 578–580; *Jedin*, Geschichtes des Konzils IV,2 (Überwindung der Krise durch Morone, Schließung und Bestätigung), S. 183.
4. *Harnoncourt*, Liturgie, S. 72–78; *Schulz*, Heiligsprechungsverfahren, S. 20–25.
5. *Eckardt*, Maternus, Art. Seligsprechung: in: LThK 9 (1964), Sp. 642–644.
6. *Dürig*, Geburtstag und Namenstag, S. 75–78; *Mitterauer*, Ahnen, S. 357–359.
7. *Müller*, Verehrung, S. 86–104.
8. *Harvolk*, Heiligenverehrung und Kultpropaganda.
9. *Böck*, Verehrung des hl. Benno, S. 56.
10. *Elm*, Norbert von Xanten, S. 280–298.
11. *Bellot-Beste*, Wallfahrt von Werl, S. 7–27.
12. *Duhr*, Geschichte der Jesuiten III, S. 459–501.
13. Ebd. S. 642.
14. *Scheffczyk*, Canisius; *Bäumer*, Bedeutung der Wallfahrt, S. 173ff.
15. *Lechner*, Marienverehrung, S. 606.
16. *Hartinger*, Religion, S. 124–127.
17. *Kellner*, Heortologie, S. 194–197.
18. *Nitz*, Lauretanische Litanei.
19. *Matsche*, Gegenreformatorische Architekturpolitik; *Grass*, Loreto; *Pötzl*, Loreto; *Reske*, Jerusalem caelestis.
20. *Lechner*, Marienverehrung, S. 607; *Schwaiger*, Maria, S. 33f.
21. *Freitag*, Volks- und Elitenfrömmigkeit, S. 298.305.
22. *Hengen*, Maria.
23. *Habermas*, Wallfahrt, S. 59.
24. Ebd. S. 57.
25. Ebd. S. 56f.
26. Ebd. S. 59f.
27. *Hawel*, Der spätbarocke Kirchenbau, S. 295.
28. Ebd. S. 304.
29. Ebd. S. 312.
30. Ebd. S. 307.
31. Ebd. S. 319.
32. Ordnung der Aschebergischen Procession, S. 146f.
33. *Mieck*, Kontinuität, S. 308–328.
34. *Schreiber*, Wallfahrt, S. 45.
35. *Freitag*, Volks- und Elitenfrömmigkeit, S. 109–163.253–257.
36. *Schwaiger*, Maria; *Hüttl*, Marianische Wallfahrten S. 95–124; ähnlich die Habsburger in Österreich, ebd. S. 124–153.
37. *Wiebel-Fanderl*, Altötting, S. 14f.

38. *Wischmeyer*, Entstehung der christlichen Archäologie.
39. *Frutaz*, Amato Pietro, Art. Katakombenheilige, in: LThK 6 (1961), Sp. 24–26; *Achermann*, Die Katakombenheiligen; *Tüchle*, Reformation bis Säkularisation, S. 217–221; *Markmiller*, Übertragung zweier Katakombenheiliger; *Pötzl*, Katakombenheilige; *Polonyi*, Reliquientranslationen.
40. *Achermann*, Translationen, S. 104–109; *Häne*, Engelweihfeier zu Einsiedeln, S. 96–105.
41. *Achermann*, Translationen, S. 106.
42. Ebd.
43. *Plück*, Kult des Donatus von Münstereifel.
44. Luther, Adventspostille am 2. Adventssonntag 1522 (WA 10 I,2), S. 83[2]; hochdt. Übers. Borcherdt – Merz, Ausgewählte Werke Erg.-Reihe 5, S. 43.
45. *Hausberger*, Werk der Bollandisten.
46. *Fueter*, Historiographie, S. 325.
47. *Hausberger*, Werk der Bollandisten, S. 222.
48. *Weitlauff*, Mauriner.
49. *Achermann*, Die Katakombenheiligen, S. 14–17.
50. *Ginzburg*, Käse und Würmer, S. 92.
51. Ebd. S. 105.
52. Ebd. S. 20f, auch S. 172f.
53. *Muchembled*, Kultur des Volks, S. 105.
54. Ebd. S. 13.
55. Ebd. S. 103–105.
56. Ebd. S. 172.
57. Ebd. S. 277.
58. *Burke*, Schurken und Narren, S. 227.
59. *Schulze*, Sozialdisziplinierung, S. 273.
60. Ebd. S. 279.
61. *Freitag*, Volks- und Elitenfrömmigkeit, S. 359; *ders.*, Konfessionelle Kulturen.
62. *Ders.*, Volks- und Elitenfrömmigkeit, S. IX.
63. Ebd. S. 359.
64. *Habermas*, Wallfahrt, S. 15.
65. Ebd. S. 176.
66. *Reinhard*, Konfessionalisierung, S. 258.
67. Ebd. S. 267.
68. Ebd. S. 265.
69. Ebd. S. 266.
70. *Freitag*, Volks- und Elitenfrömmigkeit, S. 359.
71. *Dülmen*, Volksfrömmigkeit, S. 29.

XX. Evangelische Heiligenverehrung?

1. *Burke*, Schurken und Narren, S. 221–256.
2. *Roth*, Wallfahrten.
3. *Scharfe*, Andachtsbilder, S. 7–15.139–150.
4. *Schulz*, Gedächtnis der Zeugen, S. 78.
5. *Scharfe*, Andachtsbilder, S. 151–154.
6. *Lansemann*, Heiligentage, S. 7.
7. *Schimmelpfennig*, Marienverehrung, S. 9–80.
8. Gesamtübersichten: *Schulz*, Hagiographie; *Brückner – Brückner*, Zeugen des Glaubens.
9. *Brückner – Gruppe*, Luther; *Kastner*, Geistlicher Rauffhandel, S. 218–225.
10. *Zeeden*, Luther I, S. 66.
11. Ebd. S. 57.
12. Ebd. S. 58.69, Zitat S. 70.
13. *Schönstädt*, Reformationsjubiläum 1617; ders. Reformationsjubiläum 1717.
14. *Ders.*, Reformationsjubiläum 1617, S. 44.
15. Ebd. S. 45.
16. *Reblin*, Freund und Feind.
17. *Wallmann*, Pietismus, S. 32–36, Zitat S. 35.

18. *Tersteegen*, Lebensbeschreibungen, Bd. 1, S. VII.
19. Ebd. S. XIII.
20. Ebd. S. XI.
21. Ebd. S. XVIf; vgl. *Zeller*, Sicht des Mönchtums, S. 193 f.
22. *Tersteegen*, Lebensbeschreibungen, Bd. 1, S. XI.
23. Ebd. S. XIII.
24. Ebd. S. XVI.
25. Ebd. S. XXI.

XXI. Aufklärung und Kritik

1. *Ariès*, Geschichte des Todes, S. 451–461.
2. *Roeck*, Eine Stadt, S. 57.
3. *Ariès*, Geschichte des Todes, S. 460.
4. Ebd.
5. *Bauer*, Tod und Bestattung, S. 12.
6. *Corbin*, Pesthauch, S. 76.81–87, Zitat S. 87.
7. *Bauer*, Tod und Bestattung, S. 19f.
8. *Oexle*, Memoria, S. 386.
9. *Dickenberger*, Schutzgeister.
10. Goethe, Die Wahlverwandtschaften (Hamburger Ausgabe, Werke 6), S. 361^{25}.362^{22}.
11. *Jaucourt*, Relique.
12. Ebd. S. 89.
13. *D'Holbach*, Prêtres; dt. Übers., Enzyklopädie, Prêtres – Priester.
14. Kant, Die Religion (ed. Vorländer), S. 167–229, Zitate S. 201 f; *Winter*, Gottesdienst bei Kant.
15. *Forster*, Ansichten vom Niederrhein, S. 78 f.
16. *Neuhaus*, Säkularisierung der Heiligenverehrung.
17. *Weber*, protestantische Ethik I, S. 123; *ders.*, Wirtschaft und Gesellschaft, S. 308.
18. *Sprondel*, W. M., Art. Entzauberung, in: HWP 2 (1972), Sp. 564f, Zitat Sp. 564.
19. *Weber*, Wirtschaft und Gesellschaft, S. 308.
20. *Kittsteiner*, Gewissen, bes. S. 34–65; *ders.*, Gewissen im Gewitter.
21. *Hegel*, Geschichte der Fakultät Münster 1, S. 92–107.
22. Archiv für Kirchen- und Schulwesen II, 1805, 2, S. 161–185, zit. nach: *Goy*, Aufklärung und Volksfrömmigkeit, S. 101.
23. *Goy*, Aufklärung und Volksfrömmigkeit, S. 100.
24. „Gesangbuch bei den Gottesverehrungen der katholischen Kirche zu gebrauchen", Tübingen 1806, zit. nach: *Schmiedl*, Marianische Religiosität, S. 29 f, Anm. 87.
25. *Narr*, Aufklärung und Marienverehrung, S. 149.
26. *Mayer*, Lehrbuch, S. 267.
27. Guden, Polizey §58,7 (ed. Münch), S. 175.
28. *Bödeker*, Religiosität der Gebildeten, S. 145.
29. *Merkle*, Reden und Aufsätze.
30. *Cassirer*, Philosophie der Aufklärung, S. 181.
31. *Kosselleck*, Aufklärung, S. 269.
32. *Bödeker*, Religiosität der Gebildeten, S. 149.
33. *Hollerweger*, Reform des Gottesdienstes (wo allerdings nur stichwortartig (s. Register) auf Heilige und Reliquien eingegangen wird).
34. *Dipper*, Volksreligiosität, S. 75.
35. Geistliches Ratsprotokoll des Ordinariats Konstanz, 6.5.1784, erstellt auf Betreiben der Regierung, zit. nach: *Kimminich*, Volksbräuche, S. 62.
36. Schreiben der Regierung Josephs II. an den Bischof von Konstanz, 10.1. und 3.4.1788, zit. nach: *Kimminich*, Volksbräuche, S. 23.
37. Rechenschaftsbericht des Hofrats Heinke über seine bisherige Tätig-

keit als Referent für kirchliche Angelegenheiten, Sommer 1787, zit. nach *Maaß*, Josephinismus, Bd. 3, S. 355 f.
38. *Dipper*, Volksreligiosität, S. 77.
39. *Kimminich*, Volksbräuche, S. 78–92.
40. Ignaz Heinrich von Wessenberg, Die Elementarbildung des Volkes in ihrer fortschreitenden Ausdehnung und Entwicklung, Constanz, neue ganz umgearbeitete und doppelt vermehrte Auflage 1835, S. IV; zit. nach: *Braun*, Causa Wessenberg, S. 29.
41. *Wessenberg*, Bilder 1, S. 26.29.
42. Ebd. S. 35.
43. Ebd. S. 86 f.
44. *Bertaud*, Alltagsleben, S. 84–86.
45. *Gaborit-Chopin*, Le trésor pendant la Révolution.
46. *Elbern*, Goldschmiedekunst, S. 76 f.96 f; *Gaborit-Chopin*, Le trésor du haut moyen âge, S. 41–44.56–59.
47. *Gaborit-Chopin*, Le trésor du haut moyen âge, S. 92–94; *Elbern*, Goldschmiedekunst, S. 94 f.
48. *Gaborit-Chopin*, Le trésor du haut moyen âge, S. 49 f; *Elbern*, Goldschmiedekunst, S. 76 f u. Abb. 43.
49. *Brückner*, Wolfgang, Art. Andechs II (Wallfahrt im SpätMA), in: LexMA 1 (1980), Sp. 594.
50. *Scheglmann*, Säkularisation III,1, S. 182–184.
51. Boisserée, Briefwechsel, S. 29 f.
52. Ebd. S. 37.
53. Ebd.
54. Ebd. S. 38.

XXII. Von der Romantik zum Ultramontanismus

1. Wackenroder – Tieck, Herzensergießungen eines kunstliebenden Klosterbruders.
2. Novalis, Die Christenheit oder Europa. Ein Fragment (Geschrieben im Jahre 1799), in: ders., Werke 2, S. 731–750, Zitat S. 732.
3. Ebd. S. 280.
4. Kleist, Die Heilige Cäcilie oder die Gewalt der Musik. Eine Legende, in: ders., Werke 2, S. 217–229.
5. *Görres*, Die christliche Mystik.
6. Goethe, Sankt-Rochus-Fest zu Bingen [16. August 1814] (Hamburger Ausgabe, Werke 10), S. 411^{15}.409^{36}.413^{15}.
7. Goethe, Brief 1062: An Boisserée [24. Juni 1816] (Hamburger Ausgabe, Briefe 3), S. 358^{38}; zum Bild: *Gallwitz*, Die Nazarener, S. 312, Abb. S. 313 (mit vertauschter Bildüberschrift).
8. *Habermas*, Wallfahrt, S. 139–166.
9. *Blessing*, Kirchenfromm.
10. *Nipperdey*, Deutsche Geschichte, S. 404.
11. *Boutry*, Les saints des catacombes.
12. Krimphove, Gebet- und Erbauungsbuch, S. 175.
13. Wackenroder – Tieck, Herzensergießungen eines kunstliebenden Klosterbruders, S. 83.
14. *Gallwitz*, Die Nazarener in Rom.
15. *Schnabel*, Deutsche Geschichte 1, S. 278.
16. *Herrmann*, Zum 12. Juni 1954, S. 13.
17. *Frühwald*, Emmerick-Schriften, S. 15, vgl. auch S. 17–22; *Adam*, Emmerick-Erlebnis, S. 87.
18. *Adam*, Emmerick-Erlebnis, S. 98.
19. Ebd. S. 83, nach dem handschriftl. Manuskript Brentanos.
20. Ebd. S. 99, nach dem handschriftl. Manuskript Brentanos.
21. Ebd. S. 83–85.
22. *Frühwald*, Emmerick-Schriften, S. 20.
23. Brentano, Werke, Bd. 28,1, S. 526.
24. *Adam*, Emmerick-Erlebnis, S. 105,

nach dem handschriftl. Manuskript Brentanos.
25. Brentano, Werke, Bd. 28,1, S. 556–559.
26. *Frühwald*, Emmerick-Schriften, S. 15.
27. Hensel, Bericht der Luise Hensel über Eröffnung des Grabes am 20. März 1824, S. 402f.
28. *Frühwald*, Emmerick-Schriften, S. 15.
29. *Weiß*, Redemptoristen, S. 652.
30. *Anderson*, Piety and Politics, S. 696.703.
31. *Weiß*, Redemptoristen, S. 653.
32. *Marx*, Geschichte des Heiligen Rockes, S. 7.
33. Ebd.
34. Ebd.
35. Andachtsübungen.
36. *Schieder*, Kirche und Revolution, S. 420–424, Zitat S. 421.
37. Ebd. S. 444.
38. *Embach*, Heilig-Rock-Wallfahrt, S. 142, Anm. 19.
39. *Schieder*, Kirche und Revolution, S. 448f.
40. *Hansen*, Aktenmäßige Darstellung, S. VII.
41. Ebd. S. 47–67.
42. *Frühwald*, Wallfahrt nach Trier, S. 367; *Embach*, Heilig-Rock-Wallfahrt.
43. Zit. nach: ebd. S. 369.
44. *Gildemeister – Sybel*, Der Heilige Rock zu Trier, S. XIII.
45. Johannes Ronge, „Offenes Sendschreiben an den Bischof Arnoldi“, zit. nach: *Graf*, Politisierung des religiösen Bewußtseins, S. 196–199, Zitate S. 197.196.
46. Ebd. S. 197.
47. Ebd.
48. *Holzem*, Kirchenreform und Sektenstiftung; *ders.*, Religion und Öffentlichkeit.
49. *Görres*, Wallfahrt nach Trier, S. 3.
50. Ebd. S. 33
51. Ebd. S. 149.
52. *Frühwald*, Wallfahrt nach Trier, S. 374f.
53. *Görres*, Wallfahrt nach Trier, S. 155.
54. *Wacker*, Revolution und Offenbarung, S. 167–170.176–178.
55. *Schieder*, Kirche und Revolution, S. 454.
56. *Weber*, Aufklärung, S. 163; *Lill*, Kirche und Revolution.
57. Novalis, Geistliche Lieder XV, in: ders., Werke 1, S. 198.
58. *Kuschel*, Maria in der deutschen Literatur, S. 670ff.
59. *Schimmelpfennig*, Marienverehrung, S. 98–114.
60. Heine, Geständnisse, in: Heine, Sämtliche Schriften 6,1, S. 492f.
61. *Hesse*, Madonnenfest im Tessin, in: *ders.*, Die Erzählungen II, S. 406–410, Zitat S. 407; dazu *Kuschel*, Maria in der deutschen Literatur, S. 684.
62. *Plötz*, Ursprünge der Wallfahrt.
63. *Dohms*, Geschichte der Wallfahrt nach Kevelaer; *ders.*, Wallfahrt nach Kevelaer, S. 377–396.
64. Ebd. S. 121–123.
65. *Laurentin*, Marienerscheinungen, S. 530–532.
66. *Ders.*, Catherine Labouré.
67. *Ders.*, Marienerscheinungen, S. 530–532.
68. *Kleinheyer*, Maria in der Liturgie, S. 430.
69. *Schmiedl*, Marianische Religiosität, S. 30.
70. *Küppers*, Marienfrömmigkeit.
71. *Schmiedl*, Marianische Religiosität, S. 31f.
72. Ebd. S. 32.
73. *Kuschel*, Maria in der deutschen Literatur, S. 671.
74. Ebd. S. 675.
75. Ebd. S. 677.
76. *Rilke*, Heiliger Frühling, in: ders., Werke 4, S. 485–496, Zitat S. 494.
77. *Brückner*, Lourdes, S. 429–442.
78. *Delius*, Marienverehrung, S. 258–320.

79. Ebd. S. 278.
80. *Gruber*, Mariologie, S. 7 bis 109.
81. Ebd. S. 107.
82. Ausführlich dazu: *Schmiedl*, Marianische Religiosität.
83. Ebd. S. 76–83.
84. Ebd. S. 181.
85. Ebd. S. 180.
86. Ebd. S. 296; *Küppers*, Marienfrömmigkeit, S. 129.
87. *Trier*, Denkmäler.
88. Ebd. S. 352–392; *Lingens*, Marien-Votivkirche.
89. *Grimme*, Bilderzyklus von Eduard Steinle, S. 454.
90. *Ronig*, Marien-Votivkirche zu Aachen
91. *Bruyn*, Jubelschreie, S. 185.

XXIII. Historismus und Säkularismus

1. *Görres*, Die christliche Mystik 1, S. XV.XVII.
2. Ebd. S. 1.
3. *Aubert*, Licht und Schatten, S. 664.
4. *Bäumer*, Remigius – Rodolfo Toso, Art. Loreto I und II, in: LThk 6 (1961), Sp. 1143 f.
5. *Hüffer*, Loreto.
6. *Schade*, Herbert, Art. Braun, Joseph, in: LThK 2 (1958), Sp. 655.
7. *Braun*, Loretofrage, S. 448.
8. *Kösters*, Ludwig, Art. Loreto, in: LThK[1] 6 (1934), Sp. 643–646, 645.
9. *Wengel*, Skapulier, S. 23 f.
10. *Murrmann-Kahl*, Heilsgeschichte.
11. *Bousset*, Wesen der Religion, S. 211.
12. *Lotter*, Erkenntnisse, S. 331 mit Anm. 135.
13. *Trippen*, Theologie und Lehramt, S. 19.
14. Ebd. S. 295 f.
15. *Schnitzer*, Legenden-Studien, S. 215.
16. *Heiler*, Alfred Loisy, S. 24.
17. *Scharfetter*, Schamane, S. 423.
18. *Eliade*, Schamanismus, S. 15.
19. Ebd. S. 18.
20. *Speyer*, Verehrung der Heroen, S. 49 f.
21. *Eliade*, Geschichte 1, S. 7.
22. *Ders.*, Mittelpunkt, S. 266.
23. Ebd. S. 267.
24. Ebd. S. 209 f.
25. *Panikkar*, Mönch, S. 19 f.
26. *Freud*, Totem und Tabu, S. 112.
27. Ebd. S. 113.
28. Ebd. S. 100.
29. Ebd. S. 101.
30. Ebd. S. 103.
31. Ebd. S. 106.
32. *Ders.*, Moses, S. 241.
33. *Ders.*, Totem und Tabu, S. 188.
34. *Jung*, Wesen der Träume, S. 177.
35. Ebd. S. 178.
36. *Ders.*, Mana-Persönlichkeit, S. 111.
37. Ebd.
38. Ebd. S. 119.
39. *Weber*, Wirtschaft und Gesellschaft, s. Register, S. 883 sub: ‚Charismatische Autorität', S. 451.550.656 f.658 ff.662.822.
40. *Diederichs*, Stirb und Werde (Verlagsprogramm); *ders.*, Leben; *Hübinger*, Kulturkritik.
41. *Metken*, Mythen, S. 388.
42. *Spies*, Max Ernst, Nr. 65, S. 110; Nr. 185, S. 214; Nr. 208, S. 236.
43. *Thode*, Franz von Assisi, S. 4f.
44. *Kassner*, Der Heilige, S. 45–48.53 f.
45. *Hesse*, Siddharta, S. 118.
46. *Kamper – Wulf*, Einleitung, S. 1.
47. Ebd. S. 9.
48. *Mennekes*, Manresa, S. 35.
49. Ebd. S. 27.
50. *Mennekes*, Beuys, S. 26.
51. *Ders.*, Manresa, S. 55; Abb. d. Zettels ebd. S. 44.
52. *Tausch – Tausch*, Sanftes Sterben, S. 57 f.
53. Ebd. S. 49.
54. Ebd. S. 60.

55. Ebd. S. 66.
56. Ebd. S. 65.
57. *Jonas*, Prinzip Verantwortung, S. 387.
58. Ebd. S. 57.
59. *Chargaff*, Feuer des Heraklit, S. 250.
60. Ebd. S. 256.
61. *Kolakowski*, Falls es keinen Gott gibt, S. 162.
62. Ebd. S. 163 f.
63. Ebd. S. 168
64. Ebd. S. 182.
65. Ebd. S. 184.
66. Ebd. S. 185 f.
67. Ebd. S. 211.

XXIV. Heutige Positionen der Kirchen

1. *Sonnemans*, Seele, S. 292–315.
2. *Ratzinger*, Einführung, S. 291.
3. *Ahlbrecht*, Tod, S. 23–44
4. *Hoffmann*, Tote in Christus, S. 186–206.
5. *Jüngel*, Tod.
6. *Greshake*, Resurrectio, S. 256.
7. *Ratzinger*, Einführung, S. 295.
8. *Ott*, Eschatologie, S. 53.
9. *Greshake*, Resurrectio, S. 269 f.
10. *Sonnemans*, Seele, S. 341–354.
11. *Greshake*, Resurrectio, S. 267.
12. *Sonnemans*, Seele, S. 349.
13. *Greshake*, Resurrectio, S. 265 f.
14. Dogmatische Konstitutionen über die Kirche ›Lumen gentium‹ 50, in: LThK Erg.Bd. 1 (1966), S. 156–347, Zitat S. 321.
15. *Harnoncourt*, Liturgie, S. 63–245.
16. Ebd. S. 80.
17. Nachkonziliare Dokumentation Bd. 20 (1969/Der Römische Kalender) und Bd. 29 (1975/Die Neuordnung der Eigenkalender für das deutsche Sprachgebiet); *Harnoncourt*, Liturgie, S. 113–124.
18. Dekret über den Ökumenismus ›Unitatis redintegratio‹ 4, in: LThK Erg.Bd. 2 (1967), S. 40–126, Zitat S. 69.
19. *Schulz*, Heiligsprechungsverfahren.
20. *Nacken*, Probleme, S. 75.77.
21. *Krausen*, Katakombenheilige.
22. *Läpple*, Reliquien, S. 8.
23. In den zum Teil ausführlichen Stichwortregistern kommt „Reliquie“ nicht vor: *Glaubensverkündigung für Erwachsene*; *Dyer*, Katechismus; *Bitter* u. a., Grundriß des Glaubens; *Bauer – Plöger*, Botschaft des Glaubens; *Erwachsenen-Katechismus*; *Katechismus der Katholischen Kirche*.
24. *Kufer*, Getaufte Götter, S. 10.
25. *Peters*, Leidenschaft, Reliquien zu sammeln.
26. Feier der Kirchweihe und Altarweihe, S. 77–80.
27. *Schmidlin*, Papstgeschichte 4, S. 54–58.
28. *Nientiedt*, Neue Heilige.
29. *Rahner*, Geheimnis der Heiligkeit, S. 11; die folgenden Zitate ebd. S. 12.14.15.25.18.26.17.25.26.
30. *Althaus*, Die christliche Wahrheit, S. 519.
31. *Lackmann*, Verehrung, S. 13.
32. *Köpf*, Protestantismus und Heiligenverehrung, S. 321.
33. *Nigg*, Große Heilige.
34. *Erb*, Wolke der Zeugen.
35. *Barth*, Sehnsucht, S. 118 f; die folgenden Zitate ebd. S. 126.117.22. 10. 135 f.12.21.18.
36. *Schulz*, Gedächtnis der Zeugen, S. 80–86; *ders.*, Heilige, S. 669 f.
37. Erneuerte Agende, S. 418–423.326–329; *Schulz*, Agendenreform.
38. Erneuerte Agende, S. 330–353.
39. *Köpf*, Protestantismus und Heiligenverehrung, S. 320.
40. Ebd. S. 320 f.

XXV. Die „Ersatz"-Heiligen

1. Feuerbach, Notwendigkeit einer Veränderung (ed. Blumenberg), S. 225.
2. *Nipperdey*, Deutsche Geschichte, S. 446.
3. Ebd.
4. *Nietzsche*, Ideale 21 (ed. Schlechta), S. 883.
5. Ebd. 20, S. 881.
6. Ebd. 13, S. 861.
7. Ebd. 17, S. 872f.
8. Ebd. 28, S. 900.
9. *Weber*, Die protestantische Ethik I, S. 9.
10. *Kehrer*, Religionssoziologie, S. 69.
11. *Weber*, Die protestantische Ethik I, S. 9f.
12. Ebd. S. 134f.
13. Ebd. S. 187–190.
14. *Durkheim*, Soziologie, S. 96; die folgenden Zitate ebd., S. 99f.100.87.105.
15. *Kehrer*, Religionssoziologie, S. 66.
16. *Durkheim*, Formen religiösen Lebens, S. 561.
17. *Caillois*, Mensch, S. 7.
18. Die folgenden Zitate ebd. S. 23.169.130.135–140.176.
19. *Geble*, Soziologie.
20. *Habermas*, Theorie des kommunikativen Handelns 2, S. 118f.
21. *Nipperdey*, Deutsche Geschichte, S. 300.
22. *Schulze*, 14. Juli 1789, S. 212.
23. *Maier*, Revolutionäre Feste, S. 350.
24. *Soboul*, Französische Revolution, S. 314.
25. *Maier*, Revolutionäre Feste, S. 355–363.
26. *Schenda*, Volk ohne Buch, S. 335.
27. Ebd. S. 341.
28. *Eggs*, Napoleon und Jacques-Louis David.
29. *Dieckhoff*, Geist geistloser Zustände.
30. *Bischoff*, Denkmäler, S. 47–61; *Scharf*, Kunstgeschichte, S. 165–174; *Nipperdey*, Kölner Dom, S. 595–600.
31. *Dieckhoff*, Geist geistloser Zustände, S. 64–70.
32. *Trippen*, Kölner Dombaufest.
33. *Wülfing* u. a., Mythologie, S. 59–111.
34. Novalis, Glauben und Liebe oder Der König und die Königin, in: ders., Werke 2, S. 290–304, Zitat S. 299[9].
35. Arnim, Nachtfeier, S. 344.
36. Körner, An die Königin Luise (1813), in: ders. Werke 1, S. 91.
37. *Treitschke*, Königin Luise, S. 418.
38. *Mommsen*, Königin Luise, S. 435.
39. *Hintze*, Königin Luise, S. 1.
40. *Wülfing* u. a., Mythologie, S. 87.
41. *Hedinger*, Bismarck-Kult, S. 211.
42. Ebd. S. 212.
43. *Nipperdey*, Kölner Dom, S. 608.
44. Ebd. S. 602.
45. Ebd.
46. *Noltenius*, Schiller, S. 239.
47. *Herzig*, Lasalle-Feiern, S. 325.
48. *Grote*, Sozialdemokratie, S. 17.
49. *Nipperdey*, Nationalidee, S. 537.
50. Ebd. S. 538.
51. Ernest Lavisse, zit. nach: *Nora*, Geschichte, S. 42.
52. *Nora*, Geschichte, S. 43.
53. *Burkhardt*, Reformations- und Lutherfeiern, S. 221.
54. *Eich*, Gedenkblätter, S. 73.
55. *Lenhart*, Bonifatius-Renaissance.
56. *Vondung*, Magie, S. 8.
57. Ebd. S. 110f.
58. Ebd. S. 159–209.
59. Ebd. S. 175f.
60. *Guardini*, Heilbringer, S. 39.
61. Ebd. S. 40f.
62. *Kershaw*, Hitlers Macht, S. 50.
63. *Goebbels*, Tagebücher (ed. Fröhlich), S. 134f.
64. *Kershaw*, Hitlers Macht, S. 55.

65. *Nolte*, Faschismus, S. 515–545.
66. *Freydank – Sturm*, Väterbuch, S. 134.
67. Dostojewski, Die Brüder Karamasow, Bd. 2, S. 565–584.
68. *Algermissen*, Gottlosenbewegung, S. 243.
69. *Saintyves*, Les reliques, S. 894–896.
70. *Guardini*, Heilbringer, S. 43.
71. *Borst*, Barbaren, S. 310.
72. *Koselleck*, Kriegerdenkmale, S. 274f.

XXVI. Ein Exempel historischer Hermeneutik?

1. S. die Übersicht bei *Dinzelbacher*, Erforschung der Volksreligion.
2. *Ebertz – Schultheis*, Populare Religiosität, S. 23.
3. *Veit*, Volksfrommes Brauchtum, S. VII.
4. *Schmitt*, Der Mediävist, S. 32.
5. *Gurjewitsch*, Volkskultur, S. 7–14, bes. S. 13; *Dülmen*, Volksfrömmigkeit.
6. *Dihle*, Goldene Regel, S. 126.
7. *Weber*, Wirtschaft und Gesellschaft, S. 260.
8. *Schreiner*, Laienfrömmigkeit, S. 73.
9. Ebd. S. 74.
10. *Fichtenau*, Lebensordnungen, S. 425.
11. *Kyll*, Tod, S. 30.
12. *Fichtenau*, Lebensordnungen, S. 428.
13. *Schreiner*, Laienfrömmigkeit, S. 40.58.36.
14. *Tellenbach*, Die westliche Kirche, S. 89.
15. *Habermas*, Wallfahrt, S. 173, Zitat S. 171.
16. *Troeltsch*, Schriften 4, S. 838.
17. *Habermas*, Wallfahrt, S. 105.
18. *Mann*, Der Zauberberg, S. 622f.
19. *Harmening*, Aberglaube, S. 261.
20. *Dörrie*, Gottesbegriff, Sp. 945.
21. *Harmening*, Aberglaube, S. 261.
22. *Roeck*, Hexenwahn; *Behringer*, Erträge.
23. *Harmening*, Aberglaube, S. 274.
24. *Schieffer*, Heinrich II., S. 46.
25. *Heymann*, Bruno Krusch.
26. Ebd. S. 568.
27. *Krusch*, Chlodovechs Taufe, S. 463.
28. *Ders.*, Nochmals Taufe Chlodovechs, S. 564.
29. Ebd.
30. *Ders.*, Chlodovechs Taufe, S. 457.
31. Ebd. S. 459.
32. Ebd. S. 465.
33. *Ders.*, Nochmals Taufe Chlodovechs, S. 564.
34. *Grimm*, Deutsche Mythologie I, S. XXXIX.
35. *Löwe*, Lateinisch-christliche Kultur, S. 519.
36. *Töpfer*, Reliquienkult; die folgenden Zitate ebd. S. 422.422.424.426.429.433.435.437.434.
37. Platen, Grab im Busento (ed. Koch – Petzer), S. 30.
38. *Gurjewitsch*, Volkskultur, S. 14f.
39. *Lucius*, Anfänge des Heiligenkults, S. 1–13.
40. *Saintyves*, Les saints.
41. *Bernoulli*, Die Heiligen, S. XI.
42. Ebd. S. 302.
43. Ebd. S. 303.
44. Ebd. S. 304.
45. *Schubert*, Geschichte der christlichen Kirche, S. 166 und S. 691.
46. *Wittgenstein*, Bemerkungen, S. 1.
47. *Gurjewitsch*, Weltbild, S. 8.
48. *Beissel*, Verehrung der Heiligen.
49. *Apphuhn*, Horst, Vorwort zu *Beissel*, Verehrung der Heiligen (ND 1976), S. Xf
50. *Veit*, Volksfrommes Brauchtum, S. VIf und S. 6.
51. *Graus*, Volk, Herrscher und Heiliger, S. 31.

52. *Delehaye*, Legenden, S. 17f.
53. *Heffernan*, Sacred Biography, S. 57.
54. *Graus*, Volk, Herrscher und Heiliger, S. 40; doch s. *ders.*, Hagiographie, S. 93: "‚Propagandacharakter' der vitae", S. 100: Legende als „eigentliche Propagandaschrift".
55. *Kühnel*, Werbung, S. 105f.
56. *Hofmann-Rendtel*, Wallfahrt, S. 115.
57. *Coué*, Bischofsviten, S. 349.
58. Ebd. S. 349.
59. *Graus*, Volk, Herrscher und Heiliger, S. 28.
60. *Uytfanghe*, Heiligenverehrung, Sp. 166.
61. *Jamme*, Mythos-Theorien, S. 9.
62. Ebd. S. 11.
63. *Blumenberg*, Arbeit am Mythos, S. 18.
64. *Hübner*, Wahrheit des Mythos, S. 376.
65. Ebd. S. 270.
66. *Haug*, Experimenta medietatis, S. 130.
67. *Hallpike*, Grundlagen primitiven Denkens.
68. *Jamme*, Mythos-Theorien, S. 59.
69. Ebd. S. 61.
70. *Veyne*, Glaubten die Griechen an ihre Mythen?, S. 129.
71. *Habermas*, Theorie des kommunikativen Handelns 1, S. 198f.
72. *Brown*, Heiligenverehrung, S. 24.
73. Ebd. S. 57.
74. Ebd.
75. *Ders.*, Heiden, S. 96.
76. *Habermas*, Wunder.
77. Ebd. S. 48.
78. *Brown*, Wissenschaft, S. 14.
79. *Gurjewitsch*, Weltbild, S. 82f; die folgenden Zitate ebd. S. 65.85.55.58.61.31f.102. 103.116.
80. *Graus*, Volk, Herrscher und Heiliger, S. 42.
81. *Leeuw*, Phänomenologie, S. 134.
82. *Heiler*, Erscheinungsformen, S. 427.
83. Ebd. S. 431f.

XXVII. Zuletzt: Der christliche Heilige

1. *Speyer*, Verehrung des Heroen, S. 49.
2. Ebd. S. 50.
3. Ebd.
4. Ebd. S. 51.
5. Ebd.
6. *Gurjewitsch*, Volkskultur, S. 9.
7. *Dihle*, Vorstellung vom Willen, S. 25.
8. *Burkert*, Griechische Religion, S. 460.
9. *Schlier*, Römerbrief, S. 298.
10. *Blumenberg*, Säkularisierung, S. 205–210, Zitat S. 205.
11. *Gnilka*, Jesus von Nazaret, S. 207.
12. *Weizsäcker*, Deutlichkeit, S. 86.
13. Ebd. S. 88.
14. Ebd. S. 89.
15. *Bruyn*, Jubelschreie, S. 60f.

Quellen- und Literaturverzeichnis

Hinweise für die Benutzung: In den Anmerkungen erscheinen die Autorennamen der Sekundärliteratur kursiv, nicht aber die Namen der Autoren, die sich auf Quellen beziehen. Halbfett gesetzte Angaben beziehen sich auf abgekürzt zitierte Titel.

Abkürzungsverzeichnis:

FS	Festschrift
FSGA	Freiherr vom Stein Gedächtnisausgabe
JVK	Jahrbuch für Volkskunde
ND	Neudruck
RHisF	Regensburger Historische Forschungen

Alle anderen Abkürzungen nach: Siegfried M. Schwertner, IATG². Internationales Abkürzungsverzeichnis für Theologie und Grenzgebiete. Zeitschriften, Serien, Lexika, Quellenwerke mit bibliographischen Angaben, Berlin – New York ²1992.

Quellenverzeichnis Mittelalter

Adam von St.-Viktor, Sämtliche Sequenzen, lat.-dt., hg. u. übers. v. Franz Wellner, Wien 1937.

Aelred von Rievaulx, Sermones, ed. Gaetano Raciti (CChr.CM 2A), Turnhout 1989.

– Speculum caritatis, ed. C. H. Talbot (CChr.CM 1), Turnhout 1971, S. 1–161; dt. Übers. Hildegard Brem, Aelred von Rievaulx, Spiegel der Liebe (Texte der Zisterzienser-Väter 2), Eschenbach 1989.

Agobard von Lyon, De picturis et imaginibus, ed. L. van Aker (CChr.CM 52), Turnhout 1981, S. 151–181.

Alkuin, Epistulae 1–311, ed. Ernest Dümmler (MGH.Ep 4, Karolini aevi 2), Frankfurt/M. ND 1974, S. 1–481.

Ambrosius, Epistularum liber decimus, ed. Michaela Zelzer (CSEL 82,3), Wien 1982, S. 3–140.

Annales regni Francorum, lat.-dt., ed. Reinhold Rau (FSGA 5), Darmstadt 1962, S. 1–155.

Apostelgeschichten des 2. und 3. Jahrhunderts, ed. W. Schneemelcher u. a., in: NTApo II (Apostolisches, Apokalypsen und Verwandtes), Tübingen ³1964, S. 110–372.

Augustinus, Aurelius, De civitate Dei, ed. Bernard Dombart – Alphons Kalb (CChr.SL 47/48), Turnholt 1955; dt. Übers. Wilhelm Thimme, Aurelius Augustinus. **Vom Gottesstaat** 1/2, Zürich 1978.

– De cura pro mortuis gerenda, ed. Joseph Zycha (CSEL 41), Prag u. a. 1900, S. 619–660; dt. Übers. Gabriel Schlachter – Rudolph Arbesmann, Aurelius Augustinus, Die **Sorge für die Toten** (Sankt Augustinus – Der Seelsorger), Würzburg 1975.

– **Enchiridion de fide**, spe et caritate, lat.-dt., ed. Joseph Barbel (Test. 1), Düsseldorf 1960.

– Sermones, ed. Jean Paul Migne (PL 38), Paris 1841.
Beda Venerabilis, **Historica ecclasiastica** gentis Angelorum – Kirchengeschichte des Englischen Volkes, lat.-dt., hg. u. übers. v. Günter Spitzbart (nach Colgrave – Mynors) (TzF 34), Darmstadt 1982.
Benedikt XII., Konstitution **„Benediktus Deus“**, 29. Jan. 1336, in: DH, Nr. 1000–1002, S. 406f.
Bernhard von Clairvaux, Sancti Bernardi Opera, ed. Jean Leclercq u.a., 8 Bde., Rom 1957–77; dt. Übers. Agnes Wolters, Die Schriften des honigfließenden Lehrers Bernhard von Clairvaux, hg. v. Eberhard Friedrich, 6 Bde., Wittlich 1934–38.
Bonaventura, Soliloquium. De quattuor mentalibus exercitiis – Alleingespräch. Über die vier geistlichen Übungen, lat.-dt., ed. Josef Hosse, München 1958.
Bonifatii Epistolae, lat.-dt., ed. Reinhold Rau (FSGA 4b), Darmstadt 1968, S. 3–356.
Bruno, bellum saxonicum, lat.-dt., ed. Franz-Josef Schmale (FSGA 12), Darmstadt 1968, S. 191–405.
Caesarius von Heisterbach, Dialogus Miraculorum, ed. Joseph Strange, 2 Bde., Köln u.a. 1851; dt. Übers. Ernst Müller-Holm, Caesarius von Heisterbach, Wunderbare und denkwürdige Geschichten, hg. v. Lambert Schneider – Peter Bachem, Köln 1968.
– Die Fragmente der Libri VIII Miraculorum des Caesarius von Heisterbach, ed. Aloys Meister (RQ.S 14), Rom 1901.
– Sermo de translatione beate Elyzabeth, ed. Albert Huyskens, in: Alfons Hilka (Hg.), Die Wundergeschichten des Caesarius von Heisterbach 3 (PGRGK 43), Bonn 1937, S. 381–390.
– Vita et miracula Engelberti I-III, ed. Fritz Zschaeck (PGRGK 43,3), Bonn 1937, S. 234–328; dt. Übers. Karl Langosch, Caresarius von Heisterbach, Leben, Leiden und Wunder des heiligen Erzbischofs Engelbert von Köln (GDV 100), Münster – Köln 1955.
Capitularia missorum specialia a. 802, ed. Alfred Boretius (MGH.Cap 1), Hannover 1883, S. 99–102.
Cassian, Johannes, De institutis coenobiorum, ed. Michael Petschenig (CSEL 17), Prag u.a. 1888, S. 3–231.
Casus sancti Galli, auct. Ekkehard IV., ed. Hans F. Hefele (FSGA 10), Darmstadt 1980.
Casus monasterii Petrishusensis – Chronik des Klosters Petershausen, liber I-VI, lat.-dt., hg. u. übers. v. Otto Feger (Schwäbische Chroniken der Stauferzeit 3), Lindau – Konstanz 1956.
Chaucer, Geoffrey, Canterbury-Erzählungen, übers. v. Detlef Droste, Zürich 1971.
Chronicon Novaliciense, ed. Ludwig Conrad Bethmann (MGH.SS 7), Leipzig ND 1925, S. 73–133.
Chronicon Trenorchiense, auct. Falcone Trenorchiensi Monacho, in: René Poupardin (Hg.), Monuments de l'histoire des abbayes de Saint-Philibert, Paris 1905, S. 71–106.
Codex Carolinus, ed. Wilhelm Gundlach (MGH.Ep 3), Berlin 1957, 469–657.
Concilium Eliberritanum, ed. José Vives, Concilios Visigóticos e Hispano-Romanos (EspCrist.T 1), Barcelona – Madrid 1963, S. 1–18.
Concilium Germanicum, ed. Reinhold Rau (FSGA 4b), Darmstadt 1968, S. 376–381.
Concilium Lugdunense II, ed. Charles-Joseph Hefele – Henri Leclercq, Histoire des conciles d'après les documents originaux, Bd. 6, Paris 1914.
Corpus Iuris Canonici, ed. Emil Friedberg, Bd. 1, Leipzig 1879.

Cosmas, Brief an den Herrn Symeon Stylites, übers. v. Heinrich Hilgenfeld (TU 3,2), Berlin 1908, S. 184–188.

Cyprian, Ad Fortunatum, ed. Wilhelm Hartel (CSEL 3,1), Wien 1868.

Cyrill von Alexandrien, III. Brief an Nestorius, hg. u. übers. v. Pierre-Thomas Camelot, Ephesus und Chalcedon (GöK 2), Mainz 1963, S. 233–243.

Diels, Hermann, Die Fragmente der Vorsokratiker, griech.-dt., Bd. 1, hg. v. Walter Kranz, Berlin [6]1951.

Dionysius Areopagita, De coelesti hierarchia, griech., ed. Günter Heil, Corpus Dionysiacum 2 (PTS 36), Berlin – New York 1991, S. 5–59; dt. Übers. Josef Stiglmayr, Des heiligen Dyonisius Areopagita angebliche Schriften über die beiden Hierarchien, ed. O. Bardenhewer u. a. (BKV 1,2), Kempten – München 1911, S. 1–87.

Eckehart, Deutsche **Predigten** und Traktate, hg. u. übers. v. Josef Quint, München [5]1978.

– Sprüche, ed. Franz Pfeiffer, Meister Eckhart. Predigten, Traktate (Deutsche Mystiker des vierzehnten Jahrhunderts 2, hg. v. Franz Pfeiffer), Aalen ND 1962, S. 595–627.

Eike von Repgow, Der Sachsenspiegel, ed. Claudieter Schott, Zürich 1984.

Einhard, Epistolae 1–71, ed. Karl Hampe (MGH.Ep 5), Hannover ND [2]1974, S. 105–145.

– Translatio et miracula SS. Marcellini et Petri, ed. Georg Waitz (MGH.SS 15,1), Hannover ND 1963, S. 238–264; dt. Übers. Karl Esselborn, Die **Übertragung und Wunder** der heiligen Marzellinus und Petrus, Darmstadt ND 1977.

Epistola encyclica de transitu S. Francisci, ed. a Patribus Collegii S. Bonaventurae (AFranc 10), Florenz 1941, S. 525–528.

Epistolarum romanorum pontificum ad vicarios per Illyricum aliosque episcopos. **Collectio** Thessalonicensis, ed. Carlo Silva-Tarouca (TD 23), Rom 1937.

Erasmus von Rotterdam, **Handbüchlein** eines christlichen Streiters, in: ders., Ausgewählte Schriften, lat.-dt., hg. v. Werner Welzig, Bd. 1, Darmstadt 1968.

– Lob der Torheit, in: ders., Ausgewählte Schriften, lat.-dt., hg. v. Werner Welzig, Bd. 2, Darmstadt 1975, S. 1–211.

Eusebius, Historiae Ecclesiasticae, ed. Jean Paul Migne (PG 20), Paris 1857, Sp. 45–906; dt. Übers. Heinrich Kraft, Eusebius von Caesaraea, Kirchengeschichte, Kempten 1967.

Formulae Senonenses recentiores, ed. Karl Zeumer (MGH.L 5, Formulae 5), Hannover ND 1963, S. 211–220.

Franziskus von Assisi, Fioretti, Übers. v. Max Kirschstein, in: Franz von Assisi, **Fioretti**. Gebete. Ordensregeln. Testament. Briefe, Zürich 1979, S. 75–201.

– Testamentum, ed. Kaietan Esser, Opuscula sancti patris Francisci Assisiensis, Tom. XII (BFAMA 12), Grottaferrata 1978, S. 305–317; dt. Übers. Lothar Hardick – Engelbert Grau (Hg.), Die **Schriften** des heiligen Franziskus von Assisi (FQS 1), Werl [7]1982.

Gregor der Große, Dialogi, lat.-frz., ed. Adalbert de Vogüé, übers. v. Paul Autin, 2 Bde. (SC 260/265), Paris 1979/80.

– Registrum epistolarum, liber I-XIV, ed. Dag Norberg, 2 Bde. (CChr.SL 140/140 A), Turnhout 1982.

Gregor von Tours, Historia Francorum, liber I-X, lat.-dt., ed. Rudolf Buchner, 2 Bde. (FSGA 1/2), Darmstadt 1956.

– Liber in gloria confessorum, ed. Bruno Krusch (MGH.SRM 1,2), Hannover ND 1969, S. 294–370.

– Liber in gloria martyrum, ed. Bruno Krusch (MGH.SRM 1,2), Hannover ND 1969, S. 34–111.
– Liber de passione et virtutibus sancti Juliani martyris, ed. Bruno Krusch (MGH.SRM 1,2), Hannover ND 1969, S. 112–134.
– Liber vitae patrum, ed. Bruno Krusch (MGH.SRM 1,2), Hannover ND 1969, S. 211–294.
– De virtutibus sancti Martini I-IV, ed. Bruno Krusch (MGH.SRM 1,2), Hannover ND 1969, S. 135–211.
Gründungsurkunde des Klosters Cluny 910 Sept. 11., in: Joachim Wollasch (Hg.), Cluny im 10. und 11. Jh. (Hist. Texte / Mittelalter 6), Göttingen 1967, S. 9–12.
Guibert von Nogent, De sanctis et eorum pigneribus, ed. R. B. C. Huygens (CChr.CM 127), Turnhout 1993, S. 79–175.
Hieroymus, Epistolae 1–154, ed. Isidor Hilberg, 3 Bde. (CSEL 54–56), Leipzig 1910–13.
Hildegard von Bingen, Briefwechsel, übers. u. erl. v. Adelgundis Führkötter, Salzburg 1965.
Hrabanus Maurus, Carmina, ed. Ernest Dümmler, (MGH.PL 2), Zürich – Berlin 1964, S. 154–258.
– Epistolarum Fuldensium fragmenta, ed. Ernest Dümmler (MGH.Ep 5), Hannover 1974, S. 517–533.
Ignatius von Antiochien, Brief an die Smyrnäer, griech.-dt., ed. Joseph A. Fischer, Die Apostolischen Väter (SUC 1), Darmstadt 1981, S. 204–215.
Innozenz III., Briefe, in: Othmar Hageneder – Anton Haidacher (Hg.), Die Register Innozenz' III., Bd. 1,1. Pontifikatsjahr, 1198/99. Texte (Publikationen der Abteilung für historische Studien des Österreichischen Kulturinstitus in Rom II. Abt. [Quellen], I. Reihe), Graz – Köln 1964.
– De sacro altaris mysterio I-VI, ed. Jean-Paul Migne (PL 217), Paris 1890, Sp. 773–916.
Isidor von Sevilla, Etymologiarum sive Originum libri XX, ed. W. M. Lindsay (SCBO), Oxford 1911.
Johannes Chrysostomus, In sanctos Maccabaeos, ed. Jean-Paul Migne (PG 50), Paris 1862, Sp. 617–628.
Jonas von Orléans, De cultu imaginum 1–3, ed. Jean-Paul Migne (PL 106), Paris 1864, Sp. 305–388.
Justinus, **Dialogus** cum Tryphone judæo, lat.-griech., ed. Jean-Paul Migne (PG 6), Paris 1857, Sp. 469–800.
Kindheitsevangelien, ed. O. Cullmann, in: NTApo I (Evangelien), Tübingen 1959, S. 272–311.
Lactantius, Divinae institutiones, liber I-VII, ed. Samuel Brandt (CSEL 19), Prag u.a 1890, S. 1–672.
Das **Leben des** heiligen **Bernardin** von Siena (Heilige der ungeteilten Christenheit), hg. u. übers. v. Lothar Schläpfer, Düsseldorf 1965.
Das **Leben der heiligen Hildegard** von Bingen. Ein Bericht aus dem 12. Jahrhundert verfaßt von den Mönchen Gottfried und Theoderich, übers. u. komm. v. Adelgundis Führkötter, Salzburg [2]1980.
Das **Leben der Schwestern von Töß**, ed. Ferdinand Vetter (DTMA 6), Berlin 1906.
Das **Leben des heiligen Thomas** von Aquino, erzählt von Wilhelm Tocco und andere Zeugnisse zu seinem Leben (Heilige der ungeteilten Christenheit), hg. u. übers. v. Willehad Paul Eckert, Düsseldorf 1965.

Libellus de translatione sancti Annonis archiepiscopi et miracula sancti Annonis, Siegburger Mirakelbuch, lat.-dt., ed. Mauritius Mittler, 3 Bde. (Siegburger Studien 3–5), Siegburg 1966–68.

Liber Miraculorum sancte Fides, ed. A. Bouillet (CTEH 21), Paris 1897.

Liber tramitis aevi Odilonis abbatis, ed. Petrus Dinter (CCMon 10), Siegburg 1980.

Libri Carolini I-IV, ed. Hubert Bastgen (MGH.Conc. Suppl.), Hannover – Leipzig 1924.

Marc Aurel, Wege zu sich selbst, griech.-dt., hg. u. übers. v. Willy Theiler, Zürich – München [2]1974.

Martyrium des Marinus, ed. Rudolf Knopf – Gustav Krüger, Ausgewählte Märtyrerakten (KDQ.NF 3), Tübingen 1929, S. 85f.

Martyrium des Polykarp, griech.-dt., in: Theofried Baumeister, Genese und Entfaltung der altkirchlichen Theologie des Martyriums (TC 8), Bern 1991, S. 74–85.

Maximus von Turin, Collectionem sermonum antiquam, ed. Almut Mutzenbecher (CChr.SL 23), Turnhout 1962, S. 1–364.

Mechthild von Magdeburg, Das fließende Licht der Gottheit, ed. Hans Neumann, Mechthild von Magdeburg, ›Das fließende Licht der Gottheit‹, Band I. Text (MTUDL 100), München – Zürich 1990, dt. Übers. Margot Schmidt – Hans Urs von Balthasar, Mechthild von Magdeburg, Das fließende Licht der Gottheit (MKZU 3), Einsiedeln u. a. 1955.

Miracula S. Benedicti, auct. Adrevaldo Floriacensi, ed. O. Holder-Egger (MGH.SS 15,1), Hannover ND 1963, S. 478–497.

Miracula S. Waldburgis Monheimensia, ed. Andreas Bauch, Quellen zur Geschichte der Diözese Eichstätt 2 (ESt.NF 12), Regensburg 1979, S. 142–348.

Miracula S. Willehadi, auct. Anskario, ed. C. de Smedt u. a. (ActaSS Nov. III), Brüssel 1910, S. 847–851.

Niketas von Remesiana, ed. A. E. Burn, **Niketa of Remesiana**. His Life and Works, Cambridge 1905.

De tribus ordinibus Sanctorum Hiberniae, ed. W. W. Heist, Vitae Sanctorum Hiberniae. Ex codice olim Salmanticensi nunc Bruxellensi (SHG 28), Brüssel 1965, S. 81–83.

Ordo Romanus 1–49, ed. Michel Andrieu, Les ordines romani du haut moyen age, 4 Bde., Louvain 1931–56.

Origenes, Exhortatio ad martyres, ed. Paul Koetschau (GCS 2), Leipzig 1899.

– In Numeros Homilia, ed. W. A. Baehrens (GCS 30), Leipzig 1921.

– De oratione, ed. Paul Koetschau (GCS 3), Leipzig 1899, S. 295–403.

Palladius, Historia Lausiaca. Die frühen Heiligen der Wüste, übers. v. Jaques Laager, Zürich 1987.

Paschasius Radbertus, Passio Rufini et Valerii, ed. Jean-Paul Migne (PL 120), Paris 1879, Sp. 1489–1508.

Petrus Damiani, Epistolae 41–90, hg. v. Kurt Reindel (MGH.B 4,2), München 1988.

– Vita beati Romualdi, ed. Giovanni Tabacco (FSI 94), Rom 1957.

Petrus Lombardus, Sententiae in IV libris distinctae, ed. Collegium S. Bonaventurae ad Claras Aquas, 2 Bde. (SpicBon 4/5), Grottaferrata 1971–81.

Platon, Werke, griech.-dt., 8 Bde., hg. v. Günther Eigler, übers. v. Friedrich Schleiermacher, Darmstadt 1970–83.

Regesta pontificum Romanorum, ed. Philipp Jaffé – Wilhelm Wattenbach, 2 Bde., Leipzig 1885/88.

Regula Benedicti, lat.-frz., hg., übers. u. komm. v. Adalbert de Vogüé, 7 Bde. (SC 181–187), Paris 1972–77.

Regula Magistri, lat.-frz., hg., übers. u. komm. v. Adalbert de Vogüé, 3 Bde. (SC 105–107), Paris 1964/65.
Robert de Clari, La conquête de Constantinople, ed. Philippe Lauer (Les classiques français du moyen âge), Paris 1956.
Rudolf von Fulda, Miracula sanctorum in Fuldenses ecclesias translatorum, ed. Georg Waitz (MGH.SS 15,1), Hannover ND 1963, S. 328–341.
Sacramentarium Gregorianum, ed. Jean Deshusses, Le sacramentaire Grégorien. Ses principales formes d'après les plus anciens manuscrits, 3 Bde. (SpicFri 16.24.28), Freiburg/Ch. 1971–82.
Sacramentarium Gelasianum, ed. Leo Cunibert Mohlberg (RED.F 4), Rom 1960.
Seneca, De ira, lat.-dt., hg. u. übers. v. Manfred Rosenbach, Seneca, Philosophische Schriften, Bd. 2, Darmstadt 1969, S. 95–311.
Seuse, Heinrich, Deutsche Schriften, ed. Karl Bihlmeyer, Heinrich Seuse. Deutsche Schriften, Frankfurt/M. ND 1961; neuhochdt. Übers. Nikolaus Heller (Hg.), Des Mystikers Heinrich Seuse Deutsche Schriften, Heidelberg 1926.
Stolle, Konrad, Thüringisch-Erfurtische Chronik, ed. Ludwig Friedrich Hesse (BLVS 32 [1854]), Amsterdam 1968.
Sulpicius Severus, Epistolae I-III, lat.-frz., ed. Jaques Fontaine (SC 133), Paris 1967, S. 316–344; dt. Übers. O. Bardenhewer u. a. (BKV 20), Kempten – München 1914, S. 54–69.
– Dialogi I-III, ed. Carolus Halm (CSEL 1), Wien 1866, S. 152–216.
– Vita Martini, lat.-frz., ed. Jacques Fontaine (SC 133), Paris 1967; dt. Übers. O. Bardenhewer u. a. (BKV 20), Kempten – München 1914, S. 17–53.
Synodus Dioecesana Autissiodorensis (561/605), ed. Carl Clercq (CChr.SL 148 A), Turnhout 1963, S. 264–272.
Tertullian, De anima, ed. August Reifferscheid – Georg Wissowa (CSEL 20), Wien 1890.
Thietmar von Merseburg, Chronicon, lat.-dt., ed. Werner Trillmich (FSGA 9), Darmstadt 1962.
Thiofried von Echternach, Flores epitaphii sanctorum, liber I-IV, ed. Jean-Paul Migne (PL 157), Paris 1899, Sp. 317–404.
– Sermones, ed. Jean-Paul Migne (PL 157), Paris 1899, Sp. 405–410.
Thomas von Aquin, Summa theologica I-III, 4 Bde., 1: ed. Petrus Caramello, 2ff: ed. Rubeis u. a., Turin – Rom: Marietti 1948; dt. Inhaltsangabe: Raymund Erni, **Die Theologische Summe** des Thomas von Aquin in ihrem Grundaufbau, 3 Bde., Luzern 1947–50. Thomas von Aquin, Summa theologica I-III, lat.-dt., 36 Bde. u. Erg.Bde., hg. v. Katholischen Akademikerverband der Albertus-Magnus-Akademie Walberberg bei Köln (Die deutsche Thomas-Ausgabe), Heidelberg u. a. 1933 ff.
Thomas von Celano, Vita secunda S. Francisci, ed. Collegium S. Bonaventurae (AFranc 10), Quaracchi – Florenz 1941, S. 127–260; dt. Übers. Engelbert Grau, Thomas von Celano. **Leben und Wunder** des heiligen Franziskus von Assisi (FQS 5), Werl [2]1964.
Traditio Apostolica, ed. Norbert Brox – Wilhelm Geerlings u. a. (FC 1), Freiburg/Br. u. a. 1991.
Urkundenbuch des Klosters Fulda I (Die Zeit der Äbte Sturmi und Baugulf), ed. Edmund E. Stengel (VHKH X,1), Marburg 1958.
Victricius von Rouen, De laude sanctorum, ed. René Herval, Origines chrétiennes. De la IIe Lyonnaise gallo-romaine à la Normandie ducale (IVe-XIe siècles), Rouen – Paris 1966.

De virtutibus sanctae Geretrudis, ed. Bruno Krusch (MGH.SRM 2), Hannover ND 1956, S. 464–471.

Visio Godeschalci, lat.-dt., hg. u. übers. v. Erwin Assmann, Godeschalcus und Visio Godeschalci (QFGSH 74), Neumünster 1979.

Visio Thurkilli, ed. Paul Gerhard Schmidt, Die Vision des Bauern Thurkill, Leipzig 1987.

Vita Adalberti, ed. Gregor Heinrich Pertz (MGH.SS 4), Leipzig ND 1925, S. 596–612.

Vita Ailredi abbatis Rievall, lat.-engl., ed. Maurice Powicke (Oxford Medieval Texts), Oxford ND 1978.

Vita Aldegundis, ed. Wilhelm Levison (MGH.SRM 6), Hannover – Leipzig 1913, S. 85–90.

Vita Amandi, ed. Bruno Krusch (MGH.SRM 5), Hannover 1910, S. 450–485.

Vita Annonis, ed. Rudolf Köpke (MGH.SS 11), Leipzig ND 1925, S. 462–514.

Vita Ansberti, ed. Wilhlem Levison (MGH.SRM 5), Hannover 1910, S. 606–643.

Vita Anskarii, lat.-dt., ed. Werner Trillmich (FSGA 11), Darmstadt 1968, S. 16–133.

Vita Antonii, lat.-ital., ed. G. J. M. Bartelink, Vita di Antonio (ViSa 1), Verona [3]1981; dt. Übers. v. Heinrich Przybyla, Athanasius. **Vita Antonii**, hg. v. Adolf Gottfried, Graz u. a. 1987.

Vita Balthildis, ed. Bruno Krusch (MGH.SRM 2), Hannover ND 1956, S. 482–508.

Vita Benedicti, ed. Georg Waitz (MGH.SS 15,1), Hannover ND 1963, S. 200–220.

Vita prima Bernardi, ed. Jean-Paul Migne (PL 185), Paris 1855, Sp. 225–468; dt. Übers. Paul Sinz (Hg.), Das **Leben des heiligen Bernhard** von Clairvaux (Vita prima), Düsseldorf 1962.

Vita Bernwardi, lat.-dt., ed. Hatto Kallfelz (FSGA 22), Darmstadt 1973, S. 263–361.

Vita Brunonis, lat.-dt., ed. Hatto Kallfelz (FSGA 22), Darmstadt 1973, S. 169–261.

Vita Columbani I, lat.-dt., ed. Herbert Haupt (FSGA 4a), Darmstadt 1982, S. 402–497.

Vita altera Dadonis vel Audoeni (ActaSS Aug. IV), 24. Aug., Venedig 1752, S. 810–819.

Vita Edmundi, ed. Michael Winterbottom, in: Three Lives of English Saints (TMLT), Toronto 1972, S. 65–87.

Vita Edwardi regis, auct. Aelred von Rievaulx, ed. Jean-Paul Migne (PL 195), Paris 1855, Sp. 737–790.

Vita Eligii, ed. Bruno Krusch (MGH.SRM 4), Hannover – Leipzig 1902, S. 663–761.

Vita Eugendi, lat.-frz., ed. François Martine, (SC 142), Paris 1968; dt. Übers. *Frank-Andresen*, Frühes Mönchtum 2, Das Leben der Juraväter, S. 103–168.

Vita Frodoberti, ed. Wilhelm Levison (MGH.SRM 5), Hannover – Leipzig 1910, S. 72–88.

Vita Galli, auct. Wettino, ed. Bruno Krusch (MGH.SRM 4), Hannover – Leipzig 1902, S. 257–280; dt. Übers. Johannes Duft, Die **Lebensgeschichten** der Heiligen Gallus und Ottmar (BSan 9), St. Gallen 1988.

Vita Genovefae, ed. Bruno Krusch (MGH.SRM 3), Hannover 1896, S. 204–328.

Vita Germani, lat.-frz., ed. René Borius (SC 112), Paris 1965; dt. Übers. *Frank-Andresen*, Frühes Mönchtum 2, S. 59–96.

Vita Gertrudis, ed. Johannes Bolland (ActaSS Mart. II), 17. März, Venedig 1735, S. 592–600.

Vita Hedwigis (ActaSS Oct. VIII), 17. Oktober, Paris – Rom 1869, S. 224–265; dt. Übers. Konrad und Franz Metzger, Das **Leben der heiligen Hedwig**, Düsseldorf 1967.

Vita Honorati, lat.-frz., ed. Marie-Denise Valentin (SC 235), Paris 1977.
Vita Hugberti, ed. Wilhelm Levison (MGH.SRM 6), Hannover 1913, S. 482–496.
Vita Hugonis – The Life of St Hugh of Lincoln, lat.-engl., ed. Decima L. Douie – Hugh Farmer, 2 Bde., London u.a. 1961.
Vita Johannis Gorziensis, ed. Georg Heinrich Pertz (MGH.SS 4), Leipzig ND 1925, S. 335–377.
Vita Liudgeri, ed. Wilhelm Diekamp, Die Vita sancti Liudgeri (GQBM 4), Münster 1881; dt. Übers. Basilius Senger, **Liudger in seiner Zeit**. Altfrid über Liudger, Liudgers Erinnerungen, Münster 1982.
Vita et miracula Engelberti I-III, auct. Caesario Heisterbacense, ed. Fritz Zschaeck (PGRGK 43,3), Bonn 1937, S. 234–328; dt. Übers. Karl Langosch, **Caesarius** von Heisterbach, Leben, Leiden und Wunder des heiligen **Erzbischofs Engelbert** von Köln (GDV 100), Münster – Köln 1955.
Vita Norberti, lat.-dt., ed. R. Wilmans – Hatto Kallfelz (FSGA 22), Darmstadt 1973, S. 452–541.
Vita Radegundis, liber I-II, ed. Bruno Krusch (MGH.SRM 2), Hannover ND 1956, S. 358–395.
Vita Remigii, auct. Hinkmaro, ed. Bruno Krusch (MGH.SRM 3), Hannover 1896, S. 250–349.
Vita Romarici, ed. Bruno Krusch (MGH.SRM 4), Hannover – Leipzig 1902, S. 224f.
Vita beati Romualdi, auct. Petro Damiane, ed. Giovanni Tabacco (FSI 94), Rom 1957.
Vita Rusticula, ed. Bruno Krusch (MGH.SRM 4), Hannover – Leipzig 1902, S. 339–351.
Vita Wiboradae, auct. Herimanno, hg. u. übers. v. Walter Berschin, Vitae sanctae Wiboradae. Die ältesten Lebensbeschreibungen der heiligen Wiborada (MVG 51), St. Gallen 1983.
Vita Willehadi, ed. Gregor Heinrich Pertz (MGH.SS 2), Hannover – Leipzig ND 1925, S. 378–390.
Vita Willibrordi, ed. Wilhelm Levison (MGH.SRM 7), Hannover – Leipzig 1920, S. 113–141.
Vita Wynnebaldi, lat.-dt., hg. u. übers. v. Andreas Bauch, Quellen zur Geschichte der Diözese Eichstätt I. Biographien der Gründungszeit (ESt 7), Eichatätt 1962, S. 123–185.
Widukind, Res gestae Saxonicae, lat.-dt., ed. Albert Bauer – Reinhold Rau (FSGA 8), Darmstadt 1971, S. 12–123.
Wilhelm von Saint-Thierry, Epistola ad fratres de monte Dei, lat.-frz., ed. Jean Déchanet (SC 223), Paris 1975; dt. Übers. Bernhard Kohout-Berghammer, Wilhelm von Saint-Thierry, Goldener Brief (Texte der Zisterzienser-Väter 5), Eschenbach 1992.

Quellenverzeichnis Neuzeit

Erneuerte Agende. Vorentwurf, erarbeitet von der Arbeitsgruppe ‚Erneuerte Agende', hg. v. der Vereinigten Evangelisch-Lutherischen Kirche Deutschlands, Lutherisches Kirchenamt, und der Evangelischen Kirche der Union, Kirchenkanzlei, Hannover – Bielefeld 1990.
Arnim, Ludwig Achim von, **Nachtfeier** nach der Einholung der hohen Leiche Ihrer Majestät der Königin. Eine Cantate, in: Ders., Sämtliche Werke. Neue Ausgabe (1857) XI (21) (Gedichte), Hildesheim u.a. 1982, S. 322–347.

Augsburger Bekenntnis, ed. Günter Gaßmann, Das Augsburger Bekenntnis Deutsch. (1530–1980). Revidierter Text, Göttingen – Mainz 1978.

Boisserée, Sulpiz, **Briefwechsel**/Tagebücher (Erster Band), [1]1862, Göttingen ND 1970.

Brentano, Clemens, Sämtliche **Werke** und Briefe, hg. v. Jürgen Tische, 2 Bde. (Ausgabe, veranstaltet vom Freien Deutschen Hochstift 28,1–2), Stuttgart u.a. 1981–82.

Calvin, Johannes, **Unterricht** in der christlichen Religion – Institutio christianae religionis, übers. u. bearb. v. Otto Weber, Neukirchen [2]1963.

Concilium Tridentinum, Sessio XXV, Dekret über die Anrufung, die Verehrung und die Reliquien der Heiligen und über die heiligen Bilder, 3. Dez. 1563, in: DH, Nr. 1821–1825, S. 578–581.

Nachkonziliare Dokumentation, 58 Bde., lat.-dt., hg. u. übers. v. den Liturgischen Instituten in Salzburg – Trier – Zürich, Trier 1967–77.

Dostojewski, Fjodor, Die Brüder Karamasow. Roman. Bd. 2, Aus dem Russischen von Karl Nötzel (Dostojewski, Sämtliche Romane und Erzählungen 14), Frankfurt/M. 1986.

Die **Feier der Kirchweihe und Altarweihe**. Die Feier der Ölweihen, Studienausgabe, hg. von den Liturgischen Instituten Salzburg – Trier – Zürich, Freiburg/Br. 1981.

Feuerbach, Ludwig, Notwendigkeit einer Veränderung, in: ders., Kleine Schriften (Theorie 1), hg. v. Hans Blumenberg u.a., Frankfurt/M. 1966, S. 220–235.

Goethe, Johann Wolfgang von, **Briefe**, Kommentare und Register, hg. v. Erich Trunz u.a. (Hamburger Ausgabe 1–4), Hamburg 1965–69.

– Faust, hg. u. komm. v. Erich Trunz, Sonderausgabe München 1980.

– Werke, hg. v. Erich Trunz u.a. (Hamburger Ausgabe 1–14), Hamburg 1962–65.

Guden, Peter Philipp, **Polizey**, der Industrie, oder Abhandlung von den Mitteln, den Fleiß der Einwohner zu ermuntern, welcher die Königl. Groß- brittannische Societät der Wissenschaften zu Göttingen i. J. 1766 den Preis zuerkannt hat. 1768, in: Paul Münch (Hg.), Ordnung, Fleiß und Sparsamkeit. Texte und Dokumente zur Entstehung der „bürgerlichen Tugenden", München 1984, S. 167–177.

Heine, Heinrich, Sämtliche Schriften 6 Bde., hg. v. Klaus Briegleb, München 1968–76.

Hensel, Luise: Bericht der Luise Hensel über Eröffnung des Grabes am 20. März 1824. Geschehen am 19 März auf 20 März 1824. 5. Wochen nach dem Tode der Emerick 1824, in: Brentano, Werke, Bd. 28,2, S. 401–403.

Ignatius von Loyola, Der **Bericht** des Pilgers, ed. Burkhard Schneider, Freiburg/Br. [3]1977.

Kant, Immanuel, **Die Religion** innerhalb der Grenzen der bloßen Vernunft (Philosophische Bibliothek, Felix Meiner 45), hg. v. Karl Vorländer, Hamburg [6]1956.

Kerssenbrock, Hermann von, **Anabaptistici furoris** monasterium inclitam Westphaliae metropolim evertentis **historica narratio**, 2 Bde. (GQBM 5/6), ed. H. Detmer, Münster 1899–1900; dt. Übers. Richard van Dülmen (Hg.), Das **Täuferreich** zu Münster 1534–1535. Berichte und Dokumente, München 1974.

Kleist, Heinrich von, Sämtliche **Werke** in zwei Bänden, hg. v. Hans Jürgen Meinerts, Berlin u.a. o.J.

Körner, Theodor, Werke, 2 Bde., hg. v. Hans Zimmer, Leipzig – Wien 1893.

Krimphove, C., **Gebet- und Erbauungsbuch** für die Verehrer des h. Ludgerus. Nebst dem Leben und Wirken des Heiligen und Beschreibung der 1050jährigen Jubelfeier zu Ehren desselben, gehalten zu Billerbeck vom 8. bis 21. Juli 1860, Münster [2]1861.

Luther, Martin, Werke. Kritische Gesamtausgabe, 64 Bde. (WA 1–64), Weimar 1883–1990.

– Werke. Kritische Gesamtausgabe, Deutsche Bibel, 12 Bde. (WA.DB 1–12), Weimar 1906–61.
– Werke. Kritische Gesamtausgabe, Briefwechsel, 16 Bde. (WA.B 1–16), Weimar 1930–80.
– Ausgewählte Werke, 6 Bde., hg. v. Hans Heinrich Borcherdt – Georg Merz, München [3]1951–68.
Michelangelo, Sämtliche **Gedichte**, ital.-dt., hg. v. Michael Engelhard, Frankfurt/M. – Leipzig 1992.
Novalis, **Werke**, Tagebücher und Briefe Friedrich von Hardenbergs, 3 Bde., hg. v. Hans-Joachim Mähl – Richard Samuel, München – Wien 1978–87.
Alte **Ordnung der Aschebergischen Procession**, in: ZVGA 37 (1879), S. 146–149.
Platen, August Graf von, Das **Grab im Busento** (ältere Fassung), in: ders., Sämtliche Werke. Historisch-kritische Ausgabe mit Einschluß des handschriftlichen Nachlasses, hg. v. Max Koch – Erich Petzer, Teil II: Gedichte. Erster Teil, Hildesheim – New York 1969, S. 29f.
Wackenroder, Wilhelm Heinrich – Ludwig Tieck, Herzensergießungen eines kunstliebenden Klosterbruders (Berlin 1797), Ditzingen – Stuttgart 1991.

Literaturverzeichnis

Achermann, Hansjakob, **Die Katakombenheiligen** und ihre Translationen in der schweizerischen Quart des Bistums Konstanz (Beiträge zur Geschichte Nidwaldens 38), Stans 1979.
– **Translationen** heiliger Leiber als barockes Phänomen, in: JVK.NF 4 (1981), S. 101–111.
Adam, Joseph, Clemens Brentanos **Emmerick-Erlebnis**. Bindung und Abenteuer, Freiburg/Br. 1956.
Ahlbrecht, Ansgar, **Tod** und Unsterblichkeit in der Evangelischen Theologie der Gegenwart (KKTS 10), Paderborn 1964.
Aigrain, René, **L'hagiographie**. Ses sources, ses méthodes, son histoire, Paris 1953.
Österreichische Akademie der Wissenschaften (Hg.), **Wallfahrt** und Alltag in Mittelalter und früher Neuzeit (DÖAW.PH Sitzungsberichte 592 / Veröffentlichungen des Instituts für Realienkunde des Mittelalters und der frühen Neuzeit 14), Wien 1992.
Albertz, Rainer, Art. **Gebet** II (Altes Testament), in: TRE 12 (1984), S. 34–42.
Algermissen, Konrad, Die **Gottlosenbewegung** der Gegenwart und ihre Überwindung, Hannover 1933.
Althaus, Paul, **Die christliche Wahrheit**. Lehrbuch der Dogmatik, Gütersloh [4]1958.
Andachtsübungen bei der feierlichen Aussetzung des heiligen Rockes unsers Herrn und Heilandes Jesu Christi in der Domkirche zu Trier im Herbste des Jahres 1844, von einem Pfarrer der Stadt Trier, Trier 1844.
Anderson, Margaret Lavinia, **Piety and Politics**: Recent Work on German Catholicism, in: JMH 63 (1991), S. 681–716.
Andreas, Willi, **Deutschland vor der Reformation**. Eine Zeitenwende, Stuttgart [6]1959.
Angenendt, Arnold, **Corpus incorruptum**. Eine Leitidee der mittelalterlichen Reliquienverehrung, in: Saec. 42 (1991), S. 320–348.
– Das **Frühmittelalter**. Die abendländische Christenheit von 400 bis 900, Stuttgart u.a. 1990.

– **Kaiserherrschaft** und Königstaufe. Kaiser, Könige und Päpste als geistliche Patrone in der abendländischen Missionsgeschichte (AFMF 15), Berlin – New York 1984.
– **Der „ganze“** und „unverweste“ **Leib** – eine Leitidee der Reliquienverehrung bei Gregor von Tours und Beda Venerabilis, in: Hubert Mordek (Hg.), Aus Archiven und Bibliotheken, FS Raymund Kottje (Freiburger Beiträge zur mittelalterlichen Geschichte 3), Frankfurt/M. u.a. 1992, S. 33–50.
– **Mensa Pippini regis**. Zur liturgischen Präsenz der Karolinger in Sankt Peter, in: Erwin Gatz (Hg.), Hundert Jahre Deutsches Priesterkolleg beim Campo Santo Teutonico 1876–1976. Beiträge zu seiner Geschichte (RQ.S 35), Rom u.a. 1977, S. 52–68.
– **Missa specialis**. Zugleich ein Beitrag zur Entstehung der Privatmessen, in: FMSt 17 (1983), S. 153–221.
– **Die irische Peregrinatio** und ihre Auswirkungen auf dem Kontinent vor dem Jahre 800, in: Heinz Löwe (Hg.), Die Iren und Europa im frühen Mittelalter, Stuttgart 1982, S. 52–79.
– **Princeps imperii** – Princeps apostolorum. Rom zwischen Universalismus und Gentilismus, Sonderdruck, Roma – Caput et Fons. Zwei Vorträge über das päpstliche Rom zwischen Altertum und Mittelalter, hg. v. der gemeinsamen Kommission der Rheinisch-Westfälischen Akademie der Wissenschaften und der Gerda Henkel-Stiftung 1989.
– **Rex et Sacerdos**. Zur Genese der Königssalbung, in: Norbert Kamp – Joachim Wollasch (Hg.), Tradition als historische Kraft. Interdisziplinäre Forschungen zur Geschichte des früheren Mittelalters, FS Karl Hauck, Berlin – New York 1982, S. 100–118.
– Sühne durch Blut, in: FMSt 18 (1984), S. 437–467.
– Theologie und Liturgie der mittelalterlichen **Totenmemoria**, in: Schmid – Wollasch, Memoria, S. 79–199.
Appuhn, Horst, Die **Paradiesgärtlein** des Klosters Ebdorf, in: Lüneburger Blätter 19/20 (1968/69), S. 27–36.
Ariès, Philippe, Geschichte des Todes, München – Wien 1980.
Arnold, Klaus, **Niklashausen** 1476. Quellen und Untersuchungen zur sozialreligiösen Bewegung des Hans Behem und zur Agrarstruktur eines spätmittelalterlichen Dorfes (SaeSp 3), Baden-Baden 1980.
Aubert, Roger, **Licht und Schatten** der katholischen Vitalität, in: HKG(J) VI/1, Freiburg/Br. 1971, S. 650–695.
Axters, Stephanus, Over **virtus en heiligheidscomplex** onder de Merowingers, in: Miscellanea historica in honorem Alberti de Meyer (Université de Louvain. Recueil de Travaux d'Histoire et de Philologie 3me serie, 22me fascicule), Löwen – Brüssel 1946, S. 266–285.
Bach, Adolf, Deutsche Namenkunde, 2 Bde., Heidelberg [2+3]1978–81.
Bacht, Heinrich, Die **Mönchsprofeß** als zweite Taufe, in: Cath(M) 23 (1969), S. 240–277.
Bäumer, Remigius, Die pastorale **Bedeutung der Wallfahrt** im Zeitalter der Katholischen Reform, in: Heckens – Schulte Staade, Consolatrix Afflictorum, S. 173–188.
Barth, Hans-Martin, **Sehnsucht** nach den Heiligen? Verborgene Quellen ökumenischer Spiritualität, Stuttgart 1992.
Batlle, Columba M., Die ›**Adhortationes** SS. Patrum‹ (›Verba seniorum‹) im lateinischen Mittelalter (BGAM 31), München 1971.
Bauch, Andreas, Quellen zur Geschichte der **Diözese Eichstätt** 1 (ESt 1), Eichstätt 1962.

Bauer, Andreas – Wilhelm Plöger (Hg.), **Botschaft des Glaubens**. Ein katholischer Katechismus, im Auftrag der Bischöfe von Augsburg und Essen, Essen – Donauwörth 1979.
Bauer, Franz J. Von **Tod und Bestattung** in alter und neuer Zeit, in: HZ 254 (1992), S. 1–31.
Baumeister, Theofried, Art. **Gebet** V (Alte Kirche), in: TRE 12 (1984), S. 60–65.
– Art. **Heiligenverehrung** I, in: RAC 14 (1988), Sp. 96–150.
– **Martyr invictus**. Der Martyrer als Sinnbild der Erlösung in der Legende und im Kult der frühen koptischen Kirche. Zur Kontinuität des ägyptischen Denkens (FVK 46), Münster 1970.
– Die Anfänge der **Theologie des Martyriums** (MBTh 45), Münster 1980.
Becher, Matthias, **Eid** und Herrschaft. Untersuchungen zum Herrscherethos Karls des Großen (VKAMAG.S 39), Sigmaringen 1993.
Beck, Hans-Georg, **Geschichte** der orthodoxen Kirche im byzantinischen Reich (KIG 1,D1), Göttingen 1980.
Beck, Herbert – Peter C. Bol (Hg.), **Spätantike** und frühes Christentum [Ausstellungskatalog], Frankfurt/M. 1983.
Becker, Hans-Jürgen, **Stadtpatrone** und städtische Freiheit. Eine rechtsgeschichtliche Betrachtung des Kölner Dombildes, in: Kleinheyer, Gerd – Paul Mikat (Hg.), Beiträge zur Rechtsgeschichte. Gedächtnisschrift für Hermann Conrad, (Rechts- und Sozialwissenschaftliche Veröffentlichungen der Görres-Gesellschaft N. F. 34), Paderborn u. a. 1979, S. 23–45.
Behringer, Wolfgang, **Erträge** und Perspektiven der Hexenforschung, in: HZ 249 (1989), S. 619–640.
Beinert, Wolfgang – Heinrich Petri (Hg.), Handbuch der **Marienkunde**, Regensburg 1984.
Beissel, Stephan, Die **Aachenfahrt**. Verehrung der Aachener Heiligtümer seit den Tagen Karls des Großen bis in unsere Zeit, Freiburg/Br. 1902.
– Die **Verehrung der Heiligen** (II) und ihrer Reliquien in Deutschland während der zweiten Hälfte des Mittelalters (StML.E 54), Freiburg/Br. 1892, Darmstadt **ND 1976**.
Bellmann, Fritz u. a., Die **Denkmale der Lutherstadt** Wittenberg (Die Denkmale im Bezirk Halle), Weimar 1979.
Bellot-Beste, Elisabeth, Die **Wallfahrt** zum Gnadenbild **von Werl** in Westfalen (Schriften der Stadt Werl, Reihe A,4), Werl 1958.
Belting, Hans, **Bild und Kult**. Eine Geschichte des Bildes vor dem Zeitalter der Kunst, München 1990.
– Die **Reaktion der Kunst** des 13. Jahrhunderts auf den Import von Reliquien und Ikonen, in: Legner, Ornamenta Ecclesiae 3, S. 173–183.
Belting-Ihm, Christa, Art. **Heiligenbild**, in: RAC 14 (1988), Sp. 66–96.
– „Sub matris tutela“ (AHAW.PH 1976,3), Heidelberg 1976.
Benedict, Ruth, Urformen der Kultur, Hamburg 1955.
Benton, John f., **Consciousness** of Self and Perceptions of Individuality, in: Robert L. Benson – Giles Constable mit Carol D. Lanham (Hg.), Renaissance and Renewal in the Twelfth Century, Cambridge/Mass. 1982, S. 263–295.
Benz, Karl Josef, Untersuchungen zur politischen Bedeutung der **Kirchweihe** unter Teilnahme der deutschen Herrscher im hohen Mittelalter (RHisF 4), Kallmünz Opf. 1975.
Benz, Suitbert, Zur **Geschichte der römischen Kirchweihe** nach den Texten des 6. und 7. Jahrhunderts, in: Hilarius Emonds (Hg.), Enkainia. Gesammelte Arbeiten

zum 800-jährigen Weihegedächtnis der Abteikirche Maria Laach, Düsseldorf 1956, S. 62–109.

Berger, Klaus, Einführung in die **Formgeschichte**, Tübingen 1987.

– Art. **Gebet** IV (Neues Testament), in: TRE 12 (1984), S. 47–60.

– Historische **Psychologie des Neuen Testaments** (SBS 146/147), Stuttgart 1991.

Bernoulli, Carl Albrecht, **Die Heiligen** der Merowinger, Tübingen 1900, Hildesheim – New York ND 1981.

Berschin, Walter, **Biographie** und Epochenstil im lateinischen Mittelalter **I-III**, (Quellen und Untersuchungen zur lateinischen Philologie des Mittelalters 8–10), Stuttgart 1986–91.

Bertraud, Jean-Paul, **Alltagsleben** während der Französischen Revolution, Freiburg – Würzburg 1989.

Betz, Hans Dieter, Art. **Gottmensch** II (Griechisch-römische Antike und Urchristentum), in: RAC 12 (1983), Sp. 234–312.

Beumann, Helmut, **Friedrich II.** und die heilige Elisabeth. Zum Besuch des Kaisers in Marburg am 1. Mai 1236, in: Sankt Elisabeth, Sigmaringen 1981, S. 151–166.

Bieler, Ludwig, **Theíos anér**. Das Bild des „göttlichen Menschen" in Spätantike und Christentum, 2 Bde., Darmstadt ND 1976.

Bischof, Franz Xaver, Das Ende des Bistums **Konstanz**. Hochstift und Bistum Konstanz im Spannungsfeld von Säkularisation und Suppression 1802/3–1821/27 (MKHS 1), Stuttgart u. a. 1989.

Bischoff, Ulrich, **Denkmäler** der Befreiungskriege in Deutschland 1813–1815, Bd. 1, Berlin 1977.

Bitter, Gottfried u. a., **Grundriß des Glaubens**. Katholischer Katechismus zum Unterrichtswerk Zielfelder ru, hg. v. Deutschen Katecheten-Verein München, München – Hildesheim 1980.

Blaauw, Sible de, **Cultus** et decor. Liturgie en architectuur in laatantiek en middeleeuws Rome. Basilica Salvatoris, Sanctae Mariae, Sancti Petri, Delft 1987.

Blaise, Albert, **Le vocabulaire** latin des principaux thèmes liturgiques, Turnhout 1966.

Blank, Josef, **Frauen** in den Jesusüberlieferungen, in: Gerhard Dautzenberg – Helmut Merklein – Karlheinz Müller (Hg.), Die Frau im Urchristentum (QD 95), Freiburg/Br. 1983, S. 9–91.

Blessing, Werner K., **Kirchenfromm** – volksfromm – weltfromm: Religiosität im katholoischen Bayern des späten 19. Jahrhunderts, in: Wilfried Loth (Hg.), Deutscher Katholizismus im Umbruch zur Moderne (KoGe 3), Stuttgart 1991, S. 95–123.

Blok, Dirk Peter, De oudste particuliere oorkonden van het **Klooster Werden**. Een diplomatische studie met enige uitweidingen over het ontstaan van dit soort oorkonden in het algemeen (Van Gorcum's historische bibliotheek 61), Assen 1960.

Blumenberg, Hans, Arbeit am Mythos, Frankfurt/M. 1979.

– **Säkularisierung** und Selbstbehauptung. Erweiterte und überarbeitete Neuausgabe von ‚Legitimität der Neuzeit', Frankfurt/M. 1974.

Böcher, Otto, Art. **Blut** II (Biblische und frühjüdische Auffassungen), in: TRE 6 (1980), S. 729–736.

– Christus exorcista (BWANT 96), Stuttgart 1972.

– Art. **Dämonen** IV. (Neues Tstament), in: TRE 8 (1981), S. 279–286.

Böck, Hanna, **Einsiedeln**. Das Kloster und seine Geschichte, Zürich – München 1989.

Böck, Robert, Die **Verehrung des hl. Benno** in München. Wallfahrtsgeschichte und Mirakelbücher, in: BJVK 8 (1958), S. 53–73.

Bödeker, Hans Erich, Die **Religiosität der Gebildeten**, in: Karlfried Gründer – Karl Heinrich Rengstorf (Hg.), Religionskritik und Religiosität in der deutschen Aufklärung (WSA 11), Heidelberg 1989, S. 145–195.

Bogaert, Raymond, Art. **Geld** (Geldwirtschaft), in: RAC 9 (1976), Sp. 797–907.

Sankt **Bonifatius**. 754–1954. Gedenkgabe zum zwölfhundertsten Todestag, hg. v. d. Stadt Fulda i. Verb. m. d. Diözesen Fulda u. Mainz, Fulda 1954.

Boockmann, Hartmut, Der **Streit** um das Wilsnaker Blut, in: ZHF 9 (1982), S. 385–408.

Borgolte, Michael, **Petrusnachfolge und Kaiserimitation**. Die Grablegen der Päpste, ihre Genese und Traditionsbildung (VMPIG 95), Göttingen 1989.

Borst, Arno, **Barbaren**, Ketzer und Artisten, München – Zürich 1988.

– **Mönche am Bodensee** 610–1525, Sigmaringen 1978.

Bosch, Johannes van den, **Capa**, basilica, monasterium et le culte de saint Martin de Tours. Étude lexicologique et sémasiologique, Utrecht – Nijmegen 1959.

Boshof, Egon, Untersuchungen zur **Armenfürsorge** im fränkischen Reich des 9. Jahrhunderts, in: AKuG 58 (1976), S. 265–339.

Bosl, Karl, Die "**Familia**" als Grundstruktur der mittelalterlichen Gesellschaft, in: ZBLG 38 (1975), S. 403–424.

Boussel, Patrice, **Des reliques** et de leur bon usage, Paris 1971.

Bousset, Wilhelm, Das **Wesen der Religion** dargestellt an ihrer Geschichte (Lebensfragen 28), Tübingen [4]1920.

Boutry, Phillipe, **Les saints des catacombes**. Itinéraires français d'une piété ultramontaine (1800–1881), in: MEFRM 91,2 (1979), S. 875–930.

Brandenburg, Hugo, Art. **Kirchenbau** I (Der frühchristliche Kirchenbau), in: TRE 18 (1989), S. 421–442.

Braun, Joseph, Der christliche **Altar** in seiner christlichen Entwlicklung, 2 Bde., München 1924.

– Die **Loretofrage**, in: StZ 103 (1922), S. 429–448.

– Die **Reliquiare** des christlichen Kultes und ihre Entwicklung, Freiburg/Br. 1940.

Braun, Karl-Heinz, Die **Causa Wessenberg**, in: Ders. (Hg.), Kirche und Aufklärung. Ignaz Heinrich von Wessenberg (1774–1860), München – Zürich 1989, S. 28–59.

Braunfels, Wolfgang u. a., Art. **Maria**, Marienbild, in: LCI 3 (1971), Sp. 154–210.

Brecht, Martin, Martin **Luther**, 3 Bde., Stuttgart 1981–87.

Browe, Peter, Beiträge zur **Sexualethik** des Mittelalters (BSHT 23), Breslau 1932.

– **Die eucharistischen Wunder** des Mittelalters (BSHT.NF 4), Breslau 1938.

Brown, Peter, **Aufstieg** und Funktion des Heiligen in der Spätantike, in: ders., Gesellschaft, S. 21–47.

– Die **Gesellschaft** und das Übernatürliche. Vier Studien zum frühen Christentum, Berlin 1993.

– Die letzten **Heiden**. Eine kleine Geschichte der Spätantike, Berlin 1986.

– Die **Heiligenverehrung**. Ihre Entstehung und Funktion in der lateinischen Christenheit, Leipzig 1991.

– Die **Keuschheit der Engel**. Sexuelle Entsagung, Askese und Körperlichkeit am Anfang des Christentums, München – Wien 1991.

– **Wissenschaft** und Phantasie, in: ders., Gesellschaft, S. 7–20.

Brox, Norbert, Zur **christlichen Mission** in der Spätantike, in: Karl Kertelge (Hg.), Mission im Neuen Testament (QD 93), Freiburg/Br. u. a. [2]1982, S. 190–237.

– **Zeuge und Märtyrer**. Untersuchungen zur frühchristlichen Zeugnis-Terminologie (StANT 5), München 1961.

Brückner, Annemarie und Wolfgang, **Zeugen des Glaubens** und ihre Literatur. Altväterbeispiele, Kalenderheilige, protestantische Martyrer und evangelische Lebenszeugnisse, in: Brückner, Volkserzählung, S. 521–579.

Brückner, Wolfgang, **Lourdes** und Literatur – Oder die Faszination des Massenkultes, in: Kriss-Rettenbeck – Möhler, Wallfahrt, S. 429–442.

– Das **Problemfeld Wallfahrtsforschung** oder: Madiaevistik und neuzeitliche Sozialgeschichte im Gespräch, in: Österreichische Akademie der Wissenschaften, Wallfahrt, S. 7–26.

– Die **Verehrung des heiligen Blutes** in Walldürn, Aschaffenburg 1958.

– (Hg.), **Volkserzählung** und Reformation. Ein Handbuch zur Tradierung und Funktion von Erzählstoffen und Erzählliteratur im Protestantismus, Berlin 1974.

– **Volkstümliche Denkstrukturen** und hochschichtliches Weltbild im Votivwesen. Zur Forschungssituation und Theorie des bildlichen Opferkultes, in: SAVK 59 (1963), S. 186–203.

– Heidemarie Gruppe, **Luther** als Gestalt der Sage, in: Brückner, Volkserzählung, S. 261–325 (mit Motiv-Katalog).

Bruhns, Hinnerk, **Armut und Gesellschaft** in Rom, in: Hans Mommsen – Winfried Schulze (Hg.), Vom Elend der Handarbeit. Probleme historischer Unterschichtenforschung (GuG 24), Stuttgart 1981, S. 27–49.

Brunhölzl, Franz, **Geschichte der lateinischen Literatur** des Mittelalters I. Von Cassiodor bis zum Ausklang der karolingischen Erneuerung, München 1975.

Bruyn, Günter de, **Jubelschreie**, Trauergesänge. Deutsche Befindlichkeiten, Frankfurt/M. 1991.

Bubenheimer, Ulrich, **Scandalum et ius divinum**. Theologische und rechtstheologische Probleme der ersten reformatorischen Innovationen in Wittenberg 1521/22, in: ZSRG.K 90,59 (1973), S. 263–342.

Budde, Rainer – Wallraf-Richartz-Museum (Hg.), Die **Heiligen Drei Könige** – Darstellung und Verehrung (Ausstellungskatalog, Wallraf-Richartz-Museum), Köln 1982.

Büttner, F. O., **Imitatio** Pietatis. Motive der christlichen Ikonographie als Modelle zur Verähnlichung, Berlin 1983.

Bultmann, Rudolf, **Theologie** des Neuen Testaments, hg. v. Otto Merk, Tübingen [8]1980.

Burger, Christoph, **Aedificatio**, Fructus, Utilitas. Johannes Gerson als Professor der Theologie und Kanzler der Universität Paris (BHTh 70), Tübingen 1986.

Burke, Peter, Helden, **Schurken und Narren**. Europäische Volkskultur in der frühen Neuzeit, Stuttgart 1981.

Burkert, Walter, **Griechische Religion** der archaischen und klassischen Epoche (RM 15), Stuttgart u.a. 1977.

Burkhardt, Johannes, **Reformations- und Lutherfeiern**. Die Verbürgerlichung der reformatorischen Jubiläumskultur, in: Düding, Festkultur, S. 212–236.

Caillois, Roger, Der **Mensch** und das Heilige, München – Wien 1988.

Camelot, Pierre-Thomas, **Ephesus** und Chalcedon (GÖK 2), Mainz 1963.

Campbell, James, Bede, in: T.A. Dorey (Hg.), Latin Historans, London 1966, S. 159–190.

Campenhausen, Hans Freiherr von, Die **Bilderfrage** in der Reformation, in: ZKG 68 (1957), S. 96–128.

– Die **Idee des Martyriums** in der alten Kirche, Göttingen [2]1964.

Cancik, Hubert, Art. **Epiphanie**/Advent, in: HRWG 2 (1990), S. 290–296.

Cardini Franco, Reliquie e pellegrinaggi, in: Santi e demoni 2, S. 981–1035.
Carlen, Louis, **Wallfahrt** und Recht im Abendland (FVKS 23), Fribourg/CH 1987.
Cassirer, Ernst, Die **Philosophie der Aufklärung**, Tübingen 1932.
Chargaff, Erwin, Das **Feuer des Heraklit**. Skizzen aus einem Leben vor der Natur, Frankfurt/M. 1989.
Christensen, Carl C., **Art** and the Reformation in Germany (Studies in the Reformation 2), Ohio 1979.
– **Iconoclasm** and the Preservation of Ecclesiastical Art in Reformation Nuernberg, in: ARG 61 (1970), S. 205–221.
Clasen, Sophronius, Theologische Anliegen und historische Wirklichkeit in **Franziskanischen Heiligenlegenden**. Ein Beitrag zur Hagiographie des Mittelalters, in: WiWei 36 (1973), S. 1–44.128–174.
– **Franziskus**, der Gottes Absicht noch nicht erkannte, in: WiWei 27 (1964), S. 117–128.
– Die **Hagiographie** als literarische Art. Erwägungen zu einem neuen Antoniusbuch, in: WiWei 31 (1968), S. 81–99.
– Das **Heiligkeitsideal** im Wandel der Zeiten, in: WiWei 33 (1970), S. 46–64.132–164.
Classen, Peter, **Karl der Große**, das Papsttum und Byzanz. Die Begründung des Karolingischen Kaisertums (BGQMA 9), Sigmaringen 1985.
Coens, Maurice, Recueil d'études bollandiennes (SHG 37), Brüssel 1963.
Colpe, Carsten, Die wissenschaftliche **Beschäftigung mit „dem Heilgen"** und „das Heilige" heute, in: Kamper – Wulf, Das Heilige, S. 33–61.
– Die **Disskussion um das „Heilige"** (WdF 305), Darmstadt 1977.
– u. a., Art. **Geister** (Dämonen), in: RAC 9 (1976), Sp. 546–797.
– Art. **Heilig** (sprachlich), in: HRWG 3 (1993), S. 74–80.
– Art. **Das Heilige**, in: HRWG 3 (1993), S. 80–99.
Conzelmann, Hans, Der erste Brief an die Korinther (Meyers Kommentar 5), Göttingen 1969.
Corbin, Alain, **Pesthauch** und Blütenduft. Eine Geschichte des Geruchs, Sonderausgabe, Frankfurt/M. 1992.
Cornell, Timothy J., Art. **Gründer** (Nichtchristlich), in: RAC 12 (1983), Sp. 1107–1145.
Coué, Stephanie, Acht **Bischofsviten** aus der Salierzeit – neu interpretiert, in: Stefan Weinfurter – Hubertus Seibert (Hg.), Die Salier und das Reich 3 (Gesellschaftlicher und ideengeschichticher Wandel im Reich der Salier), Sigmaringen 1991, S. 347–413.
Cristiani, Marta, **La sainteté féminine** du haut moyen âge. Biographie et valeurs, in: Les fonctions des saints dans le monde occidental (IIIe-XIIIe siècles). Actes du colloque organisé par l'École française de Rome (CEFR 149), Rom 1991, S. 386–434.
Crüsemann, Frank, Der **Exodus** als Heiligung. Zur rechtsgeschichtlichen Bedeutung des Heiligkeitsgesetzes, in: Erhard Blum u. a.(Hg.), Die Hebräische Bibel und ihre zweifache Nachgeschichte, FS Rolf Rendtorff, Neukirchen 1990, S. 117–129.
Cullmann, Oskar, **Petrus**. Jünger – Apostel – Märtyrer. Das historische und das theologische Petrusproblem, Zürich – Stuttgart ^{2}1960.
Dahl, Ellert, **Heavenly images**. The Statue of St. Foy of Conques and the Signification of the Medieval „Cult-Image" in the West, in: Jonas Nordhagen u. a. (Hg.), Institutum Romanum Norvegiae, Acta ad archeologiam et artium historiam pertinentia VIII, Rom 1978, S. 175–191.

Daley, Brian, **Eschatologie**. In der Schrift und Patristik (HDG IV,7a), Freiburg/Br. u.a. 1986.

Dassmann, Ernst, **Ambrosius** und die Märtyrer, in: JAC 18 (1975), S. 49–68.

– **Diakonat** und Zölibat, in: Josef G. Plöger – Hermann Joh. Weber (Hg.), Der Diakon. Wiederentdeckung und Erneuerung seines Dienstes, Freiburg/Br. u.a. 1980, S. 57–67.

– **Epiphanie** und die Heiligen Drei Könige, in: Budde – Wallraf-Richartz-Museum, Heilige Drei Könige, S. 16–19.

– **Kirchengeschichte** I. Ausbreitung, Leben und Lehre der Kirche in den ersten drei Jahrhunderten, Stuttgart u.a. 1991.

– **Sündenvergebung** durch Taufe, Buße und Martyrerfürbitte in den Zeugnissen frühchristlicher Frömmigkeit und Kunst (MBTh 36), Münster 1973.

– Karl Suso Frank, Pietas, FS Bernhard Kötting (JAC.E 8), Münster 1980.

Deckers, Johannes G., Die **Huldigung der Magier** in der Kunst der Spätantike, in: Budde – Wallraf-Richartz-Museum, Heilige Drei Könige, S. 20–32.

– **Kult** und Kirchen der Märtyrer in Köln, in: RQ 83 (1988), S. 25–43.

Deissler, Alfons, Das **Opfer im Alten Testament**, in: Lehmann – Schlink, Opfer Jesu Christi, S. 17–35.

Dekkers, Eligius, **Profession – second baptême**, Qu'a voulu dire saint Jerôme?, in: HJ 77 (1958), S. 91–97.

Delehaye, Hippolyte, **Cinq leçons** sur la méthode hagiographique (SHG 21), Brüssel 1934.

– Die hagiographischen **Legenden**, übers. v. E. A. Stükelberg, Kempten – München 1907.

– Loca sanctorum, in: AnBoll 48 (1930), S. 5–64.

– **Sanctus**. Essai sur le culte des saints dans l'antiquité (SHG 17), Brüssel 1927.

Delius, Walter, Geschichte der **Marienverehrung**, München – Basel 1963.

Demyttenaere Albert, **The Cleric**, Women and the Stain. Some beliefs and ritual practices concerning women in the early Middle Ages, in: Werner Affeldt (Hg.), Frauen in Spätantike und Frühmittelalter. Lebensbedingungen – Lebensnormen – Lebensformen, Sigmaringen 1990, S. 141–172.

Demm, Eberhard, Zur **Rolle des Wunders** in der Heiligkeitskonzeption des Mittelalters, in: AKuG 57 (1975), S. 300–344.

Denzinger, Heinrich, **Enchiridion** symbolorum definitionum et declarationum de rebus fidei et morum, verbessert, erweitert, ins Deutsche übertragen und unter Mitarbeit von Helmut Hoping herausgegeben von Peter Hünermann, **Kompendium** der Glaubensbekenntnisse und kirchlichen Lehrentscheidungen, Freiburg/Br. u.a. [37]1991.

Deyon, Solange – Alain Lottin, **Les casseurs** de l'été 1566. L'iconoclasme dans le nord, Westhoek 1986.

Dickenberger, Udo, **Schutzgeister** in der Goethezeit, in: JVK.NF 14 (1991), S. 178–195.

Dieckhoff, Reiner, Vom **Geist geistloser Zustände**. Aspekte eines deutschen Jahrhunderts, in: Hugo Borger (Hg.), Der Kölner Dom im Jahrhundert seiner Vollendung, Bd. 2: Essays, Köln 1980, S. 63–105.

Diederichs, Eugen, Aus meinem **Leben**, Leipzig [3]1942.

– **Stirb und Werde**. Ein Arbeitsbericht über 30jährige Verlagstätigkeit auf religiösem Gebiete (1899–1929), Jena 1929.

Dihle, Albrecht, Art. **Demut**, in: RAC 3 (1957), Sp. 735–778.

– Art. **Ethik**, in: RAC 6 (1966), Sp. 646–796.
– Art. **Heilig**, in: RAC 14 (1988), Sp. 1–63.
– Die **Goldene Regel**. Eine Einführung in die Geschichte der antiken und frühchristlichen Vulgärethik (SAW 7), Göttingen 1962.
– Die **Vorstellung vom Willen** in der Antike, Göttingen 1985.
Dinkler-von Schubert, Erika, **Schrein der Hl. Elisabeth** zu Marburg. Studien zur Schrein-Ikonographie (Veröffentlichung des Forschungsinstutes für Kunstgeschichte Marburg/Lahn), Marburg 1964.
Dinzelbacher, Peter, Zur **Erforschung** der Geschichte **der Volksreligion**. Einführung und Bibliographie, in: ders. – Bauer, Volksreligion, S. 9–27.
– Der **Kampf der Heiligen** mit den Dämonen, in: Santi e demoni 2, S. 647–695.
– Die "**Realpräsenz**" der Heiligen in ihren Reliquiaren und Gräbern nach mittelalterlichen Quellen, in: ders. – Bauer, Heiligenverehrung, S. 115–174.
– **Rollenverweigerung**, religiöser Aufbruch und mystisches Erleben mittelalterlicher Frauen, in: ders. – Bauer, Frauenbewegung, S. 1–58.
– "**verba** hec tam mistica ex ore tam ydiote glebonis". Selbstaussagen des Volkes über seinen Glauben – unter besonderer Berücksichtigung der Offenbarungsliteratur und der Vision Gottschalks, in: ders. – Bauer, Volksreligion, S. 57–99.
– **Vision und Visionsliteratur** im Mittelalter (MGMA 23), Stuttgart 1981.
– Dieter R. Bauer (Hg.), Religiöse **Frauenbewegung** und mystische Frömmigkeit im Mittelalter (BAKG 28), Köln – Wien 1988.
– (Hg.), **Heiligenverehrung** in Geschichte und Gegenwart, Ostfildern 1990.
– (Hg.), **Volksreligion** im hohen und späten Mittelalter (QFG.NF 13), Paderborn u.a. 1990.
Dipper, Christoph, **Volksreligiosität** und Obrigkeit im 18. Jahrhundert, in: Schieder, Volksreligiosität, S. 73–96.
Dölger, Franz Joseph, Die **Heiligkeit des Altares** und ihre Begründung im christlichen Altertum, in: AuC 3 (1930), S. 161–183.
– Tertullian über die **Bluttaufe**, in: AuC 2 (1930), S. 117–141.
Dörrie, Heinrich, Art. **Gottesbegriff**, in: RAC 11 (1981), Sp. 944–951.
– Art. **Gottesvorstellung**, in: RAC 12 (1983), Sp. 81–154.
– Überlegungen zum **Wesen antiker Frömmigkeit**, in: Dassmann – Frank, Pietas, S. 3–14.
Dohms, Peter, Die **Geschichte der Wallfahrt nach Kevelaer**, in: Heckens – Schulte Staade, Consolatrix Afflictorum, S. 227–274.
– in Verbindung mit Wiltrud Dohms und Volker Schroeder, Die **Wallfahrt nach Kevelaer** zum Gnadenbild der „Trösterin der Betrübten". Nachweis und Geschichte der Prozessionen von den Anfängen bis zur Gegenwart. Mit Abbildung der Wappenschilder (350 Jahre Kevelaer-Wallfahrt Bd. 2), Kevelaer 1992.
Dollinger, Philippe, **Der bayerische Bauernstand** vom 9. bis zum 13. Jahrhundert, hg. v. Franz Irsigler, München 1982.
Dorn, Erhard, **Der sündige Heilige** in der Legende des Mittelalters (Medium aevum. Philologische Studien 10), München 1967.
Douglas, Mary, **Ritual**, Tabu und Körpersymbolik. Sozialanthropologische Studien in Industriegesellschaft und Stammeskultur (Conditio humana), Frankfurt/M. 1974.
Dubois, Jacques, Les **martyrologes** du moyen âge latin (TSMAO 26), Turnhout 1978.
– Jean-Loup Lemaitre, **Sources** et méthodes de l'hagiographie médiévale, Paris 1993.
Düding, Dieter u.a. (Hg.), Öffentliche **Festkultur**. Politische Feste in Deutschland von der Aufklärung bis zum Ersten Weltkrieg, Hamburg 1988.

Dühr, Elisabeth – Markus Groß-Morgen (Hg.), Zwischen **Andacht und Andenken**. Kleinodien religiöser Kunst und Wallfahrtsandenken aus Trierer Sammlungen [Ausstellungskatalog], Trier 1992.
Dülmen, Richard van, **Volksfrömmigkeit** und konfessionelles Christentum im 16. und 17. Jahrhundert, in: Schieder, Volksreligiosität, S. 14–30.
Dünninger, Hans, Zur Frage der **Hostiensepulcren** und Reliquienrekondierungen in Bildwerken, in: JVK 9 (1986), S. 72–84.
Dürig, Walter, **Geburtstag und Namenstag**. Eine liturgiegeschichtliche Studie, München 1953.
Duggan, Lawrence G., Was Art Really the 'Book of the Illiterate'?, in: Word and Image 5,2 (1989), S. 227–251.
Durkheim, Émile, Die elementaren **Formen** des **religiösen Lebens**, Frankfurt/M. [2]1984.
– **Soziologie** und Philosophie. Einleitung von Theodor W. Adorno (Theorie 1), Frankfurt/M. 1967.
Duhr, Bernhard, **Geschichte der Jesuiten** in den Ländern deutscher Zunge, 4 Bde., München – Regensburg 1907–28.
Duparc, Pierre, La question des ‚**sainteurs**' ou hommes des églises, in: JS (1972), S. 25–48.
Duval, Yvette, Auprès des saints. Corps et âme. **L'inhumation „ad sanctos"** dans la chrétienté d'Orient et d'Occident du IIIe au VIIe siècle, Paris 1988.
Dyer, George J. (Hg.), Ein katholischer **Katechismus**, New York 1975 – München 1976.
Dykmans, Marc, **Les sermons** de Jean XXII sur la vision béatifique (MHP 34), Rom 1973.
– **Pour et contre** Jean XXII en 1333. Deux traités avignonnais sur la vision béatifique (StT 274), Città del Vaticano 1975.
Ebertz, Michael N. – Franz Schultheis, Einleitung: **Populare Religiosität**, in: diess. (Hg.), Volksfrömmigkeit in Europa. Beiträge zur Soziologie popularer Religiosität aus 14 Ländern (Religion – Wissen – Kultur 2), München 1986, S. 11–52.
Eckstein. F. – J. H. Waszink, Art. **Amulett**, in: RAC 1 (1950), Sp. 397–411.
Eggers, Hans, Die **Annahme des Christentums** im Spiegel der deutschen Sprachgebiete, in: Knut Schäferdiek (Hg.), Die Kirche des früheren Mittelalters 1 (KGMG II,1), München 1978, S. 466–504.
Eggs, Ekkehard, **Napoleon und Jacques-Louis David**: Heroisierung, Sakralisierung und Embellissement, in: Heide N. Rohloff (Hg.), Napoleon kam nicht nur bis Waterloo. Die Spur des gestürtzten Giganten in Literatur und Sprache, Kunst und Karrikatur, Frankfurt/M. 1992, S. 19–54.
Ehresmann, Donald L., Some Observations on the **Role of Liturgy** in the Early Wingend Altarpiece, in: ArtB 64 (1982), S. 359–369.
Eich, Friedrich (Hg.), **Gedenkblätter** zur Erinnerung an die Enthüllungsfeier des LutherDenkmals in Worms am 24., 25. und 26. Juni 1868. Im Auftrage des Ausschusses des Luther-Denkmal-Vereins, Worms 1868.
Eichrodt, Walter, **Theologie des Alten Testaments** I, Göttingen [7]1962.
Elbern, Victor H., **Goldschmiedekunst** im frühen Mittelalter, Darmstadt 1988.
Eliade, Mircea, **Geschichte** der religiösen Ideen, 3 Bde., Freiburg/Br. 1978–91.
– **Das Heilige** und das Profane. Vom Wesen des Religiösen, Frankfurt/M. 1990.
– **Kosmos und Geschichte**. Der Mythos der ewigen Wiederkehr, Frankfurt/M. 1984.
– Im **Mittelpunkt**. Bruchstücke eines Tagebuches, Wien 1977.

– **Die Religionen** und das Heilige. Elemente der Religionsgeschichte, Salzburg 1954.
– **Schamanismus** und archaische Ekstasetechnik, Zürich 1957.
Elm, Kaspar, Elias, Paulus von Theben und Augustinus als **Ordensgründer**. Ein Beitrag zur Geschichtsschreibung und Geschichtsdeutung der Eremiten- und Bettelorden des 13. Jahrhunderts, in: Hans Patze (Hg.), Geschichtsschreibung und Geschichtsbewußtsein im späten Mittelalter (VKAMAG 31), Sigmaringen 1987, S. 371–397.
– **Norbert von Xanten**. Bedeutung – Persönlichkeit – Nachleben, in: ders., Norbert, S. 267–318.
– (Hg.), **Norbert** von Xanten. Adliger – Ordensstifter – Kirchenfürst, Köln 1984,
Embach, Michael, Die literarische Verarbeitung der Trierer **Heilig-Rock-Wallfahrt** von 1844, in: Dühr – Groß-Morgen, Andacht und Andenken, S. 137–153.
Emminghaus, Johannes H., Art. **Verkündigung an Maria**, in: LCI 4 (1972), Sp. 422–437.
– Art. **Vesperbild**, in: LCI 4 (1972), Sp. 450–457.
Engels, Odilo, Die **Anfänge des spanischen Jakobusgrabes** in kirchenpolitischer Sicht, in: RQ 75 (1980), S. 146–170.
– Die **Reliquien der Heiligen Drei Könige** in der Reichspolitik der Staufer, in: Budde – Wallraf-Richartz-Museum, Heilige Drei Könige, S. 33–36.
– Die **Vita Willibalds** und die Anfänge des Bistums Eichstätt, in: Harald Dickerhof u. a. (Hg.), Der hl. Willibald – Klosterbischof oder Bistumsgründer (ESt.NF 30), Regensburg 1990, S. 171–198.
Erb, Jörg, Die **Wolke der Zeugen**. Lesebuch zu einem evangelischen Namenkalender, 4 Bde., Kassel $^{3-5}$1962–69.
Erdmann, Carl, Die Entstehung des **Kreuzzugsgedanken**s, Darmstadt 1980.
Erlemann, Hildegard – Thomas Stangier, **Festum Reliquiarum**, in: Legner, Reliquien, S. 25–31.
Katholischer **Erwachsenen-Katechismus**. Das Glaubensbekenntnis der Kirche, hg. v. der Deutschen Bischofskonferenz, Bonn u. a. 1985.
Eßer, Ambrosius, Art. **Dominikaner**, in: TRE 9 (1982), S. 127–136.
Esser, Kajetan, **Anfänge** und ursprüngliche Zielsetzungen des Ordens der Minderbrüder (SDF 4), Leiden 1966.
Farmer, David Hugh, Art. **Hagiographie** I (Alte Kirche), in: TRE 14 (1985), S. 360–364.
Fehlmann, Hans-Rudolf, **Heilkundliche Kasuistik** im Siegburger Mirakelbuch, in: Mauritius Mittler (Hg.), Siegburger Mirakelbuch (Siegburger Studien 5), Siegburg 1968, S. 45*–59*.
Fehring, Günter, **Einführung in die Archäologie** des Mittelalters, Darmstadt 1987.
Feld, Helmut, Der **Ikonoklasmus** des Westens (SHCT 41), Leiden u. a. 1990.
Felten, Franz J., **Norbert von Xanten**. Vom Wanderprediger zum Kirchenfürsten, in: Elm, Norbert, S. 69–157.
Ferguson, Everett, **Spiritual Sacrifice** in Early Christianity and its Environment, in: Hildegard Temporini – Wolfgang Haase (Hg.), ANRW II, 23/2 (Prinzipat, hg. von Wolfgang Haase), Berlin – New York 1980, S. 1151–1189.
Février, Paul-Albert, Kult und Geselligkeit: Überlegungen zum **Totenmahl**, in: Jochen Martin, – Barbara Quint (Hg.), Christentum und antike Gesellschaft (WdF 649), Darmstadt 1990, S. 358–390.
– **Martyre** et sainteté, in: Les fonctions des saints dans le monde occidental (IIIe-XIIIe siècle). Actes du colloque organisé par l'École française de Rome (CEFR 149), Rom 1991, S. 51–80.

Fichtenau, Heinrich, **Lebensordnungen** des 10. Jahrhunderts. Studien über Denkart und Existenz im einstigen Karolingerreich, München 1992.
– Zum **Reliquienwesen** im früheren Mittelalter, in: MIÖG 60 (1952), S. 60–89.
Finley, Moses I., Die antike **Wirtschaft**, München 1977.
Fleckenstein, Josef, Die **Hofkapelle** der deutschen Könige I. Grundlegung. Die karolingische Hofkapelle (SMGH 16,1), Stuttgart 1959.
Fleith, Barbara, Studien zur Überlieferungsgeschichte der lateinischen **Legenda Aurea** (SHG 72), Brüssel 1991.
Flood, David, Art. **Armut** V.VI (Alte Kirche. Mittelalter), in: TRE 4 (1979), S. 85–98.
– **Poverty** in the Middle Ages (FrFor 27), Werl 1975.
Folz, Robert, **Les saintes reines** du moyen âge en Occident (VIe-XIIIe siècles) (SHG 76), Brüssel 1992.
– **Les saints rois** du moyen âge en Occident (VIe-XIIIe siècles) (SHG 68), Brüssel 1984.
Foreville, Raymonde, (Hg.), Lateran I-IV (GÖK 6), Mainz 1970.
– Mort et survie de saint **Thomas Becket**, in: CCM 14 (1971), S. 21–38.
Forster, Georg, **Ansichten vom Niederrhein** von Brabant, Flandern, Holland, England und Frankreich im April, Mai und Juni 1790, hg. v. Ulrich Schlemmer, Stuttgart – Wien 1989.
Frank, Isnard Wilhelm, **Franz von Assisi.** Frage auf eine Antwort, Mainz 1992.
Frank, Karl Suso, **Angelikos Bios.** Begriffsanalytische und Begriffsgeschichtliche Untersuchung zum „Engelgleichen Leben" im frühen Mönchtum (Diss.), Münster 1962.
– **Grundzüge** der Geschichte **des** christlichen **Mönchtums** (Grundzüge Bd. 25), Darmstadt 1975.
– Carl Andresen (Hg.), **Frühes Mönchtum** im Abendland, 2 Bde., Zürich – München 1975.
– Zum **Opferverständnis** in der alten Kirche, in: Lehmann – Schlink, Opfer Jesu Christi, S. 40–50.
– **Vita Apostolica**. Ansätze zur apostolischen Lebensform in der alten Kirche, in: ZKG 82 (1971), S. 145–166.
Franke, Thomas, Zur **Geschichte der Elisabethreliquien** im Mittelalter und in der frühen Neuzeit, in: Sankt Elisabeth, S. 167–179.
Franz, Günther, Der deutsche **Bauernkrieg**, München – Berlin 1933.
Freise, Eckhard, **Das Frühmittelalter** bis zum Vertrag von Verdun (843), in: Wilhelm Kohl (Hg.), Westfälische Geschichte I (Von den Anfängen bis zum Ende des alten Reiches), Düsseldorf 1983, S. 275–335.
Freitag, Werner, **Konfessionelle Kulturen** und innere Staatsbildung. Zur Konfessionalisierung in westfälischen Territorien, in: WF 42 (1992), S. 75–191.
– **Volks- und Elitenfrömmigkeit** in der frühen Neuzeit. Marienwallfahrten im Fürstbistum Münster (Veröffentlichungen des Provinzialinstituts für westfälische Landes- und Volksforschung des Landschaftsverbandes Westfalen-Lippe 29), Paderborn 1991.
Frenz, Thomas, Art. **Kirchenstaat**, in: TRE 19 (1990), S. 92–101.
Freud, Sigmund, Der Mann **Moses** und die monotheistische Religion, in: ders., Gesammelte Werke chronologisch geordnet 16, London 1950, S. 101–246.
– **Totem und Tabu**. Einige Übereinstimmungen im Seelenleben der Wilden und der Neurotiker (Gesammelte Werke chronologisch geordnet 9), London Repr. 1948.

Freydank, Dietrich – Gottfried Sturm, Das **Väterbuch** des Kiewer Höhlenklosters, Graz u.a. 1989.

Fried, Johannes, **Otto III.** und Boleslaw Chobry, Das Widmungsbild des Aachener Evangeliars, der „Akt von Gnesen" und das frühe polnische und ungarische Königtum (Frankfurter Historische Abhandlungen 30), Stuttgart 1989.

– **Der päpstliche Schutz** für Laienfürsten. Die politische Geschichte des päpstlichen Schutzprivilegs für Laien (11.–13. Jh.). Vorgelegt am 30. Juni 1979 von Peter Classen (AHAW.PH 1980,1), Heidelberg 1980.

Frolow, A., **La relique** de la vraie croix. Recherches sur le développement d'un culte (AOC 7), Paris 1961.

Frühwald, Wolfgang, Die **Emmerick-Schriften** Clemens Brentanos. Ein Versuch zur Bestimmung von Anlaß und literarischer Intention, in: Clemens Engling u.a. (Hg), Emmerick und Brentano. Dokumentation eines Symposions der Bischöflichen Kommission „Anna Katharina Emmerick" Münster 1982, Dülmen 1983, S. 13–33.

– Die **Wallfahrt nach Trier**. Zur historischen Einordnung einer Streitschrift von Joseph Görres, in: Georg Droege (Hg.), Verführung zur Geschichte. FS 500. Jahrestag der Eröffnung einer Universität in Trier, Trier 1973, S. 366–382.

Fuchß, Verena, Das **Grab des heiligen Gebhard** in der Klosterkirche von Petershausen bei Konstanz im 10. Jahrhundert, in: Kerscher, Hagiographie, S. 273–300.

Fueter, Eduard, Geschichte der neueren **Historiographie** (HMANG 1), München – Berlin 1911.

Fuhrmann, Horst, Art. **Constitutum Constantini**, in: TRE 8 (1981), S. 196–202.

Gaborit-Chopin, Danielle (Hg.), **Le trésor de Saint-Denis**. Musée du Louvre, Paris, 12 mars – 17 juin 1991.

– **Le trésor du haut moyen âge**, Dagobert et Charles le Chauve, in: dies., Le trésor de Saint-Denis, S. 39–118.

– Le trésor pendant la Révolution, in: dies., Le trésor de Saint-Denis, S. 343–350.

Gagé, Jean, Art. **Fackel**, in: RAC 7 (1969), Sp. 154–217.

Gagov, Giuseppe, **Il culto delle reliquie** nell'antichità. Riflesso nei due termini „patrocinia" e „pignora", in: MF 58 (1958), S. 484–512.

Gaiffier, Baudouin de, **Études** critiques d'hagiographie et d'iconologie (SHG 43), Brüssel 1967.

– **Un thème hagiographique**: le pendu miraculeusement sauvé, in: ders., Études, S. 194–226.

– **Liberatus a suspendio**, in: ders., Études, S. 227–232.

Gallwitz, Klaus (Hg.), **Die Nazarener**, (Ausstellungskatalog, Städel), Frankfurt/M. 1977.

– (Hg.), **Die Nazarener in Rom**. Ein deutscher Künstlerbund in Rom, Deutsche Ausgabe des Ausstellungs-Kataloges ›I Nazareni a Roma‹, München 1981.

Gatz, Erwin, Die Dürener **Annaverehrung** bis zum Ende des 18. Jahrhundert, in: ders. (Hg.), St. Anna in Düren, Mönchengladbach 1972, S. 161–190.

Geary, Patrick, **Furta sacra**. Thefts of Relics in the Central Middle Ages, Princeton 1990.

– Humiliation of Saints, in: Stephen Wilson (Hg.), Saints and Their Cults, Studies in Religious Sociology, Folklore and History, Cambridge u.a. 1983, S. 123–140.

Geble, Peter, **Soziologie** des Heiligen – heilige Soziologie. Zu Roger Caillois' Entwurf einer Sakralsoziologie, in: Kamper – Wulf, Das Heilige, S. 82–90.

Geiselmann, Josef Rupert, Die **theologische Anthropologie** Johann Adam Möhlers. Ihr geschichtlicher Wandel, Freiburg/Br. 1955.

Gierlich, Ernst, Die **Grabstätten der Bischöfe** vor 1200. (Beiträge zur mittelalterlichen Kirchengeschichte 65), Mainz 1990.

Gildemeister, Johann – Heinrich von Sybel, **Der Heilige Rock zu Trier** und die zwanzig andern Heiligen Ungenähten Röcke, Düsseldorf 1844.

Ginzburg, Carlo, Der **Käse und** die **Würmer**. Die Welt eines Müllers um 1600 (Syndikat EVA 10), Frankfurt/M. 1983.

– **Repräsentation** – das Wort, die Vorstellung, der Gegenstand, in: Freibeuter 53 (1992), S. 3–23.

Glaubensverkündigung für Erwachsene. Deutsche Ausgabe des Holländischen Katechismus, Nijmegen 1968.

Gnilka, Christian, Ultima verba, in: JAC 22 (1979), S. 5–21.

Gnilka, Joachim, **Jesus von Nazaret**. Botschaft und Geschichte (HThK.S 3), Freiburg/Br. u.a. 1990.

– Der **Philipperbrief** (HThK 10,3), Freiburg/Br. u.a. 1968.

Godel, Willibrord, **Irisches Beten** im frühen Mittelalter. Eine liturgie- und frömmigkeitsgeschichtliche Untersuchung, in: ZkTh 85 (1963), S. 261–321.389–439.

[Goebbels], Die **Tagebücher** von Joseph Goebbels. Sämtliche Fragmente, hg. v. Elke Fröhlich, Teil I: Aufzeichnungen 1924–1941, Bd. 1: 27.6.1924–31.12.1930, München u.a. 1987.

Görres, Joseph von, Die christliche Mystik, 5 Bde., Regensburg 1879–80.

– Wallfahrt nach Trier, Regensburg 1845.

Gössmann, Elisabeth, Anthropologische und soziale **Stellung der Frau** nach Summen und Sentenzkommentaren des 13. Jahrhunderts, in: MM 12,1 (1979), S. 281–297.

Goodich, Michael, **Vita perfecta**. The Ideal of Sainthood in the Thirteenth Century (MGMA 25), Stuttgart 1982.

Gottschalk, Joseph, **St. Hedwig** Herzogin von Schlesien (FQKGO 2), Köln – Graz 1964.

Gougaud, Louis, **Dévotions** et pratiques ascétiques du moyen âge (Collection „Pax" 21), Paris 1925.

Goy, Barbara, **Aufklärung und Volksfrömmigkeit** in den Bistümern Würzburg und Bamberg (QFGBW 21), Würzburg 1969.

Graf, Friedrich Wilhelm, Die **Politisierung des religiösen Bewußtseins**. Die bürgerlichen Religionsparteien im deutschen Vormärz: Das Beispiel des Deutschkatholizismus (Neuzeit im Aufbau 5), Stuttgart – Bad Canstatt 1978.

Grass, Nikolaus, **Loreto** im Bergland Tirol, in: JVK.NF 2 (1979), S. 161–186.

Grau, Engelbert, Quellenkritische **Einführung** in die Probleme der Fioretti, in: WiWei 48 (1985), S. 102–112.

Graus, Frantisek, **Hagiographie** und Dämonenglauben – Zu ihren Funktionen in der Merowingerzeit, in: Santi e demoni 1, S. 93–120.

– **Judenfeindschaft** im Mittelalter, in: Herbert A. Strauss – Norbert Kampe (Hg.), Antisemitismus. Von der Judenfeindschaft zum Holocaust (Schriftenreihe der Bundeszentrale für politische Bildung 213), Frankfurt/M. 1984, S. 29–46.

– **Pest, Geissler, Judenmorde**. Das 14. Jahrhundert als Krisenzeit (VMPIG 86), Göttingen [2]1988.

– **Volk, Herrscher und Heiliger** im Reich der Merowinger. Studien zur Hagiographie der Merowingerzeit, Prag 1965.

Grégoire, Réginald, Manuale di **Agiologia**. Introduzione alla letteratura agiografica (BMon 12), Fabriano 1987.

Greschat, Hans-Jürgen, Art. **Mana und Tabu**, in: TRE 22,1 (1991), S. 13–16.

Greshake, Gisbert, "**Seele**" in der Geschichte der christlichen Eschatologie. Ein Durchblick, in: Wilhelm Breuning (Hg.), Seele. Problembegriff christlicher Eschatologie (QD 106), Freiburg/Br. u.a. 1986, S. 107–158.

Ders. – Jacob Kremer, **Resurrectio** mortuorum. Zum theologischen Verständnis der leiblichen Auferstehung, Darmstadt 1986.

Greven, Joseph, Die **Bekehrung Norberts** von Xanten, in: AHVNRh 117 (1930), S. 151–159.

Grillmeier, Alois, Art. **Gottmensch** III (Patristik), in: RAC 12 (1983), Sp. 312–366.

Grimm, Jacob, Deutsche Mythologie, 3 Bde., Nachdr. d. vierten Ausg., hg. v. Hugo Meyer, Graz 1953.

Grimm, Jacob und Wilhelm, Kinder- und Hausmärchen (Winkler Weltliteratur), München [13]1988.

Grimme, Ernst Günther, Ein **Bilderzyklus von Eduard Steinle** in der Aachener Marienkirche (1865/66), in: ZAGV 84/85 (1977/78), S. 443–458.

Gross, Karl, Der **Tod des Hl. Benediktus**. Ein Beitrag zu Gregor d. Gr. Dial. 2,37, in: RBen 85 (1975), S. 164–176.

Grote, Heiner, **Sozialdemokratie** und Religion. Eine Dokumentation für die Jahre 1863 bis 1875, Tübingen 1968.

Gruber, Siegfried, **Mariologie** und katholisches Selbstbewußtsein. Ein Beitrag zur Vorgeschichte des Dogmas von 1854 in Deutschland (BNGKT 12), Essen 1970.

Grundmann, Herbert, Über die **Welt des Mittelalters**, in: Golo Mann – Alfred Heuss (Hg.), Propyläen Weltgeschichte. Eine Universalgeschichte XI,2, Frankfurt/M. u.a. 1976, S. 363–446.

Guardini, Romano, Der **Heilbringer** in Mythos, Offenbarung und Politik. Eine theologisch-politische Besinnung, Stuttgart 1946.

Günter, Heinrich, Die Christliche **Legende** des Abendlandes (RWB 2), Heidelberg 1910.

– **Psychologie** der Legende. Studien zu einer wissenschaftlichen Heiligen-Geschichte, Freiburg/Br. 1949.

Guillot, Oliver, **Les saints** des peuples et des nations dans l'Occident des VIe-Xe s. Un aperçu d'ensemble illustré par le cas des Francs en Gaule, in: Santi e demoni 1, S. 205–251.

Guldan, Ernst, „Et verbum caro factum est". Die **Darstellung der Inkarnation Christi** im Verkündigungsbild, in: RQ 63 (1968), S. 145–169.

Gurjewitsch, Aaron J., Mittelalterliche **Volkskultur**. Probleme zur Forschung, Dresden 1986.

– Das **Weltbild** des mittelalterlichen Menschen, München 1980.

Gussone, Nikolaus, **Adventus-Zeremoniell** und die Translation von Reliquien. Victricius von Rouen, de laude sanctorum, in: FMSt 10 (1976), S. 125–133.

– Zur **Krönung von Bildern**. Heutige Praxis und neuzeitlicher Ritus, in: JVK.NF 10 (1987), S. 151–164.

Guth, Klaus, Geschichtlicher Abriß der marianischen **Wallfahrtsbewegungen** im deutschsprachigen Raum, in: Beinert – Petri, Marienkunde, S. 721–848.

Guyon, Jean, Le **cimetière** aux deux Lauriers. Recherches sur les catacombes romaines (RSCr 7), Paris 1987.

Haag, Herbert, **Teufelsglaube**, Tübingen 1974.

Haas, Alois Maria, **Gottleiden** – Gottlieben. Zur volkssprachlichen Mystik im Mittelalter, Frankfurt/M. 1989.

– Kurt Ruh, Art. **Seuse**, Heinrich OP, in: VerLex 8 (1992), Sp. 1109–1129.

Habermas, Jürgen, **Theorie des kommunikativen Handelns**, 2 Bde., Frankfurt/M. 1988.

Habermas, Rebekka, **Wallfahrt** und Aufruhr. Zur Geschichte des Wunderglaubens in der frühen Neuzeit (Historische Studien 5), Frankfurt/M. – New York 1991.

– **Wunder**, Wunderliches, Wunderbares. Zur Profanisierung eines Deutungsmusters in der Frühen Neuzeit, in: Richard van Dülmen (Hg.), Armut, Liebe, Ehre. Studien zur historischen Kulturforschung, Frankfurt/M. 1988, S. 38–66.

Hadot, Pierre, **Philosophie** als Lebensform. Geistige Übungen in der Antike, Berlin 1991.

Häne, Rafael, Die **Engelweihfeier zu Einsiedeln** im Jahre 1659. Ein Beitrag zur Geschichte des barocken Gottesdienstes, in: Oskar Eberle (Hg.), Barock in der Schweiz, Einsiedeln 1930, S. 95–107.

Häußling, Angelus Albert, **Mönchskonvent** und Eucharistiefeier. Eine Studie über die Messe in der abendländischen Klosterliturgie des frühen Mittelalters und zur Geschichte der Meßhäufigkeit (LWQF 58), Münster 1973.

Hallpike, Christopher Robert, Die **Grundlagen primitiven Denkens**, Stuttgart 1984.

Hamm, Berndt, **Frömmigkeit** als Gegenstand theologiegeschichtlicher Forschung. Methodisch-historische Überlegungen am Beispiel von Spätmittelalter und Reformation, in: ZThK 74 (1977), S. 464–497.

– **Frömmigkeitstheologie** am Anfang des 16. Jahrhunderts. Studien zu Johannes von Paltz und seinem Umkreis (BHTh 65), Tübingen 1992.

Hansen, V., **Aktenmäßige Darstellung** wunderbarer Heilungen welche bei der Ausstellung des h. Rockes zu Trier im Jahre 1844 sich ereignet. Nach authentischen Urkunden, die von dem Verfasser theils selbst an Ort und Stelle aufgenommen, theils ihm direkt durch die H. Pfarrer, Aertze, u.s.w. eingeschickt, großentheils aber dem hochw. Bischofe Herrn Dr. Arnoldi eingereicht, und von diesem dem Verfasser zur Benutzung behuts der Herausgabe übergeben wurden, Trier 1845.

Harmening, Dieter, **Fränkische Mirakelbücher**. Quellen und Untersuchungen zur historischen Volkskunde und Geschichte der Volksfrömmigkeit, in: WDGB 28 (1966), S. 25–240.

– **Superstitio**. Überlieferungs- und theoriegeschichtliche Untersuchungen zur kirchlich-theologischen Aberglaubensliteratur des Mittelalters, Berlin 1979.

– Superstition – ‚**Aberglaube**', in: Edgar Harvolk (Hg.), Wege der Volkskunde in Bayern. Ein Handbuch, München 1987, S. 261–292.

Harnack, Adolf, **Militia Christi**. Die christliche Religion und der Soldatenstand in den ersten drei Jahrhunderten, Tübingen 1905.

Harnoncourt, Philipp, Gesamtkirchliche und teilkirchliche **Liturgie**. Studien zum liturgischen Heiligenkalender und zum Gesang im Gottesdienst unter besonderer Brücksichtigung des deutschen Sprachgebiets (UPT 3), Freiburg/Br. 1974.

Hartig, Joachim, Die Münsterländischen **Rufnamen** im späten Mittelalter (Niederdeutsche Studien 14), Köln – Graz 1967.

Hartinger, Walter, **Religion** und Brauch, Darmstadt 1992.

Harvolk, Edgar, „Volksbarocke" **Heiligenverehrung und** jesuitische **Kultpropaganda**, in: Dinzelbacher – Bauer, Heiligenverehrung, S. 262–278.

Hasenfratz, Hans-Peter, **Die toten Lebenden**. Eine religionsphänomenologische Studie zum sozialen Tod in archaischen Gesellschaften. Zugleich ein kritischer Beitrag zur sogenannten Strafopfertheorie (BZRGG 24), Leiden 1982.

Hattenhauer, Hans, Das **Recht der Heiligen** (SRG 12), Berlin 1976.

Hauck, Albert, **Kirchengeschichte** Deutschlands 5 Bde., Leipzig $^{3+4}$1904–29.

– Art. **Reliquien**, in: RE 16 (1905), S. 630–634.
Hauck, Karl, Die **Ausbreitung des Glaubens** in Sachsen und die Verteidigung der römischen Kirche als konkurrierende Herrscheraufgaben Karls des Großen, in: FMSt 4 (1970), S. 138–172.
– **Die fränkisch-deutsche Monarchie** und der Weserraum, in: Walter Lammers (Hg.), Die Eingliederung der Sachsen in das Frankenreich (WdF 185), Darmstadt 1970, S. 416–450.
Haug, Walter, **Experimenta medietatis** im Mittelalter, in: Jochen Schmidt (Hg.), Aufklärung und Gegenaufklärung in der europäischen Literatur, Philosophie und Politik von der Antike bis zur Gegenwart, Darmstadt 1989, S. 129–151.
Hauke, Manfred, Art. **Frau** II (Dogmatik), in: Marienlexikon 2 (1989), S. 520–524.
Hausberger, Karl, Das kritische hagiographische **Werk der Bollandisten**, in: Georg Schwaiger (Hg.), Historische Kritik in der Theologie. Beiträge zu ihrer Geschichte (SThGG 32), Göttingen 1980, S. 210–244.
Haverkamp, Alfred, **Tenxwind von Andernach** und Hildegard von Bingen. Zwei ‚Weltanschauungen' in der Mitte des 12. Jahrhunderts, in: Lutz Fenske u. a. (Hg.), Institutionen, Kultur und Gesellschaft im Mittelalter, FS Joseph Fleckenstein, Sigmaringen 1984, S. 515–548.
Hawel, Peter, **Der spätbarocke Kirchenbau** und seine theologische Bedeutung. Ein Beitrag zur Ikonologie der christlichen Sakralarchitektur, Würzburg 1987.
Head, Thomas, **Hagiographiy** and the Cult of Saints. The Diocese of Orléans, 800–1200, Cambridge 1990.
Heckens, Josef – Richard Schulte Staade (Hg.), **Consolatrix Afflictorum**. Das Marienbild zu Kevelaer. Botschaft, Geschichte, Gegenwart, Bd. 1, Kevelaer 1992.
Hedinger, Hans-Walter, Der **Bismarck-Kult**. Ein Umriß, in: Gunther Stephenson (Hg.), Der Religionswandel unserer Zeit im Spiegel der Religionswissenschaft, Darmstadt 1976, S. 201–215.
Hedwig, Klaus, **Sphaera Lucis**. Studien zur Intelligibilität des Seienden im Kontext der mittelalterlichen Lichtspekulation (BGPhMA.NF 18), Münster 1980.
Hefele, Karl, Der heilige **Bernhardin von Siena** und die franziskanische Wanderpredigt in Italien während des XV. Jahrhunderts, Freiburg/Br. 1912.
Heffernan, Thomas J., **Sacred Biography**. Saints and Their Biographers in the Middle Ages, New York – Oxford 1988.
Hegel, Eduard, **Geschichte der** Katholisch-Theologischen **Fakultät Münster** 1773–1964, Teil 1 (MBTh 30,1), Münster 1966.
Heiler, Friedrich, **Erscheinungsformen** und Wesen der Religion (RM 1), Stuttgart 1961.
– Der Vater des katholischen Modernismus. **Alfred Loisy** (1857–1940), München 1947.
Heintze, Helga von, **Theìos anér** – Homo spiritualis, in: Beck – Bol, Spätantike, S. 180–190.
Heinzelmann, Martin, **Studia sanctorum**. Éducation, milieux d'instruction et valeurs éducatives dans l'hagiographie en Gaule jusqu'à la fin de l'époque mérovingienne, in: Lepelley, Haut moyen âge, S. 105–138.
– **Translationsberichte** und andere Quellen des Reliquienkultes (TSMAO 33), Turnhout 1979.
Heller, Dominikus, Das **Grab des heiligen Bonifatius** in Fulda, in: Bonifatius, S. 139–156.
Hengel, Martin, **Nachfolge** und Charisma. Eine exegetisch-religionsgeschichtliche Studie zu Mt 8,21f und Jesu Ruf in die Nachfolge, Berlin 1968.

Hengen, Jean, „**Maria** – Trösterin der Betrübten", in: Heckens – Schulte Staade, Consolatrix Afflictorum, S. 75–83.
Hermann, Alfred, Art. **Edelsteine**, in: RAC 4 (1959), Sp. 505–552.
– Art. **Einbalsamierung**, in: RAC 4 (1959), Sp. 798–821.
Hermann-Mascard, Nicole, **Les reliques** des saints. Formation coutumière d'un droit (Societé d'histoire du droit. Collection d'une histoire institutionelle et sociale 6), Paris 1975.
Herrmann, Emil Alfrd, **Zum 12. Juni 1954**, in: Walther Bulst – Arthur von Schneider (Hg.), Gegenwart im Geiste, FS Richard Benz, Hamburg u.a. 1954, S. 9–16.
Hertling, Ludwig, **Communio und Primat**. Kirche und Papsttum in der christlichen Antike, in: US 17 (1962), S. 91–125.
– Der mittelalterliche **Heiligentypus** nach den Tugendkatalogen, in: ZAM 8 (1933), S. 260–268.
Herwegen, Ildefons, Germanische **Rechtssymbolik** in der Römischen Liturgie (Libelli 66), Darmstadt Sonderausgabe 1962.
Herzig, Arno, Die **Lasalle-Feiern** in der politischen Festkultur der frühen deutschen Arbeiterbewegung, in: Düding, Festkultur, S. 321–333.
Herzog, Markwart, Hingerichtete **Verbrecher** als Gegenstand der Heiligenverehrung. Zum Kontext von René Girard, in: GuL 65 (1992), S. 367–386.
Hesse, Hermann, Die Erzählungen, 2 Bde., zusammengestellt von Volker Michels, Frankfurt/M. 1973.
– Siddharta. Eine indische Dichtung, Frankfurt/M. [15]1980.
Heymann, Ernst, **Bruno Krusch**, in: DA 4 (1941), S. 504–518.
Hintze, Otto, **Königin Luise**. Festrede, zur Feier ihres hundertsten Todestages gehalten, in: Hohenzollern-Jahrbuch 14 (1910), S. 1–9.
Hoffmann, Erich, **Die heiligen Könige** bei den Angelsachsen und den skandinavischen Völkern. Königsheiliger und Königshaus (QFGSH 69), Neumünster 1975.
Hoffmann, Hartmut, **Gottesfriede** und Treuga Dei (SMGH 20), Stuttgart 1964.
– **Kirche und Sklaverei** im frühen Mittelalter, in: DA 42 (1986), S. 1–24.
Hoffmann, Paul, Art. **Auferstehung** II/1 (Neues Testament), in: TRE 4 (1979), S. 478–513.
– **Die Toten in Christus**. Eine religionsgeschichtliche und exegetische Untersuchung zur paulinischen Eschatologie (NTA.NF 2), Münster 1966.
Hofmann, Hans, **Die heiligen Drei Könige**. Zur Heiligenverehrung im kirchlichen, gesellschaftlichen und politischen Leben des Mittelalters (RhA 94), Bonn 1975.
Hofmann, Rudolf, Die heroische **Tugend**. Geschichte und Inhalt eines theologischen Begriffes (MSHTh 12), München 1933.
Hofmann-Rendtel, Constanze, **Wallfahrt** und Konkurrenz im Spiegel hochmittelalterlicher Mirakelberichte, in: Österreischische Akademie der Wissenschaften, Wallfahrt, S. 115–131.
D'Holbach, Art. **Prêtres**, in: Encyclopédie 13 (1765), Stuttgart – Bad Canstatt ND 1966, S. 340–341; dt. Übers., Prêtres – Priester, in: Günter Berger (Hg.), Jean Le Rond d'Alembert – Denis Diderot u.a., Enzyklopädie. Eine Auswahl, Frankfurt/M. 1979, S. 239–241.
Hollerweger, Hans, Die **Reform des Gottesdienstes** zur Zeit des Josephinismus in Österreich (StPaLi 1), Regensburg 1976.
Holzbauer, Hermann, Mittelalterliche **Heiligenverehrung** – Heilige Walpurgis – (ESt.NF 5), Kevelaer 1972.
Holzem, Andreas, **Kirchenreform und Sektenstiftung**. Deutschkatholiken, Reform-

katholiken und Ultramontane am Oberrhein (1844–1866) (VKZG.F 63), Mainz 1994.
– **Religion und Öffentlichkeit**. Eine Skizze zu Chancen und Grenzen des Deutschkatholizismus – religiös, sozial, mental, in: ASKG 1994.
Horn, Walter – Ernest Born, The Plan of **St. Gall**. A Study of the Architecture & Economy of, & Life in a Paradigmatic Carolingian Monastery, 3 Bde., Berkeley u.a. 1979.
Hourlier, Jacques, **La translation** d'après les sources narratives, in: StMon 21 (1979), S. 213–246.
Hubert, Jean – Marie-Clotilde Hubert, **Piété chrétienne** ou paganisme? Les statues-reliquaires de l'Europe carolingienne, in: Christianizzazione ed organizzazione ecclesiastica delle campagne nell-alto medioevo: espansione e resistenze (SSAM 28), Spoleto 1982, S. 235–275.
Hübinger, Gangolf, **Kulturkritik** und Kulturpolitik des Eugen-Diederichs-Verlags im Wilhelminismus. Auswege aus der Krise der Moderne?, in: Horst Renz – Friedrich Wilhelm Graf (Hg.), Umstrittene Moderne. Die Zukunft der Neuzeit im Urteil der Epoche Ernst Troeltschs (Troeltsch-Studien 4), Gütersloh 1987, S. 92–114.
Hübner, Kurt, Die **Wahrheit des Mythos**, München 1985.
Hüffer, Georg, **Loreto**. Eine geschichtskritische Untersuchung der Frage des heiligen Hauses, 2 Bde., Münster 1913–21.
Hüttl, Ludwig, **Marianische Wallfahrten** im süddeutsch-österreichischen Raum. Analysen von der Reformations- bis zur Aufklärungsepoche (KVRG 6), Köln – Wien 1985.
Huizinga, Johan, **Herbst des Mittelalters**. Studien über Lebens- und Geistesformen des 14. und 15. Jahrhunderts in Frankreich und in den Niederlanden, Stuttgart 1969.
Isenmann, Eberhard, **Die deutsche Stadt** im Spätmittelalter 1250–1500. Stadtgestalt, Recht, Stadtregiment, Kirche, Gesellschaft, Wirtschaft, Stuttgart 1988.
Iserloh, Erwin, **Der Heilige Rock** und die Wallfahrt nach Trier, in: ders., Kirche – Ereignis und Institution. Aufsätze und Vorträge I (RGSt.S 3,I), Münster 1985, S. 66–77.
Jacobsen, Peter Christian, Die **Vita des Johannes** von Gorze und ihr literarisches Umfeld. Studien zur Gorzer und Metzer Hagiographie des 10. Jahrhunderts, in: Parisse – Oexle, Gorze, S. 25–50.
Jamme, Christoph, »Gott an hat ein Gewand«. Grenzen und Perspektiven philosophischer **Mythos-Theorien** der Gegenwart, Frankfurt/M. 1991.
Jaucourt, Art. **Relique**, in: Encyclopédie 14 (1765), Stuttgart – Bad Canstatt ND 1967, S. 89–91.
Jedin, Hubert, Entstehung und Tragweite des Trienter **Dekrets über die Bilderverehrung**, in: ders., Kirche des Glaubens – Kirche der Geschichte. Ausgewählte Aufsätze und Vorträge 2: Konzil und Kirchenreform, Freiburg/Br. u.a. 1966, S. 460–498.
– **Geschichte des Konzils** von Trient, 6 Bde., Freiburg/Br. 1949–1975.
Jenny, Markus, Art. **Cantica**, in: TRE 7 (1981), S. 624–628.
Jensen, Anne, **Gottes** selbstbewußte **Töchter**. Frauenemanzipation im frühen Christentum? (Frauenforum), Freiburg/Br. 1992.
Jeremias, Joachim, **Neutstamentliche Theologie** 1. Die Verkündigung Jesu, Gütersloh 1971.
– **Heiligengräber** in Jesu Umwelt (Mt 23,29; Lk 11,47). Eine Untersuchung zur Volksreligion der Zeit Jesu, Göttingen 1958.

Jezler, Peter, Die **Desakralisierung** der Zürcher Stadtheiligen Felix, Regula und Exuperantius in der Reformation, in: Dinzelbacher – Bauer, Heiligenverehrung, S. 296–319.

Jonas, Hans, Das **Prinzip Verantwortung.** Versuch einer Ethik für die technologische Zivilisation, Frankfurt/M. 1974 – Stuttgart 1984.

Jounel, Pierre, **Le culte des saints** dans les basiliques du Lateran et du Vatican au douzizième siècle (CEFR 26), Rom 1977.

Jüngel, Eberhard, Tod (ThTh 8), Stuttgart – Berlin [4]1977.

Jürgensmeier, Friedhelm (Hg.), Erzbischof **Albrecht** von Brandenburg (1490–1545). Ein Kirchen- und Reichsfürst der frühen Neuzeit (BMKG 3), Frankfurt/M. 1991.

Jung, Carl Gustav, Grundwerk, 9 Bde., Olten – Freiburg/Br. 1984–85.

– Die **Mana-Persönlichkeit**, in: ders., Grundwerk 3, Olten – Freiburg/Br. 1984, S. 110–124.

– Vom **Wesen der Träume**, in: ders., Grundwerk 1, Olten – Freiburg/Br. 1984, S. 168- 184.

Jungmann, Josef Andreas, **Missarium Sollemnia.** Eine genetische Erklärung der römischen Messe, 2 Bde., Freiburg/Br. u.a. [5]1962.

– Die **Stellung Christi** im liturgischen Gebet (LQF 19–20), Münster [2]1962.

Jussen, Bernhard, **Patenschaft** und Adoption im frühen Mittelalter. Künstliche Verwandtschaft als soziale Praxis (VMPIG 98), Göttingen 1991.

Kahl, Hans-Dietrich, Zum Geist der deutschen **Slawenmission** des Hochmittelalters, in: Helmut Beumann (Hg.), Heidenmission und Kreuzzugsgedanke in der deutschen Ostpolitik des Mittelalters (WdF 7), Darmstadt 1973, S. 156–176.

Kahsnitz, Rainer, Die Gründer von Laach und Sayn – **Fürstenbildnisse** des 13. Jahrhunderts, Germanisches Nationalmuseum Nürnberg 4. Juni bis 4. Oktober 1992, hg. v. Gerhard Bott, Nürnberg 1992.

Kalkoff, Paul, **Ablaß und Reliquienverehrung** an der Schloßkirche zu Wittenberg unter Friedrich dem Weisen, Gotha 1907.

Kamper, Dietmar – Christoph Wulf, **Einleitung**, in: diess., Das Heilige, S. 1–30.

– (Hg.), **Das Heilige**. Seine Spur in der Moderne (Die weiße Reihe), Frankfurt/M. 1987.

Kantorowicz, Ernst H., **Die zwei Körper** des Königs. Eine Studie zur politischen Theologie des Mittelalters, Princeton – Stuttgart 1990.

Karpa, Oskar, Kölnische **Reliquienbüsten** der gotischsen Zeit aus dem Ursulakreis (von ca. 1300 bis ca. 1450) (Rheinischer Verein für Denkmalpflege und Heimatschutz 27,1), Düsseldorf 1934.

Kassner, Rudolf, **Der Heilige**, in: Neue Blätter 2. Folge 5/6 (1912), S. 43–58.

Kastner, Ruth, **Geistlicher Rauffhandel**. Form und Funktion der illustrierten Flugblätter zum Reformationsjubiläum 1617 in ihrem historischen und publizistischen Kontext (Mikrokosmos. Beiträge zur Literaturwissenschaft und Bedeutungsforschung 11), Frankfurt/M. – Bern 1982.

Katechismus der Katholischen Kirche, München – Libreria Editrice Vaticana 1993.

Kehl, Alois, Art. **Gewand** (der Seele) in RAC 10 (1978), Sp. 945–1025.

Kehrer, Günter, Art. **Religionssoziologie**, in: HRWG 1 (1988), S. 59–86.

Keller, Harald, **Blick** vom Monte Cavo. Kleine Schriften, Frankfurt/M. 1984.

– Zur **Entstehung der sakralen Vollskulptur** in der ottonischen Zeit, in: ders., Blick, S. 19–47.

– Zur **Entstehung der Reliquienbüste** aus Holz, in: ders., Blick, S. 48–60.

– Der **Flügelaltar** als Reliquienschrein, in: ders., Blick, S. 61–94.

Kellermann, Diether, **Heilig, Heiligkeit und Heiligung** im Alten und Neuen Testament, in: Dinzelbacher – Bauer, Heiligenverehrung, S. 27–47.
– Art. **Heiligkeit** II (Altes Testament), in: TRE 14 (1985), S. 697–703.
Kellner, Heinrich, **Heortologie** oder die geschichtliche Entwicklung des Kirchenjahres und der Heiligenfeste von den ältesten Zeiten bis zur Gegenwart, Freiburg/Br. [3]1911.
Kerscher, Gottfried (Hg.), **Hagiographie** und Kunst. Der Heiligenkult in Schrift, Bild und Architektur, Berlin 1993.
Kershaw, Ian, **Hitlers Macht**. Das Profil der NS-Herrschaft, München 1992.
Kertelge, Karl (Hg.), Der **Tod Jesu**. Deutungen im Neuen Testament (QD 74), Freiburg/Br. 1976.
Kimminich, Eva, Religiöse **Volksbräuche** im Räderwerk der Obrigkeiten. Ein Beitrag zur Auswirkung aufklärerischer Reformprogramme am Oberrhein und in Vorarlberg (Menschen und Strukturen. Historisch-sozialwissenschaftliche Studien, Bd. 4), Frankfurt/M. u. a. 1989.
Kimpel, Sabine, Art. **Martin von Tours**, in: LCI 7 (1974), Sp. 572–579.
Kirsch, Johann Peter, Der stadtrömische christliche **Festkalender** im Altertum. Textkritische Untersuchungen zu den römischen „Depositiones“ und dem Martyrologium Hieronymianum (LQ 7/8), Münster 1924.
Kirschbaum, Engelbert, Die Gräber der **Apostelfürsten**, Frankfurt/M. 1957.
Kittsteiner, Heinz D., Die Entstehung des modernen **Gewissens**, Frankfurt/M. – Leipzig 1991.
– Das **Gewissen im Gewitter**, in: JVK.NF 10 (1987), S. 7–26.
Klauser, Renate, Zur **Entwicklung des Heiligsprechungsverfahrens** bis zum 13. Jahrhundert, in: ZSRG.K 71,40 (1954), S. 85–101.
– Der **Heinrichs- und Kunigundenkult** im mittelalterlichen Bistum Bamberg, Historischer Verein, Festgabe aus Anlaß des Jubiläums “950 Jahre Bistum Bamberg 1007–1957“, Bamberg 1957.
Klauser, Theodor, Gesammelte **Arbeiten** zur Liturgiegeschichte, Kirchengeschichte und christlichen Archäologie, hg. v. Ernst Dassmann (JAC.E 3), Münster 1974.
– Art. **Gebet** II (Fürbitte), B III (Grabinschriften, Märtyrerakten, Liturgie), in: RAC 9 (1976), Sp. 19–33.
– Art. **Gottesgebärerin**, in: RAC 11 (1981), Sp. 1071–1103.
– Rom und der **Kult der Gottesmutter** Maria, in: JAC 15 (1972), S. 120–135.
– Die Liturgie der **Heiligsprechung**, in: ders., Arbeiten, S. 161–176.
– Das altchristliche **Totenmahl** nach dem heutigen Stande der Forschung, in: ders., Arbeiten, S. 114–120.
– Der Ursprung des Festes **Petri Stuhlfeier** am 22. Februar, in: ders., Arbeiten, S. 97–113.
Kleinheyer, Bruno, **Heiligengedächtnis** in der Eucharistiefeier, in: Theodor Maas-Ewerd – Klemens Richter (Hg.), Gemeinde im Herrenmahl. Zur Praxis der Messfeier, FS Emil Joseph Lengeling (Pastoralliturgische Reihe), Freiburg/Br. 1976, S. 150–159.
– Maria in der Liturgie, in: Beinert – Petri, Marienkunde, S. 404–439.
– Die **Priesterweihe** im römischen Ritus. Eine liturgiehistorische Studie (TThSt 12), Trier 1962.
Klingenberg, Georg, Art. **Grabrecht**, in: RAC 12 (1983), Sp. 590–637.
Klinkhammer, Karl Joseph, **Adolf von Essen** und seine Werke. Der Rosenkranz in der geschichtlichen Situation seiner Entstehung und in seinem bleibenden Anliegen. Eine Quellenforschung (FTS 13), Frankfurt/M. 1972.

– Art. **Marienpsalter** und Rosenkranz, in: VerLex 6 (1987), Sp. 42–50.

Klüppel, Theodor, **Reichenauer Hagiographie** zwischen Walahfrid und Berno, Sigmaringen 1980.

Knopp, Gisbert, **Sanctorum nomina seriatim**. Die Anfänge der Allerheiligenlitanei und ihre Verbindung mit den „Laudes regiae", in: RQ 65 (1970), S. 185–231.

König, Angela Maria, **Weihegaben** an U. L. Frau von Altötting. Ein Beitrag zur deutschen Votivgabe, Bd. 2, München 1940.

Köpf, Ulrich, **Angela von Foligno**. Ein Beitrag zur franziskanischen Frauenbewegung um 1300, in: Dinzelbacher – Bauer, Frauenbewegung, S. 225–250.

– **Leidensmystik** in der Frühzeit der franziskanischen Bewegung, in: Walter Homolka – Otto Ziegelmeier (Hg.), Von Wittenberg nach Memphis, FS Reinhard Schwarz, Göttingen 1989, S. 137–160.

– Protestantismus und Heiligenverehrung, in: Dinzelbacher – Bauer, Heiligenverehrung, S. 320–344.

Köster, Helmut, Art. **Formgeschichte**/Formenkritik II (Neues Testament), in: TRE 11 (1983), S. 286–299.

Köster, Kurt, Mittelalterliche **Pilgerzeichen**, in: Kriss-Rettenbeck – Möhler, Wallfahrt, S. 203–223.

Kötting, Bernhard, **Ecclesia peregrinans**. Das Gottesvolk unterwegs. Gesammelte Aufsätze, Bd. 2 (MBTh 54,2), Münster 1988,

– Art. **Gelübde**, in: RAC 9 (1976), Sp. 1055–1099.

– Art. **Grab**, in: RAC 12 (1983), Sp. 366–397.

– **Heiligenverehrung**, in: ders., Ecclesia peregrinans, S. 75–84.

– **Der frühchristliche Reliquienkult** und die Bestattung im Kirchengebäude, in: ders., Ecclesia peregrinans, S. 90–119.

– **Reliquienverehrung**, ihre Entstehung und ihre Formen, in: ders., Ecclesia peregrinans, S. 61–74.

– **Wohlgeruch** der Heiligkeit, in: ders., Ecclesia peregrinans, S. 23–33.

Kolakowski, Leszek, Falls es keinen Gott gibt, München – Zürich 1982.

Kolb, Karl, Vom Heiligen Blut, Würzburg 1980.

Kollwitz, Johannes, Art. **Coemeterium**, in: RAC 3 (1957), Sp. 231–235.

Kolmer, Lothar, **Promissorische Eide** im Mittelalter (RHisF 12), Kallmünz Opf. 1989.

Kosselleck, Reinhart, **Aufklärung** und die Grenzen ihrer Toleranz, in: Trutz Rendtorff (Hg.), Glaube und Toleranz. Das theologische Erbe der Aufklärung, Gütersloh 1982, S. 256–271.

– **Kriegerdenkmale** als Identitätsstiftungen der Überlebenden, in: Odo Marquard – Karlheinz Stierle (Hg.), Identität (Poetik und Hermeneutik 8), München 1979, S. 255–276.

Kottje, Raymund, **Beiträge der Iren** zum gemeinsamen europäischen Haus, in: HJ 112 (1992), S. 3–22.

Kovács, Éva, **Kopfreliquiare** des Mittelalters, Frankfurt/M. 1964.

Krause, Hans-Joachim, **Albrecht von Brandenburg** und Halle, in: Jürgensmeier, Albrecht, S. 296–356.

Krausen, Edgar, Schicksale römischer **Katakombenheiliger** zwischen 1800 und 1980, in: JVK.NF 4 (1981), S. 160–167.

Krautheimer, Richard, **Rom**. Schicksal einer Stadt 312–1308, München 1987.

Kretschmar, Georg, **Auferstehung** des Fleisches. Zur Frühgeschichte einer theologischen Lehrformel, in: Leben angesichts des Todes. Beiträge zum theologischen Problem des Todes, FS Helmut Thielicke, Tübingen 1968, S. 101–137.

Kretzenbacher, Leopold, Das verletzte **Kultbild**. Voraussetzungen, Zeitschichten und Aussagewandel eines abendländischen Legendentypus (Bayerische Akademie der Wissenschaften. Philosophisch-historische Klasse. Sitzungsberichte 1977,1), München 1977.

– **Legende** und Sozialgeschehen zwischen Mittelalter und Barock (DÖAW.PH Sitzungsberichte 318), Wien 1977.

Kriss-Rettenbeck, Lenz, **Ex voto**. Zeichen Bild und Abbild im christlichen Votivbrauchtum, Zürich 1972.

– Gerda Möhler (Hg.), **Wallfahrt** kennt keine Grenzen. Themen einer Ausstellung des Bayerischen Nationalmuseums und des Adalbert Stifter-Vereins, München, München – Zürich 1984.

Kroos, Renate, Vom **Umgang mit Reliquien**, in: Legner, Ornamenta Ecclesiae 3, S. 25–49.

Krüger, Karl Heinrich, **Königsgrabkirchen** der Franken, Angelsachsen und Langobarden bis zur Mitte des 8. Jahrhunderts. Ein historischer Katalog (MMAS 4), München 1971.

– **Königskonversionen** im 8. Jahrhundert, in: FMSt 7 (1973), S. 169–222.

Krumwiede, Hans Walter, Die **Schutzherrschaft** der mittelalterlichen Kirchenheiligen in Niedersachsen, in: JGNKG 58 (1960), S. 1–18.

Krusch, Bruno, **Chlodovechs Taufe** in Tours 507 und die Legende Gregors von Tours (Reims 496), in: NA 49 (1932), S. 457–469.

– Zur **Florians-** und Lupus- **Legende**. Eine Entgegnung. In: NA 24 (1899), S. 533–570.

– **Nochmals** die **Taufe Chlodovechs** in Tours (507/8) und die Legende Gregors von Tours (Reums 496/97), in: HV 28 (1934), S. 560–567.

Kuchenbuch, Ludolf, Bäuerliche Gesellschaft und **Klosterherrschaft** im 9. Jahrhundert. Studien zur Sozialstruktur der Familia der Abtei Prüm (VSWG.B 66), Wiesbaden 1978.

– **Grundherrschaft** im frühen Mittelalter (Historisches Seminar NF 1), Idstein 1991.

Kühnel, Harry, ‚**Werbung**', Wunder und Wallfahrt, in: Österreichische Akademie der Wissenschaften, Wallfahrt, S. 95–113.

Küppers, Kurt, **Marienfrömmigkeit** zwischen Barock und Industriezeitalter. Untersuchungen zur Geschichte und Feier der Maiandacht in Deutschland und im deutschen Sprachgebiet. (MThS.H 27), St. Ottilien 1987.

Kufer, Lore, **Getaufte Götter**. Heilige zwischen Mythos und Legende, München 1992.

Kuhn, Hans Wolfgang, **Heinrich von Ulmen**, der vierte Kreuzzug und die Limburger Staurothek, in: Jahrb. f. westdt. Landesgesch. 10 (1984), S. 67–106.

Kulenkampff, Angela, Die **Marienbruderschaft von St. Maria im Kapitol** und ihre Bedeutung für das kirchliche Leben in vortridentinischer Zeit (ca. 1350–1634), in: JKGV 60 (1989), S. 1–29.

Kuschel, Karl-Josef, **Maria in der deutschen Literatur** des 20. Jahrhunderts, in: Beinert – Petri, Marienkunde, S. 664–718.

Kuß, Otto, Der **Römerbrief**, Lieferung 1–3, Regensburg 1957–78.

Kyll, Nikolaus, **Tod**, Grab, Begräbnisplatz, Totenfeier. Zur Geschichte ihres Brauchtums im Trierer Lande und in Luxemburg unter besonderer Berücksichtigung des Visitationshandbuches des Regino von Prüm († 915) (RhA 81), Bonn 1972.

Lackmann, Max, **Verehrung** der Heiligen. Versuch einer lutherischen Lehre von den Heiligen, Stuttgart 1958.

Ladner, Gerhard, Art. **Erneuerung**, in: RAC 6 (1966), Sp. 240–275.
– **Homo viator**. Medieval Ideas on Alienation and Order, in: Spec. 42 (1967), S. 233–259.
Läpple, Alfred, **Reliquien**. Verehrung – Geschichte – Kunst, Augsburg 1990.
Lanczkowski, Günter, Art. **Heiligkeit** I (Religionsgeschichtlich), in: TRE 14 (1985), S. 695–697.
Landgraf, Artur Michael, **Dogmengeschichte** der Frühscholastik, 4 Bde., Regensburg 1952–56.
Langer, Otto, **Mystische Erfahrung** und spirituelle Theologie. Zu Meister Eckarts Auseinandersetzung mit der Frauenfrömmigkeit seiner Zeit (MTUDL 91), München – Zürich 1987.
Lansemann, Robert, Die **Heiligentage** besonders die Marien-, Apostel- und Engeltage in der Reformationszeit, betrachtet im Zusammenhang der reformatorischen Anschauungen von den Zeremonien, von den Festen, von den Heiligen und von den Engeln (Diss. Theol. Münster), Göttingen 1938.
Laporte, Jean-Pierre, **Le trésor** des Saints de Chelles, Ville de Chelles 1988.
Lapsanski, Duane, **Perfectio evangelica**. Eine begriffsgeschichtliche Untersuchung im frühfranziskanischen Schrifttum (VGI.NF 22), München u.a. 1974.
Latte, Kurt, **Römische Religionsgeschichte** (HAW V,4), München 1960.
Lauer, Rolf, **Dreikönigsschrein**, in: Legner, Ornamenta Ecclesiae 2, S. 216–224.
Laurentin, René, **Marienerscheinungen**, in: Beinert – Petri, Marienkunde, S. 528–555.
– Vie de **Catherine Labouré**. Voyante de la rue du Bac et servante des pauvres 1806–1876, 2 Bde., Paris 1980.
Lechner, Gregor Martin, **Marienverehrung** und Bildende Kunst, in: Beinert – Petri, Marienkunde, S. 559–621.
Leclercq, Jean, **Bernhard** von Clairvaux. Ein Mann prägt seine Zeit, München 1990.
Leeuw, G. van der, **Phänomenologie** der Religion (NTG), Tübingen [3]1970.
Legner, Anton (Hg.), **Ornamenta Ecclesiae**. Kunst und Künstler der Romanik, 3 Bde. (Ausstellungskatalog, Schnütgenmuseum), Köln 1985.
– Vom Glanz und von der **Präsenz des Heiltums** – Bilder und Texte, in: ders., Reliquien, S. 33–148.
– (Hg.), **Reliquien**. Verehrung und Verklärung. Skizzen und Noten zur Thematik und Katalog zur Ausstellung der Kölner Sammlung Louis Peters im Schnütgen-Museum, Köln 1989.
– **Wände aus Edelstein** und Gefäße aus Kristall, in: ders. (Hg.), Die Parler und der Schöne Stil 1350–1400. Europäische Kunst unter den Luxemburgern. Ein Handbuch zur Ausstellung des Schnütgen-Museums in der Kunsthalle Köln, Bd. 3, Köln 1978, S. 169–183.
LeGoff, Jacques, Die **Geburt des Fegefeuers**, Stuttgart 1984.
– **La sainteté** de Saint Louis. Sa place dans la typologie et l'évolution chronologique des rois saints, in: Les fonctions des saints dans le monde occidental (IIIe-XIIIe siècle). Actes du colloque organisé par l'École française de Rome (CEFR 149), Rom 1991, S. 285–293.
Lehmann, Karl – Edmund Schlink (Hg.), Das **Opfer Jesu Christi** und seine Gegenwart in der Kirche. Klärungen zum Opfercharakter des Herrenmahles (DiKi 3), Freiburg – Göttingen 1983.
Leinweber, Josef, **Das kirchliche Heiligsprechungsverfahren** bis zum Jahre 1234. Der Kanonisationsprozeß der hl. Elisabeth von Thüringen, in: Sankt Elisabeth, S. 128–136.

Lenhart, Ludwig, Die **Bonifatius-Renaissance** des 19. Jahrhunderts, in: Bonifatius, S. 533–585.

Lentes, Thomas, **Gebet und Bild**. Vom Umgang mit Bildern im späten Mittelalter, Münster (Ms.) 1992.

– Die **Gewänder der Heiligen**. Ein Diskussionsbeitrag zum Verhältnis von Gebet, Bild und Imagination, in: Kerscher, Hagiographie, S. 120–151.

Leonardi, Claudio, Il venerabile **Beda** e la cultura del secolo VIII, in: I problemi dell'occidente nell secolo VIII (SSAM 20), Spoleto 1973, S. 603–658.

Lepelley Claude, u. a. (Hg.), **Haut moyen âge**. Culture, éducation et société. Études offertes à Pierre Riché, La Garenne-Colombes 1990.

Levison, Wilhelm, Die **Anfänge rheinischer Bistümer** in der Legende. Vortrag bei der Feier des 75jährigen Bestehens des Historischen Vereins für den Niederrhein in Köln am 2. Oktober 1929 gehalten, in: ders., Aus rheinischer und fränkischer Frühzeit. Ausgewählte Aufsätze, Düsseldorf 1948, S. 7–27.

– **England** and the Continent in the Eigth Century, Oxford 1946.

– Das Werden der **Ursula-Legende**, in: BoJ 132 (1927), S. 1–164.

– Sigolena, in: NA 35 (1910), S. 219–231.

Lill, Rudolf, **Kirche und Revolution**. Zu den Anfängen der katholischen Bewegung im Jahrzehnt vor 1848, in: ASozG 18 (1978), S. 565–575.

Lingens, Joseph, Die **Marien-Votivkirche** in Aachen, ein Denkmal zur Verherrlichung der unbefleckt empfangenen Jungfrau und Gottesmutter Maria. Abriß der Geschichte des Baues aus den Akten und protokollarischen Aufzeichnungen, Aachen 1870.

Littger, Klaus Walter, Studien zum Auftreten der **Heiligennamen** im Rheinland (MMAS 20), München 1975.

Löwe, Heinz, **Lateinisch-christliche Kultur** im karolingischen Sachsen, in: Angli e Sassoni al di qua e al di là del mare II (SSAM 32), Spoleto 1986, S. 491–531.

Lohse, Eduard, **Märtyrer und Gottesknecht**. Untersuchungen zur urchrlichtlichen Verkündigung vom Sühnetod Jesu Christi, Göttingen ²1963.

Lorenz, Rudolf, **Das vierte bis sechste Jahrhundert** (Westen) (KIG 1, Lieferung C 1), Göttingen 1970.

Lotter, Friedrich, Methodisches zur Gewinnung historischer **Erkenntnisse** aus hagiographischen Quellen, in: HZ 229 (1979), S. 288–356.

– **Severinus** von Noricum. Legende und historische Wirklichkeit. Untersuchungen zur Phase des Übergangs von spätantiken zu mittelalterlichen Denk- und Lebensformen (MGMA 12), Stuttgart 1976.

Lubac, Henri de, **Corpus Mysticum**. Kirche und Eucharistie im Mittelalter. Eine historische Studie, Einsiedeln 1969.

– **Credo** Sanctorum Communionem, in: IKaZ 1 (1972), S. 18–32.

Lucius, Ernst, Die **Anfänge des Heiligenkults** in der christlichen Kirche, hg. v. Gustav Anrich, Tübingen 1904.

Lübeck, Konrad, Die **Reliquienerwerbungen** des Abtes Rabanus Maurus, in: Fuldaer Studien. Geschichtliche Abhandlungen von Konrad Lübeck, Bd. 2 (28. Veröffentlichung des Fuldaer Geschichtsvereins), Fulda 1950, S. 113–132.

Maaß, Ferdinand, Der **Josephinismus**. Quellen zu seiner Geschichte in Österreich 1760–1850 (FRA.D 71–75), 5 Bde., Wien – München 1951–61.

Maes, Louis Théo, **Mittelalterliche Strafwallfahrten** nach Santiago de Compostella und unsere Liebe Frau von Finisterra, in: FS Guido Kisch. Rechtshistorische Forschungen, Stuttgart 1955, S. 99–118.

Maier, Christel, Art. **Hildegard von Bingen**, VerLex 3 (1981), Sp. 1257–1280.

Maier, Hans, **Revolutionäre Feste** und christliche Zeitrechnung, in: IKaZ 17 (1988), S. 348–366.

Mann, Thomas, Der Zauberberg, Frankfurt/M. 1974.

Manns, Peter, Die **Heiligenverehrung nach CA 21**, in: Erwin Iserloh (Hg.), Confessio Augustana und Confutatio. Der Augsburger Reichstag 1530 und die Einheit der Kirche. Internationales Symposium der Gesellschaft zur Herausgabe des Corpus Catholicorum in Augsburg vom 3.–7. September 1979 (RGST 118), Münster 1980, S. 596–640, Disskussion ebd. S. 641–651.

– **Luther und die Heiligen**, in: Remigius Bäumer (Hg.), Reformatio Ecclesiae. Beiträge zu kirchlichen Reformbemühungen von der Alten Kirche bis zur Neuzeit. FS Erwin Iserloh, Paderborn u.a. 1980, S. 535–580.

Manselli, Raoul, **Franziskus**. Der solidarische Bruder, Zürich u.a. 1984.

Markmiller, Fritz, Die **Übertragung zweier Katakombenheiliger** nach Niederbayern im 18. Jahrhundert, in: JVK.NF 4 (1981), S. 127–159.

Marx, Jakob, **Geschichte des Heiligen Rockes** in der Domkriche zu Trier, Trier 1844.

Matheus, Michael, **Adelige als Zinser** von Heiligen. Studien zu Zinsverhältnissen geistlicher Institutionen im hohen Mittelalter (masch. Habil.), Trier 1989.

Matsche, Franz, **Gegenreformatorische Architekturpolitik**. Casa-Santa-Kopien und Habsburger Loreto-Kult nach 1620, in: JVK.NF 1 (1978), S. 81–118.

Maur, Hansjörg Auf der, Feiern im Rhythmus der Zeit I. **Herrenfeste** in Woche und Jahr (GDK Teil 5), Regensburg 1983.

Maurer, Helmut, **Konstanz** als ottonischer Bischofssitz. Zum Selbstverständnis geistlichen Fürstentums im 10. Jahrhundert (VMPIG 39 = StGS 12), Göttingen 1973.

Mayer, Johann Friedrich, **Lehrbuch** für die Land- und Hauswirthe in der pragmatischen Geschichte in der gesamten Land- und Hauswirthschafft des Hohenlohe-Schillingsfürstischen Amtes Kupferzell, Nürnberg 1773, Faksimiledruck, Schwäbisch Hall 1980.

McCulloh, John M., The **Cult of Relics** in the Letters and ‚Dialogues' of Pope Gregory the Great: A Lexicographical Study, in: Traditio 32 (1976), S. 145–184.

– From Antiquity to the Middle Ages. Continuity and Change in **Papal Relic Policy** from the 6th to the 8th Century, in: Dassmann – Frank, Pietas, S. 313–324.

Meid, Wolfgang, Die germanische **Religion** im Zeugnis der Sprache, in: Heinrich Beck u.a. (Hg.), Germanische Religionsgeschichte. Quellen und Quellenprobleme (RGA.E 5), Berlin – New York 1992, S. 486–507.

Mennekes, Friedhelm, **Beuys** zu Christus. Eine Position im Gespräch, Stuttgart 1989.

– Joseph Beuys. **Manresa**. Eine Fluxus-Demonstration als geistliche Übung zu Ignatius von Loyola, Frankfurt – Leipzig 1992.

Merkle, Sebastian, Ausgewählte **Reden und Aufsätze**, hg. v. Theobald Freudenberger (QFGBW 17), Würzburg 1965.

Metken, Günter, **Mythen** in der modernen Malerei. Vom Surrealismus zur Transavantgarde, in: Peter Kemper (Hg.), Macht des Mythos – Ohnmacht der Vernunft?, Frankfurt/M. 1989, S. 384–404.

Meuthen, Erich, **Das 15. Jahrhundert** (Grundriß der Geschichte 9), München – Wien 1980.

Mieck, Ilja, **Kontinuität** im Wandel. Politische und soziale Aspekte der Santiago-Wallfahrt vom 18. Jahrhundert bis zur Gegenwart, in: GeGe 3 (1977), S. 299–328.

Misch, Georg, Geschichte der **Autobiographie** im Mittelalter, 4 Bde., Frankfurt/M. 1949–69.

Mitterauer, Michael, **Ahnen** und Heilige. Namengebung in der europäischen Geschichte, München 1993.
Moeller, Bernd, Die letzten **Ablaßkampagnen**. Der Widerspruch Luthers gegen den Ablaß in seinem geschichtlichen Zusammenhang, in: ders., Reformation, S. 53–72.
– **Frömmigkeit in Deutschland** um 1500, in: ders., Reformation, S. 73–85.
– Die **Reformation** und das Mittelalter. Kirchenhistorische Aufsätze, hg. v. Johannes Schilling, Göttingen 1991.
– Eine **Reliquie Luthers**, in: ders., Reformation, S. 249–262.
– **Stadt und Buch**. Bemerkungen zur Struktur der reformatorischen Bewegung in Deutschland, in: ders., Reformation, S. 111–124.
Mollat, Michel, Die **Armen im Mittelalter**, München 1984.
Mommsen, Theodor, **Königin Luise**. Vortrag, gehalten am 23. März 1876 in der Berliner Akademie der Wissenschaften, in: PrJ 37 (1876), S. 430–437.
Morenz, Siegfried, Ägyptische Religionen (RM 8), Stuttgart 1960.
Muchembled, Robert, **Kultur des Volks** – Kultur der Eliten. Die Geschichte einer erfolgreichen Verdrängung, Stuttgart 1982.
Müller, Gerhard Ludwig, Gemeinschaft und **Verehrung** der Heiligen. Geschichtlich-systematische Grundlegung der Hagiologie, Freiburg/Br. u. a. 1986.
Müller, Hans-Peter, Art. **Heilig**, in: THAT 2 (1976), Sp. 589–609.
Müller, Klaus E., Das magische **Universum der Identität**. Elementarformen sozialen Verhaltens. Ein ethnologischer Grundriß, Frankfurt/M. – New York 1987.
Müller, Michael, Die Lehre des Heiligen Augustinus von der **Paradiesesehe** und ihre Auswirkung in der Sexualethik des 12. und 13. Jahrhunderts bis Thomas von Aquin. Eine moralgeschichtliche Untersuchung (SGKMT 1), Regensburg 1954.
Mulders, Jac., **Victricius van Rouaan**. Leven en leer, in: Bijdr. 18 (1957), S. 19–40.270–289.
Murrmann-Kahl, Michael, Die entzauberte **Heilsgeschichte**. Der Historismus erobert die Theologie 1880–1920, Gütersloh 1992.
Muschiol, Gisela, **Famula Dei**. Zur Liturgie in merowingischen Frauenklöstern (BGAM 41), Münster 1994.
Mußner, Franz, Der **Galaterbrief** (HThK 9), Freiburg/Br. u. a. 1974.
– Der **Jakobusbrief** (HThK 13,1), Freiburg/Br. 1964.
Nacken, Heinrich, **Probleme** bei den Selig- und Heiligsprechungsprozessen, in: Hans J. Limburg – Heinrich Rennings (Hg.), Beglaubigtes Zeugnis. Selig- und Heiligsprechungen in der Kirche, Würzburg 1989, S. 71–78.
Nagel, Adalbert, Das Heilige **Blut Christi**, in: Gebhard Spahr (Hg.), FS 900-Jahr-Feier des Klosters. 1056–1956, Weingarten 1956, S. 188–229.
Narr, Dieter, Aufklärung und Marienverehrung, in: ders. Studien zur Spätaufklärung im deutschen Südwesten (Veröffentlichungen der Kommission für geschichtliche Landeskunde in Baden-Würtemberg, Reihe B, 93), Stuttgart 1979, S. 146–149.
Naz, R., Art. **Reliques**, in: DDC 7 (1965), Sp. 569–574.
Neuhaus, Volker, Zur **Säkularisierung der Heiligenverehrung** in der Goethezeit, in: Legner, Reliquien, S. 166–174.
Nie, Giselle de, **Views** from a Many-Windowed Tower. Studies of Imagination in the Works of Gregory of Tours, Amsterdam 1987.
Nientiedt, Klaus, **Neue Heilige** – immer zahlreicher und umstrittener. Zur Selig- und Heiligsprechungspraxis unter Johannes Paul II., in: HerKorr 45 (1991), S. 572–577.
Nietzsche, Friedrich, Was bedeuten asketische **Ideale**?, in: Karl Schlechta (Hg.), Werke 4, München – Wien ND 1980, S. 839–900.

Niermeyer, Jan F., Mediae latinitatis **lexicon** minus, Leiden 1976.
Nigg, Walter, Große Heilige, Zürich – Stuttgart [9]1974.
Nijenhuis, Willem, Art. **Calvin**, in: TRE 7 (1981), S. 568–592.
Nipperdey, Thomas, **Deutsche Geschichte** 1800–1866, München 1983.
– Der **Kölner Dom** als Nationaldenkmal, in: HZ 233 (1981), S. 595–613.
– **Nationalidee** und Nationaldenkmal in Deutschland im 19. Jahrhundert, in: HZ 206 (1968), S. 529–585.
Nitz, Genoveva, **Albertus Magnus** in der Volkskunst. Die Alberti-Tafeln, München – Zürich 1980.
– Art. **Lauretanische Litanei**, in: Marienlexikon 4 (1992), S. 33–44.
Nitz, Michael, Art. **Marienleben**, in. LCI 3 (1971), Sp. 212–233.
Nolte Ernst, Der **Faschismus** in seiner Epoche. Die Action française. Der italienische Faschismus. Der Nationalsozialismus, München – Zürich [5]1979.
Noltenius, Rainer, **Schiller** als Führer und Heiland. Das Schillerfest 1859 als nationaler Traum von der Geburt des zweiten deutschen Kaiserreichs, in: Düding, Festkultur, S. 237–258.
Nora, Pierre, Zwischen **Geschichte** und Gedächtnis (Kleine kulturwissenschaftliche Bibliothek 16), Berlin 1990.
Ntedika, Joseph, **L'évocation de l'au-delà** dans la prière pour les morts. Étude de Patristique et de liturgie latines (IVe-VIIIe S.) (RAfTh 2), Louvain – Paris 1971.
Nußbaum, Otto, Die **Aufbewahrung** der Eucharistie (Theoph. 29), Bonn 1979.
Ochsenbein, Peter, Das große **Gebet** der Eidgenossen. Überlieferung – Text – Form und Gehalt (Bibliotheca Germanica 29), Bern 1989.
– **Leidensmystik** in dominikanischen Frauenklöstern des 14. Jahrhunderts am Beispiel der Elsbeth von Oye, in: Dinzelbacher – Bauer, Frauenbewegung, S. 353–372.
Oexle, Otto Gerhard, **Armut und Armenfürsorge** um 1200. Ein Beitrag zum Verständnis der freiwilligen Armut bei Elisabeth von Thüringen, in: Sankt Elisabeth, S. 78–100.
– **Conjuratio und Gilde** im frühen Mittelalter. Ein Beitrag zum Problem der sozialgeschichtlichen Kontinuität zwischen Antike und Mittelalter, in: Berent Schwineköper (Hg.), Gilden und Zünfte. Kaufmännische und gewerbliche Genossenschaften im frühen und hohen Mittelalter (VKAMAG 29), Sigmaringen 1985, S. 151–214.
– Die **Gegenwart der Toten**, in: Herman Braet – Werner Verbeke (Hg.), Death in the Middle Ages (Mediaevalia Lovaniensia I,9), Löwen 1983, S. 19–77.
– Die Mittelalterliche **Gilden**: Ihre Selbstdeutung und ihr Beitrag zur Formung sozialer Strukturen, in: Albert Zimmermann (Hg.), Soziale Ordnungen im Selbstverständnis des Mittelalters 1 (MM 12,1), Berlin – New York 1979, S. 203–226.
– **Individuen** und Gruppen in der lothringischen Gesellschaft des 10. Jahrhunderts, in: Parisse – Oexle, Gorze, S. 105–139.
– **Memoria** und Memorialbild, in: Schmid – Wollasch, Memoria, S. 384–440.
Ohly, Friedrich, Art. **Haus** III (Metapher), in: RAC 13 (1986), Sp. 905–1063.
– Die **Kathedrale als Zeitenraum**, in: ders., Schriften zur mittelalterlichen Bedeutungsforschung, Darmstadt 1977, S. 171–273.
Origo, Ines, Der Heilige der Toskana. Leben und Zeit des **Bernardino von Siena**, München 1989.
Orselli, Alba Maria, **L'idea e il culto del santo patrono** cittadino nella letteratura latina cristiana (StRic.NF 12), Bologna 1965.
– **Santi** e città. Santi e demoni urbani tra tardoantico e alto medioevo, in: Santi e demoni 2, S. 783–830.

Ott, Heinrich, **Eschatologie.** Versuch eines dogmatischen Grundrisses (ThSt(B) 53), Zollikon 1958.

Padberg, Lutz von, **Heilige und Familie.** Studien zur Bedeutung familiengebundener Aspekte in den Viten des Verwandten- und Schülerkreises um Willibrord, Bonifatius und Liudger (Diss. Phil.), Münster 1981.

Pagels, Elaine, **Adam**, Eva und die Schlange. Die Theologie der Sünde, Reinbek 1991.

Panikkar, Raimon, Den **Mönch** in sich entdecken, München [2]1990.

Panofsky, Erwin, **Abbot Suger** and its Art Treasures on the Abbey Church of St.-Denis, Princeton 1979.

Parisse, Michel – Otto Gerhard Oexle (Hg.), L'abbaye de **Gorze** au Xe siècle, Nancy 1993.

Paulus, Nikolaus, **Geschichte des Ablasses** im Mittelalter vom Ursprunge bis zur Mitte des 14. Jahrhunderts 1, Paderborn 1922.

Pauly, Ferdinand, Zur Vita des **Werner von Oberwesel.** Legende und Wirklichkeit, in: AMRhKG 16 (1964), S. 94–109.

Penco, Gregorio, Le figure bibliche del **'Vir Dei'** nell'agiografia monastica, in: Ben. 15 (1968), S. 1–13.

Pesch, Otto Hermann, **Thomas** von Aquin. Grenze und Größe mittelalterlicher Theologie. Eine Einführung, Mainz 1988.

Pesch, Rudolf, Das **Markusevangelium**, 2 Bde. (HThK 2), Freiburg/Br. u. a. 1977 u. [3]1980.

– **Simon-Petrus.** Geschichte und geschichtliche Bedeutung des ersten Jüngers Jesu Christi (PuP 15), Stuttgart 1980.

Peters, Louis, Von der **Leidenschaft, Reliquien zu sammeln**, in: Legner, Reliquien, S. 189–196.

Petersohn, Jürgen, Die päpstliche **Kanonisationsdelegation** des 11. und 12. Jahrhunderts und die Heiligsprechung Karls des Grossen, in: Stephan Kuttner (Hg.), Proceedings of the Fourth International Congress of Medieval Canon Law, Toronto, 21–25 August 1972, Città del Vaticano 1976 (MIC.S 5), S. 163–206.

Peyer, Hans Conrad, **Stadt und Stadtpatron** im mittelalterlichen Italien (Wirtschaft – Gesellschaft – Staat 13), Zürich 1955.

Pfaff, Carl, **Kaiser Heinrich II.** Sein Nachleben und sein Kult im mittelalterlichen Basel (Diss. Phil.), Basel 1963.

Pfister, Friedrich, Der **Reliquienkult** im Altertum, 2 Bde. (RVV 5), Gießen 1909–12.

Pfnür, Vinzenz, Einig in der **Rechtfertigungslehre**? Die Rechtfertigungslehre der Confessio Augustana (1530) und die Stellungnahme der katholischen Kontroverstheologie zwischen 1530 und 1535 (VIEG 60), Wiesbaden 1970.

Philippart, Guy, Art. **Legendare**, VerLex. 5 (1985), Sp. 644–657.

Pietri, Charles, **Saints** et démons: l'héritage de l'hagiographie antique, in: Santi e demoni 1, S. 15–90.

– André Bernand, Art. **Graffito** I/II (lateinisch/griechisch), dt. Übers. v. Alois Kehl, in: RAC 12 (1983), Sp. 637–689.

Pietri, Luce, **Culte des saints** et religiosité politique dans la Gaule du Ve et du VIe siècle, in: Les fonctions des saints dans le monde occidental (IIIe-XIIIe siècle). Actes du colloque organisé par l'École française de Rome (CEFR 149), Rom 1991, S. 353–369.

– **La ville de Tours** du IVe au VIe siècle naissance d'une cité chrétienne (CEFR 69), Rom 1983.

Pinomaa, Lennart, Die **Heiligen bei Luther** (SLAG A 16), Helsinki 1977.

Plötz, Robert, Die **Ursprünge der Wallfahrt** zur „Consolatrix Afflictorum" in Kevelaer, in: Heckens – Schulte Staade, Consolatrix Afflictorum, S. 206–225.
Plück, Beate, Der **Kult des** Katakombenheiligen **Donatus von Münstereifel**, in: JVK.NF 4 (1981), S. 112–126.
Pötzl, Walter, **Bild** und Reliquie im hohen Mittelalter, in: JVK.NF 9 (1986), S. 56–71.
– **Katakombenheilige** als „Attribute" von Gnadenbildern, in: JVK.NF 4 (1981), S. 168–184.
– **Loreto** in Bayern, in: JVK.NF 2 (1979), S. 187–218.
Polonyi, Andrea, **Reliquientranslationen** in oberschwäbische Benediktinerklöster als Ausdruck barocker Frömmigkeit, in: RoJKG 9 (1990), S. 77–84.
Popkes, Wiard, Art. **Gemeinschaft**, in: RAC 9 (1976), Sp. 1100–1145.
Preuß, Horst Dietrich, Art. **Barmherzigkeit** I (Altes Testament), in: TRE 5 (1980), S. 215–224.
Prinz, Friedrich, **Askese** und Kultur. Vor- und frühbenediktinisches Mönchtum an der Wiege Europas, München 1980.
– **Grundlagen** und Anfänge. Deutschland bis 1056 (Neue Deutsche Geschichte 1), München 1985.
– **Der Heilige** und seine Lebenswelt. Überlegungen zum Gesellschafts- und Kulturgeschichtlichen Aussagewert von Viten und Wundererzählungen, in: Santi e demoni 1, S. 285–311.
– **Klerus und Krieg** im Früheren Mittelalter. Untersuchungen zur Rolle der Kirche beim Aufbau der Königsherrschaft (MGMA 2), Stuttgart 1971.
– **Frühes Mönchtum** im Frankenreich. Kultur und Gesellschaft in Gallien, den Rheinlanden und Bayern am Beispiel der monastischen Entwicklung (4. bis 8. Jahrhundert), München – Wien ²1988 (mit Nachwort).
Puzicha, Michaela, **Vita iusti** (Dial. 2,2). Grundstrukturen altkirchlicher Hagiographie bei Gregor dem Großen, in: Dassmann – Frank, Pietas, S. 284–312.
Quasten, Johannes, Die **Reform des Martyrerkultes** durch Augustinus, in: ThGl 25 (1933), S. 318–331.
Quentin, Henry, Les **martyrologes historiques** du moyen âge. Étude sur la formation du martyrologe romain, Paris 1908.
Rad, Gerhard von, Das erste Buch Mose. **Genesis** (ATD 2,4), Göttingen ¹⁰1976.
Räisänen, Heikki u.a., Art. **Maria**/Marienfrömmigkeit, in: TRE 22 (1992), S. 115–161.
Rahner, Karl, Vom **Geheimnis der Heiligkeit**, der Heiligen und ihrer Verehrung, in: Peter Manns (Hg.), Die Heiligen in ihrer Zeit I, Mainz 1966, S. 9–26.
Rapp, Francis, Zwischen Spätantike und Neuzeit: **Wallfahrten** der ländlichen Bevölkerung im Elsaß, in: Schreiner, Laienfrömmigkeit im späten Mittelalter, S. 127–136.
Ratzinger, Joseph, **Einführung** in das Christentum. Vorlesungen über das Apostolische Glaubensbekenntnis, München ⁴1968.
Reber, Horst, **Albrechts Begegnungen** mit der Kunst, in: Jürgensmeier, Albrecht, S. 277–295.
Reblin, Klaus, **Freund und Feind**. Franziskus von Assisi im Spiegel der protestantischen Theologiegeschichte (KiKonf 27), Göttingen 1987.
Redlich, Paul, Cardinal **Albrecht von Brandenburg** und das Neue Stift zu Halle 1520–1541. Eine kirchen- und kunstgeschichtliche Studie, Mainz 1900.
Reinhard, Wolfgang, Zwang zur **Konfessionalisierung**?. Prolegomena zu einer Theorie des konfessionellen Zeitalters, in: ZHF 10 (1983), S. 257–277.
Reske, Hans-Friedrich, **Jerusalem caelestis** – Bildformeln und Gestaltungsmuster.

Darbietungsformen eines christlichen Zentralgedankens in der deutschen geistlichen Dichtung des 11. und 12. Jahrhunderts. Mit besonderer Berücksichtigung des „Himmlischen Jerusalem“ und der „Hochzeit“ [V. 379–508] (Göppinger Arbeiten zur Germanistik 95), Göppingen 1973.

Richstätter, Karl, Die **Herz-Jesu-Verehrung** des deutschen Mittelalters. Nach gedruckten und ungedruckten Quellen, Regensburg – München ²1924.

Richter, Erwin, Die **Opferung** im Gewicht des Votanten und die Kirchenwaage zum Vollzug des Gelübdes, in: Deutsche Gaue 51 (1959), S. 41–46.

Rilke, Rainer Maria, Sämtliche **Werke**, 6 Bde., hg. v. Rilke-Archiv. In Verbindung mit Ruth Sieber-Rilke. Besorgt durch Ernst Zinn, Frankfurt/M. 1955–66.

Ringeling, Hermann, Art. **Frau** IV (Neues Testament), in: TRE 11 (1983), S. 431–436.

Ringholz, Odilo, **Wallfahrtsgeschichte** Unserer Lieben Frau von **Einsiedeln**. Ein Beitrag zur Culturgeschichte, Freiburg/Br. 1896.

Roeck, Bernd, Christlicher Idealstaat und **Hexenwahn**. Zum Ende der europäischen Verfolgungen, in: HJ 108 (1988), S. 379–405.

– Als wollt die Welt schier brechen. **Eine Stadt** im Zeitalter des Dreißigjährigen Krieges, München 1991.

Rollason, David, **Saints and Relics** in Anglo-Saxon England, Oxford 1989.

Roloff, Jürgen, Art. **Apostel**/Apostolat/Apostolizität I (Neues Testament), in: TRE 3 (1978), S. 430–445.

Ronconi, Alessandro, Art. **Exitus** illustrium virorum, in: RAC 6 (1966), Sp. 1258–1268.

Ronig, Franz, Die **Marien-Votivkirche zu Aachen**, ein Bauwerk von Vinzenz Statz, in: Rheinische Heimatpflege NF 14 (1977), S. 1–6.

– Der **Heilige Rock** im Dom zu Trier. Eine kurze Zusammenfassung seiner Geschichte, seiner Bedeutung und der Wallfahrten, in: Dühr – Groß-Morgen, Andacht und Andenken, S. 117–136.

Rordorf, Willy, **La ‚diaconie‘** des martyrs selon Origène, in: Epektasis. Mélanges patristiques offerts au Cardinal Jean Daniélou, Beauchesne 1972, S. 395–402.

Rosenfeld, Hellmut, **Legende**, Stuttgart ⁴1982.

Roth, Elisabeth, **Wallfahrten** zu evangelischen Landkirchen in Franken, in: JVK.NF 2 (1979), S. 135–160.

Rouche, Michel, **Miracles**, maladies et psychologie de la foi à l’époque carolingienne en Francie, in: Hagiographie cultures et sociétés IVᵉ-XIIᵉ siècles. Actes du Colloque organisé à Nanterre et à Paris (2–5 mai 1979), Paris 1981, S. 319–337.

Rousselle, Aline, Der **Ursprung der Keuschheit**, Stuttgart 1989.

Rubellin, Michel, **Le diable**, le saint et le clerc: Deux visions de la société chrétienne au Haut moyen âge, in: Lepelley, Haut moyen âge, S. 265–272.

Ruh, Kurt, **Meister Eckhart**. Theologe. Prediger. Mystiker, München 1985.

– Art. Meister Eckhart, in: VerLex 2 (1980), Sp. 327–348.

Rupprecht, Bernhard – Max und Albert Hirmer, **Romanische Skulptur** in Frankreich, München 1975.

Saintyves, Pierre, **Les reliques** et les images légendaires, in: ders., Les contes de Perrault – En marge de la Légende dorée – Les reliques et les images légendaires, Paris 1987, S. 897–1044.

– **Les saints** – successeurs des dieux (Essais de mythologie chrétienne), Paris 1907.

Sankt Elisabeth. Fürstin, Dienerin, Heilige. Aufsätze, Dokumentation. (Ausstellungskatalog), hg. v. d. Philipps-Universität Marburg in Verbindung mit dem Hessischen Landesamt für geschichtliche Landeskunde, Sigmaringen 1981.

Santi e demoni nell'alto medioevo occidentale (SSAM 36,1 u. 2), Spoleto 1989.
Sauser, Ekkard, Art. **Schmerzen Mariens**, in: LCI 4 (1972), Sp. 85–87.
Saxer, Victor, **Morts**. Martyrs. Reliques. En Afrique chrétienne aux premiers siècles. Les témoignages de Tertullien, Cyprien et Augustin à la lumière de l'archéologie africaine (ThH 55), Paris 1980.
Schaller, Hans Martin, **Der heilige Tag** als Termin mittelalterlicher Staatsakte, in: DA 30 (1974), S. 1–24.
Scharbert, Josef, **Heilsmittler** im Alten Testament und im alten Orient (QD 23–24), Freiburg/Br. u.a. 1964.
Scharf, Helmut, Kleine **Kunstgeschichte** des deutschen Denkmals, Darmstadt 1984.
Scharfe, Martin, Evangelische **Andachtsbilder**. Studien zu Intention und Funktion des Bildes in der Frömmigkeitsgeschichte vornehmlich des schwäbischen Raumes (Veröffentlichungen des staatlichen Amtes für Denkmalpflege Stuttgart Reihe C: Volkskunde 5), Stuttgart 1968.
Scharfetter, Christian, Der **Schamane** – das Urbild des Heilenden, in: Karl Hauck (Hg.), Der historische Horizont der Götterbild-Amulette aus der Übergangsepoche von Spätantike zum Frühmittelalter (AAWG.PH 200), Göttingen 1982, S. 422–432.
Schatz, Klaus, Der päpstliche **Primat**. Seine Geschichte von den Ursprüngen bis zur Gegenwart, Würzburg 1990.
Scheeben, Heribert Christian, Der heilige **Dominikus**, Freiburg/Br. 1927.
Scheffczyk, Leo, Art. **Canisius**, in: Marienlexikon 1 (1988), S. 647f.
Scheglmann, Alfons Maria, Geschichte der **Säkularisation** im rechtsrheinischen Bayern, 4 Bde., Regensburg 1903–8.
Schenda, Rudolf, **Volk ohne Buch**. Studien zur Sozialgeschichte der populären Lesestoffe 1770–1910, München 1977.
Schieder, Wolfgang, **Kirche und Revolution**. Sozialgeschichtliche Aspekte der Trierer Wallfahrt von 1844, in: ASozG 14 (1974), S. 419–454.
– (Hg.), **Volksreligiosität** in der modernen Sozialgeschichte (GuG, Sonderheft 11), Göttingen 1986.
Schieffer, Rudolf, Der **Bischof** zwischen Civitas und Königshof (4.–9. Jahrhundert), in: Peter Berglar – Odilo Engels (Hg.), Der Bischof in seiner Zeit. Bischofstypus und Bischofsideal im Spiegel der Kölner Kirche, FS Joseph Kardinal Höffner, Köln 1986, S. 17–39.
– Die **Karolinger**, Stuttgart u.a. 1992.
Schieffer, Theodor, **Die wirtschaftlich-soziale Grundstruktur** des frühen Europa, in: HEG 1 (1976), S. 107–163.
– **Heinrich II.** und Konrad II. Die Umprägung des Geschichtsbildes durch die Kirchenreform des 11. Jahrhunderts (Libelli 285), Darmstadt [2]1969.
– **Winfrid-Bonifatius** und die christliche Grundlegung Europas, Freiburg/Br. 1954.
Schiffers, Heinrich, Der **Reliquienschatz** Karls des Großen und die Anfänge der Aachenfahrt, Aachen 1951.
Schiller, Gertrud, **Ikonographie** der christlichen Kunst, 4 Bde., Gütersloh 1966–80.
Schimmelpfennig, Reintraud, Die Geschichte der **Marienverehrung** im deutschen Protestantismus, Paderborn 1952.
Schlier, Heinrich, Der **Römerbrief** (HThK 6), Freiburg/Br. u.a. 1977.
Schlink, Wilhelm, **Saint-Bénigne** in Dijon. Untersuchungen zur Abteikirche Wilhelms von Volpiano (962–1031) (Frankfurter Forschungen zur Architekturgeschichte 5), Berlin 1978.
Schmeidler, Bernhard, **Anti-asketische Äußerungen** aus Deutschland im 11. und

beginnenden 12. Jahrhundert, in: Kultur- und Universalgeschichte, FS Walter Goetz, Berlin – Leipzig 1927, S. 35–52.

Schmid, Karl – Joachim Wollasch, **Memoria**. Der geschichtliche Zeugniswert des liturgischen Gedenkens im Mittelalter (MMAS 48), München 1984.

Schmidke, Dietrich, Studien zur dingallergorischen **Erbauungsliteratur** des Spätmittelalters am Beispiel der Gartenallegorie (Herm.NF 43), Tübingen 1982.

Schmidlin, Josef, **Papstgeschichte** der neuesten Zeit, 4 Bde., München 1933–39.

Schmiedl, Joachim, **Marianische Religiosität** in Aachen. Frömmigkeitsformen einer katholischen Industriestadt des 19. Jahrhunderts (Diss. Theol.), Münster 1987.

Schmitt, Jean-Claude, **La confrérie du rosaire** de Colmar (1485). Textes de fondation, „Exempla“ en allemand d'Alain de la Roche, listes des prêcheurs et des soeurs dominicaines, in: AFP 40 (1970), S. 97–124.

– **Der Mediävist** und die Volkskultur, in: Dinzelbacher – Bauer, Volksreligion, S. 29–40.

– **Der heilige Windhund**. Die Geschichte eines unheiligen Kults, Stuttgart 1982.

Schmugge, Ludwig, Die Anfänge des organisierten **Pilgerverkehrs im Mittelalter**, in: QFIAB 64, Tübingen 1984, S. 1–83.

– Kollektive und individuelle **Motivstrukturen** im mittelalterlichen Pilgerwesen, in: Gerhard Jaritz – Albert Müller (Hg.), Migration in der Feudalgesellschaft, Frankfurt – New York 1988, S. 263–289.

Schnabel, Franz, **Deutsche Geschichte** im neunzehnten Jahrhundert, 4 Bde., Freiburg/Br. $^{2+4}$1948–51.

Schnackenburg, Rudolf, Das **Johannesevangelium** Bd. 1 (HThK 4,1), Freiburg/Br. u.a. ^{3}1972.

Schneemelcher, Wilhelm, Das **Kreuz Christi** und die Dämonen. Bemerkungen zur Vita Antonii des Athanasius, in: Dassmann – Frank, Pietas, S. 381–392.

Schneider, C., Art. **Asche**, in: RAC 1 (1950), Sp. 725–730.

Schneider, Roswitha, **Katharina von Siena** als Mystikerin, in: Peter Dinzelbacher – Dieter R. Bauer (Hg.), Frauenmystik im Mittelalter, Ostfildern 1985, S. 290–313.

Schnitzer, Josef, Legenden-Studien, in: Süddeutsche Monatshefte 5,1 (1908), S. 209–216.

Schnyder, André, **Legendenpolemik** und Legendenkritik in der Reformation: ‚Die Lügend von St. Johannes Chrysostomo‘ bei Luther und Cochläus. Ein Beitrag zur Rezeption des Legendars ‚Der Heiligen Leben‘, in: ARG 70 (1979), S. 122–139.

– Die **Ursulabruderschaften** des Spätmittelalters. Ein Beitrag zur Erforschung der deutschsprachigen religiösen Literatur des 15. Jahrhunderts (Sprache und Dichtung NF 34), Bern – Stuttgart 1986.

Schönstädt, Hans-Jürgen, Das **Reformationsjubiläum 1617**. Geschichtliche Herkunft und geistige Prägung, in: ZKG 93 (1982), S. 5–57.

– Das **Reformationsjubiläum 1717**. Beiträge zur Geschichte seiner Entstehung im Spiegel Landesherrlicher Verordnungen, in: ZKG 93 (1982), S. 58–118.

Scholten, Uta, „Zu Ach hab ich gesehen die proportionirten seulen, die Carolus von Rom dahin hat bringen lassen ...“ Die **Aachener Marienkirche** im Spiegel der Heiligtumsfahrten, in: Kerscher, Hagiographie, S. 195–212.

Schottroff, Willy, Art. **Gottmensch** I (Alter Orient und Judentum), in: RAC 12 (1983), Sp. 156–234.

Schramm, Percy Ernst – Mütherich, Florentine, **Denkmale** der deutschen Könige und Kaiser I. Ein Beitrag zur Herrschergeschichte von Karl dem Großen bis

Friedrich II. 768–1250 (Veröffentlichungen des Zentralinstituts für Kunstgeschichte in München 2), München ²1981.

– Der **König von Frankreich**. Das Wesen der Monarchie vom 9. zum 16. Jahrhundert. Ein Kapitel aus der Geschichte des abendländischen Staates, 2 Bde., Darmstadt ²1960.

Schreiber, Georg, **Wallfahrt** und Volkstum in Geschichte und Leben (FVK 16/17), Düsseldorf 1934.

Schreiner, Klaus, „**Discrimen** veri ac falsi". Ansätze und Formen der Kritik in der Heiligen- und Reliquienverehrung des Mittelalters, in: AKuG 48 (1966), S. 1–53.

– **Laienfrömmigkeit** – Frömmigkeit von Eliten oder Frömmigkeit des Volkes? Zur sozialen Verfaßtheit laikaler Frömmigkeitspraxis im späten Mittelalter, in: ders., Laienfrömmigkeit im späten Mittelalter, S. 1–78.

– (Hg.), **Laienfrömmigkeit im späten Mittelalter**. Formen, Funktionen, politisch-soziale Zusammenhänge (Schriften des Historischen Kollegs, Kolloquien 20), München 1992.

– **Marienverehrung**, Lesekultur, Schriftlichkeit. Bildungs- und frömmigkeitsgeschichtliche Studien zur Auslegung und Darstellung von ‚Mariä Verkündigung', in: FMSt 24 (1990), S. 314–368.

– **'Peregrinatio** laudabilis' und ‚peregrinatio vituperabilis'. Zur religiösen Ambivalenz des Wallens und Laufens in der Frömmigkeitstheologie des späten Mittelalters, in: Österreichische Akademie der Wissenschaften, Wallfahrt, S. 133–163.

– Sozial- und standesgeschichtliche **Untersuchungen** zu den Benediktinerkonventen im östlichen Schwarzwald (Veröffentlichungen der Kommission für geschichtliche Landeskunde in Baden-Würtemberg Reihe B,31), Stuttgart 1964.

– Zum **Wahrheitsverständnis im Heiligen- und Reliquienwesen** des Mittelalters, in: Saec. 17 (1966), S. 131–169.

Schubert, Hans von, **Gechichte der christlichen Kirche** im Frühmittelalter. Ein Handbuch, Tübingen 1921, ND Darmstadt 1975.

Schürmann, Heinz, Das **Lukasevangelium** I. Kommentar zu Kap. 1,1–9,50, (HThK 3), Freiburg/Br. 1969.

Schütz, Alois, Das Geschlecht der **Andechs-Meranier** im europäischen Hochmittelalter, in: Josef Kirmeier – Evamaria Brockhoff, Herzöge und Heilige. Das Geschlecht der Andechs-Meranier im europäischen Hochmittelalter [Ausstellungskatalog] (VBGK 24/93), München – Regensburg 1993, S. 22–185.

Schulz, Frieder, **Agendenreform** in der Evangelischen Kirche. Bibliographie zu Konzeption, Gestalt und Bedeutung der ‚Erneuerten Agende' (Vorentwurf 1990), in: ALW 33 (1991), S. 302–305.

– Das **Gedächtnis der Zeugen**. Vorgeschichte, Gestaltung und Bedeutung des Evangelischen Namenkalenders, in: JLH 19 (1975), S. 69–104.

– Art. **Hagiographie** IV (Protestantische Kirchen), in: TRE 14 (1985), S. 377–380.

– Art. **Heilige**/Heiligenverehrung VII (Die protestantischen Kirchen), in: TRE 14 (1985), S. 664–672.

Schulz, Knut, **Stadtrecht und Zensualität** am Niederrhein (12.–14. Jahrhundert), in: Edith Ennen – Klaus Flink (Hg.), Soziale und wirtschaftliche Bindungen im Mittelalter am Niederrhein (Klever Archiv 3), Kleve 1981, S. 13–36.

Schulz, Winfried, Das neue Selig- und **Heiligsprechungsverfahren**, Paderborn 1988.

Schulze, Winfried, Der **14. Juli 1789**. Biographie eines Tages, Stuttgart 1989.

– Gerhard Oestreichs Begriff "**Sozialdisziplinierung** in der frühen Neuzeit", in: ZHF 14 (1987), S. 265–302.

Schwaiger, Georg, **Maria** Patrona Bavariae, in: ders. (Hg.), Bavaria Sancta. Zeugen christlichen Glaubens in Bayern I, Regensburg 1970, S. 28–37.
Schweizer, Eduard, Art. **Jesus Christus** I (Neues Testament), in: TRE 16 (1987), S. 671–726.
Schwineköper, Berent, **Christus-Reliquien-Verehrung** und Politik. Studien über die Mentalität der Menschen des früheren Mittelalters, insbesondere über die religiöse Haltung und sakrale Stellung der früh- und hochmittelalterlichen deutschen Kaiser und Könige, in: BDLG 117 (1981), S. 183–281.
Scribner, R. W., **Ritual and Popular Religion** in Catholic Germany at the Time of the Reformation, in: JEH 35 (1984), S. 47–77.
Seibert, Jutta, Art. **Schutzmantelschaft**, in: LCI 4 (1972), Sp. 128–133.
Selge, Kurt-Viktor, Die ersten **Waldenser**, 2 Bde. (AKG 37,1–2), Berlin 1967.
Sigal, Pierre-André, **L'homme** et le miracle dans la France médiévale (XIe-XIIe siècles), Paris 1985.
Simonetti, Adele, Santi cefalofori altomedievali, in: StMed 28 (1987), S. 67–121.
Snoek, G. J. C., De eucharistie- en **reliekverering** in de middeleeuwen. De middeleeuwse eucharistie-devotie en reliekverering in onderlinge samenhang, Amsterdam 1989.
Soboul, Albert, Die Große **Französische Revolution**. Ein Abriß ihrer Geschichte (1789 –1799), Frankfurt/M. [4]1983.
Söll, Georg, Mariologie (HDG III,4), Freiburg/Br. u. a. 1978.
Sonnemans, Heino, **Seele**. Unsterblichkeit – Auferstehung. Zur griechischen und christlichen Anthropologie und Eschatologie (FThSt 128), Freiburg/Br. u. a. 1984.
Spies, Werner (Hg.), **Max Ernst**. Retrospektive zum 100. Geburtstag [Ausstellungskatalog], München 1991.
Sperber, Jonathan, **Popular Catholicism** in Nineteenth-Century Germany, Princeton 1984.
Speyer, Wolfgang, Art. **Fluch**, in: RAC 7 (1969), Sp. 1160–1288.
– Art. **Genealogie**, in: RAC 9 (1976), Sp. 1145–1268.
– Art. **Gründer** (Christlich), in: RAC 12 (1983), Sp. 1145–1171.
– Art. **Heros**, in: RAC 14 (1988), Sp. 861–877.
– Die **Verehrung des Heroen**, des göttlichen Menschen und des christlichen Heiligen. Analogien und Kontinuitäten, in: Dinzelbacher – Bauer, Heiligenverehrung, S. 48–66.
Squarr, Christel, Art. **Bernhard von Clairvaux**, in: LCI 5 (1973), Sp. 371–385.
Staats, Reinhart, Art. **Auferstehung** I/4 (Alte Kirche), in: TRE 4 (1979), S. 467–477.
Stähler, Klaus, Art. **Grabbau**, in: RAC 12 (1983), Sp. 397–429.
Stahl, Gerlinde, Die Wallfahrt zur **Schönen Maria** in Regensburg, in: BGBR 2 (1968), S. 35–282.
Stammler, Wolfgang, **Albert der Große** und die deutsche Volksfrömmigkeit des Mittelalters, in: FZPhTh 3 (1956), S. 287–319.
Stancliffe, Clare, Red, White and Blue Martyrdom, in: Dorothy Whitelock u. a. (Hg.), Ireland in Early Mediaeval Europe. Studies in Memory of Kathleen Hughes, Cambridge 1982, S. 21–46.
Stehkämper, Hugo, **Könige** und Heilige Drei Könige, in: Budde – Wallraf-Richartz-Museum, Heilige Drei Könige, S. 37–50.
Steidle, Basilius, Die **Benediktusregel**, Beuron [4]1980.
– **"Homo Dei Antonius"**. Zum Bild des „Mannes Gottes" im alten Mönchtum, in: Ursmar Engelmann (Hg.), Basilius Steidle. 1903–1982. Beiträge zum alten Mönchtum und zur Benediktusregel, Sigmaringen 1986, S. 54–106.

Sternberg, Thomas, **Orientalum more** secutus. Räume und Institutionen der Caritas des 5. bis 7. Jahrhunderts in Gallien (JAC.E 16), Münster 1991.

Stockmeier, Peter, **Christus** als Gott-Mensch, in: Beck – Bol, Spätantike, S. 191–197.

Stoclet, Alain J., **Les établissements Francs** à Rome au VIIIe siècle. Hospitale intus basilicam beati Petri, domus Nazarii, schola Francorum et palais de Charlemagne, in: Lepelley, Haut moyen âge, S. 231–247.

Stuhlmacher, Peter, **Biblische Theologie** des Neuen Testaments I (Grundlegung von Jesus zu Paulus), Göttingen 1992.

– Vom **Verstehen des Neuen Testaments**. Eine Hermeneutik (NTD Ergänzungsreihe 6), Göttingen 1976.

Stuiber, Alfred, Art. **Geburtstag**, in: RAC 9 (1976), Sp. 217–243.

– **Refrigerium interim**. Die Vorstellungen vom Zwischenzustand und die frühchristliche Grabeskunst (Theoph. 11), Bonn 1957.

Stutzinger, Dagmar, **Theíos anér** – Die Vorstellung vom außergewöhnlichen, göttlichen Menschen, in: Beck – Bol, Spätantike, S. 161–175.

Suckale, Robert, **Arma Christi**. Überlegungen zur Zeichenhaftigkeit mittelalterlicher Andachtsbilder, in: Städel-Jahrbuch 6 (1978), S. 177–208.

Sussmann, Vera, **Maria** mit dem Schutzmantel, in: Marburger Jahrbuch für Kunstwissenschaften 5 (1929), S. 285–351.

Swinarski, Ursula, **Herrschen mit den Heiligen**. Kirchenbesuche, Pilgerfahrten und Heiligenverehrung früh- und hochmittelalterlicher Herrscher (ca. 500–1200) (Geist und Werk der Zeiten 78), Bern 1991.

Tacke, Andreas, Das **Hallenser Stift** Albrechts von Brandenburg. Überlegungen zu gegen-reformatorischen Kunstwerken vor dem Tridentinum, in: Jürgensmeier, Albrecht, S. 357–380.

Tellenbach, Gerd, **Die westliche Kirche** vom 10. bis zum frühen 12. Jahrhundert (Die KIG 2,F1), Göttingen 1988.

Tersteegen, Gerhard, Auserlesene **Lebensbeschreibungen** Heiliger Seelen, In welchen nebst derselben merkwürdigen äussern Lebens-Historie hauptsächlich angemerket werden die innere Führungen Gottes über Sie und die mannigfaltige Austheilungen seiner Gnaden in Ihnen, wobei viele wichtige Nachrichten in allen Ständen des christlichen Lebens vorkommen. Zur Bekräftigung der Wahrheit und der Möglichkeit des inwendigen Lebens aus verschiedenen glaubwürdigen Urkunden in möglichster Kürze zusammen getragen, 3 Bde., Essen 1784–1786.

Teske, Wolfgang, **Laien**, Laienmönche und Laienbrüder in der Abtei Cluny. Ein Beitrag zum ‚Konversen-Problem', in: FMSt 10 (1976), S. 248–322, 11 (1977), S. 288–339.

Theißen, Gerd, Urchristliche **Wundergeschichten**. Ein Beitrag zur formgeschichtlichen Erforschung der synoptischen Evangelien (StNT 8), Gütersloh 1974.

Thode, Henry, **Franz von Assisi** und die Anfänge der Kunst der Renaissance in Italien, Berlin 1885.

Thümmel, Hans Georg, **Bilderlehre** und Bilderstreit. Arbeiten zur Auseinandersetzung über die Ikone und ihre Begründung vornehmlich im 8. und 9. Jahrhundert (ÖC.NF 40), Würzburg 1991.

Töpfer, Bernhard, **Reliquienkult** und Pilgerbewegung zur Zeit der Klosterreform im burgundisch-aquitanischen Gebiet, in: Hellmut Kretzschmar (Hg.), Vom Mittelalter zur Neuzeit. FS Heinrich Sproemberg, Berlin 1956, S. 420–439.

Treitschke, Heinrich von, **Königin Luise**. Vortrag, gehalten am 10. März 1876 im Kaisersaale des Berliner Rathauses, in: PrJ 37 (1876), S. 417–429.

Trier, Eduard, Die religiösen **Denkmäler**, in: ders. – Willy Weyres (Hg.), Kunst des 19. Jahrhunderts im Rheinland 5 (Plastik), Düsseldorf 1980, S. 177–212.

Trippen, Norbert, Das **Kölner Dombaufest** 1842 und die Absichten Friedrich Wilhelms IV. von Preußen bei der Wiederaufnahme der Arbeiten am Kölner Dom. Eine historische Reflexion zum Domfest 1980, in: AHVNRh 182 (1979), S. 99–115.

– **Theologie und Lehramt** im Konflikt. Die kirchlichen Maßnahmen gegen den Modernismus im Jahre 1907 und ihre Auswirkungen in Deutschland, Freiburg/Br. u. a. 1977.

Troeltsch, Ernst, Gesammelte **Schriften**, 4 Bde., Tübingen 1922, Aalen ND $^{2+3}$1977–81.

Tüchle, Hermann, Von der **Reformation bis** zur **Säkularisation**. Geschichte der katholischen Kirche im Raum des späteren Bistums Rottenburg – Stuttgart, Ostfildern 1981.

Uhsadel-Gülke, Christiana, Knochen und Kessel (BKP 43), Meisenheim am Glan 1972.

Ulbricht, Otto, Der Einstellungswandel zur **Kindheit in Deutschland** am Ende des Spätmittelalters, in: ZHF 19 (1992), S. 159–187.

Ullmann, Walter, **Gelasius I.** (492–496). Das Papsttum an der Wende der Spätantike zum Mittelalter (PuP 18), Stuttgart 1981.

Uytfanghe, Marc van, **La controverse biblique** et patristique autour du miracle, et ses répercussions sur l'hagiographie dans l'antiquité tardive et le haut moyen âge latin, in: Hagiographie cultures et sociétés IVe-XIIe siècles, Paris 1981, S. 205–233.

– L'hagiographie: Un ‚genre' chrétien ou antique tardif?, in: AnBoll 111, Brüssel 1993, S. 135–188.

– Art. **Heiligenverehrung** II (Hagiographie), in: RAC 14 (1988), Sp. 150–183.

– **Modèles bibliques** dans l'hagiographie, in: Pierre Riché – Guy Lobrichon (Hg.), Le moyen âge et la Bible (BiToTe 4), Paris 1984, S. 449–487.

– **Stylisation biblique** et concision humaine dans l'hagiographie mérovingienne [600–750] (Verhandelingen van de Koninklijke Academie voor Wetenschapen, Letteren en Schone Kunsten van België. Klasse der Letteren Jg. 49, Nr. 120), Brüssel 1987.

Vauchez, André, La **sainteté** en Occident aux derniers siècles du moyen âge. D'après les procès de canonisation et les documents hagiographiques, Rom ^{2}1988.

Veit, Ludwig Andreas, **Volksfrommes Brauchtum** und Kirche im deutschen Mittelalter. Ein Durchblick. Freiburg/Br. 1936.

Verbeek, Albert, Das **Annograb** in Siegburg, in: Peter Bloch – Joseph Hoster (Hg.), Miscellanea Pro Arte. FS Hermann Schnitzler (Schriften des Pro Arte Medii Aevi 1), Düsselorf 1965, S. 119–131.

Veyne, Paul, **Glaubten die Griechen an ihre Mythen?**. Ein Versuch über die konstitutive Einbildungskraft, Frankfurt/M. 1987.

Vicaire, Marie Humbert, Geschichte des heiligen **Dominikus**, 2 Bde., Freiburg/Br. u. a. 1962–63.

Vierck, H., Art. **Eligius von Noyon**, in: RGA 7 (1989), S. 148–159.

Vogel, Christian, **Vom Töten zum Morden**. Das wirklich Böse in der Evolutionsgeschichte, München – Wien 1989.

Vogel, Cyrille, **Le pèlerinage** pénitentiel, in: RevSR 38 (1964), S. 113–153.

Vogt, Hermann Josef, Theologische Diskussion, in: HKG(J) 2,2, Freiburg/Br. u. a. 1975, Kap. 22, S. 282–309.

Vogtherr, Thomas, **Der König** und der Heilige. Heinrich IV., der heilige Remaklus und die Mönche des Doppelklosters Stablo-Malmedy (Schriften des Historischen Kollegs, Vorträge 25), München 1990.

Vogüé, Adalbert de, Die **Regula Benedicti**. Theologisch-spiritueller Kommentar (RegBenSt.Suppl. 16), Hildesheim 1983.

– **Le maître,** Eugippe et saint Benoît (RegBenSt.Suppl. 17), Hildesheim 1984.

Vondung, Klaus, **Magie** und Manipulation. Ideologischer Kult und politische Religion des Nationalsozialismus, Göttingen 1971.

Vorgrimler, Herbert, Buße und Krankensalbung (HDG IV,3), Freiburg/Br. u.a. 1978.

– **Hoffnung auf Vollendung**. Aufriß der Eschatologie (QD 90), Freiburg/Br. u.a. 1980.

Wachinger, Burghart, Art. **Mariengrüße,** in: VerLex 6 (1987), Sp. 1–7.

Wacker, Bernd, **Revolution und Offenbarung.** Das Spätwerk (1824–1848) von Joseph Görres – eine politische Theologie (TTS 34), Mainz 1990.

Waldstein, Wolfgang, Art. **Geißelung,** in: RAC 9 (1976), Sp. 469–490.

Wallmann, Johannes, Der **Pietismus** (KIG 4, O 1), Göttingen 1990.

Walter, Johannes von, Die ersten Wanderprediger Frankreichs I: **Robert von Arbrissel** (SGTK 9,3), Leipzig 1903.

Ward, Benedicta, **Miracles and the Medieval Mind.** Theory, Record and Event 1000–1215, London 1982.

Weber, Christoph, **Aufklärung** und Orthodoxie am Mittelrhein (1820–1850) (BKathF B), München u.a. 1973.

Weber, Max, **Die protstantische Ethik I.** Eine Aufsatzsammlung, hg. v. Johannes Winckelmann, Hamburg [3]1973.

– **Wirtschaft und Gesellschaft**. Grundriß der verstehenden Soziologie (Studienausgabe), hg. v. Johannes Winckelmann, Tübingen [5]1976.

Weidemann, Margarete, **Kulturgeschichte** der Merowingerzeit nach den Werken Gregor von Tours, 2 Bde. (Römisch-Germanisches Zentralmuseum. Forschungsinstitut für Vor- und Frühgeschichte. Monographien, Bd. 3,1.2), Mainz 1982.

– **Reliquie und Eulogie.** Zur Begriffsbestimmung geweihter Gegenstände in der fränkischen Kirchenlehre des 6. Jahrhunderts, in: Joachim Werner (Hg.), Die Ausgrabungen in St. Ulrich und Afra in Augsburg. 1961–1968. Textband (Münchener Beiträge zur Vor- und Frühgeschichte 23), München 1977, S. 353–373.

Weidlé, Wladimir, Art. **Nimbus,** in: LCI 3 (1971), Sp. 323–332.

Weiler, Ingomar, Zum Schicksal der **Witwen und Waisen** bei den Völkern der Alten Welt. Materialien für eine vergleichende Geschichtswissenschaft, in: Saec. 31 (1980), S. 157–193.

Weiß, Otto, Die **Redemptoristen in Bayern** (1790–1909). Ein Beitrag zur Geschichte des Ultramontanismus (MThS.H 22), St. Ottilien 1983.

Weitlauff, Manfred, Die **Maueriner** und ihr historisch-kritisches Werk, in: Georg Schwaiger (Hg.), Historische Kritik in der Theologie. Beiträge zu ihrer Geschichte (SThGG 32), Göttingen 1980, S. 153–209.

Weizsäcker, Carl Friederich von, **Deutlichkeit.** Beiträge zu politischen und religiösen Gegenwartsfragen,München – Wien 1978.

Wendebourg, Dorothea, Die alttestamentlichen **Reinheitsgesetze** in der frühen Kirche, in: ZKG 95 (1984), S. 149–170.

Wengel, Macarius, Zur Frage der historischen Forschung über das **Skapulier,** in: MThZ 2 (1951), S. 1–24.

Werner, Matthias, Mater Hassiae – **Flos Ungariae** – Gloria Teutoniae. Politik und Heiligenverehrung im Nachleben der hl. Elisabeth von Thüringen, in: Jürgen Petersohn (Hg.), Politik und Heiligenverehrung im Hochmittelalter (Vorträge und Forschungen 47), Sigmaringen 1994, S. 449–540.

Wessel, Klaus, Art. **Elias**, in: RAC 4 (1959), Sp. 1141–1163.

– Art. **Elisa**, in: RAC 4 (1959), Sp. 1163–1171.

Wessenberg, Ignaz Heinrich von, Die christlichen **Bilder**, ein Beförderungsmittel des christlichen Sinnes, 2 Bde., St. Gallen 1845.

Wicki, Hans, **Staat** – Kirche – Religiosität. Der Kanton Luzern zwischen barocker Tradition und Aufklärung (Luzerner historische Veröffentlichungen 26), Luzern – Stuttgart 1990.

Wiebel-Fanderl, Oliva, Die Wallfahrt **Altötting**. Kultformen und Wallfahrtsleben im 19. Jahrhundert (NVIOBH 41), Passau 1982.

Williams-Krapp, Werner, **Nucleus totius perfectionis**. Die Altväterspiritualität in der ‚Vita' Heinrich Seuses, in: FS Walter Haug – Burkhart Wachinger, Bd. 1, Tübingen 1992, S. 407–421.

Wilson, David M., Der **Teppich von Bayeux**, Frankfurt/M. – Berlin 1985.

Wimmer, Erich, **Maria** im Leid. Die Mater dolorosa insbesondere in der deutschen Literatur und Frömmigkeit des Mittelalters (Diss.), Würzburg 1968.

Windhorst, Christof, **Balthasar Hubmaier**, in: Martin Greschat (Hg.), Die Reformationszeit I (GK 5), Stuttgart 1981, S. 217–231.

Winter, Alois, Gebet und **Gottesdienst bei Kant**: nicht „Gunstbewerbung", sondern „Form aller Handlungen", in: ThPh 52 (1977), S. 341–377.

Wischmeyer, Wolfgang, Die **Entstehung der christlichen Archäologie** im Rom der Gegenreformation, in: ZKG 89 (1978), S. 136–149.

Wißmann, Hans u. a., Art. **Blut**, in: TRE 6 (1980), S. 727–742.

Wittgenstein, Ludwig, **Bemerkungen** über Frazers GOLDEN BOUGH – Remarks on Frazer's GOLDEN BOUGH, dt.-engl., hg. v. Rush Rhees, Retford/Nottinghamshire 1979.

Witzleben, Elisabeth von, Art. **Dornenkrone**, in: RDK 4 (1958), Sp. 299–311.

Wollasch, Joachim, **Heiligenbilder** in der Liturgie Clunys. Kritische Randbemerkungen, in: Nikolaus Staubach (Hg.), Iconologia sacra. Mythos, Bildkunst und Dichtung in der Religions- und Sozialgeschichte Alteuropas. FS Karl Hauck zum 75. Geburtstag, Berlin 1994, S. 451–460.

Wolpers, Theodor, Die englische **Heiligenlegende** des Mittelalters. Eine Formgeschichte des Legendenerzählens von der spätantiken lateinischen Tradition bis zur Mitte des 16. Jahrhunderts (Anglia.BR 10), Tübingen 1964.

Wülfing, Wulf u. a., Historische **Mythologie** der Deutschen 1798–1918, München 1991.

Zeeden, Ernst Walter, Martin **Luther** und die Reformation im Urteil des deutschen Luthertums. Studien zum Selbstverständnis des lutherischen Protestantismus von Luthers Tode bis zum Beginn der Goethezeit, 2 Bde., Darstellung, Freiburg/Br. 1950–52.

Zehnder, Frank Günter, **Sankt Ursula**. Legende – Verehrung – Bilderwelt, Köln 1985.

Zeller, Winfried, Die kirchenpolitische **Sicht des Mönchtums** im Protestantismaus, insbesondere bei Gerhard Teersteegen, in: ders., Theologie und Frömmigkeit. Gesammelte Aufsätze 2 (MThSt.NF 15), Marburg 1978, S. 185–200.

Zeller-Werdmüller, H. – J. Bächtold (Hg.), Die **Stiftung des Klosters Oetenbach** und das Leben der seligen Schwestern daselbst, Zürich 1889.

Zender, Matthias, **Mirakelbücher** als Quelle für das Volksleben im Rheinland, in: RhV 41 (1977), S. 108–123.

– Räume und Schichten mittelalterlicher **Heiligenverehreung** in ihrer Bedeutung für die Volkskunde. Die Heiligen des mittleren Maaslandes und der Rheinlande in Kultgeschichte und Kultverbreitung, Düsseldorf 1959.

Zimmermann, Gerd, **Patrozinienwahl** und Frömmigkeitswandel im Mittelalter dargestellt an Beispielen aus dem alten Bistum Würzburg, in: WDGB 20 (1958), S. 24–126 und 21 (1959), S. 5–124.

Zintzen, Clemens, **Geister** (Dämonen) B.III.b.(Hellenistische u. kaiserzeitliche Philosophie.), in: RAC 9 (1976), Sp. 640–668.

Zoepf, Ludwig, Das **Heiligen-Leben** im 10. Jahrhundert, Leipzig – Berlin 1908.

Abbildungsnachweis

Bamberg, Staatsbibliothek Nr. 11
Berkeley, California UP S. 171
Frankfurt/M., New York, Campus Verlag S. 126
Frankfurt/M., Societätsverlag S. 174
Köln, Rheinisches Bildarchiv Nr. 1, 2, 6, 8, 9, 10, 18
Limburg, Bistumsarchiv Nr. 21
München, Erzbischöfliches Ordinariat – Kunstreferat – (Foto: Wolf-Christian von der Mülbe) Nr. 13
München, Staatliche Graphische Sammlung Nr. 14, 19
Nürnberg, Germanisches Nationalmuseum Nr. 16, 17
Paris, Bibliothèque Nationale Nr. 20
Paris, Giraudon Nr. 3
Rom, Galleria Nazionale Nr. 7
Siena, Pinakothek Nr. 4
St. Gallen, Stiftsbibliothek (Slg. Heitz) Nr. 12
Xanten, Verein zur Erhaltung des Domes S. 175
Zürich, Zentralbibliothek Nr. 15

Personenregister

Abbo (Abt von Fleury, † 1104) 114
Abiram (Sohn Eliabs aus dem Stamm Ruben) 200
Abiron 201
Abraham (alttest. Patriarch) 34, 81, 103, 138
Adalbert (Bischof von Prag u. Mönch, † 997) 37, 64, 127
Adam von Sankt Victor (Augustiner-Chorherr, Sequenzendichter, † 1192) 222f.
Adso von Montier-en-Der (Abt, Klosterreformer, † 992) 207
Aegidius (Hl., Benediktinerabt u. Gründer v. Saint-Gilles, † 720) 204
Aelred von Rievaulx (Zisterzienserabt, † 1167) 93, 140, 151
Aethelburg (ostanglische Königstochter, Äbtissin in Faremoutiers-en-Brie) 151
Aethelthryth (ostanglische Königstochter, Äbtissin in Ely) 151
Agnes (röm. Märt.in, 4. Jh.) 171
Aidan (Abtbischof von Lindesfarne, † 651) 154
Aignan 207
Alarich I. (Westgotenkönig, † 410) 339
Albrecht von Brandenburg (Erzbischof, † 545) 161
Alexander III. (Papst, † 1181) 180
Alexander VII. (Papst, † 1667) 252
Alkuin (Leiter der Hofschule, Berater Karls des Großen, † 804) 64, 126, 130, 158, 200
Althaus, Paul (evang. Dogmatiker, † 1966) 312
Amandus (Hl., Apostel der Belgier, 1. Missionsbischof Galliens, † 679) 154, 185
Ambrosius von Mailand (Bischof, Kirchenvater, † 397) 49, 98, 126f., 167, 173, 190, 311
Andreas (Apostel) 171
Angela von Foligno (Mystikerin, † 1309) 50, 96
Angelus Silesius (religiöser Dichter u. Mystiker, † 1677) 313
Anna (Hl., Mutter Marias) 165, 204, 209, 219, 221, 288
Anno von Köln (Erzbischof, † 1075) 118, 135, 180f.
Ansbert (Hl., Abt von Fontanella / St. Wandrille, Metropolit von Rouen, † 693) 75
Ansgar von Bremen-Hamburg (Apostel des Nordens, Erzbischof, † 865) 39, 43, 66, 82, 128, 145, 223
Antiochus III. d. Große (Seleukidenherrscher, † 187 v. Chr.) 200f.
Antonius (ägyptischer Einsiedler, † 356) 55, 70f., 73, 78, 86f., 148, 211, 286
Apollinaris (Märt., Bischof von Ravenna, um 200) 114
Apollo (griech. Gottheit) 16
Arndt, Ernst Moritz (politischer Dichter u. Schriftsteller, † 1860) 286
Arnim, Achim von (Dichter, Ehemann Bettinas v. Arnim, † 1831) 323
Arnold, Gottfried (evangel. Theologe, Anhänger des Pietismus, † 1714) 259
Arnoldi, Wilhelm (Bischof von Trier, † 1864) 282
Arnulf von Metz (Hl., Bischof, Spitzenahn der Karolinger, † 642) 101, 207
Athanasius (Bischof von Alexandria, Kirchenvater, † 373) 55, 69f., 86
Auduin von Rouen (Bischof, Referendar Dagoberts I., † 684) 151
Augustinus (Bischof von Hippo, Kirchenvater, † 430) 79, 90, 103, 105, 110f., 113, 119, 310
Augustus (röm. Kaiser ,† 14) 123, 218

Balthildis von Chelles (fränkische Königin, † 680) 82, 150

Barbara (Märt.in, 4. Jh.) 234, 251
Beck, Luise (Visionärin und Ekstatikerin, † 1879) 280
Becket, Thomas (Hl., engl. Lordkanzler Heinrichs II., Erzbischof v. Canterbury, † 1170) 37, 80, 114
Beda Venerabilis (angelsächs. Geschichtsschreiber, Mönch und Kirchenlehrer, † 735) 145, 151, 154, 176
Behem, Hans (angeblicher „Prophet“, 15. Jh.) 231
Beissel, Stephan (Jesuit, Kunsthistoriker, † 1915) 294, 340
Bellarmin, Robert (jesuitischer Kontroverstheologe, † 1621) 243
Benedikt von Aniane (Abt, Klostergründer / -Reformer, Berater Ludwigs des Frommen, † 821) 170
Benedikt von Nursia (Abt und Regelverfasser, † 550) 58, 60, 72, 98, 100, 117, 124, 163, 170f., 185, 203, 318
Benedikt XII. (Papst) 105
Benno von Meißen (Hl., Bischof, † 1106) 238, 244
Bernhard von Clairvaux (Abt und Klostergründer, Kirchenlehrer, † 1153) 72f., 76f., 87, 98, 104f., 147, 158, 175, 183f., 215, 220, 222, 253
Bernhardin von Siena (Volksprediger, † 1444) 148, 221
Bernward von Hildesheim (Bischof, Erzieher Ottos III., Förderer der ottonischen Kunst, † 1022) 153, 159, 203f.
Beuys, Joseph (Plastiker, Zeichner, Aktionskünstler, † 1986) 303
Bismarck, Otto Fürst von (dt. Reichskanzler, † 1898) 323f.
Blasius (Hl. u. Nothelfer, Bischof v. Sebaste) 210
Boisserée, Sulpiz (Kaufmannssohn, † 1854) 272
Boleslaw I. Chroby (Herzog, König v. Polen, † 1025) 37
Böll, Heinrich (Schriftsteller, † 1985) 291
Bolland, Jean (Jesuit, Begründer der Acta Sanctorum, † 1665) 252
Bonaventura (Hl., Philosoph u. Kirchenlehrer, Franziskaner, † 1274) 186
Bonifatius (Angelsachse, Missionar, Erzbischof und Legat, Märt., † 754) 36, 61, 64, 159, 202f., 327
Bonifatius I. (Papst, † 422) 227
Bousset, Wilhelm (Göttinger Theologe, † 1920) 295
Braun, Joseph (Jesuit, Kunsthistoriker, Archäologe, † 1947) 294
Brentano, Clemens von (romantischer Dichter, † 1842) 277–279, 282, 286
Brictius (Bischof von Tours, Schüler und Nachfolger Martins von Tours, † 444) 204
Brigitta von Schweden (Hl., Ordensstifterin, † 1302/03) 97
Bruchmann, Franz Seraph v. (Provinzial der bayerischen Redemptoristen, † 1867) 281
Brun von Köln (Erzbischof, † 965) 159
Buddha 305
Bultmann, Rudolf († 1976) 295f.

Cäcilia (Märt.) 171, 274
Caesarius von Arles (Erzbischof, † 542) 49
Caesarius von Heisterbach (Chronist u. theolog. Schriftsteller, † 1240) 64, 80, 151, 188, 193, 213, 222
Calvin, Johannes (schweizerischer Reformator, † 1564) 148, 240, 245
Cassian (s. Johannes Cassianus)
Chevalier, Ulysse (frz. Historiker, † 1923) 294
Chlodwig I. (Frankenkönig, † 511) 156, 337
Christian von Mainz (Erzbischof, Reichskanzler, † 1183) 180
Christopherus (Hl.) 234
Cicero (röm. Philosoph, † 43. v. Chr.) 20
Claudius von Turin (Bischof, † 827) 117
Clematius (Senator, s. auch Ursula) 37
Coloman von Lindisfarne (Abtbischof, † 676) 154
Columban der Jüngere (irischer Missionar, Regelverfasser, Abt von Luxeuil und Bobbio, † 615) 44, 171
Cuthbert von Lindisfarne (angelsächs. Hl., Einsiedler, Bischof, † 687) 150

Cyprian von Karthago (Bischof, Kirchenvater, † 258) 63, 129

Dagobert II. (fränkischer König, † 679) 101
Dante Alighieri (italien. Dichter, † 1321) 125
Darwin, Charles (britischer Biologe, † 1882) 297
Dathan (alttest. Person) 200f.
David (alttest. König) 83, 218f.
David, Jacques Louis (frz. Maler, † 1825) 322
Decius (röm Kaiser, † 251) 55
Dibelius, Martin (protestant. Exeget, † 1947) 295
Dionysius (1. Bischof von Paris, Märt., † um 249) 71, 123, 126, 131, 176–178, 195f., 201, 204, 207
Dionysius Areopagites (Pseudonym, Verfasser myst. Schriften , † um 500) 45f., 115
Dionysius von Rykel (Karthäuser, † 1471) 74, 180
Dominikus (Hl., Stifter des Dominikanerordens, † 1221) 60
Dominikus Loricatus (Hl., Benediktinermönch u. Asket, † 1060) 66
Donatus (Katakombenheiliger) 251
Dostojewski, Fjodo Michajlowitsch (russ. Schriftsteller, † 1881) 328
Drei Könige, Hl., 127f., 164, 179, 216, 219f.
Droste Hülshoff, Annette von (westfälische Dichterin, † 1848) 286
Droste zu Vischering, Clemens August von (Erzbischof von Köln, † 1845) 282
Droste zu Vischering, Johanna (Gräfin, Nichte des gleichnamigen Kölner Erzbischofs) 283f.
Duchesne, Louis (Kirchenhistoriker, † 1922) 297
Durkheim, Émile (frz. Soziologe u. Pädagoge, † 1917) 9, 318–320

Ebergisel von Köln (Bischof, † 594) 121
Eckhart, gen. Meister E. (Dominikaner, Mystiker, † 1328) 46, 88, 100, 116, 158, 313
Edward der Bekenner (angelsächs. König, † 1066) 151
Edwin (König v. Nordhumbrien, † 632) 101
Egfried (König v. Nordhumbrien, † 685) 151
Eichendorff, Joseph von (romantischer Dichter, † 1857) 286
Einhard (Biograph Karls des Großen, Berater Ludwigs des Frommen, † 840) 153f., 163, 176
Eleutherius (Märt., Gefährte des Dionysius von Paris, 3. Jh.) 177f., 196, 201
Elftausend Jungfrauen (s. Ursula)
Eliade, Mircea (Religionswissenschaftler u. Schriftsteller, † 1986) 9, 144, 298
Elias von Cortona (Gefährte des hl. Franz v. Assisi, Ordensgeneral, † 1253) 83
Eligius (Bischof von Noyon und Tournai, † 660) 113, 176
Elija (alttest. Prophet) 13, 80f., 115, 124, 252, 258
Elisabeth (Mutter Johannes d. Täufers) 220
Elisabeth von Thüringen (Hl., Landgräfin, † 1231) 97, 151, 153, 155, 161, 185, 196
Elischa/Elisäus (alttest. Prophet, Schüler des Elija) 23, 124
Elsbeth von Oye (Dominikanerin, † gegen 1350) 67
Emmerick, Anna Katharina (Ordenschwester, stigmatisierte Visionärin) 278, 282
Engelbert von Köln (Erzbischof, † 1225) 64, 80
Engels, Friedrich (sozialistischer Politiker u. Schriftsteller, † 1895) 283
Erasmus von Rotterdam (Humanist, † 1536) 233f.
Ernst von Magdeburg (Erzbischof, † 1513) 161
Ernst, Max (Maler, Grafiker, Plastiker, † 1976) 301
Eucharius (Bischof von Trier, 3. Jh.) 123f., 207
Eugendus (Hl., Abt des Benediktinerklosters Condat, † 510/17) 82

Euklid (griech. Mathematiker, 4./3. Jh. v. Chr.) 305
Eva (bibl. Urmutter) 220
Eyck, Jan u. Hubert van (Gebrüder, niederländische Maler, † 1441 bzw. 1426) 80
Ezechiel (alttest. Prophet) 109, 192

Felicitas (röm. Märt., 3. Jh.)129
Felix (Hl., Züricher Stadtpatron) 239
Feuerbach, Ludwig Andreas (Philosoph, † 1872) 316
Fichte, Johann Gottlieb (Philosoph, † 1814) 265
Fides von Conques (Jungfrau u. Märt., 3. Jh.) 183 f.
Floridus von Perugia (Bischof) 152
Follen, August (radikaler Burschenschafter in Gießen, † 1855) 322
Forster, Johann Georg (Revolutionär in Mainz, † 1794), 264
Franco von Aix (Bischof) 212
Franziskus von Assisi (Begründer des Franziskanerordens, † 1226) 50, 54, 60, 83 f., 93, 148, 155, 234, 258, 301 f., 305, 312, 314
Frazer, James Georges (engl. Ethnologe, † 1941) 297, 300, 340
Freud, Sigmund (Nervenarzt, Begründer der Psychoanalyse, † 1939) 299
Friedrich I. Barbarossa (dt. König und Kaiser, † 1190) 131, 164, 180
Friedrich II. (dt. König und Kaiser, † 1250) 131, 153, 185
Friedrich III. der Weise (Kurfürst von Sachsen, † 1525) 161
Friedrich Wilhelm IV. (König von Preußen, † 1861) 282
Friedrich, Caspar David (Maler, † 1840) 322
Frodobert (Hl., fränk. Mönch u. Klostergründer v. Moutier-la-Celle, † 673) 207
Fructuosus von Tarragona (Märtyrer-Bischof, † 259) 152
Fulrad von St. Denis (Abt, Erzkaplan Pippins des Jüngeren, † 784) 173

Gabriel (Erzengel) 171, 218, 220, 223
Galen, Christoph Bernhard von (Fürstbischof von Münster, † 1678) 249
Gallus (Hl., Mönch, Begleiter Columbans, † um 640) 87, 158, 171
Garmann, L. Chr. Fr. (lutherischer Arzt, † 1700) 261 f.
Gebhard II. von Konstanz (Bischof, † 973) 153
Geissel, Johannes (Erzbischof von Köln, † 1864) 282, 323
Genovefa von Paris (Hl., † 501) 71, 75, 82, 95
Georg (Hl.) 118, 127, 204, 217, 234, 324
Georg der Bärtige von Sachsen (Herzog, † 1539) 238
George, Stefan (Dichter, † 1933) 289
Gerald (Hl., Graf v. Aurillac, † 909) 183
Gereon (Märt., Köln, 4. Jh.) 64, 127 f., 152, 207, 216
Germanus von Auxerre (Bischof, † 445/448) 82, 117, 201, 207
Gero (Kölner Erzbischof, † 976) 217
Gertrud von Nivelles (Äbtissin, Tochter Pippins des Älteren, † 653/659) 82, 95, 101, 114
Gildemeister, Johann (Bonner Orientalist) 284
Gislebertus (Meister von Autun) 192
Goebbels, Joseph (nationalsozialistischer Propagandaminister, † 1945) 328
Goethe, Johann Wolfgang von (Dichter, † 1832) 64, 262, 273, 275, 277
Görres, Johann Joseph (kath. Publizist, † 1848) 274 f., 282, 285, 293, 322
Gregor I. der Große (Papst, Kirchenlehrer, † 604) 72, 79, 113, 117, 119, 121, 152 f., 173 f., 187, 191, 206
Gregor VII. (Papst, † 1085) 131, 227
Gregor IX. (Papst, † 1241) 180
Gregor von Langres (Bischof) 120
Gregor von Tours (Bischof, Geschichtsschreiber, † 594) 82, 94, 114, 118 f., 121, 144, 152 f., 156, 192, 200 f., 212, 333, 337
Grimm, Jacob (Germanist, † 1863) 337–339
Grünewald, Matthias (Maler u. Baumeister, † 1528) 87
Guardini, Romano (kathol. Religionsphilosoph u. Theologe † 1968) 328

Guibert von Nogent (Benediktinerabt, † 1124) 165 f.
Guinefort, (legendärer Hl.) 65
Gunkel, Hermann (protestant. Exeget, † 1932) 295
Günter, Heinrich (Historiker, † 1951) 296
Guntram von Burgund (fränkischer König, † 593) 101
Gurjewitsch, Aaron J. (russ. Historiker) 339 f., 345

Habermas, Jürgen (Philosoph u. Soziologe) 320, 343
Hanna (Mutter des Samuel) 218
Harold (letzter angelsächs. König, † 1066) 201
Hauck, Albert (protestant. Kirchenhistoriker, † 1918) 60, 238
Hebbel, Friedrich (Dichter, † 1863) 286
Hedwig von Schlesien (Hl., Herzogin aus dem Geschlecht von Andechs, † 1243)) 91, 97, 101
Heine, Heinrich (Dichter u. Publizist, † 1856) 286
Heinrich I. (dt. König, † 919–36) 126, 131, 159, 215
Heinrich II. (dt. Kaiser, † 1024) 91
Heinrich II. (König von England) 37
Heinrich III. (dt. König und Kaiser, † 1056) 228
Heinrich IV. (dt. König, † 1106) 131, 202, 227 f.
Heinrich der Löwe (Herzog von Sachsen u. Bayern, † 1195) 131, 210
Heinrich von Clairvaux (Abt, päpstl. Legat, Kreuzzugsprediger, † 1189) 222
Heinrich von Ulmen (Ritter) 160
Helena (Mutter Konstantins des Großen, röm.Kaiserin, † 330) 215
Helidorus (seleukidischer Hofbeamter, um 175 v. Chr.) 200 f.
Hengist (legendar. Führer der ersten landnehmenden Angelsachsen, 5. Jh.) 324
Henschen, Gottfried (Jesuit, Mitarbeiter J. Bollands, † 1681) 252
Heraklit (griechischer Philosoph, † 480 v. Chr.) 17
Heraklius (byz. Kaiser, † 641) 215
Hermann der Cherusker (Fürst, † um 20 n. Chr.) 324
Hermann von Salza (Hochmeister des Deutschen Ordens, † 1239) 185
Hesse, Hermann (Schriftsteller, † 1962) 286, 303
Hetti von Trier (Erzbischof, † 847) 154
Hieronymus (Kirchenvater, † 419/20) 99
Hilarius von Poitiers (Bischof, Schriftsteller, Theologe, † 367) 126, 156, 207
Hildegard von Bingen (Äbtissin u. erste deutsche Mystikerin, † 1179) 95, 100, 117
Hinkmar von Reims (Erzbischof, Kanonist, † 882) 145, 191
Hiob (alttest. Weiser) 67, 109
Hitler, Adolf († 1945) 328
Hofstätter, Heinrich von (Bischof von Passau, † 1875) 281
d'Holbach, Paul-Henri Dietrich (Philosoph, Enzykolpädist, † 1789) 263
Homer (griech. Dichter, 8. Jh. v. Chr.) 265
Homobonus von Cremona (Hl., † 1197) 91
Honoratus von Arles (Bischof, † 429/30) 79
Horsa (legendar. Führer der ersten landnehmenden Angelsachsen, 5. Jh.) 324
Hosea (alttest. Prophet) 19, 26
Hrabanus Maurus (Theologe, Abt von Fulda, Erzbischof von Mainz, † 856)177
Hubert von Lüttich (Missionar der Ardennen, Bischof, † 727) 150, 173
Hubmaier, Balthasar (Stadtprediger, Wiedertäufer, † 1528) 232 f.
Hüffer, Georg (Historiker, † 1922) 294
Hugeburc (Nonne, Verwandte Willibalds und Wynnebalds, † vor 800) 150
Hugo von Lincoln (Bischof, † 1200) 157, 164
Huizinga, Johan (niederländ. Kulturhistoriker, † 1945) 74

Ignatius von Loyola (Begründer des Ordens der Gesellschaft Jesu / Jesuiten, † 1556) 59, 286, 303

Innnozenz III. (Papst, † 1216) 37, 80, 91, 165, 180
Isaak (altestamentl. Erzvater) 34
Isidorus von Alexandrien (Priester und Asket, † 404) 59

Jacobus a Voragine (Erzbischof von Genua, † 1298) 142
Jakob (altestamentl. Erzvater) 34, 83, 246, 248, 258
Jakobus (Apostel) 26, 42, 119, 131, 136, 204, 206
Jesaja (alttest. Prophet) 18f., 218, 305
Jesus Christus 11, 13, 25–27, 28–32, 33–36, 38f., 41f., 47f., 50f., 56, 60, 62f., 65, 68–70, 81–87, 89, 93–95, 102, 105, 107, 111, 114f., 118, 120f., 123, 130f., 138, 140, 145, 147, 150, 159–161, 163f., 168, 170, 173, 175, 187–189, 191f., 203–205, 214–217, 218–220, 223, 225, 229, 234–236, 238–243, 271, 278, 283, 295f., 309–314, 328, 348, 351f.
Joachim (Hl., Ehemann der hl. Anna, Vater Marias) 219, 221
Jacobus a Voragine (Erzbischof von Genua, † 1298) 142
Johannes (Apostel, Evangelist) 39, 56, 85, 109, 171, 258, 266, 314
Johannes (Täufer) 38f., 83f., 124, 131, 160, 165, 170f., 203, 314, 328
Johannes XV. (Papst, † 996), 180
Johannes XXII. (Papst, † 1334) 105
Johannes Cassianus (Klostergründer, monastischer Schriftsteller, † 430/35) 75
Johannes Chrysostomus (Bischof von Konstantinopel, Kirchenlehrer, † 407)118
Johannes Gerson (Theologe u. Kirchenpolitiker, † 1429) 99
Johannes vom Kreuz (Kirchenlehrer, Klassiker der span. Mystik u. Literatur, † 1591) 47, 259
Johannes von Gorze (Benediktinerabt, Klosterreformer, † 976) 145
Johannes Paul II. (Papst) 311
Jonas von Orleans (Bischof, † 842/43) 117
Joseph (Ziehvater Jesu) 218–220, 284
Joseph II. (dt. König u. Kaiser, † 1790) 268
Judas (Apostel) 200f., 216
Julianus (Märt. in Brioude, 4. Jh.) 200
Julius II. (Papst, † 1513) 165
Jung, Carl Gustav (Psychologe u. Psychiater, † 1961) 300

Kant, Immanuel (Philosoph, † 1804) 264f., 312
Karl I. der Große (Frankenkönig und Kaiser, † 814) 48, 61, 101, 130f., 150, 158f., 161, 163, 187, 201f., 204, 214, 224, 228, 337
Karl II. der Kahle (Sohn Ludwigs des Frommen, König und Kaiser, † 877) 272
Karl III. der Einfältige (Sohn Ludwigs II. des Stammlers, frz. König, † 929) 126
Karl IV. (dt. Kaiser, † 1378) 159
Karl der Kühne (Herzog v. Burgund, † 1477) 74
Karlmann (Hausmeier, Sohn Karl Martells, † 754) 175
Karlmann (Sohn Pippins des Jüngeren, † 771) 131
Karl Martell (Sohn Pippins des Mittleren, fränkischer Hausmeier, † 741) 175
Karlstadt, Andreas Rudolf (Theologe, Doktorvater M. Luthers, † 1541) 237
Kassner, Rudolf (Essayist und Verfasser des „Ewigen Juden", † 1959) 302
Katharina (legendäre Märt. in Alexandrien, 4. Jh.)248
Katharina von Siena (Bußschwester v. hl. Dominikus, Kirchenlehrerin, † 1380)95, 97
Kerner, Justinus Andreas Christian (Arzt u. Dichter, † 1862) 286
Kleist, Heinrich von (Dichter, † 1811) 274
Klopstock, Friedrich Gottlieb (Dichter, † 1803) 265
Knut II. der Große (König von Dänemark, England u. Norwegen, † 1035) 101, 127

Kolakowski, Leszek (poln. Philosoph u. Publizist) 306
Kolman (s. Coloman)
Konstantin I. der Große (röm. Kaiser, † 337) 167
Körner, Karl Theodor (Freiheitskämpfer u. Dichter, † 1813) 323
Kotzebue, August von (Lustspieldichter, † 1819) 322
Krischna 286
Kunigunde (dt. Kaiserin, † 1033) 91, 97

Lafayette, Marie Joseph de Motier (frz. General u. Politiker, † 1834) 321
Laktanz (christl. Rhetor, † nach 317) 150
Lambert von Maastricht (fränkischer Bischof, † 705) 150
Lasalle, Ferdinand (sozialdemokr. Politiker, † 1864) 325
Laurentius (Märt., † 258) 171
Lazarus (mit Geschwüren bedeckter Armer im Gleichnis Jesu, cf. Lk 16, 19–31) 102
Lazarus (Bruder der Maria u. Martha von Bethanien, cf. Joh. 11) 109
Lenin, Waldimir Iljitsch (russ. revolutionärer Politiker, † 1924) 329
Leo I. der Große (Papst, † 461) 227
Leo III. (Papst, † 816) 214
Leonardo da Vinci (ital. Maler, Bildhauer, Architekt, Naturforscher u. Techniker, † 1519) 305
Leu, Hans d. Ä. (Maler) 239
Liudger von Münster (1.Bischof von Münster, Missionar Frieslands und Westfalens, † 809) 158, 276
Liutgardis von Tongern (Hl., Zisterzienserin, † 1246) 96, 155
Lochner, Stefan (Maler, † 1451) 128
Loisy, Alfred (frz. Religionshistoriker u. -philosoph, † 1940) 297
Longinus (röm. Soldat bei der Kreuzigung Jesu) 131, 214
Lothar von Segni (s. Papst Innozenz III.)
Lucius III. (Papst, † 1185) 180
Ludwig I. von Bayern (König v. Bayern, † 1868) 273
Ludwig IV. der Heilige (Landgraf von Thüringen, † 1227) 196
Ludwig VI. (frz. König, † 1137) 195
Ludwig VII. (König von Frankreich, † 1180) 37
Ludwig IX. (Hl., König von Frankreich, † 1270) 101
Luise (preußische Königin, † 1810) 323
Lukas (Evangelist) 28, 31, 56, 109, 188, 217–219, 226
Lul von Mainz (Erzbischof, † 786) 150
Luther, Martin (Theologe u. Reformator, † 1546) 35, 47, 63, 132, 161, 209, 235, 236–238, 251, 258, 307, 314, 317, 326f.

Mabillon, Jean (Benediktiner, Historiker, † 1707) 253
Major, Georg (lutherischer Theologe, † 1574) 258
Mallosus (Märt. b. Xanten) 121
Mann, Thomas (Schriftsteller, † 1955) 335
Marcellinus (Märt., 3. Jh.) 153f., 163, 176
Marcus Aurelius (röm. Kaiser, † 180) 57
Margarete von Schottland (Königin u. Schutzpatronin Schottlands, † 1093) 97, 101
Maria (Mutter Jesu) 128, 131, 158, 160f., 170f., 187–189, 192f., 203f., 205f., 209, 213, 216–225, 231–233, 240, 242, 245f., 249, 251, 258, 271, 274, 276, 281, 283f., 294, 309
Maria Magdalena (Jüngerin Jesu) 164
Maria von Oignies (Mystikerin, † 1213) 155
Markus (Evangelist) 28f., 84, 125, 127, 218, 226
Martin von Tours (Bischof, Klostergründer, † 397) 50, 55, 71–73, 75, 78, 82, 95, 114, 118, 126, 131f., 140, 156, 170f., 176, 192, 201, 204, 207
Martius (Abt von Clermont-Ferrand) 200
Marx, Jakob (Trierer Domkapitular u. Kirchenhistoriker, † 1876) 282, 284f.
Marx, Karl Heinrich (Philosoph u. Nationalökonom, † 1883) 316
Maternus (Bischof von Köln, 4. Jh.) 123f.

Matthäus (Evangelist) 24f., 28, 30, 218f.
Mauritius (Märt., Anführer der Thebäischen Legion, 3. Jh.) 171, 204
Maximilian I. (dt. Kaiser, † 1519) 165, 232
Mayer, Johann Friedrich (evangelischer Pfarrer von Kupferzell, † 1798) 267
Mechthild von Magdeburg (Zisterzienserin, Mystikerin, † 1282/94) 116
Medard von Noyon (Hl., Bischof, † um 560) 207
Meinrad (Hl., Gründer des späteren Klosters Einsiedeln, † 861) 224
Michael (Erzengel) 170f., 192, 204, 216, 314, 324
Michelangelo (ital. Bildhauer, Maler, Architekt, † 1564) 111, 117
Mirabeau, Honoré Gabriel de Riqueti von (frz. Revolutionspolitiker, Jakobiner, † 1791) 321
Mitrias (Bistumshl. von Aix, † um 300) 212
Mombritius, Boninus (Humanist u. Hagiograph, † 1500) 142
Mommsen, Theodor (dt. Historiker, Jurist, † 1903) 323
Monegundis (Rekluse in Chatre u. Tours, † 570)94
Mörl, Maria von (Visionärin und Ekstatikerin in Tirol, † 1868) 282
Moses (Anführer Israels) 80f., 83, 115, 258

Napoleon (Kaiser der Franzosen, † 1821) 285, 322f., 325
Nero (röm. Kaiser, † 68) 55
Newton, Isaac (engl. Physiker u. Mathematiker, † 1727) 305
Nietzsche, Friedrich Wilhelm (Philosoph, † 1900) 316
Niketas von Remisiana (Bischof, † nach 414) 34
Nikolaus von Myra (Hl., Bischof, 4. Jh.) 161
Nikolaus von Kues (spätmittelalterl. Philosoph u. Theologe, † 1464) 74, 180
Noah (alttest. Urvater) 258
Norbert von Xanten (Erzbischof v. Magdeburg, Begründer des Prämonstratenserordens, † 1134) 40, 44f., 53, 64, 87, 110, 148, 152, 244
Novalis (Friedrich von Hardenberg, romantischer Schriftsteller, † 1801) 274, 286, 323

Olaf (Hl., König u. Schutzpatron Norwegens, † 1030) 127
Origenes (alexandr. Theologe, bedeutender Lehrer der frühen griech. Kirche, † um 254) 36, 39, 43, 63
Ostendorfer, Michael (Maler u. Zeichner, † 1559) 232
Oswiu (König von Nordhumbrien, † 670) 229
Otmar von St. Gallen (Klostergründer, † 759) 150
Otto, III. (König und Kaiser, † 1002) 37, 150, 153, 159
Otto, Rudolf (protestant. Theologe, † 1937) 9

Palladius (galatischer Mönch und Bischof, † vor 431) 58f., 94, 146
Pantaleon (Märt., † 304) 216
Papebroch, Daniel (Bollandist, † 1714) 252
Paschasius Radbertus (Abt von Corbie, Theologe, † um 859) 147
Patrick (Hl., Apostel Irlands, † 461/62) 127
Paulus (Apostel, Missionar, † um 60) 24–26, 28, 30, 33, 39, 51, 55, 58, 89, 94, 99, 106, 108f., 112, 115, 121, 123, 126,129, 148f., 152, 170f., 180, 192, 199, 201, 203, 218, 228, 234, 258
Perpetua (Märt., 202/203) 129
Petronilla (Hl., vermeintliche Tochter des Petrus) 173
Petrus (Apostel) 39, 106, 123, 126f., 129, 135, 150, 152–154 , 163f., 167, 170f., 173f., 176, 180, 201–203, 207, 216, 225–229, 234
Petrus Damiani (Kardinalbischof v. Ostia u. Kirchenlehrer, † 1072) 66
Petrus Lombardus (scholastischer Theologe, Bischof von Paris, † 1160) 107
Philipp III. der Gute (Herzog v. Burgund, † 1467) 74

Philippus (Apostel) 171
Piaget, Jean (schweizer. Psychologe, † 1980) 343
Pilatus, Pontius (26–36 n. Chr. röm. Prokurator von Judäa) 123
Pippin der Jüngere (König, Sohn Karl Martells, fränkischer Hausmeier, † 768) 173, 227
Pius IX. (Papst, † 1878) 288
Pius XI. (Papst, † 1939) 311
Placidus (Katakombenheiliger) 250f.
Platon (griech. Philosoph, † 347 v. Chr.) 11, 312
Polykarp (Märt., † 156 bzw. 167) 35f., 121, 129, 149, 185

Quintinus (Märt., 3. Jh.) 176

Rachild (Rekluse in St. Gallen, † 946) 67
Radegundis (Frau Chlothars I., Frankenkönigin, Nonne, Klostergründerin, † 587) 75, 120
Rahner, Karl (kath. Theologe, † 1984) 311
Rainald von Dassel (Kölner Erzbischof und Kanzler Barbarossas, † 1167) 164
Regino von Prüm (Kanonist, Chronist, † 915) 112
Regula (Züricher Stadtpatronin) 239
Reisach, Karl August von (Erzbischof von München-Freising u. Kurienkardinal, † 1869) 281f.
Remaclus (Hl., Klosterbischof von Stablo u. Malmedy, † um 675) 202
Rembrandt (holländ. Maler, † 1669) 305
Remigius von Reims (Bischof, † 533) 126, 191, 204
Rimbert (Hl., Erzbischof v. Hamburg-Bremen, Missionsförderer, † 888) 66, 83, 145
Robert von Arbrissel (frz. Wanderprediger u. Klostergründer von Fontevrault, † 1117) 40
Rochus (Nothelfer u. Pestheiliger, † 1327) 204, 275, 277
Romuald (Asket, † 1027) 114
Romulus und Remus (sagenhafte Gründer Roms) 228
Ronge, Johannes (schlesischer Priester, † 1887) 284
Rosweyde, Heribert (Jesuit aus Utrecht, † 1629) 252
Rückert, Friedrich (Dichter, † 1866) 286
Rudolf von Fulda (Leiter der Klosterschule Fulda, † 865) 177
Rufinus (Märt.) 147
Ruprecht (Hl. aus dem Geschlecht der Rupertiner, 8. Jh.) 275
Rusticus (Märt., Gefährte des Dionysius von Paris, 3. Jh.) 177f., 196, 201
Ruth (Heldin des alttestamentl. Buches Ruth) 192

Sailer, Johann Michael (Bischof von Regensburg, Theologe, † 1832) 269
Salomon (alttest. König) 83
Sand, Karl Ludwig (radikaler Burschenschafter, Mörder Kotzebues, † 1820) 322
Schiller, Friedrich von (Dichter, † 1805) 265, 325
Schinkel, Karl Friedrich (Baumeister u. Maler, † 1841) 322
Schlegel, August Wilhelm von (Schriftsteller, † 1845) 272
Schmöger (Provinzial der bayerischen Redemptoristen) 281f.
Schnitzer, Joseph (Münchner Dogmenhistoriker, † 1939) 296
Scholastika (Hl., Schwester Benedikts von Nursia, † um 547) 163
Sebastianus (röm. Märt., Pestheiliger, 3. Jh.) 171, 204
Seneca, Lucius Annaeus (Philosophischer Schriftsteller, † 65)
Senestrey, Ignaz von (Bischof von Regensburg, † 1906) 281
Seuse, Heinrich (Mystiker, † 1366) 47, 52, 67, 117, 148, 188
Severin von Noricum (Apostel des Noricums, † 482) 72, 144, 207, 216
Shakespeare, William (engl. Dramatiker, Schauspieler u. Dichter, † 1616) 265, 305
Siegfried (dt. Sagenheld) 324
Sigismund (König der Burgunder, † 523/24) 101
Simeon (frommer jüdischer Greis im Neuen Testament) 216

Simon Stock (Ordensgeneral der Karmeliter, † 1265) 294
Simson (im Alten Testament israelitischer Kämpfer gegen die Philister) 258
Sokrates (griech. Philosoph, † 399 v. Chr.) 305
Sollemnis (Hl.) 119
Sophokles (griech. Tragiker, † 407/06 v. Chr.) 305
Spalatin, Georg (Reformator, † 1545) 161, 258
Stanislaus von Krakau, (Bischof u. Schutzheiliger von Polen, † 1079) 127
Statz, Vinzenz (Neugotiker) 291
Steinle, Edward (Maler der Nazarener-Schule, † 1886) 291
Stephan I. von Ungarn (König u. Schutzheiliger von Ungarn, † 1038) 101, 127
Stephan II. (Papst, † 757) 227
Stephanus (Erzmärt.) 39, 167, 170f., 201, 314
Stolle, Konrad (thüring. Chronist, † 1485) 231
Strauß, David Friedrich (protestant. Theologe u. Schriftsteller, † 1874) 278
Sturmi (Klostergründer, Missionar, 1. Abt von Fulda, † 779) 145
Suger von St. Denis (Abt u. Geschichtsschreiber, † 1151) 177f.
Sulpicius Severus (Chronist und Schriftsteller, † um 420) 55, 71, 75, 93, 140
Sybel, Heinrich von (Historiker, † 1895) 284
Symeon der Stylite d.Ä. (Hl., syrischer Asket, † 459) 121

Talleyrand, Charles Maurice de (Bischof, frz. Politiker, † 1838) 321
Tassilo III. (Herzog der Baiern, † nach 794) 201
Tausch, Anne-Marie und Reinhard (Hamburger Psychologen-Ehepaar) 304
Teresa von Avila (Karmeliterin, Mystikerin, Kirchenlehrerin, † 1582) 47, 259
Tersteegen, Gerhard (Mystiker u. Dichter, pietistischer Wanderprediger, † 1769) 259
Tertullian (afrikanischer christlicher Schriftsteller, Apologet, † nach 220) 63, 103
Thaddäus (Apostel) 159
Thebaische Legion (Gruppe von röm. Märt. unter dem Anführer Mauritius, 3. Jh.) 126
Thekla (Schülerin des Paulus) 96
Thietmar von Merseburg (Bischof u. Geschichtsschreiber, † 1018) 217
Thiofried von Echternach (Abt, † 1110) 120f., 125, 132, 165
Thode, Henry (Kunsthistoriker, † 1920) 301
Thomas de Cantilupe (Hl., Kanzler der Univ. Oxford, Bischof von Hereford, † 1282) 211
Thomas von Aquin (scholastischer Theologe, † 1274) 35, 79, 83, 99, 105, 107, 110f., 119, 153, 155, 157f., 334
Thomas von Canterbury (s. Becket, Thomas)
Thomas von Cantimpré (Theologe, † 1270/72) 155
Thomas von Celano (Franziskaner, Biograph des Franz v. Assisi, † 1260) 84, 93
Thor (german. Gottheit) 229
Tiburtius (röm. Märt.) 163
Tieck, Ludwig (Dichter, † 1853) 276
Tilly, Johann Tserclaes (ligistischer Feldherr, † 1632) 250
Timotheus (röm. Märt., 4. Jh.) 153
Treitschke, Heinrich von (Historiker, Publizist, † 1896) 323
Troeltsch, Ernst (Göttinger Theologe, † 1923) 295, 334
Tylor, Edward (brit. Ethnologe, † 1917) 297

Uhland, Ludwig (Dichter u. Germanist, † 1862) 286
Ulrich von Augsburg (Hl., Bischof, † 973) 153, 180
Urban I. (Papst, Weinheiliger, † 230) 257
Urban VIII. (Papst, † 1644) 243
Ursula (Märt., Köln, 5. Jh.) 37f., 127f., 198, 216, 264

Valerianus (Märt.) 184
Valerius (Bischof von Trier, 3. Jh.) 124, 147
Venus (röm. Göttin der Liebe) 286
Vergil (röm Dichter, † 19 v. Chr.) 265
Veronika (legendäre Hl.) 188, 273
Victricius von Rouen (Bischof, Kirchengründer, † 407) 107, 154f., 179
Vitus (Märt., † 303/4) 127
Voltaire (frz. Schriftsteller u. Philosoph der Aufklärung, † 1778) 321
Vossius, Gerhard Johann (reform Amsterdamer Historiker und Theologe, † 1649) 252

Wackenroder, Wilhelm Heinrich (Dichter, † 1798) 274, 276
Walburga von Eichstätt (Äbtissin von Heidenheim, Schwester Willibalds und Wynnebalds, † 779) 95, 185
Weber, Max (Soziologe, † 1920) 11, 61, 79, 265, 317f., 332
Wecklein, Michael (Priester und Theologe, † 1849) 265
Weizsäcker, Carl-Friedrich von (Physiker u. Philosoph) 352
Wendilgart (Rekluse des 11. Jhs.) 67
Wenzel (Herzog u. Schutzheiliger Böhmens, † 929)127
Werner von Oberwesel (Hl., † 1287) 65
Wessenberg, Ignaz Heinrich von (kathol. Theologe der Aufklärung u. Kirchenpolitiker, † 1860) 269
Wetti von der Reichenau (Mönch, Leiter der Klosterschule, † 824) 125
Wiberat von St. Gallen (Rekluse, † 926) 150, 153
Wieland, Christoph Martin (Dichter, † 1813) 265
Wilhelm I. (dt. Kaiser, † 1888) 323, 326
Wilhelm I. der Eroberer (Herzog der Normandie, König von England, † 1087) 201
Wilhelm von St. Thierry (Abt, Zisterzienser, Mystiker, † 1148) 146
Willibald von Eichstätt (angelsächs. Mönch, Bischof, Bruder Wynnebalds und Walburgas, † 787) 150
Willibrord (Angelsachse, Erzbischof, Apostel der Friesen, † 739) 61, 200
Windischmann, Friedrich (Münchener Generalvikar, Berater Kard. v. Reisachs, † 1861) 281f.
Wittgenstein, Ludwig Joseph Johann (Philosoph, † 1951) 340
Wynnebald von Heidenheim (angelsächs. Missionar, Abt, Bruder Willibalds und Walburgas, † 761) 150

Zacchia, Paul (päpstl. Arzt, 17. Jh.) 261f.
Zacharias (Vater Johannes des Täufers) 83f.
Zachäus (reicher jüdischer Oberzöllner) 216
Zwingli, Huldrych (Reformator, † 1531) 239

Sachregister

Abendland 60, 75, 228f., 301, 335f., 343
Aberglaube 12, 111, 143, 183, 216, 233f., 243, 248, 257, 259, 261, 263f., 269–271, 284, 334–336, 338
Ablaß 81, 107f., 161, 190, 230, 237, 269, 294
Abrahams Schoß 103
Absolution (s. Sündenvergebung)
absolutistisch 268
Absonderung 18
Abt 124, 154, 164, 180, 194, 251, 273
Abtötung (s. Selbstabtötung)
Acta Sanctorum 252
Adel 99–101, 193, 197, 202, 245, 281, 324, 333, 337f.
Ahn 125f., 347
– Spitzen- 124, 126
Allerheiligenfest 130, 314
Allerseelengedenken 130
Almosen 42, 49, 67, 104
Altar 15, 45, 62, 96, 104, 114, 119, 121, 160, 163, 167–182, 183–185, 188, 195f., 201f., 204–208, 213, 217, 224, 232, 238–240, 247, 249, 251, 263, 273, 275, 291, 294, 310f., 321, 323
– Flügel- 187
– des Herzens 66
– himmlischer 36, 43, 102, 121, 168, 173, 175
– Schrein- 187
Altartafel 230, 239, 273
Alte Kirche 13, 29, 33, 36, 48, 62, 69, 79, 81, 99, 106f., 171, 207, 211, 236, 242, 250, 297, 335, 348
Altes Testament (s. auch Personenregistr) 13, 17, 19, 23, 40–42, 62f., 80f., 85, 89, 92, 109, 192, 218, 241, 243, 295, 302, 307, 348
Amt 94, 99, 226f.
anathema sit 335
Anbetung 243
Andechser Heiltumsschatz 161, 272
Animismus 300
Anrufung 207–208, 236, 238, 243, 258, 265
Anschauung Gottes 102, 105, 109, 243, 349
Antike 11, 22, 27, 36f., 48f., 57f., 61, 69, 72, 85, 89f., 92f., 111f., 115, 119, 121, 123, 133, 138, 141, 156, 158, 164, 168, 170, 173, 179, 190f., 210, 243, 258, 270, 279, 318, 333, 342, 344f., 347
Apokalypse / apokalyptisch 258, 305, 311
Apostel 34, 38–40, 69f., 123, 131, 156, 159, 170, 191f., 221, 226–228, 240, 258, 273, 296, 309, 314, 327
Arbeit 61, 237, 298
archaisch 11, 16, 53, 91, 96, 111f., 144, 298, 307, 332, 345f., 348f.
Archetyp / archetypisch 144, 299–301
Aretalogie (s. Wundersammlungen)
Arianismus 82, 121
arma Christi (s. Passionsreliquien)
Arme 48f., 91, 193, 211, 291, 351
Armenfürsorge 48f., 290, 337
Arme Seelen 96
Armut 40, 50, 57, 61, 196, 304, 309, 351–353
Askese / Asketentum 14, 22, 34, 38, 42, 50, 55–68, 69–72, 74–78, 80, 86f., 94–96, 98, 106f., 121, 138, 142–144, 167, 207, 316–318, 350, 352
Atheismus 316
Auferstehung 36, 39, 93, 102–104, 108–111, 113, 120, 149f., 159f., 187, 307f., 334
Auferstehung Jesu Christi 38, 85, 109, 214, 221, 223, 226, 296, 327
Auferstehungsleib 108–110, 157f.
Aufklärung 14, 32, 260, 261–273, 274–278, 284, 314, 316, 329, 331, 334, 335–347, 349

Auserwählung 18, 348
Authentiken 162, 250, 268f.
Ave Maria 43, 46f., 120, 198, 221, 223

Bad 88, 92
Barock 186, 246–248, 250f., 274, 286
Basilika 71, 163, 167, 205
– Cömiterialbasilika 203
Bauernkrieg 136
beatus 25
Befleckung 56, 91f., 96, 151
Befreiungskriege 322
Beginentum 155
Beichte 130, 134, 231, 249f., 292
Bekehrung 62, 148
Bekehrungsschema 50
Bekenner (s. auch Zeuge) 180f., 203, 258
Benediktiner 253
Benedikts-Regel 58, 60, 75, 92, 163, 318
Berufung 42, 297, 317, 348
Berufungsvision 18
Berührung 73, 76, 91, 133f., 157, 173, 180, 185, 188, 208, 261, 276, 283, 337
Beter 17, 349f.
Bettelorden 60, 196
Bielefelder Schule 254
Bild (s. auch Kunst) 12, 120, 128, 160, 177, 179, 183–189, 213, 220–222, 230, 235, 237–244, 248, 257, 268, 270f., 273, 276, 300, 322, 341
– authentisches 188
– Christi 187
– geistiges 235
– Gnaden- 141, 224, 249f.
– Heiligen- 147, 272, 275, 311, 322
– Kult- 186, 188f.
– Marien- 220, 224, 232, 244, 271, 287, 289, 353
– Portrait 148, 164, 186f., 215 (heiliges Portrait)
– Vesper- 225, 249, 267
– Votiv- 212
– wundertätiges 136, 188f., 287, 289
Bildersturm 186f., 233, 237, 239–241, 274
Bildung 14, 90, 221, 270, 332
Bilokation 10, 115
Bischof / Bischöfe 48f., 51, 75, 87, 101, 118, 124, 127, 150–152, 159, 162, 164, 169f., 173, 176, 194, 202, 226, 231, 240, 281, 284, 289, 340
Bittage 208
Blumen 119–122
Blut (s. auch Reliquien) 43, 62–65, 66, 126, 154, 157, 189, 328, 330
– Christi 63, 88, 168, 172,
– eucharistisches 214
– Menstruationsblut 92, 96
bluten 189, 261
Bollandisten 252f., 294
Bolschewismus (s. Leninismus)
Bruderschaften 197f., 223f., 230, 245, 269, 290, 294
Buchdruck 235
Buße 34, 40, 50, 63, 77, 81, 92, 104, 107, 136, 191, 197, 199, 213, 236, 249, 278
– irische Bußbücher 135
Bußgewand 59, 67

capax dei 94
Cappa des hl. Martin (s. Reliquien)
Christologie 214, 218f.
Cluniazenser 318
Confessio 171
›Confessio Augustana‹ 99, 238
Confessor (s. Zeuge)
Constitutum Constantini 228
corpus incorruptum (s. Leib)
corpus integrum (s. Leib)

Dämonen / dämonisch 12, 22, 28, 32, 42, 44, 58, 69–71, 85–88, 95, 117, 165, 183, 187, 190f., 279, 300
Demut 76f., 185, 209, 213, 234, 304, 350
Denkmal 322, 324f.
– Krieger- 330
Desakralisierung 13, 101, 239, 257, 320
Deutschkatholizismus 284
Devotion 12, 195, 228f., 285, 288
Dichter 265
Dichtung 220, 274, 298, 302–303
dies natalis 129, 263
Dogma / Dogmatik / dogmatisch 286, 295, 297, 307–308, 313, 336
– Dogma von der Unbefleckten Empfängnis 287f., 292

Dogmatisierung 289
Dominikaner 40, 220
Dominikanerinnen 46f.
Drachen 22
Drei-Königen-Schrein 164, 179
Drittorden 97
Dualismus / dualistisch 57f., 89, 103, 109, 335
Duft 10, 23, 93, 119–122, 155, 174f., 181, 262, 274
Dynamis 21

Ehe 58, 89–93, 96, 98
– jungfräuliche 58, 91, 151
Ehelosigkeit 56, 89f., 92, 292
Eid 53, 172, 187f., 191, 199, 201f., 228, 263, 289, 321
– Amts- 202
– Friedensschwur 202
Eidesformel 202
Ekklesiologie 259
Ekstase / Ekstatiker(in) 10, 47, 74, 278, 280, 282, 297f., 336
Elevation (s. Erhebung)
Elitekultur 253
Emotionalisierung 268
Energeten 182
Engel 34, 58, 63, 70f., 80, 84, 85, 105, 115, 117, 120f., 170, 191, 207, 218f., 221, 224, 247, 258, 309, 313
Enthaltsamkeit 96, 140, 151, 352
Entsagung 55–68
Entzauberung 265–270
Erbauung / erbaulich 11, 230
Erbauungsliteratur 293
Erbsünde 99, 220
Eremit(en) 66, 88, 124, 259, 352
Erhebung 113, 118f., 141, 150, 154, 172, 176f., 180f., 184f., 205, 251, 338
Erleuchtung 45
Erscheinung 136
Ethik / ethisch / Ethisierung 10–12, 16–22, 24f., 27, 53, 58, 61, 78–80, 92, 99, 146f., 165, 230, 234, 267, 269, 276, 290f., 300, 305f., 317–319, 322, 332, 344, 348, 352
Ethnologie 295–299, 344f.
Etymologie 15, 21

Eucharistie 26, 33f., 48, 51, 130, 173, 187, 214, 217, 239, 249
Evangelien 28, 30, 41f., 45
Evolution / evolutiv 297
Exorzismus 12, 30, 44, 69, 85–88, 95, 281
ex-voto-gaben (s. auch Bild) 209, 211

Fahne 232, 248f., 321
familia (s. Heilige)
famula dei 69–74, 76, 94f.
fas 20
Fasten 42, 44, 66, 75, 86, 93, 95, 140, 163, 174, 352
Fegefeuer 88, 105
Feindesliebe 48, 51
Feuer 115–119
Figur 183–186, 230, 238, 241, 249, 271
Fleisch 46, 55, 58, 66, 86, 93, 105, 109–111, 118, 122, 132, 185, 199, 307
Fluch 10, 13, 17, 21, 76, 199f., 213, 228, 351
– Selbstverfluchung 199
Franziskaner 40, 65, 204, 220, 244, 250
Frauen 31, 40, 67, 71f., 75, 82, 88f., 92, 93–97, 193, 195–197, 221, 246, 282, 288, 291, 311, 321f.
Friedhof 170, 262f., 279f.
fromm 11, 20, 230, 284, 322, 340, 352
Frömmigkeit 72, 82, 106f., 120, 128, 181f., 193, 196, 214, 222, 225, 230, 233–235, 237, 251, 266, 270, 275–277, 286, 291, 293, 295, 332f.
– Kirchen- 230, 233
– Passions- 215f.
– Sakraments- 255
– Volks- (s. dort)
Frömmigkeitsgeschichte 250
Frömmigkeitspraxis 29, 172, 242
Fünf Wunden Christi 216
Fürbitte 37, 43, 96, 106, 112, 115, 134, 147, 190f., 197, 208, 226, 230, 236, 243, 258, 309
Fürsprache / Fürsprecher 13, 35f., 80–84, 106–108, 125, 159, 167, 182, 191, 201, 220, 225, 238, 245

Gebet 25, 34, 36, 40–47, 53, 58, 71–75, 77f., 80f., 85, 87f., 95, 106f., 120f.,

128, 130, 133 f., 140, 155, 165, 172, 174, 187, 191, 197 f., 207–209, 212, 222 f., 242, 248 f., 260, 276, 278, 283, 288, 290, 312, 336, 350
– dingallegorisches 198
– vierzigstündiges 290
Gebetbuch 288
Geburt 16, 197, 218 f., 246
– wunderbare 22
Gefallenenehrung (s. Heldenehrung)
Gegenreformation 245, 255
Gegrüßet-seist-du-Maria (s. Ave Maria)
Gehorsam 26 f., 60, 214, 349 f., 352 f.
Geißelung 66 f.
Gelasianum 130
Geläut (s. Glocken)
Gelöbnis 141
Gelübde 135 f., 179, 209, 237, 248
Gemälde 186–188, 241, 272 f.
Gemeinde 295, 312
Gerechter / gerecht 13, 29, 34, 36, 43, 63, 80 f., 95, 104, 106, 115, 173, 175 f., 181, 185, 208, 243, 302, 313
Gerechtigkeit 18, 23, 25, 39, 43, 51, 63, 130, 190, 208, 225, 305, 350 f.
Gericht (s. auch Jüngstes Gericht) 102, 105, 190 f., 312, 350 f.
Gerichtsrede, matthäische 24
Geruch 95, 151, 280
Gesinnung (s. Ethik)
Glocken 271, 273
– Glockengeläut 251, 326
Gnade 17, 27, 33, 37, 44, 46, 53, 63, 75 f., 78, 81. 93–97, 100, 108, 110 f., 114 f., 118, 128, 133, 138 f., 142, 155, 170, 186, 198, 207, 220, 222, 227, 230, 233, 236, 238, 247, 266, 279, 307, 311 f., 317, 333, 348, 351
Gnosis 57–59, 103, 109 f., 123, 129
gottbegnadeter Herrscher 322
Gottesdienst 11, 19, 25 f., 48, 127, 142, 208, 213, 316, 322, 332, 349
Gotteserfahrung 18
Gottesfrieden-Bewegung 201
Gottesliebe 25, 50
Gottesmann 22 f., 82, 87, 88, 94, 348
Gottesmensch / Gottmensch 13, 21–23, 29, 32, 69–88, 107, 138, 145, 333, 344, 349
Gottesurteil 78, 91, 162, 181
göttlicher Mensch 16, 29
Gottlosen-Bewegung 328 f.
Grab 21–23, 30, 65, 71, 80, 86, 93, 95, 106, 109–114, 118 f., 120 f., 123, 125 f., 128–130, 132–136, 144, 150, 152 f., 156, 159, 163, 167–172, 173 f., 176, 180 f., 184, 191, 193, 196, 198, 202, 204, 207 f., 210–214, 217, 226, 229, 239, 250, 261–263, 279 f., 301, 304 f., 311, 320, 328, 333, 338
Gratianisches Dekret 174
Gregorianum 130
Gründer 21, 123–125, 127, 154, 158, 206, 348

Habsburger 245
Hagiographie 49, 72, 82 f., 94, 99, 129, 139, 142 f., 145 f., 185, 251–253, 258, 296, 337 f., 340–342, 346 f., 352
hágios 15 f.
hagnós / hagneía 16
Halbgott 21 f.
Hambacher Fest (1832) 285
Handgang 210
Häresie (s. Ketzerei)
Heil (s. auch Seelenheil) 18, 49, 64, 74, 76–78, 81, 131, 190 f., 193, 214, 230, 233, 235
Heilige
– Adels- 97, 99–101
– familia des 193
– Gemeinschaft der 33–35, 106, 259, 278
– Königs- 101
– National- 321–326
– Pest- 182
Heilige Kapelle 159–161
Heilige Lanze (s. Reliquien)
heilige Zeit 129–132, 323, 336
Heiligenfeste 130
Heiligenideal 74, 141
Heiligenkalender 128 f., 181, 243, 309
Heiligenleben / -viten 42, 49 f., 59, 252, 278, 296, 337
– Typik der 10, 13, 139 f., 148
Heiligenschein 80, 115–119
Heiligenverehrung / -kult 22 f., 84, 112, 114, 120, 125, 128, 130, 142, 147, 166, 170, 172, 175, 179, 182, 207, 210, 212,

230, 233–235 f., 238 f., 242–244, 247, 254–256, 257–260, 262, 264, 269 f., 274–277, 286, 307, 309, 311–315, 321, 328, 333 f., 335–341, 344, 346–348
– evangelische 257–260
– pietistische 259–260
heiliger Anfang 123–125
heiliger Mensch 297, 299
heiliger Ort 125–128, 327
Heiligkeitsgesetz 18
Heiligsprechung 35, 47, 65, 79 f., 91, 97, 101, 141, 172 f., 179–182, 196, 211, 238, 243 f., 309, 311
Heiligtum 21, 136, 141
Heiligung 11, 24
– Alltags- 260
Heiltum 73, 158 162(s. a. Reliquien)
– Heiltumsschau 160–162
Heilung (s. auch Wunder) 77, 101, 134 f., 141, 144 f., 156, 193, 211 f., 217, 231, 261, 265, 297, 339
– Kranken- 73, 75, 95, 181, 187, 191
Heimatlosigkeit (s. peregrinatio)
helag gast 21
Held (s. Heros)
Helden(ver)ehrung 322
Hellenismus / hellenistisch 22, 109, 214, 295, 317
Heros / heroisch 21–23, 80, 123, 211, 301, 321, 323, 326 f., 347 f.
– Heroenkult 322
Herz-Jesu-Verehrung / -frömmigkeit 216
Hexen(verfolgung) 248, 336
hierós 15
Himmel 34–36, 58, 64 f., 73, 82 f., 85, 87, 89, 98, 102–122, 136, 142, 151 f., 155 f., 165, 170, 173 f., 182, 185, 187 f., 191, 193, 200, 221, 225, 227–229, 247, 251, 266, 269, 298, 323, 333, 351
Himmelsglorie 246–248
himmlische Wohnung 176
historische Kritik 14, 216, 234, 278, 294 f.
Historismus 293–306
Hofkapelle 156
Hölle 88, 105, 201, 228, 271
– Vorhölle 88
hósios 15
Hostie 45, 65, 96, 215
Humanisten 14, 233–235, 252
Hussiten 147

Ideologie 327–330
Ikone (s. Bild)
Ikonoklasmus (s. Bildersturm)
Imitatio 13, 26
Index der verbotenen Bücher 297
Individualbewußtsein 148
Individualisierung 255
Industrialisierung 289
Innerlichkeit 234, 239, 302, 332–333
Inquisitor / Inquisition 65, 136, 252
Interim 102–104
Interzessor (s. Vermittler)
Investiturstreit 101, 227
Israel / israelitisch 11, 17 f., 25

Jenseits 22, 112, 115, 117, 119, 125, 198, 277–282, 296, 305, 316, 329, 344
Jesuiten / jesuitisch 244 f., 248, 250, 252 f., 290, 318
Josefsehe (s. Ehe, jungfräuliche)
Juden 65, 232, 240, 302
Judentum / jüdisch 16, 31 f.
– frühes 23, 295
Jünger Jesu 225 f., 284
Jungfrau(en) 98, 114, 119, 153, 170, 218, 219, 266 f., 284, 286–292
Jungfräulichkeit 89–93, 96, 116, 152, 222, 309
Jüngster Tag 110
Jüngstes Gericht (s. auch Gericht) 82, 104, 184, 192, 260

Kaiser 127, 169, 173, 202, 227 f., 323
Kalendarien 129
kalvinisch 317
Kanon 295
Kapuziner 244
Kardinaltugenden (s. Tugend)
Karmeliter 220, 252, 259, 294
karolingisch 61, 100, 130, 135, 156, 159, 162, 167, 169, 173, 175, 185, 193, 197, 201, 203, 210
karolingische Bildungserneuerung 145
Katakomben 163, 167, 173, 250
Katakombenheilige 250 f., 253, 276
Katechese 276

Katechismus 288, 310
– Großer 238
Katechumenen / Katechumenat 48
Kathedrale 164, 322
Katholizismus 223, 255, 259f., 264, 268, 275–277, 282–285, 288, 293
– politischer – 285
Kaufmannsgilden 197
Kephalophoren 152
Kerze(n) 119, 195, 209–211, 217, 232, 234, 261, 265
Ketzer / Ketzerei 136, 147, 156, 230, 245, 252, 281
Keuschheit 120, 151, 185, 284, 289, 291f., 353
Kind(er) 65, 132, 134f., 213, 243
Kirchbau 246f., 250, 291
Kirchenschatz (s. thesaurus ecclesiae)
Kirchenstaat (s. Patrimonium sancti Petri)
Kirchweihe 169f., 203, 205, 217, 224, 239, 246f., 310, 336
Klerus 249, 263, 281, 340
Klientelwesen 190
Kloster 39, 50, 67, 98, 100, 125, 134, 154, 158, 161f., 163, 170, 188, 194f., 209, 250, 268, 272, 273, 338
– Andechs 272
– St. Germain in Auxerre 207
– Clermont-Ferrand 200
– Cluny 100, 200, 202, 206, 213
– Unterlinden Colmar
– St. Denis bei Paris 207
– Eibingen 275
– Einsiedeln 224, 250f.
– St. Eucherius in Trier 207
– Fulda 21, 37, 145, 203
– St. Gereon in Köln 207
– Benediktiner- (Hildesheim) 204
– St. Severin in Köln 207
– Malmédy 202
– St. Arnulf in Metz 207
– St. Ägidi Münster 240
– Überwasser Münster 240
– St. Aignan in Orlèans 207
– Petershausen 205f.
– St. Hilaire in Portiers 207
– Prüm 194
– Reinhardsbrunn 196
– St. Pierre le Vif in Sens 207
– Siegburg 180
– St. Medard in Soissons 207
– Stablo (s. Malmédy)
– St. Martin in Tours 207
– Adelskloster 61, 99
– Basilikal- 207
– Frauenklöster 59
– Königs- 61
– Nonnen- 88
Kölner Ereignis 282, 285
Kommendation 209f., 228
Kommunion 92, 130, 193, 249f.
Konfession(en) / konfessionell 227, 255f., 257, 259, 307, 339, 344
Konfessionalisierung 255
Konfessionalismus 260, 336
Kongregationen 244, 290
König 101, 156, 164, 169f., 173, 194f., 202, 215, 227f., 229, 263, 271, 323, 333
Konversion / Konvertiten 276, 279
Konzilium 49
– von Chalcedon 29, 227
– von Ephesus (431) 219
– 4. Laterankonzil 162
– 2. Konzil von Lyon 213
– Mainzer von 813 173
– Trienter Konzil 242f., 309, 341
– I. Vaticanum 281, 287
– II. Vaticanum 289, 309, 340
Kopfzins 196
Körper 22, 92f., 113, 149, 151, 155, 183, 234f., 261f., 298, 304, 306f., 311
Kreuz 179, 184, 189, 204, 213, 217, 231, 236f., 239, 241, 248f., 271, 276
– Gero- 217
Kreuzauffindung 215
Kreuzerhöhung 215
Kreuzfahrer 160
Kreuzritter 159
Kreuzzeichen 54, 71, 95
Kreuzzug 222
Krone 185
Krönung 131, 186, 322
Krypta 173f., 177f., 184
Kult / kultisch 11, 15–19, 22, 25–27, 30, 65, 91f., 96, 119, 126, 146, 183f., 186, 188, 207, 212, 220, 240, 243, 246, 255,

264, 286, 297, 306, 322–324, 327, 329, 332, 336, 351
– himmlischer 43
Kulturkampf 340
Kunst 80, 119, 193, 216, 221–223, 238, 246f., 270, 272, 274, 277, 288, 298, 300–302, 303, 317, 353

Landespatron (s. Patron)
Lebenshingabe 36, 299, 309
Legendarien 142, 239
Legende 142f., 152, 192, 221, 222, 234, 236, 264, 270, 277, 286, 293, 295f., 297, 299, 328, 337, 340f.
– ›Legenda aurea‹ 59, 140, 142
Lehnrecht 210
Leib 22f., 36, 55–60, 66–68, 82–84, 88, 93, 102–104, 108–111, 112–118, 120, 128f., 132f., 140, 149–152, 159, 163, 165, 167, 173–177, 180f., 184f., 191, 202, 205, 247, 263, 307, 311, 333f., 346
– Christi 168, 172, 217
– geteilter 152–155, 183f., 263
– unversehrter 149–152, 153f., 176, 247
– unverwester 149–152, 153, 174–176, 181, 279, 328f., 334
Leichnam 127, 151f., 154f., 173–175, 185, 261, 308, 334
Leiden 57, 63, 82, 88, 173, 236, 238, 267, 350f.
– Christi 184
Leninismus-Bolschewismus 328f.
Levitation 10
Licht / Lichterscheinung / Lichtglanz 10, 17, 23, 84, 93, 114, 115–119, 120, 141, 156, 174f., 181, 185, 207, 212f., 247, 279, 286, 304f., 327, 334
Lied 221, 283, 288, 312, 323, 326
Litanei 44
– Allerheiligen- 208
– Lauretanische 245, 288
Literatur (s. Dichtung)
Liturgie /liturgisch 107, 109, 112, 125, 129f., 139, 169, 172, 174, 177, 179f., 203, 207, 210, 213, 221, 249, 297, 314, 320, 327, 331, 336
Liturgiereform 310, 314
Lohn 36, 93, 98, 105, 113
Loreto-Kapellen 245
– Haus von Loreto 294
Lust 46, 90, 151
Luthertum /lutherisch 257–259, 261, 313, 327

magisch 25, 157, 166, 265, 300
Magister-Regel 60, 92, 97
Magnificat 218
Maiandacht 288, 291
Mainzer Kreis 289
Mana 9, 12, 15, 301
Mandorla 119
Märchen 149, 277
Maria
– Mariä Aufnahme in den Himmel 224
– Unbefleckt-Empfangene 267, 287f., 289f., 292
Marienandacht 288
Marienerscheinung 287
Marienfeste 219f.
– Aufnahme in den Himmel 219f., 322
– Fest der Schmerzen Mariens 287
– Gedächtnis der Sieben Schmerzen 220
– Kirchweihe von Maria im Schnee 220
– Mariä Heimsuchung 220, 314
– Maria, Hilfe der Christenheit 287
– Maria vom Loskauf der Gefangenen 220
– Mariä Reinigung (Lichtmeß) 219–221, 314
– Namensfest 220
– Skapulierfest 220, 294f.
– der Unbefleckt (d. h. ohne Erbsünde) Empfangenen 219f.
– Verkündigung 219f.
Marienfrömmigkeit 286, 289–291
Marienkirchen 219, 224, 291
Marienkult 288, 292
Mariensäule 232, 245, 291
Marienverehrung 217–225, 245f., 258, 266, 286, 288, 291
Mariologie 220
Martyrium / martys (s.auch Zeuge / Zeugnis!) 27, 31, 35–38, 39, 63, 65–67, 69, 80, 96, 98, 102, 106, 113, 118–121, 127, 129, 138f., 149, 151–153, 155f., 163, 167, 169f., 172f., 184, 203f., 207, 219, 226, 236, 240,

242, 244, 247, 250f., 258, 277, 309–311, 314, 320–322, 327
Märtyrerakten 138, 147
Märtyrerbericht 185
Märyrerblut 64
Märtyrerfürbitte 43
Märtyrergebeine (s. Reliquien)
Märtyrerverehrung 30, 64, 251, 321
Martyrologium 129f.
– Hieronymianum 129
Marxismus 316
Meditation 57
Medium 277–282
Mendikanten 97, 101, 193
mentalitätsgeschichtlich 143, 181, 344
Mercederier 220
merita (s. Verdienst)
merowingisch 61, 65, 79, 99, 145, 176
Messe 44f., 53, 96, 130, 176, 180, 193, 198, 209, 232, 249, 250f., 274, 290, 321
Mette 74, 275
milites sancti Petri 228
Mirakelbücher 210f., 239, 351
Missalien 239
Mission(sdienst) /Missionar 26, 38, 61, 226, 229, 266, 328, 336
Mittelalter 11–13, 32, 34, 36f., 39f., 46–48, 50f., 53, 58–60, 64–66, 71f., 74–76, 81, 87, 90–92, 95–101, 104, 106, 110, 112f., 115, 119–122, 124f., 129, 131–133, 135, 140, 142f., 147, 150f., 155, 158, 162, 164, 170, 172, 179, 182f., 185, 190–192, 197, 199, 201f., 210, 214f., 220, 222f., 228–230, 233, 236, 243, 247, 249, 253, 257–259, 270, 272, 274, 277, 279, 289, 291, 311, 313, 318, 322f., 328, 332f., 335, 337–341, 345f., 348, 350
– frühes 37, 43, 61, 130, 139, 142, 145, 204, 208, 229, 243, 247, 337, 339
– hohes 38, 50, 65, 79, 100f., 134, 139, 150, 155, 165, 184, 193, 196, 203f., 208–210, 215, 217, 221, 223f.
– spätes 14, 47, 74, 88, 108, 128, 130, 132, 135f., 148, 155, 158, 161, 181f., 184, 193, 195–197, 208–212, 215f., 221, 223–225, 230, 232f., 254, 272, 333, 341f.
Mittlerschaft (s. Vermittler / Vermittlung)
Moderne 262, 318, 335
Modernismus 297
– Modernismus-Krise 296
modernisiert 345
Modernisierungsthese 254
monastisch (s. Mönchtum)
Mönche / Mönchtum 43, 51, 60f., 69, 75, 97f., 99, 139, 142, 170, 188, 193, 202, 207, 223, 251, 259, 274, 294, 298f., 311, 318, 321, 338, 352
– irisch 87
– irofränkisch 61
Mönchsgelübde 210, 353
Mönchsgemeinschaft 100
Mönchsprofeß 98, 203
Monotheismus 17
Mumifizierung 149
Musik 274, 277, 317, 324, 326
Mysterienkult 15
Mystik 45–47, 59f., 67, 74, 88, 100, 116, 132, 155, 188, 225, 259, 270, 275, 285, 293, 298, 303, 320, 333, 349
mystizistisch 282
Mythos / mythisch 123, 125, 286, 295, 300f., 323, 327f., 343, 346, 350
– Ursprungs- 123f., 247, 252, 323

Nachahmung (s. Imitatio)
Nachfolge 31, 36, 40, 42, 56, 58, 352
Nächstendienst 19, 35
Nächstenliebe 25–27, 48, 50f., 312, 335
Namenspatron (s. Patron)
Namenstag 132
Nationalismus 321, 324, 338
Nationalsozialismus 327f.
Naturwissenschaften 13, 265, 278, 305, 317, 334
Nazarenismus 277, 291
Neues Testament (s. auch Personenregister) 13f., 24–32, 35, 38, 42, 45, 50f., 58, 60–63, 69, 74, 80–83, 85, 89, 92f., 108f., 121, 144, 199, 202, 207f., 214, 217f., 225f., 238, 263, 278, 295, 311, 333, 336, 349, 351
Neugotik 291
Neuplatonismus 17
Neuzeit 12–14, 90, 111f., 132, 134, 216,

223, 254, 256, 277, 280, 333, 335 f., 342
Nonnen 67, 96
numen / numina 19 f.
numinos 9, 17, 96

Offenbarungsgläubigkeit 13
Ökumene 309, 313
Opfer 15, 17, 19, 25 f., 36, 43, 63, 65, 85, 121, 211, 234, 248, 267, 297, 302, 311, 321 f., 330, 346
– Brand- 92
– geistiges 25 f., 121
– Selbst- 26 f., 121
– Sühne- 53
– Sünd- 92
Opfer des Altares 104
Opfer Christi 36, 62, 173
Opfer der Märtyrer 36, 173
Opfertod 322 f.
Ordensleute (s. Mönchtum)

pallio cooperire (s. Schutzmantel)
Papst / päpstlich 65, 79, 101, 124, 129, 135, 162, 169, 180–182, 227, 228 f., 243, 250, 271, 284, 287–289, 327, 340
Paradies 63 f., 94, 102 f., 105, 119 f., 122, 201, 271, 278
Passio (s. Märtyrerakten)
Passion 67, 130
– Christi 60, 68, 215, 226
Passionarien 142
Pater noster (s. Vater unser)
Patrimonium sancti Petri 227
Patron 82, 107, 124, 127, 128, 181, 190–193, 194, 196 f., 212, 228, 239, 266, 312
– Landes- 127, 196
– Namens- 132, 243
– National- 321–326
– Reichs- 126, 204
– Schutz- (s. dort)
– Stadt- 127, 128, 202, 239, 244
Patronat 126 f., 131, 190–206, 228
Patrozinium 125, 190 f., 192, 202, 204
– Altar- 170 f., 203–206
– Kirchen- 203–206, 238, 247
Patrozinienkunde 203
Pelagianismus 75
peregrinatio 61, 135
Peterspfennig 228
Petri Stuhlfeier 23
Phänomenologie / phänomenologisch 15, 24, 329
Philosoph 22, 265, 298
Philosophie 58, 317
– antike 57, 69, 85, 94
– griechische 16 f., 25, 350
Pietät 262, 334
Pietismus 259
Pilger (s. Wallfahrt)
pius 20
Platonismus 17, 45, 113
Plotinismus 45, 58
Pneumatiker 39
pollutio (s. Befleckung)
Preußen 273, 290 f., 322
Priester 49, 80, 84, 101, 140, 150, 197 f., 251, 264, 271, 324, 332 f., 338, 352
priesterlicher Dienst 36
Priesterweihe 210
Prinzipat 228
profan 9 f., 306, 312, 324
profanum 20
Propheten / Prophetie 10 f., 18 f., 23, 25, 34, 56, 70, 80, 258, 275, 328
Protestantismus / protestantisch 257–260, 268 f., 274, 286, 313, 317, 326, 339
Prozession 133 f., 174, 179, 186, 188, 208, 232, 239, 248–250, 250 f., 257, 265, 268 f., 271, 276, 283, 290
Psalm / Psalter 43 f., 46 f., 66, 74, 92, 140, 180, 207, 212, 223
– Fluchpsalmen 213
Psychologie 299–303, 343
– Tiefen- 299 f.
– Psychoanalyse 300 f.
Purgatorium (s. Fegefeuer)

Rationalisierung 268
Redemptoristen (von Altötting) 281
Reformation 13 f., 84, 99, 132, 142, 161 f., 208, 233, 236–242, 243, 245, 253, 255, 257 f., 314
Reich Gottes 30, 60, 84, 89, 98
Reichsheilige / Reichspatron (s. Patron)
Reichtum 48, 304

Reinheit / Reinigung / rein 9, 12, 16–18, 20, 24, 42, 45, 62, 70, 92f., 105, 116, 146, 219, 288f., 303, 322, 349, 352
Religion 9f., 11–13, 32, 66, 92, 96, 101, 143f., 173, 184, 189f., 199, 253f., 264, 268, 270f., 275, 276, 291, 293, 295, 297–300, 305f., 316–320, 324, 327–329, 336, 338f., 343f., 347, 351f.
– ägyptische 149
– alttestamentliche 32, 62, 85, 91
– archaische 91
– germanische 113, 323
– griechische 11, 21f., 32, 62, 69, 91, 335, 349
– römische 11, 20, 32, 69, 91, 335
– Volks- (s. dort)
Religionsgeschichte 10 11–14, 18, 21, 23, 29, 42, 64, 81f., 111, 113, 125, 129f., 183, 209, 234, 258, 263, 286, 295–299, 313, 329, 331–333, 337, 345, 347f., 352
Religionskritik 316, 335
Religionssoziologie 316–320
Religionswissenschaft 9, 15, 300
Religiosität 19, 32, 36, 260, 262, 268, 316, 323, 334, 344
– Volks- (s. dort)
– Religiositätsgeschichte 335
Reliquiar 158, 162, 171, 185, 239f., 265, 274, 310
– Kopf- 153, 184
– redendes 183
– Reliquienbüsten 184, 187
– Reliquienkästchen 158
Reliquie(n) (s. auch Personenregister)22, 64, 73, 111, 113, 117f., 121, 125, 127f., 134, 136, 147, 149–162, 167f., 170–172, 175–179, 184–188, 192, 196f., 201–203f., 205, 213f., 217, 234f., 237–241, 244, 247, 250, 262–265, 268f., 274–276, 278–280, 293f., 310f., 315, 327–329, 331, 333, 337f., 347
– Altar- 172
– Arm- 118, 153, 164
– Bart- 154
– Berührungs- 169, 204, 278
– Blut- 201, 205, 214
– Brust- 155
– Cappa des hl. Martin 156, 192
– Elisabethmantel 196
– Finger- 154f.
– Haar- 154, 158, 205, 214, 224
– Hahn (Petri) 216
– Hand- 153
– Hedwigsglas 197
– Heilige Lanze (Longinus-Lanze) 159, 215
– Jesus- 160f., 165, 214–217, 238, 282–284
– Kopf- 38, 152f., 157, 160 (Johannes), 165 (u.a. Johannes), 183–185, 206
– Körper- 153f., 156, 183, 224, 247, 278
– Kreuz- 160f., 205f., 215, 217, 235, 310
– Marien- 224
– Milch 224
– Nägel- 154f., 214, 224
– Passions- 160f., 215
– Primär- 156
– Sekundär- 156, 216 (Jesu)
– Tränen 214
– Tuch- 205f., 224
– vexillum sancti Petri 228
– Zahn- 154f., 212, 214, 224
– Zunge 216
Reliquienbeschwörung 53
Reliquiendeponierung 169, 174, 247, 250
Reliquienkult 23, 112, 149, 156, 158, 163, 233, 254, 258, 262, 270, 338–340, 344, 347
Reliquienleib 153
Reliquiensammlung 159–161, 176, 272, 336, 338
Reliquienschrank 187
Reliquienschrein 147, 153, 157, 160, 164, 176f., 179, 181, 184f., 187, 196, 202, 208, 239, 249, 250, 310, 328, 338
Reliquientracht 179
Reliquientranslation 22, 126, 153, 163, 167f., 180, 244, 247, 250f., 263, 276, 337f.
Reliquienverehrung 109, 111, 125, 158, 165f., 174, 187, 230, 234f., 242–244, 264f., 268f., 275f., 282–284, 307, 310, 333f., 335, 337, 346
Revolution 271–273, 275–278, 285, 287
– französische 128, 253, 271f., 321f.
rex et sacerdos 101

Riten-Kongregation 250
Ritual / rituell 11, 19, 24f., 169, 212, 306, 320, 324, 327
– Initiations- 298
Ritualmorde 65
Ritus 12, 20, 85, 92, 183, 210, 297
Romantik 274–292, 293, 301, 340, 342
Rosenkranz 120, 197, 223f., 245, 276, 288, 290

sacer 20f.
Sachsenspiegel 210
sacrum 20
Sage 277, 320
sakral 9, 21, 304, 306, 320, 324, 345f.
sakramental 298
Sakramentar 130
Sakramente 157, 188, 230
– Sakramentenempfang 290
Säkularisation 272
Säkularisierung 181, 265, 306
Säkularismus 293–306
Salbung 95, 186
Salve Regina 47
sancire 20
Sanctorale 130
sanctum / sanctus 20f., 25
Sarg 134, 173, 175–178, 185, 275, 280
Sarkophag 153, 171
Satan (s. Teufel)
Schamane 297, 301
Schamanismus 298
Schauungen, göttliche 83
Schlüssel Petri 225–227, 229
Schmerzensmann 215f.
Scholastik (s. Theologie)
Schuld 11, 305f., 316
Schule 14, 245 (jesuitische)
Schutzmantel 192
– Mariens 192f.
Schutzmantelmadonna 193
Schutzpatron / -patrozinium (s. auch Patron, Patrozinium) 106, 125, 127, 190–192, 233
Schwärmer(ei) 237
Schweißtuch der Veronika 188, 215, 235
Schwureinungen 197, 202
Seele 36, 56, 70, 86, 88, 94f., 102–106, 110, 113–117, 132f., 140, 146, 151, 155f., 168, 172f., 175, 186, 191f., 235, 259, 286, 298, 307f., 311, 333f., 346
– Doppel- 113
– Frei- 113
– Vital- 113
Seelenheil (s. auch Heil) 194, 269, 318
Segen 10, 13, 17, 21, 73, 82f., 115, 125, 132, 159, 199, 207. 249, 278
Segnung 12, 281
selbstabtötung 55f., 58, 60, 66, 98
Selbsthingabe (s. Opfer)
selig 24–28
Selige 182, 243
Seligsprechung 243, 309, 311
Semipelagianismus 75
Sepulchrum 169
Sexualität 22, 58, 89f., 91f. , 96, 151, 281, 298
Siegeskranz 120
Siegespalme 186
Sittlichkeit: s. Ethik
Skotisten 220
Sodalitäten 244, 290
sozial/ soziale Pflichten / soziales Verhalten / Sozialtätigkeit / Sozialdienst 12, 24–27, 48–51, 68, 319, 335
Sozialdisziplinierung 253–256
Spiegel 116
Spiritismus 282
Spiritualisierung 16, 22, 43, 259
Spiritualität 74, 288
spirituell 61, 67, 260, 304
Sprache
– deutsche 20
– germanische 20f.
– griechische 15f.
– hebräische 17
– lateinische (römische) 19f.
Sprachwissenschaft 15
Stadtheiliger (s. Patron)
Statue 179, 183–189, 206, 213, 244, 257, 268, 271, 291, 311
Staurothek 160
Stellvertretung 34, 43, 81f.
Sterben 66, 83f., 102, 117, 122, 125, 129, 138, 144f., 191, 208, 229, 236, 294, 296, 304, 320
Stifter 194, 247
Stiftung 175, 205, 209, 230, 237, 291

Stigmata / Stigmatisierung 26, 84, 278f.
Strafe 23, 81, 88, 104f., 112, 135, 153, 187, 191, 200f., 213, 225, 241, 316
Stundengebet 43, 130
Subjektivierung 79
Subjektivität 268
Sühne 11, 23, 25, 29, 34, 62–66, 81, 92, 135f., 157, 195, 278, 281
– Jesu 191, 236
Sünde / Sünder 11, 29, 36, 42, 49f., 53, 55f., 62–66, 70, 80f., 85, 87f., 99, 107, 121, 165, 191, 233, 236f., 290, 292, 316, 350f.
Sündenvergebung 62f., 98, 135, 147, 190, 200
Suppressions-Instrument 272
Surrealisten 301
Syllabus 287
Synagoge 232
Synode(n) 101, 174, 180
– von Auxerre (zw. 561 und 605) 211
– von Elvira (um 306)) 186
– von Orange, zweite (528) 75
– von Whitby (664) 229

Tabu 9, 15, 19
Taufe 34, 42, 62–65, 97–99, 101, 132, 191f., 229, 233, 236f., 243, 250
Täuferbewegung 233, 239f.
Taufpate 186
Tempel 15
Tertiaren (s. Drittorden)
Teufel 12, 45, 51, 55f., 58, 70f., 73, 78, 80, 85–88, 100, 118, 135, 141–143, 146, 187, 192, 199, 237, 240, 245f., 248, 271, 351
Thaumaturg (s. Wundertäter)
theíos 15f.
theíos anér (s. Gottesmensch)
Theologie / theologisch 48, 71, 77, 79, 82, 99, 110f., 114, 121, 142, 147, 154, 171, 188, 191, 203, 209, 220, 222, 230, 233, 263, 266–270, 281, 289, 294f., 296, 307, 311f., 314, 317, 321, 330f., 334f., 340
– theologia crucis 260
– dialektische 10
– Kontrovers- 243
– neutestamentliche 217
– patristische 29, 98, 104f.
– reformatorische 238f., 258
– scholastische 50, 79, 83, 104f., 107, 119, 157, 183
thesaurus ecclesiae 107
Thomisten 220
Thron 186f., 274 (himmlischer)
Tod 16, 21–23, 36, 57, 83, 93, 95f., 102–104, 108–110, 112, 117, 121, 138, 141, 145, 200, 211, 234, 243, 262, 303, 307f., 312f., 348
– Jesu 223, 226, 296
Topos / Topik 138, 141, 144f., 146, 148, 159
Totalitarismus / totalitär 327–330
Tote 112
– Gegenwart der Toten im Grab 111f.
Totenerweckung 23, 71, 76, 80, 135, 141, 187, 266
Totengedächtnis 23, 112, 304f.
Totenkult 327, 329, 347
– römischer 23
Totenmahl 23, 112, 130
Tradierung (zu Zensualen) 195
Translation (s. Reliquien-)
tremendum 17
Tridentinum (s. Konzil)
tridentinisch 248
tridentinische Reform 249
Tugend 35, 63, 76–80, 94, 99, 101, 116, 121, 139, 141, 146f., 185f., 198, 234, 260, 266, 291, 313, 347, 352
– Einübung von 78f., 120, 270, 309
– Kardinal- 79
Tumba 176f.
Tun-Ergehen-Zusammenhang 143
Typik 141, 143–148, 152, 318

Ultramontanismus 274–292
Unbefleckt-Empfangene / Unbefleckte Empfängnis (s. Dogma und Maria)
Unreinheit / unrein 10f., 24, 45, 91f., 95, 266
unverwest (s. auch Leib) 23, 93, 122, 328f., 334
Unverweslichkeit 10, 108, 151, 261, 348
Unvollkommenheit 62
Unzucht 24, 58

Urchristentum 296
Urgemeinde 40, 124, 214, 226, 295

Vater unser 41, 43, 47, 198, 221, 223
Venien 47, 72, 95, 157, 172, 180, 208, 210
Vera Icon (s. Schweißtuch der Veronika)
Verdammnis 82, 201
Verdienst 36, 55, 70, 74–80, 81 f., 87, 91, 106–108, 113 f., 125, 138, 142 f., 180, 182, 184, 191 f., 235 f., 266, 350, 353
Vereinigung mit Gott 45, 58, 349
Verinnerlichung 230, 288
Vermittler / Vermittlung (von Heil / Gnade; zwischen Gott und Mensch) 13, 23, 25, 29, 53, 80–84, 107, 115, 130, 186, 190, 236, 238, 246 f., 333
Verwesung (s. auch Leib) 108 f., 122, 155, 183, 329, 334
Verweslichkeit 149, 151
Vesperbild (s. Bild)
victima 21
vir dei 69–74, 76
virtus 70 f., 75 f., 78–80, 95, 115, 118, 132–134, 143, 154, 165, 167, 186, 188, 190 f., 201, 242, 334
Vision / visionär / Visionär(in) 42, 66, 88, 117, 125, 136, 141, 143, 152, 174, 176, 181, 189–191, 193, 278, 280, 282
Vita 12, 59, 72, 76, 79, 93, 110, 130, 138–143, 144–147, 150, 180, 258, 296, 299 f., 304, 342, 344, 351 f.
– des hl. Adalbert 64
– des Aelred von Rievaulx
– des hl. Amandus 185
– Annos von Köln 118
– des hl. Ansbert 75
– des hl. Ansgar 43, 66
– des hl. Antonius 70, 78, 86
– des hl. Bernhard von Clairvaux 72 f., 77, 87
– des Brun von Köln 159
– des hl. Columban 44
– des Eligius 113
– des hl. Franziskus 84
– des Germanus von Auxerre 82
– der hl. Hedwig 91
– des Hugo von Lincoln 157
– des Johannes von Gorze 145
– der Juraväter 82
– Lupi 337
– des Martin Luther 258
– des hl. Norbert von Xanten 44, 87, 110
– des Remigius 191
– des Severin von Noricum 144
– des Sturmi 145
– des Thomas von Aquin 153
– des Wynnebald von Heidenheim 150
– Frauen- 94
– Väter- 58
Vitenschreiber 75
Volksfrömmigkeit 253–256, 331
Volksglaube 331–335
Volkskultur 253–255
Volksreligion 254, 256, 291
Volksreligiosität 253 f., 268 f., 331
Vollendung / vollendet 13, 34 f., 84, 103 f., 175, 299
vollkommen 24–28, 34, 61, 70, 78, 105, 141, 148
Vorbild 36, 81, 146 f., 190, 234, 258–260, 320 f., 344, 352
Vormärz 283, 285
Votivgaben (s. ex-voto-Gaben)

Wachszinser 194 f.
Waldenser 40
Wallfahrt / -fahrer 37, 132–137, 141, 161, 164, 193, 196, 204, 208–211, 215, 224, 229, 230–232, 234 f., 237 f., 244 f., 248–250, 251, 254–257, 266, 269, 275 f., 286, 287 (Kevelaer, Lourdes, Fatima), 289(Lourdes), 290, 323 f., 334, 341 f.
– Grab- 23, 136
– Straf- 136
– Sühne- 135
– Trierer Heilig-Rock- (1844) 282 f.
Weihgaben 15
Weihrauch 217, 329
Weihwasser 88
weinen 189, 208
Welt 61, 63, 89, 98
Weltflucht 61, 70, 318
Weltverachtung / -absage 56–60, 98, 129, 260, 351
Wiclifiten 147
Wiedergeburt 63
Wiedertäufer (s. Täuferbewegung)

wih 21
wih atum 21
Wissenschaft / wissenschaftlich 262 f., 265, 278, 293, 302 f., 305, 319, 331, 333, 335, 343
Wittelsbacher 245, 249
Wohlgeruch (s. Duft)
Wunder 12, 22 f., 28–30, 34 f., 42, 44, 49, 69–72, 74–80, 96, 101, 111, 113 f., 118 f., 128, 131, 134 f., 136, 138–143, 145, 147, 151, 162, 165, 172, 180–182, 188 f., 191, 193, 196, 211 f., 219, 222, 232, 237, 243, 246, 255, 261, 263, 274 f., 282, 285, 296, 333 f., 335, 338 f., 342, 344 f., 348, 352
– Blut- 215
– Heil- 10, 69, 76, 133, 143, 156, 165, 190, 196, 283, 351
– Sonnen- 287
– Straf- 10, 76, 193, 200
– Typik der 141
Wundergeschichten / – berichte 79, 135, 141, 188, 200, 208, 210, 222
Wunderprotokolle 141
Wundersammlungen 22, 141
Wundertäter 22, 43, 322, 333, 347 f.
Wundmale (s. Stigmata)

Zensualen 195
Zeuge, Zeugnis (s. auch Bekenner und Martyrium) 26 f.,39, 55–62, 107, 138, 207, 236, 258, 311–313, 323
– Zeugnis ohne Blut 55, 138
Zeugung 16
Zisterzienser 318
Zölibat (s. Ehelosigkeit)
Zorn (Gottes) 17 f., 80 f., 199 f., 204, 264 f., 350 f.
Zwei-Naturen-Lehre 29

Kulturgeschichte des Christentums

Hans Belting
Bild und Kult
Eine Geschichte des Bildes vor dem Zeitalter der Kunst
Unveränderter Nachdruck der 2. Auflage. 1991. 700 Seiten mit 308 Abbildungen, davon 12 in Farbe. Broschiert
Auch in Leinen lieferbar

Karl-Heinrich Bieritz
Das Kirchenjahr
Feste, Gedenk- und Feiertage in Geschichte und Gegenwart
3. Auflage. 1991. 271 Seiten. Paperback
Beck'sche Reihe Band 447

Heinrich Krauss
Geflügelte Bibelworte
Das Lexikon biblischer Redensarten
1993. 276 Seiten. Leinen

Heinrich Krauss/Eva Uthemann
Was Bilder erzählen
Die klassischen Geschichten aus Antike und Christentum in der abendländischen Malerei
3. Auflage. 1993. IX, 546 Seiten mit 88 Abbildungen. Leinen

Margarethe Schmidt/Heinrich Schmidt
Die vergessene Bildersprache christlicher Kunst
Ein Führer zum Verständnis der Tier-, Engel- und Mariensymbolik
4., durchgesehene Auflage. 1989. 337 Seiten mit 89 Abbildungen. Leinen
Beck'sche Sonderausgaben

Georg Schwaiger (Hrsg.)
Mönchtum, Orden, Klöster
Von den Anfängen bis zur Gegenwart. Ein Lexikon
1993. 483 Seiten. Leinen

Verlag C. H. Beck, München